Fantoom

Terry Goodkind

Fantoom

De Tiende Wet van de Magie

Luitingh Fantasy

Phantom © 2006 by Terry Goodkind
Published in agreement with the author,
c/o Baror International, Inc., Armonk, New York, U.S.A.
All rights reserved
© 2006 Nederlandse vertaling
Uitgeverij Luitingh ~ Sijthoff B.V., Amsterdam
Alle rechten voorbehouden
Oorspronkelijke titel: *Phantom*
Vertaling: Emmy van Beest, Lia Belt en Marion Drolsbach
Omslagontwerp: Karel van Laar
Omslagillustratie: Dominic Harman

ISBN 90 245 5478 0 / 9789024554782
NUR 334

www.boekenwereld.com

Voor Phil en Debra Pizzolato,
en hun kinderen Joey, Nicolette, Philip en Adriana,
die me door hun liefde en vrolijkheid
telkens weer doen beseffen hoe waardevol het leven is.

De volgende personen hebben een onmisbare bijdrage geleverd aan de totstandkoming van *Fantoom*:

Brian Anderson
Jeff Bolton
R. Dean Bryan
Dr. Joanne Leovy
Mark Masters
Desirée en dr. Roland Miyada
Keith Parkinson
Phil en Debra Pizzolato
Tom en Karen Whelan
Ron Wilson

Ieder van hen heeft steeds voor me klaargestaan wanneer ik daar het meest behoefte aan had.
Ieder van hen beschikt over een unieke gave, en speelde een belangrijke rol bij de totstandkoming van dit boek.
Ieder van hen brengt vreugde in mijn leven, gewoon door zichzelf te zijn.

In dierbare nagedachtenis van Keith Parkinson.

Zij die hier zijn gekomen om te haten,
moeten nu vertrekken, want in hun haat
verraden ze slechts zichzelf.
— vertaald uit Het boek des levens

I

Roerloos keek Kahlan vanuit de schaduw toe, terwijl het kwaad zachtjes op de deur klopte. In elkaar gedoken onder een richel hoopte ze dat niemand zou opendoen. Ook al hunkerde ze ernaar die nacht binnen voor de regen te schuilen, ze wilde beslist niet dat onschuldige mensen in moeilijkheden raakten. Zelf had ze het echter niet voor het zeggen.

Door de smalle ramen aan weerszijden van de deur flakkerde het schijnsel van een lantaarn, waarin de zwakke gloed van een natte vloer in het portiek werd weerkaatst. Het uithangbord, dat aan twee ijzeren ringen hing, knarste en piepte telkens wanneer het door een natte windvlaag heen en weer werd geblazen. Op het donkere, natte bord kon Kahlan nog net de spookachtige witte gestalte van een paard onderscheiden. De naam kon ze in het zwakke schijnsel van de ramen niet lezen, maar omdat de drie andere vrouwen al dagen over weinig anders hadden gesproken, wist ze dat er Herberg Het Witte Paard stond.

Uit de geur van mest en nat hooi begreep ze dat een van de donkere gebouwen in de buurt een stal moest zijn. Tijdens de sporadische bliksemschichten ving ze glimpen op van donkere vormen met dreigende schouders, die als spoken in de regenvlagen opdoemden. Ondanks het gestage gebulder van de wolkbreuk leek het dorp rustig te slapen. Kahlan kon zich geen betere plek voorstellen om zo'n akelige nacht door te brengen dan lekker warm onder de dekens in bed.

In de stal hinnikte een paard toen Zuster Ulicia opnieuw aanklopte, nu harder en dringender, zodat het boven het geraas van de regen te horen was, maar niet zo hard dat het onvriendelijk klonk. Zuster Ulicia, een impulsieve vrouw, leek zich met opzet in te houden. Waarom wist Kahlan niet, maar vermoedelijk had het te maken met wat ze hier kwamen doen.

Of misschien had ze domweg een grillige bui. De broeierige humeurigheid van het mens was net zo gevaarlijk en onvoorspelbaar als de bliksem. Kahlan wist nooit precies wanneer Zuster Ulicia zou uithalen, en dat ze dat nog niet had gedaan, betekende niet dat ze het niet alsnog zou doen. De twee andere Zusters waren nauwelijks beter gestemd of minder geneigd uit hun slof te schieten. Hopelijk kon het drietal weldra rustig en tevreden de hereniging vieren.

Een bliksemschicht flitste zo dichtbij dat er in het verblindende licht heel even een straat met opeengepakte gebouwen langs een modderige weg zichtbaar werd. De donder rolde door het berglandschap en deed de grond onder hun voeten schudden.

Was er maar iets wat licht kon werpen op de verborgen herinneringen aan haar verleden en op het troebele raadsel wie ze was, dacht Kahlan, zoals de bliksem dingen onthulde die in het duister van de nacht waren verborgen. Ze koesterde de vurige wens om van de Zusters bevrijd te zijn, en hunkerde ernaar haar eigen leven te leiden. Ze wilde weten hoe haar leven in werkelijkheid was; zo goed kende ze zichzelf wel. Het lag voor de hand dat er iets moest zijn – mensen en gebeurtenissen – wat haar had gemaakt tot de vrouw die ze was, maar hoe hard ze ook haar best deed, ze kon zich niets herinneren. Op die rampzalige dag dat ze de kistjes voor de Zusters had gestolen, had ze zich voorgenomen ooit te ontdekken wie ze was, zodat ze vrij zou zijn.

Toen Zuster Ulicia voor de derde keer klopte, klonk er een gedempte stem.

'Ik heb het gehoord!' Het was een mannenstem. Blote voeten bonsden langs een houten trap naar beneden. 'Ik kom eraan! Een ogenblikje!' Zijn ergernis omdat hij midden in de nacht was gewekt, werd getemperd door geforceerde beleefdheid tegen potentiële klanten.

Zuster Ulicia keek Kahlan nors aan. 'Je weet dat we hier voor zaken zijn.' Dreigend zwaaide ze met haar opgeheven vinger voor Kahlans gezicht. 'Haal het niet in je hoofd om lastig te worden, anders krijg je er net zo van langs als de vorige keer.'

Kahlan slikte bij de herinnering. 'Ja, Zuster Ulicia.'

'Tovi mag hopen dat er een kamer voor ons is geregeld,' klaag-de Zuster Cecilia. 'Ik ben niet in de stemming om te horen dat alles vol is.'

'Er zijn heus nog wel kamers vrij,' verzekerde Zuster Armina haar op sussende toon om Zuster Cecilia's eeuwige pessimisme een halt toe te roepen.

Zuster Armina was niet oud, zoals Zuster Cecilia, maar bijna even jong en knap als Zuster Ulicia. Vanwege hun karakter was hun uiterlijk voor Kahlan echter niet van belang. Voor haar waren het adders.

'Goedschiks of kwaadschiks,' voegde Zuster Ulicia er fluisterend aan toe met een dreigende blik op de deur, 'een kamer krijgen we.'

In de groenige, kolkende wolkenmassa vonkte een bliksem-schicht, die door een oorverdovende donderslag werd gevolgd.

Opeens ging de deur open en het beschaduwde gezicht van een man loerde naar hen. Terwijl hij met de knoopjes van zijn broek onder zijn nachthemd worstelde, verdraaide hij telkens zijn hoofd een beetje, zodat hij de vreemdelingen goed kon opnemen.

Kennelijk zagen ze er ongevaarlijk uit, want hij trok de deur open en nodigde hen met een weids gebaar naar binnen.

'Kom maar binnen,' zei hij. 'Allemaal.'

'Wie is het?' riep een vrouw. Ze kwam de trap af met in haar ene hand een lantaarn, terwijl ze met haar andere hand haar nacht-japon optilde om er in haar haast niet over te struikelen.

'Vier vrouwen die op een regenachtige nacht op pad zijn,' ver-klaarde de man. Zijn korzelige toon gaf te kennen wat hij van zulke praktijken vond.

Kahlan verstarde. Hij had het over 'vier vrouwen'. Hij had hen alle vier gezien en het lang genoeg onthouden om het te kunnen zeggen. Voor zover ze wist, was dat nog nooit eerder voorgeko-men. Behalve haar bazinnen, de vier Zusters – de drie bij haar en de vierde die ze hier zouden ontmoeten – onthield nooit iemand dat ze haar hadden gezien.

Zuster Cecilia duwde Kahlan ruw voor zich uit zonder de bete-kenis van zijn opmerking te beseffen.

'Ach, lieve help,' zei de vrouw, terwijl ze tussen twee tafels drib-belde. Ze sputterde over het hondenweer toen de wind een regenvlaag tegen de ramen zweepte. 'Laat ze toch snel binnen in dat vreselijke weer, Orlan.' Dikke regendruppels joegen hen naar binnen en vormden een plasje op de vurenhouten vloer. Met een misprijzende trek om zijn mond duwde de man de deur tegen een nieuwe regenvlaag dicht en liet snel de zware ijzeren staaf in de steunen zakken om de deur te vergrendelen.

De vrouw, met haar haren losjes in een knot gebonden, tilde haar lantaarn op om de late gasten te bekijken. Verbaasd kneep ze haar ogen tot spleetjes en nam de doorweekte gasten van top tot teen op. Ze opende haar mond, maar scheen te vergeten wat ze wilde zeggen.

Kahlan had die wezenloze blik al duizenden keren gezien en wist dat de vrouw zich alleen drie bezoekers kon herinneren. Niemand kon zich Kahlan ooit lang genoeg herinneren om te kunnen zeggen dat ze haar hadden gezien. Ze was zo goed als onzichtbaar. Door de duisternis en de regen had de man zich misschien vergist, dacht Kahlan, toen hij tegen zijn vrouw zei dat er vier bezoekers waren.

'Kom binnen en droog je af,' zei de vrouw. Met een hartelijke glimlach haakte ze een hand onder Zuster Ulicia's arm en trok haar mee de kleine gelagkamer in. 'Welkom in Het Witte Paard.' De twee andere Zusters keken ongegeneerd om zich heen, trokken hun mantels uit, schudden ze even uit en wierpen ze over een bank. Naast de trap ontdekte Kahlan achterin een donkere deuropening. Een schouw, gemaakt van gestapelde platte stenen, nam het grootste gedeelte van de rechtermuur in beslag. De lucht in het schemerige vertrek was warm en doordrongen van het verrukkelijke aroma van een stoofschotel in een ijzeren pot die aan een haak aan de zijkant van de schouw hing. Onder een dikke laag as gloeiden hete kolen.

'Jullie zien eruit als drie verzopen katten. Wat zullen jullie je ellendig voelen.' De vrouw wendde zich tot de man en gebaarde. 'Orlan, stook het vuur op.' Kahlan zag een meisje van een jaar of elf de trap afsluipen totdat ze vanonder het lage plafond de kamer in kon kijken. Op de voorkant van haar lange witte nachtpon met kanten mouwen was met grof bruin garen een pony geborduurd. Zijn manen en staart waren er met losse steken donker garen op gezet. Het meisje zat met haar nachtpon als een tent over haar knokige knieën getrokken op de treden toe te kijken.

Toen ze grijnsde, ontblootte ze tanden die nog een maatje te groot voor haar waren. Het was blijkbaar spannend wanneer er midden in de nacht vreemdelingen in Het Witte Paard arriveerden. Kahlan hoopte vurig dat het niet nog spannender zou worden.

Orlan knielde bij de haard en stapelde een paar takken hout op. Hij was een beer van een vent, en in zijn worstvingers leken ze eerder op aanmaakhoutjes.

'Wat bezielt jullie om in die regen 's nachts te reizen, dames?' vroeg hij met een blik over zijn schouder.

'We willen een vriendin inhalen,' antwoordde Zuster Ulicia. Ze schonk hem een nietszeggende glimlach en sprak op zakelijke toon. 'Ze zou ons hier ontmoeten. Ze heet Tovi en ze verwacht ons.'

De man steunde met een hand op zijn knie om zichzelf overeind te helpen. 'De gasten die we krijgen, zijn vrij discreet, vooral in zulke zorgelijke tijden. De meesten geven hun naam niet eens.' Hij trok een wenkbrauw op en keek naar Zuster Ulicia. 'Net als jullie, dames. Dat jullie je naam niet noemen, bedoel ik.'

'Orlan, het zijn gasten,' zei de vrouw vermanend. 'Kletsnatte, en ongetwijfeld vermoeide en hongerige gasten.' Ze lachte even. 'Ze noemen me Emmy. Mijn man Orlan en ik hebben Het Witte Paard overgenomen sinds zijn ouders jaren geleden zijn overleden.' Emmy pakte drie houten nappen van een plank.

'Jullie zullen vast uitgehongerd zijn, dames. Ik heb wat stoofpot voor jullie. Orlan, pak jij de mokken en schenk deze dames eens wat hete thee in.'

In het voorbijgaan tilde Orlan zijn vlezige hand op en wees naar de nappen die zijn vrouw onder haar arm geklemd hield. 'Je komt er een te kort.'

Fronsend keek ze hem aan. 'Nee, hoor. Ik heb drie nappen.'

Orlan pakte vier mokken van de bovenste plank uit de kast. 'Precies. Zoals ik al zei, kom je er een te kort.'

Kahlan kon amper adem halen. Er was iets helemaal mis. Zuster Cecilia en Armina stonden de man met grote ogen aan te staren. De betekenis van het gebabbel van het echtpaar was hen nu niet ontgaan.

Kahlan keek op naar het trappenhuis en zag dat het meisje zich naar voren boog, de leuning vastgreep, en naar beneden gluurde om erachter te komen waar haar ouders over spraken.

17

Zuster Armina greep Zuster Ulicia bij haar mouw. 'Ulicia,' siste ze op dringende toon, 'hij ziet...'

Zuster Ulicia maande haar tot zwijgen. Met een dreigende frons op haar voorhoofd richtte ze haar aandacht weer op de man.

'U vergist zich,' zei ze. 'We zijn met ons drieën.'

Ondertussen porde ze Kahlan met de eikenhouten stok die ze bij zich droeg, zodat ze verder naar achteren en in de schaduw werd geduwd, alsof alleen de schaduw Kahlan onzichtbaar zou maken. Kahlan wilde niet in de schaduw staan. Ze wilde in het licht staan en gezien worden, écht gezien. Dat had altijd een onmogelijke droom geleken, maar opeens was het werkelijkheid geworden. Die werkelijkheid had de drie Zusters geschokt.

Orlan fronste zijn voorhoofd naar Zuster Ulicia. Terwijl hij alle vier mokken in zijn ene vlezige hand vasthield, wees hij met zijn andere naar de bezoekers in zijn gelagkamer. 'Een, twee, drie,' – hij leunde opzij om langs Zuster Ulicia te kijken en naar Kahlan te wijzen – 'vier. Willen jullie allemaal thee?'

Verbluft knipperde Kahlan met haar ogen. Haar hart bonsde in haar keel. Hij zag haar... en herinnerde zich wat hij zag.

2

'at bestaat niet,' fluisterde Zuster Cecilia terwijl ze haar
handen wrong. Ze boog zich naar Zuster Ulicia, en
keek nerveus om zich heen. 'Dat is onmogelijk.' Haar
eeuwige nietszeggende glimlach was plotseling weggevaagd.
'Er is iets misgegaan...' Zuster Armina's stem stierf weg, en haar
blauwe ogen waren op Zuster Ulicia gericht.
'Alleen maar een anomalie,' snauwde Zuster Ulicia zachtjes.
Woest keek ze naar de andere twee, die bepaald niet kruiperig
waren aangelegd, maar er toch voor terugschrokken met hun op-
vliegende leidsvrouw te redetwisten.
Met drie grote stappen was Zuster Ulicia bij Orlan. Met haar
vuist greep ze de kraag van zijn nachthemd vast, terwijl ze met
de stok in haar andere hand naar Kahlan wees, die in de schaduw bij de deur stond.
'Hoe ziet ze eruit?'
'Als een verzopen kat,' antwoordde Orlan misnoegd. Het beviel
hem duidelijk niet dat ze hem in zijn kraag greep.
Uit ervaring wist Kahlan dat hij die toon beter niet kon aanslaan,
maar in plaats van in woede te ontsteken, leek de Zuster al even
verbluft te zijn als Kahlan.
'Dat weet ik ook wel, maar hoe ziet ze eruit? Zeg me wat je ziet.'
Orlan rechtte zijn rug en trok zijn kraag los uit haar greep. Met
een ingespannen gezicht nam hij de vreemdeling op, die alleen de
Zusters en hij in het zwakke lantaarnschijnsel zagen staan.
'Dikke bos haar. Groene ogen. Aantrekkelijke vrouw. Als ze is
opgedroogd, ziet ze er vast nog beter uit, hoewel die natte kleren

haar erg goed staan.' Zijn grijns beviel Kahlan allerminst, al was ze dolblij dat hij haar echt zag. 'Wat een figuurtje,' voegde hij eraan toe, meer tegen zichzelf dan tegen de Zuster.

Kahlan voelde zich naakt onder zijn taxerende blik. Terwijl hij haar bedachtzaam opnam, veegde hij met zijn duim over zijn mond. Het maakte een schurend geluid over zijn stoppelbaard. In de haard begon opeens een stuk hout fel te branden, waardoor hij haar nog beter kon zien. Zijn blik dwaalde omhoog en bleef op iets rusten.

'Haar haar is zo lang als...' Orlans wellustige grijns vervloog. Verrast knipperde hij met zijn ogen en zijn mond viel wagenwijd open.

'Goede geesten,' fluisterde hij lijkbleek. Hij liet zich op een knie vallen. 'Vergeef me,' zei hij tegen Kahlan. 'Ik zag niet...'

De kamer weerklonk van de klap die Zuster Ulicia hem met haar stok op zijn hoofd gaf, waardoor hij door zijn knieën zakte. 'Stilte!'

'Wat mankeert jou?' riep zijn vrouw uit, terwijl ze naar haar man toe rende. Ze hurkte naast hem neer en sloeg haar arm om zijn schouders om hem te ondersteunen. Kreunend legde hij zijn hand op de bloedige wond op zijn kruin. Zijn rossige haar werd nat en donker onder zijn vingers.

'Zijn jullie allemaal gek geworden?' Ze wiegde het hoofd van haar man tegen haar borst, waardoor er een rode vlek op haar nachtjapon verscheen. Hij was met stomheid geslagen.

'Tenzij jullie in het gezelschap van een geest reizen, zijn jullie met zijn drieën! Hoe durven jullie...'

'Stilte.' Zuster Ulicia's snauw bezorgde Kahlan de rillingen en bracht de vrouw haastig tot zwijgen.

De regen kletterde tegen het raam, en in de verte rolde de donder traag over de beboste heuvels. Buiten zwaaide het uithangbord knarsend heen en weer in de wind, maar binnen was het doodstil geworden. Zuster Ulicia keek naar het meisje dat inmiddels onder aan de trap stond, waar ze de houten trapspijl vastgreep.

Zuster Ulicia fixeerde het meisje met de dreigende blik die alleen een tovenares in een gramstorige bui kon opbrengen. 'Hoeveel gasten zie je?'

Met grote ogen staarde het meisje haar aan, te bang om een woord uit te brengen.

'Nou, hoeveel?' vroeg Zuster Ulicia opnieuw, maar deze keer op zo'n dreigende toon dat de vingers van het meisje wit afstaken tegen de houten spijl die ze uit alle macht vastklemde.

Ten slotte antwoordde het kind op deemoedige toon: 'Drie.'

Met nauw verholen woede boog Zuster Armina zich iets voorover. 'Ulicia, wat is er aan de hand? Dit zou volstrekt onmogelijk moeten zijn. We hebben de verificatiewebben uitgeworpen.'

'De uitwendige,' verbeterde Zuster Cecilia haar.

Zuster Armina knipperde met haar ogen naar de oudere vrouw. 'Wat?'

'We hebben alleen uitwendige verificatiewebben uitgeworpen. We hebben geen inwendige inspectie verricht.'

'Heb je je verstand verloren?' snibde Zuster Armina. 'In de eerste plaats is dat niet nodig en in de tweede plaats is niemand zo stom om vanuit een inwendig perspectief een aspectanalyse van een verificatieweb te verrichten! Dat doet niemand! Dat is helemaal niet nodig!'

'Ik zeg alleen maar...'

Met een vernietigende blik legde Zuster Ulicia hen allebei het zwijgen op. Aanvankelijk leek Zuster Cecilia haar gesputter nog te willen afmaken, maar ten slotte hield ze wijselijk haar mond. Orlan had zich hersteld en trok zich los uit de armen van zijn vrouw. Toen hij wankelend overeind kwam, droop het bloed langs zijn voorhoofd en aan weerszijden van zijn neus.

'Als ik jou was, herbergier,' zei Zuster Ulicia terwijl ze haar aandacht op hem richtte, 'zou ik maar op mijn knieën blijven zitten.'

De dreiging in haar stem hield hem slechts heel even tegen. Zichtbaar kwaad ging hij rechtop staan, terwijl hij zijn bebloede hand liet zakken. Hij rechtte zijn rug, stak zijn borst vooruit en balde zijn vuisten. Kahlan kon duidelijk merken dat zijn voorzichtigheid het tegen zijn woede moest afleggen.

Met haar stok gebaarde Zuster Ulicia dat Kahlan achteruit moest gaan. Kahlan negeerde het bevel en deed in plaats daarvan een stap dichterbij in de hoop dat ze de loop van de gebeurtenissen kon veranderen voordat het te laat was.

'Toe, alstublieft, Zuster Ulicia, hij zal uw vragen beantwoorden. Dat weet ik zeker. Laat hem alstublieft met rust.'

De drie Zusters gaven Kahlan een onaangenaam verraste blik. Niemand had zich tot haar gericht of haar gevraagd iets te zeggen. Ze wist dat die onbeschoftheid haar duur zou komen te staan, maar ze begreep ook wat er met de man zou gebeuren als niemand iets deed. En op dat ogenblik was zij de enige die iets kon uitrichten.

Bovendien besefte Kahlan dat dit haar enige kans was om iets over zichzelf te ontdekken. Misschien kon ze erachter komen wie ze was, en misschien zelfs waarom ze zich alleen de meest recente gebeurtenissen kon herinneren. De man had haar duidelijk herkend, en hij zou wel eens de sleutel kunnen zijn waarmee ze haar verloren verleden kon ontsluiten. Die kans wilde ze niet voorbij laten gaan, ook al haalde ze zich daarmee de woede van de Zusters op de hals.

Voordat de Zusters iets konden zeggen, richtte Kahlan zich tot de man. 'Alstublieft, Meester Orlan. We zijn op zoek naar een oudere vrouw die Tovi heet. Ze heeft hier met deze vrouwen afgesproken. Onderweg zijn we opgehouden, dus eigenlijk zou ze al op ons moeten wachten. Geef alstublieft antwoord op de vragen over hun vriendin. Dit kan allemaal heel vlot geregeld zijn als u snel naar boven gaat om Tovi te halen. Daarna verdwijnen we, net als de onweersbui, weer snel uit uw leven.'

Eerbiedig neigde de man zijn hoofd, alsof een koningin zijn hulp had gevraagd.

Kahlan was niet alleen verbaasd, maar volkomen verbijsterd door de eerbied die hij haar bewees.

'Maar we hebben geen gast die Tovi heet, Bie...'

Plotseling lichtte de kamer op door een verblindende bliksemschicht die het weerlicht buiten naar de kroon stak. De kronkelende draad van vloeibare hitte en licht die tussen de handen van Zuster Ulicia ontbrandde, joeg over Orlans borst voordat hij de titel kon uitspreken die hem op de tong lag. De heftige schok door de nabijheid van de ontploffing van zo'n donderende kracht dreunde tot diep in Kahlans borst door. Orlan werd met zoveel geweld naar achteren geworpen dat hij dwars door een tafel en beide banken heen tegen de muur smakte. De man was bijna in tweeën gesplitst door de dodelijke aanraking met de enorme kracht. Uit het overblijfsel van zijn hemd kringelde rook omhoog. Een glanzend rode plas geronnen bloed op de muur gaf aan waar hij was getroffen voordat hij op de grond zakte.

Kahlans oren tuitten in de plotselinge stilte na de oorverdovende explosie.

Met grote schrikogen om een gebeurtenis die in een tel voorgoed het verloop van haar leven had veranderd, jammerde Emmy: 'Nee!'

Kahlan hield haar hand over haar mond en neus, niet alleen vol walging, maar ook tegen de geur van bloed en de stank van verbrand vlees. De lantaarn op tafel was op de grond gevallen en uitgegaan, waardoor de kamer aan de flikkerende schaduwen van het haardvuur en de sporadische lichtflitsen door de smalle ramen was overgeleverd. Als het die nacht niet zo hevig had geonweerd, zou de knal beslist de hele stad hebben gewekt.

De houten nappen die Emmy vasthield, kletterden op de vloer en rolden tollend weg. Met een schreeuw van afgrijzen rende ze naar haar man.

Zuster Ulicia raakte buiten zinnen. Voordat Emmy haar dode man kon bereiken, hield de Zuster haar ziedend tegen en smeet haar tegen de muur. 'Waar is Tovi? Ik eis antwoord, en wel onmiddellijk!'

Kahlan zag dat de Zuster haar dacra in haar hand had. Het eenvoudige wapen zag eruit als het heft van een mes met een scherpe metalen stang in plaats van een lemmet. De Zusters droegen alle drie een dacra. Kahlan had hen het wapen zien gebruiken toen ze verkenners van de Imperiale Orde waren tegengekomen. Zodra een slachtoffer met de dacra was gestoken, hoe oppervlakkig ook, kon de Zuster hem doden met haar gedachtekracht. Niet de wond door de dacra veroorzaakte de dood, maar de Zuster, die door middel van de dacra de levensvonk doofde. Tenzij de Zuster het wapen terugtrok en haar dodelijke opzet liet varen, was er geen verdediging en geen redding mogelijk.

Een grillige, hortende bliksemschicht door de smalle ramen verlichtte de kamer. Lange piekende schaduwen schoten over de vloer en de muren toen twee Zusters de panische vrouw grepen en worstelden om haar te bedwingen. Toen de bliksem voorbij was en de kamer weer in duisternis werd gehuld, vloog de derde Zuster de trap op.

Kahlan stormde op het meisje af.

Toen het kind naar haar moeder wilde rennen, hield Kahlan haar

23

tegen door haar bij haar middel te pakken. In paniek sperde het meisje haar ogen wijd open, want haar geest kon de herinnering aan Kahlan zelfs niet lang genoeg vasthouden om te beseffen wie of wat haar schijnbaar uit het niets vastgreep. Het ergste was echter dat ze zojuist haar vader had zien vermoorden. Die afgrijselijke aanblik zou het kind nooit kunnen vergeten.

Boven het geroffel van de regen en het geraas van de wind uit hoorde Kahlan de Zuster naar boven rennen, terwijl ze zelf door de gang snelde. Bij elke kamer stopte ze om de deur open te gooien. Gasten die door het tumult waren gewekt en hun kamer uit durfden te komen, zouden tegenover een losgeslagen Zuster van de Duisternis komen te staan. Degenen die nog achter hun deur lagen te slapen, stond hetzelfde lot te wachten.

Emmy gilde het uit, en Kahlan wist waarom.

'Waar is ze?' brulde Zuster Ulicia naar de vrouw. 'Waar is Tovi?'

Krijsend smeekte Emmy haar dochter met rust te laten.

Het was een ernstige tactische vergissing om je grootste angst aan een vijand te verraden, wist Kahlan.

In dit geval was die informatie echter overbodig. Niet alleen was het zonneklaar waar ze als moeder bang voor was, maar bovendien hadden de Zusters er geen behoefte aan. De aanblik van haar moeder in doodsangst maakte het kind alleen maar banger. Ze stribbelde hevig tegen, en ondanks haar verwoede pogingen was Kahlan amper tegen het tengere meisje opgewassen.

Kahlan had het meisje stevig in haar greep en trok haar door de deuropening naast de trap het donkere vertrek in dat erachter lag. Tijdens de lichtflitsen die door een raam achterin schenen, zag Kahlan dat het een keuken met een voorraadkamer was.

Het meisje slaakte een ijselijke gil waarin de doodsangst van haar moeder weerklonk.

'Rustig maar,' fluisterde Kahlan kalmerend in haar oor. 'Ik bescherm je. Niet bang zijn.'

Hoewel Kahlan wist dat het een leugen was, kon haar hart de waarheid niet verdragen.

Het tengere kind haalde uit naar Kahlans armen. Ze dacht ongetwijfeld dat een geest uit de onderwereld haar te grazen had genomen. Zelfs als ze Kahlan kon zien, zou ze het vergeten voordat haar verstand de waarneming in begrip kon omzetten. Ook

Kahlans troostende woorden zouden uit haar geheugen vervliegen nog voordat ze waren begrepen. Iedereen die Kahlan zag, was dat het volgende ogenblik alweer vergeten.

Behalve Orlan. En hij was nu dood.

Kahlan klemde het doodsbange kind stevig vast. Ze wist niet of ze het meer voor zichzelf deed dan voor het meisje, maar op dat moment was dat het enige wat Kahlan kon doen om het kind te behoeden voor de verschrikkingen die haar ouders overkwamen. Als een bezetene vocht het meisje om zich uit Kahlans armen te bevrijden, alsof ze door een bloeddorstig monster was gegrepen. Kahlan vond het vreselijk om haar nog banger te maken dan ze al was, maar als ze haar naar de andere kamer liet gaan, zou alles nog veel erger worden.

Weer bliksemde het, en onwillekeurig keek Kahlan naar het raam. Het was groot genoeg om erdoor te kunnen... Buiten was het donker, en het bos begon vlak bij de gebouwen. Ze had lange benen, en was sterk en snel. Als ze wilde, kon ze in een mum door het raam het bos in vluchten.

Ze had echter al eens een vluchtpoging gewaagd, en wist dat noch de nacht, noch het bos bescherming bood tegen vrouwen met zulke duistere krachten.

Knielend in het donker, met haar armen stevig om het meisje geklemd, begon Kahlan te beven. Alleen al bij de gedachte aan vluchten brak het klamme zweet haar uit van angst dat ze daardoor de in haar verankerde dwangmiddelen zou ontketenen. De herinnering aan eerdere pogingen en eerdere folteringen deed haar duizelen. Zulke pijn kon ze niet nog een keer verdragen, vooral niet als het bij voorbaat zinloos was. Ontsnappen aan de Zusters was onmogelijk.

Toen Kahlan opkeek, zag ze de schaduw van een Zuster de trap afglijden.

'Ulicia,' riep de vrouw. Het was de stem van Zuster Cecilia. 'De kamers boven zijn allemaal leeg. Er zijn geen gasten.'

In de voorkamer snauwde Zuster Ulicia een duistere verwensing. Zuster Cecilia's schaduw verscheen in de deuropening, alsof de dood zijn vernietigende blik op de levenden wierp. Achter haar jammerde Emmy. In haar verwarring, verdriet en angst was ze niet in staat de vragen te beantwoorden die Zuster Ulicia haar toebrulde.

'Wil je dat je moeder eraan gaat?' vroeg Zuster Cecilia met haar dodelijke kalmte vanuit de deuropening.

Ze was even wreed en gevaarlijk als Zuster Armina en Zuster Ulicia, maar haar beheerste manier van spreken joeg op de een of andere manier meer angst aan dan het geschreeuw van Zuster Ulicia. Zuster Armina's onverholen dreigementen waren eenvoudig en gemeend, maar klonken venijniger, terwijl Zuster Tovi een luguber genoegen aan discipline en martelen beleefde.

Wanneer een van hen echter iets wilde, maar haar zin niet kreeg, bezorgden ze hun slachtoffer haast onvoorstelbare pijnen, zoals Kahlan lang geleden al had ervaren, en uiteindelijk kregen ze toch waar ze op uit waren.

'Nou?' herhaalde Zuster Cecilia met een kalme directheid.

'Geef antwoord,' fluisterde Kahlan het meisje toe. 'Geef alsjeblieft antwoord op haar vragen. Toe.'

'Nee,' wist het kind uit te brengen.

'Vertel dan maar gauw waar Tovi is.'

In de kamer achter Zuster Cecilia stootte de moeder een afgrijselijk gereutel uit en toen werd het stil. Kahlan hoorde het gekraak van botten toen de vrouw de houten vloer raakte. In het huis werd het rustig.

Vanuit het zwakke flikkerlicht in de deuropening verschenen nog twee schaduwen achter Zuster Cecilia. Kahlan wist dat Emmy geen vragen meer zou beantwoorden.

Zuster Cecilia glipte de kamer in, vlak bij het meisje, dat Kahlan stevig in haar armen klemde.

'Alle kamers zijn leeg. Waarom zijn er geen gasten in jullie herberg?'

'Er is niemand gekomen,' bracht het meisje trillend uit. 'Het bericht over de indringers uit de Oude Wereld heeft de mensen weggejaagd.'

Dat klonk logisch, vond Kahlan. Nadat ze het Volkspaleis in D'-Hara hadden verlaten en in een rivierbootje snel door grotendeels afgelegen streken naar het zuiden waren getrokken, waren ze diverse keren detachementen van keizer Jagangs troepen tegengekomen of door nederzettingen gekomen waar die bruten hadden huisgehouden. Het nieuws van zulke gruweldaden zou als een lopend vuurtje rondgaan.

'Waar is Tovi?' vroeg Zuster Cecilia.

Terwijl Kahlan het meisje van de Zusters afschermde, keek ze op. 'Ze is nog maar een kind! Laat haar met rust!'

Een schok van pijn schoot door Kahlan heen. Het voelde alsof elke vezel van elke spier met geweld was opengereten. Even wist ze niet waar ze was of wat er aan de hand was. De kamer draaide rond, en haar rug smakte met een verbrijzelende kracht tegen de kasten aan. Deurtjes vlogen open, potten, pannen en ander keukengerei rolden kletterend over de vloer, en schalen en glazen vielen met veel geraas aan diggelen.

Met haar gezicht naar beneden smakte Kahlan tegen de vloer. Grillige scherven aardewerk sneden in haar palmen toen ze haar val wilde breken. Er drukte een vlijmscherpe punt tegen de zijkant van haar tong, en ze besefte dat een lange glassplinter haar wang had doorboord. Ze greep naar haar kaak en brak het glas tussen haar tanden af, zodat het haar tong niet kapot kon snijden. Met moeite slaagde ze erin de bloedige, dolkachtige scherf uit te spugen.

Verdoofd en gedesoriënteerd lag ze languit op de grond. Toen ze zich vruchteloos probeerde te bewegen, kwamen er kermgeluiden uit haar keel. Ze merkte dat ze in ademnood verkeerde. Elke zucht die aan haar longen ontsnapte, was levensadem die ze moest ontberen. De verlammende pijn die haar middel doorstak, belette haar om lucht te krijgen.

Wanhopig snakte ze naar adem, en eindelijk wist ze een diepe teug lucht op te zuigen, waarna ze nog meer bloed en glassplinters uitspuugde. Haar wang begon pijn te doen van het stuk glas dat er nog in stak, maar ze kon haar armen niet eens bewegen om zichzelf op te richten, laat staan dat ze de scherf uit haar wang kon trekken.

Ze sloeg haar ogen op, en kon de donkere gestalten van de Zusters onderscheiden, die om het meisje kwamen staan. Ze tilden haar op en duwden haar tegen een zwaar slagersblok aan dat midden in de kamer stond. Een Zuster hield haar armen vast, terwijl Zuster Ulicia voor het panische kind neerhurkte.

'Weet je wie Tovi is?'

'De oude vrouw!' riep het kind uit. 'De oude vrouw!'

'Ja, de oude vrouw. Wat weet je nog meer van haar?'

Het meisje hapte naar lucht en kon de woorden haast niet uitbrengen. 'Dik. Ze was dik. Oud en dik. Ze was te dik om goed te kunnen lopen.'

Zuster Ulicia leunde naar voren en greep de slanke hals van het meisje. 'Waar is ze? Waarom is ze niet hier? Ze zou ons hier ontmoeten. Waarom is ze vertrokken?'

'Weg,' jammerde het meisje. 'Ze is weg.'

'Waarom? Wanneer was ze hier? Wanneer is ze vertrokken? Waarom is ze vertrokken?'

'Een paar dagen geleden. Ze is hier wel een poosje geweest. Maar een paar dagen geleden is ze weggegaan.'

Tierend tilde Zuster Ulicia het meisje op en drukte haar tegen de muur. Met de grootste moeite wist Kahlan op te krabbelen. Het meisje smakte op de grond. Zonder acht te slaan op haar wankele toestand kroop Kahlan tussen de glasscherven en het gebroken aardewerk op de vloer door, en wierp zich beschermend op het kind. Het meisje wist niet wat haar overkwam en jammerde nog harder.

Er kwamen voetstappen dichterbij. Op de grond zag Kahlan een hakmes liggen. Huilend worstelde het meisje om zich los te rukken, maar Kahlan drukte haar beschermend op de vloer.

Terwijl de schaduw van de vrouw almaar dichterbij kwam, sloot Kahlan haar vingers om de houten greep van het hakmes. Ze dacht niet na, ze handelde domweg: dreiging, wapen. Het was bijna alsof ze het iemand anders zag doen.

Het gevoel van een wapen in haar hand schonk haar echter een diepe bevrediging. Haar vuist klemde zich om het handvat, dat glibberig was van het bloed. Een wapen betekende leven. Bliksemflitsen fonkelden in het staal.

Toen de vrouwen dichtbij genoeg waren, hief Kahlan plotseling haar arm op om toe te slaan. Voordat ze haar taak kon verrichten, voelde ze een misselijkmakende pijnscheut, alsof er met het uiteinde van een boomstam op haar in was geramd. Door de kracht van de klap vloog ze door de kamer.

Een harde stoot tegen de muur verdoofde haar. De kamer leek ver weg, alsof hij aan het eind van een lange, donkere tunnel lag. Een golf van pijn overspoelde haar. Ze probeerde haar hoofd op te tillen, maar dat lukte niet. De duisternis trok haar naar binnen.

Toen Kahlan haar ogen weer opende, zag ze het meisje ineenkrimpen voor de Zusters die boven haar uittorenden.

'Ik weet het niet,' zei het kind. 'Ik weet niet waarom ze is vertrokken. Ze zei dat ze naar Caska moest.'

Het werd doodstil in het vertrek.

'Caska?' vroeg Zuster Armina ten slotte.

'Ja, dat zei ze. Ze moest naar Caska.'

'Had ze iets bij zich?'

'Bij zich?' jammerde het meisje, nog steeds snikkend en sidderend. 'Ik snap het niet. Wat bedoelt u: bij zich?'

'Bij zich!' krijste Zuster Ulicia. 'Wat had ze bij zich? Ze moest toch iets bij zich hebben? Een ransel, een waterzak. Maar ze had nog meer spullen. Zag je wat ze verder nog bij zich had?'

Toen het meisje aarzelde, sloeg Zuster Ulicia haar zo hard in haar gezicht dat ze bijna haar tanden uit haar mond sloeg.

'Heb je gezien wat ze nog meer bij zich had?'

Een sliert bloed uit de neus van het meisje lag horizontaal op haar wang. 'Toen ik haar tijdens het avondeten op een keer schone handdoeken kwam brengen, zag ik iets in haar kamer. Iets geks.'

Zuster Cecilia boog zich over haar heen. 'Iets geks? Zoals?'

'Het was, het leek op... een doos. Hij was in een witte jurk gewikkeld, maar de jurk was glanzend en glad, en daarom was hij er afgegleden. Het leek op een doos, alleen was hij helemaal zwart. Niet zwart zoals verf, maar zo zwart als de nacht. Zo zwart alsof hij al het daglicht zou kunnen opzuigen.'

Zwijgend gingen de drie Zusters rechtop staan.

Kahlan wist precies waar het meisje het over had. Ze had immers zelf de drie kistjes uit de Tuin des Levens in het Volkspaleis, het paleis van Meester Rahl, gehaald. Toen ze aanvankelijk met alleen het eerste kistje in plaats van alle drie naar buiten kwam, was Zuster Ulicia razend geweest. De kistjes waren echter groter dan Kahlan had verwacht en pasten niet tegelijk in haar ransel. Zuster Ulicia had het walgelijke ding in Kahlans witte jurk gewikkeld en het aan Tovi gegeven. Ze had gezegd dat Tovi moest opschieten en dat ze elkaar later zouden ontmoeten.

Zuster Ulicia had niet willen riskeren dat ze in het paleis met de kistjes werden betrapt, en daarom wilde ze niet dat Zuster Tovi bleef wachten terwijl Kahlan de twee andere kistjes ging halen.

'Waarom ging Tovi naar Caska?' vroeg Zuster Ulicia.

'Dat weet ik niet,' huilde het meisje. 'Ik weet het niet, echt niet, dat zweer ik. Ik weet alleen dat ik haar tegen mijn ouders hoorde zeggen dat ze naar Caska moest. Ze is een paar dagen geleden vertrokken.'

In de stilte die volgde, lag Kahlan op de vloer naar adem te snak-
ken. Bij elke ademteug schoten er hevige pijnscheuten door haar
ribben. Ze wist dat dit slechts het begin van de pijn was. Zodra
de Zusters met het meisje hadden afgerekend, zouden ze hun aandacht op Kahlan richten.

'Misschien kunnen we beter zorgen dat we wat rust krijgen nu
we uit de regen zijn,' opperde Zuster Armina ten slotte. 'Morgen
kunnen we vroeg vertrekken.'

Met de vuist die de dacra vasthield op haar heup liep Zuster Ulicia nadenkend tussen het meisje en het slagersblok heen en weer.
Potscherven knarsten onder haar laarzen. 'Nee,' zei ze, terwijl ze
zich weer naar de anderen omdraaide. 'Er is iets mis.'

'Met de bezweringsvorm? Vanwege de man, bedoel je?'

Afwijzend gebaarde Zuster Ulicia met haar hand. 'Een anomalie,
meer niet. Nee, er is iets mis met de rest. Waarom is Tovi vertrokken? Ze had duidelijke instructies dat ze ons hier moest ontmoeten. En ze was ook hier, maar toen is ze vertrokken. Andere
gasten waren er niet, er waren ook geen troepen van de Imperiale Orde in de buurt, en ze wist dat we eraan kwamen, maar
toch is ze weggegaan. Dat klopt niet.'

'En waarom juist Caska?' vroeg Zuster Cecilia. 'Waarom zou ze
naar Caska gaan?'

Zuster Ulicia wendde zich weer tot het meisje. 'Van wie kreeg
Tovi bezoek? Wie kwam haar hier opzoeken?'

'Dat zei ik al: niemand. Niemand is hier geweest terwijl de oude
vrouw bij ons was. We hebben geen andere bezoekers of gasten
gehad. Zij was de enige gast. Onze herberg ligt afgelegen. De mensen komen hier niet voor lange tijd.'

Zuster Ulicia begon weer te ijsberen. 'Het staat me niet aan. Er
klopt iets niet, maar ik weet niet precies wat.'

'Vind ik ook,' beaamde Zuster Cecilia. 'Tovi zou niet zomaar vertrekken.'

'Maar toch deed ze dat. Waarom?' Vlak voor het meisje bleef
Zuster Ulicia staan.

'Zei ze verder nog iets, of heeft ze een boodschap achtergelaten,
een brief misschien?'

Snotterend schudde het meisje haar hoofd.

'Er zit niets anders op,' prevelde Zuster Ulicia. 'We zullen achter
Tovi aan moeten gaan.'

Zuster Armina gebaarde naar de voordeur. 'Vannacht? In de regen? Kunnen we niet beter tot morgenochtend wachten?'

In gedachten verzonken keek Zuster Ulicia naar haar op. 'Stel dat er iemand komt opdagen? Nog meer complicaties kunnen we slecht gebruiken als we onze taak willen volbrengen. We hebben er beslist geen behoefte aan dat Jagang of zijn troepen er lucht van krijgen dat we in de buurt zijn. We moeten Tovi bereiken, en we moeten dat kistje te pakken krijgen. We weten allemaal wat er op het spel staat.' Ze taxeerde de ernstige uitdrukking op het gezicht van de vrouwen voordat ze verder sprak. 'Wat we vooral niet kunnen gebruiken, zijn getuigen die kunnen vertellen dat we hier zijn geweest en wat we kwamen doen.'

Kahlan wist maar al te goed waar Zuster Ulicia op doelde.

'Alstublieft,' wist ze uit te brengen terwijl ze zich op beverige armen oprichtte, 'laat haar alstublieft met rust. Ze is nog maar een kind. Ze weet niets waar iemand iets aan heeft.'

'Ze weet dat Tovi hier is geweest. Ze weet wat Tovi bij zich heeft.' Geërgerd fronste Zuster Ulicia haar voorhoofd. 'Ze weet dat we hier naar haar hebben gezocht.'

Kahlan deed haar best om overtuigend te klinken. 'Ze betekent niets voor u. Jullie zijn tovenaressen; zij is alleen maar een kind. Ze kan jullie geen kwaad doen.'

Zuster Ulicia wierp een vluchtige blik op het meisje. 'Ze weet ook waar we naartoe gaan.'

Weloverwogen keek Zuster Ulicia in Kahlans ogen. Zonder zich om te draaien, stootte ze haar dacra opeens met kracht in de buik van het meisje achter haar.

Geschokt hapte het kind naar adem.

Met haar blik nog steeds op Kahlan gericht, toverde Zuster Ulicia een glimlach op haar gezicht zoals alleen het kwaad dat kon. Zo moest het zijn, dacht Kahlan, om in de ogen van de Wachter van de Dood te kijken, in zijn donkere hol diep in de onderwereld.

Zuster Ulicia trok een wenkbrauw op. 'Ik hou niet van losse eindjes.'

In de opengesperde ogen van het meisje leek licht te flitsen. Ze werd slap en zakte met een doffe bons op de grond. Haar armen lagen in een rare houding uitgespreid en haar levenloze blik staarde strak naar Kahlan, alsof ze haar wilde beschuldigen omdat ze haar woord niet had gehouden. Haar belofte aan het meisje – *ik bescherm je* – spookte door haar hoofd.

In machteloze woede schreeuwde ze het uit, terwijl ze met haar vuisten op de grond beukte. Opeens gilde ze het uit van pijn, toen ze weer tegen de muur werd gesmeten. In plaats van op de vloer te smakken, bleef ze er hangen, alsof ze door een grote kracht omhoog werd gehouden. Die kracht was magie, wist ze.

Ze kon geen adem krijgen. Een van de Zusters gebruikte haar kracht om Kahlans keel toe te snoeren. Worstelend om lucht te krijgen, graaide ze naar de ijzeren halsband om haar nek.

Zuster Ulicia kwam dichterbij en hield haar gezicht vlak bij Kahlan.

'Je boft vandaag,' zei ze boosaardig. 'We hebben geen tijd om te zorgen dat je spijt krijgt van je ongehoorzaamheid. Niet nu, in ieder geval. Maar denk maar niet dat je dit ongestraft kunt flikken.'

'Nee, Zuster,' wist Kahlan met grote moeite uit te brengen. Als ze zweeg, zou ze het alleen maar erger maken.

'Ik denk dat je gewoon te stom bent om te snappen hoe onbelangrijk en machteloos je bent tegenover je meerderen. Misschien kan zelfs iemand die zo verachtelijk en onwetend is als jij het deze keer wel begrijpen, nu je weer een lesje krijgt.'

'Ja, Zuster.'

Hoewel ze maar al te goed besefte wat ze haar zouden aandoen om haar dat lesje te leren, zou Kahlan een volgende keer precies hetzelfde doen. Ze had alleen spijt dat ze het meisje niet had kunnen beschermen, zoals ze had beloofd. Op de dag dat ze de drie kistjes uit het paleis van Meester Rahl had meegenomen, had ze haar dierbaarste bezit achtergelaten: een beeldje van een trotse vrouw, met haar handen tot vuisten gebald langs haar zijden, haar borst naar voren en haar hoofd opgeheven, alsof ze met krachten werd geconfronteerd die haar wilden onderwerpen, maar daarin niet slaagden.

Op die dag in het paleis van Richard Rahl was Kahlan sterker geworden. Ze had in zijn tuin gestaan en naar het fiere beeldje gekeken dat ze moest achterlaten, en ze had gezworen dat ze haar leven terug zou krijgen. Dat betekende dat ze om het leven moest vechten, ook al ging het om het leven van een meisje dat ze niet kende.

'Kom, we gaan,' snauwde Zuster Ulicia. Vastberaden liep ze naar de deur in de verwachting dat iedereen haar zou volgen.

Kahlans laarzen bonkten op de vloer toen de kracht die haar tegen de muur gedrukt hield, haar abrupt losliet. Ze viel op haar knieën en wreef met bloedige vingers over haar keel terwijl ze naar lucht hapte. Haar vingers beroerden de gehate halsband waarmee de Zusters haar in hun macht hadden.

'Doorlopen,' blafte Zuster Cecilia op een toon die Kahlan haastig overeind deed krabbelen.

Ze keek achterom en zag de dode ogen van het arme kind naar haar staren.

3

Toen Richard plotseling opstond, schuurden de poten van zijn houten stoel over de ruwe stenen vloer. Zijn vingers lagen nog op de tafelrand, en het boek dat hij aan het lezen was, lag open bij de zilveren lantaarn.

Er was iets mis met de lucht. Niet met de geur of de temperatuur, en evenmin met de vochtigheid, hoewel het een broeierige nacht was. Nee, het was de lucht zelf. Het voelde alsof er iets mis was met de lucht.

Richard kon zich niet voorstellen hoe hij daar opeens bij kwam, laat staan wat de reden voor zijn rare gedachte kon zijn. In de kleine leeskamer waren geen ramen, dus kon hij niet weten wat voor weer het buiten was: onbewolkt, winderig of stormachtig. Hij wist alleen dat het midden in de nacht was.

Vlak achter hem stond Cara op uit de bruine leren fauteuil waarin ze had zitten lezen. Ze wachtte, maar zei niets.

Richard had haar gevraagd enkele historische boeken te lezen, die hij had gevonden. Alles wat ze kon ontdekken over het tijdperk waarin het boek *Ketenvuur* was geschreven, zou van pas kunnen komen. Ze had zich niet beklaagd. Cara klaagde zelden ergens over, zolang ze hem maar kon beschermen. Omdat ze vlak bij hem in de leeskamer kon blijven, had ze er niets op tegen de boeken te lezen die hij haar had gegeven. Berdine, een andere Mord-Sith, kon Hoog-D'Haraans lezen, en was erg behulpzaam geweest bij het ontcijferen van de oude taal waarin de zeldzame boeken vaak waren geschreven. Nu was Berdine echter ver weg, in het Volkspaleis, maar er waren nog talloze exemplaren over in hun eigen taal die Cara kon bestuderen.

Cara keek toe, terwijl hij om zich heen keek naar de gelambriseerde muren. Zijn blik gleed systematisch over de snuisterijen op de planken: de met zilver ingelegde lakdozen, de dansfiguurtjes van bewerkt ivoor, de gladde stenen in met fluweel gevoerde doosjes en de decoratieve glazen vazen.

'Meester Rahl,' vroeg ze ten slotte, 'is er iets mis?'

Richard wierp een blik over zijn schouder. 'Ja. Er is iets mis met de lucht.' Pas toen hij haar bezorgd zag kijken, besefte hij hoe dwaas dat moest hebben geklonken.

Wat voor Cara telde, was niet of het dwaas klonk, maar dat hij dacht dat er een probleem was, want een probleem betekende een potentieel gevaar. Haar leren pak kraakte toen ze haar Agiel in haar vuist omhoog liet komen. Met haar wapen gereed gluurde ze het vertrek rond, de schaduwen afspeurend alsof er een geest vanuit het hout tevoorschijn kon springen.

De zorgelijke rimpel in haar voorhoofd werd dieper. 'Het beest?'

Die mogelijkheid had Richard niet overwogen. Het beest dat Jagang door zijn gevangen Zusters van de Duisternis had laten toveren om achter Richard aan te gaan, vormde altijd een potentiële bedreiging. Voorheen leek het monster een paar keer zomaar uit het niets te zijn opgedoken.

Hoe hard hij ook zijn best deed, Richard kon niet goed uitleggen wat er aan de hand leek te zijn. Hoewel de oorzaak van het gevoel hem niet helemaal duidelijk was, was het alsof hij zich iets zou moeten herinneren, alsof hij iets zou moeten weten of herkennen. Hij kon niet besluiten of het gevoel echt was of slechts verbeelding.

Hij schudde zijn hoofd. 'Nee... Ik denk niet dat dit het beest is. Dit voelt anders.'

'Meester Rahl, nog afgezien van alle andere vermoeienissen bent u bijna de hele nacht opgebleven om te lezen. Misschien bent u domweg uitgeput.'

Een paar keer was hij wakker geschrokken toen hij juist begon in te dommelen, verward en gedesoriënteerd doordat hij steeds verder afgleed in duistere nachtmerries die hij zich bij het ontwaken nooit kon herinneren. Deze indruk was echter heel anders; dit gevoel was niet ontstaan tijdens de schemertoestand bij het wegsuffen. Bovendien had hij, ondanks zijn vermoeidheid, niet op het punt gestaan in slaap te vallen; hij was veel te gespannen om te kunnen slapen.

Pas de vorige dag had hij de anderen ervan kunnen overtuigen dat Kahlan echt bestond; dat ze geen hersenspinsel was, of een waanidee dat het gevolg was van een verwonding die hij had opgelopen. Eindelijk wisten ze dat hij Kahlan niet had gedroomd. Nu hij ten slotte toch hulp had gekregen, spoorde zijn drang om haar te vinden hem aan en was hij klaarwakker. Tijd om te rusten gunde hij zich niet, nu hij over een paar stukjes van de puzzel beschikte.

Destijds bij het Volkspaleis had Nicci Tovi vlak voordat ze stierf aan de tand gevoeld. Ze had toen het verschrikkelijke nieuws gehoord dat die vier vrouwen – Zuster Ulicia, Cecilia, Armina en Tovi – een ketenvuurverschijnsel hadden opgeroepen. Toen ze de krachten hadden ontketend die duizenden jaren in een oud boek verborgen waren geweest, was de herinnering aan Kahlan bij iedereen weggevaagd, behalve bij Richard. Op de een of andere manier had zijn zwaard zijn geest beschermd. Ofschoon hij zijn herinnering aan Kahlan had behouden, had hij nadien zijn zwaard verspeeld bij zijn pogingen om haar te vinden.

De theorie van het ketenvuurverschijnsel was ontstaan onder tovenaars uit lang vervlogen tijden. Ze hadden een methode gezocht waarmee ze zich ongezien onder een vijand konden begeven, onopgemerkt en vergeten. Ze veronderstelden dat er een methode moest zijn om met behulp van Subtractieve kracht het geheugen van mensen zodanig te veranderen dat alle daaruit voortvloeiende onsamenhangende delen van iemands herinnering zich spontaan zouden samenvoegen, waardoor er foute herinneringen werden gevormd om de gaten op te vullen die waren ontstaan toen het onderwerp van de betovering uit het geheugen van de mensen werd gewist.

De tovenaars die het theoretische proces hadden bedacht, waren uiteindelijk tot de conclusie gekomen, dat het ontketenen van zo'n verschijnsel hoogstwaarschijnlijk een cascade van gebeurtenissen zou veroorzaken die onvoorspelbaar en onbeheersbaar waren. Ze gingen ervan uit dat het zich razendsnel zou verspreiden, en ook de verbindingen met andere mensen zou verwoesten van wie het geheugen aanvankelijk niet was aangetast. Uiteindelijk hadden ze beseft dat een ketenvuurverschijnsel met zulke onberekenbare, ingrijpende en rampzalige gevolgen het reële risico met zich mee-bracht dat de wereld van het leven uiteen zou vallen, en daarom hadden ze hun theorie niet eens op de proef durven stellen.

De vier Zusters van de Duisternis hadden het wel uitgeprobeerd: op Kahlan. Het kon hun niet schelen of ze de wereld van het leven uiteen lieten vallen. In feite was dat zelfs hun uiteindelijke doel.

Richard had geen tijd om te slapen. Nu hij Nicci, Zedd, Cara, Nathan en Ann er eindelijk van had kunnen overtuigen dat hij niet gek was en dat Kahlan werkelijk bestond, hoewel niet meer in hun herinnering, waren ze vastbesloten hem te helpen.

Die hulp had hij hard nodig. Hij móést Kahlan vinden. Ze was zijn leven; ze maakte zijn geluk compleet; ze betekende alles voor hem. Vanaf het allereerste moment dat hij haar had ontmoet, was hij in de ban van haar unieke intelligentie geraakt. De herinne-ring aan haar groene ogen, haar glimlach en haar aanraking liet hem niet met rust. Elk ogenblik van de dag werd hij achtervolgd door de gedachte dat hij iets moest doen.

En terwijl niemand anders zich Kahlan kon herinneren, leek Rich-ard aan niets anders te kunnen denken. Vaak kwam het hem voor dat hij haar enige verbinding met de wereld was, en dat ze voor-goed zou ophouden te bestaan als hij niet meer aan haar dacht.

Hij besefte echter dat als hij Kahlan ooit wilde vinden, hij de ge-dachten aan haar soms doelbewust van zich af moest zetten om zich op andere dringende zaken te kunnen concentreren. Hij wendde zich naar Cara. 'Merk jij niets vreemds?'

Ze trok een wenkbrauw op. 'We zijn in de Tovenaarsburcht, Meester Rahl. Wie zou zich daar niet vreemd voelen? Ik krijg hier de kriebels.'

'Meer dan anders?'

Ze slaakte een diepe zucht, terwijl ze met haar hand over haar lange blonde vlecht streek, die over haar schouder naar voren hing.

'Nee.'

Richard greep een lantaarn. 'Kom mee.'

Hij snelde het vertrek uit naar een lange gang die met een laag weelderige tapijten was bedekt, alsof er te veel tapijten waren ge-weest en er alleen op de gang genoeg plaats voor was. De mees-te hadden een klassiek patroon en waren in zachte kleuren geweven, maar daar onderuit staken een paar felgekleurde gele en oranje kleden.

De tapijten dempten het geluid van zijn laarzen terwijl hij langs openstaande dubbele deuren liep, die aan weerszijden naar donkere kamers leidden. Met haar lange benen kon Cara hem makkelijk bijhouden. Richard wist dat een paar kamers bibliotheken waren, maar andere waren kostbaar ingericht en leken geen ander doel te dienen dan dat ze toegang gaven tot andere vertrekken. Sommige waren eenvoudig, andere luxueus, maar allemaal maakten ze deel uit van de ondoorgrondelijke en ingewikkelde doolhof die de Burcht was.

Bij een kruising sloeg Richard rechtsaf een gang in, waarvan de muren met spiraalvormige patronen waren bepleisterd, die in de loop der eeuwen een warme goudbruine tint hadden gekregen. Toen ze een trappenhuis bereikten, greep Richard de witmarmeren trapspijl vast en liep de trap af naar beneden.

In het trappenhuis omhoogkijkend zag hij de trap door de vierkante schacht omhoogkronkelen naar de hoogste regionen van de Burcht.

'Waar gaan we naartoe?' vroeg Cara.

Enigszins verbluft door de vraag antwoordde Richard: 'Dat weet ik niet.'

Cara wierp hem een donkere blik toe. 'Was u van plan een gebouw te doorzoeken met duizenden kamers, een gebouw zo groot als een berg, een gebouw dat gedeeltelijk in een berg is gebouwd, totdat u toevallig iets tegenkomt?'

'Er is iets mis met de lucht. Ik volg alleen maar de gewaarwording ervan.'

'U volgt lucht,' constateerde Cara op vlakke, ironische toon. Haar argwaan stak weer de kop op. 'U probeert zeker weer magie te gebruiken, hè?'

'Cara, je weet best dat ik niet weet hoe ik mijn gave moet gebruiken. Zelfs als ik dat zou willen, kan ik mijn magie niet eens oproepen.'

En dat wilde hij pertinent niet... Als hij een beroep op zijn gave deed, zou het beest hem nog beter kunnen vinden. De immer beschermende Cara was bang dat hij onbedoeld iets zou doen om het beest op te roepen, dat op bevel van keizer Jagang was getoverd.

Richard richtte zijn aandacht weer op het probleem dat aan de orde was, en probeerde erachter te komen wat er zo vreemd aan de lucht was. Geconcentreerd trachtte hij te analyseren wat hij precies voelde. Hij vond dat de lucht ongeveer aanvoelde als tijdens een onweersbui, net zo drukkend en dreigend.

Onder aan een reeks witmarmeren trappen kwamen ze uit op een eenvoudige gang, gemaakt van stenen blokken. Ze passeerden verschillende kruisingen totdat ze bij een donkere wenteltrap van steen met een ijzeren leuning kwamen, waar Richard naar beneden keek. Cara volgde hem op de voet toen hij ten slotte afdaalde. Beneden liepen ze door een korte doorgang met een eikenhouten tongewelf, voordat ze uitkwamen in een vertrek dat het middelpunt vormde van een aantal gangen. Aan de buitenkant van de ronde kamer stonden zuilen van gespikkeld grijs graniet, waarop vergulde draagbalken rustten boven elke gang die in de duisternis verdween.

Richard hield de lantaarn op en kneep zijn ogen tot spleetjes om in de donkere gangen te turen. De ronde kamer herkende hij niet, maar wel besefte hij dat ze zich in een deel van de Burcht bevonden dat op de een of andere manier anders was, anders op een manier waardoor hij opeens begreep wat Cara bedoelde toen ze zei dat ze hier de kriebels kreeg. Een van de gangen liep langs een lange hellingbaan vrij steil omlaag naar de dieper gelegen delen van de Burcht. Hij vroeg zich af waarom er een hellingbaan was in plaats van nog meer trappen.

'Deze kant op,' zei hij tegen Cara, en hij ging haar voor over de hellingbaan de duisternis in.

Aan de hellingbaan leek geen eind te komen, totdat hij uiteindelijk uitmondde in een grote zaal die hooguit vier meter breed was, maar minstens twintig meter hoog moest zijn. Richard voelde zich zo klein als een mier onder aan de lange, smalle gleuf diep onder de grond. Aan zijn linkerkant verrees een muur van natuursteen, die in de berghelling was uitgehouwen, terwijl de rechtermuur uit enorme rotsblokken bestond. Op hun tocht almaar dieper de schijnbaar eindeloze gleuf in de berg in kwamen ze langs een reeks kamers in de blokkenmuur. Gestaag kwamen ze vooruit, maar in het zwakke lantaarnschijnsel konden ze niet zien of er een eind aan kwam.

Plotseling besefte Richard wat hij had gevoeld. De lucht leek op wat hij een paar keer had meegemaakt in de directe nabijheid van mensen van wie hij wist dat ze de gave bezaten. Hij herinnerde zich dat de lucht leek te knetteren in de omgeving van zijn voormalige leraressen: de Zusters Cecilia, Armina, Merissa en vooral Nicci. Soms leek het alsof de lucht rondom Nicci elk ogenblik kon ontbranden, zo groot was de buitengewone kracht die van haar afstraalde. Dat gevoel had hij echter altijd alleen in de nabijheid van die persoon gehad; het was nog nooit een algemeen voorkomend verschijnsel geweest.

Nog voordat hij het licht uit een van de kamers in de verte zag schijnen, voelde hij de lucht op zich afkomen. Hij verwachtte half en half dat het in de gang zou gaan vonken.

Reusachtige deuren met koperbeslag stonden open en leidden naar een zwak verlichte bibliotheek. Hij wist dat dit de plek was die hij zocht.

Door de deuren, waar gedetailleerde symbolen in waren gegraveerd, liep Richard naar binnen, maar opeens bleef hij stokstijf staan en staarde verbijsterd om zich heen.

Door een tiental boogramen kwam een bliksemflits naar binnen die een eindeloze rij planken in de spelonkachtige ruimte verlichtte. De ramen, die twee verdiepingen hoog waren, besloegen de hele lengte van de achtermuur. Ertussen verrezen glanzende mahoniehouten zuilen, behangen met zware donkergroene fluwelen gordijnen. De zomen waren met gouden franje afgezet en de gordijnen werden door koorden met kwasten opgehouden. De kleine ruitjes waaruit de hoge ramen bestonden, waren niet doorzichtig, maar dik en met talloze kringen, alsof het glas extreem dik was gegoten. Wanneer het bliksemde, leek het alsof het glas eveneens oplichtte. De olielantaarns, die door de hele kamer stonden, verspreidden een zachte gloed die in de glanzende tafelbladen tussen de wanordelijke stapels opengeslagen boeken werd weerkaatst.

De boekenplanken waren niet wat Richard had verwacht. Op enkele stonden inderdaad boeken, maar op de andere zag hij een warboel van voorwerpen: netjes opgevouwen poetsdoeken, ijzeren spiralen, groene flessen, ingewikkelde voorwerpen gemaakt van houten staven, stapels perkamentrollen, oude botten en lange, kromme slagtanden die Richard niet herkende en naar de herkomst waarvan hij liever niet wilde raden.

Toen het opnieuw bliksemde, schoten de schaduwen van de verticale raamspijlen door het hele vertrek – over de tafels, stoelen, zuilen, boekenkasten en bureaus – waardoor het leek alsof de hele boel uit elkaar spatte.

'Zedd! Wat ben je in vredesnaam aan het doen?'

'Meester Rahl,' zei Cara op zachte toon pal achter zijn schouder, 'volgens mij is uw grootvader gek geworden.'

Zedd draaide zich om en wierp een snelle blik op Richard en Cara die in de deuropening stonden. Het golvende witte haar van de oude man stond alle kanten op en zag er in het lantaarnschijnsel lichtoranje uit, maar als het bliksemde was het sneeuwwit.

'We hebben het nogal druk, jongen.'

In het midden van de kamer zweefde Nicci vlak boven een van de zware tafels. Richard knipperde met zijn ogen om er zeker van te zijn dat hij echt zag wat hij meende te zien. Nicci's voeten hingen een handbreedte boven de tafel en haar lichaam zweefde doodstil in de lucht.

Hoe onmogelijk en verontrustend die aanblik ook was, dat was nog niet eens het ergste. Op het tafelblad was een magisch patroon getekend, dat een Gratie werd genoemd. Het leek in bloed te zijn getekend.

Als een gordijn dat Nicci omringde, hingen er ook beweginglozе lijnen boven de Gratie in de lucht. Richard had begaafde mensen wel eerder bezweringsvormen zien tekenen, dus hij wist wel wat het was, maar zoiets als deze doolhof in de lucht had hij nog nooit meegemaakt.

Het was uitermate ingewikkeld van vorm en bestond uit gloeiende groene lichtlijnen, die als een driedimensionale bezweringsvorm in de lucht hingen.

In het midden van de ingewikkelde geometrische structuur zweefde Nicci roerloos als een beeld. Haar fraaie trekken leken te zijn versteend. Haar ene hand hield ze een stukje omhoog en de vingers van haar andere hand, die langs haar zij hing, waren gespreid.

Haar voeten bevonden zich niet op gelijke hoogte alsof ze stond, maar bungelden, alsof ze sprong. Haar blonde haar stond een beetje van haar hoofd af, alsof het tijdens haar sprong omhoog was gezwaaid vlak voordat ze op het punt stond weer neer te komen, maar juist op dat moment was versteend.

Ze zag er niet uit alsof ze nog leefde.

4

Als aan de grond genageld stond Richard naar Nicci te staren, die vlak boven de zware bibliotheektafel in de lucht hing met een warrig net van gloeiende groene geometrische lijnen om haar heen. Niets aan haar bewoog, en ze leek helemaal niet te ademen. Met haar blauwe ogen staarde ze strak voor zich uit, alsof ze naar een wereld keek die alleen zij kon zien. Haar vertrouwde, fraaie uiterlijk zag er ongeschonden uit in de groenige schijn van de gloeiende lijnen.

Richard vond dat ze er meer dood dan levend uitzag, zoals een lijk in een doodkist vlak voor een begrafenis.

Het was een ongelooflijk mooi, maar tegelijkertijd bijzonder verontrustend gezicht. Ze wekte de indruk een levenloos standbeeld te zijn, gemaakt van vlees en licht. Strengen van haar blonde haar, zelfs afzonderlijke haren, hingen in zachte bogen en golven roerloos in de lucht.

Richard verwachtte de hele tijd dat ze haar val op de tafel plotseling zou afmaken. Toen hij merkte dat hij zijn adem inhield, liet hij die eindelijk ontsnappen.

Schijnbaar in overeenstemming met de stormachtige kracht van de bliksem die achter de ramen woedde, knetterde de lucht in het vertrek door de kracht die zich tot de buitengewone betovering had samengebald. Zelfs Richards ongeoefende blik herkende hem als zodanig, en het was dan ook de zeldzame eigenschap van de lucht, die in de kleine leeskamer aanvankelijk zijn aandacht had getrokken.

Met de beste wil van de wereld kon hij niet begrijpen wat er aan de hand was, of waarom er op die manier magie werd gebruikt. Het verschijnsel fascineerde hem, maar tegelijkertijd verontrustte het hem dat hij zo weinig van zulke dingen af wist. Bovenal boezemde de aanblik hem echter grote angst in.

Omdat hij in Westland was opgegroeid, waar geen magie bestond, vroeg hij zich wel eens af wat hij had gemist – vooral in situaties zoals deze, wanneer hij zich hopeloos onwetend voelde. In andere omstandigheden, zoals toen Kahlan gevangen was, had hij juist een hekel aan magie gehad en er niets meer mee te maken willen hebben.

Degenen die de leerstellingen van de Imperiale Orde aanhingen, zouden er een cynische bevrediging in vinden dat Meester Rahl zulke kille gedachten over magie koesterde.

Hoewel Richard zonder enig besef van magie was opgegroeid, had hij er sindsdien wel het een en ander over geleerd. Om te beginnen wist hij dat de Gratie die onder Nicci was getekend, een krachtig middel was dat door de begaafden werd toegepast. Ook wist hij dat die zelden in bloed werd getekend, en dan nog uitsluitend in de zwaarste omstandigheden.

In de glanzende bloedlijnen waaruit de Gratie was gevormd, ontdekte Richard iets wat zijn nekhaartjes overeind deed staan. Nicci's ene voet hing boven het midden van de Gratie, het deel dat het licht van de Schepper vertegenwoordigde, van waaruit niet alleen het leven ontsprong, maar ook de stralen die de gave symboliseerden en die door het leven, de sluier en vervolgens naar de eeuwigheid van de onderwereld liepen.

Haar andere voet hing echter een paar centimeter boven de tafel, voorbij de buitenste ring van de tekening, boven het deel dat de onderwereld voorstelde. Nicci zweefde tussen de wereld van het leven en de dood. Dat kon moeilijk toeval zijn, wist Richard.

Hij richtte zijn blik op de schaduwen achter de verontrustende aanblik van de zwevende Nicci, waar hij Nathan en Ann zag staan. Af en toe werden ze door bliksemschichten verlicht, als geesten die telkens even tot leven werden gewekt. Ook zij stonden met een ernstig gezicht naar Nicci in het midden van de gloeiende bezweringsvorm te kijken.

Langzaam liep Zedd om de tafel heen, met zijn ene hand op zijn knokige heup, terwijl hij met een magere vinger van zijn andere hand langs zijn gladde kaak streek. Aandachtig bekeek hij het almaar groter en ingewikkelder wordende patroon van gloeiende groene lijnen.

Buiten bleef het door de hoge ramen in korte felle vlagen weerlichten, maar het gerommel van de donder werd door de dikke stenen van de Burcht gedempt.

Richard keek op naar Nicci's gezicht. 'Is ze... Is ze wel in orde?'

Zedd keek hem aan alsof hij was vergeten dat Richard was binnengekomen. 'Wat?'

'Is alles in orde met haar?'

Zedds borstelige wenkbrauwen kropen naar elkaar toe. 'Hoe moet ik dat nu weten?'

Ontsteld stak Richard zijn armen omhoog en liet ze slap langs zijn zij vallen. 'Allemachtig, Zedd, jij bent toch degene die haar daar heeft laten hangen?'

'Niet precies,' mompelde Zedd, terwijl hij onder het lopen zijn palmen over elkaar wreef.

Richard ging dichter bij de tafel staan. 'Wat is er aan de hand? Is alles in orde met Nicci? Is ze in gevaar?'

Met een zucht keek Zedd eindelijk achterom. 'Dat weten we niet precies, jongen.'

Nathan stapte uit de schaduw naar voren en ging in het groenige licht bij de tafel staan. De azuurblauwe ogen van de lange profeet stonden duidelijk somber. Met een geruststellend gebaar spreidde hij zijn handen, en toen hij zijn schouders ophaalde, bewoog zijn lange witte haar lichtjes. 'We denken dat haar niets mankeert, Richard.'

'Alles komt weer helemaal goed met haar,' verzekerde Ann hem, terwijl ze naast Nathan ging staan.

De breedgeschouderde profeet torende boven haar uit. Naast Nathan zag ze er nog alledaagser uit in haar eenvoudige wollen jurk en met haar grijzende haar losjes in een knotje gebonden. Maar naast Nathan zag vrijwel iedereen er alledaags uit, dacht Richard.

Hij gebaarde naar het net van geometrische lijnen waarin Nicci gevangen zat. 'Wat is dat voor een ding?'

'Een verificatieweb,' zei zijn grootvader.

Richard fronste zijn voorhoofd. 'Verificatie? Verificatie waarvan?'

'Ketenvuur,' legde Zedd op sombere toon uit. 'We proberen erachter te komen hoe een ketenvuurverschijnsel precies werkt, om te bepalen of we het kunnen omkeren.'

Verbluft krabde Richard over zijn slaap. 'O.' De hele situatie ging hem steeds meer tegenstaan. Hij wilde wanhopig naar Kahlan zoeken, maar maakte zich ook grote zorgen over Nicci bij deze poging om de geheimzinnige krachten te ontrafelen, die door tovenaars uit de oudheid waren geschapen.

Als Eerste Tovenaar bezat Zedd vermogens en talenten die Richard nauwelijks kon bevroeden, en de tovenaars van lang geleden waren nog vele malen begaafder geweest dan Zedd. Ondanks alle kennis van Zedd, Nathan, Ann en Nicci bij elkaar, en ondanks hun machtige gaven, klungelden ze nog steeds met dingen waarmee ze geen ervaring hadden, die hun vermogen ver te boven gingen en waarvoor zelfs de oude tovenaars bang waren geweest. Kennelijk zat er echter weinig anders op...

Afgezien van zijn ongerustheid over Nicci had Richard haar hulp nodig om Kahlan te vinden. De anderen mochten in sommige opzichten machtiger of deskundiger zijn dan Nicci, toch stond ze alles bij elkaar genomen op een veel hoger niveau. Ze was vermoedelijk zelfs de machtigste tovenares die er ooit had bestaan. Wat anderen slechts met moeite klaarspeelden, lukte Nicci in een oogopslag. Hoe opmerkelijk dat ook was, voor Richard was het waarschijnlijk een van de minst bijzondere kanten van Nicci. Behalve Kahlan kende hij niemand die zo vastberaden een doel voor ogen kon houden als Nicci.

Cara kon even hardnekkig zijn als het erom ging hem te beschermen, maar Nicci kon haar onverzettelijkheid op alles toepassen wat ze wilde. Vroeger, toen ze nog tegen hem had gevochten, was ze door haar roekeloze vastberadenheid niet alleen meedogenloos effectief, maar bovendien een uitermate gevaarlijke tegenstander geweest.

Richard was blij dat alles inmiddels was veranderd. Sinds de zoektocht naar Kahlan was begonnen, was Nicci zijn trouwste vriendin geworden. Nicci wist echter dat hij zijn hart aan Kahlan had geschonken, en dat daar niets aan te veranderen viel.

Hij streek met zijn vingers door zijn haar. 'Nou, wat doet ze daar midden in dat ding?'

'Zij is de enige van ons die Subtractieve Magie kan gebruiken,' zei Ann kortweg. 'Er zijn Subtractieve elementen voor nodig om een ketenvuurverschijnsel te laten ontbranden en vervolgens te laten werken. We proberen de hele bezwering te begrijpen, zowel de Additieve als de Subtractieve componenten.'

Daar zat wat in, vond Richard, al voelde hij zich er geen zier beter door. 'En heeft Nicci hiermee ingestemd?'

Nathan schraapte zijn keel. 'Het was haar idee.'

Ach, natuurlijk... Soms vroeg Richard zich af of ze eigenlijk naar de dood verlangde. In situaties zoals nu wenste hij dat hij meer van zulke zaken af wist.

Hij voelde zich alweer onwetend, en gebaarde omhoog naar het geval dat boven de tafel zweefde. 'Ik heb me nooit gerealiseerd dat verificatiewebben mensen gebruiken. Ik bedoel, ik wist niet dat zulke webben op die manier om iemand heen werden geworpen.'

'Dat wisten wij ook niet precies,' zei Nathan met zijn zware, gebiedende stem.

Richard voelde zich onbehaaglijk onder de strakke blik van de profeet en wendde zich daarom tot Zedd. 'Wat bedoel je?'

Zedd haalde zijn schouders op. 'Dit is de eerste keer dat een van ons vanuit een inwendig perspectief een aspectanalyse van een verificatieweb heeft verricht. Daar is namelijk Subtractieve Magie voor nodig, en daarom is er op deze manier waarschijnlijk al duizenden jaren geen verificatieweb meer uitgeworpen.'

'Hoe wist je dan hoe het moest?'

'Dat geen van ons ooit zoiets heeft gedaan,' antwoordde Ann, 'wil niet zeggen dat we er geen beschrijvingen van hebben bestudeerd.'

Zedd wees naar een andere tafel. 'We hebben het boek gelezen dat je hebt gevonden: *Ketenvuur*. Dat is ingewikkelder dan we ooit hebben gezien, dus wilden we alles goed begrijpen. Hoewel we nog nooit een inwendig perspectief hebben gedaan, is het in feite slechts een uitbreiding van iets wat we al weten. Zolang je een standaardverificatieweb kunt uitvoeren en je over de vereiste elementen van de gave beschikt, kun je de aspectanalyse vanuit een inwendig perspectief verrichten. Dat doet Nicci nu; daarom moest zij degene zijn die het deed.'

'Waarom is deze methode noodzakelijk als er een standaardprocedure bestaat?'

Zedd wuifde met zijn hand naar de lijnen rondom Nicci. 'Een inwendig perspectief schijnt de bezweringsvorm gedetailleerder te laten zien – tot op een fundamenteler niveau – dan bij de standaardverificatieprocedure het geval is. Aangezien het meer schijnt aan te tonen dan de standaardprocedure ons kan leren, en omdat Nicci het in gang kon zetten, hebben we met ons allen besloten dat het nuttig zou zijn om het op deze manier te doen.'

Richard haalde iets opgeluchter adem. 'Dus in dit geval is het gebruik van Nicci gewoon een abstracte analyse. Meer houdt het niet in.'

Zedd wendde zijn blik af en streek zachtjes over zijn gerimpelde voorhoofd. 'Dit is alleen maar een verificatieproces, Richard, niet de ontbranding van de werkelijke gebeurtenis. In zekere zin is het dus niet echt. Wat de echte bezwering in een oogwenk doet, wordt in deze trage vorm uitgerekt tot een langdurig verificatieproces, waardoor een uitvoerige analyse mogelijk is. Hoewel het beslist niet zonder risico's is, is het niet de eigenlijke bezwering die je om Nicci heen ziet.'

Zedd schraapte zijn keel. 'Als de eigenlijke bezwering was uitgeworpen, zou het niet Nicci zijn geweest, maar Kahlan, en dan zou het maar al te reëel zijn geweest.'

Richard kreeg kippenvel op zijn armen, zijn mond voelde zo droog dat hij amper een woord kon uitbrengen, en in de aderen in zijn nek voelde hij zijn hart kloppen. Vurig wenste hij dat het niet waar was.

'Maar je zei dat je Nicci nodig had om dit web uit te werpen. Je zei dat je het alleen kon doen omdat zij met Subtractieve Magie kan werken. Dat zou Kahlan niet voor de Zusters hebben kunnen doen, en bovendien zou ze er niet aan hebben meegewerkt.'

Zedd schudde zijn hoofd. 'De Zusters hebben de echte bezwering om Kahlan heen geworpen. Zij beschikken over Subtractieve kracht en hadden Kahlans medewerking helemaal niet nodig. Wij hebben Nicci nodig om het van binnenuit te doen, aan de hand van zowel Additieve als Subtractieve aspecten, zodat we kunnen bepalen hoe het werkt. Die twee dingen kun je niet met elkaar vergelijken.'

'Maar hoe...'

'Richard,' onderbrak zijn grootvader hem op vriendelijke toon, 'zoals ik al zei, hebben we het nogal druk. Dit is niet het juiste moment om dit allemaal te bespreken. We moeten het proces bestuderen, zodat we het vergelijkingsgedrag van de bezwering kunnen ontdekken. Laat ons nu maar ons werk doen, goed?'

Richard liet zijn handen in zijn achterzakken glijden. 'Natuurlijk.'

Hij keek achterom naar Cara. De uitdrukking op haar gezicht zou door de meeste mensen als wezenloos worden beschouwd, maar doordat Richard haar zo goed kende, kon hij eruit opmaken dat ze zijn eigen bedenkingen deelde. Hij wendde zich weer naar zijn grootvader. 'Zitten jullie op de een of andere manier in de problemen?'

Zedd wierp de anderen een schuinse blik toe en bromde slechts voordat hij zich weer op de geometrische vormen concentreerde, die de zwevende vrouw omhulden.

Richard kende zijn grootvader goed genoeg om aan zijn vertrokken gezicht te kunnen zien dat hij misnoegd of heel ongerust was. In geen van beide gevallen voorspelde het veel goeds, en hij begon zich nu echt zorgen om Nicci te maken.

Terwijl de anderen achteruitweken en met een geconcentreerde frons piekerden over de manier waarop het gloeiende verificatieweb telkens nieuwe lijnen door de ruimte bleef trekken, kwam Richard juist dichterbij. Langzaam liep hij om de tafel heen, en voor het eerst bestudeerde hij de lijnen die kriskras overal om Nicci heen door de lucht liepen.

Toen hij nog dichterbij kwam en om de tafel heen stapte, besefte hij dat de lijnen in feite een cilinder in de ruimte vormden, alsof het iets plats was dat opgerold was geweest, met Nicci binnenin. Dat betekende dat alle lijnen eigenlijk een tweedimensionale tekening waren, zelfs als ze omkrulden tot ze elkaar raakten. In gedachten streek Richard de cilinder glad, ongeveer zoals je een perkamentrol uitvouwt, om de tekening op de gebruikelijke manier te kunnen zien. Meteen drong het tot hem door dat het netwerk van lijnen hem vreemd bekend voorkwam.

Hoe meer Richard de lijnen bestudeerde, des te langer hij ernaar moest staren, alsof hij in het patroon van lijnen, hoeken en bogen werd getrokken. Er was iets wat hij zou moeten herkennen, maar hij kon er niet achter komen wat het was.

Misschien zou hij een bezweringsvorm die om Kahlan was uitgeworpen, als kwaad moeten beschouwen, maar zo voelde hij het niet. De bezweringsvorm bestond domweg; het bezat niet de hoedanigheid van goed of kwaad. Degenen die het web om Kahlan hadden uitgeworpen, waren het ware kwaad: de vier Zusters, die de bezwering voor hun eigen snode plannen hadden gebruikt.

Zij hadden de bezwering gebruikt om de kistjes van Orden in handen te krijgen en de Wachter van de onderwereld te bevrijden – om de dood op de levenden los te laten in ruil voor bedrieglijke beloften van onsterfelijkheid.

Starend naar de lijnen begon Richard hun ritme, hun patronen en hun bewegingen nauwkeurig te onderzoeken. Daarbij begon hij een vaag vermoeden van hun betekenis te krijgen. Hij begon een doel in het patroon te zien.

Hij wees naar een plek bij Nicci's uitgestrekte rechterarm, vlak onder haar elleboog. 'Die plek hier is helemaal fout,' zei hij, terwijl hij fronsend naar de stof van geweven licht keek.

Zedd bleef stilstaan. 'Fout?'

Richard had niet gemerkt dat hij het hardop had gezegd, althans zo hard dat de anderen het konden horen. 'Ja, precies. Het is fout.'

5

Richard concentreerde zich weer op de lijnen. Als hij zijn hoofd een beetje schuin hield, kon hij ze beter volgen tijdens hun ingewikkelde kronkels die elkaar vanuit alle richtingen doorkruisten, totdat ze vlak voor Nicci's middel ophielden. Langzaam begonnen de betekenis van de kronkels en de achterliggende gedachte van het patroon tot hem door te dringen.

'Volgens mij ontbreekt er een steunconstructie.' Hij wees naar links. 'Die zou daarachter moeten beginnen, denk je niet? Het lijkt wel alsof er vanuit dit stuk een lijn omhoog zou moeten gaan, die kant op, en dan terug naar die plek bij haar elleboog.' Richard was zo gefixeerd op het patroon van de lijnen dat hij de anderen leek te vergeten.

'Dat kun je onmogelijk weten,' zei Ann botweg.

Hij liet zich door haar twijfel niet van zijn stuk brengen. 'Wanneer iemand je een cirkel laat zien waar een plat stuk in zit, dan weet je toch dat er iets niet klopt? Je kunt zien wat het patroon moet voorstellen, en je ziet meteen dat het platte stuk er niet thuishoort.'

'Richard, dit is niet zomaar een cirkel. Je beseft niet wat je voor je ziet.' Ze hield zich in voordat haar stem zich nog meer verhief, vouwde haar handen voor zich ineen en haalde diep adem voordat ze verder sprak.

'Ik probeer alleen duidelijk te maken dat het hier om een heleboel complexe zaken gaat, waarvan jij geen enkel benul hebt. Wij zijn met ons drieën niet eens in staat om het mechanisme achter de bezweringsvorm te ontrafelen, terwijl wij nota bene een grondige kennis van zulke dingen hebben. Met al onze scholing en kennis weten we nog steeds niet genoeg om te doorzien hoe het precies werkt. Jij begrijpt helemaal niets van zulke ingewikkelde patronen.'

Zonder zich naar haar om te draaien, wuifde Richard haar bezwaren weg. 'Dat doet er niet toe. De vorm is symbolisch.'

Nathan hield zijn hoofd schuin. 'Wat zei je?'

'Symbolisch,' mompelde Richard, terwijl hij de lijnen bestudeerde en in de kluwen de hoofddraad probeerde te identificeren.

'Nou, en?' sputterde zijn grootvader toen Richard weer in gedachten verzonk.

'Ik begrijp de taal van symbolen,' reageerde hij afwezig. Hij had de hoofdlijn gevonden, en volgde de op- en neergaande kronkels van het patroon, terwijl de bedoeling ervan hem steeds duidelijker werd. 'Dat heb ik je al eens verteld.'

'Wanneer?'

'Toen we nog bij het Moddervolk waren.' Richard verdiepte zich weer in het verloop van het patroon, en probeerde tussen de zijtakken de stijgende lijn te bepalen. 'Kahlan was erbij, en Ann ook.'

'Ik ben bang dat we ons dat niet meer herinneren,' bekende Zedd nadat hij Ann gefrustreerd haar hoofd had zien schudden. Hij slaakte een diepe zucht. 'Nog een herinnering aan Kahlan die de Zusters ons hebben ontfutseld.'

Richard had niet goed geluisterd. In groeiende opwinding zwaaide hij bij een breuk in de lijnen vlak onder Nicci's elleboog met zijn vinger heen en weer.

'Ik heb gelijk: hier ontbreekt een lijn. Dat weet ik zeker.'

Hij wendde zich tot zijn grootvader, en zag dat iedereen hem aanstaarde. 'Precies op deze plek,' verklaarde hij, en hij wees opnieuw, 'vanaf het einde van deze opstijgende boog tot aan dit snijpunt van driehoeken zou er een lijn moeten zijn.'

Zedd fronste zijn voorhoofd. 'Een lijn?'

'Ja.' Richard snapte niet waarom dat de anderen niet eerder was opgevallen. Voor hem was het zo klaar als een klontje, net zo opvallend als een melodie waarin een noot werd overgeslagen. 'Er ontbreekt een lijn, een belangrijke lijn.'

'Een belangrijke lijn,' praatte Ann hem wrevelig na.

Richard werd almaar onrustiger, en veegde met zijn hand over zijn mond. 'Een heel belangrijke.'

Zedd zuchtte. 'Richard, waar heb je het in vredesnaam over?'

'Dat kun je met geen mogelijkheid weten,' zei Ann smalend. Haar geduld begon op te raken.

'Kijk,' zei Richard, toen hij zich weer naar hen had omgedraaid, 'het is een symbool, een patroon.'

Zedd krabde zich op zijn hoofd en keek even naar het raam toen er vlakbij een bliksemflits fel oplichtte, kort daarop gevolgd door een donderslag die de stenen muren van de Burcht leek te doen schudden.

Hij keerde zich weer naar Richard. 'En kun je uit het patroon iets opmaken, Richard?'

'Ja. Zo'n patroon is als een vertaling uit een andere taal. In zekere zin is dat ook wat jullie aan de hand van dit verificatieweb proberen te begrijpen. Deze vorm is net zo kenmerkend voor een concept als een wiskundige vergelijking die fysieke kenmerken uitdrukt, zoals een vergelijking waarin de verhouding van de omtrek van een cirkel tot de middellijn wordt uitgedrukt. Symbolische vormen kunnen ook een soort taal zijn, net zoals wiskunde een soort taal is. Allebei kunnen ze iets duidelijk maken over de aard van de dingen.'

Geduldig streek Zedd zijn haar glad. 'Beschouw jij symbolen als een soort taal?'

'In zekere zin wel. Neem bijvoorbeeld de Gratie onder Nicci: dat is een symbool. De buitenste cirkel vertegenwoordigt het begin van de onderwereld, terwijl de binnenste cirkel de grenzen van de wereld van het leven vertegenwoordigt. Het vierkant waardoor ze worden gescheiden, vertegenwoordigt de sluier tussen die twee werelden. In het midden bevindt zich een achtpuntige ster, die het Licht van de Schepper voorstelt. De acht lijnen die vanuit de punten van de ster helemaal door de buitenste cirkel lopen, vertegenwoordigen de gave die door de Schepping helemaal door het leven, dwars door de sluier tot in de dood wordt meegevoerd. Het hele geval is een symbool; wanneer je het symbool ziet, zie je het als één concept. Je zou kunnen zeggen dat je dan de taal ervan begrijpt.

Als een begaafde tijdens het oproepen van een betovering de Gratie niet goed tekent – als hij de taal niet goed heeft gesproken –

werkt die niet zoals de bedoeling is, en zou die zelfs problemen kunnen veroorzaken. Stel dat je een Gratie met een negenpuntige ster zag, of een waarvan een cirkel ontbreekt, dan weet je toch dat die niet klopt? Als het vierkant dat de sluier voorstelt, verkeerd is getekend, zou daardoor theoretisch de sluier kunnen scheuren, waardoor de twee werelden in elkaar kunnen overvloeien.

Het is een symbool: je begrijpt wat het moet voorstellen en je weet hoe het eruit moet zien. Als het verkeerd is getekend, herken je dat er iets niet klopt.'

Toen de bliksem flikkerend uitdoofde, zorgde het zwakke lantaarnschijnsel voor een verlaten sfeer in het vertrek. In de verte rommelde de donder onheilspellend vanuit het dal.

Doodstil stond Zedd geconcentreerder naar Richard te kijken dan hij het verificatieweb had bestudeerd. 'Zo heb ik het nog nooit bekeken, Richard, maar ik geef toe dat er wat in zit.'

Nathan trok een wenkbrauw op. 'Ongetwijfeld.'

Ann zuchtte. 'Misschien.'

Richard keerde hun sombere gezichten de rug toe en richtte zich weer op de gloeiende lijnen.

'Deze hier,' zei hij gebarend, 'is fout.'

Zedd rekte zijn hals om naar de lijnen te turen. 'Laten we aannemen dat je gelijk hebt. Wat heeft het volgens jou te betekenen?'

Richards hart ging wild tekeer terwijl hij om de tafel heen liep en snel de lijnen door de betovering volgde. Hij hield zijn vinger vlak bij de lichtlijnen om de hoofdbanen, de golflijnen en de structuur van de vorm te volgen.

Opeens vond hij wat hij verwachtte. 'Hier. Kijk hier maar naar deze pas gevormde structuur die om deze oudere lijnen heen is ontstaan. Kijk eens naar de chaotische aard van deze nieuwe cluster; het is een variabele, maar in dit lijnensymbool zouden het allemaal constanten moeten zijn.'

'Variabele?' sputterde Zedd, alsof hij meende dat hij Richards redenering kon volgen, maar in plaats daarvan besefte dat hij er niets van begreep.

'Ja,' antwoordde Richard. 'Het is niet symbolisch. Het is een biologische vorm. De twee verschillen duidelijk van elkaar.'

Zuchtend streek Nathan met beide handen zijn witte haar naar achteren, maar hij zei niets.

Anns gezicht liep vuurrood aan. 'Het is een bezweringsvorm! Het is inert! Het kan helemaal niet biologisch zijn!'

'Dat is juist het probleem,' reageerde Richard in antwoord op haar argument, terwijl hij haar boosheid negeerde. 'Je kunt een constante niet door dit soort variabelen laten aantasten. Dat is net zoiets als een wiskundige vergelijking waarbij de getallen spontaan van waarde kunnen veranderen. Zoiets zou de wiskunde ongeldig en onbruikbaar maken. Algebraïsche symbolen kunnen weliswaar variëren, maar zelfs dan zijn het specifieke relationele variabelen. De getallen zijn echter wel constanten. Hetzelfde geldt voor deze structuur: symbolen moeten uit inerte constanten zijn opgebouwd, ongeveer zoals een eenvoudige op-tel- of aftreksom, zeg maar. Een inwendige variabele verknoeit de constante van een symbolische vorm.'

'Ik begrijp er niets van,' biechtte Zedd op.

Richard gebaarde naar de tafel. 'Je hebt de Gratie in bloed gete-kend. De Gratie is een constante. Het bloed is biologisch. Waar-om heb je het op die manier gedaan?'

'Om het te laten werken,' snauwde Ann. 'We moesten het op die manier doen om een inwendig perspectief van het verificatieweb in werking te stellen. Zo gaat dat nu eenmaal. Dat is de gebrui-kelijke manier.'

Richard stak een vinger op. 'Precies. In een constante – een Gra-tie – heb je doelbewust een biologische variabele – bloed – geïntro-duceerd.

Vergeet echter niet dat die zich buiten de eigenlijke bezwerings-vorm bevindt; het is in feite alleen maar een opwekkingsmiddel, een katalysator. Ik denk dat zo'n variabele in de Gratie de door jou opgewekte betovering mogelijk kan maken zonder dat die door een constante – de Gratie – kan worden beïnvloed. Snap je? Daardoor krijgt het verificatieweb niet alleen de kracht die door de Gratie wordt opgewekt, maar ook de vrijheid die het op grond van de biologische variabele heeft verkregen om het naar behoefte te laten groeien, zodat de ware aard en bedoeling ervan worden getoond.'

Toen Zedd Cara een blik toewierp, zei ze: 'Je hoeft heus niet zo naar mij te kijken, hoor. Als hij in zo'n bui is, knik ik gewoon vriendelijk en wacht ik tot de problemen losbarsten.'

Zedd trok een zuur gezicht. Met zijn ene hand op zijn heup deed hij een paar passen vooruit, maar keerde zich toen weer om. 'Ik heb in mijn hele leven nog nooit zo'n verklaring van een verificatieweb gehoord. Het is een heel aparte manier om het te bekijken. Wat me nog het meest dwarszit, is dat het op een eigenaardige manier nog hout snijdt ook. Ik zeg niet dat je gelijk hebt, Richard, maar het is in ieder geval een verontrustende gedachte.'

'Als je gelijk hebt,' zei Nathan, 'zou het betekenen dat we al die jaren kinderen zijn geweest die met vuur hebben gespeeld.'

'Als hij gelijk heeft tenminste,' voegde Ann er binnensmonds aan toe. ''t Klinkt mij een tikkeltje te slim in de oren.'

Richard staarde omhoog naar de vrouw die als bevroren in de ruimte hing, de vrouw die op dat moment niet voor zichzelf kon spreken. 'Met welk bloed hebben jullie de Gratie getekend?' vroeg hij aan de anderen achter hem.

'Met Nicci's bloed,' antwoordde Nathan. 'Dat stelde ze zelf voor. Ze zei dat het de juiste methode was, en de enige manier om het te laten werken.'

Verbluft wendde Richard zich naar hen om. 'Dat van Nicci? Jullie hebben Nicci's bloed gebruikt?'

Zedd knikte. 'Ja.'

'Jullie hebben een variabele gecreëerd... met haar bloed... en toen hebben jullie haar daarin gestopt?'

'Nog afgezien van het feit dat we hebben gedaan wat Nicci vond dat er moest gebeuren,' antwoordde Ann, 'hebben we het goed onderzocht en we hebben alle reden om erop te vertrouwen dat dit de juiste methode is om een inwendig perspectief in werking te stellen.'

'Ik ben ervan overtuigd dat je gelijk hebt, in normale omstandigheden tenminste. Omdat jullie allemaal de juiste methode voor dit soort dingen kennen, kan dat alleen betekenen dat het hierbij om een heel andere storing gaat dan een gewoon probleem dat zich bij het verificatieproces kan voordoen.' Richard harkte met zijn vingers door zijn haar. 'Het zou iets moeten zijn wat... Ik weet het niet. Iets onvoorstelbaars.'

Zedd haalde zijn schouders op. 'Denk je echt dat het problemen kan opleveren dat Nicci daarin zit terwijl zij de bron van het bloed is waaruit het web wordt gevoed, Richard?'

Onder het ijsberen beet Richard op zijn lip. 'Misschien niet als de oorspronkelijke bezweringsvorm die je wilde verifiëren, zuiver was. Maar dat is deze niet. Deze is door een andere biologische variabele besmet. Ik denk dat de besmetting de vereiste speelruimte heeft gekregen toen de bron van de controlevariabele – Nicci – werd geleverd.'

'En dat betekent?' vroeg Nathan.

Richard gebaarde terwijl hij bleef ijsberen. 'En dat betekent dat het olie op het vuur was.'

'Ik denk dat het onweer met onze verbeelding op de loop gaat,' reageerde Ann.

'Welke biologische variabele zou in hemelsnaam een verificatieweb kunnen besmetten?' vroeg Nathan.

Richard draaide zich om en staarde naar de lijnen. Met zijn blik volgde hij ze tot aan de verschrikkelijke boog die eindigde waar hij ondersteund zou moeten zijn. Hij keek naar het wachtende snijpunt voorbij de lege plek.

'Dat weet ik niet,' gaf hij ten slotte toe.

Zedd deed een stap dichterbij. 'Richard, je ideeën zijn erg origineel, en ze stemmen beslist tot nadenken, dat moet ik je nageven. En het is best mogelijk dat ze ons nuttige inzichten verschaffen waardoor we meer begrijpen dan anders het geval zou zijn geweest, maar niet alles wat je zegt, is juist. Sommige dingen zijn zelfs pertinent fout.'

Richard keek hem over zijn schouder aan. 'Heus? Wat bijvoorbeeld?'

Zedd haalde zijn schouders op. 'Nou, om te beginnen kunnen biologische vormen ook symbolisch zijn. Is een eikenblad soms niet biologisch? Herken je zijn symbolische vorm dan niet? Is een slang niet iets wat met een symbool kan worden uitgedrukt? Kan een heel wezen, bijvoorbeeld een boom of een mens, niet symbolisch worden weergegeven?'

Richard knipperde met zijn ogen. 'Je hebt gelijk. Zo heb ik er nooit over nagedacht, maar je hebt volkomen gelijk.'

Hij draaide zich om naar de bezweringsvorm, en bekeek het gebied van de biologische besmetting met nieuwe ogen. Nauwkeurig nam hij de verwarrende massa op in de hoop er een patroon in te kunnen ontdekken. Dat leek echter onbegonnen werk. Er was domweg geen patroon.

Maar hoezo eigenlijk niet? Als de afbeelding een biologische oorsprong had, en hij wist dat dat het geval was, dan zou er volgens

Zedd binnen in die voorstelling een bronpatroon moeten zijn uitgedrukt. Dat was echter niet zo, want er was slechts sprake van één grote kluwen van nietszeggende lijnen.

Opeens besefte hij dat hij binnen in die warboel een klein stukje dacht te herkennen. Op de een of andere manier leek het haast... vloeibaar. Maar dat sloeg nergens op, want hij zag een ander stuk dat er precies het tegenovergestelde uitzag. Het andere fragment zag er eerder uit als een symbolische voorstelling van vuur.

Tenzij er sprake was van meer dan één element. Een boom kon een eikenblad of een eikel als symbool hebben, of de vorm die de hele boom voorstelde. En wie weet konden die drie dingen samen de bezweringsvorm besmetten.

Drie dingen...

Toen zag hij ze: de drie elementen. Water. Vuur. Lucht. Alle drie zaten ze erin, helemaal in elkaar verstrikt.

'Goede geesten,' fluisterde Richard, en hij sperde zijn ogen wijd open. Hij rechtte zijn rug, en het kippenvel kroop over zijn armen. 'Haal haar eruit.'

'Richard,' zei Nathan, 'ze is volkomen...'

'Ze moet eruit! Haal haar er onmiddellijk uit!'

'Richard...' begon Ann.

'Ik heb het al eens gezegd: er mankeert iets aan de bezweringsvorm!'

'Tja, daar proberen we nu juist achter te komen, nietwaar?' merkte Ann overdreven geduldig op.

'Jullie begrijpen het niet.' Richard gebaarde naar de muur van zacht gloeiende lijnen. 'Dit is niet het soort fout waar iemand naar zoekt. Deze fout is dodelijk. De betovering is niet langer inert; ze is aan het muteren. Ze wordt levensvatbaar.'

'Levensvatbaar?' Vol ongeloof vertrok Zedd zijn gezicht. 'Hoe kun je dat in vredesnaam...'

'Jullie moeten haar eruit halen! Zorg dat ze er onmiddellijk uit komt!'

6

Hoewel Nicci zich niet kon bewegen en niet kon praten, was ze zich bewust van alles wat er werd gezegd, al klonken de stemmen hol, alsof ze vanuit een verre wereld vanachter de groenige sluier kwamen.

Ze wilde schreeuwen: luister naar hem! Omdat ze in het omhulsel vastzat, kon ze dat niet. Maar bovenal wilde ze ontkomen aan de verpletterende kracht van de verschrikkelijke wirwar waarin ze bekneld zat. Wat een inwendig perspectief precies inhield, was voorheen niet tot haar doorgedrongen, en evenmin tot de anderen. Geen van hen had de werkelijkheid kunnen vermoeden.

Pas nadat ze het proces in werking had gezet, had ze ontdekt dat zo'n perspectief niet domweg een manier was om een verificatieweb nauwkeuriger van binnen te kunnen bekijken, zoals ze hadden gedacht, maar dat degene die het onderzocht dat in zichzelf kon ervaren. Tegen die tijd was het al te laat om de anderen te waarschuwen dat ze de bezweringsvorm waarnam doordat die in haar werd ontstoken. Het gedeelte dat haar omringde, was slechts het aura van de toverkracht die in haar was ontloken. Aanvankelijk was het een bijna hemelse openbaring geweest.

Kort nadat ze het web hadden ontketend, begon er echter iets mis te gaan. Wat als een ontroerend mooi visioen was begonnen, was in een ondraaglijke kwelling ontaard. Elke nieuwe lijn die de lucht om haar heen doorkruiste, bezat een overeenkomstig inwendig aspect dat voelde alsof het door haar ziel sneed.

In het begin had ze ontdekt dat genot deel uitmaakte van het mechanisme waarmee men de betovering waarnam terwijl die zich ontvouwde. Op dezelfde wijze waarop genot de heilzame aspecten van het leven kon bekrachtigen, onthulde het de ingewikkelde aard van de bezweringsvorm in al zijn glorie. Het voelde alsof ze naar een adembenemende zonsopgang keek, een verrukkelijk gebakje proefde, of in de ogen van een geliefde staarde die haar op dezelfde manier aanstaarde. Althans, zo stelde ze zich voor dat een geliefde zou terugstaren...

Ze had echter ook ontdekt dat pijn een aanwijzing voor een ernstige ontregeling was, net als in het leven zelf.

Dat deze methode vroeger algemeen werd gebruikt om de inwendige werking van geconstrueerde magie te analyseren, om de inwendige gezondheidstoestand ervan vast te stellen, had Nicci nooit kunnen vermoeden. De complexiteit en de omvang van wat de methode aan het licht kon brengen, had ze evenmin kunnen bevroeden. Ook was ze er niet op bedacht dat het zo'n pijn zou doen wanneer er met de betovering iets misging.

Ze vroeg zich af of ze er ook op zou hebben aangedrongen als ze dat allemaal van tevoren had geweten. Waarschijnlijk wel, als ze daarmee een kans had om Richard te helpen.

De helse pijn die ze voelde, was op dat moment echter het enige wat van belang was. Zoveel pijn had zelfs de droomwandelaar haar niet kunnen doen. Ze werd beheerst door het verlangen om van de martelingen bevrijd te zijn. De fout in de betovering was zo groot, dat ze zeker wist dat de beleving ervan een dodelijke afloop zou hebben.

Richard had hun de plek laten zien waar het mis was gegaan. De besmetting die binnen in de betovering was verborgen, rukte haar uiteen. Ze kon haar leven voelen wegvloeien uit die verschrikkelijke buitenste cirkel van de Gratie. De Gratie, die met haar bloed was getekend, was haar leven geworden en zou haar dood betekenen.

Voorlopig bevond Nicci zich nog in twee werelden, die geen van beide helemaal werkelijk voor haar waren. Ze vertoefde nog in de wereld van het leven, maar kon zich onverbiddelijk naar de donkere leegte erachter voelen afglijden. Ondertussen verloor de wereld van het leven om haar heen geleidelijk zijn helderheid.

Ze was op dat moment bereid alles op te geven en zich voorgoed in de eeuwigheid van het niet-zijn te laten glijden, als ze daardoor de pijn kon laten ophouden.

Nicci kon zich niet bewegen, maar ze zag alles in het vertrek. Ze keek echter niet met haar ogen, maar met haar gave. Ondanks haar lijden beleefde ze zo'n exotische waarnemingsvorm als een buitengewone ervaring.

Het zien door middel van enkel haar gave bezat een uitzonderlijke kwaliteit die de alwetendheid benaderde. Ze kon meer zien dan ze ooit met haar ogen had kunnen aanschouwen, en ondanks haar ondraaglijke pijn ervoer ze de vredige grootsheid ervan.

Achter het net van groenige lijnen keek Richard van het ene verschrikte gezicht naar het andere.

'Wat mankeert jullie toch? Jullie moeten haar eruit halen!'

Voordat Ann een preek kon afsteken, gebaarde Zedd dat ze zich koest moest houden. Zodra hij ervan overtuigd was dat ze haar lippen stevig op elkaar geklemd hield, richtte hij zijn aandacht weer op zijn kleinzoon.

Nog een lijn maakte zich uit een snijpunt los en trok een spoor door de ruimte.

Voor Nicci voelde het alsof een botte breinaald een steek in haar ziel maakte, waardoor de pijn van de lichtdraad door haar heen werd getrokken terwijl die haar almaar strakker aan een duistere dood vastbond. Ze had al haar kracht nodig om bij bewustzijn te blijven, en overgave leek elke seconde aangenamer.

Zedd wees naar haar. 'Dat kunnen we niet, Richard. Die dingen moeten hun beloop hebben. Het verificatieweb doorloopt een aantal verbindingen, waarmee het informatie over zijn aard geeft. Zodra het verificatieproces is begonnen, kan het niet worden stilgelegd. Het moet zijn volledige cyclus doorlopen en daarna houdt het op.'

Nicci besefte de harde waarheid daarvan maar al te goed.

Richard greep zijn grootvader bij de arm. 'Hoe lang?' Hij schudde de oude man als een lappenpop door elkaar. 'Hoe lang duurt dat proces?'

Zedd peuterde Richards vingers van zijn arm los. 'Zo'n betovering als deze hebben we nog nooit meegemaakt, dus het is moeilijk te zeggen. Maar hoe complex deze ook blijkt te zijn, ik schat dat het op z'n minst drie tot vier uur zal duren. Ze zit er al een uur in, dus zal het nog uren duren voordat het hele proces is afgelopen.'

Nicci wist dat ze geen uren meer had, maar slechts luttele ogenblikken voordat de macht van de besmetting haar voorgoed door de sluier heen de wereld van de doden in zou trekken. Dat leek haar een vreemde manier om haar leven te beëindigen. Zo onverwacht, zo onopmerkelijk. Zo zinloos... Ze hoopte maar dat het in elk geval een einde zou zijn waarmee ze Richard op de een of andere manier kon helpen, dat ze zou sterven nadat de anderen iets te weten waren gekomen. Ze hoopte dat haar dood Richard tenminste iets waardevols zou opleveren.

Richard draaide zich weer naar haar om. 'Zo lang houdt ze het niet vol. We moeten haar er nu meteen uithalen.'

Inwendig glimlachte ze door haar pijn heen. Tot het einde. Richard zou tot het einde tegen de dood blijven vechten.

'Richard,' zei Zedd, 'ik kan me niet voorstellen dat je zoiets eigenlijk kunt weten, en ik zeg niet dat ik je niet geloof, maar we kunnen een verificatieweb niet stopzetten.'

'Waarom niet?'

'Nou,' verzuchtte Zedd, 'om je de waarheid te zeggen, weet ik niet eens of zoiets wel mogelijk is. Maar zelfs als dat wel zo is, weet niemand van ons hoe we dat moeten doen. Het standaardverificatieproces bouwt beveiligingen in om zichzelf tegen geknoei te beschermen. Dit geval is nog veel ingewikkelder.'

'Het is net alsof je al galopperend probeert af te stijgen, terwijl je langs een bergkam raast,' verduidelijkte de lange profeet. 'Je moet wachten totdat je paard niet meer rent voordat je eraf springt, anders spring je alleen je dood tegemoet.'

Richard ging weer bij de tafel staan en bestudeerde de lichtconstructie grondig. Nicci vroeg zich af of hij wist dat wat hij zag slechts tot op zekere hoogte concreet was, maar dat het hoofdzakelijk uit een aura bestond die een afspiegeling was van de werkelijke kracht die in haar woedde.

Toen er nog een lijn vanuit een snijpunt onder een hopeloos verkeerde hoek vooruitschoof, snakte Nicci inwendig naar adem. Het voelde alsof er vanbinnen langzaam iets essentieels werd opengereten. De pijn ervan gonsde door haar beenmerg. Ze zag de duisternis als een deken over het vertrek neerdalen, en ze wist dat ze een andere wereld in keek, de donkere wereld waarin pijn niet meer bestond.

Ze liet zichzelf naar die wereld afdrijven.

Opeens zag ze iets in de bovennatuurlijke schaduwen. Op het randje van de dood hield ze zichzelf tegen.

Twee ogen als gloeiende kooltjes tuurden vanuit het donker. De boosaardige intentie van die vurige blik was op Richard gericht. Wanhopig worstelde Nicci om een waarschuwing te roepen. Het brak haar hart dat het haar niet lukte.

'Kijk,' fluisterde Richard toen hij naar haar opkeek, 'er biggelt een traan langs haar wang.'

Treurig schudde Ann haar hoofd. 'Waarschijnlijk omdat ze niet met haar ogen knippert, meer niet.'

Van frustratie balde Richard zijn handen tot vuisten terwijl hij om de tafel heen liep om de betekenis van de lijnen te ontraadselen. 'We moeten een manier vinden om het ding af te zetten. Er móét een manier zijn.'

Teder legde Zedd een hand op Richards schouder. 'Ik zweer het, Richard, als het kon, zou ik het doen, maar ik ken geen enkele manier om een verificatieweb te laten ophouden. En waar maak je je trouwens zo druk om? Waarom die plotselinge haast? Waardoor wordt de bezweringsvorm volgens jou besmet?'

Nicci's aandacht was gefixeerd op het wezen dat vanuit de schaduwwereld van de doden toekeek. Telkens wanneer de bliksem de kamer verlichtte, was het wezen met de gloeiende ogen verdwenen. Alleen wanneer het vertrek weer in duisternis werd gehuld, kon ze het zien.

Richard wendde zijn blik van de lijnen af en staarde omhoog naar Nicci's gezicht.

Ze wilde niets liever dan dat hij haar weg zou trekken uit de kwelling van de betovering die haar met dodelijke scherven magie doorboorde, maar ze wist dat hij dat niet kon. Op dat ogenblik zou ze graag haar leven hebben willen geven om heel even in zijn armen te kunnen zijn.

Met kalme berusting gaf Richard eindelijk antwoord. 'De akkoorden.'

Ann keek vertwijfeld, en Nathan slaakte een zucht van verlichting, alsof hij nu zeker wist dat Richards verbeelding op hol was geslagen.

Verbaasd trok Zedd zijn voorhoofd op. 'De akkoorden? Richard, ik ben bang dat je het deze keer echt bij het verkeerde einde hebt. Dat is gewoon onmogelijk. De akkoorden zijn elementen uit de onderwereld. Ze hunkeren er weliswaar naar om onze wereld binnen te dringen, maar dat kunnen ze niet. Ze zitten voor eeuwig in de onderwereld gevangen.'

'Ik weet best wat de akkoorden zijn,' reageerde Richard op fluistertoon.

'Kahlan heeft ze bevrijd. Ze heeft ze bevrijd om mijn leven te redden.'

'Ze kon onmogelijk weten hoe ze zoiets moest doen.'

'Nathan heeft haar verteld hoe het moest; hij heeft haar hun namen verteld: Reechani, Sentrosi, Vasi. Water, vuur, lucht. De enige manier waarop ze mijn leven kon redden, was door hen op te roepen. Het was een wanhoopsdaad.'

Nathans mond viel open van verbazing, maar hij protesteerde niet. Ann wierp de profeet een achterdochtige blik toe.

Zedd spreidde zijn handen. 'Richard, ze dacht misschien dat ze hen riep, maar ik verzeker je dat zoiets enorm ingewikkeld is. Bovendien zouden we het weten als de akkoorden in onze wereld zouden zijn losgelaten. Daarover kun je in ieder geval gerust zijn. De akkoorden zijn niet los.'

'Niet meer,' reageerde Richard met grimmige beslistheid. 'Ik heb ze weer naar de onderwereld verbannen. Maar Kahlan geloofde altijd dat het feit dat ze hen onbewust in onze wereld had gebracht, het begin van de vernietiging van de magie zelf had veroorzaakt. Het cascade-effect, zoals je het wel eens hebt omschreven.'

Zedd was van zijn stuk gebracht. 'Het cascade-effect. Dat kun je alleen van mij hebben gehoord.'

Richard knikte en verzonk in gepeins. 'Ze wilde me ervan overtuigen dat de magie door de aanwezigheid van de akkoorden besmet was geraakt, en dat de besmetting niet zou worden tegengehouden als ze weer naar de onderwereld werden verbannen. Ik heb nooit geweten of ze gelijk had of niet. Nu wel.'

Hij wees omhoog naar de afschuwelijke plek vlak voor Nicci, naar de kern van haar pijn, haar kwelling, haar einde.

'Daar is het bewijs. Niet de akkoorden, maar de aantasting die hun aanwezigheid veroorzaakt: de besmetting van de magie. Die besmetting heeft deze wereld geïnfecteerd. Het werd naar de kracht van deze magie getrokken. Het heeft de ketenvuurbetovering geïnfecteerd en als we Nicci niet kunnen bevrijden, zal het haar doden.'

In het vertrek was het nog donkerder geworden. Nicci kon amper door de sluier van pijn heen kijken. Toch zag ze nog altijd die onheilspellende ogen achter Richard, die in de schaduw op de loer lagen. Niemand behalve Nicci wist dat het wezen daar was, in die spookachtige tussenwereld.

Richard zou niet weten wat hem overkwam.

Ze kon hem niet waarschuwen, en ze voelde nog een traan over haar gezicht rollen.

Richard zag de traan en boog zich dichter naar haar toe. Met kalme vastberadenheid volgde hij met zijn vinger de hoofdbanen, de ondersteunende verbindingen en de hoofdstructuur van het symbool, zoals hij het noemde.

'Het zou moeten lukken,' hield hij vol.

Ann keek furieus, maar bleef zwijgen. Nathan keek met ijzige berusting toe.

Zedd stroopte de mouwen van zijn gewaad over zijn knokige armen op. 'Richard, het is onmogelijk om een gewoon verificatieweb uit te zetten, laat staan zo een als dit.'

'Nee, dat is niet waar,' zei Richard geërgerd. 'Hier. Zie je dat hier? Je moet eerst deze baan hier onderbreken.'

'Bliksem en duivekaters, Richard, hoe moet ik dat in vredesnaam doen? De betovering beschermt zichzelf. Dit web wordt door zowel Subtractieve als Additieve Magie gevoed. Het heeft integrale schilden die van allebei zijn gemaakt.'

Even staarde Richard naar het vuurrode gezicht van zijn grootvader voordat hij zich weer op de wirwar van lijnen richtte. Weer keek hij omhoog naar Nicci, en stak toen voorzichtig een hand door het netwerk van lijnen om Nicci's zwarte jurk aan te raken.

'Ik zal zorgen dat het je niet te pakken krijgt,' fluisterde hij haar toe.

Nog nooit had ze zulke zoete woorden gehoord, al wist ze dat hij de onmogelijkheid van zijn belofte niet kon bevatten.

Toen zijn vinger haar jurk aanraakte, veranderden de patronen van tweedimensionale in driedimensionale vormen die eerder op een doornstruik dan op een bezweringsvorm leken.

Voor Nicci voelde het alsof hij zojuist een mes in haar binnenste had gestoken. Uit alle macht probeerde ze bij bewustzijn te blijven. Ze concentreerde zich op de gloeiende kooltjes in de schaduw. Ze moest een manier vinden om Richard te waarschuwen.

Zijn hand bleef hangen, en heel voorzichtig trok hij hem naar buiten. Het patroon vervlakte tot tweedimensionaal.

Als Nicci had kunnen ademen, zou ze een zucht van verlichting hebben geslaakt.

'Zagen jullie dat?' vroeg hij.

Zedd knikte. 'Jazeker.'

Richard keek over zijn schouder naar zijn grootvader. 'Is het normaal dat dat gebeurde?'

'Nee.'

'Dat dacht ik al. Het zou inert moeten zijn, maar de biologische variabele waarmee het is besmet, heeft de aard van de gastheerbezweringsvorm veranderd.'

Zedds gezicht vertrok terwijl hij er over nadacht. 'Het is wel duidelijk dat wat er ook aan de hand is, de manier waarop de betovering werkt erdoor wordt veranderd.'

Richard knikte. 'Het ergste is dat het een willekeurige variabele is. De besmetting die door de aanwezigheid van de akkoorden in deze wereld wordt veroorzaakt, is biologisch: ze ontwikkelt zich waarschijnlijk opdat ze verschillende soorten magie kan aantasten. Deze betovering zal ongetwijfeld blijven muteren. Er is vermoedelijk geen manier om te voorspellen hoe ze zal veranderen, maar op grond van de aanwijzingen hier lijkt het erop dat ze alleen maar schadelijker zal worden. Alsof het ketenvuur nog niet ellendig genoeg is, zou dit het nog een graadje erger kunnen maken. Het zou zelfs kunnen dat iedereen die erdoor wordt getroffen, nog andere problemen krijgt dan het verlies van hun herinneringen aan Kahlan.'

'Hoe kom je op dat idee?' vroeg Zedd.

'Kijk maar eens hoeveel herinneringen aan gebeurtenissen in verband met Kahlan jullie hebben verloren. De verloren herinneringen zijn misschien zelfs het middel waarmee de besmetting de mensen infecteert die door de effecten van het ketenvuurverschijnsel zijn geraakt.'

Alsof het loslaten van het ketenvuurverschijnsel op de wereld niet potentieel dodelijk genoeg was, leek de situatie nu helemaal rampzalig.

Ann trilde van opgekropte woede. Ze knarsetandde. 'Waar heb je die kolder vandaan?'

Zedd keek haar vernietigend aan. 'Hou je mond.'

'Zoals ik al zei: ik begrijp symbolische patronen. Dit patroon is een warboel,' zei Richard.

Nathan gluurde naar de ramen, die door bliksemschichten werden verlicht. Toen het weer donker was geworden, zag Nicci het wezen vanuit een donkere wereld toekijken.

'En geloof je werkelijk dat het Nicci op de een of andere manier kwaad doet?' vroeg Zedd.

'Dat weet ik wel zeker. Kijk maar naar deze afwijking, hier. Zoiets is dodelijk, zelfs zonder die extra breuk daar. Ik weet een heleboel over beeldende patronen die fataal kunnen zijn.'

Zedd keek Richard grimmig aan. 'Ik moet weten waar je het over hebt, wat je bedoelt met: beeldende patronen die fataal kunnen zijn.'

'Later. Nu moeten we eerst zorgen dat we haar eruit krijgen, en wel onmiddellijk.'

Gelaten schudde Zedd zijn hoofd. 'Ik wou dat ik een manier wist, Richard, echt waar, maar ik weet niets. Als je haar eruit haalt voordat de verificatie is afgelopen, zal dat haar het leven kosten. Dat is het enige wat ik met zekerheid weet.'

'Waarom?'

'Omdat haar leven in zekere zin is opgeschort. Zie je dan niet dat ze niet ademt? De bezweringsvorm om haar heen houdt haar in leven zolang ze niet kan ademen, terwijl het web de verificatie doorloopt. In zekere zin is ze nu een onderdeel van de betovering zelf. Als je haar eruit haalt, sluit je haar af van het mechanisme dat haar in leven houdt.'

Nicci's moed zonk haar in de schoenen. Een ogenblik lang had ze Richard geloofd, en dacht ze dat het hem zou lukken. Het mocht niet zo zijn.

Ondertussen bleven de gloeiende kooltjes toekijken. Ze kon nu zien welke vorm het wezen had dat in de schaduw naast een hoge kast stond. Het leek een beetje op een man die tot een afschrikwekkend beest van pezen en verknoopte spieren was verwrongen. Zijn ogen fonkelden vanuit de duisternis van de dood. Het was het beest dat achter Richard aan zat. Het beest dat door Jagang de droomwandelaar was gestuurd.

Ze zou er alles voor hebben overgehad om het tegen te houden, om het bij Richard uit de buurt te houden, maar ze kon geen spier bewegen. Met elke nieuwe lichtlijn die ontstond, werd ze almaar strakker vastgestikt en onverbiddelijk de duisternis van de eeuwigheid in getrokken.

'Zelfs als het muteert,' dacht Richard hardop, 'heeft het elementen waardoor het wordt ondersteund terwijl het groeit.'

'Richard, een verificatieweb houdt zichzelf in stand. Zelfs als het muteert, zoals je zegt, bestaat er geen mogelijkheid om zo'n gebeurtenis te laten stoppen.'

'Als het kan worden uitgezet,' mompelde Richard, 'zal het haar vanzelf loslaten. Dan hoeven we haar er niet uit te trekken terwijl haar leven nog door de betovering in stand wordt gehouden.'

Zuchtend schudde Zedd zijn hoofd, alsof hij dacht dat Richard geen woord van zijn uitleg had begrepen.

Richard bestudeerde de lijnen nog eens, en legde toen plotseling zijn vinger op een snijpunt dat ver voor het gebied van de besmetting was ontstaan. De lijn doofde bij zijn vinger.

'Goede geesten,' bracht Nathan uit terwijl hij zich naar voren boog.

De schaduw deed een stap vooruit. Nicci kon nu zijn slagtanden zien.

De gedoofde lijn voelde alsof die haar binnenste mee naar buiten trok. Nicci deed haar uiterste best om zich aan het leven vast te klampen. Als hij er echt in slaagde, als hij de betovering werkelijk kon uitschakelen, maakte ze een kans hem te waarschuwen. Als ze het zo lang uithield...

Richard trok zijn vinger terug, en de lijn ging weer aan. Als een vlijmscherpe speer doorboorde hij haar. De wereld flikkerde. 'Zie je wel?'

Zedd stak zijn hand uit om het Richard na te doen, maar trok hem met een kreet van pijn terug alsof hij zich had gebrand.

'Het wordt door Subtractieve Magie beschermd,' zei Ann.

Zedd wierp haar een moordlustige blik toe.

'Herinner je je de schilden in het Paleis van de Profeten nog?' vroeg Richard haar. 'Weet je nog dat ik erdoorheen kon komen?'

Ann knikte. 'Daar heb ik nog wel eens nachtmerries van.'

Weer stak Richard zijn hand uit, deze keer vliegensvlug, en opnieuw werd de lichtlijn tegengehouden waarna hij doofde. Vervolgens legde hij een vinger van zijn andere hand op een snijpunt dat voor de uitgedoofde lijn lag. Onmiddellijk werden er nog meer lijnen donker. Hij verplaatste zijn vinger naar een ander belangrijk kruispunt en liep achterwaarts het patroon door, waardoor de betovering zich in zichzelf terugtrok.

De uitgedoofde lijn schoot om Nicci heen, raakte snijpunten, maakte bochten en vloog door bogen die vervolgens donker werden. De lijn die Richard had gedoofd, hield op te bestaan, en daardoor werd de levenskracht van het ritme van het patroon onderbroken.

Met verwondering merkte Nicci de reactie van de bezweringsvorm binnen in haar. Ze kon het afbraakproces nauwkeurig voelen, als een bloem die zijn blaadjes sloot. Het vertrek leek in Nicci's begaafde gezichtsvermogen te flikkeren, alsof het bliksemde, maar ze wist dat dit geen bliksem was. De gloeiende ogen tuurden om zich heen, alsof het beest ook de verandering in de door Richard onderbroken krachtstroom had opgemerkt.

Had alleen Nicci in de gaten dat Richard zijn gave gebruikte om door zulke schilden te dringen? Waren ze soms blind? Het gebruik van zijn gave trok het beest vanuit de onderwereld de kamer in.

Buiten flitste de echte bliksem en bulderde de donder. Het vertrek flikkerde nu niet alleen door de bliksemschichten, maar ook door de krachtonderbreking binnen in de bezweringsvorm. Tussen de verblindende felheid en de inktzwarte duisternis flitste telkens de muur van ramen op.

Het leek alsof de krachtige ontladingen regelrecht door Nicci heen knetterden. Ze stond versteld dat ze nog leefde. Dat was alleen mogelijk doordat Richard de betovering uitschakelde zonder hem te vernietigen. Systematisch zette hij hem uit, alsof hij de vlammen van een rijtje kaarsen doofde.

Uiterst geconcentreerd legde Richard zijn andere hand iets lager om nog een lijn te blokkeren. De lijn werd donker en raasde achteruit door de complexe matrix.

De schaduw van het beest stapte vanuit de onderwereld gedeeltelijk de wereld van het leven in, moeizaam rukkend en trekkend met zijn armen bij het lastige karwei, alsof het zijn kersverse spieren wilde uitproberen. Slagtanden glommen in het lantaarnschijnsel toen het zijn kaken wijd opensperde. Omdat iedereen als gebiologeerd naar de lijnen rondom Nicci staarde, had niemand het in de gaten.

Terwijl hij een blokkade in een netwerk van lijnen vasthield, stak

Richard voorzichtig zijn vinger naar binnen om een voorafgaande structuur af te sluiten. Het hele web begon uiteen te vallen doordat het niet alleen zijn voornaamste ondersteuning had verloren, maar ook zijn compleetheid. Hoeken gingen open en snijpunten verschoven, waardoor de verbindingslijnen verzakten. Andere lijnen botsten op elkaar, waardoor witte lichtflitsen ontstonden die nog meer lijnen doofden.

Als een doek dat valt, zakte het web van de overgebleven lijnen plotseling in elkaar. Nicci voelde het netwerk van kracht dat haar insnoerde, van zich afvallen. Toen de wegvallende lijnen de Gratie raakten, werden ze donker. In een oogwenk waren ze verdwenen.

Zodra ze uit de kluwen was bevrijd, viel Nicci pardoes op de tafel, snakkend naar adem, alsof ze een schreeuw naar binnen zoog. Haar benen waren te slap om haar te dragen, en ze zeeg neer.

Richard ving haar in zijn armen op toen ze over de tafelrand tuimelde. Door haar gewicht zakte hij door zijn ene knie, maar hij wist zijn evenwicht te bewaren. Met zijn armen stevig om haar heen geslagen, kon hij voorkomen dat ze tegen de stenen vloer sloeg.

Buiten ging het onweer wild tekeer, waardoor het vertrek telkens in een flikkerend licht werd gehuld.

Op dat moment verscheen het beest, het zielloze wezen dat slechts voor één doel was geschapen, vanuit de dodenwereld in de wereld van het leven. Het sprong direct op Richard af.

7

Slap en hulpeloos hing Nicci in Richards armen, niet in staat hem te waarschuwen voor het beest dat op het punt stond zich op hem te storten. Ze zou er haar laatste ademtocht voor overhebben om hem op het gevaar te kunnen wijzen, maar op dat moment kon ze geen lucht krijgen.

Het was dan ook Cara die de volle kracht van de aanval afweerde en Richard voor een dodelijke treffer behoedde door zich met haar volle gewicht op het toestormende wezen te werpen.

De slagtanden van het beest raakten enkel lucht toen het langs Richard denderde, maar zijn klauwen reten de huid van zijn schouder open. Uit zijn evenwicht gebracht door Cara's uitval stuiterde het beest Richard voorbij en smakte voorover tegen een zware kast. Botten, boeken en dozen tuimelden op de grond.

Grauwend krabbelde het overeind, met zijn slagtanden ontbloot en zijn spieren gespannen. Toen het zich even in zijn volle lengte oprichtte, was het tientallen centimeters langer dan Richard, en zijn schouders waren bijna tweemaal zo breed. Op zijn gekromde ruggengraat zaten botachtige uitsteeksels, en zijn krachtige spieren waren bedekt met een donkere, leerachtige huid, die op het vel van een uitgedroogd lijk leek.

Het was geen levend wezen, maar het bewoog zich en reageerde alsof het echt bestond. Nicci wist dat het geen ziel bezat, en dat maakte het nog gevaarlijker. Het was gedeeltelijk getoverd uit de levens en de Han – de gave – van levende mannen, en vertoonde de onverzettelijke wilskracht die het van zijn scheppers, Jagangs Zusters van de Dood, had meegekregen.

Toen het zich onmiddellijk herstelde en Richard opnieuw aanviel, haalde Cara uit met haar Agiel. Ongedeerd bleef het beest abrupt staan en draaide zich met een verbluffende snelheid naar de Mord-Sith toe. Het gaf haar zo'n harde klap dat ze door de lucht vloog en tegen een boekenkast smakte, die omver viel. Tussen de wanordelijke stapels boeken en versplinterd hout bleef ze liggen.

Opeens bliksemde het achter de hoge ramen, en Zedd maakte van de gelegenheid gebruik om zijn hand uit te steken en een schicht toverkracht los te laten die het hele vertrek verlichtte.

Scherven witheet licht explodeerden tegen de donkere borsthuid van het beest. De beroete lijnen die van hem afstraalden, vormden echter het bewijs dat de aanraking geen schade had aangericht.

Zodra Richard Nicci op de grond had gelegd, begon ze de lucht in haar longen te zuigen waarnaar ze zo wanhopig snakte. Steunend op een elleboog ademde ze diep in. Ze zag dat er bloed uit Richards schouder langs zijn arm omlaagstroomde. Onverschrokken stond hij op om zijn aanvaller af te weren. Hij greep naar zijn zwaard, maar dat hing niet meer op zijn heup.

Slechts heel even van zijn stuk gebracht trok hij in plaats daarvan een mes uit de schede aan zijn riem en ging het op hem afstormende gevaar tegemoet. Hij hakte zo fel op het wezen in dat het wankelde, over de grond tolde en pas bleef liggen toen het tegen een zware kast aan knalde. Een grillige flap leerachtige huid hing als een vlag van zijn gewonde schouder. Zonder snelheid te verliezen, en zonder te aarzelen, maakte het beest een salto. Het kwam op zijn poten terecht en stond onmiddellijk klaar om zijn aanval te hervatten.

Ann en Nathan wierpen vurige schichten naar hem toe, maar in plaats van hem te verbranden, spatten de getoverde vlammen van het beest af. Het was ongedeerd en brulde van razernij.

Lichtflitsen fonkelden in het vlijmscherpe lemmet dat roerloos in Richards vuist lag. Het wezen leek een en al slagtanden en klauwen toen het opnieuw naar hem uitviel.

Snel stapte Richard opzij, draaide sierlijk met het aanvallende beest mee, en joeg zijn mes met een achterwaartse zwaai tot aan het heft midden in zijn borstkas. Het was een perfect uitgevoerde slag, die echter jammer genoeg even weinig effect sorteerde als de andere pogingen om het beest uit te schakelen.

Met een onmogelijke snelheid draaide het wezen zich om en greep Richard bij zijn pols. Voordat het Richard in zijn krachtige armen kon meesleuren, draaide die zich onder zijn greep uit en dook achter zijn aanvaller op. Hij zette zich schrap om de arm van het wezen op zijn knobbelige rug te draaien. Nicci hoorde gewrichten knappen en botten breken. Het beest liet zich door zijn verwonding echter niet vertragen, en draaide zich vliegensvlug om waarbij het met zijn gebroken arm zwaaide alsof het een vlegel was.

Richard bukte zich en rolde opzij, terwijl de dodelijke klauwen langs hem heen schoten.

Zedd greep zijn kans om een kolkende bol vloeibaar vuur te ontsteken. Zelfs de bliksem leek even te aarzelen in de aanwezigheid van de enorme kracht die tot leven was gewekt. Het vertrek sidderde onder het geloei van het dodelijke inferno dat Zedd had ontketend. De ziedende vlammen gierden door het donkere vertrek en verlichtten tafels en stoelen, kasten en zuilen, en de gezichten van iedereen die naar het razende schouwspel keek.

Over zijn schouder wierp het beest een blik naar de tollende, sissende, gele vlammenzee en ontblootte uitdagend zijn slagtanden tegen het naderende vuur.

Dat vond Nicci een eigenaardige reactie; het leek alsof het beest niet bang was voor vuur dat door een tovenaar was opgeroepen. Ze kon zich nauwelijks een wezen voorstellen dat zo'n aanval kon weerstaan – of er niet bang voor was. Dit was immers geen gewoon vuur, maar een bedreiging die met een uitzonderlijke felheid woedde.

Vlak voordat de kronkelende bol tovenaarsvuur zijn doel bereikte, knipperde het wezen zichzelf zomaar weg.

Bij gebrek aan een doelwit spatte het vuur op de stenen vloer, explodeerde boven de tapijten en stroomde over de tafels heen als een woeste golf die op het strand slaat. Hoewel het losgeslagen vuur specifiek voor een bepaalde vijand was getoverd, wist Nicci dat het hen allemaal makkelijk kon vernietigen.

Voordat de brand de kamer of de aanwezigen kon verwoesten, wierpen Zedd, Nathan, en Ann onmiddellijk nog meer webben uit. Zedd deed zijn best om zijn kracht in te trekken, terwijl de andere twee de vlammen tegenhielden en smoorden voordat ze niet meer te bedwingen waren. Dikke stoomwolken stegen op, terwijl ze uit alle macht elk spatje van de felle brand probeerden te bedwingen. De spanning was om te snijden, totdat ze merkten dat het was gelukt.

Achter de stoomnevel zag Nicci het beest vanuit de duisternis opdoemen.

Het dook op achter Zedd in de schaduwen waaruit ze het voor het eerst in de wereld van het leven had zien stappen. Nicci was de enige die besefte dat het op een andere plek was teruggekeerd. Ze had nog nooit een wezen willekeurig in en uit de wereld van de doden zien glippen. Dat was kennelijk de methode waarmee het Richard over grote afstanden had kunnen volgen. Ze wist dat het beest niet zou rusten totdat het hem te pakken had, in welke vorm dan ook.

Richard ontdekte het beest als eerste en schreeuwde een waarschuwing naar Zedd, die midden in de baan van de woeste aanval stond. Zedd sloeg het gevaar af door de lucht tot een samengeperst, gebogen schild te vormen. Die truc was genoeg om het beest uit de koers te doen raken, en Richard gebruikte de afleidingsactie om op zijn aanvaller in te hakken. Voordat het mes hem kon raken, knipperde het beest zichzelf opnieuw weg om een seconde later achter Richards mes weer op te duiken.

Het leek bijna alsof het beest met hem speelde, maar Nicci wist wel beter. Het paste slechts verschillende tactieken toe bij zijn zielloze jacht op Richard. Zelfs zijn schijnbaar woedende gebrul was alleen maar een tactiek om zijn slachtoffer angst aan te jagen, waardoor het een kans kreeg toe te slaan. Als het beest tot emoties in staat was, zou het daardoor beperkt worden en daarom hadden Jagangs Zusters die eigenschappen weggelaten. Het beest was niet in staat om daadwerkelijk woede te voelen. Het bezat slechts een niet-aflatende vastberadenheid.

Ann en Nathan lieten een krachtstroom los, die in duizenden kleine, keiharde, dodelijke punten was geconcentreerd waarmee ze met gemak de huid van een os hadden kunnen afstropen. Voordat de rondsuizende fragmenten zich in het wezen konden boren, wist het echter opnieuw moeiteloos de aanval te omzeilen door in een schaduw te stappen en ergens anders naar buiten te komen.

Nicci besefte dat geen van hen het wezen kon tegenhouden.

Terwijl ze zich probeerde te herstellen, krabbelde ze over de vloer om Cara te onderzoeken. Cara lag nog steeds verdoofd tegen een muur en had moeite bij te komen. Nicci drukte haar vingers op de slapen van de Mord-Sith, en druppelde een draad magie in haar om haar bij te brengen.

Ze greep de vrouw bij haar leren pak toen ze opeens overeind wilde krabbelen.

'Luister,' zei Nicci. 'Als je Richard wilt redden, moet je naar me luisteren. Je kunt dat ding niet tegenhouden.'

Cara kon slecht bevelen opvolgen, vooral wanneer Richards bescherming in het geding was. Ze zag de dreiging en kwam onmiddellijk in actie. Toen het beest zich razendsnel omdraaide en op Richard richtte, stortte Cara zich op het monster en sloeg het tegen de grond. Voordat het beest zich kon herstellen, sprong ze op zijn rug, alsof ze een wilde hengst besteeg, en ramde haar Agiel diep in zijn schedel. Die slag zou elke man hebben gedood. Toen het beest zich op zijn knieën oprichtte, haakte ze het wapen dwars door zijn keel.

Met zijn goede arm griste het wezen Cara's Agiel en trok het moeiteloos uit haar hand. Cara dook naar het wapen en pakte het terug, maar dat leverde haar een klap op die haar opnieuw over de vloer deed tuimelen.

Toen iedereen voor het wezen terugdeinsde om uit de buurt van zijn dodelijke klauwen te blijven, gooide het zijn kop in de nek en brulde. Het geluid was zo oorverdovend dat ze allemaal in elkaar krompen. Achter de ramen flitste de bliksem, waardoor een verblindend licht en een wirwar van schaduwen door het duistere vertrek schoten, die het zicht belemmerden.

Zedd, Nathan en Ann toverden luchtschilden om het beest terug te drijven. Het monster was echter in staat om door de schilden heen te dringen en naar hen uit te vallen, zodat ze zich haastig in veiligheid moesten brengen.

Nicci wist dat het drietal zo'n bedreiging niet kon tegenhouden met de krachten waarover ze beschikten. Richard kon dat ongetwijfeld ook niet...

Terwijl de anderen met al hun vermogen en sluwheid bleven doorvechten, greep Nicci weer Cara bij de schouder van haar leren pak vast en trok haar naar zich toe. 'Ben je bereid het op mijn manier te doen? Of wil je dat Richard sterft?'

Hijgend van inspanning wierp Cara haar een venijnige blik toe, maar Nicci's woorden misten hun uitwerking niet. 'Wat wil je dat ik doe?'

'Zorg dat je klaarstaat om me te helpen, om precies te doen wat ik vraag.'

Nadat ze een instemmend knikje had gekregen, krabbelde Nicci weer op de tafel. Ze zette haar ene voet in het midden van de Gratie, die met haar bloed was getekend, en haar andere buiten de buitenste cirkel.

Zedd, Nathan en Ann gooiden alles wat ze konden toveren naar het tierende beest: webben van vonkende kracht die steen kon snijden, een intens gerichte kracht die ijzer kon buigen, een hagel van lucht die in zulke harde bolletjes was geconcentreerd dat ze botten konden verbrijzelen. Het had allemaal geen enkel effect op het wezen. In sommige gevallen had hun kracht geen invloed, en soms schudde het de aanval van zich af, schoof hen opzij of wist hen zelfs helemaal te ontwijken door zichzelf weg te knipperen en pas tevoorschijn te komen wanneer het gevaar was geweken.

Weer richtte het zijn aandacht op zijn doelwit en stormde op Richard af. Die sprong opzij en stak zijn mes in de taaie huid van het wezen om een arm eraf te snijden. Ook dat zou niets uithalen, wist Nicci.

Terwijl de anderen bevelen schreeuwden en het gevaar probeerden uit te schakelen, stond Cara in tweestrijd tussen Richard helpen en bevelen opvolgen. Uiteindelijk draaide ze zich om en keek op naar Nicci. 'Wat doe je daar?'

Nicci had geen tijd om te antwoorden, en wees slechts. 'Kun je die kandelaar optillen?'

Cara keek over haar schouder achterom. Het was een smeedijzeren kandelaar voor twintig kaarsen die geen van alle brandden. 'Waarschijnlijk wel.'

'Gebruik hem als lans. Drijf het beest naar het raam toe...'

'Wat heeft dat voor zin?'

Het beest viel naar Richard uit en probeerde zijn armen om hem heen te slaan. Richard draaide zich weg en gaf het tegelijkertijd een krachtige schop tegen zijn kop, waardoor het slechts heel even zijn evenwicht verloor.

'Doe gewoon wat ik zeg. Gebruik het als lans om het beest naar achteren te drijven. En zorg dat de anderen uit de buurt blijven.'

'Denk je dat ik hem kan tegenhouden door hem een hengst met de kandelaar te verkopen?'

'Nee. Hij leert de hele tijd. Dit is iets nieuws. Drijf hem gewoon achteruit. Hij zal een ogenblik in de war raken of op zijn minst op zijn hoede zijn. Zodra je hem achteruit hebt gedreven, gooi je de kandelaar naar hem toe en maak je dat je wegkomt.'

Met haar lippen stevig op elkaar geklemd van woede hoefde Cara er slechts heel even over na te denken. Ze wist dat aarzelen gevaar kon opleveren. Snel greep ze de zware steel van de kandelaar met beide handen vast en met veel moeite slaagde ze er in hem op te tillen. De kaarsen vielen uit hun houders en rolden over de stenen vloer. Nicci zag duidelijk hoe zwaar het smeedijzeren gevaarte was, maar ze dacht dat Cara sterk genoeg was om hem op te tillen. Dat ze genoeg pit had, stond buiten kijf.

Nicci kon zich echter niet langer druk maken om Cara. Ze zette haar uit haar hoofd, strekte haar armen en legde haar handen op de bloedige afbeelding van de Gratie onder zich. Zoals ze al talloze keren had gedaan, negeerde ze haar twijfels en angsten, en trok ze haar geest tot diep in de kern van de Han in zichzelf terug. Deze keer, boven de Gratie, voelde het alsof ze in een ijzige poel van kracht terugviel.

Zonder acht te slaan op het lot waartoe ze zichzelf veroordeelde, draaide ze haar palmen naar boven en hief ze haar handen op. Ze gebruikte de ijzige krachtpoel in zichzelf om het verificatieweb naar zijn opwekkingspunt terug te dringen. Vanuit het machtsdomein van de Gratie concentreerde Nicci zich op het verwijderen van de compenserende blokkeringen binnen de bezweringsvorm die zorgden dat die binnen de perken en inert bleef. Zodra ze het alleen voor haar zichtbare binnenveld had blootgelegd, gebruikte ze doelbewust beide kanten van haar kracht om de tegenovergestelde knooppunten met elkaar te verbinden.

In een oogwenk begonnen de groene lijnen zich weer omhoog te kronkelen, als een woekerende wingerd van licht. In een ommezien kwam het netwerk van lijnen tot aan haar dijen.

Verwoed ging Cara het beest te lijf. Een paar keer kwam haar logge ijzeren wapen in aanraking met het wezen dat daardoor achteruit werd gedwongen. Bij elke stap die het achteruit deed, sloeg ze onmiddellijk toe waardoor het telkens verder naar achteren werd gedwongen. Nicci had gelijk: het wezen reageerde behoedzaam op de onbekende aanvalsvorm.

Hopelijk lukte het Cara om het beest niet alleen ver genoeg achteruit te dwingen, maar ook op tijd, dacht Nicci.

Bliksemschichten vonkten door de nachtlucht en verlichtten de muur van dikke ruiten. Vergeleken bij de krachten van het onweer waren de olielampen zo zwak dat ze haast nutteloos waren. De afwisseling tussen het verblindende licht en de duisternis maakte het moeilijk om goed te zien.

Toen de gloeiende, groenachtige lijnen, die slechts de weerspiegeling waren van het inwendige aspect van een betovering die duizenden jaren geleden was geschapen door mannen die reeds lang in vergetelheid waren geraakt, om Nicci heen opkropen, ontbrandde de inwendige bezweringsvorm opnieuw. Deze keer doorboorden de lijnen haar echter veel sneller dan de eerste keer, en daar was ze niet goed op voorbereid. Ze werd sneller blind dan ze verwachtte. Zolang ze nog een restje controle over zichzelf had, deed ze haar uiterste best om zelfstandig adem te halen.

Haar begaafde gezichtsvermogen begon tussen beide werelden heen en weer te flikkeren, tussen het licht van het leven en de eeuwige duisternis. De donkere leegte kwam en verdween weer in flitsen, net zoals de bliksem buiten, maar met een verblindende duisternis in plaats van een verblindend licht. Terwijl Nicci zich in beide werelden bevond, voelde het alsof haar ziel uiteen werd gereten.

Ze negeerde de pijn en concentreerde zich op haar taak. Ze wist dat ze zo'n beest niet met haar kracht alleen kon vernietigen. Het monster was immers door de Zusters van de Duisternis geschapen met behulp van eeuwenoude krachten die ze amper kon doorgronden. Het getoverde wezen deed niet onder voor wat Nicci zelf kon oproepen. Er was heel wat meer nodig dan louter toverij.

Achter bij de ramen kwam het beest ten slotte tot stilstand.

Cara haalde naar hem uit, maar grommend weigerde het zich nog verder terug te trekken. De gietijzeren kandelaar voelde steeds zwaarder in haar handen. Richard wilde haar te hulp schieten, maar ze schreeuwde dat iedereen uit de buurt moest blijven. Toen hij niet gehoorzaamde, zwaaide ze de kandelaar in het rond, waardoor hij snel achteruit moest springen en wist dat ze het meende.

Met een uiterste krachtsinspanning bracht Nicci haar palmen omhoog en bereidde ze zich voor op haar onmogelijke taak.

Ze moest het keerpunt vinden tussen het niets en de ontsteking van haar kracht.

Niet haar kracht had ze nodig, maar de voorbode ervan.

De groene lijnen kronkelden nog verder om haar heen omhoog in hun vastberaden poging om haar volledig in de betovering te omhullen. Ze probeerde adem te halen, maar haar spieren reageerden niet. Toch had ze die ene ademhaling hard nodig.

Toen de wereld van het leven in haar begaafde gezichtsvermogen terugflitste, zoog ze uit alle macht eindelijk haar longen vol met lucht.

'Nu, Cara!'

Zonder aarzelen tilde Cara de kandelaar op. Moeiteloos ving het beest het loodzware gevaarte in zijn ene geklauwde hand en tilde het hoog op.

Achter hem knalde het onweer.

Nicci wachtte op een onderbreking van de bliksemflitsen. Toen die kwam en het vertrek weer in duisternis werd gehuld, sloeg ze toe: niet met kracht, maar met wat eraan voorafgaat.

Die energie overgoot het beest met het kwellende bijna-zijn: een aanzet van macht... zonder het resultaat ervan.

Ze kon zien dat het wezen een vreemd voorgevoel had van wat hem te wachten stond... iets wat nog niet helemaal getoverd, nog niet helemaal verwezenlijkt was. Verward knipperde het met zijn ogen, alsof het niet zeker wist of het wel iets voelde, alsof het wilde reageren, maar niet wist wat het precies voelde of waarop het zou moeten reageren.

Zonder de ontketening van een directe aanval van Nicci's kracht leek het beest te hebben besloten dat ze had gefaald. Weer hief het de kandelaar uitdagend hoog boven zijn hoofd, als een trofee die het in de strijd had gewonnen.

'Nu,' riep Zedd tegen Ann en Nathan, terwijl hij naar voren stormde, 'want nu is het afgeleid.'

Ze zouden alles verpesten... Nicci stond machteloos tegenover hun inmenging. Cara, die bij haar plichtsvervulling nooit tot voorzichtigheid neigde, greep in. Als een herdershond die verdwaalde schapen samendreef, dwong ze het drietal naar achteren. Protesterend eisten ze dat ze opzij moest gaan.

Nicci zag het allemaal gebeuren vanuit de verte aan de rand tussen twee werelden. Ze kon Cara niet meer helpen. Die moest het alleen afhandelen. Ergens in de verre wereld van het leven kookte Zedd van woede om de Mord-Sith en probeerde een aanval op haar te doen. Om hem terug te dringen, gaf Cara hem dreigend een schouderstoot, waardoor hij zijn evenwicht verloor en werd afgeleid.

In die andere wereld, de duistere wereld voorbij het leven, had Nicci opzettelijk een leemte van effect gecreëerd, een oorzaak zonder gevolg, een geconstrueerde verwachting van een materiële ontlading van haar duistere kracht, die ze eveneens opzettelijk achterwege had gelaten.

De tijd leek stil te staan, in afwachting van wat er moest gebeuren maar niet kwam.

De spanning in de lucht rondom Nicci was tastbaar. De groene lijnen om haar heen raasden almaar sneller door de lucht in een poging het verificatieweb te herstellen en haar leven op te schorten.

De zwakke plek wachtte op haar, als een spin in haar web.

Ze wist dat het maar heel even zou duren voor ze nergens meer toe in staat was.

Deze keer zou haar einde tenminste iets waardevols opleveren.

Nicci voedde het veld rondom het beest nog verder van de open poort tot een diepgaande ontlading van kracht die ze hem doelbewust onthield.

De spanning tussen wat er bestond en nog niet bestond, en niet zou gebeuren, was ondraaglijk.

Die vreselijke, onmogelijke leemte, dat vacuüm van kracht dat Nicci in beide werelden had gecreëerd, werd plotseling gevuld met een oorverdovende bliksemflits die door het raam knalde, terwijl zijn tegenhanger uit de andere wereld door de sluier scheurde, aangetrokken door de onvervulde behoefte rond het beest en gedwongen af te maken wat Nicci was begonnen maar niet zou beëindigen. Deze keer was vluchten naar een andere wereld niet mogelijk, omdat beide werelden samen hun razernij hadden ontketend.

Glasscherven regenden door het vertrek. De doffe dreun deed de stenen muren van de Burcht schudden. Het was alsof de zon door het raam naar binnen barstte.

De voortschietende lijnen om Nicci heen kwamen als een lijkwade omhoog.

Met haar begaafde gezichtsvermogen zag ze de voltooiing van de verbinding die ze tot stand had gebracht, zag ze de bliksem zijn weg vinden naar de leemte rondom het beest en zijn verschrikkelijke plicht vervullen.

De lichtexplosie was erger dan ze ooit had gezien. Het creëren van een voorbode in beide werelden had de bliksem de kracht van beide werelden verleend: Additieve en Subtractieve, scheppend en vernietigend, ineengestrengeld in een enkele rampzalige ontlading.

Nicci was verstard door de betovering en kon haar ogen niet sluiten voor de verblindende lichtflits en duisternis die in elkaar verstrikt waren geraakt. Ze raakten de twee uiteinden van de kandelaar en joegen door het beest heen.

In de intense krans van knetterend wit licht viel het beest uiteen in stof en damp door de intense hitte en kracht die zich in Nicci's leemte hadden geconcentreerd.

Door het verbrijzelde raam bulderden regenvlagen en windstoten naar binnen. Buiten weerlichtte het opnieuw tussen de kolkende groenige wolken.

Toen het vertrek door de bliksem buiten werd verlicht, konden ze allemaal zien dat het beest was verdwenen, althans voorlopig.

Door het net van groene lijnen zag Nicci Richard door het vertrek naar haar toe rennen. De kamer leek zo veraf.

Ze zag de duistere wereld op zich afkomen.

8

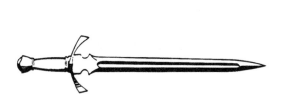

Toen haar paard hinnikte en met zijn hoeven stampte, liet Kahlan haar hand over de teugels glijden, dichter naar het bit toe, om het nerveuze dier te kalmeren. Het paard vond de stank al even onaangenaam als zij.

Ze strekte haar hand en aaide het paard zachtjes onder zijn kin, terwijl ze achter Zuster Ulicia en Cecilia bleef wachten.

Er ruiste een zacht briesje door de bladeren van de populieren boven haar hoofd, waardoor ze glinsterden in de middagzon. Tussen de schaduw van de reusachtige bomen dansten vlekjes zonlicht over de grasrijke heuveltop, terwijl er in de stralend blauwe hemel witte schapenwolkjes zweefden. Toen de wind draaide en in hun rug blies, gaf dat niet alleen verlichting in de broeierige hitte, maar kon Kahlan ook eindelijk diep ademhalen.

Met haar vinger veegde ze het zweet en vuil onder de metalen band uit, die om haar hals geklemd zat. Kon ze maar een bad nemen, of tenminste in een beekje of een meer springen... Door de zomerse hitte en de stoffige reis was haar lange haar een jeukende, klitterige warboel geworden. Het kon de Zusters echter geen zier schelen dat ze zich ongemakkelijk voelde, wist Kahlan. Als ze vroeg of ze zich even mocht opfrissen, zouden ze alleen maar nijdig worden, zoals zo vaak gebeurde. Haar behoeften interesseerden de Zusters geen snars, en haar welzijn liet hen al helemaal koud. Ze was hun slavin, meer niet; het interesseerde hen niet dat de halsband die ze droeg, haar huid schuurde.

Tijdens het wachten dwaalden Kahlans gedachten af naar het beeldje dat ze in het Paleis van Meester Richard Rahl had moeten achterlaten. Hoewel ze geen enkele herinnering aan haar verleden had, had ze zich elke lijn van de vrouw met het golvende haar en gewaad in haar geheugen geprent. Het beeldje straalde iets edels uit, zoals het daar stond met haar borst naar voren, haar handen tot vuisten gebald en haar opgeheven hoofd, alsof ze de onzichtbare krachten die haar wilden onderwerpen, kon trotseren.

Kahlan wist maar al te goed hoe het voelde om door onzichtbare krachten te worden onderworpen.

Vanaf de vredige heuveltop keken ze toe terwijl Zuster Armina beneden door het open landschap trok. Er was verder niemand te zien, en het lange gras leek bijna vloeibaar zoals het golfde in de wind. Eindelijk kwam Zuster Armina met haar vosmerrie de heuvel opdraven. Ze liet haar paard keren en kwam naast de anderen tot stilstand.

'Ze zijn er niet,' verkondigde ze.

'Hoever zijn ze vooruit?' vroeg Zuster Ulicia.

Zuster Armina hief haar arm op om te wijzen. 'Verder dan die heuvels daar ben ik niet gegaan. Ik wilde niet het risico lopen dat een van Jagangs begaafden me zou opmerken. Voor zover ik kan beoordelen, zijn de kampvolgers en achterblijvers slechts een dag of twee geleden vertrokken.'

Toen het briesje in hun rug afnam, kon de stank opnieuw de heuvel op drijven. Kahlan trok haar neus op. Zuster Ulicia merkte het, maar gaf geen commentaar. De stank leek de Zusters helemaal niet te deren.

Plotseling draaide Zuster Ulicia zich om en stak haar laars in een stijgbeugel. 'Laten we eens een kijkje nemen voorbij die heuvels daarachter,' zei ze, en ze zwaaide zich in haar zadel.

Kahlan steeg op en ging achter de drie vrouwen aan, die op hun paarden de heuvel af draafden. Het viel haar op dat de Zusters bijzonder gespannen waren. Normaal gesproken waren ze nogal doortastend in hun optreden, maar nu waren ze op hun hoede.

Aan hun linkerkant verrezen de grillige, blauwgrijze schimmen van de bergen.

Op de steile rotshellingen en kliffen konden slechts op enkele plaatsen bomen groeien. Sommige pieken waren zo hoog dat ze zelfs in de zomer met sneeuw waren bedekt. Kahlan en de Zusters hadden die bergen in zuidelijke richting gevolgd sinds ze na hun vertrek uit het Volkspaleis een plek hadden gevonden om eroverheen te trekken. Onderweg hadden de Zusters mensen zo veel mogelijk proberen te mijden.

Kahlan liet de teugels nog een beetje vieren. De heuvels waar ze doorheen reden, waren doorgroefd met geulen, die het rijden soms lastig maakte. Hoewel er ongetwijfeld wegen waren waarlangs ze de heuvels konden afdalen, gebruikten de Zusters die liever niet en daarom meden ze die zo veel mogelijk. Zolang ze door het hoge gras tussen de spaarzame bomen trokken, bleven ze in de beschutting van het land tussen de heuvels.

Voordat Kahlan kon zien wat er voor hen lag, werd de onmiskenbare, weerzinwekkende stank van de dood zo overweldigend dat ze bijna geen lucht kon krijgen. Pas toen ze een heuveltop bereikte, zag ze eindelijk de stad in de diepte liggen. Ze bleven allemaal staan en keken neer op de verlaten wegen, de verbrande gebouwen en de lijken die vermoedelijk van paarden waren.

'Laten we opschieten,' zei Zuster Ulicia. 'We nemen een poosje de hoofdweg aan de overkant totdat we dichtbij genoeg zijn om precies te weten waar ze zijn en welke richting ze hebben genomen.'

Ze brachten hun paarden in handgalop, terwijl ze zwijgend de heuvels afreden en de stad binnentrokken. Die leek te zijn gebouwd aan weerszijden van de bocht van een rivier en op kruisingen van verschillende wegen, die waarschijnlijk handelsroutes waren. De grootste van de twee houten bruggen was verbrand. Achter elkaar reden ze de smalle tweede brug over, en Kahlan keek omlaag naar het water. Tussen het riet dreven opgezwollen lichamen met hun gezicht omlaag. Nog voordat ze die had gezien, was de lucht al zo doordrongen van de stank van de dood dat ze geen zin meer had om te zwemmen. Ze wilde alleen nog maar zo snel mogelijk weg.

Toen ze tussen de gebouwen door de stad binnenreden, hield Kahlan een sjaal voor haar neus en mond. Het hielp niet veel, en ze was bang dat ze zou gaan overgeven van de stank van rottend vlees. Het was vreemd dat het zo sterk rook.

Weldra ontdekte ze de reden.

Ze kwamen langs zijstraten waar de lijken torenhoog waren opgestapeld. Er lagen zelfs dode honden en muilezels tussen. De poten van de muilezels staken stijf omhoog. Uit de manier waarop de lichamen in de smalle straatjes waren geperst, maakte Kahlan op dat de mensen er waren samengedreven, niet hadden kunnen ontsnappen, en vervolgens waren afgeslacht.

De meeste slachtoffers, zowel dieren als mensen, hadden afgrijselijke wonden. Uit sommige lichamen staken afgebroken lansen, maar anderen waren door pijlen gedood. De meesten waren kennelijk met een bijl om het leven gebracht. Het viel Kahlan op dat het allemaal oudere mensen waren.

In één deel van de stad waren veel gebouwen afgebrand. Slechts op een paar plaatsen kringelden nog pluimpjes rook uit de puinhopen omhoog. De verkoolde houten balken leken wel verschroeide skeletten van monsters. Het moest een dag of twee geleden zijn geweest dat de brand was uitgewoed.

Ze stuurden hun paarden door de nauwe keienstraatjes met aan weerskanten gebouwen van twee verdiepingen, en bekeken zwijgend de verwoesting om hen heen. De gebouwen die nog overeind stonden, waren allemaal geplunderd. De deuren waren ingetrapt of lagen op straat, en Kahlan kon geen enkel raam ontdekken dat niet gebroken was. Over een paar balkonnetjes boven de straat hingen gordijnen, en op enkele balkons lagen lichamen. Behalve met brokstukken van kozijnen en glasscherven waren de straten bezaaid met alledaagse spullen: willekeurige kledingstukken, een bloedige laars, verbrijzelde meubels, gebroken wapens en kapotte delen van wagens. Kahlan zag een pop met geel touwhaar liggen, met het gezicht naar beneden en de rug geplet door een hoef. Alle spullen zagen eruit alsof ze door verschillende handen waren doorzocht en als waardeloze rommel waren weggegooid.

In het voorbijgaan durfde Kahlan in de donkere gebouwen te gluren, en daar zag ze pas echte verschrikkingen. Het ging er niet alleen om dat hier de lichamen van vermoorde stadsbewoners lagen, het ging erom dat deze mensen voor de lol waren afgeslacht, of uit pure bruutheid. In tegenstelling tot de lijken die in de zijstraten lagen opgestapeld, waren deze mensen niet oud. Ze zagen eruit alsof ze hun winkels of huizen hadden willen beschermen. Door de gebroken etalageruit van een winkel zag ze een man met het soort voorschoot dat een schoenmaker draagt, die aan zijn polsen tegen een muur was gespijkerd. Uit zijn borst staken tientallen pijlen waardoor hij er als een grotesk speldenkussen uitzag.

Zijn mond en beide ogen waren door een pijl doorboord. De man was niet alleen als schietschijf gebruikt, maar ook als voorwerp van monsterlijke spot.

In andere donkere gebouwen zag Kahlan vrouwen die onmiskenbaar waren verkracht. Een vrouw die op de grond lag, was naakt, afgezien van haar arm die nog in een mouw stak. Haar borsten waren verminkt. Ergens anders lag een jong meisje languit op een tafel met haar jurk hoog boven haar middel opgetrokken. Haar keel was tot op haar ruggengraat doorgesneden, en ze lag met haar benen wijd. Als een laatste daad van minachting hadden ze een bezemsteel in haar gestoken.

Kahlan voelde zich verdoofd toen ze de ene gruweldaad na de andere aan zich voorbij zag trekken. Stuk voor stuk gaven ze blijk van zo'n afgrijselijke wreedheid dat ze zich niet kon voorstellen wat voor soort mannen tot zulke wandaden in staat waren.

Aan de kleding van veel doden was te zien dat de mannen eenvoudige werklieden waren geweest, en geen soldaten. Ze waren afgeslacht voor de misdaad dat ze hun huizen en bedrijven hadden willen beschermen.

Bij het passeren van een klein gebouw zag Kahlan in een hoek achterin tegen een stenen muur een slordige hoop kinderlijkjes, voornamelijk van baby's. Het deed haar denken aan herfstbladeren die in een hoek bijeen waren geveegd, alleen waren dit ooit echte mensen geweest, met een heel leven voor zich. Het geronnen bloed op de bakstenen muur gaf de plek aan waar hun hoofden waren ingeslagen. De moordenaars hadden hun slachtoffers blijkbaar zo efficiënt mogelijk willen ombrengen. Tijdens de zwijgzame tocht door de stad zag Kahlan nog enkele plaatsen waar de allerjongsten op stapels waren gegooid nadat ze waren vermoord, op een manier die slechts als amusement voor de gruwelijkste monsters kon worden beschouwd.

Hoewel er weinig vrouwen onder de doden waren, zag Kahlan er niet een die volledig gekleed was. De vrouwen die ze zag, waren allemaal oud of heel jong. De behandeling die ze hadden moeten doorstaan was beestachtig geweest, en hun dood was veel te langzaam gekomen.

Kahlan slikte een brok in haar keel weg en veegde haar betraande ogen af.

Ze wilde het uitgillen. De drie Zusters leken echter onaangedaan bij de aanblik van de slachting die in de stad had plaatsgevonden. Ze tuurden zijstraten in en staarden naar de heuvels in de omgeving, schijnbaar bezorgd over tekenen van gevaar.

Nog nooit was Kahlan zo opgelucht geweest om een plaats te verlaten als toen ze eindelijk de stad achter zich lieten en een weg naar het zuidoosten namen. Dat bleek echter niet de ontsnapping aan de wandaden in de stad te zijn waarop ze had gehoopt. Langs de hele weg lagen de greppels hier en daar vol met de lichamen van ongewapende jongemannen en oudere jongens. Waarschijnlijk waren ze geëxecuteerd omdat ze wilden vluchten, het idee van de slavernij afwezen, als een lesje voor de anderen, of domweg voor de lol.

Kahlan voelde zich duizelig en verhit. Ze was bang dat ze moest overgeven, en het geschommel in haar zadel maakte haar misselijkheid alleen maar erger. Tijdens hun tocht in de felle zon door de heuvels aan de andere kant van de stad werden ze achtervolgd door de stank van de dood en verkoold vlees. De geur was zo doordringend dat het leek alsof die in haar kleren was getrokken en zelfs door haar poriën naar buiten kwam.

Ze betwijfelde of ze ooit nog zonder nachtmerries zou kunnen slapen.

Hoe de stad heette, wist Kahlan niet, maar nu was er niets meer van over. Er was geen enkele overlevende en alles van waarde was vernietigd of geplunderd. Uit het enorme aantal lijken maakte ze op dat de stadsbewoners, voornamelijk vrouwen van de juiste leeftijd, als slaven waren weggevoerd. Nadat ze had gezien wat er met de vrouwen was gebeurd die dood waren achtergebleven, kon ze zich levendig voorstellen wat de weggevoerde vrouwen te wachten stond.

Zover het oog reikte waren de uitgestrekte vlakte en de heuvels aan beide kanten door honderdduizenden mannen vertrapt. Het gras was niet eenvoudigweg door talloze laarzen, hoeven en wagenwielen geplet, maar was onder het gewicht van onvoorstelbare aantallen tot stof vergruisd. Door die aanblik zag ze de omvang van de menigte die door de stad was getrokken, opeens in de juiste verhouding, en op de een of andere manier was dat nog schokkender dan de afgrijselijke taferelen van de vele doden. Een leger van zoveel mannen had de uitwerking van een natuurkracht, alsof een verschrikkelijke storm door het landschap was

geraasd, die alles wat op zijn pad kwam meedogenloos ver-
woestte.

Toen ze later op de dag de top van een heuvel bereikten, zorgden de Zusters ervoor dat ze de zon laag in hun rug hadden, zodat iedereen die hun tegemoet kwam, tegen de zon in moest kijken om hen te zien. Zuster Ulicia vertraagde haar tempo, ging in
haar stijgbeugels staan en keek nauwkeurig om zich heen voordat ze de anderen het teken gaf om af te stijgen. Ze bonden hun
paarden aan het geraamte van een grillige oude pijnboom die door
de bliksem in tweeën was gesplitst. Zuster Ulicia beval Kahlan
dicht in de buurt te blijven.

Aan de rand van de heuvel hurkten ze zachtjes in het hoge gras
en vingen eindelijk een glimp op van wat er door de verwoeste
stad was getrokken. Verspreid over de wazige horizon lag heel in
de verte ogenschijnlijk een bruine modderzee, die in werkelijkheid een leger van onvoorstelbare omvang was. Kahlan kon nog
net de bloedstollende geluiden horen die de wind in de kalme na-
middaglucht vanuit de menigte met zich meevoerde: gejoel, gegil
van vrouwen en het rauwe lachen van mannen.

Onder zulke grote aantallen zou de verdediging van elke stad zijn
bezweken. Als er al gewapend verzet was gepleegd, zou dat door
een leger van deze omvang nauwelijks zijn opgemerkt. Mannen
die zich in zulke grote groepen verzamelden, lieten zich door niets
tegenhouden.

Toch wist ze dat het verkeerd was om dit leger als een menigte,
als iets abstracts te beschouwen, want dit was een groep individuen. Deze mannen waren niet als monsters geboren. Ooit waren ze allemaal hulpeloze baby's geweest, die in de armen van
hun moeder werden gewiegd. Ooit waren ze kinderen geweest,
met angsten, verlangens en dromen. Hoewel een enkeling met een
gestoorde geest tot een meedogenloze moordenaar zou kunnen
uitgroeien, was dat beslist niet het geval met zoveel individuen.
Elke man was een moordenaar uit overtuiging voor hun zaak, uit
vrije keus. Allen waren ze verenigd onder de banier van een per-
verse geloofsovertuiging die hun wreedheden wettigde.

Dit waren allemaal individuen die, toen ze voor de keus werden
gesteld, de aan het leven inherente grootsheid moedwillig hadden
verworpen en ervoor hadden gekozen dienaren van de dood te
zijn.

De slachting die Kahlan in de stad had gezien, had haar met afschuw vervuld. Ze was zo onpasselijk door de taferelen dat ze een tijdlang amper lucht had kunnen krijgen, niet alleen door de stank van de dood, maar ook door haar wanhoop over zulke zinloze wreedheden en de moedwillige verdorvenheid op zo'n kolossale schaal.

Ze voelde een misselijkmakende ontzetting voor de hulpeloze zielen die de horde nog onder ogen moesten komen, en een overweldigend verlies van hoop dat het leven ooit nog de moeite waard en veilig kon zijn, laat staan vreugdevol.

Haar terneergeslagenheid verdween bij de aanblik van de veroorzakers van de slachting, het grote leger mannen die allemaal gretig zulke gruweldaden hadden begaan. In plaats daarvan voelde ze een smeulende woede opflakkeren, het soort innerlijke razernij waardoor iemand slechts zelden wordt overvallen. Bij de herinnering aan de oude mensen die waren doodgehakt, de baby's van wie de schedel was ingeslagen en de barbaarse behandeling van de vrouwen kon Kahlan aan weinig anders denken dan aan haar brandende verlangen naar wraak voor de zwijgende doden.

Dat gevoel van razernij kolkte door haar heen, een woede die zo verschrikkelijk was dat die voorgoed iets in haar leek te hebben veranderd. Op dat ogenblik voelde ze een diepe verbondenheid met het beeldje dat ze in de vredige tuin van Richard Rahl had moeten achterlaten, en kreeg ze een volkomen nieuw inzicht in de betekenis ervan.

'Het is Jagang, dat kan niet missen,' zei Zuster Cecilia ten slotte op bittere toon.

Zuster Armina knikte. 'En om Caska te bereiken, moeten we langs hem zien te komen.'

Zuster Ulicia gebaarde naar de hoog oprijzende bergen links van hen. 'Hun leger, met al hun paarden, wagens en voorraden, kan niet door de smalle passen tussen die pieken, maar wij wel. Gezien Jagangs langzame tempo zijn wij al door de passen gereden en in Caska aangekomen voordat zij naar het zuiden zijn gegaan, om de bergketen heen zijn getrokken en D'Hara binnenmarcheren.'

Zuster Cecilia tuurde naar de horizon. 'Het D'Haraanse leger maakt geen schijn van kans tegen die overmacht.'

'Dat is ons probleem niet,' vond Zuster Ulicia.

'Maar hoe zit het met onze band met Richard Rahl?' vroeg Zuster Armina.

'Wij zijn niet degenen die Richard Rahl aanvallen,' antwoordde Zuster Ulicia. 'Jagang is degene die achter hem aan zit, die hem wil vernietigen, wij niet. Wij zullen de macht van Orden uitoefenen, en dan geven we Richard Rahl wat alleen wij hem kunnen geven. Dat is genoeg om onze band te behouden en ons tegen de droomwandelaar te beschermen. Jagang en zijn leger zijn niet ons probleem, en wat ze van plan zijn is niet onze verantwoordelijkheid.'

Kahlan herinnerde zich dat ze in het Volkspaleis was geweest, en vroeg zich af wat voor man Richard Rahl was. Hoewel ze hem niet kende, was ze bezorgd om hem en om wat zijn volk boven het hoofd hing.

'Als ze eerder in Caska zijn dan wij, wordt het wel ons probleem,' merkte Zuster Cecilia op. 'Behalve dat we Tovi moeten inhalen, is Caska de enige andere centrale locatie waar we voorlopig binnen kunnen komen.'

Met een handgebaar verwierp Zuster Ulicia die gedachte. 'Ze zijn nog een flink eind bij Caska vandaan. We kunnen hen makkelijk te snel af zijn als we over de bergen gaan in plaats van eerst af te zakken, eromheen te trekken en daarna weer omhoog, zoals zij moeten doen.'

'Denk je niet dat ze hun tempo kunnen opvoeren?' vroeg Zuster Armina. 'Jagang is er misschien op gebrand om Meester Rahl en het D'Haraanse leger uit te schakelen.'

Zuster Ulicia snoof minachtend bij dat idee. 'Jagang weet dat het D'Haraanse leger nergens anders naartoe kan. Richard Rahl heeft geen andere keus dan te vechten; dat is al zo goed als zeker. Het is alleen een kwestie van tijd.

De droomwandelaar heeft geen haast, en dat zou ook weinig zin hebben met zo'n omvangrijk leger. Zelfs als ze hun tempo kunnen opvoeren, moeten ze een veel grotere afstand afleggen, dus dan kan hij niet eerder in Caska zijn dan wij. Bovendien is Jagangs leger nog steeds hetzelfde als toen het tientallen jaren geleden voor het eerst de Oude Wereld bezette, en zoals het al tijdens deze hele oorlog is geweest. Ze haasten zich nooit. Ze zijn als de seizoenen: ze verplaatsen zich met veel kracht, maar heel langzaam.'

Ze keek de twee andere Zusters veelbetekenend aan. 'Trouwens, ze hebben pas nog alle vrouwen uit de stad meegenomen. Jagangs soldaten zullen maar al te graag van hun buit willen genieten.'

Zuster Armina werd lijkbleek. 'Daar weten we alles van.'

'Jagang en zijn soldaten kunnen nooit genoeg krijgen van hun gevangen vrouwen,' merkte Zuster Cecilia half in zichzelf op.

Op Zuster Armina's gezicht verscheen opeens een vuurrode blos. 'Ik zou Jagang dolgraag willen opknopen en hem eens onder handen nemen.'

'We zouden allemaal die kerels graag een lesje willen leren,' reageerde Zuster Ulicia met een blik in de verte, 'maar we hebben wel iets beters te doen.'

Ze grijnsde. 'Maar er komt een dag...'

De drie Zusters zwegen een poosje, terwijl ze naar de onmetelijke horde keken die zich langs de horizon uitstrekte.

'Er komt een dag,' zei Zuster Cecilia zachtjes op hatelijke toon, 'dat we de kistjes van Orden openmaken en de macht hebben om die man van ellende te laten creperen.'

Zuster Ulicia keerde zich om en liep naar de paarden. 'Als we een van die drie kistjes ooit willen openmaken, moeten we eerst Tovi en het derde kistje zien te bereiken, en wat er nog meer in Caska is. Vergeet Jagang en zijn leger nu maar. Dit is de laatste keer dat we ze hoeven te zien, totdat de dag komt waarop we de macht van Orden hebben ontketend. Dan kunnen we het genoegen smaken om persoonlijk wraak op de droomwandelaar te nemen.'

9

Nicci deed haar ogen open en zag alleen vage schimmen. 'Zedd is boos op je.'
Ook al leek de stem van heel ver weg te komen, ze wist dat het Richard was. Het verbaasde haar dat ze hem hoorde. Het verbaasde haar dat ze iets hoorde, omdat ze redelijkerwijs dood had moeten zijn.

Toen haar zicht weer scherp begon te worden, draaide ze haar hoofd naar rechts en zag hem in elkaar gedoken op een stoel zitten vlak naast het bed. Hij boog zich naar voren, en zat naar haar te kijken met zijn ellebogen op zijn knieën en zijn vingertoppen tegen elkaar.

'Waarom?' vroeg ze.

Opgelucht omdat ze wakker was, leunde hij achterover en lachte het scheve lachje dat ze zo graag zag.

'Omdat je het raam hebt gebroken in de kamer waar jullie het verificatieweb aan het maken waren.'

In het zachte schijnsel van een lamp met een melkwitte kap zag ze dat ze onder een weelderige sprei lag, die met goudborduursel was versierd en met een prachtige grijsgroene zoom was afgezet. Ze droeg een satijnen nachtjapon die ze niet herkende. De mouwen kwamen tot aan haar polsen, en hij was lichtroze. Niet haar kleur...

Ze vroeg zich af waar het kledingstuk vandaan kwam, en vooral wie haar had uitgekleed en haar de nachtjapon had aangetrokken. Lang geleden in het Paleis van de Profeten was Richard de eerste geweest die niet als vanzelfsprekend aannam dat hij recht op haar lichaam of een ander aspect van haar leven had. Zijn openhartige houding had geholpen het denkproces op gang te brengen waardoor ze uiteindelijk de leerstellingen van de Orde had afgewezen.

Door Richard was ze gaan beseffen dat haar leven alleen aan haarzelf toebehoorde. Behalve dat inzicht had ze ook het gevoel van eigenwaarde gekregen dat bij fatsoen hoorde.

Op dat moment had ze echter grotere zorgen dan het raadsel van haar roze nachtpon. Haar pijnlijk kloppende hoofd voelde zwaar aan op het zachte kussen.

'Technisch gesproken,' zei ze, 'heeft de bliksem het raam gebroken, niet ik.'

'Op de een of andere manier,' reageerde Cara vanuit een andere stoel, waarin ze op twee poten achterover tegen de muur naast de deur leunde, 'geloof ik niet dat hij erg onder de indruk is van dat onderscheid.'

'Dat denk ik ook,' verzuchtte Nicci. 'Die kamer bevindt zich in het verharde gedeelte van de Burcht.'

Richard fronste zijn wenkbrauwen. 'Wélk gedeelte?'

Ze kneep haar ogen een beetje samen om zijn gezicht scherper te kunnen zien. 'Een speciaal deel van de Burcht dat zowel tegen opzettelijke interferentie als tegen aberrante en labiele gebeurtenissen is verhard.'

Cara sloeg haar armen over elkaar. 'Kun je dat nog even in begrijpelijke taal uitleggen?'

De vrouw had haar roodlederen pak aan. Nicci vroeg zich af of dat betekende dat hun nog meer problemen te wachten stonden of dat ze alleen slechtgehumeurd was omdat het beest was opgedoken.

'Het is een insluitingsveld,' antwoordde Nicci. 'We weten heel weinig van de verbijsterend ingewikkelde opbouw van deze oude ketenvuurbetovering. Het is veel te riskant om zulke instabiele componenten zelfs maar te bestuderen als ze zo vervlochten zijn zoals in dit geval. Daarom voerden we het verificatieweb juist op die plek uit. Die kamer bevindt zich namelijk in de oorspronkelijke kern van de Burcht, waar handelingen met afwijkende materialen veilig kunnen worden verricht. Verschillende soorten geconstrueerde en vrij gevormde betoveringen bevatten vaak intrinsieke tangentiële uitstromingen die domeinbreuken kunnen overbrengen, dus in dergelijke gevallen is het verstandig zulke potentieel gevaarlijke componenten tot een insluitingsveld te beperken.'

'Nou, bedankt voor de heldere toelichting, zeg,' zei Cara sarcastisch. 'Nu is het me helemaal duidelijk. Het is een velddinges.'

Nicci knikte zo goed en zo kwaad als het ging. 'Ja, een insluitingsveld.' Toen de rimpels op Cara's voorhoofd alleen maar dieper werden, voegde Nicci eraan toe: 'Als je daar magie gebruikt, is het net alsof je met een wesp in een jampotje bezig bent.'

'O.' Cara slaakte een zucht toen ze de uitleg begreep. 'Nu snap ik waarom Zedd zo prikkelbaar was.'

'Misschien kan hij de kamer weer in de oude staat terugbrengen,' opperde Richard. 'Gek genoeg is de kamer niet eens zo heel erg overhoopgehaald. Het zijn hoofdzakelijk de kapotte ruiten waar hij zich druk om maakt.'

Met een zwak gebaar tilde Nicci haar hand op. 'Dat geloof ik graag. Het glas is uniek. Het beschikt over ingebouwde eigenschappen die ervoor moeten zorgen dat geconstrueerde magie niet kan ontsnappen – en om aanvallen van begaafden te voorkomen. Het glas werkt ongeveer als een schild, behalve dat het krachten afschrikt in plaats van mensen.'

Even dacht Richard na. 'Nou,' merkte hij ten slotte op, 'het kon een aanval van het beest anders niet verhinderen.'

Afwezig staarde Nicci naar de boekenplanken die in de muur tegenover het bed waren ingebouwd.

'Niets kan het beest tegenhouden,' reageerde ze. 'In dit geval kwam hij niet door het raam of de muur binnen, maar door de sluier. Hij kwam regelrecht vanuit de onderwereld de kamer in, zonder dat hij door schilden, een insluitingsveld of vuurvast glas hoefde te komen.'

Met een bons kwamen de poten van Cara's stoel op de vloer neer. 'En toen rukte hij bijna je arm eraf.' Ze schudde vermanend met haar vinger naar Richard. 'U hebt uw gave gebruikt. U hebt het beest naar u toe gelokt. Als Zedd er niet was geweest om u te genezen, zou u vast zijn doodgebloed.'

'Ach Cara, hoe vaker je het verhaal vertelt, des te heviger ik bloed. De volgende keer dat ik het hoor, ben ik ongetwijfeld in stukken gereten en met tovergaren aan elkaar genaaid.'

Ze sloeg haar armen over elkaar en leunde weer met haar stoel op twee poten tegen de muur. 'U had best in stukken gereten kunnen zijn.'

'Ik was heus niet zo ernstig gewond als jij beweert. Mij mankeert niets.' Richard boog zich voorover en gaf een kneepje in Nicci's hand. 'Gelukkig heb jij er een stokje voor kunnen steken.'

Ze keek hem in zijn ogen. 'Voorlopig,' merkte ze op. 'Meer niet.'

'Voorlopig is genoeg.' Hij lachte tevreden. 'Je hebt het prima gedaan, Nicci.'

Zijn grijze ogen weerspiegelden zijn oprechtheid. Op de een of andere manier leek de wereld beter wanneer Richard blij was dat iemand iets moeilijks had volbracht. Hij leek de prestaties van mensen altijd op prijs te stellen, en verheugde zich over hun triomfen. Het fleurde haar steevast op wanneer hij tevreden was met iets wat ze had gedaan.

Haar blik dwaalde af, en ze zag het beeldje dat op de tafel achter hem stond. Het lamplicht benadrukte haar golvende haar en gewaad. Ooit had Richard die zorgvuldig uitgesneden om zijn visie van Kahlans levenskracht uit te drukken. Het glanzende, notenhouten beeldje stond erbij alsof het zich zwijgend verzette tegen een onzichtbare kracht die haar levenskracht wilde onderdrukken.

'Ik ben in jouw kamer,' zei Nicci, half in zichzelf.

Verbaasd trok hij zijn wenkbrauwen op. 'Hoe weet je dat?'

Ze wendde haar blik van het beeldje af en staarde door het kleine boograam in de dikke stenen muur naar buiten. In de onderste regionen van de donkere sterrenhemel werd een tere gloed zichtbaar toen eindelijk de dageraad aanbrak.

'Goed gegokt,' loog ze.

'Die was dichterbij,' legde Richard uit. 'Zedd en Nathan wilden je snel in bed stoppen, zodat ze konden kijken hoe ze je konden helpen.'

Aan het hardnekkige ijzige gevoel dat door haar aderen stroomde, wist Nicci dat ze meer hadden gedaan dan alleen maar kijken.

'Rikka en ik hebben je uitgekleed en je een nachtjapon aangetrokken die Zedd ergens vandaan heeft gehaald,' legde Cara uit, in antwoord op de onuitgesproken vraag die ze in Nicci's ogen moest hebben gezien.

'Dank je.' Zwakjes tilde Nicci haar hand op. 'Hoe lang ben ik bewusteloos geweest? Wat is er gebeurd?'

'Tja,' antwoordde Richard, 'toen je eergisteren weer in die bezweringsvorm terugsprong en de bliksem opriep om het beest tegen te houden, kreeg het verificatieweb je bijna voorgoed te pakken. Toen ik je eruit heb gekregen, vond Zedd dat je moest rusten, en daarom deed hij iets waardoor je in slaap viel. Door de pijn was je aan het ijlen. Hij zei dat hij je hielp inslapen, zodat je er geen last van had. Hij zei dat je gisteren de hele dag zou slapen en vandaag aan het begin van de dag wakker zou worden. Hij had gelijk.'

Cara stond op en ging achter Richard staan om naar Nicci te kijken. 'Niemand dacht dat Meester Rahl je er nog een tweede keer uit zou kunnen krijgen. Ze dachten dat je geest te ver in de onderwereld was geraakt om je ooit nog terug te kunnen halen, maar het is hem gelukt. Hij heeft je teruggehaald.'

Nicci keek van Cara's zelfvoldane grijns in Richards grijze ogen. In zijn blik viel niets af te lezen van de moeilijke taak. Ze kon zich nauwelijks voorstellen hoe hij zoiets had klaargespeeld.

'Je hebt het prima gedaan, Richard,' zei ze, wat hem een glimlach ontlokte.

Er werd zachtjes geklopt, en Cara en Richard draaiden zich om naar de deur. Behoedzaam deed Zedd de deur op een kier open en gluurde naar binnen. Toen hij merkte dat Nicci wakker was, liet hij zijn voorzichtigheid varen en kwam binnen.

'Aha,' stelde hij vast, 'uit de dood herrezen, zie ik.'

Nicci lachte. 'Waardeloos uitstapje. Ik kan het niemand aanraden. Het spijt me van de ramen, maar het was of...'

'Beter de ramen dan wat er met Richard had kunnen gebeuren.'

Ze was blij om hem dat te horen zeggen. 'Dat vond ik ook.'

'Bij gelegenheid moet je me maar eens precies vertellen wat je hebt gedaan en hoe je het hebt klaargespeeld. Ik wist niet dat toverkracht die ramen kon breken.'

'Dat kan ook niet. Ik heb domweg een versmelting van natuurkrachten uitgenodigd om door de ramen naar binnen te komen.'

Met een ondoorgrondelijke blik keek Zedd haar aan. 'Om nog even op die ramen terug te komen,' zei hij ten slotte afgemeten, 'misschien kunnen we jouw vermogen met beide kanten van de gave gebruiken om ze te herstellen.'

'Daar help ik graag aan mee.'

Cara deed een stap naar voren. 'Ik weet zeker dat Tom en Friedrich graag bij het houtwerk van de ramen willen helpen, wanneer ze eindelijk van hun patrouille terug zijn. Vooral Friedrich weet veel van houtbewerking.'

Zedd knikte en met een glimlach om haar voorstel richtte hij zich weer tot zijn kleinzoon. 'Waar heb je uitgehangen? Ik heb vanochtend naar je gezocht, maar je was nergens te vinden. Ik loop al de hele dag naar je te zoeken.'

Nicci besefte dat hij zich niet in de eerste plaats om zijn ramen druk maakte.

Richard wierp een vluchtige blik op het beeldje. 'Ik heb gisteravond nog lang gelezen. Toen het licht werd, ben ik gaan wandelen om na te denken over wat ik nu moet doen.'

Zedd slaakte een zucht bij dat antwoord. 'Nou, zoals ik zei nadat je de eerste bezweringsvorm vernietigde waar Nicci in zat, hebben we het een en ander te bespreken.'

Het was duidelijk dat het geen terloopse belangstelling was, maar een uitdrukkelijke eis.

Richard zag dat Nicci rechtop wilde zitten en stond op om kussens achter haar rug te stoppen. Haar pijn begon te vervagen. Zedd had kennelijk meer gedaan dan haar in slaap laten vallen. Haar hoofd begon helder te worden, en ze merkte dat ze honger had.

'Goed, begin maar,' zei Richard toen hij weer was gaan zitten.

'Ik wil dat je me precies uitlegt hoe je wist hoe je een verificatieweb moest uitschakelen, vooral een dat zo ingewikkeld is als de matrix van het ketenvuurverschijnsel.'

Richard keek verveeld. 'Ik heb je al gezegd dat ik de taal van symbolen begrijp.'

Met zijn handen achter zijn rug begon Zedd te ijsberen. De ongerustheid stond op zijn gezicht te lezen. 'Ja, nu je het erover hebt, je zei dat je veel af weet van "beeldende patronen die fataal kunnen zijn". Ik moet weten wat je daarmee bedoelde.'

Richard ademde diep in en liet zijn adem langzaam ontsnappen, terwijl hij in zijn stoel naar achteren leunde. Omdat hij met Zedd was opgegroeid, wist hij maar al te goed dat hij beter kon antwoorden wanneer Zedd iets van hem wilde weten.

Richard draaide zijn polsen op zijn knieën naar boven. Er stonden vreemde symbolen op de met leer gevoerde zilveren polsbanden die hij droeg. In het midden van elke band stond aan de binnenzijde van zijn polsen een kleine Gratie. Dat was op zich al verontrustend genoeg, omdat Nicci die door Richard had zien gebruiken om de sliph op te roepen, zodat ze konden reizen. Wat de andere symbolen betekenden, kon ze zich niet voorstellen.

'Die dingen hier op mijn polsbanden – de symbolen, patronen en figuren – zijn afbeeldingen die iets voorstellen. Zoals ik al zei, zijn ze een soort taal.'

Zedd zwaaide met zijn vinger naar de patronen. 'En daar kun jij een betekenis in ontdekken? Net zoals met de bezweringsvorm?'

'Ja. De meeste zijn manieren om met het zwaard te vechten. Zo heb ik ze voor het eerst kunnen herkennen, en op grond daarvan heb ik geleerd hoe ik ze moest opvatten.'

Tevergeefs zochten Richards vingers onwillekeurig naar de geruststellende aanraking van het gevest, maar het wapen hing niet meer op zijn heup. Hij hernam zich en ging weer verder met zijn uitleg.

'Veel van deze patronen zijn hetzelfde als die buiten de enclave van de Eerste Tovenaar zijn gebeiteld. Je weet wel: op de bronzen platen op het entablement boven de roodgespikkelde stenen zuilen, op de ronde metalen schijven langs de hele fries, en ook in het steen van de kroonlijst.'

Over zijn schouder keek hij naar zijn grootvader. 'De meeste van deze symbolen hebben duidelijk met een zwaardgevecht te maken.'

Verrast knipperde Nicci met haar ogen. Richard had haar nooit iets over de symbolen op de polsbanden verteld. Als Eerste Tovenaar was Zedd de drager van het Zwaard van de Waarheid geweest, die de taak had een nieuwe Zoeker aan te wijzen wanneer dat nodig was. Aan zijn reactie merkte ze echter dat zelfs hij er niets vanaf wist. Dat was logisch, want het zwaard was immers duizenden jaren geleden door tovenaars met wonderbaarlijke krachten gemaakt.

'Deze hier.' Met zijn knokige vinger wees Zedd naar een symbool op Richards polsband. 'Deze staat op de deur naar de enclave van de Eerste Tovenaar.'

Richard draaide zijn andere pols om en tikte op een sterrenpatroon aan de bovenkant van de zilveren band. 'Deze ook.'

Zedd trok Richards armen naar zich toe en bestudeerde de polsbanden in het lamplicht. 'Ja, die staan allebei op de deur.' Door zijn wimpers keek hij Richard fronsend aan. 'En jij gelooft werkelijk dat ze iets te betekenen hebben, en dat je hebt geleerd hoe je ze moet lezen?'

'Ja, natuurlijk.'

Zedd fronste zijn borstelige wenkbrauwen nog dieper, en bleef duidelijk sceptisch. 'Wat betekenen ze volgens jou?'

Richard raakte een symbool op de polsband aan en een soortgelijk symbool op zijn laarzen. Hij wees hetzelfde patroon aan op de gouden boord rond zijn zwarte tuniek. Pas toen hij het aanwees, besefte Nicci dat het tussen een gedetailleerde sierrand verborgen zat. Het patroon zag eruit als twee ruwe driehoeken waar een golvende dubbele lijn omheen en dwars door liep.

'Dit is een soort ritme dat bij het vechten tegen een overmacht wordt gebruikt. Het geeft de cadans van een dans aan, ritmische bewegingen zonder de ijzeren vorm.'

Zedd trok een wenkbrauw op. 'Beweging zonder de ijzeren vorm?'

'Ja, je weet wel: een beweging die niet stijf is, niet voorgeschreven en onbuigzaam, maar niettemin weloverwogen, met een specifiek voornemen en nauwkeurige doelstellingen.

Dit symbool beschrijft een wezenlijk onderdeel van de dans.'

'De dans?'

Richard knikte. 'De dans met de dood.'

Even klemde Zedd zijn kaken op elkaar, voordat hij zijn stem hervond. 'Dans. Met de dood.' Stotterend barstte hij los in een haperend spervuur van vragen voordat hij ten slotte even zweeg. Daarna hield hij het simpel. 'En wat heeft dit te maken met de symbolen bij de enclave van de Eerste Tovenaar?'

Met zijn duim streek Richard over de patronen op zijn linker polsband. 'De symbolen moeten iets betekenen voor een oorlogstovenaar. Zo ben ik er gedeeltelijk achter gekomen. Symbolen hebben in veel beroepen een betekenis. Kleermakers schilderen een schaar op hun raam, een wapenmaker kan een stel messen boven zijn deur hangen, een herberg heeft een uithangbord met een kroes erop, een ijzersmid heeft een aambeeld en een hoefsmid spijkert misschien een paar hoefijzers boven zijn deur. Sommige tekens, zoals een doodshoofd met gekruiste knekels eronder, zijn een waarschuwing voor een dodelijk gevaar. Zo hebben oorlogstovenaars ook tekens aangebracht op de enclave van de Eerste Tovenaar.

Nog belangrijker is dat elk beroep zijn eigen jargon heeft, een gespecialiseerde woordenschat die kenmerkend voor dat beroep is. Dat geldt ook voor de oorlogstovenaar.

Het jargon van zijn beroep heeft met dodelijkheid te maken. Deze symbolen hier en buiten de enclave van de Eerste Tovenaar zijn gedeeltelijk de tekens van zijn vak: het veroorzaken van de dood.'

Zedd schraapte zijn keel en wees naar een ander symbool op Richards polsband. 'Deze hier. Die staat op de deur van mijn enclave. Weet je wat die betekent? Kun je de bedoeling ervan omschrijven?'

Richard verdraaide zijn pols een beetje, terwijl hij naar het sterrensymbool keek. 'Het is een waarschuwing om je niet op één ding blind te staren. De sterren zijn een aansporing om goed om je heen te kijken. Ze herinneren je eraan dat je je aandacht niet door de vijand in een bepaalde richting moet laten dwingen, want dan zie je alleen wat hij wil dat je ziet. Doe je dat toch, dan geef je hem de kans om jou als het ware te verblinden, waarna hij je ongemerkt kan aanvallen en je het hoogstwaarschijnlijk met de dood moet bekopen.

Net als deze sterren moet je je blikveld juist openstellen voor alles wat er te zien is, zonder je aandacht op iets te laten rusten, zelfs wanneer je toeslaat. Dansen met de dood betekent dat je je vijand begrijpt en één met hem wordt, dat wil zeggen: met zijn gedachtewereld en zijn kennis, zodat je zijn zwaard even goed kent als het jouwe – waar het zich precies bevindt, zijn snelheid en zijn eerstvolgende slag voordat die komt, zonder dat je eerst moet wachten tot je hem ziet aankomen. Als je je blikveld op die manier openstelt, wanneer je dus al je zintuigen openstelt, leer je de geest van je vijand en zijn bewegingen instinctief kennen.'

Zedd krabde aan zijn slaap. 'Wil je me vertellen dat deze symbolen, die tekens die kenmerkend zijn voor oorlogstovenaars, allemaal aanwijzingen voor het gebruik van een zwaard zijn?'

Richard schudde zijn hoofd. 'Het woord "zwaard" staat voor alle strijdvormen, niet alleen voor de strijd of het vechten met een wapen. Het is evenzeer van toepassing op de strategie en het leiderschap als op andere zaken in het leven.

Dansen met de dood betekent dat je je inzet voor de waarde van het leven, met je geest, je hart en je ziel, opdat je werkelijk bereid bent om te doen wat nodig is om het leven in stand te houden. Dansen met de dood wil zeggen dat je de vleesgeworden dood bent, die de levenden komt halen om het leven in stand te houden.'

Als door de bliksem getroffen keek Zedd hem aan.

Richard leek enigszins verbaasd door Zedds reactie. 'Dit komt allemaal overeen met wat jij me zelf hebt geleerd, Zedd.'

Het lamplicht wierp scherpe schaduwen over Zedds magere gezicht. 'In zekere zin is dat ook zo, Richard. Maar tegelijkertijd is het nog veel meer dan dat.'

Met zijn duim streek Richard over het glanzende zilveren oppervlak van zijn polsband. Hij knikte, en leek naar woorden te zoeken. 'Zedd, ik weet dat jij me graag alles had willen leren wat met je enclave te maken heeft, net zoals jij degene wilde zijn die me over de Gratie vertelde. Als Eerste Tovenaar was dat ook jouw taak. Misschien had ik moeten wachten.'

Vol overtuiging hief hij een vuist op. 'Maar er stonden levens op het spel en er waren dingen die ik moest doen. Ik moest het zonder jou leren.'

'Verdorie, Richard, hoe had ik je zulke dingen moeten leren?' vroeg Zedd gelaten. 'De betekenis van die symbolen is al duizenden jaren geleden verloren gegaan. Geen enkele tovenaar heeft ze sindsdien kunnen ontcijferen, nou ja, voor zover ik weet. Ik begrijp werkelijk niet hoe jij erin bent geslaagd.'

Verlegen haalde Richard een schouder op. 'Zodra ik het doorkreeg, werd alles heel duidelijk.'

Bezorgd keek Zedd naar zijn kleinzoon. 'Richard, ik ben hier opgegroeid. Ik heb een groot deel van mijn leven hier doorgebracht. Ik was Eerste Tovenaar toen er nog daadwerkelijk tovenaars waren om leiding aan te geven.' Hij schudde zijn hoofd. 'Al die tijd stonden die patronen op de enclave van de Eerste Tovenaar, en ik had geen idee wat ze betekenden. Voor jou lijkt het misschien vanzelfsprekend, maar dat is het niet. Misschien verbeeld je je wel dat je de symbolen begrijpt, bedenk je betekenissen die je wílt zien.'

'Ik verbeeld me de betekenis helemaal niet. Ze hebben me al heel vaak het leven gered. Ik heb een heleboel over het zwaardvechten geleerd door de taal van deze symbolen te begrijpen.'

Zedd sprak hem niet tegen, maar gebaarde naar de amulet om Richards nek. In het midden, omsloten door een ingenieus geheel van goud- en zilverdraad, zat een robijn in de vorm van een traan, zo groot als Nicci's duimnagel. 'Dat heb je in mijn enclave gevonden. Heb je soms ook een idee wat dat betekent?'

'Het hoorde bij dit kostuum, een onderdeel van het pak dat door een oorlogstovenaar werd gedragen. In tegenstelling tot de rest werd dit echter in bewaring gegeven bij de enclave van de Eerste Tovenaar, zoals je al zei.'

'En wat betekent het?'

Met zijn vingers streek Richard eerbiedig over de amulet. 'De robijn stelt een druppel bloed voor. De emblemen die in deze talisman zijn gegraveerd, zijn de symbolische weergave van het eerste edict.'

Zedd drukte zijn vingers tegen zijn voorhoofd, alsof hij door een nieuw raadsel van zijn stuk was gebracht. 'Het eerste edict?'

Als gebiologeerd staarde Richard naar de amulet. 'Het betekent maar één ding, en tegelijkertijd alles: steek toe. Als je eenmaal van plan bent te gaan vechten, steek dan toe. Al het andere is bijzaak.

Toesteken. Dat is je plicht, je taak, je honger. Er is geen regel die belangrijker is, geen plicht die boven deze gaat: toesteken.'

Richards woorden klonken zacht, met een ondertoon van dodelijke ernst die Nicci de rillingen bezorgde.

Hij tilde de amulet van zijn borst en staarde naar de rijke versiering.

'De gegraveerde lijnen stellen een beschrijving van de dans voor en in die zin hebben ze een specifieke betekenis.' Onder het praten ging hij met een vinger langs het golvende patroon, alsof hij een regel tekst in een oude taal voorlas. 'Steek vanuit de leegte, niet vanuit chaos. Steek zo snel en rechtstreeks mogelijk op de vijand in. Steek met overtuiging. Steek zelfverzekerd, resoluut. Steek hem in zijn kracht.

Vloei door de gaten in zijn verdediging. Steek hem. Steek hem volledig neer. Gun hem geen tijd om adem te halen. Verpletter hem. Steek hem zonder genade tot in het diepst van zijn wezen.'

Richard keek op naar zijn grootvader. 'Het is de tegenhanger van het leven: de dood. Het is de dans met de dood, of om precies te zijn: het mechanisme van de dans met de dood. De essentie ervan is teruggebracht tot de vorm, en de vorm is voorgeschreven door denkbeelden.

Het is de wet die een oorlogstovenaar moet gehoorzamen, anders sterft hij.'

In Zedds lichtbruine ogen viel niets af te lezen. 'Dus volgens die tekens, die symbolen, wordt een oorlogstovenaar uiteindelijk slechts als een zwaardvechter beschouwd?'

'Het doorslaggevende principe waar ik het daarnet over had, is hier net zozeer van toepassing als op de andere symbolen. Het eerste edict is niet alleen bedoeld om duidelijk te maken hoe een oorlogstovenaar met een wapen vecht, maar vooral hoe hij met zijn geest vecht. Het is een fundamenteel begrip van de aard van de werkelijkheid, dat alles wat hij doet dient te omvatten. Door trouw te zijn aan het eerste edict wordt elk wapen dat hij gebruikt een verlengstuk van zijn geest, een instrument van zijn bedoeling. In zekere zin komt het neer op wat je me een keer over de Zoeker vertelde. Het wapen doet er niet zozeer toe, maar de man die het wapen hanteert des te meer.

De man die deze amulet het laatst heeft gedragen, was ooit Eerste Tovenaar. Zijn naam was Baraccus. Toevallig was hij net als ik als oorlogstovenaar geboren.

Ook hij is naar de Tempel der Winden gegaan, maar toen hij terugkwam, ging hij naar de enclave van de Eerste Tovenaar, waar hij dit achterliet. Daarna is hij naar buiten gekomen en heeft hij zelfmoord gepleegd door van de Burcht af te springen.'

Afwezig staarde Richard voor zich uit bij de herinnering. 'Een tijdlang begreep ik het, en hunkerde ik ernaar hetzelfde te doen.' Tot Nicci's opluchting vervloog de gekwelde blik in zijn grijze ogen toen hij weer ontspannen glimlachte. 'Maar ik kwam tot bezinning.'

Er viel een stilte in het vertrek, alsof de dood in eigen persoon zojuist stilletjes naar binnen was gegleden, een ogenblik had geaarzeld en toen weer was vertrokken.

Ten slotte glimlachte ook Zedd, waarna hij Richard bij zijn schouders greep en hem een vriendschappelijk duwtje gaf. 'Ik ben blij dat ik de juiste keus heb gedaan door jou als Zoeker aan te wijzen, jongen.'

Nicci wenste dat Richard nog het zwaard van de Zoeker had, maar hij had het opgeofferd in ruil voor informatie bij zijn poging om Kahlan te vinden.

'Dus,' zei Zedd, om weer over te gaan tot de orde van de dag, 'omdat je iets van deze symbolen weet, dacht je dat je de symbolen in de bezweringsvorm van het ketenvuur begreep.'

'Ik kon het toch uitzetten, of niet soms?'

Zedd vouwde zijn handen weer op zijn rug. 'Daar zit wat in. Maar dat betekent niet per se dat je vormen in de betovering als symbolen kunt lezen, laat staan dat je kunt weten dat de bezweringsvorm door de akkoorden was aangetast.'

'Niet door de akkoorden zelf,' legde Richard geduldig uit, 'maar door de besmetting die was achtergebleven doordat de akkoorden in deze wereld waren geweest. Daardoor is de ketenvuurbetovering geïnfecteerd. Daar draait het om.'

Zedd keerde zich van hem af, en zijn gezicht ging schuil in de schaduwen. 'Maar toch, Richard, zelfs als je inderdaad begrijpt wat de symbolen met de oorlogstovenaars te maken hebben, hoe kun je er zeker van zijn dat je dit begrijpt,' – hij gebaarde vaag in de richting van de kamer waar het was gebeurd – 'die andere toestand met de ketenvuurbetovering en de akkoorden?'

'Ik weet het nu eenmaal,' hield Richard op zachte toon vol. 'Ik zag het teken van de aard van de besmetting. Die werd door de akkoorden veroorzaakt.'

Hij klonk vermoeid. Nicci vroeg zich af hoe lang hij al op was. Door de schorre klank van zijn stem en zijn enigszins wankele bewegingen vermoedde ze dat hij waarschijnlijk al dagenlang niet had geslapen. Ondanks zijn vermoeidheid straalde hij echter een onwrikbare overtuiging uit. Ze wist dat zijn ongerustheid om Kahlan hem aanspoorde.

Nadat Nicci tweemaal door hem uit de bezweringsvorm was gehaald, wilde ze zijn theorie niet onmiddellijk van de hand wijzen. Bovendien was ze gaan beseffen dat Richards inzichten over magie niet strookten met de conventionele opvattingen. Eerst had ze gedacht dat zijn idee dat magie gedeeltelijk door middel van artistieke concepten functioneert, voortkwam uit het feit dat hij zonder kennis van de magie was opgegroeid en er niet aan was blootgesteld. Sindsdien had ze begrepen dat zijn unieke inzicht en zijn buitengewone intellect hem in staat hadden gesteld een essentieel kenmerk van de magie te bevatten, dat wezenlijk verschilde van de orthodoxe leer.

Nicci was gaan geloven dat Richard de magie werkelijk begreep, op een manier zoals die sinds lang vervlogen tijden door niemand was gezien.

Zedd draaide zich weer om. Zijn gezicht werd aan de ene kant verlicht door de warme gloed van de lamp en aan de andere door het zwakke, kille ochtendgloren. 'Richard, stel dat je gelijk hebt met de betekenis van de symbolen op je polsbanden en die op de enclave van de Eerste Tovenaar. Dat je die dingen begrijpt, wil niet zeggen dat je daardoor ook de lijnen in een verificatieweb begrijpt. Dat is een totaal andere en unieke context. Ik twijfel beslist niet aan je vermogen, jongen, echt niet, maar het omgaan met bezweringsvormen is een bijzonder ingewikkelde kwestie. Je mag geen overhaaste conclusies...'

'Heb je de afgelopen paar jaar wel eens een draak gezien?'

Iedereen in het vertrek zweeg verbluft toen Richard plotseling een ander onderwerp aansneed – vooral zo'n eigenaardig onderwerp.

'Een draak?' bracht Zedd ten slotte uit, als een man die zich behoedzaam op glad ijs begaf.

'Ja, een draak. Kun je je herinneren dat je wel eens een draak hebt gezien sinds we ons huis in Westland hebben achtergelaten en naar het Middenland zijn gegaan?'

Zedd streek een paar weerbarstige plukjes van zijn witte haar glad, en wierp een snelle blik op Cara en Nicci voordat hij antwoord gaf. 'Nou, nee, ik moet zeggen dat ik me geen draken kan herinneren, maar wat heeft dat te maken met...'

'Waar zijn ze? Waarom heb je er geen gezien? Waarom zijn ze verdwenen?'

Vertwijfeld spreidde Zedd zijn handen. 'Richard, draken zijn zeldzame wezens.'

Richard leunde naar achteren in zijn stoel en sloeg zijn ene been over het andere.

'Rode draken wel. Maar Kahlan zei dat andere soorten vrij vaak voorkomen, en dat de kleinere soorten voor de jacht en dergelijke worden gehouden.'

Zedds blik werd achterdochtig. 'Waar zinspeel je op?'

Met zijn hand gebaarde Richard breed om zich heen. 'Waar zijn de draken? Waarom hebben we ze niet gezien? Daar zinspeel ik op.'

Zedd sloeg zijn armen voor zijn borst over elkaar. 'Ik geef het op. Waar heb je het over?'

'Nou, om te beginnen: dat je het je niet herinnert. Daar heb ik het over. De ketenvuurbetovering heeft veel meer aangetast dan alleen je herinneringen aan Kahlan.'

'Wat herinner ik me niet meer?' sputterde Zedd. 'Wat bedoel je?'

In plaats van zijn grootvader antwoord te geven, keek Richard over zijn schouder naar Cara. 'Heb jij een draak gezien?' vroeg hij haar.

'Ik kan me geen draken herinneren.' Ze keek hem strak aan. 'Bedoelt u dat ik me het zou moeten herinneren?'

'Darken Rahl had een draak. Aangezien hij destijds de Meester Rahl was, moet jij in de buurt zijn geweest en zul je het beest waarschijnlijk hebben gezien.'

Zedd en Cara keken elkaar bezorgd aan.

Richard richtte zijn roofvogelblik op Nicci. 'Jij wel?'

Nicci schraapte haar keel. 'Ik heb altijd gedacht dat het fabeldieren waren. In de Oude Wereld komen ze niet voor. Als ze er ooit zijn geweest, zijn ze al eeuwen uitgestorven. In geen enkel document sinds de grote oorlog worden ze genoemd.'

'En sinds je naar de Nieuwe Wereld bent gekomen?'

Nicci aarzelde met haar antwoord. Aan de manier waarop hij geduldig en zwijgend op haar reactie wachtte, begreep ze echter dat hij het onderwerp niet zou laten rusten. Welke vage vergelijking hij ook probeerde op te lossen, ze wist dat het om iets belangrijks ging. Onder zijn kritische blik voelde Nicci zich niet alleen verplicht te antwoorden, maar bekroop haar ook een akelig voorgevoel.

Ze wierp de dekens van zich af en zwaaide haar voeten over de zijkant van het bed. Ze wilde niet langer blijven liggen, vooral niet bij het spreken over die tijd. Terwijl ze zich aan de rand van het bed vasthield, ving ze Richards blik op.

'Toen ik je meenam naar de Oude Wereld, voordat we de Nieuwe Wereld verlieten, zagen we onderweg reusachtige botten. Ik ben niet van mijn paard afgestapt om ze te bekijken, maar ik herinner me dat ik jou door die ribben zag lopen. Ze waren ruim tweemaal zo hoog als jij. Ik had nog nooit zoiets gezien. Volgens jou ging het om het karkas van een draak.

Ik dacht dat het oude botten waren, maar jij zei dat dat niet zo was, want dat er aan sommige botten nog een beetje vlees zat. Je wees op de vele vliegen die eromheen vlogen als bewijs dat het om de overblijfselen van een verrot karkas ging, niet om een fossiel van lang geleden.'

Richard knikte bij de herinnering.

Zedd schraapte zijn keel. 'En heb je ooit een draak gezien, Richard? Eentje die nog leefde, bedoel ik.'

'Scarlet.'

'Wat?'

'Zo heette ze: Scarlet.'

Ongelovig knipperde Zedd met zijn ogen. 'Je hebt een draak gezien... en die heeft een naam?'

Richard stond op en liep naar het raam. Met zijn handen op de stenen opening leunend, staarde hij naar buiten.

'Ja,' zei hij ten slotte. 'Ze heette Scarlet. Ze heeft me vroeger al eens geholpen. Ze was een nobel beest.'

Hij wendde zich weer van het raam af. 'Maar daar gaat het niet om. Het gaat erom dat jij haar ook hebt gekend.'

Zedd fronste zijn wenkbrauwen. 'Ik heb die draak gekend?'

'Niet zo goed als Kahlan en ik haar kenden, maar je hebt haar wel gekend. Het ketenvuurverschijnsel heeft blijkbaar je herinnering aan haar aangetast. Ketenvuur was bedoeld om elke herinnering aan Kahlan te wissen, maar iedereen is ook andere feiten vergeten, dingen die met haar te maken hebben.

Misschien heb je ooit beter geweten dan ik wat de symbolen buiten de enclave van de Eerste Tovenaar betekenen. Als dat zo is, ben je die herinnering kwijtgeraakt. Wat is er nog meer verloren gegaan? Ik weet niet veel over de verschillende manieren om magie te gebruiken, maar toen we van de week tegen dat beest vochten, kreeg ik de indruk dat jullie vroeger allemaal veel creatievere betoveringen en krachten gebruikten dan de eenvoudige technieken die jullie op die bedreiging loslieten, behalve misschien wat Nicci op het laatst deed.

Dit is precies waarvoor de mannen die de ketenvuurbetovering hebben bedacht, het bangst waren. Daarom wilden ze niet dat die ooit ontstoken zou worden. Daarom durfden ze het niet eens uit te proberen. Ze waren bang dat als zo'n gebeurtenis eenmaal op gang was gebracht, die zich zou verspreiden en de verbindingen zou vernietigen die uit het hoofddoel van de betovering, in dit geval Kahlan, waren verwijderd. Jullie herinnering aan Kahlan is verdwenen. Jullie herinnering aan Scarlet is verdwenen.

Kennelijk is de herinnering dat jullie ooit draken hebben gezien, eveneens verdwenen.'

Nicci ging staan. 'Richard, niemand beweert dat de ketenvuur-betovering niet verschrikkelijk gevaarlijk is. Dat weten we allemaal. We weten allemaal dat onze herinneringen door de ontsteking van het ketenvuurverschijnsel zijn aangetast. Heb je enig idee hoe verontrustend het is om verstandelijk te weten dat we al die dingen hebben gedaan en mensen hebben gekend die we ons nu niet meer kunnen herinneren? Besef je niet wat een kwelling het is om bang te zijn dat je herinneringen kwijt bent en er nog meer zult kwijtraken, dat je geest aan het aftakelen is? Wat wil je er trouwens mee zeggen?'

'Gewoon, dat ik me afvraag wat er nog meer verdwijnt. Ik denk dat de afbraak zich via ieders geheugen uitbreidt – dat ieders geest aan het aftakelen is, zoals jij het beschrijft. Ik denk niet dat ketenvuur een afzonderlijke gebeurtenis was waarbij alleen de herinnering aan Kahlan is verdwenen. Volgens mij is de betovering een voortdurend, dynamisch proces, zodra die eenmaal is geactiveerd. Ik vermoed dat het algehele geheugenverlies zich nog steeds aan het uitbreiden is.'

Onder Richards strakke blik wendden Zedd, Cara en Nicci alle drie hun ogen af. Nicci vroeg zich af hoe ze hem konden helpen als ze geen van allen hun eigen geest konden vertrouwen, laat staan dat ze konden behouden wat ze nog hadden.

Hoe kon Richard hen vertrouwen?

'Het is erg, maar ik ben bang dat het nog veel ingewikkelder en erger gaat worden,' vervolgde Richard op vlakke toon. 'Net als veel wezens in het Middenland maken draken gebruik van magie en hebben ze die nodig om te kunnen leven. Stel dat de besmetting door de akkoorden de magie heeft vernietigd die ze nodig hebben? Stel dat niemand de afgelopen jaren draken heeft gezien, omdat ze niet meer bestaan en nu door het ketenvuur zijn vergeten? Welke andere magische wezens zijn misschien ook opgehouden te bestaan?'

Richard tikte met zijn duim op zijn borst. 'Wij zijn magische wezens. Wij hebben de gave. Hoe lang duurt het voordat de smet die door de akkoorden is achtergelaten, ons ook begint te vernietigen?'

'Maar misschien...' Zedds stem stierf weg toen hij geen argumenten kon bedenken.

'De ketenvuurbetovering is zelf aangetast. Jullie hebben allemaal gezien wat er met Nicci is gebeurd. Zij is in de betovering geweest en zij kent de vreselijke waarheid.'

Richard begon te ijsberen. 'Het is onvoorspelbaar hoe de besmetting binnen de betovering de werking ervan zou kunnen veranderen. Misschien is de besmetting zelfs de oorzaak dat het algehele geheugenverlies zich veel sterker uitbreidt dan anders het geval zou zijn geweest. Maar nog erger is dat de aantasting op symbiotische wijze met het ketenvuurverschijnsel heeft samengewerkt.'

Zedd keek op. 'Waar heb je het over?'

'Wat is het enige doel van de akkoorden? Waarom zijn ze überhaupt gecreëerd? Met slechts één enkele bedoeling,' beantwoordde Richard zijn eigen vraag, 'om de magie te vernietigen.' Richard hield op met ijsberen en keek de anderen aan terwijl hij zijn betoog vervolgde.

'De besmetting die door de akkoorden is achtergelaten, vernietigt de magie. De wezens die magie nodig hebben om te kunnen leven – draken bijvoorbeeld – zullen er het eerst van te lijden hebben. Die cascade van gebeurtenissen blijft doorgaan, maar niemand is zich ervan bewust, omdat het ketenvuurverschijnsel tegelijkertijd het geheugen van iedereen vernietigt. Ik denk dat dit komt doordat de ketenvuurbetovering besmet is, waardoor iedereen de dingen die verdwijnen onmiddellijk vergeet.

Precies zoals een bloedzuiger zijn slachtoffer verdooft zodat die niet merkt dat zijn bloed wordt weggezogen, zorgt de ketenvuurbetovering ervoor dat iedereen vergeet wat er door de besmetting van de akkoorden verdwijnt.

De wereld is drastisch aan het veranderen, en niemand heeft het in de gaten. Het is alsof iedereen vergeet dat dit een wereld is die door het bestaan van magie wordt beïnvloed en er in veel opzichten zelfs door functioneert. Die magie is aan het uitsterven... evenals de herinnering eraan.'

Weer leunde Richard op de vensterbank en staarde uit het raam. 'Er breekt een nieuwe dag aan, een dag waarin de magie nog meer afsterft, terwijl niemand beseft dat ze langzaam verdwijnt. Wanneer ze uiteindelijk helemaal is verdwenen, betwijfel ik of iemand zich de magie nog kan herinneren.

Het is net alsof deze hele wereld naar het rijk der fabelen verdwijnt.'

Zedd duwde met zijn vingers op de tafel terwijl hij in de verte staarde. Het licht van de lamp benadrukte de diepe plooien van zijn vertrokken gezicht. Hij was lijkbleek geworden. Nicci vond hem er op dat moment heel oud uitzien.

'Goede geesten,' zei Zedd zonder op te kijken. 'Stel dat je gelijk hebt?'

Bij het geluid van een beleefd klopje op de deur draaiden ze zich allemaal om. Cara trok de deur open. Nathan en Ann stonden in de deuropening naar binnen te turen.

'We hebben het standaardverificatieweb uitgevoerd,' zei Nathan toen hij achter Ann aan de kamer binnen liep en de sombere gezichten om zich heen zag.

Verwachtingsvol keek Zedd op. 'En?'

'En dat heeft geen fouten aangetoond,' antwoordde Ann. 'Het is in elk opzicht volkomen intact.'

'Hoe kan dat nou?' vroeg Cara. 'We hebben allemaal de problemen met het andere web gezien. Dat heeft Nicci bijna haar leven gekost, en als Meester Rahl haar niet eruit had gehaald, was ze nu dood geweest.'

'Dat is precies wat we bedoelen,' zei Nathan.

Zedds blik dwaalde af. 'Een inwendig perspectief schijnt meer aan te tonen dan het standaardverificatieproces,' legde hij Cara uit. 'Dit is een slecht teken. Een heel slecht teken. De besmetting heeft zichzelf kennelijk zo diep mogelijk ingegraven om haar aanwezigheid te verhullen.

Daarom was het niet te zien in het standaardverificatieweb.'

'Of anders,' opperde Ann, terwijl ze haar handen in de mouwen van haar eenvoudige grijze jurk verstopte, 'is er niets mis met de betovering. Geen van ons heeft immers ooit een inwendig perspectief uitgevoerd. Zoiets is al in duizenden jaren niet meer gedaan. Het is mogelijk dat wij iets verkeerd hebben gedaan.'

Zedd schudde zijn hoofd. 'Ik wou dat het waar was, maar ik geloof het niet meer.'

Wantrouwig fronste Nathan zijn wenkbrauwen, maar Ann begon te spreken voordat hij de kans kreeg.

'Zelfs als de Zusters die de betovering hebben ontketend, een verificatieweb hebben verricht,' merkte ze op, 'is het onwaarschijnlijk dat ze een inwendig perspectief hebben uitgevoerd, dus konden ze niet vermoeden dat het besmet was.'

Met zijn vingertoppen wreef Richard over zijn voorhoofd. 'Zelfs als ze wel wisten dat het besmet was, betwijfel ik of het hun iets kon schelen. De schade die zo'n besmetting in de wereld zou kunnen aanrichten, zou hen koud laten. Hun doel was immers de kistjes te pakken te krijgen en de kracht van Orden te ontketenen.'

Nathan keek van het ene grimmige gezicht naar het andere. 'Wat is er aan de hand? Wat is er gebeurd?'

'Ik ben bang dat we zojuist hebben ontdekt dat het geheugenverlies slechts het begin is van wat we kwijt zijn.' Nicci voelde zich een beetje ongemakkelijk, zoals ze daar stond in haar roze nachtjapon terwijl ze het einde van de wereld aankondigde. 'We verliezen wie we zijn, wat we zijn. We raken niet alleen onze wereld kwijt, maar onszelf.'

Het gesprek leek langs Richard heen te gaan.

Hij stond doodstil en staarde uit het raam.

'Er komt iemand aan over de weg naar de Burcht.'

'Misschien zijn het Tom en Friedrich,' zei Nathan.

Hoofdschuddend liep Zedd naar het raam. 'Zo snel kunnen ze niet van hun patrouille terug zijn.'

'Nou, misschien zijn ze wel...'

'Het zijn Tom en Friedrich niet,' zei Richard, en hij liep naar de deur.

'Het zijn twee vrouwen.'

10

'Wat is er?' riep Rikka uit toen Richard, Nicci en Cara op haar afstormden. Nathan en Ann waren al achterop geraakt, en Zedd was ergens in het midden. 'Kom op,' schreeuwde Richard in het voorbijgaan.

'Er loopt iemand over de weg naar de Burcht,' riep Cara over haar schouder naar Rikka, die zich bij de race door de zalen aansloot.

Richard rende langs een lange stenen tafel die tegen de muur stond. Erboven hing een enorm schilderij van een meer en beschutte paadjes die zich door schaduwrijke pijnbosjes slingerden. Door een blauwig waas in de verte rezen majestueuze bergen op die zich in het gouden zonlicht koesterden. Het was een tafereel dat Richard deed terugverlangen naar zijn Hartlandse bossen en de paden die hij zo goed kende. Het schilderij herinnerde hem echter vooral aan de betoverende zomer die hij met Kahlan had doorgebracht in het huis dat hij diep in de bergen voor haar had gebouwd.

Die zomer waarin Kahlan van haar vreselijke verwondingen herstelde, toen hij haar het natuurschoon van zijn beboste wereld liet zien tot ze weer in blakende gezondheid verkeerde, was een van de gelukkigste perioden van zijn leven geweest.

Veel te snel was er een eind aan gekomen toen Nicci onaangekondigd was verschenen en hem had meegenomen. Hij wist echter dat als Nicci hun geluk niet had verstoord, er wel iets anders tussen was gekomen. Het was een droomtijd geweest waaraan een eind moest komen. Zolang de dreiging van de Imperiale Orde nog geen halt was toegeroepen, kon niemand het leven van zijn dromen leiden. In plaats daarvan werd iedereen in dezelfde nachtmerrie meegesleurd.

Bij een groene marmeren zuil met een gouden kapiteel en voetstuk sloegen ze een hoek om en stormden een granieten wenteltrap af. Richard en Nicci voorop, met de twee Mord-Sith dicht op hun hielen.

Voor de Burcht was het trappenhuis klein, maar toch zonk alles wat Richard in Westland had gezien, erbij in het niet.

Beneden kwam Richard glijdend tot stilstand en hij aarzelde even om te beslissen wat de snelste route was. In de Burcht lag die niet altijd voor de hand. Afgezien daarvan kon je in de Burcht even makkelijk verdwalen als in een berkenbos.

Cara drong zich tussen Richard en Nicci in, niet alleen om zich ervan te vergewissen dat hij aan beide kanten een lijfwacht in roodleren pak had staan, maar ook om voorop te gaan. Voor zover Richard wist, kenden Mord-Sith geen rangen, maar evenals de andere Mord-Sith boog Rikka altijd als vanzelfsprekend voor Cara's onuitgesproken gezag.

Richard herkende het unieke patroon van dunne zwarte en vergulde randen aan beide kanten van het mahoniehouten beschot in een van de gelambriseerde zijgangen. Al sinds hij had leren lopen, maakte Richard gebruik van de details van zijn omgeving om de weg te vinden.

Zoals hij in het woud de bomen herkende aan een opvallend kenmerk als een verdraaide tak, een uitgroeisel of een insnijding, had hij in de Burcht en andere gebouwen aan de hand van de architectuur de weg leren kennen.

Hij gebaarde. 'Die kant op.' Cara spurtte voor hem uit.

Onder het rennen hoorde hij het gestamp van hun laarzen op de stenen vloer door de zaal echoën.

Nicci was blootsvoets. Het verbaasde hem dat ze zonder schoenen over de ruwe stenen kon blijven rennen. Nicci was niet het soort vrouw dat Richard zich ooit blootsvoets rennend had voorgesteld. Toch straalde ze zelfs zonder schoenen op de een of andere manier iets... vorstelijks uit.

Het was nog maar kort geleden dat Richard betwijfelde of Nicci ooit nog zou kunnen rennen. Hij stond er nog steeds versteld van dat hij haar uit de bezweringsvorm had kunnen bevrijden

nadat de bliksem door het raam naar binnen was geknald.
Een tijdlang was hij ervan overtuigd geweest dat ze haar voorgoed kwijt waren. Als Zedd er niet was geweest om te helpen nadat Richard het verificatieweb had uitgeschakeld, was die kans groot geweest.

Ze sloegen een andere gang in. Lange tapijten dempten hun snelle stappen en voerden hen uiteindelijk tussen twee hoogglanzende roodmarmeren zuilen door naar het ovale voorvertrek. Rond het hele vertrek liep een door zuilen en bogen ondersteunde galerij. De deuropeningen achter in de galerij waren van gangen, die als spaken van een wiel naar de verschillende verdiepingen en gedeelten van de Burcht leidden.

Met grote sprongen vloog Richard de vijf treden af naar de door zuilen omgeven binnenruimte en rende hij langs een klaverbladvormige fontein, die in het midden van de plavuisvloer stond. Het water van de fontein stroomde over telkens wijder wordende geschulpte bekkens naar beneden tot in een bassin, dat door een kniehoge witmarmeren muur werd omringd, die ook als bank dienst deed. Ruim dertig meter boven hun hoofd stroomde door een glazen dak warmte en licht naar binnen.

Toen hij het eind van de kamer had bereikt, drong Richard zich langs Cara naar voren en gooide een van de zware dubbele deuren open. Boven aan het brede granieten bordes bleef hij staan. Nicci kwam links naast hem staan, met Rikka aan haar andere zijde. Cara stelde zich verdedigend rechts van hem op. Ze waren allemaal buiten adem van het rennen door de Burcht.

In het ochtendlicht zag het gras van de weide aan de overkant van de weg er weelderig uit. Achter de weide rees de muur van de Burcht steil omhoog, waardoor de binnenhof een besloten ravijn leek. Door het verstrijken van de millennia was de hoge muur van strak gemetselde donkere stenen door een lichtbruine neerslag verkleurd. Roomkleurige druppels kalkafzetting gaven de indruk dat de rots langzaam wegsmolt.

Twee paarden klepperden door de donkere, overwelfde opening aan hun linkerkant, die als een tunnel onder een deel van de Burcht door liep en toegang tot de binnenhof gaf.

Richard kon de figuren niet zien, doordat ze diep in de schaduw van de lage poort verborgen waren. Maar wie het ook waren, ze moesten hebben geweten waar ze naartoe gingen. Bovendien waren ze blijkbaar niet bang om het inwendige gedeelte van de Burcht binnen te gaan, een gedeelte dat niet door bezoekers werd gebruikt, maar alleen door tovenaars en degenen die met hen in het complex hadden samengewerkt. Dat was echter al lang geleden. Niettemin herinnerde Richard zich zijn eigen schroom toen hij zich voor het eerst zo ver op het terrein van de Burcht had gewaagd. Bij de gedachte aan wie er dapper genoeg kon zijn om zomaar zo'n onheilspellende plek binnen te rijden, gingen al zijn haren overeind staan.

Toen de twee ruiters in het licht verschenen, zag Richard dat een van hen Shota was.

De heks boorde haar ogen in de zijne en lachte haar stille, veelbetekenende glimlach die haar zo natuurlijk afging. Zoals bij bijna alles aan Shota was Richard er niet helemaal gerust op dat haar glimlach iets te betekenen had, laat staan dat die oprecht was, en daarom wist hij niet of het een goed voorteken was.

De vrouw die hooguit tien of vijftien jaar ouder was en die eerbiedig een halve lengte achter Shota reed, herkende hij niet. Het vriendelijke gezicht van de vrouw werd omlijst door kort, rossig haar. Haar ogen waren zo helblauw als de hemel op een heldere herfstdag. In tegenstelling tot Shota was haar glimlach gemeend. Onder het rijden draaide ze haar hoofd heen en weer, en met haar blauwe ogen keek ze speurend om zich heen, alsof ze bang was voor een ophanden zijnde aanval van demonen die vanuit de donkere stenen van de muren tevoorschijn konden springen.

Shota zag er daarentegen kalm en zelfverzekerd uit.

Cara boog zich langs Richard heen naar Nicci toe. 'Shota de heks,' fluisterde ze vertrouwelijk.

'Dat weet ik,' reageerde Nicci, zonder dat ze haar blik afwendde van de mooie vrouw die naar hen toe kwam rijden.

Vlak bij het bordes bracht Shota haar paard tot staan. Terwijl ze haar schouders rechtte, liet ze haar pols losjes op haar zadelboog rusten.

'Ik moet je spreken,' zei ze tegen Richard alsof hij er alleen stond. Haar glimlach, al dan niet oprecht, was verdwenen. 'We hebben veel te bespreken.'

'Waar is je moordzuchtige metgezel, Samuel?'

Shota gleed van haar dameszadel af zoals Richard zich voorstelde dat een geest zich op de grond zou laten glijden, als geesten paardreden.

Een zweem van verontwaardiging deed Shota haar amandelvormige ogen samenknijpen. 'Dat is een van de dingen die we moeten bespreken.'

De andere vrouw steeg ook af en ze nam de teugels van Shota's paard van haar over toen de heks ze opzij hield, zoals een koningin die het niet kon schelen wie ze zou aanpakken, maar die er niet aan twijfelde dat iemand klaar zou staan. Haar blik bleef strak op Richard gericht terwijl ze dichter naar de brede granieten treden toe liep. Haar weelderige, kastanjebruine, golvende haar viel van voren over haar schouders en glansde in het ochtendlicht. Haar gewaagde jurk, gemaakt van een luchtige, roestbruine stof, die prachtig bij de kleur van haar haar paste, leek te zweven door haar ongedwongen manier van lopen, maar sloot zich nauw om haar welvingen, voor zover hij die tenminste bedekte.

Eindelijk wendde Shota haar blik van Richard af en nam ze Nicci op met een 'kom-maar-op-blik'. Het was het soort blik dat bijna iedereen van schrik zou doen verbleken.

Nicci verbleekte in het geheel niet. De gedachte kwam bij Richard op dat hij in het gezelschap verkeerde van waarschijnlijk de twee gevaarlijkste vrouwen die er bestonden. Hij verwachtte half dat er donkere donderwolken zouden aanrollen en de bliksem zou losbarsten, maar de hemel bleef uitdagend helder.

Na een poosje richtte Shota haar blik weer op Richard. 'Je vriend Chase is zwaar gewond.'

Richard wist niet wat hij had verwacht dat Shota zou zeggen, maar dit leek er in de verste verte niet op. 'Chase?'

Plotseling verscheen Zedd op het toneel, en hij drong zich tussen Richard en Cara in. 'Shota!' riep hij nijdig uit. Zijn gezicht was rood geworden, maar dat kwam niet van het rennen door de zalen. 'Hoe durf je je in de Burcht te vertonen! Eerst maak je Richard zijn zwaard afhandig en dan...'

Richard stak zijn arm uit voor de borst van zijn grootvader om te voorkomen dat hij het bordes afstoof. 'Zedd, rustig maar. Shota zegt dat Chase zwaar gewond is.'

'Hoe dacht ze dat...'

Abrupt hield Zedd zijn mond toen Richards woorden ten slotte tot hem doordrongen. Met grote ogen wendde hij zich weer naar Shota. 'Chase, gewond? Goede geesten, hoe?'

Opeens merkte Zedd de andere vrouw op, die een eindje verderop stond en de teugels van de paarden vasthield. Hij kneep zijn ogen dicht tegen het felle licht.

'Jebra? Jebra Bevinvier?'

De vrouw glimlachte vriendelijk naar hem. 'Dat is lang geleden. Ik wist niet zeker of u me nog zou herkennen, tovenaar Zorander.'

Deze keer probeerde Richard Zedd niet tegen te houden toen hij het bordes afvloog. Hij sloeg beschermend zijn armen om de vrouw en omhelsde haar hartelijk.

'Tovenaar Zorander...'

'Zedd, weet je nog?'

Ze deed een stapje achteruit om zijn gezicht te bekijken. Even brak er een glimlach door het verdriet heen dat in haar ogen lag, maar al snel vervloog die. 'Zedd, mijn visie is donker geworden.'

'Donker geworden?' Met een ongerust gezicht greep hij haar bij haar schouders. 'Sinds wanneer?'

In haar blauwe ogen was opnieuw een intens verdriet te zien. 'Al bijna twee jaar.'

'Twee jaar,' reageerde Zedd, en van ontzetting stierf zijn stem weg.

'Nu herinner ik me jou weer,' zei Richard terwijl hij het bordes af kwam. 'Kahlan heeft me over jou verteld.'

Verbluft keek Jebra hem aan. 'Wie?'

'De schim die hij najaagt,' antwoordde Shota, met haar blik strak op hem gericht alsof ze hem wilde uitdagen haar tegen te spreken.

'De vrouw die hij zoekt, is geen schim,' zei Nicci, waarmee ze Shota's aandacht trok.

'Gedeeltelijk dankzij jouw prijzige en nogal dubbelzinnige suggesties hebben we ontdekt dat Richard de hele tijd de waarheid sprak. Blijkbaar weet jij nog van niets.'

Nicci's ijzige blik herinnerde Richard eraan dat ze ooit als de Maîtresse van de Dood bekendstond. Het kille gezag in haar stem paste bij haar blik.

Er waren slechts weinig vrouwen in de wereld die zo gevreesd werden als Nicci destijds – met uitzondering van Shota misschien.

Nicci's houding maakte duidelijk dat ze nog altijd een vrouw was die angst kon inboezemen.

Onaangedaan nam Shota uitgebreid Nicci's roze nachtjapon op. Richard verwachtte een grijns, maar in plaats daarvan schoten Shota's ogen vuur.

'Je hebt in zijn bed geslapen.' Ze klonk bijna verrast door haar eigen woorden, alsof de informatie haar onverwachts te binnen schoot.

Voldaan over Shota's woede haalde Nicci haar schouders op. 'Dat klopt.'

Een zweem van een lachje plooide om Shota's mond. 'Maar ben je er al in geslaagd om met hem te vrijen?' Haar glimlach verbreedde zich. 'Heb je het wel geprobeerd, liefje? Of ben je bang dat hij je afwijst?'

'Ik heb geen idee. Vertel jij maar hoe dat voelt, dan beslis ik daarna wel.'

Voorzichtig trok Richard Nicci naar achteren voordat de twee vrouwen een stomme streek uithaalden – zoals elkaar de ogen proberen uit te krabben. Of elkaar tot een hoopje as verkolen.

'Je zei dat je hier met een bepaalde reden bent gekomen, Shota. Ik hoop van harte dat het niet hierom gaat.'

Shota slaakte een zucht. 'Ik heb je vriend Chase gevonden. Hij was zwaar gewond.'

'Dat zei je al. Hoe is hij gewond geraakt?'

Shota's blik bleef strak op hem gericht. 'Hij is gewond door een zwaard dat jou vast wel bekend zal voorkomen.'

Verbluft knipperde Richard met zijn ogen. 'Is Chase door het Zwaard van de Waarheid gewond geraakt? Heeft Samuel Chase aangevallen?'

'Ik ben bang van wel.'

Zedd schudde zijn knokige vinger naar Shota. 'Dat is jouw schuld!'

'Onzin.' Shota hief ook haar vinger op toen Zedd dichterbij kwam, maar zij bedoelde het als waarschuwing in plaats van als beschuldiging. Haar gebaar en haar woorden waren voldoende om Zedd tegen te houden. 'Ik heb geen zwaard nodig om kwaad te doen.' Ze trok een wenkbrauw op. 'Wil je het zien, tovenaar?'

'Hou op!' Richard vloog met twee treden tegelijk de trap af en ging tussen Shota en zijn grootvader in staan. Hij keek Shota dreigend aan.

'Wat is er aan de hand?'

Ze slaakte een ontevreden zucht. 'Ik ben bang dat ik dat niet precies weet.'

'Je hebt mijn zwaard aan Samuel gegeven.' Richard probeerde zijn woede te onderdrukken, maar hij was bang dat hij daar niet goed in slaagde. 'Ik heb je voor zijn karakter gewaarschuwd. Ondanks mijn waarschuwing wilde je met alle geweld dat hij het kreeg. Ik wil weten wat hij in zijn schild voert. Waar is Chase? Hoe erg is hij gewond? En waar is Rachel?'

Shota fronste haar voorhoofd. 'Rachel?'

'Het meisje dat hij bij zich had – het kind dat hij heeft geadopteerd. Ze waren allebei op de terugweg naar Westland. Chase zou zijn gezin naar de Burcht brengen. Wil je zeggen dat het meisje niet bij hem was?'

'Ik heb hem zwaargewond aangetroffen.' Voor het eerst leek Shota van haar stuk gebracht. 'Er was geen meisje bij hem.'

Terwijl Richard naar Rikka keek, die de teugels pakte en de twee paarden naar de weide trok, probeerde hij te bedenken wat er aan de hand was en waarom Rachel niet bij Chase was gebleven. Hij maakte zich zorgen om de mogelijke redenen, en wat er met Rachel gebeurd kon zijn. Omdat hij wist hoe vindingrijk en toegewijd ze was, vroeg hij zich af of ze misschien hulp was gaan halen en nu in haar eentje rondzwierf.

Er kwam een andere gedachte in hem op. 'En hoe kwam het dat je toevallig Chase tegenkwam?'

Shota bevochtigde haar lippen. Ze keek alsof ze zich er niet toe kon brengen iets te zeggen wat ze blijkbaar weerzinwekkend vond, maar ten slotte deed ze het toch. 'Ik was op zoek naar Samuel.'

Verrast keek Richard naar Nicci. Ze vertoonde geen reactie en op haar gezicht stond geen enkele emotie te lezen. Heel even herinnerde dat Richard aan een soortgelijke uitdrukking die hij wel eens bij Kahlan had gezien. Een belijdstersgezicht, had ze het genoemd. Belijdsters moesten af en toe al hun emoties van zich afwerpen om de verschrikkelijke dingen te kunnen doen die noodzakelijk waren.

'Hoe is het met Chase?' vroeg Richard, aanzienlijk rustiger. Hij wilde weten waarom Shota naar Samuel zocht, maar op dat moment had hij belangrijkere dingen aan zijn hoofd. 'Wordt hij weer beter?'

'Ik denk het wel,' antwoordde Shota. 'Hij is met een zwaard doorboord...'
'Met mijn zwaard.'
Shota ging er niet tegen in. 'Ik ben geen genezeres, maar ik beschik wel over bepaalde vermogens, en ik kon in ieder geval zijn
reis naar de dood omkeren. Ik heb mensen gevonden die voor
hem kunnen zorgen en hem kunnen helpen genezen. Ik denk dat
hij voorlopig veilig is. Het zal een hele tijd duren voordat hij weer
op de been is.'
'En waarom heeft Samuel hem niet gedood?' vroeg Cara vanaf
de bovenste tree.
'Hij heeft Tovi op dezelfde manier gestoken,' zei Nicci. 'Hij heeft
haar ook niet gedood.'
'Samuel is beslist tot een moord in staat,' merkte Richard op.
Shota vouwde haar handen voor zich ineen. 'Kennelijk kon Samuel niet de moed opbrengen met het zwaard te doden. Dat heeft
hij in het verleden wel gedaan – toen het zwaard de vorige keer
van hem was – en zodoende weet hij hoeveel verdriet het veroorzaakt wanneer het gebruikt wordt om te doden.' Vragend trok
ze een wenkbrauw op. 'Ik weet zeker dat je best weet waar ik het
over heb.'
'Het is een wapen dat niet in de verkeerde handen terecht mag
komen,' reageerde Richard.
Shota negeerde Richards schimpscheut en ging weer verder. 'Hij
gedraagt zich als een lafaard. Een lafaard laat zijn slachtoffer vaak
alleen sterven, ergens waar hij het niet hoeft te zien.'
'Op die manier lijden ze nog veel erger,' bracht Zedd te berde.
'Het is nog wreder. Misschien was dat zijn reden.'
De heks schudde haar hoofd. 'Samuel is een lafaard en een op-
portunist. Zijn doel is niet wreedheid; zijn bedoelingen zijn volkomen zelfzuchtig. Lafaards denken niet per definitie goed over
alles na. Ze handelen in een opwelling. Als ze iets willen hebben,
willen ze het onmiddellijk.
Samuel zal zich zelden druk maken om de gevolgen van zijn handelingen. Hij grijpt domweg iets wanneer de kans zich voordoet,
wanneer hij iets ziet wat hij wil hebben. Hij deinst terug voor het
verdriet dat hij zou voelen wanneer hij met het zwaard zou doden, en daarom lukt het hem niet de moord af te maken waaraan hij in een opwelling is begonnen.

Als iemand die hij heeft verwond een pijnlijke en langzame dood sterft, laat het Samuel koud, omdat hij niet in de buurt is om het te zien. Uit het hoofd, uit het hart. Dat is wat hij met Chase heeft gedaan.'

'En jij hebt hem het zwaard gegeven,' zei Richard, amper in staat zijn woede te bedwingen. 'Jij wist hoe hij was, en toch heb je hem in de gelegenheid gesteld om zoiets te doen.'

Even keek Shota hem aan voordat ze antwoordde. 'Zo is het niet gegaan, Richard. Ik heb hem het zwaard gegeven, omdat ik dacht dat hij daarmee tevreden zou zijn. Ik geloofde dat hij blij zou zijn om het weer in zijn bezit te hebben. Ik dacht dat het zijn sluimerende wrok zou verzachten, nadat het zwaard hem zo plotseling was ontnomen.' Ze wierp een snelle, maar moordzuchtige blik op Zedd.

'Dus je hebt je niet druk gemaakt om de gevolgen van je handelingen,' zei Richard. 'Je wilde domweg iets hebben op het moment dat je het wilde.'

Shota vestigde haar blik weer op Richard. 'Na al die tijd, en na alles wat er is gebeurd, ben je nog steeds niet serieus.'

Richard was niet in de stemming om zijn excuses aan te bieden.

'Ik ben bang dat er nog meer aan de hand is,' zei Shota, enigszins gekalmeerd, 'meer dan ik op dat moment besefte.'

Zedd wreef over zijn kin terwijl hij de situatie overwoog. 'Samuel moet Chase hebben neergestoken en daarna Rachel hebben ontvoerd.'

Richard stond verbaasd over Zedds suggestie; daar had hij zelf niet aan gedacht. Hij had aangenomen dat Rachel hulp was gaan halen. Met een frons wendde hij zich naar Shota. 'Waarom zou Samuel zoiets doen?'

'Ik heb geen flauw idee.' Shota keek op naar Nicci, die nog altijd boven aan het granieten bordes stond. 'Wie is die vrouw die hij volgens jou heeft gestoken? Die Tovi?'

'Ze was een Zuster van de Duisternis. En dat is geen loze beschuldiging. Tovi kende de persoon die haar neerstak niet, ze wist niet wie Samuel was, maar het Zwaard van de Waarheid kende ze zonder meer. Destijds in het Paleis van de Profeten is ze een van Richards leraressen geweest. Vlak voordat ze stierf, vertelde ze me dat zij en drie andere Zusters van de Duisternis een ketenvuurbetovering rondom Kahlan hadden aangestoken, zodat iedereen haar zou vergeten. Daarna hebben ze Kahlan gebruikt om de kistjes van Orden uit het Volkspaleis te stelen.'

Shota fronste haar voorhoofd en zag er ontzet uit.

'De kistjes van Orden zijn in het spel,' voegde Richard eraan toe. Shota maakte een wegwuifgebaar, en staarde in gedachten voor zich uit. 'Daar ben ik inmiddels ook achter, maar ik wist niet hoe het is gebeurd.'

Richard vroeg zich af wat ze nog meer van het verhaal wist, maar hij vertelde het haar toch. 'Tovi ging met een van de kistjes van Orden weg uit het Volkspaleis in D'Hara toen Samuel haar overviel, haar met zijn zwaard neerstak en daarna het kistje van haar stal.'

Weer keek Shota verrast, maar haar verbazing maakte al snel plaats voor een heimelijke razernij, terwijl ze zwijgend nadacht over wat ze had gehoord.

'Ik ken Chase al mijn hele leven,' zei Richard. 'Hoewel iedereen wel eens een fout maakt, heb ik het nog nooit meegemaakt dat hij zich liet overrompelen door iemand die op de loer lag. Ik kan me niet voorstellen dat Zusters van de Duisternis zich makkelijker in een hinderlaag laten lokken. Begaafde mensen met hun talent en vermogen zijn zich er meestal van bewust wanneer er mensen in de buurt zijn.'

Shota keek naar hem op. 'En wat wil je daarmee zeggen?'

'Op de een of andere manier kon Samuel een Zuster van de Duisternis en een grenswachter overrompelen.' Hij sloeg zijn armen over elkaar. 'En telkens wanneer Samuel iets slechts probeert te doen, doe jij altijd alsof je stomverbaasd bent en beweer je dat je van niets weet. Welke rol speel jij hierin, Shota?'

'Geen enkele. Ik had er geen flauw idee van wat hij in zijn schild voerde.'

'Het is niets voor jou om zo onnozel te zijn.'

Er vloog een blos naar haar wangen. 'Je weet niet waar je het over hebt.' Ten slotte draaide ze hem de rug toe en liep ze naar het bordes. 'Ik zei al dat we veel te bespreken hebben.'

Richard greep haar bij de arm en draaide haar naar zich toe. 'Had jij er iets mee te maken dat Samuel Chase kon besluipen of Tovi kon overrompelen om dat kistje te stelen? Afgezien van het wapen dat hij aan jou te danken heeft om de daad te verrichten, en van het feit dat je hem ongetwijfeld alles hebt ver-

teld over de macht die in de kistjes van Orden zit, bedoel ik.'
Een ogenblik keek ze hem onderzoekend aan. 'Wil je me doden,
Richard?'
'Jou doden? Shota, ik ben de beste vriend die je ooit hebt gehad.'
'Zet dan je woede opzij en luister naar wat we je komen vertellen.' Ze rukte zich los uit zijn greep en liep weer naar het bordes.
'Laten we naar binnen gaan, waar we geen last hebben van dit
smerige weer.'
Richard wierp een blik naar de blauwe lucht. 'Het is prachtig
weer,' zei hij, terwijl hij haar de treden zag opklimmen.
Bovenaan bleef ze staan en wisselde een dreigende blik met Nicci voordat ze zich naar Richard omdraaide. Het was het soort gekwelde, tijdloze, verontrustende blik dat waarschijnlijk alleen een
heks tevoorschijn kon toveren.
'In mijn wereld niet,' zei ze bijna fluisterend. 'In mijn wereld regent het.'

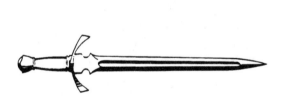

11

Shota schreed de treden af en ging voor de fontein staan. De doorschijnende stof van de jurk waarin haar statige verschijning was gehuld, bewoog heel lichtjes, alsof er een zacht briesje stond. In het licht van de dakramen hoog boven hen danste en glinsterde het spuitende, bruisende water. Het bood een opwindend schouwspel voor het publiek dat zich had verzameld. Afwezig staarde Shota er een ogenblik naar, alsof ze in gedachten was verzonken, en wendde zich daarna naar het groepje mensen dat binnen bij de enorme dubbele deuren stond te wachten. Zwijgend stonden ze haar allemaal aan te kijken, alsof ze wachtten op de verklaring van een koningin.

Achter Shota spoot het water in de fontein hoog in de lucht, maar plotseling hield de uitbundig opbruisende straal op. Het laatste restje water dat omhoogkwam voor de stroom werd onderbroken, bereikte zijn hoogste punt, werd als een zieltogende vloeibare boog, en zakte in elkaar. De tientallen gelijkvormige waterstralen die over de neerwaarts gerichte punten van de boven elkaar geplaatste bekkens stroomden, vloeiden steeds langzamer en vielen ten slotte stil, alsof ze zich schaamden voor hun schuimige gedartel.

Met een grimmige blik op zijn rimpelige gezicht stapte Zedd naar de rand van het bordes. Toen hij bleef staan, plooide zijn eenvoudige gewaad zich golvend om zijn benen. Op dat ogenblik viel het Richard op dat zijn grootvader precies leek op wie hij was: de Eerste Tovenaar. Nicci en Shota zagen er al gevaarlijk uit, maar Richard besefte dat Zedd niet voor hen onderdeed. Op dat

ogenblik was hij een donderwolk die een verborgen bliksemschicht met zich meedroeg.

'Ik sta niet toe dat je hier gaat rotzooien. Ik ben bereid je tegemoet te komen omdat je hier bent gekomen om redenen die *misschien* voor ons allemaal belangrijk zijn, maar ik duld niet dat je
je hier met dingen gaat bemoeien.'

Met een handgebaar wuifde Shota zijn waarschuwing weg. 'Ik
ging er al van uit dat ik niet verder dan dit vertrek zou mogen
komen. Die fontein maakt herrie. Ik wil niet dat Richard mist
wat Jebra en ik te zeggen hebben.'

Ze hief haar arm op naar Ann, die naast Nathan stond toe te kijken en bijna onopgemerkt bleef in de diepe schaduwen van het
balkon en de omhoogrijzende rode zuilen.

'Het gaat om een kwestie die jou al je halve leven na aan het hart
ligt, priores.'

'Ik ben geen priores meer,' zei Ann kalm op gebiedende toon, zodat het klonk alsof ze het nog wel was.

'Waarom zat je achter Samuel aan?' vroeg Cara, die daarmee de
aandacht van de heks trok.

'Omdat hij mijn dal in de Vlakte van Agaden niet had mogen verlaten. Bovendien zou dat zonder mijn uitdrukkelijke toestemming
onmogelijk moeten zijn.'

'En toch is het hem gelukt,' stelde Richard vast.

Shota knikte. 'Daarom ben ik hem gaan zoeken.'

Richard vouwde zijn handen achter zijn rug ineen. 'Hoe komt
het, Shota, dat je niet in de gaten had dat Samuel bij je wegging?
Ik bedoel, gezien je macht, je enorme kennis en al die toestanden
die je me hebt uitgelegd over hoe een heks kan zien dat gebeurtenissen door de tijd stromen. Trouwens, hoe kon hij dat doen
zonder jouw toestemming?'

Shota ontweek de vraag niet. 'Er is maar één manier.'

Richard slikte de sarcastische opmerking in die op het puntje van
zijn tong lag en vroeg: 'En dat is?'

'Samuel is behekst.'

Richard wist niet zeker of hij het goed had verstaan. 'Behekst?
Maar jij bent toch de heks? Jij bent degene die zich met beheksen bezighoudt.'

Shota sloeg haar handen ineen en keek even naar de vloer, terwijl ze haar vingers verstrengelde. 'Hij is door een ander behekst.'

Snel liep Richard de vijf treden af. 'Door een andere heks?'
'Ja.'
Met een diepe inademing keek Richard om zich heen en zag de bezorgde blikken die de anderen wisselden. Omdat niemand het durfde te vragen, deed hij het maar. 'Wil je beweren dat er een andere heks rondloopt, en dat zij Samuel van je heeft weggetoverd?'
'Ik dacht dat ik dat duidelijk had uitgelegd.'
'Nou... waar is ze?'
'Ik heb geen flauw idee. Bepaalde kwesties in de tijdstroom zijn mijn zaak – daar heb ik voor gezorgd. Dat ik zo blind ben voor gebeurtenissen die zo vlak voor mijn gezichtsveld kolken, kan alleen maar betekenen dat een andere heks die stromen opzettelijk voor me heeft verduisterd.'
Richard stak zijn handen in zijn achterzakken, terwijl hij het probeerde te beredeneren. Hij liep een tijdje heen en weer en draaide zich toen weer naar haar toe.
'Misschien was het geen heks. Misschien was het een Zuster van de Duisternis of zo. Een begaafde. Misschien zelfs een tovenaar. Die heeft Jagang ook.'
'Het manipuleren van een heks op zo'n onbeduidende manier is beslist niet eenvoudig.' Haar blik vloog naar Zedd. 'Vraag maar aan je grootvader.'
Shota gebaarde om zich heen naar een paar mensen in het vertrek voordat ze weer naar Richard keek. 'Zelfs begaafden, hoe getalenteerd ze ook zijn, zouden met geen mogelijkheid zo'n uitgebreide misleiding als deze voor elkaar kunnen krijgen. Alleen een andere heks zou ongezien mijn domein in kunnen glippen. Alleen een andere heks zou een sluier over mijn gezichtsvermogen kunnen leggen en daarna Samuel beheksen zodat hij deed wat hij heeft gedaan.'
'Als je gezichtsvermogen versluierd is,' vroeg Cara, 'hoe kun je er dan zo zeker van zijn dat Samuel behekst is? Misschien deed hij het wel uit zichzelf. Voor zover ik hem ken, heeft hij beslist geen mysterieuze heks nodig om hem tot impulsieve daden te bewegen. Hij leek van zichzelf al verraderlijk genoeg.'
Langzaam schudde Shota haar hoofd. 'Je hoeft alleen maar te kijken naar wat je me hebt verteld om te zien dat het hier niet domweg om eenvoudige doortraptheid gaat, maar om kennis die Sam-

uels vermogen ver te boven gaat. Er is een Zuster van de Duisternis aangevallen en een kistje van Orden van haar gestolen. In de eerste plaats: hoe zou Samuel kunnen weten dat die vrouw iets waardevols bij zich had? Zelf wist ik niets van haar af, omdat dat ook voor mij verborgen werd gehouden, en daarom kon ik het hem ook niet vertellen – zelfs niet onnadenkend, gedachteloos of onopzettelijk, zoals jij denkt.

Dus Samuel heeft het niet van mij gehoord. Als hij toevallig op de een of andere schat is gestuit, is Samuel zonder meer in staat die in te pikken, dat geef ik toe.'

'Je bedoelt, zoals hij in eerste instantie aan het Zwaard van de Waarheid is gekomen?' vroeg Zedd.

Even ontmoette Shota zijn blik, maar toen besloot ze haar verhaal te vervolgen in plaats van op zijn uitdaging in te gaan. 'In de tweede plaats: hoe kon Samuel weten waar hij een Zuster moest vinden die een kistje van Orden bij zich had? Je wilt toch niet serieus beweren dat hij volgens jou domweg maar een beetje aan het rondzwalken was – ver weg in D'Hara – en dat hij toevallig juist deze Zuster van de Duisternis tegen het lijf liep, haar doodstak en datgene wat ze bij zich had van haar afnam, wat toevallig een kistje van Orden bleek te zijn?'

'Ik moet toegeven,' reageerde Richard, 'dat ik nooit zo erg in toeval heb geloofd. In dit geval lijkt het ook niet erg aannemelijk.'

'Zo denk ik er ook over,' zei Shota. 'En dan hebben we nog Chase. Vanwege zijn slechte gezondheidstoestand kon ik niet veel van hem te weten komen, maar ik ben er wel achter gekomen dat hij in een hinderlaag is gelokt. Nog zo'n toeval: Samuel die zomaar langskwam en lukraak iemand aanviel, en dat blijkt dan nog iemand te zijn die je kent? Dat lijkt me sterk. Blijft de vraag waarom Samuel voor een man die jij kent op de loer zou liggen. Waarom zou hij hem willen aanvallen? Wat had Chase voor waardevols bij zich?'

'Rachel,' antwoordde Zedd, terwijl hij voor zich uit staarde en bedachtzaam over zijn kin wreef.

'Maar wat moet hij met een meisje?' vroeg Cara. Toen verscheidene mensen haar zorgelijk aankeken, voegde ze er haastig aan toe: 'Ik bedoel, speciaal dat meisje?'

'Dat weet ik niet,' antwoordde Shota. 'En dat is juist het probleem. Zoals ik al zei, zijn alle gebeurtenissen die hiermee te maken hebben voor mij geblokkeerd, maar geblokkeerd op een manier die ik niet herkende, zodat ik niet wist dat er iets voor me verborgen werd gehouden. Het is duidelijk dat iemand Samuel stuurt. Dat kan alleen een andere heks zijn.'

'Ken je haar?' vroeg Richard. 'Weet je wie het is of wie het kan zijn?'

De onheilspellende blik die Shota hem gaf, had hij nog nooit op zo'n vrouwelijk gezicht gezien. 'Ze is me een compleet raadsel.'

'Waar is ze vandaan gekomen? Weet je dát tenminste?'

Shota's dreigende blik werd nog donkerder. 'O, ik denk van wel. Ik denk dat ze vanuit de Oude Wereld omhoog is gekomen. Toen je enkele jaren geleden de grote barrière hebt vernietigd, zag ze ongetwijfeld een kans en is ze mijn gebied binnengedrongen, net zoals de Imperiale Orde de kans waarnam om de Nieuwe Wereld binnen te vallen en te veroveren. Door Samuel te beheksen stuurt ze me de boodschap dat ze mijn plaats inneemt en alles wat van mij is in beslag neemt, waaronder mijn domein.'

Richard wendde zich naar Ann, die aan de zijkant van het voorvertrek zat. 'Ken jij een heks in de Oude Wereld?'

'Ik had de leiding over het Paleis van de Profeten, en heb jonge tovenaars en een heel paleis vol Zusters de weg van het Licht laten zien. Bij die taak heb ik de profetie nauwgezet in acht genomen, maar afgezien van de profetie heb ik me verder niet bemoeid met de gebeurtenissen in de rest van de Oude Wereld. Van tijd tot tijd hoorde ik vage geruchten over heksen, maar niets concreets. Als ze echt bestond, heeft ze dat nooit duidelijk kenbaar gemaakt.'

'Ik heb ook nog nooit iets over een heks gehoord,' voegde Nathan er met een zucht aan toe. 'Zelfs geen geruchten dat zo'n vrouw bestond.'

Shota sloeg haar armen over elkaar. 'We zijn nogal op onszelf.'

Richard wilde dat hij meer van dergelijke zaken af wist, hoewel het al meer dan eens problemen had veroorzaakt dat hij één heks kende. Het leek erop dat ze nu met tweemaal zoveel problemen te maken kregen.

'Ze heet Zes,' zei Nicci in het rustige voorvertrek.

Iedereen draaide zich om en staarde haar aan.

Shota fronste haar wenkbrauwen. 'Wat zei je daar?'

'Die heks in de Oude Wereld. Ze heet Zes, net als het getal.' Nic-

ci straalde geen enkele emotie uit, en haar gezicht was even on-bewogen als een bosvijver bij het krieken van de dag na de eerste nachtvorst van het seizoen. 'Ik heb haar nooit ontmoet, maar de Zusters van de Duisternis spraken op gedempte toon over haar.'
'Die Zusters natuurlijk weer,' mopperde Ann.
Langzaam liet Shota haar armen langs haar zij vallen, terwijl ze bij de fontein vandaan stapte, in de richting van Nicci, die op de brede marmeren vloer boven aan het bordes stond. 'Wat weet je van haar?'
'Niet veel. Ik heb alleen haar naam gehoord. Dat herinner ik me omdat het een ongewone naam was. Het schijnt dat een paar van mijn superieuren destijds – toen ik nog een Zuster van de Duis-ternis was – haar wel hebben gekend. Ik heb haar naam ver-schillende keren horen noemen.'
Shota's gezicht werd zo donker en gevaarlijk als een adder die zijn giftanden laat zien. 'Wat moesten de Zusters van de Duis-ternis met een heks?'
'Dat weet ik niet,' antwoordde Nicci. 'Misschien deden ze zaken met haar, maar als dat zo is, heb ik er nooit iets van geweten. Ze hebben mij niet altijd bij hun plannen betrokken. Het is best mo-gelijk dat alleen zij van haar bestaan wisten. Het is mogelijk dat ze haar zelfs nog nooit hebben ontmoet.'
'Maar het is ook mogelijk dat ze haar juist heel goed kenden.'
Nicci haalde haar schouders op. 'Misschien. Dat moet je hun vra-gen. Maar dan moet je wel snel zijn, want Samuel heeft al een van hen vermoord.'
Shota negeerde de hatelijke opmerking en wendde zich af om in het roerloze water van de fontein te staren. 'Je moet toch iets over haar hebben gehoord?'
'Niets specifieks,' antwoordde Nicci.
'Nou,' zei Shota overdreven geduldig toen ze zich weer om-draaide, 'wat was dan de strekking van wat ze over haar zeiden?'
'Ik heb maar twee dingen meegekregen. Ik heb gehoord dat de heks Zes ver in het zuiden woonde. De Zusters hadden het er-over dat ze veel dieper in de Oude Wereld woonde, in de onge-baande wouden en moerasgebieden.' Nicci keek Shota resoluut in haar ogen. 'En dat ze bang voor haar waren.'
Weer sloeg Shota haar armen over elkaar. 'Bang voor haar,' her-haalde ze op vlakke toon.

'Doodsbenauwd.'

Shota keek Nicci nog eens onderzoekend aan voordat ze zich weer omdraaide en naar de fontein staarde, alsof ze hoopte in het kalme water een geheim te ontdekken.

'Het is helemaal niet gezegd dat het om dezelfde vrouw gaat,' merkte Richard op. 'Er zijn geen bewijzen waaruit blijkt dat het om die heks Zes uit de Oude Wereld gaat.'

Shota keek hem over haar schouder aan. 'Wil uitgerekend jij suggereren dat het slechts toeval is?' Haar blik zocht weer troost bij het water. 'Het doet er niet toe of dat het wel of niet zo is. Het doet er alleen toe dat het een heks is en dat ze er op uit is om mij in moeilijkheden te brengen.'

Richard kwam dichter bij Shota staan. 'Ik kan nauwelijks geloven dat die andere heks Samuel van je heeft afgetoverd alleen om je in moeilijkheden te brengen en af te pakken wat van jou is. Er moet meer aan de hand zijn.'

'Misschien is het een uitdaging,' opperde Cara. 'Misschien daagt ze je uit om met haar te vechten.'

'Dat zou betekenen dat ze zichzelf moet laten zien,' zei Shota. 'Terwijl zij juist het tegenovergestelde heeft gedaan. Ze zorgt er doelbewust voor dat ze zich verborgen houdt, zodat ik niet met haar kan vechten.'

Terwijl hij nadacht, liet Richard zijn ene laars op de marmeren bank rondom de fontein rusten. 'Ik blijf erbij dat er meer aan de hand moet zijn. Dat ze Samuel een kistje van Orden heeft laten stelen, heeft duistere implicaties.'

'Het meest voor de hand liggende antwoord wijst jou als de schuldige aan, Shota.' Zedds woorden trokken ieders aandacht. 'Dit lijkt meer op een van jouw grandioze bedriegerijen.'

'Ik snap waarom je dat zou kunnen denken, maar waarom zou ik dan hier komen om het jullie te vertellen?'

Zedds dreigende blik bleef strak op haar gericht. 'Om jezelf onschuldig voor te doen, terwijl je in werkelijkheid heimelijk aan de touwtjes trekt.'

Shota keek geërgerd. 'Voor zulke kinderachtige spelletjes heb ik geen tijd, tovenaar. Ik heb Samuel niet beïnvloed. Ik heb mijn tijd aan belangrijkere zaken besteed.'

'Zoals?'

'Ik ben naar Galea geweest.'

'Galea!' Zedd snoof verachtelijk om zijn ongeloof te laten blijken. 'Wat heb jij in Galea te zoeken?'

Jebra legde haar hand op Zedds schouder. 'Ze kwam mij redden. Ik was in Ebinissia, raakte bij de invasie betrokken en werd tot slavin gemaakt. Shota heeft me bevrijd.'

Achterdochtig keek Zedd naar Shota. 'Jij bent naar de kroonstad van Galea gegaan om Jebra te redden?'

Shota gaf Richard een betekenisvolle blik. 'Het was noodzakelijk.'

'Waarom?' drong Zedd aan. 'Ik ben uiteraard reuze opgelucht dat Jebra eindelijk uit die verschrikkingen is gered, maar wat bedoel je precies met "noodzakelijk"?'

Shota pakte een punt van de doorzichtige stof waaruit haar jurk bestond, toen die heel zachtjes omhoog kwam, als een kat die zijn rug kromde in de hoop dat zijn bazin hem zou aaien. 'De gebeurtenissen schrijden almaar voort naar een grimmige ontknoping.

Als de loop van die gebeurtenissen niet verandert, worden we veroordeeld tot de heerschappij van de indringers, gebonden aan het mandaat van mensen die er onder andere van overtuigd zijn dat magie een kwade uitwas is die moet worden uitgeroeid. Zij beschouwen de mensheid als een zondig en ontaard wezen dat eigenlijk onopvallend en machteloos dient te zijn tegenover het almachtige schouwspel van de natuur. Degenen onder ons die magie bezitten, worden allemaal opgejaagd en vernietigd, juist omdat we niet onopvallend en machteloos zijn.'

Shota's blik gleed langs de mensen die naar haar keken. 'Maar dat is enkel onze persoonlijke tragiek, niet de ware gesel van de Orde.

Als de loop der gebeurtenissen niet verandert, zullen de monsterlijke opvattingen die de Orde ons opdringt, als een lijkwade over de hele wereld neerdalen. Nergens zal het veilig zijn, nergens kunnen we schuilen. Alle overlevenden zullen zuchten onder het ijzeren bewind van conformiteit. Alles wat goed en edel is, wordt opgeofferd aan het waandenkbeeld van het gemeenschappelijke welzijn, in de vorm van verheven leuzen en lege begrippen die het lamlendige gepeupel hooguit tot een stompzinnige begeerte naar het onverdiende aanzetten, waardoor de beschaafde mensheid tot een georganiseerde bende plunderaars vervalt.

Maar wat blijft er van hun leven over zodra alles van waarde is geplunderd? Door hun minachting voor het grootse en hun geringschatting van alles wat goed is, omarmen ze de kleingeestigheid en de platvloersheid. Door hun fanatieke haat voor iedereen die uitblinkt, zullen de opvattingen van de Orde alle mensen verdoemen tot wroeten in slijk om te overleven.

Het onwrikbare idee van de ingewortelde slechtheid van de mensheid zal de gemeenschappelijke geloofsovertuiging worden. Dat geloof, dat door middel van een meedogenloze wreedheid en onbeschrijflijke ontberingen zal worden afgedwongen, zal hun blijvende hoogtepunt zijn. Hun nalatenschap zal eruit bestaan dat de mensheid afglijdt in een donkere periode van lijden en ellende, waaruit het misschien nooit meer tevoorschijn komt. Dat is de verschrikking van de Orde – niet de dood, maar een leven volgens hun opvattingen.' Shota's woorden bedierven de stemming in het vertrek nog meer.

'De doden kunnen immers niet voelen of lijden. Dat kunnen alleen de levenden.'

Shota draaide zich naar de schaduwzijde, waar Nathan stond. 'En wat heb jij te zeggen, profeet? Zegt de profetie iets anders, of spreek ik de waarheid?'

De lange, grimmige Nathan antwoordde bedaard. 'Wat de Imperiale Orde betreft, ben ik bang dat de profetie geen bewijzen van het tegendeel te bieden heeft. Je hebt de duizenden jaren van waarschuwingen treffend en bondig beschreven.'

'Zulke oude werken zijn niet makkelijk te begrijpen,' viel Ann hem in de rede. 'Het geschreven woord kan behoorlijk dubbelzinnig zijn. Profetie is geen onderwerp voor ongeoefenden. Voor onervaren mensen kan het lijken alsof...'

'Ik hoop van harte dat die mening op een oppervlakkig oordeel over mijn uiterlijk is gebaseerd, priores, en niet op mijn talent.'

'Ik wilde alleen maar...' begon Ann.

Smalend maakte Shota een wegwuivend gebaar terwijl ze zich afwendde. Haar blik bleef op Richard rusten, alsof hij de enige aanwezige in het vertrek was. Ze sprak alsof ze het alleen tegen hem had.

'Wij zijn misschien de laatsten die in vrijheid kunnen leven. Dit zou best eens het einde kunnen betekenen van het beste wat er kan bestaan, van het streven naar waarden, van de mogelijkheid dat ieder van ons zich verheft en iets beters bereikt. Als de loop der gebeurtenissen niet verandert, zijn we nu getuige van de dageraad van het ergste wat er kan bestaan, van een periode waarin de mensheid door de Orde wordt gedwongen het geïdealiseerde leven van onnozele wilden te leiden, opdat niemand het waagt om door zijn eigen inspanning en voor zijn eigen doeleinden een beter leven te leiden.'

'Dat weten we allemaal allang,' reageerde Richard, terwijl hij zijn handen langs zijn zij tot vuisten balde. 'Snap je dan niet hoe hard we hebben gevochten om dat juist te voorkomen? Heb je enig idee van de worsteling die we allemaal te verduren hebben gehad? Waar denk je dat ik eigenlijk voor vecht?'

'Dat weet ik niet, Richard. Je beweert dat je toegewijd bent, maar toch ben je er niet in geslaagd de loop der gebeurtenissen te veranderen of het tij van de Imperiale Orde te keren. Je zegt dat je het begrijpt, maar de indringers blijven maar komen en onderwerpen elke dag meer mensen.

Maar zelfs daar gaat het niet om. Het gaat om de toekomst. En in de toekomst laat je ons in de steek.'

Richard kon zijn oren nauwelijks geloven. Hij was niet alleen kwaad, maar ontzet dat Shota zoiets kon beweren. Het was alsof ze alles wat hij had gedaan, elk offer dat hij had gebracht, elke moeite die hij zich had getroost, zinloos vond – niet alleen nu, maar ook in de toekomst.

'Ben je gekomen om me jouw profetie te vertellen dat ik zal falen?'

'Nee. Ik ben gekomen om je te vertellen dat, zoals de zaken er nu voor staan en tenzij je dingen verandert, we dit gevecht allemaal zullen verliezen.'

Shota keerde zich van Richard af en hief haar arm op naar Nicci. 'Jij hebt hem de dorre, verdoofde dood laten zien die het onontkoombare gevolg is van de opvattingen die de Orde erop na houdt. Jij hebt hem laten zien dat het troosteloze bestaan het enige is wat er onder hun dogma standhoudt, dat de enige waarde van het leven bestaat uit hoeveel je ervan opoffert, dat je leven slechts een middel is om een doel te bereiken: een levenloze eeuwigheid in het hiernamaals.

Daarmee heb je ons allemaal een grote dienst bewezen, waarvoor we je dankbaar zijn. Je hebt werkelijk je taak als Richards lerares vervuld, ook al was het niet op de manier die je had verwacht. Maar ook dat is slechts een klein onderdeel van het geheel.'

Richard snapte niet hoe zijn gevangenschap – toen hij werd gedwongen een hard leven te leiden in de Oude Wereld – als een dienst kon worden beschouwd. Hij hoefde het niet zelf mee te maken om de hopeloze nutteloosheid van een leven onder de heerschappij van de Imperiale Orde in te zien. Hij twijfelde niet aan wat hun volgens Shota zou overkomen als ze niet zouden overwinnen, maar hij was kwaad dat ze het nodig scheen te vinden dat hij het opnieuw moest horen, alsof hij niet terdege besefte waarvoor ze vochten en zich daardoor niet volledig voor hun zaak inzette.

Hoe het was gebeurd, wist Richard niet, omdat hij haar niet had zien bewegen, maar opeens stond Shota pal voor hem, met haar gezicht slechts enkele centimeters van het zijne.

'En toch ben je je nog steeds niet bewust van de totaliteit ervan, ben je nog steeds niet op een wezenlijke manier vastberaden.'

Woedend keek Richard haar aan. 'Niet vastberaden? Waar heb je het over?'

'Ik moet een manier zien te vinden om het je te laten begrijpen, Zoeker, om je de realiteit ervan te laten inzien. Ik moet een manier vinden om je te laten zien wat niet alleen de mensen van de Nieuwe Wereld te wachten staat, maar ook de mensen van de Oude Wereld – wat de hele mensheid te wachten staat.'

'Hoe kun je in vredesnaam denken dat ik...'

'Jij bent de uitverkorene, Richard Rahl. Jij bent degene die de laatste strijdkrachten leidt die zich verzetten tegen de ideeën waardoor het vuur van de Imperiale Orde wordt gevoed. Om welke redenen dan ook ben jij degene die ons aanvoert in deze strijd. Misschien geloof je in datgene waarvoor je vecht, maar je doet niet wat nodig is om het verloop van de oorlog te veranderen, anders zou ik niet zien wat volgens de toekomstige stroom van gebeurtenissen zo is. Zoals de zaken ervoor staan, zijn we tot de ondergang gedoemd.

Je moet horen wat het lot zal zijn van jouw volk, wat het lot zal zijn van alle mensen. Daarom ben ik naar Galea gegaan om Jebra te zoeken, zodat zij je kon vertellen wat ze heeft gezien. Zodat een Ziener je kan helpen zien.'

Richard vroeg zich af of hij boos moest worden om de preek,

maar hij kon geen woede meer opbrengen; die sijpelde weg. 'Ik weet al wat er gebeurt als we falen, Shota. Ik weet al hoe de Imperiale Orde is. Ik weet al wat ons te wachten staat als we deze strijd verliezen.'

Shota schudde haar hoofd. 'Je weet hoe het erna is. Je weet hoe het is om de doden te zien. Maar de doden kunnen niet meer voelen. De doden kunnen niet schreeuwen. De doden kunnen niet jammeren van ontzetting. De doden kunnen niet om genade smeken.

Je weet hoe het is om de ochtend na de storm de wrakstukken te zien. Je moet het horen van degene die erbij was toen de storm losbarstte. Je moet horen hoe het was toen de legioenen kwamen. Je moet horen hoe de realiteit er voor iedereen uitziet. Je moet weten wat er met de levenden gebeurt als je faalt bij wat alleen jij kunt doen.'

Richard keek op naar Jebra. Zedd had troostend zijn arm om haar schouders geslagen. De tranen biggelden langs haar lijkbleke gezicht, en ze beefde van top tot teen.

'Goede geesten,' fluisterde Richard, 'hoe kun je zo wreed zijn om ook maar een ogenblik te denken dat ik niet weet wat ons lot is als we verliezen?'

'Ik zie de stroom van de toekomst,' zei Shota met een zachte stem die alleen voor hem was bedoeld. 'En wat ik zie, is dat jij niet genoeg hebt gedaan om te veranderen wat er gaat gebeuren, want anders zou het niet zo zijn zoals ik het zie. Zo eenvoudig is het. Wreedheid komt er niet aan te pas, alleen de waarheid.'

'Wat wil je dat ik doe, Shota?'

'Ik weet het ook niet precies, Richard, maar in elk geval doe je het niet. Zo is het toch? Terwijl we allemaal in een onvoorstelbare verschrikking afglijden, doe jij niets om het tegen te houden. In plaats daarvan jaag jij achter fantomen aan.'

12

Er waren duizenden dingen die Richard aan Shota wilde vertellen. Hij wilde haar vertellen dat de Imperiale Orde beslist niet de enige bedreiging was die hun boven het hoofd hing. Hij wilde haar vertellen dat nu de kistjes van Orden in het spel waren, de Zusters van de Duisternis de kracht konden ontketenen die de wereld van het leven zou vernietigen en iedereen aan de Wachter van de Doden zou overleveren, tenzij ze werden tegengehouden. Hij wilde haar vertellen dat als ze er niet in slaagden het ketenvuur te keren, de betovering bij iedereen het geheugen en de geest kon uitwissen, waardoor ze van hun middelen om te overleven zouden worden beroofd. Hij wilde haar vertellen dat alle magie zou worden vernietigd als ze geen manier konden vinden om de wereld te zuiveren van de besmetting die de akkoorden hadden achtergelaten. Misschien had die besmetting al een cascade-effect veroorzaakt dat, als het niet tot staan werd gebracht, helemaal vanzelf in staat was al het leven te vernietigen.

Hij wilde haar vertellen dat ze helemaal niets wist van de vrouw van wie hij hield, de vrouw die hem zo dierbaar was. Hij wilde haar vertellen hoeveel Kahlan voor hem betekende, hoe bezorgd hij over haar was, hoezeer hij haar miste en hoe zijn angst om wat ze haar aandeden hem uit zijn slaap hield.

Hij wilde haar vertellen dat de Imperiale Orde op dat ogenblik niet het meest nijpende probleem was, maar nu hij Jebra zag beven onder Zedds beschermende arm, vond hij dat hij al die kwesties beter op een ander moment aan de orde kon stellen.

Richard stak zijn hand uit en gebaarde dat Jebra naar voren moest komen. Haar hemelsblauwe ogen schoten weer vol tranen. Aarzelend liep ze ten slotte de treden af en kwam ze naar hem toe. Wat voor angstaanjagende dingen ze had meegemaakt, wist hij niet, maar de spanning ervan stond duidelijk op haar uitgemergelde gelaat afgetekend. De groeven in haar gezicht getuigden van de ontberingen die ze had doorstaan.

Toen ze zijn hand vastpakte, legde hij geruststellend zijn andere hand over de hare heen. 'Je hebt een verre reis gemaakt, en we stellen je hulp zeer op prijs. Vertel ons alsjeblieft wat je weet.'

Haar korte rossige haar viel voor haar betraande gezicht toen ze knikte. 'Ik zal mijn best doen, Meester Rahl.'

Onder Shota's waakzame blik nam Richard Jebra mee naar de fontein. Hij liet haar op de korte marmeren muur zitten, die het nu stilstaande water tegenhield.

'Je bent met koningin Cyrilla meegegaan,' spoorde hij haar aan. 'Je hebt voor haar gezorgd, omdat ze ziek was – waanzinnig geworden door de tijd die ze met die vreselijke mannen in die kuil moest doorbrengen. Je zou haar helpen weer beter te worden en haar van advies te dienen als ze was hersteld.'

Jebra knikte.

'En werd ze beter toen ze weer thuis was?' vroeg Richard, hoewel hij dat al van Kahlan had gehoord.

'Ja. Ze was zo lang verdoofd dat we vreesden dat ze nooit meer beter zou worden, maar toen ze een poosje thuis was geweest, begon ze eindelijk weer bij te komen. Eerst was ze zich alleen gedurende korte perioden bewust van de mensen om haar heen. Hoe meer ze haar vertrouwde omgeving herkende, des te langer haar perioden van helderheid duurden. Tot blijdschap van iedereen leek ze langzaam weer tot leven te komen. Uiteindelijk kwam ze haar langdurige lethargie te boven – als een dier dat uit een winterslaap ontwaakt. Ze leek haar lange slaap van zich af te schudden en het normale leven weer op te pakken. Ze zat boordevol energie, en was dolgelukkig om weer thuis te zijn.'

'Koningin Cyrilla was de koningin van Galea,' zei Shota tegen Richard. 'Zij heeft de kroon geërfd in plaats van...'

'Prins Harold,' vulde Richard aan, terwijl hij opkeek naar de heks. 'Harold was Cyrilla's broer, die de kroon afwees en liever het Galeaanse leger aanvoerde.'

Shota trok een wenkbrauw op. 'Je weet wel veel van de monarchie van Galea.'

'Hun vader was koning Wyborn,' vervolgde Richard. 'Koning Wyborn was ook Kahlans vader. Kahlan is Cyrilla's halfzuster. Dat is de reden dat ik zoveel van de monarchie van Galea af weet.' Als Shota verrast was dat te horen of hem niet geloofde omdat Kahlan ermee te maken had, liet ze dat niet merken. Ten slotte verbrak ze het oogcontact met hem en begon ze weer te ijsberen, waarna Jebra verder kon gaan met haar verhaal.

'Cyrilla nam haar plaats op de troon weer in alsof ze nooit was weggeweest, en de stad was verrukt haar terug te hebben. Galea had zich ingespannen om van de afschuwelijke tijd te herstellen nadat het oprukkende leger van de Imperiale Orde de kroonstad had verwoest. Die aanval was een groot drama geweest die velen het leven had gekost.

Nu de indringers waren verdwenen, waren de herstelwerkzaamheden al enige tijd aan de gang. Zelfs de verbrande gebouwen werden opnieuw opgetrokken. Er werden weer bedrijven opgericht en de handel keerde terug.

Vanuit heel Galea trokken mensen naar de stad om een beter bestaan op te bouwen. De gezinnen werden groter en groeiden weer naar elkaar toe.

Dankzij hun harde werk keerde de welvaart langzaam terug. De terugkomst van de koningin leek de stad nieuw leven in te blazen, en met de wereld leek alles weer in orde te zijn.

De mensen zeiden dat ze hun lesje hadden geleerd, en dat zo'n drama zich niet meer kon herhalen. Met dat doel werden er nieuwe verdedigingsmuren gebouwd en werd het leger uitgebreid. Cyrilla zette zich evenals veel Galeanen over die verschrikkelijke periode heen en stond te popelen om zich weer met haar land bezig te houden. Ze gaf audiënties en bemoeide zich met veel staatsaangelegenheden. Ze stortte zich in allerlei activiteiten, van het bemiddelen bij handelsgeschillen tot aan het bijwonen van officiële bals waarbij ze met hoogwaardigheidsbekleders danste.

Prins Harold, die aan het hoofd van het Galeaanse leger stond, hield haar op de hoogte van het laatste nieuws over de invasie van de Nieuwe Wereld. Zodoende wist ze dat de horde het zuiden van het Middenland binnenstroomde.

Ik wist altijd wanneer ze de laatste berichten had ontvangen, want dan trof ik haar aan terwijl ze haar zakdoek verfrommelde en in zichzelf mompelend door een donkere kamer zonder ramen ijsbeerde. Ik kreeg haast de indruk dat ze de donkere schuilplaats in haar geest – de verdoofdheid waarin ze had verkeerd – wilde terugvinden, maar dat lukte niet.'

Jebra gebaarde even naar de oude man die boven aan de treden stond toe te luisteren.

'Zedd zei dat ik haar in de gaten moest houden en haar met raad en daad moest bijstaan. Hoewel ze uiterlijk weer zichzelf leek te zijn en ze niet in haar wezenloze bedwelming terugviel, kon ik merken dat ze nog steeds op de rand van de waanzin verkeerde. Mijn visioenen waren onduidelijk, waarschijnlijk om die reden, want hoewel ze er weer normaal uitzag, werd ze vanbinnen nog altijd door vreselijke angsten gekweld. Het was net als met Galea: de toestand in het land leek weer normaal te zijn, maar de invasie van de Imperiale Orde in de Nieuwe Wereld maakte een normale situatie onmogelijk. Er heerste altijd een duistere onderhuidse spanning.

Toen we van verkenners vernamen dat de Orde door het dal van de Callisidrin oprukte, dwars door het Middenland met de bedoeling de Nieuwe Wereld in tweeën te splitsen, raadde ik de koningin aan het D'Haraanse leger te steunen en het Galeaanse leger als versterking te sturen voor de andere strijdkrachten van alle landen die zich bij het D'Haraanse Rijk hadden aangesloten. Net als prins Harold probeerde ik haar te vertellen dat solidariteit met de strijdkrachten die zich tegen de Orde verzetten, onze enige kans op een goede verdediging was.

Ze wilde er niet van horen. Ze vond het haar plicht als koningin van Galea om alleen Galea te beschermen, niet andere volkeren of andere landen. Ik probeerde haar te laten inzien dat Galea geen enkele kans maakte als het alleen stond. Cyrilla had echter verhalen gehoord van andere gebieden waar de Orde was binnengevallen, verhalen over hun meedogenloze wreedheid. Ze was doodsbang voor de soldaten van de Orde. Ik zei dat ze alleen veilig zou zijn als we hielpen de indringers tegen te houden voordat ze Galea konden bereiken.

We kregen wanhopige verzoeken om versterking, die Cyrilla naast zich neerlegde. In plaats daarvan beval ze prins Harold om alle mannen onder de wapenen te roepen en het leger te gebruiken om Galea te beschermen. Ze zei dat hij en het Galeaanse leger alleen tegenover Galea een verplichting hadden. Ze beval dat de indringers niet de grens over mochten steken en geen voet op Galeaanse bodem mochten zetten.

Prins Harold, die aanvankelijk had geprobeerd haar van de verstandigste handelwijze te overtuigen, liet zijn eigen advies varen en willigde uit zinloze loyaliteit uiteindelijk haar wensen in. Ze beval dat er verdedigingen moesten worden opgericht om Galea tot elke prijs te beschermen. Prins Harold zag erop toe dat haar bevelen werden uitgevoerd. Het kon haar niet schelen dat de rest van het Middenland, of zelfs de hele Nieuwe Wereld, voor de Orde zwichtte, zolang het Galeaanse leger...'

'Ja, ja.' Ongeduldig wuifde Shota met haar hand, terwijl ze voor de vrouw op en neer bleef lopen. 'We weten allemaal dat koningin Cyrilla getikt was. Ik heb je niet helemaal hiernaartoe gebracht om het leven onder een geschifte koningin af te schilderen.'

'Het spijt me.' Slecht op haar gemak schraapte Jebra haar keel voordat ze sprak. 'Nou, Cyrilla werd mijn onophoudelijke adviezen beu, en zei dat haar besluit vaststond.

Toen ze tot een handelwijze had besloten, had ze daarmee eindelijk over de gebeurtenissen, onze toekomst en ons lot beschikt. Ik vermoed dat ik daardoor plotseling weer krachtige visioenen kreeg. Het begon niet met het visioen zelf, maar met een ijzingwekkend geluid dat mijn geest vulde, waardoor ik begon te beven. Na het angstaanjagende geluid werd ik overspoeld door visioenen van de verdedigers die werden verpletterd en onder de voet gelopen, van de stad die viel, van koningin Cyrilla die aan joelende groepen mannen werd overgeleverd die haar... als hoer en speeltje mochten gebruiken.'

Met haar ene hand op haar buik en haar ellebogen stevig tegen haar zij geklemd veegde Jebra de tranen van haar wang. Even glimlachte ze naar Richard, een onbehaaglijke glimlach, die de ontzetting, die hij zo duidelijk in haar ogen zag, niet kon verbergen. 'Natuurlijk ga ik jullie niet vertellen welke verschrikkingen ik in die visioenen zag,' zei ze. 'Maar ik heb ze wel aan haar verteld.'

'Dat heeft vast weinig uitgehaald,' zei Richard.

'Inderdaad.' Jebra speelde met een streng van haar haar. 'Cyrilla was razend.

Ze ontbood haar koninklijke lijfwacht. Toen ze allemaal door die hoge, dubbele, blauwe en vergulde deuren kwamen aanstormen, wees ze naar me en maakte ze me voor verrader uit. Ze liet me in de kerker gooien. Terwijl de lijfwachten me vastgrepen, schreeuwde de koningin dat als ik ook maar met één woord over mijn visioenen repte – mijn blasfemie, zoals ze het noemde – ze me mijn tong moesten uitsnijden.'

Er klonk een reutelend lachje, dat niet paste bij haar trillende kin en haar gefronste voorhoofd. Haar woorden kwamen er als een klaaglijke verontschuldiging uit. 'Ik wilde niet dat ze me mijn tong uitsneden.'

Zedd was de treden afgeklommen en legde geruststellend zijn hand op haar schouder. 'Natuurlijk niet, kind, natuurlijk niet. Op dat moment had het geen zin om te blijven aandringen. Niemand zou meer van je hebben verwacht dan wat je hebt gedaan; dat zou geen enkel nut hebben gehad. Je hebt je best gedaan; je hebt haar de waarheid laten zien. Ze heeft er bewust voor gekozen haar ogen ervoor te sluiten.'

Jebra wriemelde met haar vingers en knikte. 'Waarschijnlijk is ze haar waanzin nooit helemaal kwijtgeraakt.'

'Ook mensen die allesbehalve waanzinnig zijn, gedragen zich vaak onberekenbaar. Je moet zulke doelbewuste handelingen niet goedpraten met een makkelijke verklaring als waanzinnigheid.' Toen ze hem niet-begrijpend aankeek, hief Zedd met een gekweld gebaar zijn handen op uit frustratie om een dilemma dat hij maar al te vaak had meegemaakt. 'Allerlei soorten mensen die ergens heel graag in willen geloven, zijn vaak niet bereid om de waarheid onder ogen te zien, hoe duidelijk die ook is. Die keus maken ze zelf.'

'Je zult wel gelijk hebben,' zei Jebra.

'Het lijkt erop of ze liever een leugen geloofde waarin ze wilde geloven dan dat ze de waarheid hoorde,' zei Richard, die zich een deel van de Eerste Wet van de Magie herinnerde, de wet die hij van zijn grootvader had geleerd.

'Precies.' Alsof hij een tovenaar parodieerde die een wens inwilligde zwaaide Zedd met zijn arm. 'Zij besliste wat ze wilde dat er gebeurde, en nam vervolgens aan dat de werkelijkheid zich naar haar wensen zou voegen.' Hij liet zijn arm zakken. 'De werkelijkheid willigt geen wensen in.'

'Dus koningin Cyrilla was kwaad op Jebra, omdat ze de waarheid uitsprak, omdat ze de waarheid zo duidelijk naar voren bracht, dat die niet makkelijk over het hoofd gezien en genegeerd kon worden,' zei Cara. 'En toen heeft ze haar ervoor gestraft.'

Zedd knikte, terwijl hij met zijn vingertoppen zachtjes over Jebra's schouder wreef. Haar vermoeide ogen vielen dicht onder zijn aanraking. 'Mensen die om de een of andere reden de waarheid niet willen zien, kunnen er bijzonder vijandig tegenover staan en kunnen fel zijn in hun beoordeling ervan. Vaak richten ze hun venijnige tegenstand op degene die het waagt die waarheid aan het licht te brengen.'

'Daardoor zal de waarheid vast niet verdwijnen,' merkte Richard op.

Zedd haalde zijn schouders op omdat het zo voor de hand lag. 'Voor degenen die de waarheid zoeken, is het een kwestie van eenvoudig, rationeel eigenbelang om altijd de werkelijkheid voor ogen te houden. De waarheid is immers in de werkelijkheid geworteld, niet in de verbeelding.'

Richard liet de muis van zijn hand op het notenhouten heft van het mes aan zijn riem rusten. Hij miste het zwaard, maar dat had hij ingeruild voor informatie die hem uiteindelijk naar het boek *Ketenvuur* had geleid, en naar de waarheid over wat er met Kahlan was gebeurd, en daarom was het de moeite waard geweest. Toch miste hij het zwaard en maakte hij zich zorgen om wat Samuel ermee deed.

Terwijl zijn gedachten afdwaalden naar het Zwaard van de Waarheid en hij zich afvroeg waar het was, staarde Richard voor zich uit. 'Het is moeilijk voor te stellen dat mensen niet willen zien wat in hun eigen belang is.'

'Zo is het maar net.' Zedds ongedwongen gesprekstoon was omgeslagen in de schrille stem waaraan Richard herkende dat hem nog iets dwars zat. 'Dat is de kern van de zaak.'

Toen Richard zijn kant op keek, richtte Zedd zijn blik strak op hem.

'Wie zich halsstarrig van de waarheid afkeert, pleegt verraad aan zichzelf.'

Met haar armen over elkaar geslagen hield Shota op met ijsberen en boog ze zich naar Zedd voorover. 'Een tovenaarswet, tovenaar?'

Zedd trok een wenkbrauw op. 'De tiende om precies te zijn.'
Shota gaf Richard een veelbetekenende blik. 'Een wijze raad.' Nadat ze haar stalen blik pijnlijk lang op hem gericht hield, ging ze weer door met ijsberen.

Richard nam aan dat ze dacht dat hij de waarheid niet wilde zien – de waarheid van het invasieleger van de Imperiale Orde. Hij negeerde de waarheid helemaal niet, hij wist alleen niet wat ze nog meer van hem verwachtte om hen tegen te houden. Als wensen uitkwamen, zou hij hen allang naar de Oude Wereld hebben verbannen. Als hij wist wat hij kon doen om hen tegen te houden, dan zou hij het onmiddellijk doen, maar hij had geen flauw idee. Het was al erg genoeg om te weten welke verschrikkingen eraan kwamen en niet in staat te zijn ze tegen te houden, maar het maakte hem razend dat Shota ervan uitging dat hij domweg uit koppigheid niets deed – alsof de oplossing voor het grijpen lag.

Hij wierp een blik omhoog naar de statige vrouw die hem in de gaten hield. Zelfs in een roze nachtjapon zag ze er nobel en wijs uit. Terwijl Richard was opgevoed door mensen die hem hadden gestimuleerd met de dingen om te gaan zoals ze waren, was zij geïndoctrineerd door mensen die werden gedreven door de opvattingen die ze van de Orde hadden geleerd. Je moest wel heel speciaal zijn om na een leven van autoritaire leerstellingen bereid te zijn de waarheid te zien.

Een tijdlang staarde hij in haar blauwe ogen, terwijl hij zich afvroeg of hij haar moed zou hebben, de moed om de aard en de omvang te bevatten van de vreselijke vergissingen die ze had gemaakt, en de moed om vervolgens de waarheid en verandering te omarmen. Die moed konden slechts weinig mensen opbrengen.

Richard vroeg zich af of zij ook vond dat hij de invasie van de Imperiale Orde om irrationele en zelfzuchtige redenen negeerde. Hij vroeg zich af of zij ook vond hij iets essentieels naliet wat onschuldige mensen voor gruwelijke kwellingen zou behoeden. Hij hoopte van harte van niet. Er waren tijden dat Nicci's steun het enige leek te zijn wat hem de kracht gaf verder te gaan.

Hij vroeg zich af of ze verwachtte dat hij zijn zoektocht naar Kahlan zou opgeven om zijn volle aandacht te richten op het redden van veel meer levens dan slechts dat ene, hoe dierbaar ook. Richard slikte zijn verdriet weg; hij wist dat Kahlan dat zelf zou hebben verlangd. Hoezeer Kahlan hem ook liefhad – destijds, toen ze zich nog herinnerde wie ze was – ze zou niet hebben gewild dat hij achter haar aankwam als dat ten koste ging van zijn pogingen om zoveel andere mensen te redden die in levensgevaar verkeerden.

Plotseling drong het tot hem door: destijds, toen ze nog wist wie ze was... wie hij was. Kahlan kon niet meer van hem houden als ze niet wist wie ze was, als ze niet wist wie hij was. Zijn knieën knikten.

'Zo zag ik het ook,' zei Jebra, die haar ogen opensloeg en weer bij zinnen kwam toen Zedd zijn troostende hand terugtrok, 'dat ik mijn best heb gedaan om haar de waarheid te laten zien. Maar ik vond het niet leuk in die kerker. Dat beviel me helemaal niet.'

'Wat gebeurde er toen?' Zedd krabde zich over zijn wang. 'Hoe lang heb je in die kerker gezeten?'

'Ik kon de dagen niet meer bijhouden. Er waren geen ramen, dus na verloop van tijd wist ik niet eens of het dag of nacht was. Van het wisselen van de seizoenen merkte ik niets, maar ik wist wel dat ik er zo lang had gezeten dat er al verschillende jaargetijden waren verstreken. Ik begon de hoop te verliezen.

Ze hebben me eten gegeven – nooit genoeg om verzadigd te raken, maar voldoende om me in leven te houden. Af en toe lieten ze een kaars branden in de smerige hoofdkamer achter de ijzeren deur. De bewakers gedroegen zich niet opzettelijk wreed, maar het was afgrijselijk om in het donker in dat stenen hok opgesloten te zijn. Ik wist wel beter dan te klagen. Wanneer de andere gevangenen vloekten, klaagden of herrie schopten, werden ze gewaarschuwd stil te zijn, en soms, wanneer een gevangene dat bevel niet opvolgde, hoorde ik de bewakers hun dreigementen uitvoeren. Soms waren de gevangenen er maar heel kort voordat ze werden terechtgesteld. Van tijd tot tijd werden er nieuwe mannen binnengebracht. Wanneer ik door het kleine raampje naar buiten keek, zag ik dat ze meestal gewelddadig en gevaarlijk waren. Hun walgelijke gevloek in het pikdonker maakte me soms wakker en bezorgde me nachtmerries wanneer ik weer in slaap viel.

De hele tijd zat ik angstig af te wachten of ik een visioen zou krijgen waarin mijn lot werd onthuld, maar dat visioen bleef uit. Bovendien had ik nauwelijks behoefte aan een visioen om te weten wat er voor me in het verschiet lag. Ik wist dat Cyrilla de schuld op mij zou schuiven wanneer de indringers naderbij kwamen. Ik heb al mijn hele leven visioenen gehad. Mensen die de dingen die hun overkomen niet leuk vinden, nemen het me vaak kwalijk dat ik hun heb verteld wat ik zag. In plaats van die informatie te gebruiken om er iets aan te doen, is het makkelijker voor hen om hun ongenoegen op mij af te reageren. Vaak geloven ze dat ik hun moeilijkheden heb veroorzaakt doordat ik hun heb verteld wat ik zag, alsof ik ervoor heb gekozen en het uit kwaadwilligheid heb laten gebeuren.

Het was bijna onverdraaglijk om in die donkere cel opgesloten te zitten, maar er zat niets anders op dan het te verdragen. Terwijl ik daar zo oneindig lang zat, kon ik begrijpen dat Cyrilla krankzinnig was geworden doordat ze in die kuil was geworpen. Ik had tenminste niet met bruten te kampen – dat soort mannen zat in de andere cellen opgesloten. Hoe dan ook, ik dacht dat ik vast en zeker daar zou sterven, verlaten en vergeten. Ik wist niet meer hoe lang ik afgesloten was geweest van de wereld, van het licht, van het leven.

Al die tijd had ik geen visioenen meer, en ik wist op dat moment niet dat ik ze nooit meer zou krijgen.

Op een keer stuurde de koningin een afgezant om te vragen of ik mijn visioen wilde herroepen. Ik zei tegen de man dat ik met alle plezier elke leugen aan de koningin wilde vertellen die ze graag wilde horen, als ze me maar liet gaan. Dat was waarschijnlijk niet wat ze wilde horen, want ik heb de afgezant nooit meer teruggezien en niemand kwam me halen.'

Richard wierp een blik opzij en zag Shota naar hem kijken. In haar ogen zag hij het stille verwijt dat hij precies hetzelfde deed – alsof hij van haar verlangde dat ze hem iets anders vertelde dan wat er volgens haar voor de wereld in het verschiet lag. Even voelde hij zich schuldig.

Jebra keek omhoog naar de dakramen hoog boven haar hoofd, alsof ze het eenvoudige wonder van het licht in zich opnam. 'Op een nacht – en ik kwam er pas later achter dat het op dat moment ook in de wereld nacht was – verscheen er een bewaker achter het raampje in de ijzeren deur van mijn benauwde kamertje. Hij fluisterde dat de Orde-troepen de stad naderden en dat de strijd eindelijk zou losbarsten.

Hij klonk bijna opgelucht dat de kwelling van het wachten voorbij was, dat ze door de realiteit waren bevrijd van de noodzaak om tegenover hun koningin iets anders te veinzen. Het was alsof de waarheid over wat hun te wachten stond, hen op de een of andere manier tot verraders had gemaakt, maar dat het verraad aan de wensen van de koningin nu door de werkelijkheid was ingehaald. Toch was dat alleen maar een deel van de waanideeën van de koningin, het deel dat te zeer voor de hand lag om te vermijden.

Ik fluisterde terug dat ik vreesde voor het leven van de stadsbewoners. Hij lachte me uit en zei dat ik gek was, dat ik Galeaanse soldaten niet had zien vechten. Hij sprak zijn vertrouwen uit dat het Galeaanse leger, een krijgsmacht van ruim honderdduizend goede mannen, de indringers zou inmaken en afpoeieren, precies zoals de koningin had gezegd.

Ik hield mijn mond. Ik durfde de ijdele illusies van de koningin over hun onoverwinnelijkheid niet tegen te spreken, durfde niet te zeggen dat ik wist dat de enorme aantallen Orde-soldaten die ik in mijn visioen had gezien, moeiteloos het verdedigingsleger in de pan zou hakken, en dat de stad zou vallen. Opgesloten in mijn cel kon ik niet eens vluchten.

En toen hoorde ik dat vreemde, onheilspellende geluid van mijn visioen. Het bezorgde me de rillingen, en ik kreeg er kippenvel van. Eindelijk wist ik wat het was: het geloei van duizenden vijandelijke strijdhoorns. Het klonk als het gejank van demonen die vanuit de onderwereld naar boven waren gekomen om de levenden te verslinden.

Zelfs de dikke stenen muren konden dat afgrijselijke, snerpende geluid niet buiten houden. Het was een geluid dat de komst van de dood aankondigde, een geluid dat de Wachter zelf een grijns zou hebben ontlokt.'

13

Jebra wreef over haar schouders, alsof de herinnering aan het doordringende signaal van de strijdhoorns haar opnieuw kippenvel bezorgde. Ze ademde diep in om haar zelfbeheersing te hervinden voordat ze naar Richard opkeek en verder ging met haar relaas.

'De bewakers renden allemaal naar de verdedigingswerken van de stad en lieten de kerker onbewaakt achter. Uiteraard waren de ijzeren deuren die ze achter zich vergrendelden sterk genoeg om te voorkomen dat er iemand kon ontsnappen. Toen ze waren vertrokken, barstten sommige gevangenen uit in luid gejuich voor de naderende Imperiale Orde, voor de aanstaande ondergang van Galea en omdat ze dachten dat ze zouden worden bevrijd. Maar weldra verstomden ook zij toen er in de verte een gejammer en geschreeuw aanzwol. In de donkere kerkers van het paleis daalde een stilte neer.

Algauw kon ik het gekletter van wapens horen en de kreten van mannen die in een dodelijke strijd waren verwikkeld kwamen almaar dichterbij. Naast het gebrul weerklonk er ook het vreselijke gegil van de gewonden. Het geroep van soldaten werd luider toen de verdedigers werden teruggedreven. En opeens was de vijand in het paleis. Ik had een hele poos in het paleis doorgebracht en had zoveel van de mannen leren kennen, die daar boven nu geconfronteerd werden met...'

Even zweeg Jebra om de tranen van haar wangen te vegen. 'Neem me niet kwalijk,' mompelde ze, terwijl ze een zakdoekje uit haar mouw trok en haar neus snoot. Nadat ze haar keel had geschraapt, ging ze verder.

'Ik weet niet hoe lang de strijd heeft gewoed, maar op een gegeven moment hoorde ik boven ons de stormram tegen de ijzeren deuren dreunen. Elke dreun weergalmde door de stenen muren. Toen een deur het begaf, kwam het kabaal dichterbij en werd de volgende deur aangevallen, totdat ook die bezweek.

Plotseling stroomden tientallen soldaten woeste strijdkreten brullend de trappen af en de kerker in. Ze hadden fakkels bij zich die het vertrek buiten mijn cel met een hel licht vulden. Vermoedelijk waren ze op zoek naar een schatkamer die ze konden plunderen. In plaats daarvan troffen ze een smerige gevangeniscel aan. Ze vlogen de trappen weer op en lieten ons met een van angst bonzend hart in het donker achter.

Ik dacht dat ik de soldaten voor het laatst had gezien, maar het duurde niet lang voordat ze terugkwamen. Deze keer hadden ze gillende vrouwen bij zich – dienstmaagden uit het paleis. Blijkbaar wilden de soldaten ongestoord hun gang gaan met hun verse oorlogsbuit, weg van alle andere mannen die zo'n waardevolle levende buit zouden kunnen afpakken of er misschien om wilden vechten.

Vanwege de afgrijselijke geluiden die ik hoorde, kroop ik zo ver mogelijk weg in een hoekje van mijn cel. Maar dat hielp weinig, want ik kon nog steeds alles horen wat er gebeurde. Wat waren dit voor mannen dat ze om zulke verschrikkelijke dingen konden lachen en juichen? Die arme vrouwen... Ze hadden niemand om hen te helpen, en geen enkele hoop op redding.

Een van de jongere vrouwen had zich losgerukt van de man die haar vasthield, en rende panisch naar de trap. Ik hoorde stemmen die de anderen toeschreeuwden dat ze haar moesten grijpen. Hoewel ze snel en sterk was, kregen de mannen haar algauw te pakken waarna ze haar op de grond wierpen. Ik herkende haar stem toen ik haar om haar leven hoorde smeken en "nee, alsjeblieft, niet doen" hoorde roepen. Terwijl de ene man haar tegen de grond drukte, zette een ander zijn laars op haar knie en tilde haar been omhoog totdat ik haar knie hoorde knappen. Ze gilde het uit van pijn en angst, en ondertussen deed hij hetzelfde met haar andere been. Bulderend van het lachen riepen de mannen haar toe dat ze zich aan haar nieuwe plicht kon wijden, nu ze er niet meer vandoor kon gaan. En toen vergrepen ze zich aan haar. Ik heb nog nooit van mijn leven zo'n angstaanjagend gegil gehoord.

Ik weet niet hoeveel mannen er de kerker in kwamen, maar er verschenen er steeds meer, die elkaar afwisselden. Het ging uren-lang door. Sommige vrouwen huilden en jammerden aan een stuk door terwijl ze werden aangerand. Hun geweeklaag ontlokte on-bedaarlijke lachbuien aan de mannen. Alleen waren het geen man-nen: het waren gewetenloze monsters.

Een van de soldaten vond een sleutelbos en kwam langs om de celdeuren open te doen. Schaterend van de pret zwaaide hij de deuren open, gaf hij de onderdrukten hun vrijheid. Hij nodigde de gevangenen uit in de rij te gaan staan om wraak te nemen op de snode mensen die hen hadden vervolgd en onderdrukt. Het meisje van wie ze de knieën hadden gebroken – ze heette Eliza-beth – had in haar jonge leven nog nooit iemand onderdrukt. Ze deed altijd glimlachend haar werk, omdat ze zo blij was dat ze in het paleis mocht werken, en omdat ze verliefd was op een jon-ge timmermansknecht die er ook werkte. De gevangenen drom-den uit hun cellen en deden maar al te graag mee.'

'Waarom hebben ze jou er niet uit gehaald?' vroeg Richard.

Jebra haalde diep adem voordat ze verder sprak. 'Toen de deur van mijn cel openging, drukte ik me achter in het donkerste hoek-je tegen de muur.

Ik twijfelde er niet aan wat me te wachten stond als ik tevoor-schijn kwam of als ze me hadden ontdekt. Door het gegil van de vrouwen, het gebulder van de soldaten en het gekibbel over hun plek in de rij hadden de mannen niet door dat ik me in het don-ker van mijn cel had verstopt. Er was weinig licht in de kerker. Ze zullen wel hebben gedacht dat het kamertje leeg was, net als een aantal andere, want niemand stak een fakkel naar binnen om rond te kijken. De andere gevangenen waren immers allemaal mannen, allemaal misdadigers die maar wat graag naar buiten kwamen. Ik had nooit een woord met hen gewisseld, dus konden ze niet weten dat er een vrouw bij hen in de kerker zat, anders waren ze vast achter me aan gekomen. Bovendien werden ze al-lemaal nogal… in beslag genomen.'

Jebra verborg haar van smart vertrokken gezicht in haar handen. 'Ik kan niet beschrijven welke vreselijke dingen de vrouwen zo vlak bij mijn cel werden aangedaan. Ik zal er voor de rest van mijn leven nachtmerries aan overhouden.

Verkrachting was niet het hoofddoel van die kerels. Waar het hun werkelijk om ging, was geweld, een wreed verlangen om de hulpelozen te vernederen en pijn te doen, om over hun leven en dood te beschikken.

Toen de vrouwen ophielden met zich verzetten, met gillen, met ademen, gingen de mannen op zoek naar eten en drinken om hun overwinning te vieren, en daarna wilden ze nog meer vrouwen grijpen. Alsof ze vrienden op vakantie waren, beloofden de mannen elkaar dat ze niet zouden rusten voor ze alle vrouwen in de Nieuwe Wereld hadden genomen.'

Met beide handen veegde Jebra het haar uit haar gezicht. 'Toen ze waren verdwenen, werd het akelig stil in de kerker. Trillend van angst bleef ik achter in mijn cel tegen de muur gedrukt staan, met de zoom van mijn jurk in mijn mond gepropt om te voorkomen dat ik mezelf met mijn hartverscheurende gehuil zou verraden.

Mijn neusgaten waren gevuld met de weerzinwekkende stank van bloed en andere dingen. Gek dat je neus na verloop van tijd went aan de geuren waarvan je eerst misselijk werd.

Toch kon ik niet ophouden met beven – niet nadat ik al die afgrijselijke dingen had gehoord die ze met die vrouwen hadden gedaan. Ik was doodsbang dat ze me zouden ontdekken en met mij hetzelfde zouden doen. Terwijl ik me in de cel verschool, doodsbenauwd om tevoorschijn te komen of geluid te maken, begon ik te begrijpen waarom Cyrilla waanzinnig was geworden door haar mishandeling.

De hele tijd hoorde ik van boven geluiden komen van het gevecht dat nog aan de gang was, van pijn en verschrikkingen, het gegil van de stervenden. Ik kon een vettige walm ruiken. Het leek alsof er geen eind kwam aan het gevecht en de slachting. Maar de vrouwen die buiten mijn open celdeur lagen, maakten geen enkel geluid. Ik wist waarom. Ik wist dat ze niet meer onder de zorgen van deze wereld gebukt gingen. Ik bad dat ze zich nu in de liefhebbende, troostende armen van de goede geesten zouden bevinden.

Ofschoon ik uitgeput was door de voortdurende angst, kon ik niet slapen – durfde ik niet te slapen. De nacht kroop voorbij, en uiteindelijk zag ik licht door het trappenhuis omlaag stromen; de ijzeren deuren naar de kerker sloten de wereld niet meer buiten. Toch durfde ik niet naar boven te gaan of me te bewegen. De hele dag bleef ik zitten waar ik zat, totdat de nacht viel en het weer pikdonker werd in het vertrek.

Boven duurden de verwoestingen en plunderingen onverminderd voort. Wat als een gevecht was begonnen, liep uit op een dronken overwinningsfeest. Ook toen de dag aanbrak, werd het boven niet rustig.

Ik wist dat ik daar niet kon blijven zitten; de stank van de dode vrouwen begon ondraaglijk te worden, evenals de gedachte dat ik daar in dat donkere hol zat tussen de rottende lijken van mensen die ik kende. Maar mijn angst voor wat me daarboven te wachten stond, was zo groot dat ik me de hele dag en ook de volgende nacht niet verroerde.

Ik kreeg zo'n honger en dorst dat ik op de grond bekers water en broden meende te zien. Ik kon het warme brood op slechts een paar meter afstand ruiken, maar toen ik het wilde pakken, was het er niet.

Ik kan me niet precies herinneren wanneer, maar op een gegeven ogenblik verlangde ik zo dat er een eind aan de onafgebroken verlammende angst zou komen, dat ik bijna vrede had met mijn dood en er zelfs naar uitkeek. Ik wist maar al te goed wat me te wachten stond, maar ik kwam tot de slotsom dat de martelende doodsangst daarmee eindelijk voorbij zou zijn. Ik wilde zo graag dat het was afgelopen. Ik wist dat ik kwellingen, vernederingen en pijn zou moeten verduren, maar ook dat het, net als voor de vrouwen die vlak bij me dood op de grond lagen, uiteindelijk zou ophouden en ik niet meer hoefde te lijden.

Zodoende durfde ik ten slotte vanuit het donker van mijn cel tevoorschijn te komen. Het eerste wat ik zag, waren Elizabeths dode ogen, die me aanstaarden alsof ze naar me keek en wachtte tot ik naar buiten kwam, zodat ik kon zien wat ze haar hadden aangedaan. Met haar blik leek ze me te smeken om uit naam van de gerechtigheid getuigenis af te leggen.

Maar er was niemand om een verklaring aan af te leggen, er was geen gerechtigheid te verkrijgen, alleen mijn stille getuigenis van haar ellendige dood.

Bij de aanblik van haar en van de andere vrouwen vluchtte ik weer naar binnen.

Toen ik zag hoe ze waren gemarteld, was ik eindelijk in staat het verband te leggen tussen die gruweldaden en mijn herinnering aan hun gegil. Ik begon onbedaarlijk te huilen. Ik dook in elkaar van angst en stelde me voor dat ik zulke gruwelen moest ondergaan. In een vlaag van blinde paniek hield ik plotseling de zoom van mijn jurk voor mijn neus tegen de vreselijke stank en begon ik tussen de kluwen verwrongen, naakte ledematen en lichamen door te rennen. Ik vloog de trap op zonder te weten waar naartoe, alleen met het besef van wat ik ontvluchtte. Onder het rennen bad ik om de zegen van een snelle dood.

Het was een schok om het paleis terug te zien. Het was een prachtig gebouw geweest, en de nauwgezette herstelwerkzaamheden na de vorige aanval van een paar jaar geleden waren nog maar net voltooid. Nu was er weinig meer van over. Ik kon me niet voorstellen waarom mensen de moeite namen alles kort en klein te slaan, dat ze plezier konden beleven aan het aanrichten van zulke vernielingen. Prachtige deuren waren uit hun scharnieren gerukt en aan mootjes gehakt. Marmeren zuilen waren omver getrokken. Stukken verbrijzelde meubelen lagen overal verspreid. De vloeren waren bezaaid met de brokstukken van wat schitterende voorwerpen waren geweest: scherven prachtig geglazuurd aardewerk; fragmenten van oren, neuzen en vingers van porseleinen figuurtjes; versplinterde stukken hout waarop het ooit zorgvuldig uitgesneden en vergulde oppervlak nog te zien was; verbrijzelde tafels; kunstwerken die aan stukken waren gereten en schilderijen die onder zware laarzen waren vertrapt. Alle ramen waren gebroken, gordijnen waren naar beneden getrokken en kapot gescheurd, beelden waren beschadigd of gebroken, muren waren gebutst of met bloed besmeurd, sierlijke kamers waren ondergepoept, en de uitwerpselen waren gebruikt om de muren te bekladden met smerige woorden en doodsbedreigingen aan de noordelijke onderdrukkers van de Orde.

Overal waren soldaten wild aan het graaien tussen de resten die andere soldaten hadden achtergelaten. Ze doorzochten de doden, plunderden alles wat ze konden dragen, smeten uit pure minachting elegante ornamenten stuk, en maakten grappen terwijl ze bij de vrouwelijke gevangenen in de rij op hun beurt stonden te wachten. Terwijl ik verdoofd door het verwoeste paleis strompelde, verwachtte ik voortdurend dat ik zou worden vastgegrepen en naar een van de kamers zou worden gesleept. Ik wist dat ik niet aan mijn lot kon ontkomen.

Zulke mannen had ik nog nooit gezien. Dit waren mannen die vrees inboezemden. Potige, ongewassen kerels in versleten, bloederige leren wapenrustingen. De meesten waren gekleed in maliën en droegen met spijkers beslagen leren riemen. Velen hadden hun hoofd kaalgeschoren, waardoor ze er nog gespierder en dreigender uitzagen. Anderen wierpen vanonder hun lange, vette haar vol klitten woeste blikken om zich heen. Stuk voor stuk zagen ze er barbaars en nauwelijks menselijk uit, met gezichten die zwart waren van het roet waar het zweet in strepen doorheen liep. De taal die ze uitsloegen, was luid, grof en schunnig.

Het was bijna komisch om zulke mannen door de prachtige roze en blauwe kamers te zien rondsluipen, maar er viel niets te lachen om de bloedige bijlen aan hun riem, hun zwaarden, die vettig waren van het geronnen bloed, of de vlegels, messen en knuppels met ijzeren punten, die voor het grijpen aan hun middel hingen.

Het waren echter hun ogen die je pas goed deden verstijven. Ze hadden allemaal ogen die niet alleen vertrouwd waren geraakt met het smerige karwei van het afslachten, maar er zelfs een wellustig genoegen aan beleefden. Allemaal taxeerden ze elk levend wezen slechts op één manier: is dit iets wat gedood kan worden? Wanneer ze de vrouwelijke gevangenen bekeken die van hand tot hand gingen, verscheen er echter een nog wredere glans in hun ogen. Die blik was voldoende om een vrouw de adem in de keel te laten stokken en haar een hartstilstand te bezorgen.

Dit waren mannen die elke schijn van beschaving hadden opgegeven.

Ze onderhandelden niet zoals normale mannen. Ze namen domweg wat ze wilden hebben, en gingen zelfs met elkaar op de vuist om de belangrijkste buit. Ze verpletterden, vernietigden en doodden wat hen voor de voeten kwam, gewetenloos en zonder bij de gevolgen stil te staan. Dit waren mannen die buiten de beschaafde wereld van de moraal stonden. Dit waren woestelingen die op de onschuldigen waren losgelaten.'

14

'Als er overal soldaten waren, waarom hebben ze jou dan niet gegrepen en meegesleept?' vroeg Cara met het soort terloopse directheid dat alleen een Mord-Sith zo moeiteloos kon opbrengen, alsof fatsoensnormen haar vreemd waren.

Hoewel diezelfde vraag ook bij Richard was opgekomen, vertrouwde hij op dat moment zijn eigen stem niet.

'Iedereen dacht dat ze als dienstmaagd was aangewezen,' zei Nicci kalm op veelbetekenende toon. 'Aangezien ze zo lang na het begin van de aanval nog ongedeerd rondliep, namen de mannen aan dat er een goede reden voor was, dat de bevelhebbers haar voor andere taken hadden bestemd.'

Jebra knikte. 'Dat klopt. Een officier die me al meteen in de gaten kreeg, trok me een kamer in. Daar stonden nog meer mannen om een tafel heen waarop mappen uitgespreid lagen. Die kamer was niet vernield, zoals de meeste andere.

Ze wilden weten waar hun eten bleef, alsof ik dat zou moeten weten.

Ze zagen er net zo woest uit als de rest, en ik zou niet hebben geweten dat het officieren waren als de andere soldaten die telkens rapporten kwamen brengen, hen niet met zoveel eerbied bejegenden. Sommige officieren waren al wat ouder en zagen er meedogenloos uit, met een sluwere blik in hun ogen dan de gewone soldaten, die meestal met een grote boog om hen heenliepen. Toen ze me aankeken, wist ik dat dit mannen waren die onmiddellijk een antwoord verlangden.

Ik kreeg een sprankje hoop – dat ik het zou kunnen overleven als ik het spelletje meespeelde.

Ik boog verontschuldigend en zei dat ik dadelijk voor het eten zou zorgen.

Ze zeiden dat ik dat maar beter kon doen, en waren blijkbaar meer geïnteresseerd in eten dan in straf uitdelen. Ik haastte me naar de keukens, terwijl ik probeerde me doelbewust te gedragen, maar zonder te rennen, uit angst dat de mannen op een rennende vrouw zouden reageren als wolven op een hertje dat uit zijn schuilplaats kruipt.

In de keukens bevonden zich enkele honderden andere mensen, voornamelijk oudere mannen en vrouwen. Velen van hen herkende ik, doordat ze al heel lang voor het paleis kookten. Er waren ook jongere, sterkere mannen die het werk moesten doen dat te zwaar was voor de keukenjongens en de ouderen, zoals het verwerken van de karkassen voor de slacht of het draaien aan de zware braadspitten. Allemaal werkten ze als bezetenen tussen de hoog oplaaiende kookvuren en dampende pannen, alsof hun leven ervan afhing, wat natuurlijk ook zo was.

Mijn binnenkomst werd nauwelijks opgemerkt, want iedereen was gejaagd in de weer. Omdat ik iedereen koortsachtig zag werken, pakte ik een grote schaal vlees en bood aan die naar de mannen boven te brengen. De mensen in de keuken waren maar al te blij dat iemand anders bereid was zich onder de soldaten te begeven.

Toen ik met de schaal bij de officieren kwam, stortten ze zich meteen uitgehongerd op het eten. Ze sprongen op uit banken en stoelen en gristen het vlees met hun smerige, blote handen van de schaal af. Toen ik de zware schaal op een grote tafel neerzette, keek een van de mannen me kauwend aan. Hij vroeg waarom ik geen ring door mijn lip had. Ik wist niet waar hij het over had.'

'Ze doen een ring door de onderlip van slaven,' legde Nicci uit. 'Dat is een teken dat ze het eigendom van de hogere rangen zijn en voorkomt dat de soldaten hen buitmaken. Op die manier hebben de bevelhebbers bedienden voor het huishoudelijke werk.'

Jebra knikte. 'De officier brulde bevelen. Een man greep me stevig vast, terwijl een ander naar voren kwam, aan mijn onderlip trok en er een ijzeren ring doorheen stak.'

Afwezig staarde Nicci in de verte. 'Ze gebruiken ijzer als verwijzing naar ijzeren ketels en dergelijke. Een ijzeren ring betekent keukenpersoneel.'

In Nicci's blauwe ogen zag Richard een waas van onderdrukte woede verschijnen. Ook zij had ooit een ring door haar onderlip gehad, hoewel de hare van goud was geweest om aan te geven dat ze het persoonlijke eigendom van keizer Jagang was. Dat was beslist geen eer. Nicci was voor dingen gebruikt die veel erger waren dan huishoudelijke taken.

'Je hebt gelijk,' beaamde Jebra. 'Nadat ze de ring in mijn lip hadden gestoken, werd ik naar de keukens teruggestuurd om nog meer eten en wijn te gaan halen. Pas toen besefte ik dat de andere mensen in de keuken ook allemaal een ijzeren ring droegen. Als verdoofd rende ik op en neer om de officieren op hun wenken te bedienen. Tussendoor nam ik telkens een teug water of een hap eten wanneer ik de kans kreeg. Dat was genoeg om me op de been te houden.

Ik was terechtgekomen tussen andere doodsbange mensen die in het paleis werkten en nu de bevelen van de officieren opvolgden. Ik had amper de gelegenheid om na te denken over hoe ik door toeval aan een erger lot was ontsnapt. Hoeveel pijn het ook deed en hoe erg het ook bloedde, ik was blij dat ik die ijzeren ring door mijn lip had, want zodra een soldaat die zag, liet hij me meteen met rust.

Algauw werd ik er met zware tassen vol eten en drinken op uitgestuurd naar officieren in andere delen van de stad. Op het platteland rond de stad begon de ware omvang tot me door te dringen van de verschrikkingen die in Ebinissia hadden plaatsgevonden.'

Toen Jebra in gepeins verzonk, vroeg Richard: 'Wat zag je?'

Ze keek naar hem op alsof ze bijna was vergeten dat ze haar verhaal aan het vertellen was, maar toen slikte ze haar verdriet weg en sprak weer verder. 'Buiten de stadsmuren lagen tienduizenden doden van de gevechten. Zo ver het oog reikte, was de grond bezaaid met verwrongen lijken, vaak op een kluitje waar ze waren gesneuveld toen ze zich verzetten. Het bood een onwezenlijke aanblik, maar ik had die al eens eerder gezien... in mijn visioen. Het ergste was dat een aantal Galeaanse soldaten nog in leven was, hoewel zwaar gewond. Her en der over het slagveld verspreid lagen ze naast hun dode kameraden, niet in staat zich te verroeren. Sommigen kreunden zachtjes, en hadden niet lang meer te leven. Anderen waren nog helder van geest, maar konden zich om de een of andere reden niet bewegen. Eén man lag met verbrijzelde benen bekneld onder het gewicht van een kapotte wagen. Een ander was met een speer door zijn ingewanden aan de grond gespietst. Hoewel hij verging van de pijn, wilde hij zo wanhopig graag blijven leven dat hij het niet aandurfde zich op te richten en los te maken wat door de staaf op zijn plaats werd gehouden. Bij anderen waren hun benen of armen zo ernstig gebroken dat ze niet eens over de chaos van dode soldaten, paarden en puinhopen heen konden kruipen. Ik kon niet blijven staan om de gewonden te troosten of te verzorgen, want als de patrouillerende soldaten me zouden zien, was ik er geweest.

Telkens bij het heen en weer gaan tussen de buitenposten moest ik door dit afschuwelijke slagveld. Over de heuvels waar het laatste treffen had plaatsgevonden, krioelden honderden mensen die langzaam alle doden afgingen, terwijl ze systematisch hun bezittingen doorzochten. Later kwam ik erachter dat ze bij een legertje mensen hoorden die achter de Orde-troepen aan trokken – kampvolgers – en van de kliekjes leefden die de Orde-soldaten achterlieten. Die aasgieren graaiden in de zakken van de dode soldaten en dergelijke, en hielden zichzelf met dood en verderf in leven.

Ik herinner me een oude vrouw met een groezelige witte hoofddoek om, die een Galeaanse soldaat aantrof die nog leefde. Afgezien van andere verwondingen was zijn been tot op het bot opengereten. Zijn handen trilden van de onafgebroken inspanning die het vergde om de enorme wond dicht te houden. Het was een wonder dat hij nog leefde.

Toen de oude vrouw met de hoofddoek op zijn kleren doorzocht naar iets van waarde, smeekte hij haar om een slokje water. Ze negeerde hem terwijl ze zijn hemd openscheurde om te zien of er een ketting met een geldbuidel om zijn nek hing, zoals sommige soldaten hadden. Met zwakke stem smeekte hij nogmaals om een slokje water. In plaats daarvan trok ze een lange breinaald uit haar riem en terwijl hij daar hulpeloos lag, boorde ze die in zijn oor. Van inspanning stak ze het puntje van haar tong uit haar mondhoek toen ze met de lange metalen naald in zijn hersenen roerde. Even trok hij met zijn armen en bleef toen stil liggen. Ze trok de breinaald eruit en mopperend dat hij zich voortaan wel koest zou houden, veegde ze de naald aan zijn broekspijp af. Vervolgens stak ze hem weer terug in haar riem en ging door met het doorzoeken van zijn kleding. Het viel me op dat ze haar weerzinwekkende taak erg behendig verrichtte.

Ik zag andere kampvolgers die elke overlevende met een steen de hersens insloegen, om er zeker van te zijn dat hij hen niet bij het zoeken naar buit kon overrompelen. Sommigen van die aasgieren namen niet eens de moeite iets tegen de gewonde man te doen, tenzij hij zijn handen nog kon gebruiken om hen af te weren. Als hij nog leefde, maar zich niet kon verweren, gristen ze domweg mee wat ze konden vinden en gingen dan verder. Maar er waren ook mensen die triomfantelijk hun vuist in de lucht staken wanneer ze een levende soldaat aantroffen die ze konden afmaken, alsof het een heldendaad was. Een enkeling trof een hulpeloze gewonde en genoot ervan hem op de meest afgrijselijke manier te martelen, zich verkneukelend omdat het slachtoffer niet kon vluchten of zich verzetten. Maar enkele dagen later waren alle overlevenden dood, hetzij doordat ze aan hun verwondingen waren bezweken, hetzij doordat ze uiteindelijk door de kampvolgers waren afgemaakt.

Gedurende de volgende weken vierden de Imperiale Orde-soldaten hun grote overwinning met een orgie van geweld, verkrachtingen en plunderingen. Elk gebouw werd binnengedrongen en grondig doorzocht. Alles van waarde werd geroofd. Alle mannen werden gevangengenomen en geen enkele vrouw ontkwam aan de klauwen van die smeerlappen, behalve een handjevol mensen als ik, die als bedienden waren aangewezen.'

Jebra barstte in snikken uit om haar woorden. 'Wat ze die arme zielen aandeden, zou geen enkele jonge vrouw ooit te verduren moeten hebben. De gevangengenomen Galeaanse soldaten en de mannen en jongens uit de stad wisten allemaal heel goed wat er met hun moeders, vrouwen, zusters en dochters gebeurde – daar zorgden de Orde-troepen wel voor. Verschillende keren kwamen kleine groepjes gevangenen, die het niet langer konden aanzien, in opstand om de verkrachtingen te laten ophouden. Ze werden afgeslacht.

Het duurde niet lang of de gevangenen moesten in grote ploegen onafgebroken kuilen voor de doden graven. Toen ze daarmee klaar waren, werden ze gedwongen alle rottende lijken voor een massabegrafenis op te halen. Iedereen die weigerde, kwam zelf in de kuilen terecht.

Zodra alle doden waren opgehaald en in de kuilen waren geworpen, moesten de mannen lange greppels graven. Daarna begonnen de terechtstellingen. Bijna alle mannen vanaf vijftien jaar werden ter dood gebracht. Er waren tienduizenden mensen die door de Orde werden opgepakt, dus het zou weken gaan duren om hen allemaal af te slachten.

De vrouwen en kinderen moesten met het zwaard op de keel toekijken terwijl hun mannen en vaders werden gedood en in de reusachtige open kuilen werden gegooid. Ondertussen werd hun verteld dat dit met iedereen zou gebeuren die zich tegen de rechtvaardige en morele wetten van de Imperiale Orde verzette. Tijdens de eindeloze terechtstellingen kregen ze te horen dat het blasfemie tegen de Schepper was om te leven zoals zij hadden gedaan, uitsluitend voor hun eigen baatzuchtige doeleinden. Er werd hun verteld dat het beter was wanneer de mensheid van een dergelijke ontaarding gezuiverd werd.

Sommige mannen werden onthoofd. Anderen moesten voor de kuilen neerknielen, waarna potige kerels met ijzeren knuppels langs de rij liepen en met een machtige zwaai de mannen achtereenvolgens de schedel insloegen. Een paar geketende gevangenen liepen erachteraan om de lijken in de greppel te gooien. Er waren ook gevangenen die als schietschijf voor pijlen en speren werden gebruikt. De andere soldaten lachten de dronken beul uit als hij er door zijn slordigheid niet in slaagde het slachtoffer in één klap te doden. Voor hen was het een spelletje.

Ik denk dat sommige Imperiale Orde-soldaten door de enorme schaal van de weerzinwekkende wreedheden van slag raakten. Ze begonnen te drinken om hun walging te verdoezelen, zodat ze konden meedoen zoals van hen werd verwacht. Het is iets heel anders om iemand in de hitte van het gevecht te doden dan in koelen bloede te moorden. Toch deden ze dat.

Toen de slachtoffers in de greppels vielen, werden ze met aarde bedekt door mannen die weldra hetzelfde lot te wachten stond.

Ik herinner me een regenachtige dag, toen ik eten naar officieren moest brengen. Ze stonden onder de flarden van wat ooit een luifel van een winkel was geweest en die nu met lansen omhoog werden gehouden. Ze kwamen naar een terechtstelling kijken, die als een groots spektakel werd opgevoerd. De panische vrouwen die de doodvonnissen moesten bijwonen, werden door hun overweldigers rechtstreeks vanuit de verkrachtingskamers ernaartoe gebracht. Veel vrouwen waren nog half ontkleed.

Uit de vele kreten van herkenning en namen die werden geschreeuwd, bleek algauw dat de Orde bij de ondervragingen de echtgenoten van de vrouwen had geïdentificeerd en hen eruit had gepikt. De echtparen werden voor een macabere hereniging naar buiten gebracht, van elkaar gescheiden maar bleven duidelijk in elkaars gezichtsveld.

Hulpeloos kropen de vrouwen bij elkaar, terwijl ze werden gedwongen toe te kijken toen de polsen van hun mannen stevig met leren riemen achter hun rug werden vastgebonden. De mannen moesten met hun gezichten naar hun vrouwen toe bij de pas gegraven kuilen knielen.

Er kwamen soldaten langs die achtereenvolgens het hoofd van iedere man in de rij bij zijn haar optrokken om zijn keel door te snijden. In gedachten zie ik de krachtige spieren van de beulen nog glimmen in de regen. Sjorrend aan het haar van hun slachtoffers smeten ze de lichamen in de kuilen, voordat ze de volgende in de rij te grazen namen.

De mannen die op hun dood wachtten, huilden en sidderden van angst, terwijl ze de namen van hun beminden riepen en hun eeuwige liefde uitschreeuwden. De vrouwen deden hetzelfde, terwijl ze machteloos moesten toezien hoe hun mannen werden vermoord en daarna boven op de andere mannen werden gesmeten, die nog lagen te stuiptrekken. Zoiets afgrijselijks, zoiets hartverscheurends heb ik nog nooit gezien.

Veel vrouwen vielen flauw toen ze hun geliefden vermoord zagen worden. Op de modderige grond, die met braaksel was bedekt, zakten ze in elkaar. In de stromende regen riepen de anderen panisch van angst de namen van de mannen die op het punt stonden ter dood te worden gebracht. Ze worstelden tegen de ijzeren greep van de bewakers, die lachten terwijl ze de vrouwen meesleurden en hun mannen toeschreeuwden wat ze met hen van plan waren. Het was een verwrongen soort wreedheid, die zo'n onvoorstelbaar leed veroorzaakte dat het met geen pen te beschrijven is.

Gezinnen werden niet alleen voorgoed uiteengerukt, maar uitgeroeid.

Kennen jullie die aloude vraag: hoe denk je dat de wereld zal vergaan?

Ik denk dat het zo zal gaan. Dit was het einde van de wereld voor duizenden en nog eens duizenden mensen... alleen telkens voor één persoon tegelijk. Het was de uitgesponnen vernietiging van levens, het definitieve einde van de wereld voor elk individu.'

Richard omvatte zijn hoofd met een hand en kneep met zijn duim en vingers zo hard in zijn slapen dat hij bang was zijn eigen schedel te kraken. Met de grootste moeite lukte het hem zijn ademhaling en stem te beheersen. 'Is er dan niemand in geslaagd om te ontsnappen?' vroeg hij in de oorverdovende stilte. 'Is er tijdens al die verkrachtingen en terechtstellingen dan helemaal niemand ontsnapt?'

Jebra knikte. 'Jawel. Een paar konden er ontkomen, geloof ik, maar helemaal zeker weet ik dat natuurlijk niet.'

'Er zijn er genoeg ontsnapt,' zei Nicci met zachte stem.

'Genoeg?' viel Richard woedend tegen haar uit. Hij wist zijn onbeheerste woedeaanval te beteugelen en dempte zijn stem. 'Genoeg waarvoor?'

'Genoeg voor hun doeleinden,' antwoordde Nicci. Met een strakke blik keek ze in zijn ogen en liet de emoties die ze daarin zag, op zich inwerken. 'De Orde weet dat er mensen ontsnappen. Tijdens de ergste wreedheden versoepelen ze expres de bewaking, zodat ze er zeker van zijn dat er tenminste een paar zullen ontkomen.'

Richard voelde zich alsof zijn geest helemaal stuurloos was geraakt door wel duizend ontmoedigende gedachten die alle kanten uit zwalkten. 'Waarom?'

Een hele poos bleef Nicci hem aanstaren voordat ze eindelijk antwoord gaf. 'Om zo'n angst op te wekken dat het in de volgende stad paniek zaait. Die paniek zorgt ervoor dat mensen die langs de route van het oprukkende leger wonen, zich liever overgeven dan dat ze dezelfde wrede behandeling moeten verduren. Op die manier komt de overwinning zonder dat de Orde er hard voor hoeft te vechten. De angst die door de vluchtelingen wordt verspreid wanneer ze vertellen wat ze hebben gezien, is een machtig wapen waardoor de mensen die nog niet zijn aangevallen, al bij voorbaat de moed verliezen.'

Richard voelde zijn hart zo hevig bonzen, dat hij zich het gevoel van ontzetting bij het wachten op de aanstormende Orde goed kon voorstellen. Met zijn vingers streek hij zijn haar naar achteren, terwijl hij zijn aandacht weer op Jebra richtte. 'Hebben ze alle gevangenen vermoord?'

'Een paar mannen – degenen die niet als een bedreiging werden beschouwd – werden met andere mensen uit de stad in ploegen naar het platteland gestuurd om op de boerderijen te werken. Ik ben er nooit achter gekomen wat er met die mensen is gebeurd, maar ik neem aan dat ze daar nog steeds als slaven ploeteren om voedsel voor de Orde te produceren.'

Jebra sloeg haar ogen neer, en streek een paar plukken haar uit haar gezicht. 'De meeste vrouwen die het overleefden, werden eigendom van de troepen. Enkele jongere en aantrekkelijke vrouwen kregen een koperen ring door hun onderlip en werden voor de hogere officieren bestemd.

Er kwamen regelmatig karren naar het kamp om de lichamen weg te halen van vrouwen die aan hun mishandeling waren bezweken. Geen enkele officier heeft ooit bezwaar gemaakt tegen de gruwelijke behandeling van de vrouwen door de soldaten in de tenten.

De doden werden naar de kuilen gereden en erin gekieperd. Niemand, zelfs niet de Orde-soldaten die stierven, kreeg een gedenkteken bij het graf met zijn naam erop. Ze werden allemaal in een massagraf gegooid. De Orde hecht geen waarde aan het individu en schenkt geen aandacht aan de doden.'

'Hoe zit het met de kinderen?' vroeg Richard. 'Je zei dat ze de jongens niet hebben gedood.'

Jebra ademde diep in voordat ze sprak. 'Nou, de jongens werden al vanaf het begin apart gehouden en naar leeftijd onderverdeeld in groepen die ik het beste kan omschrijven als klassen voor jonge rekruten. Ze werden niet als gevangen Galeanen beschouwd, niet als onderworpenen, maar als jonge leden van de Imperiale Orde, die waren bevrijd van mensen die hen alleen maar zouden hebben onderdrukt en hun verwerpelijke ideeën zouden hebben aangepraat. De schuld voor de verdorvenheid die de invasie noodzakelijk maakte, werd op de oudere generaties geschoven, niet op de jonge mensen die geen blaam treft voor de zonden van de ouderen. Aldus werden ze lichamelijk en geestelijk van de volwassenen gescheiden en begon hun opleiding.

De jongens werden gedrild alsof het een spelletje was, hoe akelig het voor sommige ook moet zijn geweest. Ze werden redelijk goed behandeld en werden onafgebroken beziggehouden met krachtmetingen en vaardigheidsproeven. Ze mochten niet om hun familie treuren – dat werd als een teken van zwakheid beschouwd.

De Orde werd hun familie, of ze het leuk vonden of niet.

's Nachts toen ik het gehuil van de vrouwen kon horen, hoorde ik ook de jongens zingen onder leiding van speciale opleidingsofficieren.'

Ze gebaarde dat er een uitleg kwam. 'Ik moest die officieren eten en dergelijke brengen, vandaar dat ik kon zien wat er met de jongens gebeurde naarmate de weken en maanden verstreken.

Na de opleiding begonnen de jongens een plaats en aanzien binnen de groep te krijgen, bijvoorbeeld omdat ze uitblonken in vaardigheids- en krachtspelletjes of in het van buiten leren van hun lessen over de rechtschapen zeden en gewoonten van de Orde. Terwijl ik met mijn taken voor de officieren in de weer was, kon ik de jongens voor hun groepen in de houding zien staan. Ze dreunden de dingen op die ze hadden geleerd, spraken over de glorie om bij de Orde te horen en van hun eerzame plicht om een deel te zijn van een nieuwe wereld die gericht was op de verbetering van de mensheid, en van hun bereidheid om offers te brengen voor dat grotere ideaal.

Hoewel ik nooit echt de kans kreeg erachter te komen wat de jongens precies moesten leren, herinner ik me een kreet die onophoudelijk werd geschreeuwd toen ze in de houding stonden: "Alleen kan ik niets zijn. Mijn leven heeft alleen betekenis door mijn toewijding aan anderen. Samen zijn we allen één, met één gedachte, één doel."

Na zulke opzwepende bijeenkomsten werden de jongens in hun groepen naar buiten gebracht om naar de terechtstelling van "verraders van de mensheid" te kijken. Telkens wanneer er een "verrader" stierf, werden ze aangemoedigd te juichen. Hun Orde-leiders stonden zelfverzekerd voor de jongens, met hun rug naar het bloedbad toe, en zeiden: "Wees sterk, jonge helden. Dit is wat er met de zelfzuchtige verraders van de mensheid gebeurt. Jullie zijn de toekomstige verlossers van de mensheid. Jullie zijn de toekomstige helden van de Orde, dus wees sterk."

Hoe bang de jongens aanvankelijk misschien ook waren, onder de onafgebroken indoctrinatie, begeleiding en constante aanmoediging van de officieren ging er inderdaad een gejuich op. Eerst deden ze het misschien niet van harte, maar op het laatst ging het spontaan. Ik zag dat de jongens begonnen te geloven – met ware hartstocht – in de dingen die de volwassenen hun leerden.

De jongens werden aangespoord de messen die ze hadden gekregen, te gebruiken om de pas gedode "verraders" neer te steken. Dit was een van de manieren waarop ze systematisch ongevoelig werden gemaakt voor de dood. Uiteindelijk verwierven de jongens hun positie door aan de terechtstellingen mee te werken. Ze stonden voor de hologige gevangenen en lazen hen de les over hun zelfzuchtige manieren en hun verraad aan hun medemens en de Schepper. Toen veroordeelden de jongens de gevangene ter dood en een enkele maal voltrokken ze zelfs de straf. Hun kameraden bejubelden het enthousiasme waarmee ze hadden geholpen de mensheid te bevrijden van degenen die de heilige leerstellingen van de Orde hadden verworpen, degenen die zich hadden afgekeerd van hun Schepper en hun goddelijke plicht hun medemens te dienen.

Nog voordat alles voorbij was, waren vrijwel alle jongens bij de slachting van de gevangenen betrokken. Ze werden als "helden" van de Orde geprezen. De paar jongens die niet aan de terechtstellingen wilden meewerken, werden 's avonds in het kampement gemeden. Uiteindelijk werden ze uitgemaakt voor lafaards of zelfs voor sympathisanten van de oude zeden en gewoonten, voor egoïsten die niet bereid waren de andere mannen – of in dit geval jongens – te steunen. Meestal werden ze door hun eigen groep doodgeslagen.

In mijn ogen waren die paar jongens juist de helden. Ze stierven eenzaam door toedoen van de andere jongens, die ooit samen met hen hadden gespeeld en gelachen, maar die nu tot vijanden waren geworden. Ik zou er bijna alles voor over hebben gehad om die paar nobele zielen tenminste een laatste omhelzing te kunnen geven en ze mijn dank toe te fluisteren omdat ze niet hadden meegedaan. Maar dat kon ik niet, dus ze stierven alleen, als uitgestotenen tussen hun vroegere vrienden.

Het was waanzin. Het leek wel alsof de hele wereld gek was geworden, alsof niets nog zin had, alsof het leven zelf niets meer te betekenen had.

Het leven bestond alleen nog maar uit pijn en lijden; meer was er niet. Elke vreugdevolle herinnering leek als een vage droom en niet meer echt. Het leven sleepte zich voort, dag in, dag uit, seizoen na seizoen, maar het was een leven dat op de een of andere manier om de dood draaide.

De enige overlevenden uit Galea waren uiteindelijk de jongens, en de vrouwen die niet tijdens de beestachtige verkrachtingen en daarna als hoeren voor de soldaten waren bezweken. Op het laatst deden de oudere jongens aan de verkrachtingen mee als onderdeel van hun inwijding en als beloning voor hun enthousiasme tijdens hun opdrachten, waaronder de terechtstellingen.

Veel vrouwen slaagden erin zelfmoord te plegen. Elke ochtend werden er op de straatkeien onderaan hoge gebouwen de gebroken lichamen aangetroffen van vrouwen die zichzelf uit het raam of van het dak hadden gestort, omdat ze slechts een toekomst van vernederende mishandelingen voor zich zagen. Ik weet niet hoe vaak ik in een donkere hoek een vrouw tegenkwam die haar eigen polsen had doorgesneden, waarna haar levensbloed samen met haar hoop was weggevloeid. Ik had begrip voor hun keus.'

Richard stond met zijn handen achter zijn rug gevouwen naar het stille water van de fontein te staren, terwijl Jebra uitvoerig inging op de gebeurtenissen na de grote overwinning van de dappere mannen van de Imperiale Orde. De enorme zinloosheid ervan ging het bevattingsvermogen bijna te boven, laat staan dat het te verdragen was.

De strepen zonlicht die door de dakramen naar binnen vielen, kropen langzaam over de marmeren bank rond het bekken, over de uitgestrekte vloer en langs de granieten treden omhoog. Het bloedrode steen van de zuilen glansde, terwijl het zonlicht steeds verder omhoogkroop en Jebra verslag deed van alles wat er tijdens haar gevangenschap was gebeurd.

Bijna de hele tijd stond Shota roerloos te luisteren, meestal met haar armen over elkaar en een enigszins grimmige uitdrukking op haar gezicht. Ze keek naar Jebra terwijl die haar verhaal vertelde of naar Richard, die toeluisterde, alsof ze zich ervan wilde vergewissen dat zijn aandacht niet verslapte.

'Galea had genoeg voedselvoorraden voor zijn burgers,' zei Jebra, 'maar niet voor de grote aantallen indringers die nu de stad bezetten en die zelf niet voldoende voorraden bij zich hadden. De troepen roofden alle voorraadschuren leeg. Elke provisiekast, elk pakhuis haalden ze leeg.

Alle dieren in de wijde omtrek werden geslacht, waaronder de vele schapen die om hun wol werden geteeld, en de melkkoeien. Ook de kippen werden gedood en opgegeten in plaats van ze als een regelmatige bron van eieren te houden.

Toen het voedsel begon op te raken, stuurden de officieren boodschappers met almaar dringender verzoeken om nieuwe voorraden. Maandenlang bleven de voorraden uit, waarschijnlijk gedeeltelijk doordat de winter was ingetreden en de aanvoer was vertraagd.'

Jebra zweeg en slikte even voordat ze weer sprak. 'Ik kan me de dag nog goed herinneren – het was tijdens een zware sneeuwstorm – toen we vers vlees moesten klaarmaken dat de Orde-soldaten in de keukens hadden laten bezorgen. Het waren pas gedode, onthoofde, menselijke lijken, die van de ingewanden waren ontdaan.'

Abrupt keerde Richard zich om en staarde Jebra aan. Ze keek naar hem op alsof ze zich op de rand van de waanzin bevond, alsof ze bang was dat ze zou worden veroordeeld voor iets waarvan ze wist dat het te ver ging. Haar blauwe ogen schoten vol tranen om vergeving af te smeken, alsof ze bang was dat hij haar zou doodslaan om wat ze ging opbiechten.

'Heb je wel eens een menselijk lichaam moeten slachten om er een maaltijd van te bereiden? Wij móésten wel.

We hebben het vlees gebraden of uitgebeend om er stoofpotten van te maken. Voor de gewone soldaten hebben we rekken vol vlees gedroogd. Als de soldaten honger hadden en het eten op was, werden er lijken naar de keukens gebracht. We hebben ons uiterste best gedaan om met de aanwezige voedselvoorraden rond te komen. We hebben zelfs soep en stoofpotten van onkruid gemaakt als we dat onder de sneeuw konden vinden. Maar er was gewoon niet genoeg voor alle mannen.

Ik heb veel dingen meegemaakt waar ik voor de rest van mijn leven nachtmerries van zal hebben. De aanblik van die meedogenloze soldaten die in de deuropening stonden, met achter hen de sneeuw die naar binnen werd geblazen, toen ze de lichamen op de keukenvloer neersmeten, zal me altijd bijblijven.'

Richard knikte, en fluisterde: 'Dat begrijp ik.'

'Vroeg in het voorjaar begonnen eindelijk de bevoorradingswagens te arriveren. Ze brachten grote hoeveelheden levensmiddelen voor de soldaten, maar ondanks de schijnbaar eindeloze stroom afgeladen wagens, wist ik dat het gauw weer op zou zijn. Behalve de voorraden waren er ook versterkingen gekomen om de mannen te vervangen die bij de slag om Galea waren gesneuveld. Ebinissia werd al door overweldigende aantallen Orde-manschappen bezet, en de komst van nog meer soldaten maakte mijn doffe gevoel van radeloosheid nog erger.

Ik hoorde pas aangekomen officieren toevallig vertellen dat er nog meer voorraden zouden komen, en nog meer manschappen. Toen ze vanuit het zuiden binnenstroomden, werden velen op een missie gezonden om andere gebieden van het Middenland te bezetten. Er waren nog meer steden die moesten worden ingenomen, nog meer streken die moesten worden veroverd, nog meer verzetskernen die moesten worden neergeslagen, nog meer volkeren die moesten worden geknecht.

Naast de voorraden en de verse manschappen werden er brieven van de mensen thuis in de Oude Wereld meegebracht. Het waren vanzelfsprekend geen brieven voor de soldaten persoonlijk, want in hun enorme legers was een individuele soldaat met geen mogelijkheid terug te vinden. Bovendien had de Imperiale Orde daar maling aan, omdat individuen als zodanig in hun ogen onbelangrijk waren. Integendeel, het waren brieven die voor de "dappere mannen" in het algemeen waren bedoeld, die vochten voor de mensen thuis, uit naam van hun Schepper, om de wilden uit het noorden te verslaan, om achtergebleven volken de verlossing van de zeden en gewoonten van de Orde te brengen.

De brieven die met het konvooi waren meegekomen, werden weken achtereen elke avond voorgelezen aan groepen soldaten, van wie de meeste zelf niet konden lezen. Het waren allerlei soorten brieven, mensen die schreven over de grote offers die ze hadden gebracht om voedsel en goederen naar hun strijders in het noorden te sturen, brieven die de grote offers prezen die de soldaten brachten om de goddelijke leerstellingen van de Orde te propageren, en brieven van jonge vrouwen die hun lichaam aan dappere soldaten beloofden wanneer ze van de overwinning op de onbeschaafde en achterlijke vijand in het noorden terugkeerden.

Vooral die laatste brieven waren natuurlijk bijzonder populair, en die werden dan ook onder luid gejoel en geschreeuw keer op keer voorgelezen.

De mensen van de Oude Wereld stuurden zelfs aandenkens: talismans om de overwinning te brengen; tekeningen om de tenten van de strijders te versieren; koekjes en taarten die allang waren bedorven; sokken, wanten, hemden en petten; kruiden voor allerlei doeleinden, van thee tot zwachtels; geparfumeerde zakdoekjes van enthousiaste vrouwen die zichzelf gretig aanboden aan de soldaten; wapenriemen en dergelijke, gemaakt door het korps jongens die met groepen andere jongens van hun leeftijd hadden getraind, totdat ze ook naar het noorden mochten gaan om de mensen te verslaan die de wijsheid van de Schepper en de gerechtigheid van de Imperiale Orde verwierpen.

Voordat de lange stoet naar de Oude Wereld terugging om nog meer voorraden op te halen die nodig waren om het reusachtige leger in de Nieuwe Wereld te onderhouden, werden de wagens volgeladen met buit voor de steden van de Oude Wereld die de noodzakelijke levensmiddelen en goederen aan het leger leverden. Het was een soort handelskringloop: buit in ruil voor voorraden, voorraden in ruil voor buit. Ik vermoed dat de aanblik van eindeloze rijen wagens vol geplunderde kostbaarheden, die naar het zuiden stroomden, ook was bedoeld als stimulans voor de mensen thuis om door te gaan met het ondersteunen van de geldverslindende oorlogsinspanningen.

Het invasieleger was natuurlijk veel te groot voor de stad, en met de komst van de versterkingen die met elk konvooi arriveerden, verspreidde de zee van tenten zich nog meer naar het platteland, totdat de heuvels en dalen in de hele omtrek waren bedekt. Over een flinke afstand waren alle bomen gekapt en de afgelopen winter als brandhout gebruikt, waardoor het landschap rondom de kroonstad er levenloos en kaal uitzag. Er groeiden geen nieuwe grassen onder de krioelende mensenmassa's, de ontelbare paarden en talloze wagens, zodat het leek alsof Galea in een modderzee was veranderd.

Uit de nieuwe eenheden die pas waren aangekomen, werden aanvalstroepen gevormd bestaande uit mannen uit de Oude Wereld. Ze werden erop uitgestuurd om andere plaatsen aan te vallen, om de heerschappij van de Imperiale Orde te verspreiden, om gezag in te stellen. Het leek wel alsof er een onuitputtelijke voorraad mannen was om de Nieuwe Wereld te knechten.

Ik werkte tot ik erbij neerviel om alle officieren te voeden, en zodoende was ik vaak in de buurt van de bevelvoerders. Daardoor hoorde ik hen vaak praten over invasieplannen en meldingen van steden die waren gevallen, aantallen gevangenen en slaven die naar de Oude Wereld werden gestuurd. Af en toe werden er aantrekkelijke vrouwen meegebracht voor de hogere officieren.

De ogen van zulke vrouwen stonden wild van angst om wat er met hen zou gebeuren. Maar ik wist dat hun blik algauw dof zou worden van verlangen naar de verlossende dood. Op mij kwam het over als een ellenlange aanval, een beestachtigheid waar geen eind aan leek te komen.

Tegen die tijd was de stad vrijwel verlaten door de mensen die zich er thuis hadden gevoeld. Bijna alle mannen vanaf vijftien jaar waren allang ter dood gebracht, en het handjevol dat nog leefde, was als slaaf weggestuurd. Veel van de vrouwen die te oud of te jong waren om voor de Orde van nut te zijn, waren gedood als ze in de weg stonden, maar de meeste waren eenvoudig achtergelaten om te verhongeren. Ze leefden als ratten in de donkere spleten van de stad. De afgelopen winter zag ik drommen oude vrouwen en meisjes, die eruitzagen als wandelende geraamten bedekt met slechts een bleek laagje vlees, om kliekjes bedelen. Het brak mijn hart, maar als ik ze iets had gegeven, zou dat alleen maar een zekere dood voor hen en mij hebben betekend. Toch stopte ik hen af en toe een beetje voedsel toe, wanneer ik de kans kreeg en als er iets te eten was.

Ten slotte leek het alsof de bevolking van de kroonstad van Galea, honderdduizenden mensen, voor het grootste deel van de aardbodem was weggevaagd.

Wat voorheen het hart van Galea is geweest, bestaat niet meer. Nu is het gebied door honderdduizenden soldaten bezet. Woningen die lang geleden waren geplunderd, werden betrokken door kampvolgers, die eenvoudig de spullen van een ander overnamen. Gaandeweg kwamen er meer mensen uit de Oude Wereld die zich huizen toe-eigenden en er gingen wonen alsof ze van hen waren. De enige Galeaanse vrouwen die nog leefden, waren slavinnen, die door de soldaten als hoeren werden misbruikt. Na verloop van tijd raakten velen zwanger en werden er kinderen geboren die door de soldaten van de Imperiale Orde waren verwekt. Deze nakomelingen worden als toekomstige dwepers van de Orde grootgebracht. Vrijwel de enige Galeaanse kinderen die na het eerste bezettingsjaar nog leefden, waren jongens.

Omdat die jongens onafgebroken in de zeden en gewoonten van de Orde werden gedrild, wérden ze de Orde. De gebruiken van hun ouders of hun vaderland, of zelfs het burgerlijk fatsoen, waren ze allang vergeten. Ze waren nu rekruten van de Imperiale Orde – versgebakken monsters.

Na vele maanden training werden groepen oudere jongens als de eerste golf aanvallers naar andere steden uitgezonden. Het was hun taak de eerste klappen op te vangen. Ze vertrokken enthousiast.

Vroeger dacht ik dat de bruten van de Imperiale Orde een apart slag barbaarse mensen waren, heel anders dan de mensen van de Nieuwe Wereld. Nadat ik had gezien hoe die jongens veranderden en wat er van hen werd, besefte ik dat de mensen van de Orde in wezen helemaal niet van ons verschillen, behalve in hun overtuigingen en ideeën.

Misschien is het een idiote gedachte, maar het lijkt wel alsof iedereen door het een of andere mechanisme in staat is voor de leefwijze van de Orde te zwichten.'

Ontzet schudde Jebra haar hoofd. 'Ik heb nooit goed begrepen hoe zoiets kon gebeuren, hoe de officieren de jongens zulke droge lessen konden leren, hoe ze tegen hen konden preken dat ze onbaatzuchtig moesten zijn, dat ze een leven van opofferingen voor het welzijn van anderen moesten leiden, en dat die jongens daarna als bij toverslag vrolijk zingend wegmarcheerden en op het slagveld hoopten te sneuvelen.'

'Het is in wezen heel simpel,' zei Nicci kortaf.

'Simpel?' Vol ongeloof fronste Jebra haar wenkbrauwen. 'Dat meen je niet!'

15

'**O**ja, simpel.' Nicci daalde de treden een voor een af, langzaam en afgemeten, terwijl ze vertelde. 'Jongens en meisjes in de Oude Wereld krijgen hetzelfde onderwijs van het Genootschap van de Orde, en in principe op dezelfde manier.'

Ze bleef niet ver van Richard vandaan staan en sloeg zuchtend haar armen over elkaar; niet uit vermoeidheid, maar meer met een gelaten soort cynisme.

'Alleen bij hen wordt er al vlak na hun geboorte mee begonnen. Het begint natuurlijk met simpele lessen, maar die lessen worden gedurende hun hele verdere leven uitgebreid en versterkt. Het is niet ongebruikelijk om vrome oude mensen in het publiek te zien tijdens de lezingen van het Genootschap van de Orde.

Bijna alle volgelingen worden aangetrokken door de geordende, sociale structuur ervan, en willen weten wat hún plaats is in het grotere geheel van het universum. Het Genootschap van de Orde biedt hun een allesomvattend en gezaghebbend gevoel van structuur; met andere woorden: er wordt hun verteld hoe ze moeten denken en hoe ze hun leven moeten leiden. Maar het is het meest effectief wanneer er jong mee wordt begonnen. Wanneer een jonge geest wordt gevormd volgens het dogma van de Orde, dan wordt die meestal inflexibel en voor het leven gefixeerd. Het resultaat daarvan is dat elke andere denkwijze – de mogelijkheid tot redeneren zelf – meestal al op jonge leeftijd verschrompelt en voor altijd verloren raakt. Wanneer zulke mensen ouder worden, blijven ze dezelfde basislessen volgen en gefascineerd naar elk woord daarvan luisteren.'

'Simpel?' vroeg Jebra. 'Je zei dat de vooronderstelling behoorlijk simpel is?'

Nicci knikte. 'De Orde leert dat deze wereld, de wereld van het leven, eindig is. Het leven is vluchtig. We worden geboren, we leven een tijdje en dan sterven we. Het hiernamaals daarentegen is eeuwig. We weten immers dat iedereen sterft maar dat er nooit iemand terugkomt uit de dood; de dood is voor altijd. Daarom is het hiernamaals belangrijker.

Rondom dat grondbeginsel blijft het Genootschap van de Orde onophoudelijk op de mensen inpraten dat ze hun eeuwigheid in de glorie van het licht van de Schepper moeten verdienen. Dit leven is een middel om de eeuwigheid te verdienen; een soort test, eigenlijk.'

Jebra knipperde ongelovig met haar ogen. 'Maar toch, het leven is... Nou ja, het is het léven. Hoe kan er iets belangrijker zijn dan je eigen leven?' Ze zwakte haar scepsis met een glimlach af. 'Je kunt mensen toch niet overhalen om de brute gedragingen van de Orde te volgen, zich af te wenden van het leven?'

'Het leven?' Met een plotseling dreigende blik boog Nicci zich een beetje omlaag naar Jebra. 'Geef je dan niet om je ziel? Denk je niet dat wat er tot in alle eeuwigheid met je ziel gebeurt, oprecht van groot belang is voor jou?'

'Nou, natuurlijk vind ik...' Jebra zweeg.

Toen Nicci haar rug weer rechtte, haalde ze met een spottend, nonchalant gebaar haar schouders op. 'Dit leven is eindig, vergankelijk, dus hoe belangrijk kan een vluchtig leven in deze ellendige wereld zijn in het geheel der dingen, vergeleken met een eeuwig hiernamaals? Welk echt doel zou dit korte bestaan nu kunnen hebben, behalve om te dienen als beproeving van de ziel?'

Jebra keek onbehaaglijk twijfelend, maar wilde Nicci niet tegenspreken als ze het zo stelde.

'Om die reden,' zei Nicci, 'is een overgave aan elk soort leed, elk soort ontbering, elke behoefte van je medemens een nederige vorm van erkenning dat dit leven betekenisloos is, een bewijs dat je erkent dat een eeuwigheid bij de Schepper in de volgende wereld je hoofdzorg is. Snap je? Door je op te offeren, geef je aan dat je de wereld van de mensen niet boven de eeuwigheid stelt, boven het rijk van de Schepper. Daarom is opoffering de prijs, een lage prijs, een schijntje dat je betaalt voor de eeuwige glorie van je ziel. Het is je bewijs aan de Schepper dat je die eeuwigheid met Hem waard bent.'

Richard stond ervan te kijken hoe eenvoudig die redenering – weliswaar uitgesproken door Nicci met vertrouwen, gezag en autoriteit – Jebra tot zwijgen bracht. Terwijl ze luisterde met Nicci boven haar uit torenend, had Jebra af en toe naar de anderen gekeken; naar Zedd, naar Cara, naar Shota, zelfs naar Ann en Nathan. Toen ze echter zag dat geen van hen protesteerde of tegenargumenten naar voren bracht, begonnen haar schouders te zakken alsof ze wenste dat ze in een spleet in de marmeren vloer kon verdwijnen.

'Als je je alleen maar zorgen maakt over gelukkig zijn in dit leven' – Nicci zwaaide nonchalant met een arm om haar heen terwijl ze koninklijk voor hen heen en weer schreed – 'als je het waagt je te verheugen over de zinloze trivialiteiten van deze ellendige wereld, dit betekenisloze, korte bestaan, dan is dat een verwerping van je veel belangrijkere eeuwige leven, en dus een verwerping van het perfecte plan dat de Schepper heeft voor je ziel.

Wie ben jij om de Schepper van het gehele universum in twijfel te trekken? Hoe durf je meer waarde toe te kennen aan jouw kleinzielige wensjes voor je onbelangrijke, zielige leventje dan aan Zijn grote ontwerp om jou op alle eeuwigheid voor te bereiden?'

Nicci zweeg en sloeg haar armen over elkaar met overdreven veel zorg, alsof het een uitdaging was. Dankzij een leven lang indoctrinatie kon ze de zorgvuldig opgestelde leerstellingen van de Orde met een verwoestende precisie uitdrukken. Hoe ze daar stond, in haar roze nachthemd, leek op de een of andere manier alleen maar haar minachting voor de trivialiteit van het leven te onderstrepen. Richard herinnerde zich maar al te goed hoe Nicci exact dezelfde boodschap aan hem had overgebracht, alleen was ze op dat moment dodelijk serieus geweest. Jebra ontweek Nicci's doordringende blik, en staarde naar haar handen, die ze in haar schoot had gevouwen.

'Om de leefwijze van de Orde naar andere mensen te brengen, Galea bijvoorbeeld,' zei Nicci terwijl ze haar lezing ijsberend voortzette, 'moesten veel soldaten van de Orde sterven.' Ze haalde haar schouders op. 'Maar dat is het ultieme offer – je leven – in een poging om verlichting te brengen aan degenen die nog niet weten hoe ze het enige ware en juiste pad moeten volgen naar de glorie in de volgende wereld. Wanneer iemand zijn leven opgeeft in de strijd ten behoeve van de Orde, om verlossing te brengen aan achtergestelde, onwetende en onbelangrijke mensen, dan verdient hij of zij een eeuwigheid met Hem in de volgende wereld.'

Nicci tilde een arm op, omhuld door het satijnachtige, roze materiaal van het nachthemd, alsof ze iets prachtigs maar onzichtbaars onthulde dat recht voor hen stond. 'De dood is alleen maar de poort naar die glorierijke eeuwigheid.'

Ze liet haar arm weer zakken. 'Omdat een individueel leven onbelangrijk is in het grotere geheel van dingen die wel belangrijk zijn, is het zonneklaar dat je, door individuen die zich verzetten te martelen en te vermoorden, helpt de massa onverlichte mensen over te halen naar de verlichting. Zo breng je die mensen verlossing, dien je een morele zaak en breng je de kinderen van de Schepper thuis, naar Zijn Koninkrijk.'

Nicci's gezicht werd even grimmig als haar relaas was geweest. 'Mensen die dit vanaf hun geboorte voorgeschoteld krijgen, gaan daar met zo'n blinde ijver in geloven dat ze iedereen die op een andere manier leeft dan volgens de leer van de Orde – met andere woorden, iemand die niet de juiste offers brengt in ruil voor eeuwige verlossing – gaan zien als mensen die een eeuwigheid van onverdraaglijke smart verdienen in de donkere, koude diepten van het rijk van de Wachter van de onderwereld. En dat is precies wat hun wacht als ze hun leven niet veranderen.

Maar heel weinig mensen die met deze indoctrinatie opgroeien, houden voldoende redeneringsvermogen over om een uitweg te zoeken uit die betoverende, circulaire valstrik, en dat willen ze ook niet. Voor hen staat vreugde in het leven, leven voor jezelf, gelijk aan het omruilen van een kort en zondig pleziertje voor een dreigende verdoemenis zonder einde.

Aangezien ze niet mogen genieten van dit leven, merken ze het maar al te snel als iemand zich niet opoffert zoals hij zou moeten, niet leeft volgens de canons van het Genootschap van de Orde. Bovendien wordt de herkenning van zondigheid bij anderen gezien als een goede daad, omdat het degenen die hun morele plicht negeren, helpt om terug te keren naar het pad naar de verlossing.'

Nicci boog zich omlaag naar Jebra en liet haar stem zakken naar een sinister gesis. 'Net zoals ongelovigen vermoorden een goede daad is. Snap je?'

Nicci rechtte haar rug. 'Volgelingen van de Orde ontwikkelen een intense haat jegens anderen die niet geloven zoals zij. De Orde leert immers dat zondaren die weigeren spijt te betuigen, gelijkstaan aan discipelen van de Wachter. De dood is het enige wat dergelijke vijanden van het rechtvaardige verdienen.'

Nicci spreidde haar armen in een afschrikwekkend gebaar. 'Er is geen twijfel mogelijk, aangezien de leer van de Orde in feite niet meer omvat dan de wensen van de Schepper zelf, en dus een goddelijke waarheid is.'

Jebra was nu te zeer geïntimideerd om tegen te spreken.

Cara was echter duidelijk niet geïntimideerd. 'O, ja?' zei ze op vlakke maar opstandige toon. 'Ik vrees dat er één probleem is. Hoe weten ze dat allemaal? Ik bedoel, hoe weten ze dat het hiernamaals echt zo is zoals zij het afschilderen?' Ze sloeg haar handen achter haar rug ineen en haalde haar schouders op. 'Voor zover ik weet, hebben ze de wereld der doden nog nooit bezocht. Hoe moeten zij weten hoe het voorbij de sluier is?

Onze wereld is de wereld van het leven, dus is het leven het belangrijkste in deze wereld. Hoe durven ze de waardigheid daarvan te roven door ons enige leven te bestempelen tot een prijs voor iets onkenbaars? Hoe kunnen ze beweren ook maar iets te weten over de aard van andere werelden? Ik bedoel, voor zover we weten, is de geestenwereld misschien alleen een overgangstoestand, terwijl we naar het niets van de dood doorglijden. En wat dat aangaat, hoe kan het Genootschap van de Orde weten dat dit de wensen van de Schepper zijn, of dat hij al wensen hééft?'

Cara fronste diep. 'Hoe weten ze zelfs maar dat de Schepping is ontstaan door een bewuste geest in de vorm van een of andere goddelijke koning?'

Jebra keek opgelucht dat er eindelijk iemand anders had geprotesteerd.

Nicci glimlachte op een vreemde manier en trok een wenkbrauw op. 'Dat is nou juist de truc.' Zonder op te kijken wees ze naar Ann, die aan de andere kant van de kamer in de schaduwen stond. 'Het is dezelfde methode waardoor de priores en haar Zusters van het Licht weten dat hun versie van hetzelfde waar is. Profetie, of de hogepriesters, of een of andere nederige maar zeer vrome persoon, hebben de intieme fluisteringen van het goddelijke gehoord of een heilig visioen gezien dat door Hem is gestuurd, of zijn bezocht in hun dromen. Er zijn zelfs oeroude teksten die beweren onfeilbare kennis te hebben van wat er voorbij de sluier is. Dergelijke overleveringen zijn vooral een verzameling van dezelfde soort fluisteringen, visioenen en dromen die in het verre verleden zijn opgeschreven als feiten en die 'onweerlegbaar' zijn geworden omdat ze nu eenmaal oud zijn.

En hoe moeten we de waarachtigheid van die getuigenis verifiëren?' Nicci maakte een weids armgebaar. 'Het is de grootste van alle zonden om dergelijke dingen te betwijfelen: een gebrek aan geloof!

Het feit dat het onkenbare onkenbaar ís, is volgens hen hetgeen wat het geloof zijn waarde en onaantastbaarheid geeft. Wat zou immers de waarde van het geloof zijn als dat waarin we geloven, gekend zou kunnen worden? Iemand die een absoluut geloof kan vasthouden zonder enig bewijs, moet wel zeer waardig zijn. Als gevolg daarvan zijn alleen degenen die de geloofssprong maken, van de fundering van het tastbare naar de leegte van het onzichtbare, de rechtschapenen die een eeuwige beloning waard zijn. Het is net zoiets als wanneer iemand je zegt van een klif te springen en erop te vertrouwen dat je kunt vliegen. Maar je mag niet met je armen wapperen, omdat je daarmee een fundamenteel gebrek aan geloof laat zien, en elk gebrek aan geloof zorgt er onvermijdelijk voor dat je ter aarde stort, wat bewijst dat een gebrek aan geloof een persoonlijke zwakke plek is, en fataal.'

Nicci haalde haar vingers door haar blonde haren, tilde het van haar schouders en liet toen met een zucht haar armen zakken. 'Hoe moeilijker de leer is om in te geloven, hoe groter het vereiste geloof. Tegelijk met de toewijding aan een hoger niveau van onvoorwaardelijk geloof, ontstaat er een nauwere band met degenen die datzelfde geloof delen, een groter gevoel van behoren tot de speciale groep van de verlichten. Gelovigen raken, doordat hun religie zo overduidelijk mystiek is, steeds verder vervreemd van de "onverlichten", van degenen die verdacht zijn omdat ze het geloof niet willen omhelzen. De term "ongelovige" wordt een algemeen aanvaarde vorm van veroordeling, waarmee iedereen wordt gedemoniseerd die ervoor kiest' – Nicci tikte met een wijsvinger tegen haar slaap – 'om zijn verstand te gebruiken.

Het geloof zelf, begrijp je, is de sleutel, de magische staf waarmee ze zwaaien over het borrelende brouwsel dat ze hebben bedacht om hun leer "vanzelfsprekend" te maken.'

Ann protesteerde niet, maar wierp alleen een minachtende blik op de Zuster van het Licht, die verraadster van de zaak was geworden. Richard vond het niets voor Ann en op dat moment bijzonder verstandig.

'Daar,' zei Nicci, schuddend met een vinger terwijl ze op blote voeten ijsbeerde, 'daar zit de scheuring in de indrukwekkende toren van leerstellingen van de Orde. Daar zit de fatale scheuring in alle overtuigingen die zijn ontsprongen aan de verbeelding van mensen. Zulke dingen zijn uiteindelijk, hoewel ze misschien gemeend zijn, niet meer solide dan het ingewikkelde product van grilligheid en zelfbedrog. Uiteindelijk is een waanzinnige die stemmen in zijn hoofd hoort, zonder de rots van de realiteit, even oprecht en even geloofwaardig.

Daarom snoeft de Orde met de heiligheid van het geloof en leren ze dat je de kwade impuls om je hersens te gebruiken moet onderdrukken, dat je je in plaats daarvan moet overgeven aan je gevoel. Zodra je je overgeeft aan een blind geloof in hun opvatting van het hiernamaals, zo beweren ze, pas dan zal de deur naar de eeuwigheid op magische wijze voor je opengaan en zul je alles weten. Met andere woorden: je kunt alleen kennis vergaren door alles af te zweren wat in feite kennis omvat.

Daarom stelt de Orde geloof gelijk aan heiligheid, en wordt een gebrek eraan als zondig gezien. En daarom is zelfs het betwijfelen van het geloof ketters. Zonder geloof valt alles wat ze onderwijzen namelijk uit elkaar.

En aangezien het geloof de onmisbare lijm is die hun wankele toren van leerstellingen bijeenhoudt, komt uit het geloof uiteindelijk wreedheid voort. Zonder wreedheid ter versterking van het geloof, eindigt het als niets meer dan een mooie dagdroom of het lege idee van een koningin dat niemand haar troon zal aanvallen, dat er geen vijand door de grenzen zal breken, dat geen enkele macht haar verdediging kan overrompelen zolang zij het maar verbiedt.

Ik hoef je immers niet te bedreigen om je te laten inzien dat het water in die fontein nat is, of dat de wanden in deze ruimte van steen zijn, maar de Orde moet mensen bedreigen om ze te laten geloven dat een eeuwigheid dood zijn een eeuwig genoegen zal worden, maar alleen als men in dit leven doet wat er gezegd wordt.'

Terwijl ze in het stilstaande water van de fontein keek, scheen het Richard toe dat Nicci's blauwe ogen het water in ijs konden veranderen. De koude woede in die ogen kwam voort uit dingen die ze in haar leven had gezien, dingen die hij zich met geen mogelijkheid kon voorstellen. De dingen die ze bereid was geweest hem te vertellen op donkere, rustige avonden die ze samen hadden doorgebracht, waren al vreselijk genoeg.

'Het is veel makkelijker om mensen te overtuigen voor jouw zaak te sterven als je er eerst voor zorgt dat ze graag sterven,' zei Nicci op bittere toon. 'Het is veel makkelijker om jongens hun borst te laten ontbloten voor pijlen en zwaarden als ze erin geloven dat het een onzelfzuchtige daad is waardoor de Schepper hen glimlachend zal verwelkomen in de eeuwige glorie van het hiernamaals.

Wanneer de Orde mensen leert om ware gelovigen te zijn, zijn ze eigenlijk bezig monsters te maken die niet alleen voor de zaak willen sterven, maar er ook voor willen moorden. Ware gelovigen worden verzengd door een onverzettelijke haat jegens degenen die niet geloven. Er is geen gevaarlijker, wreder, bruter persoon dan iemand die is verblind door de geloofsstellingen van de Orde. Zo'n gelovige wordt niet gevormd door de rede en is er dus ook niet door gebonden. Er is daarom geen mechanisme van zelfbeheersing in zijn haat. Dit zijn moordenaars die maar al te graag mensen vermoorden voor hun zaak, in de absolute overtuiging dat ze het enige juiste en morele doen.'

Nicci's knokkels waren wit en bloedeloos toen ze haar vuisten balde. Hoewel de kamer leek te gonzen in de plotselinge, vreselijke stilte, galmde de kracht van haar woorden nog door Richards hoofd. Hij zou er niet van staan te kijken als de aura die om haar heen knisperde, een plotselinge onweersstorm zou veroorzaken in de voorkamer.

'Zoals ik al zei, is de vooronderstelling vrij simpel.' Nicci schudde haar hoofd in bittere berusting, en ieder gevoel verdween uit haar naargeestige verklaring. 'De meeste mensen in de Oude Wereld, en nu de mensen van de Nieuwe Wereld, hebben geen andere keus dan de leer van de Orde te volgen. Als hun geloof wankelt, worden ze streng herinnerd aan de eeuwigheid van onvoorstelbaar leed die de ongelovigen wacht. Als dat niet werkt, wordt het geloof hun opgedrongen met de punt van een zwaard.'

'Maar er moet toch een manier zijn om die mensen terug te winnen,' zei Jebra uiteindelijk. 'Is er geen manier om ze bij zinnen te laten komen en ze de leer van de Orde te laten verwerpen?'

Nicci wendde haar blik van Jebra af en staarde voor zich uit. 'Ik ben vanaf mijn geboorte opgevoed met de leer van de Orde, en ik kwam bij zinnen.' Ze staarde voor zich uit in een donkere storm van herinneringen en zweeg een tijdje, alsof ze de schijnbaar eindeloze strijd herleefde om het leven te omarmen, om te ontkomen aan de graaiende klauwen van de Orde.

'Maar je kunt je niet voorstellen hoe vreselijk moeilijk het voor me was om me aan dat rijk van duistere geloofsstellingen te ontworstelen. Ik denk niet dat iemand die nooit verloren is geweest in de verstikkende wereld van de leer van de Orde, zich kan voorstellen hoe het is om te geloven dat je leven waardeloos is. De schaduw van afgrijzen die over je heen valt, telkens als je probeert je af te wenden van wat je is geleerd dat je enige hoop op redding is.' Haar vochtige ogen richtten zich aarzelend op Richard. Hij wist het. Hij was er geweest. Hij wist hoe het was. 'Ik ben eruit gekomen,' fluisterde ze met gebroken stem, 'maar het was verre van makkelijk.'

Jebra leek moed te putten uit iets waarvan Richard wist dat het geen echte aanmoediging was. 'Maar jou is het gelukt,' zei ze, 'dus misschien lukt het anderen ook.'

'Zij is anders dan de meeste anderen die onder invloed van de Orde verkeren,' zei Richard, terwijl hij in Nicci's blauwe ogen keek, ogen die de naakte emotie verraadden van hoeveel hij voor haar betekende. 'Zij werd gedreven door een behoefte om te begrijpen, te weten of wat zij had geleerd te geloven waar was of dat er meer in het leven was, of er iets was dat het leven de moeite waard maakte. De meeste anderen onder de Orde hebben die twijfels niet. Ze sluiten zich af voor dergelijke vragen en houden zich hardnekkig vast aan hun geloof.'

'Maar waarom denk je dat ze niet zullen veranderen?' Jebra leek nog niet van plan haar sprankje hoop te laten varen. 'Als Nicci is veranderd, waarom zouden anderen dat dan niet ook kunnen?'

Zonder zijn blik van Nicci's ogen los te maken, zei Richard: 'Ik denk dat ze zich kunnen afsluiten voor elke twijfel over wat ze geloven omdat ze zich hun indoctrinatie eigen hebben gemaakt, het niet langer zien als afzonderlijke ideeën die in hun hoofd zijn gestampt. Ze beginnen de ideeën die hun zijn geleerd, te ervaren als gevoelens die evolueren naar een krachtige emotionele overtuiging. Ik denk dat dat de truc is achter het proces. Ze zijn er innerlijk van overtuigd dat ze oorspronkelijke gedachten ervaren in plaats van de ideeën die hun zijn aangeleerd toen ze opgroeiden.'

Nicci schraapte haar keel toen ze haar blik van Richard afwendde en haar aandacht weer op Jebra richtte. 'Ik denk dat Richard gelijk heeft. Ik was me bewust van datzelfde in mijn eigen gedachten, van die innerlijke overtuiging die eigenlijk voortkwam uit een zorgvuldige manier van indoctrineren.

Sommige mensen die stiekem toch waarde hechten aan hun leven, zullen zich aansluiten bij een opstand als ze denken dat er een reële kans bestaat om te winnen; dat is in Altur'Rang gebeurd. Maar als die kans er niet is, dan weten ze dat ze moeten zeggen wat de volgelingen van de Orde willen horen, omdat ze anders hun meest geliefde bezit kwijtraken: hun leven. Onder de Orde geloof je wat je geleerd wordt, anders sterf je. Zo simpel is het.

In de Oude Wereld proberen ze mensen bijeen te krijgen die tot een opstand bereid zouden zijn, die het vuur van de vrijheid proberen aan te wakkeren voor degenen die een kans willen om hun eigen lot in handen te nemen. Dus er zijn mensen die echt een kans op vrijheid willen en daar ook iets voor willen doen. Jagang weet ook van die inspanningen, en hij heeft troepen gestuurd om ze de kop in te drukken. Maar ik weet ook maar al te goed dat de meeste mensen in de Oude Wereld nooit vrijwillig hun geloof zouden loslaten; dat zien ze als een zonde. Zij zullen meedogenloos elke opstand neerslaan. Als het moet, houden ze zich tot aan het graf aan hun geloof vast. Degenen...'

Shota hief geërgerd een hand op en onderbrak Nicci. 'Ja, ja, sommigen wel, anderen niet. Velen twijfelen. Het maakt niet uit. Hopen op een opstand heeft geen zin. Het is niet meer dan de ijdele hoop dat de redding wel uit de lucht zal vallen.

De soldatenlegioenen uit de Oude Wereld zijn hier, nu, in de Nieuwe Wereld, dus moeten we ons zorgen maken over de Nieuwe

Wereld, niet de Oude Wereld en wat de kansen op een opstand daar misschien zijn. De Oude Wereld gelooft grotendeels in de Orde, steunt de Orde en moedigt de Orde aan om de rest van de wereld te veroveren.'

Shota schreed naar voren en richtte een betekenisvolle blik op Richard. 'De enige manier waarop de beschaving kan overleven, is de invasielegers van de Orde door die deur naar hun geliefde eeuwigheid in de wereld der doden te sturen. Degenen wier geest is verloren aan het geloof waar ze graag voor willen sterven, zijn niet meer te redden. De enige manier om de Orde en zijn leer een halt toe te roepen, is door zo veel van hun soldaten te doden dat ze niet meer verder kunnen gaan.'

'Pijn is een goede manier om mensen van gedachten te doen veranderen,' zei Cara. Shota knikte goedkeurend naar de Mord-Sith. 'Als ze echt gaan geloven dat ze niet zullen winnen, dat hun pogingen tot een zekere dood leiden, dan zullen sommigen misschien hun geloof en hun zaak laten varen. Het kan heel goed zijn dat, ondanks hun geloof in de leerstellingen van de Orde, maar heel weinigen onder hen heel diep vanbinnen echt willen sterven om die te bewijzen.

Maar wat dan nog? Maakt dat voor ons echt wat uit? Wat we wel weten, is dat er een heel groot aantal fanatiekelingen bij zit dat de dood zal verwelkomen. Honderdduizenden zijn al gesneuveld en hebben bewezen dat ze echt bereid zijn dat offer te brengen. De rest van die mannen moet worden gedood, anders vermoorden ze ons allemaal en verdoemen ze de rest van de wereld tot een langzaam, pijnlijk afglijden naar de beestachtigheid. Dat staat ons te wachten. Dat is de realiteit.'

16

Shota richtte een vurige blik op Richard. 'Jebra heeft je verteld wat die soldaten gaan doen als je ze niet tegenhoudt. Denk je dat die mannen nog rationele gedachten hebben over de betekenis van hun leven? Of dat ze zich zullen aansluiten bij een opstand tegen de Orde als ze de kans krijgen? Ik denk het niet.

Ik ben hier om je te laten zien wat al zo velen is overkomen, zodat je begrijpt wat er met alle anderen gaat gebeuren als jij er niet iets tegen doet.

Een goed begrip van hoe de soldaten van de Orde zo geworden zijn – de keuzes die zij hebben gemaakt op basis waarvan ze de levens van onschuldige mensen verwoesten, en de redenen achter die keuzes – is onze zorg niet. Ze zijn wat ze zijn. Het zijn vernietigers, moordenaars. Ze zijn hier. Dat is alles wat er nu toe doet. Ze moeten worden tegengehouden. Als ze dood zijn, vormen ze geen bedreiging meer. Zo simpel is het.'

Richard vroeg zich af hoe ze zich voorstelde dat hij zoiets 'simpels' voor elkaar moest krijgen. Ze kon hem net zo goed vragen de maan uit de hemel te trekken en daarmee het leger van de Imperiale Orde plat te slaan.

Het leek wel alsof Nicci zijn gedachten gelezen had. 'We zijn het allemaal met je eens, met alles wat je zegt. In feite hoef je ons niet te vertellen wat we al weten. Je doet net alsof wij kinderen zijn en jij de wijsheid in pacht hebt. Maar je begrijpt niet wat je vraagt. Het leger dat Jebra heeft gezien, het leger dat naar Galea marcheerde en daar zo eenvoudig door de verdediging is gebroken en zoveel mensen heeft vermoord, was nog maar een kleine, relatief onbelangrijke eenheid van de Imperiale Orde.'

'Dat kun je niet menen,' zei Jebra.

Nicci wendde haar boze blik van Shota af en keek Jebra aan. 'Heb je daar begaafden gezien?'

Jebra dacht even na. 'Begaafden? Nou, nee, ik geloof van niet.'

'Dat komt doordat ze geen eigen begaafden onder hun bevel hadden staan,' zei Nicci. 'Als ze begaafden hadden, zou Shota niet zo makkelijk binnen zijn gekomen om jou daar weg te halen. Maar ze hadden geen begaafden. Omdat het een relatief kleine groep is, worden ze gezien als vervangbaar.

Daarom duurde het zo lang voor de voorraden bij hen waren. Alle voorraden gingen eerst naar het noorden, naar de belangrijkste troepen van Jagang. Zodra zij hadden wat ze nodig hadden, mochten er voorraden naar de andere eenheden worden gebracht, zoals die in Galea. Zij zijn maar een van Jagangs expeditielegers.'

'Maar je begrijpt het niet.' Jebra stond op. 'Het was een gigantisch leger. Ik was erbij. Ik heb ze met mijn eigen ogen gezien.' Ze wreef in haar handen terwijl ze iedereen om beurten aankeek. 'Ik was er bij, en heb maandenlang voor ze gewerkt. Ik heb gezien hoe enorm hun aantallen waren. Hoe had ik dat niet kunnen zien? Ik heb je verteld wat ze allemaal hebben bereikt.'

Nicci schudde haar hoofd, niet onder de indruk. 'Dat was niks.'

Jebra likte over haar lippen en keek onthutst. 'Misschien heb ik het niet goed genoeg beschreven, of duidelijk gemaakt hoeveel soldaten van de Orde Galea precies zijn binnengevallen. Het spijt me als ik je niet heb laten inzien met welk gemak ze al die vastberaden verdedigers onder de voet liepen.'

'Je hebt heel goed beschreven wat je hebt gezien,' zei Nicci op vriendelijker toon terwijl ze de vrouw geruststellend in de schouder kneep. 'Maar je hebt alleen maar een deel van het geheel gezien. Wat jij hebt gezien, hoe angstaanjagend het vast ook is geweest, was nog niets vergeleken met de rest. Wat jij hebt gezien, heeft je geenszins voorbereid op hoe het hoofdleger eruitziet dat wordt geleid door keizer Jagang. Ik heb heel veel tijd doorgebracht in de belangrijkste kampen van Jagang, ik weet waar ik over praat. Vergeleken met hun hoofdleger was het leger dat jij hebt gezien, niet eens zo indrukwekkend.'

'Ze heeft gelijk,' zei Zedd grimmig. 'Ik geef het niet graag toe, maar ze heeft gelijk. Jagangs hoofdleger is enorm veel sterker dan het leger dat Galea is binnengevallen. Ik heb geprobeerd hun voortgang door het Middenland te vertragen terwijl zij ons steeds verder terugdreven naar Aydindril, dus ik kan het weten. Als je ze ziet aankomen, is het net of de ontelbare volgelingen van de onderwereld aankomen om de levenden op te slokken.'

Hij zag er stoïcijns uit in zijn simpele mantel, boven aan de vijf treden, toekijkend, luisterend naar wat de anderen zeiden. Richard wist echter dat zijn grootvader allesbehalve onverschillig was. Zedd luisterde meestal eerst naar wat anderen te zeggen hadden voor hij zelf zijn zegje deed. In dit geval hoefde hij niets van wat hij had gehoord te corrigeren.

'Als de troepen van de Orde in Galea geen begaafden hebben,' zei Jebra, 'dan kun je ze misschien elimineren door er enkele begaafden naartoe te sturen. Misschien kun je die arme mensen die nog leven, die zoveel hebben doorstaan, nog redden. Het is nog niet te laat om er tenminste een aantal van te redden.'

Richard dacht dat wat ze eigenlijk vroeg, maar niet hardop durfde te zeggen, was: als dit maar een kleine troep was zonder begaafden, waarom had dan niemand iets gedaan om de slachting die ze had gezien, tegen te houden? Voordat Richard zijn Hartlandbos had verlaten, had hij misschien zelf wel hetzelfde vage gevoel van wrok en ongenoegen gehad ten opzichte van degenen die niets hadden gedaan om die mensen te redden. Nu ging hij gebukt onder de wetenschap dat er meer achter zat.

Nicci schudde haar hoofd en verwierp het idee. 'Dat is niet zo uitvoerbaar als het lijkt. De begaafden zouden misschien wel in staat zijn een heleboel vijanden uit te schakelen en een tijdlang chaos aan te richten, maar zelfs dat expeditieleger heeft voldoende mannen om elke aanval van begaafden te doorstaan. Zedd zou bijvoorbeeld tovenaarsvuur kunnen gebruiken om rijen soldaten neer te maaien, maar zodra hij de tijd zou nemen om meer vuur op te roepen, zou de vijand de ene na de andere golf mannen op hem afsturen. Ze zouden daarbij misschien een hoop manschappen verliezen, maar ongelooflijke aantallen slachtoffers schrikken hen niet af. Ze zouden blijven komen. Ze zouden rij na rij mannen op de vuurzee afsturen. En hoeveel er ook zouden sterven, het zou niet lang duren voor ze zelfs iemand die zo getalenteerd is als de Eerste Tovenaar onder de voet lopen. En waar blijven we dán?

Zelfs een groep doodgewone boogschutters kan een begaafde uitschakelen.' Ze wierp een korte blik op Richard. 'Er hoeft maar één pijl doel te treffen, en een begaafde sterft net zoals ieder ander.'

Zedd spreidde gefrustreerd zijn handen. 'Ik ben bang dat Nicci gelijk heeft. Uiteindelijk zou de Orde zich in dezelfde situatie bevinden met hetzelfde resultaat, ook al hebben ze dan minder manschappen. Wij zouden het dan echter moeten stellen zonder de begaafden die we op hen af hadden gestuurd. Zij kunnen hun troepen aanvullen met bijna eindeloze versterkingen, maar er zijn geen legioenen van begaafden die ons te hulp kunnen schieten. Hoe gevoelloos het ook lijkt, onze enige kans ligt niet in een futiele strijd waarbij we ons leven vergooien zonder enige kans op succes; we moeten iets bedenken wat echt zou kunnen werken.'

Richard wenste dat hij geloofde in een oplossing, een plan dat echt zou kunnen werken, maar hij dacht niet dat er ook maar de geringste kans bestond dat ze iets konden doen, behalve het einde uitstellen.

Jebra knikte, en het sprankje hoop in haar ogen doofde. De diepe rimpels, haar slappe huid en het web van rimpeltjes bij haar ooghoeken maakten dat ze er ouder uitzag dan Richard vermoedde dat ze eigenlijk was. Haar schouders waren licht gebogen en haar handen ruw en eeltig van het harde werken. Hoewel de mannen van de Orde haar niet hadden vermoord, hadden ze haar toch van het leven beroofd, haar voor altijd littekens bezorgd door wat ze had doorstaan en door waar ze was gedwongen getuige van te zijn. Hoeveel anderen zoals zij waren er nog, in leven maar voor altijd veranderd door het geweld van de bezettingslegers, schimmen van wie ze geweest waren, levend vanbuiten maar levenloos vanbinnen?

Richard was duizelig. Hij kon nauwelijks geloven dat Shota Jebra helemaal hierheen had gehaald om hem ervan te overtuigen hoe vreselijk de Orde echt was. Hij wist al hoe bruut ze waren, hij kende de aard van de dreiging. Hij had bijna een jaar in de Oude Wereld geleefd onder de onderdrukking van de Orde. Hij was bij het begin van de opstand in Altur'Rang geweest.

Jebra's getuigenis uit eerste hand hielp hem eigenlijk alleen maar nog meer overtuigd te raken van wat hij al wist: dat ze geen enkele kans hadden tegen Jagang en de troepen van de Imperiale

Orde. Het hele D'Haraanse rijk zou waarschijnlijk in staat zijn geweest de eenheid die in Galea neerstreek tegen te houden, maar die stelde niets voor vergeleken met het hoofdleger van de Imperiale Orde.

Toen hij Kahlan voor het eerst ontmoette, had hij gestreden om de dreiging van Darken Rahl tegen te houden. Hoe moeilijk het ook was geweest, Richard was erin geslaagd een einde aan die dreiging te maken door Darken Rahl uit te schakelen. Hij wist echter dat de huidige dreiging anders was. Hoezeer hij Jagang ook haatte, Richard wist dat hij dit niet moest bekijken op dezelfde manier als de vorige strijd. Zelfs als hij op de een of andere manier Jagang kon vermoorden, zou dat de dreiging van de Imperiale Orde niet wegnemen. Hun zaak was monolithisch, ideologisch, niet gedreven door de ambities van één individu. Daarom leek het allemaal zo hopeloos.

Shota's visioen – wat zij voorzag in de tijdstroom als de hopeloze toekomst van de wereld als zij niets tegen de Imperiale Orde deden – leek wat Richard betrof tenminste niet voort te komen uit een bijzonder talent of speciale helderziendheid. Hij hoefde geen profeet te zijn om te zien hoe groot de dreiging van de Orde was. Als ze niet werden tegengehouden, zouden ze de macht over de hele wereld grijpen. Jebra had hem in dat opzicht niets nieuws verteld, niets wat hij al niet wist.

Richard besefte maar al te goed dat, zoals de zaken ervoor stonden, de troepen van het D'Haraanse rijk, die dappere mannen die alles waren wat de Orde nog in de weg stond, in een uiteindelijke slag tegen Jagangs leger allemaal zouden sterven. Daarna zou niets de Imperiale Orde nog tegenhouden. Ze zouden plunderend verder trekken en uiteindelijk over de wereld heersen.

Shota was verre van dom dus zij wist dat ongetwijfeld allemaal, en ze moest beseffen dat hij het ook wist. Dus vroeg hij zich af waarom ze hier echt was. Ondanks zijn sombere stemming na Jebra's angstaanjagende verslag van wat ze had gezien, vermoedde Richard dat Shota waarschijnlijk nog een andere reden had voor haar bezoek.

Toch was het moeilijk geweest om naar Jebra's verhaal te luisteren zonder niet alleen smart te voelen, maar ook woede. Richard wendde zich af en staarde in het stille water van de fontein. Hij voelde het gewicht van de somberheid op zijn schouders drukken. Wat kon hij aan dat alles doen? Hij had het gevoel dat deze en alle andere problemen die hem plaagden, Kahlan uit zijn gedachten duwden, weg van hem.

Soms leek ze zelfs voor hem nauwelijks echt. Hij vond het vreselijk als zo'n gedachte hem inviel. Soms, als hij dacht aan haar gevoel voor humor of de manier waarop ze lachte als ze haar polsen op zijn schouders liet rusten, haar vingers achter zijn nek verstrengelde en naar hem keek, of haar mooie groene ogen, of haar zachte lach, haar aanraking, het speciale glimlachje dat ze alleen aan hem schonk, leek ze eerder een fantoom dat alleen in zijn verbeelding bestond.

De gedachte dat Kahlan niet echt zou zijn, bezorgde hem een huivering van tintelende angst. Hij had een lange, duistere periode met die verdovende angst geleefd. Het was angstaanjagend geweest om de enige te zijn die geloofde dat ze bestond, angstaanjagend om aan zijn eigen geestelijke gezondheid te twijfelen, tot hij uiteindelijk de waarheid had ontdekt van de ketenvuurbetovering en de anderen ervan had overtuigd dat ze toch echt was. Nu had hij tenminste hun hulp.

Richard vermande zich. Kahlan was geen fantoom. Hij moest een manier bedenken om haar uit de klauwen van Zuster Ulicia en de andere twee Zusters van het Duister te bevrijden. Maar de gedachte aan Kahlan als gevangene van zulke meedogenloze vrouwen maakte hem zozeer van streek dat hij het soms niet kon verdragen eraan te denken, te denken aan de vreselijke dingen die ze haar die zijn hele wereld was, konden aandoen, de vrouw van wie hij meer hield dan van het leven zelf; en toch kon hij zijn gedachten nergens anders op richten.

Ondanks wat Shota vond dat hij moest doen, waren er – naast Kahlan, die verloren was in de spiraal van de ketenvuurbetovering – nog andere onheilspellende gevaren, zoals de kistjes van Orden, die in het spel waren, en de schade die door de akkoorden was aangericht. Hij kon niet al het andere negeren alleen omdat de heks binnen kwam marcheren en zei wat zij vond dat hij moest doen. Het was zelfs mogelijk dat Shota's werkelijke doel een of ander ingewikkeld plan was, een verborgen agenda die te maken had met die andere heks, Zes. Hij had geen idee wat Shota werkelijk in haar schild voerde.

Toch had Richard groot respect voor haar gekregen, net als Kah-

186

lan, ook al vertrouwde hij haar dan niet helemaal. Hoewel Shota vaak de aanstichtster leek te zijn van problemen, was dat niet noodzakelijk het geval omdat ze hem verdriet wilde doen; soms was het haar bedoeling om hem te helpen en soms was ze alleen een boodschapper van de waarheid. En hoewel ze altijd gelijk had over de dingen die ze aan hem onthulde, bleken die dingen bijna altijd waar op manieren die Shota niet had voorspeld, of tenminste op manieren die ze niet had onthuld. Zoals Zedd vaak zei, een heks vertelde je nooit iets wat je weten wilde zonder je ook iets te vertellen wat je niet wilde weten.

Toen hij Shota voor het eerst ontmoette, had ze gezegd dat Kahlan hem zou aanraken met haar macht en dat hij haar moest doden om dat te voorkomen. Kahlan bleek ook uiteindelijk haar Belijdsterskracht op hem te gebruiken, maar zo was hij wel in staat geweest Darken Rahl in de luren te leggen en te verslaan. Shota had gelijk gehad, maar het was gebeurd op een heel andere manier dan zij het had voorgesteld. Hoewel ze strikt genomen gelijk had gehad, zou Darken Rahl het hebben overleefd om de kracht van Orden vrij te laten en hen allen te overheersen, althans degenen die nog leefden, als hij haar advies had opgevolgd.

Ergens in zijn achterhoofd zat nog de voorspelling die Shota had gedaan, dat als Richard met Kahlan trouwde, ze een monsterkind zou baren. Hij en Kahlan waren getrouwd. Die voorspelling zou toch vast ook niet zo uitkomen zoals Shota haar had gebracht? Kahlan zou toch vast geen monster baren?

Uiteindelijk verbrak Zedd de stilte, waardoor Richard uit zijn gedachten werd opgeschrikt. 'Wat is er eigenlijk met koningin Cyrilla gebeurd?'

Het bleef een tijdje doodstil voordat Jebra antwoordde. 'Het was net zoals in mijn visioen. Ze werd aan de laagste soldaten gegeven, die haar naar eigen goeddunken mochten gebruiken. Ze stonden te popelen om haar in handen te krijgen. Het verging haar heel slecht. Haar grootste angsten werden bewaarheid.'

Zedd hield zijn hoofd schuin; schijnbaar vermoedde hij dat er nog meer te vertellen viel. 'Dus dat was het laatste wat je van haar zag?'

Jebra vouwde haar handen voor haar buik ineen. 'Niet precies. Op een dag, toen ik me door de gangen haastte met een schotel geroosterd vlees, kwam ik een woeste groep mannen tegen die een spel speelden waar de troepen van de Imperiale Orde heel graag naar kijken. Er waren twee teams, en de verzamelde mannen schreeuwden en moedigden hen aan. De toeschouwers wedden allemaal welk team er zou winnen. Ik weet niet meer hoe dat spel heette...'

'Ja'La,' zei Nicci. Toen Jebra haar aankeek, zei Nicci: 'Dat spel heet Ja'La. In theorie is het een spel van atletische vaardigheden, bekwaamheid en strategie; in de praktijk, met de regels waaronder de Orde het speelt, is Ja'La dat allemaal en bovendien ook nog eens behoorlijk gewelddadig. Ja'La is Jagangs favoriete sport. Hij heeft een eigen team. Ik kan me nog een keer herinneren toen ze een wedstrijd verloren. Het hele team werd ter dood gebracht. De keizer had al snel weer een nieuw team met de vaardigste, taaiste, fysiek indrukwekkendste spelers die hij kon vinden. Ze verloren niet. De volledige naam van het spel is Ja'La dh Jin. In keizer Jagangs eigen taal betekent dat "het spel des levens".'

Jebra fronste haar voorhoofd toen ze het zich herinnerde. 'Ja, ik geloof inderdaad dat ik het ze Ja'La heb horen noemen. Ze speelden het altijd met een zware bal. Een bal die zwaar genoeg was om soms de botten van de spelers te breken.'

'Die bal noemen ze een broc,' zei Richard zonder zich om te draaien.

Nicci keek hem aan. 'Dat klopt.'

'Nou,' zei Jebra, die haar vertelling hervatte, 'op die dag, toen ik dat vlees naar de commandanten bracht, moest ik naar de plek waar dat spel werd gespeeld. Er hadden zich duizenden soldaten verzameld om te kijken. Ik werd naar een podiumpje gebracht waar de commandanten zaten en moest door de juichende menigte heen. Het was een angstaanjagende tocht. De mannen zagen de ijzeren slavenring in mijn lip dus durfden ze me niet hun tenten in te trekken, maar dat weerhield ze er niet van me te bepotelen.' Jebra richtte haar blik op de vloer. 'Dat was iets wat ik zo vaak te verduren kreeg.'

Ze keek eindelijk weer op. 'Toen ik bij de commandanten aankwam, dicht bij het speelveld, zag ik dat de mannen, die met een nieuw spel begonnen, niet de bal gebruikten die ze normaal gebruikten.' Ze schraapte haar keel. 'Ze gebruikten koningin Cyrilla's hoofd.'

Jebra wilde de onbehaaglijke stilte vullen. 'Hoe dan ook, het leven in Galea is voor altijd veranderd. Wat ooit een handelscentrum was, is nu weinig meer dan een enorm legerkamp vanwaaruit doorlopend campagnes tegen de vrije gebieden van de Nieuwe Wereld worden uitgezonden. De boerderijen op het platteland, waar dwangarbeiders werken, produceren niet meer zoveel als voorheen. Oogsten mislukken of vallen tegen. De behoeften van de enorme troepenmachten in Galea zijn gigantisch. Voedsel is altijd schaars, maar de voorraden die regelmatig vanuit de Oude Wereld komen, houden de soldaten voldoende gevoed om door te gaan.

Ik heb dag en nacht als slaaf gewerkt om de behoeften van de commandanten van de Imperiale Orde te vervullen. Ik had nooit meer visioenen na dat ene over koningin Cyrilla. Ik vond het vreemd om geen visioenen meer te hebben. Ik had ze mijn hele leven gehad, maar na dat vreselijke visioen over koningin Cyrilla een paar jaar geleden, volgden er geen andere meer. Mijn gave als Ziener lijkt te zijn verdwenen. Mijn zicht is duister geworden.'

Aan de blik van Nicci te zien, vermoedde ze wat Richard dacht. 'Uiteindelijk,' zei Jebra, 'werd ik op een dag midden tussen al die troepen vandaan gehaald. Shota heeft me daar op de een of andere manier weg gekregen. Ik weet niet helemaal zeker hoe dat ging. Ik weet alleen nog dat zij bij me was. Ik wilde haar iets vragen, maar ze zei dat ik mijn mond moest houden en moest doorlopen. Ik weet nog dat ik me een keer omdraaide en dat ik het leger uitgespreid zag over de vallei en tegen de heuvels aan, maar het lag heel ver achter ons. Ik weet niet hoe het kwam dat we ineens zo ver weg waren.' Ze fronste haar voorhoofd bij haar vage herinneringen. 'We liepen gewoon weg. En hier ben ik. Ik ben echter bang dat ik jullie niet langer kan helpen, omdat ik geen visioenen meer krijg.'

Richard vond dat ze de waarheid moest weten, dus vertelde hij die haar. 'Je visioenen zijn waarschijnlijk opgehouden omdat enkele jaren geleden de akkoorden een tijdlang in deze wereld waren. Ze werden terug verbannen naar de onderwereld, maar de schade was al aangericht. Ik denk dat de aanwezigheid van de akkoorden in de wereld van het leven het begin was van het uiteenvallen van de magie. Dat moet je vermogen hebben verstoord. Je gave voor visioenen is waarschijnlijk verloren, en zelfs als het gedeeltelijk of tijdelijk terugkomt, zal het uiteindelijk geheel worden uitgedoofd.'

Jebra keek onthutst over het nieuws. 'Mijn hele leven heb ik vaak gewenst dat ik nooit was geboren met visioenen of als Ziener. Het maakte me op veel manieren tot een buitenstaander. Ik heb vaak 's nachts gehuild en gewenst dat ik vrij was van mijn visioenen, dat ze me met rust lieten. Maar nu je me vertelt dat mijn wens is uitgekomen, denk ik niet dat ik het ooit echt meende.'

'Dat is het punt met wensen,' zei Zedd zuchtend. 'Het zijn vaak dingen die...'

'De akkoorden?' onderbrak Shota hem. De klank van haar stem en haar gefronste voorhoofd duidden erop dat ze geen belangstelling had voor wensen. 'Als dat waar is, waarom is er dan geen verder bewijs voor?'

'Dat is er wel,' zei Richard schouderophalend. 'Wezens van magie, zoals de draken, zijn al een paar jaar niet meer gezien.'

'Draken?' Shota draaide een lange, krullende haarlok om haar vinger terwijl ze hem zwijgend een tijdje schattend aankeek. 'Richard, de meeste mensen vangen hun hele leven nooit een glimp van een draak op.'

'En hoe zit het dan met Jebra's visioenen die verdwenen zijn? Nadat de akkoorden in deze wereld waren, hielden haar visioenen op. Net als andere magische dingen, flakkert ook haar unieke vaardigheid uit. Ik weet zeker dat we ons niet eens bewust zijn van de meeste van die dingen.'

'Ik zou me er wel van bewust zijn.'

'Niet per se.' Richard streek zijn haren weg van zijn voorhoofd. 'Het punt is dat ketenvuur – waar jij me voor het eerst over vertelde – een bezwering is die is aangewakkerd door vier Zusters van de Duisternis, om te zorgen dat iedereen Kahlan vergat. Die bezwering is besmet door de akkoorden, zodat naast Kahlan, mensen ook andere dingen vergeten, zoals draken.'

Shota keek allesbehalve overtuigd. 'Ik zou me nog steeds bewust zijn van dergelijke dingen, vanwege de manier waarop ze zich bewegen in de tijdstroom.'

'En hoe zit het dan met die andere heks, die Zes? Ik dacht dat je zei dat ze je vermogen maskeerde om de tijdstroom te zien.'

Shota negeerde zijn vraag en haalde haar vinger uit de opgerolde haarlok. Terwijl ze haar armen over elkaar sloeg, bleven haar amandelvormige ogen op hem gericht. 'Als de schaduw van de Orde over de mensheid valt, zal het allemaal niet meer uitmaken, hè? Zij zullen een einde maken aan alle magie en aan alle hoop.'

Richard gaf geen antwoord. Hij draaide zich om naar het stille water, naar zijn sombere gedachten.

Shota hield haar hoofd schuin en gebaarde naar de trap terwijl ze zachtjes tegen Jebra sprak. 'Ga naar boven en praat met Zedd. Ik moet Richard spreken.'

17

Terwijl Shota dichter naar Richard toe schreed, keek ze Nicci dreigend aan. Hij vroeg zich af waarom Shota niet ook tegen Nicci had gezegd dat ze met Jebra de trap op moest lopen. Hij nam echter aan dat de heks waarschijnlijk wist dat Nicci een dergelijk bevel toch niet zou opvolgen. Hij wilde die twee ook zeker niet in een wilsstrijd verwikkeld zien. Hij had genoeg zorgen aan zijn hoofd zonder dat degenen die aan dezelfde kant stonden, onderling strijd voerden.

Toen Richard opkeek en Jebra de trap op zag lopen, zag hij ook dat Ann en Nathan al bij hem waren gaan staan. Toen Jebra bij Zedd was aangekomen, legde hij een bemoedigende arm om haar schouders en mompelde troostrijke woorden, maar zijn blik was op Richard gericht. Richard waardeerde het dat zijn grootvader op hem lette en ook een oogje hield op de heks voor het geval ze een van haar trucjes wilde uithalen. Zedd wist waarschijnlijk veel beter dan wie ook waar Shota toe in staat was. Hij wantrouwde de vrouw en was het niet eens met Richards standpunt dat Shota in haar hart werd gedreven door dezelfde overtuigingen als de rest van hen.

Hoezeer hij haar centrale doelstelling ook op waarde wist te schatten, Richard was zich ervan bewust dat Shota dat doel soms probeerde te bereiken op manieren die hem in het verleden maar al te vaak moeilijkheden hadden bezorgd. Wat zij zag als hulp, bleek uiteindelijk voor hem niet meer dan een hoop toestanden.

Hij besefte ook heel goed dat Shota soms haar eigen agenda had, zoals toen ze het zwaard aan Samuel had gegeven. Richard vermoedde dat ze nu ook iets in haar schild voerde, maar hij wist niet wat het was of wat er achter zat. Hij vroeg zich af of het misschien iets te maken had met het uitschakelen van die andere heks.

'Richard,' zei Shota zachtjes, op medelevende toon, 'je hebt de aard gehoord van de verschrikking die op ons afkomt. Jij bent de enige die er iets tegen kan doen. Ik weet niet waarom het zo is, maar ik weet dát het zo is.'

Richard spaarde haar niet vanwege haar vriendelijke toon of haar bezorgdheid om hun gemeenschappelijke vijand. 'Jij durft je diepe ongerustheid uit te spreken over het leed dat de Orde zaait en je overtuiging dat ik de enige ben die iets tegen de dreiging kan ondernemen, maar toch heb je gekonkeld om informatie achter te houden om zo het Zwaard van de Waarheid van me los te peuteren.'

Ze nam zijn uitdaging niet aan. 'Er was geen gekonkel, zoals jij dat zegt. Het was een eerlijke ruil.' Haar stem bleef sereen. 'Bovendien zou het zwaard je hierbij niet kunnen helpen, Richard.'

'Dat is nogal een slappe smoes terwijl jij het aan die moorddadige Samuel hebt gegeven.'

Shota trok een wenkbrauw op. 'En nu blijkt dat als ik dat niet had gedaan, de Zusters van de Duisternis die de kistjes van Orden hebben gestolen, nu waarschijnlijk verenigd zouden zijn. Met alle drie de kistjes samen hadden ze er heel goed al een open kunnen maken, hadden ze heel goed al de kracht van Orden kunnen loslaten, hadden ze ons heel goed allemaal al kunnen hebben overgeleverd aan de Wachter van de doden. Wat zou je aan een zwaard hebben gehad als de wereld van het leven was geëindigd? Schijnbaar heeft Samuel, om welke reden dan ook, een ramp voorkomen.'

'Samuel heeft het zwaard ook gebruikt om Rachel te ontvoeren. En daarbij heeft hij bijna Chase omgebracht, wat hij schijnbaar ook van plan was.'

'Gebruik je hersens, Richard. Het zwaard heeft ons allemaal gediend door tijd voor ons te rekken, ook al was het tegen een prijs die ons geen van allen aanstaat. Wat ga je doen met de tijd die je nu hebt, die je anders niet zou hebben gehad? Om precies te zijn: wat zou je nu aan het zwaard hebben, tegen de dreiging van de Orde?

Bovendien kan iedereen met het zwaard een Zoeker zijn, of althans een nepzoeker. Een echte Zoeker heeft het zwaard niet nodig om de Zoeker te zijn.'

Hij wist dat ze gelijk had. Wat zou hij met het zwaard moeten? Proberen de Imperiale Orde in zijn eentje te verslaan? Wat Nicci aan Jebra had uitgelegd, dat de begaafden niets konden uitrichten tegen grote aantallen soldaten alleen omdat ze magie hadden, ging ook op voor het zwaard. Toch had Shota het zwaard aan Samuel gegeven, en nu leek het erop dat Samuel bevelen opvolgde van een andere heks, een heks die blijkbaar niemands belangen diende behalve die van haarzelf.

Erger nog, wat had het voor zin zich druk te maken over een wapen terwijl zoveel mensen stierven door toedoen van de Orde, terwijl dat ene wapen hun leven of vrijheid niet kon redden? Richard wist dat het zwaard niet het echte wapen was; de geest die hem bestuurde was het enige wat er echt toe deed. Hij was de echte Zoeker. Hij was het echte wapen. Samuel kon hem dat niet afnemen.

Maar toch had hij geen idee wat hij kon doen om de dreiging tegen te houden, aan het gevaar dat hen van alle kanten insloot.

Nicci stond niet ver uit de buurt; ver genoeg verwijderd zodat Shota de kans had met hem te praten, maar niet ver genoeg om niet binnen een tel tussen hen in te springen als het praten omsloeg in dreigementen of iets anders wat Nicci niet beviel.

Richard staarde even in Nicci's blauwe ogen voor hij zich weer naar Shota wendde. 'En wat verwacht je nu eigenlijk dat ik doe?'

Zonder dat hij had gemerkt dat ze hem genaderd was, besefte hij plotseling dat hij Shota's adem op zijn wang voelde. Die rook lichtjes naar lavendel. De geur leek alle spanning uit hem te trekken.

'Wat ik verwacht,' zei Shota in een zachte fluistering, terwijl ze haar arm om zijn middel legde, 'is dat je het begrijpt. Dat je het echt begrijpt.'

Vaag gealarmeerd over haar mogelijke bedoelingen dacht Richard eraan dat hij zich uit haar stevige omhelzing zou moeten losmaken. Voor hij ook maar een spier kon bewegen, tilde Shota met een vinger zijn kin op.

Een tel later knielde hij in de modder.

De stortregen viel in woeste stralen om hem heen, kletterde op daken en schermen, kletste in plassen, spetterde modder tegen de muren van gebouwen op, tegen kapotte karren en tegen de benen van de chaotische menigte aan.

In de verte schreeuwden soldaten bevelen. Knokige paarden met hangende hoofden, hun benen vol modder, zagen er ellendig uit terwijl ze in de regen stonden te wachten. Een groep soldaten ergens aan de zijkant lachte, terwijl enkele anderen niet veel verderop verveeld een gesprek voerden over ditjes en datjes.

Wagens rommelden en stuiterden langzaam over een weg, en in de verte blaften onophoudelijk een paar honden, op een toon alsof het gewoonte was geworden.

In het schemerige licht van de loodgrijze hemel had alles een sombere kleur grijsbruin. Toen Richard naar rechts keek, zag hij dat er nog andere mannen geknield in de modder naast hem zaten. Hun sombere, doorweekte kleding hing slap van hun omlaag hangende schouders. Hun gezichten waren grauw, hun ogen wild van angst. Achter hem doemde de opening van een grote kuil op, die wel een donkere poort naar de onderwereld zelf leek.

Met een toenemend gevoel van onbehagen probeerde Richard in beweging te komen, zijn gewicht te verplaatsen zodat hij overeind kon krabbelen en zich kon verdedigen. Toen pas besefte hij dat zijn polsen achter zijn rug waren samengebonden met iets wat aanvoelde als een leren riempje. Toen hij probeerde zijn polsen te draaien in die strak vastgebonden riem, beet het leer diep in zijn vlees. Hij negeerde de pijn en zette zo veel mogelijk kracht, maar hij kon zich niet bevrijden. Er welde een oude angst in hem op, zo hulpeloos met zijn handen vastgebonden.

Overal om hem heen torenden brede soldaten boven hem uit, sommige gekleed in een wapenrusting van leer, roestige metalen schijven of maliën, terwijl andere niets meer droegen dan ruwe vesten van dierenhuid. Hun wapens hingen aan brede, met spijkers beslagen riemen. Geen van de wapens was versierd. Het waren simpele gereedschappen van hun vak: messen met zelfgemaakte houten heften die op het uiteinde van het lemmet waren geklonken, zwaarden met leer, gedraaid om houten grepen om het gevest te verstevigen, knotsen van ruw gietijzer met een stevig handvat van bitternotenhout of een ijzeren staaf. Hun ruwe constructie maakte ze niet minder effectief voor hun taak. Het gebrek aan versiering legde zelfs eerder de nadruk op het enige doel van de wapens, en maakte ze daardoor juist nog sinisterder. Het vettige haar van degenen die hun hoofd niet hadden geschoren, zat tegen hun schedel geplakt door de aanhoudende regen. Sommige soldaten droegen ringen of scherpe metalen staafjes door hun oren en neus. De laag vuil op hun gezichten leek ongevoelig voor de regen. Veel mannen hadden een donkere tatoeage in hun gezicht. Sommige van die tatoeages leken bijna op maskers, en andere liepen over wang, neus en voorhoofd in woeste, kronkelende, theatrale vormen. De opvallende tatoeages gaven de mannen nog minder het uiterlijk van mensen en meer dat van woestelingen. De ogen van de soldaten flitsten heen en weer en rustten maar zelden ergens op, waardoor de mannen op rusteloze dieren leken.

Richard moest het regenwater uit zijn ogen knipperen om iets te zien. Hij schudde met zijn hoofd en gooide natte slierten haar achterover. Toen zag hij ook links van hem mannen, sommige hulpeloos huilend terwijl soldaten degenen die niet wilden of konden knielen in de vieze modder overeind hielden. Het gevoel van paniek was bijna tastbaar. De golven van die paniek sloegen over op Richard, rezen in hem op en dreigden hem te overspoelen.

Dit was niet echt, wist hij... maar ergens toch ook wel. De regen was koud. Zijn kleren waren drijfnat. Af en toe huiverde hij. Het stonk er erger dan wat ook; een combinatie van zure rook, verschaald zweet, uitwerpselen en rottend vlees. De kreten van degenen rondom hem waren maar al te echt. Hij dacht niet dat hij zich zulk hopeloos gekreun dat tegelijkertijd zo wanhopig bang klonk inbeeldde. Veel van de mannen trilden onbeheersbaar, en dat kwam niet door de koude regen. Richard besefte, terwijl hij naar hen staarde, dat hij een van hen was, gewoon een van de velen die op zijn knieën in de modder zat, een van de velen met zijn handen achter zijn rug gebonden.

Het was zo onvoorstelbaar dat hij in de war raakte; op de een of andere manier was hij hier. Op de een of andere manier had Shota hem hiernaartoe gestuurd. Hij kon niet bevatten hoe zoiets mogelijk was; hij moest het zich wel verbeelden.

Een steen onder de modder drukte pijnlijk in zijn linkerknie. Zo'n onvoorspelbaar, onbelangrijk detail moest haast wel echt zijn. Hoe kon hij zich zoiets onverwachts inbeelden? Hij probeerde zijn gewicht te verplaatsen, maar dat viel niet mee. Het lukte hem om zijn knie een beetje opzij te bewegen, van de scherpe steen af. Nee, dit kon geen verbeelding zijn. Hij begon zich af te vragen of hij zich niet eigenlijk al het andere had verbeeld. Of dát allemaal maar een droom was geweest, een afleiding, een truc van zijn geest. Hij begon zich af te vragen of het mogelijk was dat de ketenvuurbetovering hem had laten vergeten wat er echt gaande was, of dat de waarheid zo angstaanjagend was dat hij die uit zijn gedachten had gebannen, zich had teruggetrokken in een denkbeeldige wereld. Dat hij nu, onder druk van de omstandigheden, ineens terugviel naar wat echt was. Hij begon te beseffen dat zelfs al wist hij niet precies wat er gaande was of waardoor hij zo verward was, wat echt uitmaakte was dat dit echt was en dat hij er kennelijk nu pas wakker voor werd. Zo voelde het in feite ook, alsof hij net wakker was geworden, gedesoriënteerd en verward.

Eerst was hij verward, maar nu probeerde hij zich wanhopig iets te herinneren, te begrijpen hoe hij hier was gekomen, hoe hij op zijn knieën in de modder was beland tussen soldaten van de Imperiale Orde. Hij had het gevoel alsof hij zich bijna kon herinneren hoe hij hier was beland, zich alles bijna kon herinneren, maar het bleef net buiten bereik, als een vergeten woord dat ergens in de donkere trog van zijn gedachten verloren was.

Richard keek langs de rij links van hem en zag een soldaat met zijn vuist het haar van een man grijpen en zijn hoofd overeind rukken. De man schreeuwde; een kort, door doodsangst verstikt geluid dat diep vanuit zijn woest op en neer gaande borst kwam. Richard zag meteen dat de vurige inspanningen van de man hem geen enkele kans boden om te ontsnappen. Zijn huilende smeekbeden gaven Richard kippenvel. De soldaat achter de knielende man legde een lang, smal mes voor de ontblote keel van de man. Weer probeerde Richard zich voor te houden dat hij het aanvankelijk goed had gehad, dat dit niet echt was, dat hij het zich maar inbeeldde. Maar hij zag dat er een hapje uit het ruw geslepen mes was, zag de man steeds maar weer slikken in hijgende paniek, zag de grimmige grijns op het zelfingenomen gezicht van de soldaat.

Toen het mes diep door de keel van de man sneed, kromp Richard in afgrijzen ineen terwijl de man schokte van pijn. De man kronkelde, maar de soldaat hield hem bij zijn haar vast en had geen enkele moeite hem overeind te houden. De natgeregende spieren van zijn sterke arm bolden op toen hij meer kracht zette om nog eens door de keel van de man te snijden, veel dieper deze keer en bijna helemaal erdoor. Bloed, schokkend scharlakenrood in het grijze licht, spoot naar buiten met elke slag van het nog steeds kloppende hart van de man. Richard kromp ineen toen de geur ervan zijn neus bereikte.

Hij probeerde zich voor te houden dat het niet echt gebeurde, maar toch, terwijl hij de man zich zwak zag verzetten en toekeek hoe er een slab van bloed op de voorzijde van zijn hemd groeide en het kruis van zijn broek doorweekte, was het maar al te echt. Met een laatste inspanning, zijn nek gapend open, schopte de man met zijn rechterbeen opzij. De soldaat, die de man nog steeds bij zijn haren vast had, gooide hem achterover in de kuil. Richard hoorde het dode gewicht zwaar neerploffen op de bodem.

Richards hart bonsde zo hard tegen zijn ribben dat hij dacht dat ze zouden breken. Hij was misselijk. Hij kon elk moment gaan overgeven. Hij verzette zich in paniek om zijn handen te bevrijden, maar het leer sneed alleen maar dieper in zijn huid. De regen spoelde zijn zweet in zijn ogen. De leren bandjes hadden al zo lang om zijn polsen gezeten dat als hij ze bewoog, ze pijnlijk brandden in de rauwe wonden en hij tranen in zijn ogen kreeg. Dat hield hem echter niet tegen. Hij gromde van inspanning en gebruikte al zijn kracht om zijn ketenen te breken. Hij voelde het leer langs de blootliggende pezen van zijn polsen schuren.

En toen hoorde Richard iemand zijn naam roepen. Hij herkende die stem meteen.

Het was Kahlan.

Zijn hele leven kwam met een schok tot stilstand toen hij opkeek, het pad over en in haar prachtige groene ogen keek. Elke emotie die hij ooit had gehad, spoelde binnen een tel over hem heen en liet een spoor na van een vreselijke pijn die helemaal tot in het merg van zijn beenderen doortrok. Hij was zo lang van haar gescheiden geweest...

Haar te zien, elk detail van haar gezicht te zien, het boogje in de rimpel op haar voorhoofd te zien dat hij was vergeten, de manier waarop ze haar rug kromde terwijl ze lichtjes gedraaid stond, de manier waarop haar haren in een natuurlijke scheiding vielen door het gewicht van de regen, haar ogen, haar mooie groene ogen, overtuigde hem ervan dat hij zich dit onmogelijk kon verbeelden.

Kahlan strekte een arm naar hem uit. 'Richard!'

Het geluid van haar stem verlamde hem. Hij had haar unieke stem al zo lang niet meer gehoord, een stem die hem al sinds de eerste keer dat hij haar had ontmoet, had gefascineerd door de intelligentie, de helderheid, de welluidendheid, de betoverende charme ervan. Maar nu was daarvan niets meer in haar stem te bespeuren. Al die eigenschappen waren weggenomen, tot er alleen maar ondraaglijk leed was overgebleven.

Passend bij het verdriet in haar stem, was Kahlans prachtige gezicht verwrongen van afgrijzen doordat ze hem in de modder zag knielen. Haar ogen waren roodomrand. Tranen en regendruppels stroomden over haar wangen.

Richard was verstijfd van afgrijzen, geschokt om haar te zien, recht voor zich, zo dichtbij maar tegelijkertijd zo ver weg. Verstijfd te ontdekken dat ze hier was, midden tussen duizenden en nog eens duizenden vijandelijke soldaten.

'Richard!' Ze strekte weer wanhopig haar arm naar hem uit. Ze probeerde naar hem toe te komen, maar dat kon niet. Ze werd tegengehouden door een forse soldaat met een geschoren hoofd. Nu pas zag Richard dat de knopen van Kahlans hemd weg waren, eraf getrokken, dat haar hemd openhing en zij loerende blikken van de soldaten trok.

Maar het kon haar niet schelen. Ze wilde alleen dat Richard haar zag, alsof dat alles was wat ertoe deed in het leven, alsof die ene blik op hem haar hele leven was en alles wat ze nodig had.

Er kwam een pijnlijke brok in zijn keel. Hij voelde tranen in zijn ogen prikken. Hij fluisterde haar naam, te geschokt door haar aanblik om nog iets anders uit te kunnen brengen.

In paniek reikte Kahlan weer naar hem en verzette zich tegen de vlezige hand van de soldaat die haar tegenhield. Zijn stevige greep maakte witte vingerafdrukken op haar arm.

'Richard! Richard, ik hou van je! Goede geesten, ik hou van je!'

Omdat ze zich probeerde los te rukken, op hem af te komen, legde de soldaat een sterke arm om haar middel, onder haar openstaande hemd, en hield haar tegen. De man pakte met zijn vinger en duim Kahlans tepel vast en draaide eraan terwijl hij opkeek, betekenisvol grijnzend om ervoor te zorgen dat Richard zag wat hij deed.

Kahlan slaakte een kreet van schrik en pijn, maar verder negeerde ze de soldaat en bleef ze in volkomen doodsangst Richards naam schreeuwen. Aangedreven door zijn woede probeerde Richard nog eens overeind te komen. Hij moest naar haar toe. De soldaat lachte toen hij Richard zag worstelen. Er zou geen volgende kans meer komen. Dit was alles; dit zou zijn enige kans zijn. Toen hij bijna overeind was gekrabbeld, schopte een wachter Richard met zijn laars zo hard in zijn maag dat hij dubbelklapte. Een andere soldaat schopte hem nog eens tegen de zijkant van zijn hoofd, waardoor hij bijna buiten westen raakte. De wereld werd schemerig. Geluiden smolten samen tot een doffe dreun. Richard spande zich tot het uiterste in om bij bewustzijn te blijven. Hij wilde Kahlan in het oog houden. Haar aanblik betekende meer voor hem dan wat ook ter wereld.

Hij moest haar uit deze nachtmerrie bevrijden. Terwijl hij hijgend op adem kwam, greep de grote hand van een soldaat zijn haren en rukte hem overeind. Richard slaakte een kreet en probeerde adem te blijven halen onder de ongelooflijke pijn van het pak slaag dat hij kreeg. Hij voelde warm bloed langs zijn gezicht stromen en de koude modder langs zijn nek spoelen. Toen zijn hoofd rechtop werd getrokken, viel Richards blik weer op Kahlan, op haar lange haren, die nu verward waren en aan haar hoofd plakten door de regen. Haar groene ogen waren zo mooi dat zijn hart bijna knapte van pijn; hij zag haar eindelijk weer, maar kon haar niet in zijn armen nemen.

Hij wilde haar zo graag in zijn armen sluiten, haar troosten, haar beschermen. Maar een andere man hield haar vast. Ze probeerde zich onder zijn hand vandaan te wurmen. De soldaat legde zijn hand om haar borst en kneep erin, en Richard kon zien dat het haar pijn deed. Ze sloeg naar hem met haar vuisten, maar hij hield vast. Hij lachte om haar zwakke pogingen terwijl zijn blik weer naar Richard ging.

Kahlan verzette zich tegen hem maar negeerde tegelijkertijd wat hij deed, negeerde de afleiding. Wat hij deed was niet het belangrijkste. Richard was het belangrijkste. Haar armen strekten zich weer in paniek naar hem uit. 'Richard, ik hou van je! Ik heb je zo gemist!' Ze snikte ellendig. 'Goede geesten, help hem! Alsjeblieft! Iemand, help hem!'

Links van hem probeerde de volgende man in de rij achteruit te deinzen terwijl zijn keel werd doorgesneden. Richard hoorde de woeste ademteugen van de man door de snee die zijn luchtpijp had opengelegd.

Richard voelde zich licht in zijn hoofd van paniek. Hij wist niet wat hij moest doen. Magie. Hij moest zijn gave gebruiken. Maar hoe moest hij dat doen? Hij wist niet hoe hij de magie moest oproepen. En toch had hij dat in het verleden gekund.

Woede. In het verleden had zijn gave altijd door zijn woede gewerkt. Het zien van de soldaat die Kahlan vasthield, haar pijn deed, gaf hem meer dan genoeg woede. Toen er nog zo'n monster naar haar toe kwam en naar haar loerde, haar aanraakte, wakkerde dat de hete vlammen van zijn woede alleen maar aan. Zijn wereld kleurde rood van woede. Met elke vezel van zijn wezen probeerde Richard met de essentie van die woede zijn gave te ontsteken. Hij klemde zijn kaken op elkaar en knarste met zijn tanden door de enorme concentratie van zijn toorn. Hij trilde van woede en verwachtte een explosie van kracht die bij die woede paste. Hij zag wat hij moest doen. Het was zo dichtbij. Hij stelde zich voor hoe hij de soldaten zou neerslaan. Hij hield zijn adem in voor de storm die vrij zou komen.

Plotseling had hij het gevoel dat hij viel, zonder grond onder zich om zijn val te breken. De regen bleef uit de grijze hemel neerdalen alsof die zijn inspanningen probeerde te verdrinken. Er schoot geen magie door de lege ruimte tussen Richard en de kerel die Kahlan vasthield. Er verscheen geen bliksem. Er volgde geen rechtvaardigheid. Als er in heel zijn leven een moment was geweest waarop het had moeten komen, dan was dit het; dat wist hij zonder enige twijfel. Er kon geen dringendere behoefte zijn, geen groter verlangen, geen grotere woede dan om de vrouw die hij liefhad.

Maar er was geen macht, er kwam geen verlossing. Hij had net zo goed zonder de gave geboren kunnen zijn. Hij had geen gave. Die was weg.

Voor Richard voelde het aan alsof de wereld rondom hem verging. Hij wenste dat alles om hem heen vertraagde, zodat hij de tijd had om een oplossing te zoeken, maar alles wervelde voorbij in een vreselijke haast. Het gebeurde allemaal te snel. Het was zo oneerlijk dat hij zo moest sterven. Hij had geen kans gehad om te leven, om een leven met Kahlan op te bouwen. Hij hield zoveel van haar en had nooit echt de kans gehad om samen met haar te zijn, alleen zij tweeën, levend in vrede. Hij wilde met haar lachen, haar vasthouden, zijn leven met haar doorbrengen. Gewoon met haar voor het vuur zitten op een koude avond als het sneeuwde, haar dicht tegen zich aan houden, veilig en warm, terwijl ze praatten over dingen die belangrijk voor hen waren, over hun toekomst. Ze hadden een toekomst moeten hebben.

Het was zo oneerlijk. Hij wilde zijn leven léven. In plaats daarvan zou het eindigen op deze ellendige plek, zonder goede reden. Voor niets. Hij kon zijn eigen dood niet eens betekenis geven, strijdend ten onder gaan. In plaats daarvan zou hij hier sterven in de regen en de modder, omgeven door mannen die alles haatten wat mooi was in het leven, terwijl Kahlan werd gedwongen om toe te kijken.

Hij wilde niet dat ze dit zag. Hij wist dat ze het beeld van zoiets nooit meer uit haar hoofd zou kunnen zetten. Hij wilde haar niet achterlaten met die laatste, vreselijke herinnering aan hem terwijl hij worstelde in de bloedige stuiptrekkingen van de dood. Hij deed nog een poging om op te staan, net als de meeste andere mannen. De soldaat achter hem ging met zijn volle gewicht op zijn kuiten staan. De pijn voelde ver weg. Richard was verdoofd. Hij wilde niets liever dan Kahlan weghalen bij de man die haar vasthield, haar betastte. Kahlan schreeuwde woedend naar hem, klauwde naar hem, haalde haar vuisten naar hem uit en bleef tegelijkertijd in hulpeloze doodsangst om Richard roepen.

Hij draaide uit alle macht zijn polsen in de leren bandjes, maar ze gingen niet los en beten zich alleen maar dieper vast. Hij voelde zich als een dier in een strik. Zijn handen waren gevoelloos geworden. Hij voelde het warme bloed dat van zijn vingertoppen droop niet meer.

Hij wilde niet sterven. Wat moest hij doen? Hij moest hier een eind aan maken. Hoe dan ook. Maar hij wist niet hoe. In het verleden was woede de manier geweest om zijn gave te bereiken, de macht ervan op te roepen. Nu was er niets meer over behalve hulpeloze verwarring.

'Kahlan!'

Hij kon er niets tegen doen dat hij werd meegesleurd in het afgrijzen over dit alles, de blinde paniek. Hij kon de overstelpende golf niet tegenhouden, kon zijn gevoel van controle over zichzelf niet terugkrijgen. Hij werd meegevoerd op een rivier van gebeurtenissen die hij niet kon beheersen of tegenhouden. Het was allemaal zo zinloos. Het was allemaal zo overstelpend vreselijk, zo afgrijselijk bruut.

'Kahlan!'

'Richard!' riep ze, terwijl ze weer naar hem reikte. 'Richard, ik hou van je, meer dan van het leven zelf! Ik hou zoveel van je. Jij bent alles voor me. Dat is altijd zo geweest.' Haar adem stokte door haar snikken en ze hijgde. 'Richard... ik heb je zo nodig.'

Zijn hart brak. Hij had het gevoel alsof hij haar in de steek liet. Een soldaat greep Richard bij zijn haren.

'Nee!' schreeuwde Kahlan met een uitgestoken hand. 'Nee! Alsjeblieft, nee! Help hem alsjeblieft! Goede geesten, wie dan ook, alsjeblieft!'

De soldaat bukte, en zijn vuile gezicht vertrok in een wrede grijns. 'Maak je niet druk, ik zorg wel voor haar... persoonlijk.' Hij lachte in Richards oor.

'Alsjeblieft,' hoorde Richard zichzelf zeggen. 'Alsjeblieft... nee.'

'Goede geesten, alsjeblieft, laat iemand hem helpen!' riep Kahlan naar degenen rondom haar.

Ze kon niets doen, en dat wist ze. Er was geen kans voor hem, en dat wist ze. Ze kon alleen nog maar smeken om een wonder. Dat zorgde er op zich al voor dat de vlammen van hete woede in hem doofden. Dit was het einde van alles.

'Het is een mooi ding,' zei de soldaat, terwijl hij over het pad naar Kahlan loerde en bewees wat Richard al wist, dat er geen wonder zou gebeuren.

'Alsjeblieft... laat haar met rust.'

De soldaat achter hem lachte. Dat was wat hij had willen horen. Richard stikte bijna in de snik die in zijn keel opwelde. Hij kon geen adem krijgen. De tranen liepen samen met de regendruppels over zijn wangen. Zij was de enige vrouw van wie hij ooit had gehouden, de enige die alles voor hem betekende, meer dan het leven zelf. Zonder Kahlan was er geen leven, was er alleen een bestaan. Zij was zijn wereld. Zonder Kahlan was het leven leeg. Zonder hem, wist hij, zou Kahlans leven net zo leeg zijn.

Hij zag andere vrouwen niet ver bij Kahlan vandaan, allemaal in de greep van soldaten, allemaal schreeuwend om hun mannen. Hij hoorde ze gelijksoortige dingen roepen als Kahlan, dezelfde woorden van liefde, dezelfde smeekbeden om redding van wie dan ook. De soldaten sarden de in de modder knielende mannen met smerige vloeken.

Bij het zien van zijn vrouw in de handen van die soldaten, verzette een van de knielende mannen rechts van Richard zich zo hevig, dat hij een bliksemsnelle messteek in zijn buik kreeg. Het doodde hem niet, maar het was voldoende om zijn verzet de kop in te drukken terwijl hij op zijn beurt wachtte. Hij knielde stijf en zwijgend en staarde met grote ogen neer op zijn roze, glanzende ingewanden die langzaam uit de snee kwamen puilen. Het gegil van de vrouw van de man had de wolken boven hen wel kunnen uiteendrijven.

De man direct links van Richard blies zijn laatste adem uit en maakte nog wat spastische bewegingen, terwijl de soldaat die het hoofd van de man rechtop hield met zijn grote mes over de ontblote keel heen en weer zaagde.

Toen hij klaar was, gromde de soldaat van inspanning terwijl hij het dode gewicht achterover in de kuil smeet. Richard hoorde het lichaam in het open graf op de andere lijken ploffen. Er steeg nog gorgelend gehijg uit die donkere kuil op.

'Jouw beurt,' zei de soldaat die Richard vasthield, en kwam achter hem staan om zijn rol van beul te vervullen. De man boog zich dicht naar hem toe. Zijn adem stonk naar bier en worst. 'Ik wil dit achter de rug hebben. Ik heb een afspraakje met je beeldschone vrouw zodra ik met jou klaar ben. Kahlan, was het toch? Ja, dat klopt, dat heb ik van een van de andere vrouwen gehoord. Maak je geen zorgen, knul, ik zal Kahlan niet veel kans geven om te rouwen en over jou te piekeren. Ik zorg wel dat ik haar volledige aandacht krijg, dat beloof ik je. En als ik genoeg van haar heb, zijn mijn vrienden aan de beurt.'

Richard wilde die vent zijn nek breken.

'Denk daar maar over na terwijl je kwaadaardige ziel de duistere, eeuwige pijn van de onderwereld in glijdt, terwijl je in de koude, genadeloze greep van de Wachter belandt. Dat is waar iedereen van jouw soort naartoe gaat – naar de rechtvaardigheid van het eeuwige lijden – en zo hoort het ook, aangezien wij allemaal alles hebben opgeofferd om naar dit verrotte land te komen zodat we heilig Licht en de wet van de Orde naar jullie stelletje egoïstische heidenen kunnen brengen. Jullie zondige manier van leven, jullie bestaan alleen al, is een belediging voor de Schepper, en het is een belediging aan ons die Hem dienen.'

De man spoorde zichzelf aan tot een rechtschapen tirade.

'Heb je enig idee wat ik heb opgeofferd om de zielen van jouw volk te redden? Mijn gezin had honger, leed ontberingen – bracht offers – zodat ze alles naar onze moedige troepen konden sturen. Mijn broer en ik hebben ons aangemeld om te vechten voor onze zaak en alles waar we in geloven. We kwamen allebei naar het noorden om onze plicht te vervullen aan onze keizer en onze Schepper. We hebben allebei ons leven gewijd aan de zaak om het goede naar jullie volk te brengen. We hebben in talloze bloedige veldslagen gevochten tegen degenen die zich tegen ons verzetten, terwijl wij alleen maar doen wat juist en rechtvaardig is. We hebben talloze broeders in de strijd zien vallen.

Ik heb de glorie van ons leger van de Orde zien strijden om verlossing, terwijl jouw volk die kwaadaardige begaafden op ons afstuurde. Die begaafden riepen het kwaad aan van de magie. Mijn broer werd verblind door die magie. Hij schreeuwde van pijn toen die magie zijn ogen deed bloeden en zijn longen verbrandde. Door infecties die hem kort daarna troffen, zwol zijn hele hoofd op en puilden zijn blinde ogen uit. Hij kon alleen nog maar kreunen van pijn. We hebben hem alleen gelaten om te sterven, zodat wij verder konden met onze edele strijd, wat alleen maar juist was.

Je vrouw en al die anderen zoals zij, zullen zichzelf nu opofferen om ons wat afleiding te bezorgen in dit ellendige leven terwijl wij voor die nobele zaak strijden. Het is haar kleine aflossing van een schuld voor alles wat wij hebben opgegeven voor onze medemens, om het woord van de Orde te brengen naar diegenen die zich anders zouden afwenden van hun plicht ten opzichte van het geloof.

Op een dag zal je zondige vrouw zich bij je aansluiten, daar in die duistere onderwereld, maar pas nadat wij klaar met haar zijn. Verwacht alleen maar niet dat ze binnenkort al komt, want ik denk dat ze nog wel een tijdje de hoer moet uithangen voor de dappere soldaten van de Orde. De mannen hebben graag een fraai exemplaar zoals zij om hun zinnen te verzetten van hun zware maar eerbare werk. Ik denk dat ze behoorlijk bezig zal worden gehouden, aangezien er zoveel eerbaar werk te doen valt' – hij zwaaide met zijn mes voor Richards ogen – 'zoals dit hier. Door de ontspanning die zij onze mannen biedt, hebben we weer de kracht om met dubbele vastberadenheid al diegenen te elimineren die zich niet willen onderwerpen aan de leefwijze van de Orde.'

Het was waanzin. Richard kon nauwelijks geloven dat er zulke irrationele mensen bestonden, zo toegewijd aan zulke dwaze overtuigingen, maar hier waren ze. Ze leken overal op te duiken, zich te vermenigvuldigen als maden, vastberaden om alles te vernietigen wat plezierig en goed was in het leven.

Hij slikte zijn woorden en zijn woede in. Er was niets waar je zulke kerels kwader mee kon maken dan met rede, de waarheid, het leven of goedheid. Zulke dingen zetten dergelijke mannen alleen maar aan tot verwoesting. Omdat Richard wist dat alles wat hij zei die man alleen maar zou uitdagen en het erger zou maken voor Kahlan, hield hij zijn mond. Dat was alles wat hij nu voor haar kon doen.

Toen hij zag dat hij Richard niet tot een smeekbede had overgehaald, lachte de soldaat weer en wierp Kahlan een kushandje toe. 'Kom er zo aan, schatje, zodra ik je scheiding van die waardeloze vent van je heb geregeld.'

Hij was een monster, en straks zou hij naar de vrouw gaan van wie Richard hield, naar een weerloze, doodsbange vrouw, die nu pas haar lijdensweg bij deze bruten begon.

Monster. Kon dit zijn wat Shota had bedoeld? De heks had eens gezegd dat als Richard en Kahlan ooit trouwden en samen het bed deelden, zij een monster zou baren. Ze hadden altijd aangenomen dat Shota bedoelde dat Kahlan een kind zou krijgen dat een monster zou zijn omdat het de gave van Richard en Kahlans Belijdstersmacht zou hebben.

Maar misschien was dat helemaal niet de echte betekenis achter Shota's voorspelling. Niets waar Shota hen voor waarschuwde, gebeurde immers zoals zij het had doen lijken, zelfs niet op een manier zoals zijzelf dacht dat het zou gebeuren. Shota's waarschuwingen en voorspellingen leken altijd op een volkomen onvoorziene manier uit te komen, op een manier die ze zich nooit hadden voorgesteld, maar tegelijkertijd waren Shota's voorspellingen wel altijd uitgekomen.

Was dit wat Shota's voorspelling echt had betekend? Was dit de eigenlijke climax van de ingewikkelde reeks gebeurtenissen die naar haar voorspelling leidde? Shota had hen nadrukkelijk gewaarschuwd dat ze niet moesten trouwen, omdat Kahlan anders een monster zou baren. Ze waren getrouwd. Kon dit de ontvouwing van Shota's voorspelling zijn? Kon dit al die tijd al de echte betekenis van haar waarschuwing zijn geweest? Zouden deze monsters een monsterkind bij haar verwekken?

Richard stikte bijna in zijn tranen. Zijn dood zou niet het ergste zijn. Kahlan zou het ergste te verduren krijgen, zou levend dood zijn in handen van die bruten, moeder worden van hun monster.

'Richard, je weet dat ik van je hou! Dat is alles wat ertoe doet, Richard, dat ik van je hou!'

'Kahlan, ik hou ook van jou!'

Hij wist niet wat hij nog meer kon zeggen, iets wat betekenis had. Hij nam aan dat er niets was wat meer betekenis had, wat belangrijker voor hem was. Die simpele woorden omvatten een heel leven van betekenis, een heel universum van betekenis.

'Ik weet het, lieverd,' zei ze met een kleine glimlach die even in haar mooie ogen oplichtte. 'Ik weet het.'

Richard zag een mes voor zijn ogen langsflitsen. Hij ging intuïtief achteruit. De man die op zijn kuiten stond, was er klaar voor en ramde een knie tussen Richards schouderbladen zodat hij niet achterover kon vallen, en trok toen zijn hoofd aan zijn haren omhoog.

Kahlan, die zag wat er gebeurde, gilde weer, uithalend naar de mannen die haar vasthielden. 'Let niet op ze, Richard! Kijk maar naar mij! Richard! Kijk naar mij! Denk aan mij! Denk eraan hoeveel ik van je hou!'

Richard wist wat ze deed.

'Weet je nog? Onze trouwdag? Ik weet het nog, Richard. Ik denk er altijd aan.' Ze probeerde hem als laatste geschenk een fijne, liefhebbende gedachte mee te geven. 'Ik weet nog hoe je me vroeg om je vrouw te worden. Ik hou van je, Richard. Weet je nog? Onze trouwdag? Het huis van de geesten?'

Ze probeerde hem af te leiden, te zorgen dat hij niet nadacht over wat er ging gebeuren. Maar het deed hem alleen maar denken aan Shota's waarschuwing dat als hij met haar trouwde, zij een monsterkind zou baren.

'Wat roerend,' zei de soldaat achter hem. 'Het zijn de vrouwen met passie die het beste zijn in bed, vind je ook niet?'

Richard wilde de kerel zijn kop eraf rukken, maar hij zweeg. De man wilde dat hij iets zei, dat hij smeekte, protesteerde, jammerde van ellende. Als laatste daad van opstandigheid gunde Richard hem dat genoegen niet.

Kahlan riep hoeveel ze van hem hield en sprak over de eerste keer dat ze elkaar hadden gekust. Ondanks alles bracht dat een glimlach op zijn lippen.

Op dat moment kon het haar niet schelen wat er met haar ging gebeuren, ze wilde alleen hem maar afleiden, zijn pijn en angst tijdens de laatste ogenblikken van zijn leven wat wegnemen.

De laatste ogenblikken van zijn leven. Het kwam allemaal ten einde. Het was allemaal afgelopen. Meer was er niet. Het leven was voorbij. Zijn tijd met de vrouw van wie hij hield, was voorbij. Meer kwam er niet. De wereld kwam ten einde.

'Richard! Richard! Ik hou zoveel van je! Kijk naar mij, Richard! Ik hou van je! Kijk naar mij! Goed zo, kijk naar mij! Jij bent de enige van wie ik ooit heb gehouden! Alleen jij, Richard! Alleen jij! Dat is alles wat belangrijk is, dat ik van je hou. Hou je van mij? Zeg het me, alsjeblieft, Richard. Zeg het me. Zeg het nu!'

Hij voelde het mes in de dunne huid van zijn keel bijten.

'Ik hou van je, Kahlan. Alleen van jou. Altijd.'

'Wat roerend,' gromde de soldaat nog eens in zijn oor, terwijl hij het mes tegen Richards keel hield. 'Terwijl jij daar in die kuil ligt leeg te bloeden, heb ik mijn handen overal op haar lijf. Ik ga je mooie vrouwtje verkrachten. Dan ben jij al dood, maar voordat je sterft, wil ik dat je precies weet wat ik met haar ga doen, en er is niets wat je kunt doen om het te voorkomen, want het is de wil van de Schepper.

Jullie hadden allang voor de leefwijze van de Orde moeten buigen, maar in plaats daarvan vechten jullie om je zondige leven te behouden, jullie egoïstische leven, en hebben jullie je afgekeerd van alles wat goed en rechtvaardig is. Voor je misdaden tegen je medemens ga je niet alleen sterven, maar zul je tot in alle eeuwigheid lijden dankzij de Wachter van de onderwereld. O, wat zul je lijden.

En terwijl je naar het duistere hiernamaals gaat, wil ik dat je weet dat als je kostbare Kahlan blijft leven, dat alleen maar als hoer voor ons zal zijn. Als ze lang genoeg leeft en een zoon ter wereld brengt, zal hij opgroeien tot een groot soldaat van de Orde en zal hij jouw soort haten. We zullen ervoor zorgen dat hij op een dag hiernaartoe komt en op je graf spuugt, op jou en op anderen zoals jij, die hem volgens jullie kwaadaardige leefwijze zouden hebben opgevoed, zodat hij zijn medemens en de Schepper niet zou dienen.

Denk daar maar over na terwijl je geest de duisternis in wordt gezogen. Terwijl jouw lijk koud wordt, heb ik het lekker warme lijf van je geliefde in mijn handen en geef ik haar wat haar toekomt. Ik wil ervoor zorgen dat je dat weet voordat je sterft.'

Richard was vanbinnen al dood. Het was voorbij, het leven en de wereld waren voorbij. Zoveel verloren. Alles verloren. Voor niets anders dan een zinloze haat jegens alles wat waarde had, jegens het leven zelf, door degenen die er in plaats daarvan voor kozen de leegte van de dood te omhelzen.

'Ik hou van je, nu en altijd, met heel mijn hart,' zei hij met hese stem. 'Jij hebt mijn leven mooi gemaakt.'

Hij zag Kahlan knikken dat ze hem gehoord had en zag haar lippen bewegen toen ze zei dat ze van hem hield. Ze was zo mooi. Erger dan al het andere was haar ontroostbare verdriet.

Ze staarden elkaar in de ogen, bevroren op dat moment, het laatste moment dat de wereld nog bestond.

Richard slaakte een kreet van angst en smart bij de plotselinge, scherpe pijn toen het mes diep in zijn vlees beet, fataal diep door zijn keel sneed. Het was het einde van alles.

18

'**O**phouden,' gromde Nicci.

Richard knipperde met zijn ogen. Zijn hoofd liep om. Nicci had Shota's pols vast in een ijzeren greep en hield haar hand bij hem uit de buurt. Maar Shota had nog steeds een arm rond zijn middel.

'Ik weet niet waar je mee bezig bent,' zei Nicci op een toon die zo gevaarlijk klonk dat hij ervan overtuigd was dat Shota ineen zou krimpen van angst, 'maar je houdt er nu mee op.'

Shota kromp niet ineen en keek ook niet in het minst beangstigd. 'Ik doe wat er gebeuren moet.'

Nicci wilde er niets van weten. 'Ga bij hem uit de buurt, anders dood ik je waar je staat.'

Cara, met haar Agiel in de hand en een nog ontstemdere blik dan Nicci, stond dichtbij aan de andere kant van de heks zodat die geen kant uit kon. Voordat Shota een gelijksoortig dreigement kon uiten, viel Richard zwaar neer op de marmeren bank rondom de fontein.

Hij hijgde, hapte naar lucht en verkeerde in een toestand van rauwe angst. In gedachten zag hij nog steeds Kahlan in handen van dat tuig, voelde hij nog steeds het scherpe mes dat diep in zijn huid beet. Zijn vingers streken lichtjes langs zijn keel, maar er zat geen gapende wond in, er kwam geen bloed van af. Hij wilde zich wanhopig graag vasthouden aan het beeld van Kahlan, maar tegelijkertijd was het zo'n afschrikwekkende glimp van haar hopeloze angst geweest dat hij die het liefst voor altijd uit zijn geheugen wilde bannen.

Hij was er niet helemaal zeker van waar hij was. Hij was er niet helemaal zeker van wat hier gaande was. Het was niet helemaal duidelijk voor hem wat echt was en wat niet. Hij vroeg zich af of hij op het randje van de dood balanceerde en dit een soort verwarrende doodsdroom was voordat al zijn levensbloed uit hem wegliep, een soort laatste misleiding om hem te martelen terwijl hij dit bestaan verliet. Hij graaide in het rond, probeerde de andere lijken bij hem in de kuil te vinden.

Terwijl Cara beschermend voor hem stond als schild tussen hem en de heks, liet Nicci onmiddellijk haar ruzie met Shota varen en kwam naast hem zitten. Ze legde een arm om zijn schouders. 'Richard, gaat het goed met je?' Ze boog zich naar hem toe en keek in zijn ogen. 'Je kijkt alsof je de doden hebt zien wandelen.' Shota negeerde Cara en vouwde haar armen over elkaar terwijl ze naast hen stond en keek naar Richard.

In zijn gedachten weergalmde nog steeds het geluid van Kahlans gegil; de aanblik van haar terwijl ze zijn naam riep, verscheurde zijn hart nog steeds. Hij had haar al zo lang niet meer gezien. Om haar plotseling weer te zien, en op die manier, was verwoestend. 'Richard, het is al goed,' zei Nicci. 'Je bent hier bij mij, bij ons allemaal.'

Richard drukte een hand tegen zijn voorhoofd. 'Hoe lang was ik weg?'

Nicci fronste haar voorhoofd. 'Weg?'

'Ik denk dat Shota iets heeft gedaan. Hoe lang deed ze... wat ze deed?'

'Ik heb haar helemaal niets laten doen. Ik hield haar al tegen voor ze kon beginnen. Zodra ze je onder je kin aanraakte, heb ik haar tegengehouden. Ze heeft niet genoeg tijd gehad om iets te doen.'

Richard zag nog steeds Kahlan voor zijn geestesoog, zag haar nog steeds om hem schreeuwen terwijl de soldaten van de Imperiale Orde haar met vuile handen tegenhielden. Hij haalde zijn trillende vingers door zijn haren. 'Ze had genoeg tijd.'

'Het spijt me zo,' fluisterde Nicci. 'Ik dacht dat ik er snel genoeg bij was.'

Hij dacht niet dat hij nog verder kon. Hij dacht niet dat hij voldoende kracht kon opbrengen om adem te blijven halen. Hij dacht niet dat hij ooit weer iets zou kunnen, behalve zich overgeven aan de wanhoop. Hij kon zijn verdriet, zijn pijn en zijn tranen niet inhouden.

Nicci trok zijn hoofd tegen haar schouder en beschutte hem woordeloos in de toevlucht van haar omhelzing.

Het leek allemaal zo zinloos. Alles kwam tot een einde. Het was allemaal voorbij. Hij had altijd gezegd dat ze geen kans hadden om Jagangs leger te verslaan. De Orde was te sterk; ze zouden de oorlog gaan winnen. Er was niets wat Richard daartegen kon doen, niets meer om voor te leven dan te wachten op het afgrijzen van de dood die hen allemaal wachtte.

Shota stapte naar hem toe, naar waar hij bij Nicci op de korte muur van marmer zat, en wilde een hand op zijn schouder leggen.

Cara greep de pols van de heks vast en hield haar tegen.

'Het spijt me dat ik dat moest doen, Richard,' zei Shota, terwijl ze de Mord-Sith negeerde, 'maar je moet het inzien, begrijpen...'

'Hou je kop,' zei Nicci, 'en blijf van hem af. Heb je hem nog niet genoeg pijn bezorgd? Moet alles wat jij doet, dan iemand kwetsen? Kun je hem nooit eens helpen zonder hem pijn te doen of hem problemen te bezorgen?'

Toen Shota haar hand terugtrok, legde Nicci haar handen om zijn gezicht en veegde met haar duim een traan van zijn wang. 'Richard...'

Hij knikte dankbaar voor haar tedere zorgen, niet in staat zijn stem te gebruiken. Hij zag nog steeds voor zich hoe Kahlan om hem riep terwijl ze probeerde zich los te worstelen van die mannen. Zo lang hij leefde, zou dat beeld hem blijven achtervolgen. Op dat moment wilde hij niets liever dan haar de pijn besparen van het zien van zijn executie en van haar gevangenschap in de wrede klauwen van de Orde. Hij wilde terugkeren om iets te doen, om haar te redden van zo'n onmenselijke behandeling. Hij kon het niet verdragen dat haar wereld eindigde terwijl ze hem op die manier vermoord zag worden.

Maar het was niet echt gebeurd. Hij kon daar niet geweest zijn. Zoiets was onmogelijk. Het kon alleen maar verbeelding zijn geweest. Langzaam begon hij zich opgelucht te voelen. Het was niet echt. Niet echt. Kahlan was niet in handen van de Orde. Ze hoefde zijn terechtstelling niet te zien. Het was alleen maar een wrede truc van de heks. Gewoon weer een van haar illusies.

Alleen was het maar al te echt geweest voor al die mensen in Galea en ontelbare andere plaatsen waar de Orde was geweest. Zelfs al was het niet echt geweest voor Richard, dan was het voor hen maar al te echt geweest. Zo was het gegaan. Hun wereld was op precies die manier geëindigd. Hij wist precies wat ze hadden doorstaan. Hij wist precies hoe het voelde.

Hoeveel landen, onbekend, naamloos, hoeveel brave mensen hadden hun kans op het leven op precies diezelfde manier verloren, allemaal voor de bespottelijke ambities van die mensen uit de Oude Wereld?

Plotseling werd hij overspoeld door een ander soort angst. Hij had de gave. Hij was een oorlogstovenaar. Bij de meeste mensen met de gave manifesteerde die zich op één specifiek gebied. Maar omdat hij een oorlogstovenaar was, had hij elementen van alle verschillende aspecten van de gave, en één aspect van magie was profetie. Stel dat wat hij had gezien eigenlijk een profetie was geweest? Wat als dát was wat er stond te gebeuren? Stel dat wat hij had gezien in feite een visioen van de toekomst was geweest? Maar hij geloofde niet dat de toekomst vaststond. Hoewel sommige dingen, zoals de dood, onvermijdelijk waren, betekende dat nog niet dat alles vaststond of dat je niet kon werken aan waardige doelen in je leven, geen rampen kon afwenden, het verloop van gebeurtenissen niet kon veranderen. Als het een profetie was, dan betekende dat alleen dat hij had gezien wat er mogelijk kon gebeuren. Het betekende niet dat hij niet kon proberen het te voorkomen. Shota's profetieën kwamen schijnbaar ook nooit uit zoals zij had gedacht. En hoe dan ook, wat hij had gezien, wat hij net had ervaren, was waarschijnlijk door Shota veroorzaakt.

Richard kneep dankbaar in Nicci's hand en zweeg. Haar andere hand, op zijn schouder, kneep terug. Haar bezorgdheid nam een beetje af door de warmte van een glimlachje toen ze zag dat hij weer bij zinnen kwam.

Richard stond voor Shota op, op een manier waarvan ze eigenlijk had moeten schrikken. Ze bleef staan. 'Hoe durf je me dat aan te doen? Hoe durf je me daar naartoe te sturen?'

'Ik heb je nergens heen gestuurd, Richard. Je eigen geest nam je mee naar waar hij wilde gaan. Ik heb niets anders gedaan dan de gedachten bevrijd die jij had onderdrukt. Ik heb je bespaard wat je anders in je nachtmerries zou hebben beleefd.'

'Ik herinner me mijn dromen nooit.'

Shota knikte, terwijl ze onderzoekend in zijn ogen keek. 'Deze zou je je nog wel hebben herinnerd. En het zou veel erger zijn dan wat je zojuist hebt doorstaan. Het is beter om dergelijke visioenen onder ogen te zien wanneer je ze kunt nemen zoals ze zijn en kunt zoeken naar de waarheid die ze bevatten.'

Richard voelde zijn bloed naar zijn gezicht stijgen en zijn wangen warm worden. 'Is dat wat je eerder bedoelde, toen je zei dat als ik met Kahlan trouwde, ze een monsterkind zou baren? Is dat de echte betekenis die schuilgaat in je verwarde profetie?'

Shota toonde geen emotie. 'Het betekent wat het betekent.'

Richard hoorde nog steeds in gedachten de woorden van de soldaat van de Imperiale Orde, die hem vertelde wat hij met Kahlan ging doen, hoe ze zou worden behandeld, hoe ze kinderen zou baren die zouden opgroeien en dan zouden spugen op de graven van degenen die hun eigen leven wilden leiden, degenen die geloofden in alles wat hem lief was.

Richard sprong plotseling op Shota af en had haar een tel later bij haar keel vast. Door de botsing en zijn vastberadenheid om haar iets aan te doen, vielen ze allebei over het muurtje in de fontein en door hun vaart kwamen ze in het water terecht, Richard boven op Shota. Richard sleurde haar overeind aan haar keel. 'Is dat wat je bedoelde!'

Het water stroomde van haar gezicht en ze hoestte het op.

Hij schudde haar door elkaar. 'Is dat wat je bedoelde!'

Richard knipperde met zijn ogen. Hij stond overeind. Hij was droog. Shota stond voor hem. Ze was droog. Zijn handen hingen nog steeds langs zijn lichaam.

'Rustig, Richard.' Shota trok een wenkbrauw op. 'Je bevindt je nog steeds deels in je dromen.'

Richard keek om zich heen. Het was waar. Hij was niet nat, en Shota ook niet. Nog geen kastanjebruin haartje op haar hoofd zat in de war. Nicci's wenkbrauwen gingen omhoog toen hij naar haar keek. Ze scheen zich af te vragen waarom hij zo verward was. Het moest wel waar zijn; hij droomde nog steeds.

Het was echt alleen maar een droom geweest; zijn executie, dat hij Kahlan had gezien. Hij had zich alleen maar ingebeeld dat hij Shota naar de keel had gegrepen. Maar hij wilde het wel.

'Was dat wat je bedoelde toen je zei dat Kahlan een monsterkind zou baren?' vroeg Richard nog eens, wat rustiger nu maar met niet minder dreiging.

'Ik weet niet wie die Kahlan is.'

Richard klemde zijn kaken op elkaar en knarste met zijn tanden terwijl hij overwoog haar nu echt bij de keel te grijpen. 'Geef antwoord! Is dat wat je bedoelde?'

Shota tilde een waarschuwende vinger naar hem op. 'Geloof me, Richard, je wilt echt niet dat een heks boos op je wordt.'

'En jij wilt niet dat ik boos op jou word, dus geef antwoord. Is dat wat je bedoelde?'

Ze streek de mouwen van haar gewaad glad en koos haar woorden zorgvuldig. 'In de eerste plaats heb ik je op verschillende momenten, tijdens de verschillende dingen die ik je heb verteld, alleen maar verteld wat ik zag in het verloop van gebeurtenissen in de tijdstroom. Ik herinner me die vrouw Kahlan niet, en ik herinner me ook niet dat ik ooit iets met haar te maken heb gehad. Dus ik weet niet over welk moment of welke voorspelling je het hebt, omdat ik me die ook niet herinner.'

Shota trok een duistere, gevaarlijke blik die hem eraan herinnerde dat hij sprak met een heks wier naam alleen al de meeste mensen in het Middenland deed beven van angst. 'Maar je waagt je in ernstige zaken met groot gevaar in dat verloop van gebeurtenissen in de tijdstroom.' Ze fronste afkeurend haar voorhoofd. 'Wat, precies, bedoel je met een... monsterkind?'

Richard draaide zich om en keek in het stilstaande water van de fontein terwijl hij nadacht over de vreselijke dingen die hij had gezien. Hij kon het niet hardop zeggen. Kon het niet zeggen waar de anderen bij waren, zelfs niet hardop suggereren dat Shota ooit een voorspelling had gedaan die, naar hij vreesde, kon betekenen dat Kahlan een kind zou krijgen van een van die monsters van de Imperiale Orde. Hij had het gevoel dat als hij het hardop zei, het daardoor misschien bewaarheid kon worden. Het was zo'n pijnlijk idee dat hij de hele gedachte van zich afzette en in plaats daarvan besloot een andere vraag te stellen.

Hij draaide zich weer naar haar om. 'Wat betekent het dat ik mijn gave niet kon oproepen met mijn woede?'

Shota zuchtte diep. 'Richard, je moet iets begrijpen. Ik heb je geen visioen gegeven. Ik heb je alleen maar geholpen verborgen gedachten van jezelf vrij te laten. Ik heb je geen droom gegeven die ik had samengesteld, en ik heb ook geen ideeën in je gedachten geplant. Ik heb je alleen bewust gemaakt van je eigen gedachten. Ik kan je niets vertellen over wat je gezien hebt, omdat ik niet wéét wat je gezien hebt.'

'Maar waarom zou je dan...'

'Ik weet alleen dat jij degene bent die de Orde een halt moet toeroepen. Ik heb je geholpen je eigen onderdrukte gedachten naar boven te brengen, zodat je het beter kon begrijpen.'

'Wát begrijpen?'

'Wat je moet begrijpen. Ik weet niet beter wat dat is, dan wat ik weet wat je hebt gezien in je eigen geest waardoor je zo van streek bent. Je zou kunnen zeggen dat ik alleen maar de boodschapper ben. Ik heb de boodschap niet gelezen.'

'Maar je hebt me dingen laten zien die...'

'Nee, dat heb ik niet. Ik heb het gordijn voor je opzij getrokken, Richard. Ik heb de regen niet gemaakt die je vanuit dat venster zag. Je probeert mij de schuld te geven voor de regen, in plaats van te beseffen dat ik alleen het gordijn maar heb geopend zodat je de regen met eigen ogen kon zien.'

Richard wierp een blik op Nicci. Ze zei niets. Hij keek langs de trap omhoog naar zijn grootvader, die met zijn handen losjes ineengeslagen zwijgend toekeek. Zedd had hem altijd geleerd om te gaan met de realiteit van hoe de wereld was, had hem geleerd niet tekeer te gaan tegen wat sommigen geloofden dat de onzichtbare hand van het lot was die gebeurtenissen bestuurde en opriep. Deed hij dat nu bij Shota? Probeerde hij haar de schuld te geven omdat ze dingen onthulde die hij niet had gezien of die hij niet had willen zien?

'Het spijt me, Shota,' zei hij op kalmere toon. 'Je hebt gelijk. Je hebt me inderdaad de regen laten zien. Ik heb geen idee wat ik eraan moet doen, maar ik heb het gezien. Ik moet jou niet de schuld geven van wat anderen doen. Het spijt me.'

Shota glimlachte kleintjes. 'Dat is een deel van de reden waarom jij, Richard, de enige bent die de waanzin kan laten ophouden. Jij bent bereid om de waarheid te zien. Daarom heb ik Jebra meegenomen en die vreselijke verhalen laten vertellen over wat de Orde allemaal doet. Je moet de waarheid ervan weten.'

Richard knikte en voelde zich alleen maar slechter, alleen maar nog wanhopiger, omdat hij geen idee had hoe hij moest doen waartoe zij dacht dat hij in staat was. Hij ontmoette Shota's strakke blik. 'Je hebt een grote inspanning geleverd door Jebra hierheen te brengen. Je bent van ver gekomen. Jouw toekomst, je leven zelfs, hangt hier niet minder van af dan mijn leven of het leven van alle vrije mensen, al diegenen met de gave. Als de Orde wint, gaan we er allemaal aan, jij ook.

Kun je me niet iets vertellen wat me kan helpen om iets te doen tegen deze waanzin? Ik kan alle hulp gebruiken die je kunt bieden. Is er dan niets wat je me kunt vertellen?'

Ze staarde hem een tijdje aan voordat ze sprak, alsof ze met haar gedachten ergens anders was. 'Telkens wanneer ik je informatie geef,' zei ze uiteindelijk, 'word je boos. Alsof ik degene ben die creëert wat is, in plaats van het alleen maar te melden.'

'Er staat ons allen slavernij, martelingen en de dood te wachten, en jij zit er opeens mee dat je gekwetst wordt?'

Ondanks zichzelf glimlachte Shota om zijn rake opmerking. 'Jij denkt dat ik die onthullingen zomaar uit de lucht pluk zoals een peer van een boom.' Haar glimlach vervaagde terwijl haar blik zich op een punt in de verte richtte. 'Je kunt je niet voorstellen wat het mij persoonlijk kost om zulke versluierde informatie boven water te krijgen. Ik wil zo'n formidabele taak niet eens ondernemen als die moeizaam verkregen kennis niets anders doet dan onmin veroorzaken.'

Richard stak zijn handen in zijn achterzakken. 'Goed, ik snap wat je bedoelt. Als je er zoveel moeite voor doet, verwacht je van me dat ik er serieus mee omga. Voor ons allemaal staat alles op het spel, Shota. Ik stel alles op prijs wat je me kunt vertellen.'

Terwijl Richard echt geloofde dat Shota hem vertelde wat zij zag van het verloop van gebeurtenissen in de tijdstroom, geloofde hij niet dat de betekenis van haar relaas per se rechtlijnig was of betekende wat Shota geloofde dat het betekende. Toch had ze hem altijd informatie gegeven die op een bepaalde manier van doorslaggevend belang was voor de betreffende kwestie, en daarvan was ketenvuur nog maar het laatste. Hoewel haar onthulling van het woord 'ketenvuur' niet gepaard was gegaan met een verklaring waar hij iets aan had, was die aanwijzing alleen al brandstof geweest voor zijn pogingen om te ontdekken wat er met Kahlan was gebeurd. Zonder dat ene woord had hij nooit dat specifieke boek herkend waarin de sleutel tot de waarheid stond.

Shota haalde diep adem en liet die langzaam, gelaten weer ontsnappen. Ze boog zich een stukje naar hem toe, alsof ze wilde benadrukken dat ze het meende. 'Dit is alleen voor jouw oren bestemd.'

19

R ichard keek naar Cara en Nicci. Hun gezichtsuitdrukking liet er geen twijfel over bestaan wat ze van het idee vonden om hem zonder hun bescherming achter te laten. Hoewel hij wist dat zij overtuigd waren van de noodzaak om dicht in de buurt te blijven, geloofde hij niet echt dat hij veiliger zou zijn als ze één stap bij hem vandaan stonden in plaats van tien stappen; Shota had dat immers net nog gedemonstreerd. Maar het was klaar als een klontje dat zij dat denkbeeld niet deelden.

Richard dacht dat hij misschien een oplossing wist waar iedereen tevreden mee zou zijn. 'Ze staan aan onze kant. Wat maakt het uit...'

'Ik wil het zo.' Shota draaide zich om naar de fontein, keerde hem de rug toe en vouwde haar armen over elkaar. 'Als je wilt horen wat ik te zeggen heb, dan voldoe je aan mijn wensen.'

Richard wist niet of ze alleen maar koppig deed of niet, maar hij wist wel dat dit niet het moment was om dat uit te testen. Als hij enige hulp van Shota wilde, moest hij laten zien dat hij haar vertrouwde. En Nicci en Cara zouden hém maar gewoon moeten vertrouwen.

Hij gebaarde naar de trap. 'Gaan jullie alsjeblieft boven bij Zedd wachten.'

Het idee stond zowel Nicci als Cara overduidelijk niet aan, maar ze zagen in zijn ogen dat ze moesten doen wat hij vroeg.

Nicci wierp een woeste blik op Shota's achterhoofd. 'Als ik om wat voor reden dan ook het gevoel krijg dat je hem kwaad wilt doen, dan verander ik je in een verkoolde sintel voordat je de kans krijgt.'

'Waarom zou ik hem kwaad doen?' Shota keek over haar schouder. 'Richard is de enige die kans heeft de Orde tegen te houden.'

'Precies.'

Richard keek Nicci en Cara na, die zich zwijgend omdraaiden en de trap beklommen. Hij had meer protesten verwacht van Cara, maar was blij dat ze zweeg. Hij wisselde een langdurige blik met zijn grootvader. Zedd was voor zijn doen ongewoon stil. Maar dat gold eigenlijk ook voor Nathan en Ann. Ze keken alle drie naar hem met een blik alsof ze een merkwaardig natuurverschijnsel bestudeerden. Zedd knikte lichtjes naar Richard en spoorde hem aan om te doen wat er gebeuren moest.

Richard hoorde dat de fontein achter hem ineens weer begon te stromen. Toen hij zich omdraaide, zag hij water de lucht in spuiten, neervallen, wegstromen van de uiteinden van de kommen en dansend neerkomen in de onderste vijver.

Shota zat op het marmeren muurtje om de vijver heen, met haar rug naar hem toe terwijl ze kalmpjes haar vingers door het water liet gaan. Iets aan haar lichaamstaal bracht de haartjes in Richards nek overeind. Toen ze over haar schouder keek, staarde Richard in het gezicht van zijn moeder. Zijn spieren verkrampten.

'Richard.' Haar droevige glimlach bewees hoeveel ze van hem hield en hoezeer ze hem miste. Ze was geen dag ouder dan hoe hij zich haar herinnerde uit zijn jeugd. Terwijl Richard verstijfd bleef staan, stond zij gracieus voor hem op.

'O, Richard,' zei ze met een stem zo helder en vloeibaar als het water in de fontein, 'ik heb je zo gemist.' Ze legde een arm rond zijn middel en streek met haar andere hand teder door zijn haren. Ze keek verlangend in zijn ogen. 'Ik heb je zo ontzettend gemist.'

Richard zette onmiddellijk een rem op zijn emoties. Hij wist wel beter dan te geloven dat dit echt zijn moeder was. De eerste keer dat hij Shota had ontmoet, was ze ook voor hem verschenen als zijn moeder, die was overleden tijdens een brand toen Richard nog klein was. Toentertijd had Richard Shota haar hoofd af willen hakken met zijn zwaard om wat hij zag als een wrede misleiding. Shota had de gedachte gelezen en hem ervoor berispt door te zeggen dat ze zo was verschenen als onschuldig geschenk; een levende herinnering aan zijn liefde voor zijn moeder en haar onsterfelijke liefde voor hem. Shota had gezegd dat die vriendelijke daad haar veel had gekost, maar dat hij dat nooit zou kunnen begrijpen of waarderen.

Richard dacht niet dat ze hem deze keer een geschenk gaf. Hij wist niet waar ze mee bezig was of waarom, maar hij besloot er kalm onder te blijven en geen overhaaste conclusies te trekken. 'Shota, dank je voor de prachtige herinnering, maar waarom is het nodig dat je als mijn moeder verschijnt?'

Shota's voorhoofd, in de gedaante van zijn moeder, fronste nadenkend. 'Ken je de naam... Baraccus?'

De haartjes achter in Richards nek, die maar net waren gaan liggen, kwamen weer overeind. Hij legde zachtjes zijn handen om haar middel en duwde haar heel voorzichtig achteruit. 'Er was een man die Baraccus heette, die Eerste Tovenaar was ten tijde van de grote oorlog.' Met een vinger tilde Richard de amulet die op zijn borst hing op. 'Deze was van hem.'

Zijn moeder knikte. 'Ja, hij. Hij was een groot oorlogstovenaar.'

'Dat klopt.'

'Net als jij.'

Richard bloosde bij de gedachte dat zijn moeder hem een 'groot' tovenaar noemde, ook al was het dan Shota in haar gedaante. 'Hij wist hoe hij zijn vaardigheid moest gebruiken; ik niet.'

Zijn moeder knikte weer en een lichte glimlach krulde haar mondhoeken om, net zoals hij zich herinnerde van vroeger. Zijn moeder had altijd zo geglimlacht als ze trots was, wanneer hij een bijzonder moeilijke les had begrepen. Hij vroeg zich af of Shota bedoelde dat die herinnering een betekenis had. 'Weet je wat er met hem gebeurd is, met Baraccus?'

Richard haalde diep adem. 'Ja, dat weet ik toevallig. Er waren problemen met de Tempel der Winden. De Tempel en de onschatbare inhoud ervan waren in veiligheid gebracht in een andere wereld.'

'De onderwereld,' voegde ze eraan toe.

'Ja. Baraccus ging erheen om die problemen op te lossen.'

Zijn moeder glimlachte en haalde haar vingers weer door zijn haren. 'Net zoals jij.'

'Ja, misschien wel.'

Toen ze eindelijk ophield zijn haren te strelen, haar mooie ogen neergeslagen, richtte ze haar blik weer op hem. 'Hij ging daarheen voor jou.'

'Voor mij?' Richard keek haar schuins aan. 'Wat bedoel je?'

'Er was Subtractieve Magie opgesloten in die Tempel, in de onderwereld, weggehaald van de wereld van het leven zodat geen enkele tovenaar er ooit nog mee geboren zou worden.'

Richard wist niet of ze alleen maar herhaalde wat hij had geleerd of dat ze hem de feiten gaf zoals ze dacht dat die waren. 'Ik ben dat ook gaan vermoeden op basis van verslagen uit die tijd. Als gevolg daarvan werden er niet langer mensen geboren met de Subtractieve kant van de gave.'

Ze keek hem aan met een soort kalme ernst die hij bijzonder verontrustend vond. 'Behalve jij,' zei ze uiteindelijk op een manier die door zijn eenvoud een grote betekenis in zich droeg.

Richard knipperde met zijn ogen. 'Bedoel je dat hij iets deed toen hij in de Tempel der Winden was, zodat er weer iemand zou worden geboren met Subtractieve Magie?'

'Met "iemand" bedoel je, neem ik aan... jij?' Ze trok een wenkbrauw op alsof ze de nuchterheid van die vraag wilde onderstrepen. 'Waar doel je op?'

'Er is sindsdien, sinds de Tempel van deze wereld is weggestuurd, niemand meer geboren met Subtractieve Magie en ook niet als oorlogstovenaar.'

'Luister, ik weet niet zeker of dat zo is, maar zelfs dan nog betekent het niet dat...'

'Weet je wat oorlogstovenaar Baraccus deed toen hij terugkeerde uit de Tempel der Winden?'

Richard was van zijn stuk gebracht door de vraag en vroeg zich af wat het belang ervan kon zijn. 'Nou, ja. Toen hij terugkeerde uit de Tempel der Winden... pleegde hij zelfmoord.' Richard gebaarde zwakjes naar het enorme complex boven hen. 'Hij sprong van de muur van de Tovenaarsburcht af, van de buitenmuur die uitkijkt over de vallei en de stad Aydindril beneden.'

Zijn moeder knikte somber. 'Die uitkijkt over de plek waar het Paleis van de Belijdsters uiteindelijk zou worden gebouwd.'

'Ik geloof van wel.'

'Maar voordat hij van die muur afsprong, heeft hij iets voor je achtergelaten.'

Richard staarde op haar neer, er niet helemaal van overtuigd dat hij haar goed had verstaan. 'Voor mij? Weet je dat zeker?'

Zijn moeder knikte. 'Het verslag dat jij hebt gelezen, bevatte niet alle informatie. Toen hij terugkeerde uit de Tempel der Winden, voordat hij van de muur van de burcht sprong, gaf hij zijn vrouw namelijk een boek en stuurde haar ermee naar zijn bibliotheek.'

'Zijn bibliotheek?'

'Baraccus had een geheime bibliotheek.'

Richard had het gevoel alsof hij op zijn tenen over een nacht ijs liep. 'Ik wist niet eens dat hij een vrouw had.'

'Maar Richard, je kent haar.' Zijn moeder glimlachte op een manier waardoor het toch al rechtopstaande haar in zijn nek nog verder overeind kwam.

Richard kon nauwelijks adem krijgen. 'Ik ken haar? Hoe kan dat nou?'

'Nou,' zei zijn moeder terwijl ze half haar schouders ophaalde, 'je hebt van haar gehoord. Ken je de tovenaar die de eerste Belijdster heeft gecreëerd?'

'Ja,' zei Richard, verward door haar verandering van onderwerp. 'Hij heette Merritt. De eerste Belijdster was een vrouw die Magda Searus heette. Er is een plafondschildering van hen aangebracht in het Paleis van de Belijdsters.'

Zijn moeder knikte, en Richard voelde zijn maag omdraaien. 'Dat is de vrouw.'

'Welke vrouw?'

'Baraccus' vrouw.'

'Nee...' zei Richard, die zijn hand naar zijn voorhoofd bracht en alles probeerde op een rijtje te krijgen. 'Nee, zij was de vrouw van Merritt, de tovenaar die van haar een Belijdster had gemaakt.'

'Dat kwam later,' zei zijn moeder met een wegwerpgebaar. 'Haar eerste echtgenoot was Baraccus.'

'Weet je dat zeker?'

Ze knikte ferm. 'Toen Baraccus terugkeerde uit de Tempel der Winden, wachtte Magda Searus op hem waar hij haar had gevraagd te wachten, in de enclave van de Eerste Tovenaar. Dagenlang had ze gewacht, bang dat hij nooit meer naar haar terug zou keren. Tot haar grote opluchting deed hij dat uiteindelijk wel. Hij kuste haar, vertelde haar dat hij van haar hield en vervolgens stuurde hij haar in het geheim en nadat hij haar een eed van eeuwig zwijgen had laten afleggen, met een boek naar zijn persoonlijke, geheime bibliotheek.

Toen ze weg was liet hij zijn tenue liggen – dat jij nu draagt, inclusief die met leer beklede zilveren polsbanden, de mantel die eruitziet alsof hij is gesponnen van goud en die amulet – in de enclave van de Eerste Tovenaar. Hij liet het achter voor de tovenaar wiens geboorte in de wereld van het leven hij zojuist had zekergesteld... hij liet het achter voor jou, Richard.'

'Voor mij? Weet je zeker dat die spullen echt voor mij bestemd waren, specifiek voor mij?'

'Waarom denk je dat er zoveel profetieën zijn die over jou spreken, die op jou wachten, waarin jij met name genoemd staat: 'de waarachtig geborene', 'de kiezel in de vijver', 'de brenger des doods, 'de Caharin'? Waarom denk je dat die profetieën die om jou draaien, zijn ontstaan? Waarom denk je dat jij in staat was er sommige van te begrijpen terwijl er eeuwenlang, duizenden jaren lang niemand was die ze kon ontcijferen? Waarom denk je dat je andere profetieën al hebt vervuld?'

'Maar dat betekent nog niet dat hij specifiek mij bedoelde.'

Met een nonchalant gebaar weigerde zijn moeder zijn bewering te staven of te verwerpen. 'Wie kan zeggen wat er eerst kwam, de Subtractieve kant die eindelijk een kind vond waarin het geboren kon worden, of dat het uiteindelijk het specifieke kind vond waarin het bedoeld was te worden geboren. Een profetie heeft een kern nodig om te ontkiemen. Er moet iets zijn om mogelijk te maken wat er komt, ook al is het maar de kleur van je ogen, die je hebt geërfd. Er moet iets zijn wat het mogelijk maakt. In dit geval, was het toeval of opzet?'

'Ik zie het liever als een toevallige aaneenschakeling van gebeurtenissen.'

'Als je dat graag wilt. Maar maakt het op dit moment echt uit, Richard? Jij bent degene die is geboren met de vaardigheid die Baraccus heeft vrijgelaten uit de gevangenschap op een andere wereld. Jij bent degene die hij geboren wilde laten worden, door toeval of door een specifieke opzet. Uiteindelijk is het enige wat ertoe doet, wat er is: jij bent degene die is geboren met die vaardigheid.'

Richard nam aan dat ze gelijk had; hoe het precies was gekomen, veranderde niet wat hij was.

Zijn moeder zuchtte en ging verder met haar verhaal. 'Hoe dan ook, pas toen, nadat hij zijn voorbereidingen had getroffen om te zorgen voor wat hij wilde dat er gebeurde, kwam Baraccus zijn enclave uit en sprong zijn dood tegemoet. Degenen die de verslagen schreven, wisten niet dat hij al lang genoeg terug was geweest om zijn vrouw op een dringende, geheime missie te sturen. Zij keerde later terug en ontdekte dat hij dood was.'

Richards hoofd liep om. Hij kon zijn oren niet geloven. Hij was duizelig door dit onverwachte relaas over eeuwenoude gebeurtenissen. Hij wist echter, doordat hij in de Tempel der Winden geweest was, dat zulke dingen mogelijk waren. Hij had de kennis die hij daar had opgedaan, opgegeven als betaling om terug te keren naar de wereld van het leven. Hoewel hij die kennis was kwijtgeraakt, had hij wel een gevoel overgehouden van hoe diepzinnig het was geweest. Degene die had geëist dat hij moest achterlaten wat hij had geleerd in ruil voor zijn terugkeer naar Kahlan, was de geest van Darken Rahl geweest, zijn echte vader.

'In haar verdriet meldde Magda Searus zich vrijwillig als subject voor een gevaarlijke proef die Merritt had bedacht, stelde ze zich vrijwillig beschikbaar om Belijdster te worden. Ze wist dat er een grote kans bestond dat ze de onbekende gevaren van die bezwering niet zou overleven, maar door haar verdriet om de dood van haar geliefde echtgenoot de Eerste Tovenaar, was haar wereld ten einde gekomen. Ze dacht niet dat ze nog iets had om voor te leven, behalve ontdekken wie verantwoordelijk was voor de noodlottige gebeurtenissen die tot de dood van haar man hadden geleid. Dus meldde ze zich vrijwillig aan voor wat iedereen verwachtte dat een fataal experiment zou zijn.

Maar ze overleefde het. Pas veel later werd ze verliefd op Merritt, en hij op haar. Haar wereld kwam weer tot leven met hem. De verslagen uit die tijd zijn hier en daar vervaagd, er ontbreken stukken uit of ze staan op de verkeerde plaats in de chronologie van gebeurtenissen, maar het feit blijft dat Merritt haar tweede echtgenoot was.'

Richard moest gaan zitten op de marmeren bank. Het was bijna te veel om te bevatten. De implicaties waren overstelpend. Hij had moeite al dat toeval met elkaar in overeenstemming te brengen: dat hij de eerste was geweest die sinds duizenden jaren was geboren met Subtractieve Magie, dat voordat Richard de Tempel der Winden bezocht, Baraccus daar als laatste in was geweest, dat Baraccus getrouwd was geweest met een vrouw die de eerste Belijdster werd, dat Richard verliefd was geworden op en getrouwd met een Belijdster; de Biechtmoeder zelf, Kahlan.

'Toen Magda Searus haar pas verworven Belijdstersmacht gebruikte op Lothain, ontdekten ze wat hij had gedaan in de Tempel der Winden, wat alleen Baraccus had geweten.'

Richard keek op. 'Wat had hij dan gedaan?'

Zijn moeder keek in zijn ogen alsof ze in zijn ziel kon kijken. 'Lothain verraadde hen toen hij in de Tempel was, door ervoor te zorgen dat er een heel specifieke magie die daar was opgesloten, op een bepaald moment in de toekomst zou vrijkomen in de wereld van het leven. Keizer Jagang is geboren met de macht die Lothain heeft gekozen om vanuit de veiligheid van de opsluiting naar een andere wereld te sijpelen. Die magie was de macht van een droomwandelaar.'

'Maar waarom zou Lothain, de hoofdaanklager, zoiets doen? Hij had er immers voor gezorgd dat het Tempelteam werd terechtgesteld voor de schade die ze hadden aangericht.'

'Lothain was waarschijnlijk gaan geloven, net als de vijand in de Oude Wereld, dat magie moest worden uitgebannen uit het menselijke ras. Ik denk dat zijn fanatisme een nieuw richtpunt vond: hij zag zichzelf als de verlosser van de mensheid. Om die reden zorgde hij voor de terugkeer van een droomwandelaar in de wereld van het leven, om de wereld te ontdoen van magie.

Om de een of andere reden was Baraccus niet in staat de bres te verzegelen die was gemaakt door Lothain, niet in staat het verraad ongedaan te maken. Hij deed wat hem nog restte. Hij zorgde ervoor dat er een evenwicht zou zijn, een tegenwicht voor de aangerichte schade, iemand die kon strijden tegen de krachten die erop gebrand waren alle begaafden te vernietigen, iemand die daarvoor de vaardigheid bezat.

Dat ben jij, Richard. Baraccus zorgde ervoor dat jij werd geboren als tegenwicht voor wat Lothain had gedaan. En daarom ben jij, Richard Rahl, de enige die de Orde een halt kan toeroepen.'

Richard had het gevoel alsof hij moest overgeven. Het gaf hem allemaal het idee dat hij maar een kosmische pion was die werd gebruikt voor verborgen doeleinden, een slachtoffer dat niets meer deed dan het plan voor zijn leven meespelen dat anderen hadden bedacht, dat zijn vooraf bepaalde rol speelde in een strijd die zich over duizenden jaren uitstrekte.

Alsof ze zijn gedachten kon lezen, legde Shota, die er nog steeds uitzag en klonk als zijn moeder, een meelevende hand op zijn schouder. 'Baraccus zorgde ervoor dat er een evenwicht was voor al deze schade. Hij heeft niet van tevoren bepaald hoe dat evenwicht zou moeten werken of wat het zou doen. Hij heeft je vrije wil niet uitgeschakeld, Richard.'

'Denk je niet? Voor mij lijkt het alsof ik niet meer ben dan de laatste pion die eindelijk in het spel wordt gebracht. Ik zie mijn vrije wil, mijn eigen leven, mijn keuzevrijheid in niets van dit alles. Blijkbaar hebben anderen mijn pad bepaald.'

'Ik denk niet dat dat waar is, Richard. Je zou kunnen zeggen dat wat ze gedaan hebben wel wat lijkt op een soldaat die wordt opgeleid om te strijden. Die opleiding geeft hem de mogelijkheid om een doel te bereiken, om een strijd te winnen, mocht die plaatsvinden. Het betekent niet dat wanneer de strijd komt, de soldaat niet kan vluchten, dat hij in plaats daarvan blijft staan en zal vechten, of dat hij, zelfs als hij naar beste kunnen vecht, zal winnen. Baraccus zorgde ervoor dat je het potentieel hebt, Richard, het harnas, de wapens, de vaardigheid om voor je eigen leven en je eigen wereld te vechten indien het nodig mocht zijn, meer niet. Hij reikte je alleen een helpende hand.'

Een helpende hand over de kloof der tijd heen. Richard voelde zich afgemat en verward. Hij had bijna het gevoel alsof hij zichzelf niet meer kende, niet meer wist wie hij echt was, of hoeveel van zijn eigen leven aan hemzelf te danken was. Hij had het gevoel alsof Baraccus plotseling uit het stof van oude beenderen was opgestaan, een fantoom dat in Richards leven kwam spoken.

20

Er was één ding dat nog steeds aan hem knaagde, iets anders wat hij niet begreep. Hoe kon de hoofdaanklager, Lothain, zich keren tegen zijn overtuigingen, zich keren tegen iedereen in de Nieuwe Wereld? Het leek Richard een te makkelijke verklaring dat hij voor de macht, de verleiding van het geloof van de Oude Wereld was gevallen.

En toen viel het hem in; het besef rees in een golf in hem op met de kracht van een springtij en benam hem bijna de adem.

Iets in die oude verslagen had hem altijd dwarsgezeten. Shota had zijn herinnering opgewekt aan dingen die waren gebeurd, en daardoor vielen alle bestaande stukjes ineens op hun plaats. Nu begreep hij wat er mis was met het verhaal, wat hem er altijd aan had dwarsgezeten. Zodra hij dat begreep, snapte hij niet waarom hij het niet al veel eerder had beseft.

'Lothain was een fanatieke aanklager,' zei Richard, half in zichzelf. Zijn woorden kwamen in een stroom, zijn ogen waren groot en star. 'Hij vónd geen nieuwe fixatie voor zijn fanatisme. Hij hééft zich niet tegen hen gekeerd. Hij wás geen verrader. Hij was een spion. Hij was altijd een spion geweest. Hij was als een mol, die zich steeds dieper ingroef naar zijn doel. Over een lange tijd heeft hij zichzelf naar een positie van macht toe gewerkt. Hij had ook handlangers die in het geheim onder hem werkten.

Lothain was een tovenaar die niet alleen door veel mensen werd gerespecteerd, maar ook veel macht had. Met zijn politieke macht had hij toegang tot de hoogste posities. Toen de kans zich eindelijk aandiende, een kans die hij zelf had helpen bewerkstelli-

gen, kwam hij in actie. Hij zorgde ervoor dat zijn medesamen-
zweerders werden ingedeeld in het Tempelteam. Net als de Orde
nu, hadden Lothain en zijn mannen een sterk geloof in hun zaak.
Zij waren degenen die de missie hebben gecorrumpeerd. Het was
geen verandering van gedachten, geen ondoordachte daad vanuit
het geweten. Het was al die tijd al de bedoeling geweest. Het was
opzettelijk.

Ze waren allemaal bereid zichzelf op te offeren, te sterven voor
wat zij geloofden dat een hoger doel was. Ik weet niet hoeveel leden van het team echt spionnen waren, of ze dat misschien allemaal waren, maar het feit is dat voldoende van hen dat wel waren om hun doel te bereiken. Misschien hebben ze zelfs wel
anderen overtuigd om met hen mee te doen, vanuit een verward
gevoel van morele verplichting.

Het was natuurlijk onvermijdelijk dat de andere tovenaars in de
Burcht al snel zouden beseffen dat het project met de Tempel der
Winden gecompromitteerd was. Toen ze dat deden, was Lothain
maar al te graag bereid om het hele Tempelteam te vervolgen en
ervoor te zorgen dat ze allemaal werden terechtgesteld. Hij wilde niet dat er nog iemand in leven bleef om te verraden wat ze
eigenlijk hadden gedaan.

Lothain wilde al die tijd al dat hun precieze handelingen geheim
bleven, zodat er geen succesvolle tegenmaatregelen konden worden genomen. De spionnen die Lothain had ingedeeld in het Tempelteam, gingen vol bereidheid naar hun graf en namen hun geheimen met zich mee. Door het gehele Tempelteam te vervolgen
en te veroordelen, kon Lothain de hele samenzwering die hij had
bedacht in de doofpot stoppen. Hij elimineerde iedereen die enige kennis had van de werkelijke schade die was aangericht. Hij
was zeker in de wetenschap dat op een dag zijn zaak alle tegenstand zou omverwerpen en dat ze dan over de wereld zouden
heersen. Als dat gebeurde, zou hij de grootste held van de oorlog zijn.

Er ontstond alleen nog één klein probleempje. Na de rechtszaak
stonden degenen die de leiding hadden, erop dat er iemand naar
de Tempel der Winden moest gaan om de schade te herstellen.
Lothain kon natuurlijk niemand anders laten gaan, omdat zij dan
de volledige sabotage zouden ontdekken en misschien in staat
zouden zijn die ongedaan te maken, dus bood hij aan om zelf te

gaan. Dat was al die tijd al zijn plan geweest: om zelf als het nodig was na het team te gaan en de waarheid te verhullen.

Omdat hij de hoofdaanklager was, geloofde iedereen dat hij de absolute overtuiging had om de zaken recht te zetten. Toen Lothain uiteindelijk in de Tempel der Winden aankwam, zorgde hij er niet alleen voor dat de schade onherstelbaar was, hij gebruikte de kennis die hij daar had opgedaan om het nog erger te maken, om er zeker van te zijn dat niemand de bres zou vinden en herstellen. Toen verhulde hij wat hij had gedaan en zorgde ervoor dat het leek alsof alles in orde was gemaakt.

Ook hier echter één probleem: de wijzigingen die hij aanbracht, met de kennis van de Tempel zelf, bleken voldoende om een van de beschermende alarmen van de Tempel in werking te stellen. In de Tempel in die andere wereld was Lothain zich niet bewust van de rode manen die de Tempel in deze wereld had geactiveerd, en toen hij terugkeerde werd hij gepakt. Toch kon het hem niet schelen; hij keek ernaar uit te sterven, om de eeuwige glorie in het hiernamaals te betreden voor alles wat hij had bereikt, net zoals Nicci vertelde hoe de mensen in de Oude Wereld denken. De tovenaars in de Burcht wilden weten hoeveel schade Lothain had veroorzaakt. Hoewel hij werd gemarteld, vertelde Lothain niet hoever het plan strekte. Om de waarheid te ontdekken over wat er gebeurd was, werd Magda Searus een Belijdster. Maar ze was onervaren en moest al doende leren. Hoewel ze haar Belijdstersmacht gebruikte, besefte ze op dat moment niet hoe belangrijk het was om de juiste vragen te stellen.'

Richard keek op in het gezicht van zijn moeder. 'Kahlan heeft me eens verteld dat het makkelijk is om iemand te laten bekennen. Het moeilijke is om te begrijpen hoe je de juiste vragen stelt, zodat je de waarheid te horen krijgt. Magda had nog maar pas de macht van een Belijdster verkregen. Niemand begreep nog hoe die macht werkte.

Kahlan is haar leven lang opgeleid om ermee om te gaan, maar toen, duizenden jaren geleden, wist Magda Searus nog niet hoe ze alle juiste vragen moest stellen, en wat de juiste volgorde was. Hoewel ze dacht dat ze Lothain had laten bekennen wat hij had gedaan, heeft ze niet het volledige bereik van zijn verraad bloot kunnen leggen. Hij was een spion, en ondanks het gebruik van de eerste Belijdster hebben ze dat niet ontdekt. Daarom hebben ze ook nooit volledig geweten in hoeverre Lothains mannen de Tempel hadden ondermijnd.'

Zijn moeder keek hem aan, haar voorhoofd gefronst in concentratie. 'Weet je dit zeker, Richard?'

Hij knikte. 'Eindelijk begrijp ik het allemaal. Met wat jij aan het verhaal hebt toegevoegd, passen nu de stukjes die nooit eerder pasten. Lothain was een spion en hij ging zijn graf in zonder te vertellen wie hij echt was, of dat hij zijn eigen mensen in het Tempelteam had geplaatst. Ze gingen allemaal dood zonder ooit te beseffen hoe groot de werkelijk aangerichte schade was. Niet een van hen, zelfs Baraccus niet, besefte hoe groot die werkelijk was.'

Zijn moeder zuchtte en staarde voor zich uit. 'Dat verklaart in ieder geval sommige ontbrekende delen van wat ik heb vernomen.' Ze keek hem weer aan alsof ze hem in een nieuw licht zag. 'Heel goed, Richard. Heel erg goed.'

Richard streek met een hand over zijn vermoeide ogen. Hij voelde zich niet bijzonder trots dat hij in de duistere schemering van de geschiedenis had gegrepen en er zulke walgelijke daden uit had opgediept, daden die nu de tijd overbrugden om hem te achtervolgen.

'Je zei dat Baraccus een boek voor me had achtergelaten?'

Ze knikte. 'Hij stuurde zijn vrouw ermee weg om het veilig te stellen. Het was bedoeld voor jou.'

Richard zuchtte. 'Weet je het zeker?'

'Ja.' Zijn moeder vouwde zorgvuldig haar vingers ineen. 'Toen hij nog in de Tempel der Winden was, schreef Baraccus het boek met behulp van kennis die hij daar had vergaard. Niemand behalve hij heeft het ooit gelezen. Niemand heeft zelfs maar het omslag opengemaakt sinds Baraccus het schreef. Het heeft sinds die tijd onaangeroerd in zijn geheime bibliotheek gelegen.'

De gedachte aan zoiets gaf Richard kippenvel. Hij had geen idee waar zo'n bibliotheek kon zijn, maar zelfs als hij de juiste bibliotheek vond, zou hij nog niet vinden wat hij moest weten. Hij nam niet aan dat er veel kans op was, maar hij vroeg het toch. 'Heb je enig idee hoe dat boek heet? Of misschien waar het over gaat?'

Zijn moeder knikte ernstig. 'Het heet *Geheimen van de macht van een oorlogstovenaar.*'

'Lieve goden,' fluisterde Richard terwijl hij naar haar keek. Hij zette zijn ellebogen op zijn knieën en sloeg zijn handen voor zijn gezicht. Hij was zo overdonderd dat hij het niet allemaal scheen te kunnen bevatten. De laatste man die de Tempel der Winden had bezocht, drieduizend jaar voor Richard, had op de een of andere manier toen hij daar was, gezorgd dat de Tempel Subtractieve Magie zou vrijgeven, waar Richard mee was geboren. Dat had deels de opzet dat hij de Tempel der Winden in kon om een plaag tegen te houden die was gestart door een droomwandelaar. En die was weer geboren vanwege een tovenaar, Lothain, die daar eerst was geweest en ervoor had gezorgd dat er een droomwandelaar werd geboren om de wereld te overheersen en de magie te vernietigen. En bovendien had diezelfde man die ervoor had gezorgd dat Richard werd geboren met Subtractieve Magie, Richard een instructieboek nagelaten over de magie die hij nodig had om de droomwandelaar te verslaan.

Nadat Baraccus was teruggekeerd en zelfmoord had gepleegd, gaven de tovenaars alle verdere pogingen op om terug te gaan naar de Tempel der Winden om de roep van de rode manen te beantwoorden, of om enige andere reden. Ze konden er nooit meer naartoe om de schade te herstellen die eerst door het Tempelteam en vervolgens door Lothain was aangericht. Alleen Baraccus had actie kunnen ondernemen om de dreiging tegen te gaan.

Het was heel goed mogelijk dat Baraccus zelf ervoor had gezorgd dat niemand anders de Tempel der Winden kon betreden, waarschijnlijk zodat er geen kans bestond dat een andere spion kon verwoesten wat Baraccus had gedaan om ervoor te zorgen dat er een evenwicht kwam voor de dreiging, namelijk Richards geboorte.

Richard keek op. Zijn moeder was weg. In haar plaats stond Shota, en de wijde punten van haar gewaad wapperden lichtjes alsof het waaide. Richard was bedroefd te zien dat zijn moeder weg was, maar tegelijkertijd was het een opluchting, omdat het zo verwarrend was om met Shota te praten via de schim van zijn moeder.

'Die bibliotheek waar Baraccus zijn vrouw naartoe stuurde met dat boek *Geheimen van de macht van een oorlogstovenaar*, waar is die?'

Shota schudde droevig haar hoofd. 'Ik vrees dat ik dat niet weet. Ik denk dat alleen Baraccus en zijn vrouw Magda Searus dat wisten.'

Richard droeg het tenue van de oorlogstovenaar dat voor het laatst door Baraccus was gedragen, droeg de amulet die was gedragen door Baraccus en had de gave van Subtractieve Magie in zich, zeer waarschijnlijk dankzij Baraccus. En Baraccus had hem iets nagelaten wat klonk als een instructieboek over hoe Richard de kracht moest gebruiken waar hij mee was geboren.

'Er zijn zoveel bibliotheken. Baraccus' persoonlijke bibliotheek kan wel tot ieder daarvan behoren. Heb je enig idee welke het zou kunnen zijn?'

'Ik weet alleen dat hij zich niet onder een andere bibliotheek bevindt, zoals jij zegt. De bibliotheek die Baraccus heeft aangelegd, was alleen van hem. Elk boek daar is alleen van hem. Hij heeft ze goed verstopt. Ze zijn tot op de dag van vandaag niet gevonden.'

'En het leek hem niet verstandig om die boeken in de veiligheid van de enclave van de Eerste Tovenaar achter te laten?'

'Veiligheid? Nog niet zo lang geleden hebben Zusters van de Duisternis, gestuurd door Jagang, die plek betreden. Ze hebben daar boeken gestolen en naar de keizer gebracht. Jagang verzamelt boeken, omdat ze kennis bevatten die hem helpt bij zijn inspanningen om de wereld te overheersen voor de Orde. Als het boek dat Baraccus voor jou had geschreven, in de Burcht was gelaten, dan had het heel goed nu in handen van Jagang kunnen zijn. Het was verstandig van Baraccus om dergelijke macht niet daar te laten waar iedereen het kon vinden, waar elke Eerste Tovenaar die na hem kwam, het had kunnen vinden en ermee had kunnen rommelen, of het zelfs had kunnen vernietigen zodat het niet in de verkeerde handen zou vallen.'

Dat was ook wat er was gebeurd met *Het boek van de getelde schaduwen*. Ann en Nathan hadden dankzij de profetie George Cypher geholpen dat terug te brengen naar Westland. Als Richard oud genoeg was, zou hij het boek uit zijn hoofd leren en het dan vernietigen zodat het niet in de verkeerde handen zou vallen. Toen bleek dat Darken Rahl uiteindelijk dat boek nodig zou hebben om de kistjes van Orden te openen; dezelfde kistjes die nu in het spel waren door Anns voormalige Zusters. Die hadden nu Kahlan, de laatste Belijdster, in handen. En Kahlan had, door wat er in dat boek stond, hem geholpen Darken Rahl te verslaan.

Richard tilde de amulet om zijn hals op die ooit aan Baraccus had toebehoord. Hij staarde naar de symbolen die de dans met de dood vormden. Het was gewoon allemaal te veel om toeval te zijn.

Hij tuurde op naar Shota. 'Wil je zeggen dat Baraccus voorzag wat er zou gebeuren en daarom het boek naar een veiligere plek liet brengen?'

Shota haalde haar schouders op. 'Het spijt me, Richard, ik weet het niet. Misschien was hij gewoon voorzichtig. Gezien zijn redenen en wat er op het spel staat, lijkt een dergelijke voorzichtigheid niet alleen gerechtvaardigd, maar ook verstandig.

Ik heb je alles verteld wat ik kan. Je kent alle stukken van de puzzel, van de geschiedenis, die ik niet ken. Dat betekent niet dat dat alles is, maar uit andere bronnen ken je ook andere delen van de geschiedenis, dus jij weet meer van het verhaal dan ik. Sterker nog, jij weet waarschijnlijk meer dan wie ook sinds oorlogstovenaar Baraccus Eerste Tovenaar was.'

Ondanks alles wat ze hem verteld had, zou niets hem waarschijnlijk van nut zijn als hij het boek niet kon vinden dat Baraccus hem had nagelaten. Zonder dat boek waren Richards krachten als oorlogstovenaar een mysterie voor hem, en zo goed als nutteloos. Zonder dat boek leek er geen hoop te zijn om het leger te verslaan dat uit de Oude Wereld was gekomen. De Orde zou over de wereld heersen en de magie zou worden weggevaagd uit de wereld van het leven, precies zoals Lothains bedoeling was geweest. Zonder het boek faalde Baraccus' plan en zou Jagang winnen.

Richard keek op naar het glazen dak, dertig meter boven zich, waardoor somber namiddaglicht naar binnen kwam als tegenwicht voor de gloed van de lampen in het hart van de kamer. Hij vroeg zich af wanneer die lampen waren aangestoken. Hij herinnerde zich dat niet.

'Shota, die kennis is ongelooflijk hard nodig. Hoe moet ik de Orde tegenhouden als ik mijn vermogen als oorlogstovenaar niet kan gebruiken? Kun je me niet iets vertellen, wat dan ook, om dat boek te vinden? Als ik niet snel wat antwoorden vind, ben ik dood. Dan zijn we allemaal dood.'

Ze legde haar hand onder zijn kin en keek in zijn ogen. 'Ik hoop dat je weet, Richard, dat als ik wist hoe ik dat boek voor je moest bemachtigen, ik het zou doen. Je weet hoe graag ik de Imperiale Orde wil tegenhouden.'

'Vertel me dan eens waarom jij bepaalde informatie krijgt. Waar komt het vandaan? Waarom komt het op bepaalde momenten naar je toe, zoals nu? Waarom niet de eerste keer dat ik je ontmoette? Of toen ik probeerde de Tempel der Winden binnen te komen om de plaag tegen te houden?'

'Ik denk dat het van dezelfde plek komt waar je antwoorden of inspiratie uit put wanneer je over een probleem peinst. Waarom vind je op een bepaald moment antwoorden op vragen? Ik denk over een situatie na, en soms valt het antwoord me in. Fundamenteel is het niet anders, denk ik, dan hoe andere mensen ideeën krijgen. Alleen zijn mijn ideeën uniek voor de geest van een heks, en hebben ze te maken met gebeurtenissen in de tijdstroom. Ik denk dat het veel lijkt op hoe jij plotseling de waarheid wist over wat Lothain had gedaan. Hoe kwam dat tot je? Ik neem aan dat het voor mij ongeveer ook zo werkt.

Als ik wist waar *Geheimen van de macht van een oorlogstovenaar* was, of enig idee had hoe ik het moest vinden, zou ik het je meteen vertellen.'

Richard zuchtte diep en stond op. 'Ik weet het, Shota. Dank je wel voor alles wat je hebt gedaan. Ik zal proberen er goed gebruik van te maken.'

Shota kneep in zijn schouder. 'Ik moet gaan. Ik moet op zoek naar die heks. Maar dankzij Nicci weet ik nu tenminste hoe ze heet.'

Er viel hem iets in. 'Waarom zou ze Zes heten?'

Shota's gezicht betrok. 'Het is een neerbuigende naam. Een heks ziet vele dingen in de tijdstroom, vooral dingen die te maken hebben met eventuele dochters die ze zal krijgen. Voor een heks is haar zevende kind bijzonder. Wanneer je een kind Zes noemt, zeg je daarmee dat ze tekortschiet, dat ze minder dan perfect is. Het is een openlijke belediging, vanaf de geboorte, om wat een heks voorziet voor het karakter van haar dochter. Ze geeft daarmee aan dat haar dochter gebreken vertoont.

Maar toen ze haar Zes noemde, kon de moeder erop rekenen dat ze door haar eigen dochter zou worden vermoord.'

'Waarom zou een moeder dan openlijk zoiets verklaren? Waarom heeft ze haar dochter dan niet een andere naam gegeven?'

Shota keek hem met een droevige glimlach aan. 'Omdat er heksen zijn die geloven in de waarheid, omdat de waarheid anderen kan helpen gevaar te verijdelen. Voor zulke vrouwen is een leugen een begin van een veel groter probleem dat eruit voort kan komen. Voor ons is de waarheid de enige hoop voor de toekomst. Voor ons is de toekomst het leven.'

'Nou, het klinkt alsof die naam past bij de problemen die deze heks veroorzaakt.'

Shota's glimlach, hoe droevig ook, verdween. Ze fronste haar voorhoofd met een donkere blik. Toen tilde ze een waarschuwende vinger op. 'Zo'n vrouw zou ook gewoon een andere naam kunnen voeren. Deze kiest er echter voor hem te onthullen, zoals een slang zijn giftanden laat zien. Maak jij je maar druk over al het andere, en laat haar aan mij over. Die heks is heel gevaarlijk.'

Richard glimlachte fijntjes. 'Net zoals jij?'

Shota lachte niet terug. 'Net zoals ik.'

Richard stond alleen bij de fontein en keek Shota na terwijl ze de trap beklom. Nicci, Cara, Zedd, Nathan, Ann en Jebra stonden op een kluitje aan de zijkant, in een fluisterend gesprek verwikkeld. Ze letten niet op Shota toen ze passeerde, alsof ze een onzichtbare verschijning was.

Richard volgde haar de trap op. In de deuropening, afgetekend tegen het licht, draaide Shota zich om, bijna alsof ze zelf een verschijning had gezien. Ze stak een hand uit en leunde tegen de deurpost. 'Nog één ding, Richard.' Shota keek hem onderzoekend in de ogen. 'Toen je jong was, is je moeder omgekomen bij een brand.'

Richard knikte. 'Dat klopt. Een man raakte slaags met George Cypher, de man die me heeft opgevoed, de man van wie ik toen dacht dat hij mijn vader was. Die man die het gevecht met mijn vader begon, sloeg een lamp van tafel waardoor het huis in brand vloog. Mijn broer en ik lagen op dat moment in de achterkamer te slapen. Terwijl die man mijn vader naar buiten sleurde en op hem in sloeg, rende mijn moeder naar binnen en haalde mijn broer en mij uit het brandende huis.'

Richard schraapte zijn keel; die pijn voelde hij nog steeds maar al te goed. Hij herinnerde zich haar opgeluchte glimlach toen ze besefte dat de jongens veilig waren, en de laatste, snelle kus die ze op zijn voorhoofd had gedrukt.

'Toen mijn moeder zeker wist dat wij veilig waren, rende ze weer naar binnen om iets te halen... we hebben nooit geweten wat het was. Haar gegil bracht die man weer bij zinnen en hij en mijn vader hebben nog geprobeerd haar te redden, maar dat lukte niet... het was te laat. Ze werden teruggedreven door de hitte van het vuur en konden niets meer voor haar doen. Vol schuldgevoel en walging om wat hij had veroorzaakt, rende die man snikkend weg, roepend hoe het hem speet.

Het was een vreselijke tragedie, vooral omdat er niemand anders in huis was en er niets te redden viel wat haar leven waard was. Mijn moeder is voor niets gestorven.'

Shota, afgetekend in de deuropening, met één hand tegen de deurpost, staarde hem wel een eeuwigheid aan. Richard wachtte zwijgend. Er straalde een of andere vreselijke betekenis uit haar houding, haar amandelvormige ogen. Uiteindelijk sprak ze op zachte toon. 'Je moeder was niet de enige die bij die brand omkwam.'

Richard voelde kippenvel opkomen op zijn armen en benen. Alles wat hij bijna heel zijn leven had geweten, leek binnen een tel te verdampen door de bliksemsinslag van die woorden. 'Waar heb je het over? Wat bedoel je?'

Shota schudde droevig haar hoofd. 'Ik zweer op mijn leven, Richard, dat ik verder niets weet.'

Hij stapte naar haar toe en greep haar arm, maar hij paste wel op dat hij die niet te stevig vastpakte, want dat was niet onmogelijk door zijn plotselinge brandende behoefte om te begrijpen waarom ze zoiets zou zeggen. 'Hoe bedoel je, je weet verder niets? Hoe kun je zoiets onvoorstelbaars zeggen en dan gewoon beweren dat je verder niets weet? Hoe kun je zoiets zeggen over de dood van mijn moeder, en dan gewoon niet meer weten? Dat slaat nergens op. Je móét meer weten.'

Shota legde een hand tegen zijn wang. 'Je hebt iets voor me gedaan, de vorige keer dat je naar de Vlakte van Agaden kwam. Je sloeg mijn aanbod af en zei dat ik meer waard was dan iemand tegen zijn wil te bezitten. Je zei dat ik iemand verdiende die me zou waarderen om wie ik ben.

Hoe boos ik op dat moment ook op je was, het heeft me wel aan het denken gezet. Niemand heeft me ooit eerder geweigerd, en jij deed het om de juiste redenen: omdat je om me gaf, erom gaf dat ik kreeg wat mijn leven de moeite waard zou maken. Je gaf voldoende om me om je mijn toorn op de hals te halen.

Toen ik de gedaante van je moeder aannam, had dat geschenk op de een of andere manier invloed op de stroom van informatie die op me toekwam. Daarom kwam, net toen ik op het punt stond te vertrekken, die enkele gedachte in mijn bewustzijn op: je moeder was niet de enige die bij die brand omkwam.

Net als alle andere dingen die ik uit het verloop van gebeurtenissen in de tijdstroom oppik, kwam dit naar me toe als een soort intuïtief visioen. Ik weet niet wat het betekent, en ik weet er niet meer van dan dit. Ik zweer het, Richard.

Onder normale omstandigheden zou ik dat beetje informatie niet hebben onthuld, omdat het zo beladen is met mogelijkheden en vragen, maar dit zijn nauwelijks normale omstandigheden. Ik dacht dat je moest weten wat er tot me was gekomen. Ik dacht dat je alles moest weten wat ik weet. Niet alles wat ik uit de tijdstroom oppik is nuttig, en daarom vertel ik niet altijd losse fragmentjes zoals dit. Maar in dit geval vond ik dat je het weten moest, voor het geval het je ooit iets zegt, voor het geval het je later misschien kan helpen.'

Richard voelde zich verdoofd en verward. Hij wist niet zeker of het betekende wat het leek te betekenen. 'Zou het kunnen betekenen dat zij niet de enige was die omkwam omdat een deel van ons die dag ook doodging? Omdat ons hart nooit meer hetzelfde zou zijn?'

'Ik weet het niet, Richard, echt niet, maar het zou kunnen. Op die manier kan het onbeduidend zijn, omdat het niet iets is waar je nu iets aan hebt. Ik weet niet altijd alles over wat de tijdstroom onthult en of het betekenis heeft. Het kan best zo zijn als jij zegt, en niet meer dan dat.

Ik kan alleen helpen door mijn informatie accuraat over te brengen, dus dat is wat ik heb gedaan. Op precies die manier en met precies dat concept kwam het naar me toe: je moeder was niet de enige die omkwam bij die brand.'

Richard voelde een traan over zijn wang rollen. 'Shota, ik voel me zo alleen. Je hebt Jebra hierheen gebracht om me dingen te vertellen die me nachtmerries bezorgen. Ik weet niet wat ik nu moet doen. Echt niet. Zoveel mensen geloven in me, rekenen op me. Is er niet iets wat je me kunt vertellen waardoor je me in ieder geval in de juiste richting wijst, voordat we allemaal verloren zijn?'

Met een vinger veegde Shota de traan van zijn wang. Die eenvoudige daad maakte zijn hart op de een of andere manier ook
wat lichter. 'Het spijt me, Richard. Ik ken de antwoorden niet
die je redding zouden zijn. Als ik die wel kende, geloof mij alsjeblieft, dan zou ik ze graag geven. Maar ik ken het goede in je. Ik
geloof in je. Ik weet dat je het vermogen hebt om te slagen. Er
zullen tijden zijn waarop je aan jezelf twijfelt. Geef niet op. Bedenk dan dat ik in je geloof en dat ik weet dat je in staat bent je
doel te bereiken. Je bent een zeldzaam iemand, Richard. Geloof
in jezelf.'
Buiten, voordat ze de granieten treden afklom, draaide ze zich
weer om, een zwarte gestalte tegen het afnemende licht. 'Of Kahlan ooit echt was of niet, maakt niet langer uit. De hele wereld
van het leven, het leven van iedereen, staat nu op het spel. Je moet
dat ene leven vergeten, Richard, en denken aan alle andere.'
'Profetie, Shota?' Richard voelde zich te bedrukt om zijn stem te
verheffen. 'Iets uit de tijdstroom?'
Shota schudde haar hoofd. 'Alleen maar het advies van een heks.'
Ze liep naar de omheining om haar paard te halen. 'Er staat te
veel op het spel, Richard. Je moet ophouden dat fantoom na te
jagen.'

Toen Richard weer binnenkwam, stond iedereen om Jebra heen,
zachtjes te praten, vol medeleven over wat ze had doorstaan.
Zedd onderbrak zijn zin halverwege toen Richard bij hen kwam
staan. 'Nogal vreemd hè, jongen?'
Richard keek om zich heen naar de verwonderde gezichten van
de anderen. 'Wat is er vreemd?'
Zedd spreidde zijn handen uit. 'Dat ergens halverwege Jebra's
verhaal, Shota gewoon verdween.'
'Verdween,' herhaalde Richard voorzichtig.
Nicci knikte. 'We dachten dat ze wel zou blijven en nog iets zou
zeggen nadat Jebra klaar was.'
'Misschien is ze op zoek naar iemand om angst aan te jagen,' zei
Cara.
Ann zuchtte. 'Misschien wilde ze snel achter die andere heks aan.'
'Misschien houdt ze gewoon niet van afscheid nemen, omdat ze
een heks is,' opperde Nathan.
Richard zei niets. Hij had Shota dit al eerder zien doen, zoals toen

ze bij zijn huwelijk met Kahlan was opgedoken en Kahlan dat halssnoer had gegeven. Toen had ook verder niemand haar gesprek met Richard en Kahlan gehoord. Niemand had haar zien vertrekken.

De anderen gingen weer verder met hun gesprek, behalve zijn grootvader. Zedd keek afwezig en afgeleid.

'Wat is er?' vroeg Richard hem.

Zedd schudde zijn hoofd, legde een arm om Richards schouders en boog zich dicht naar hem toe terwijl hij zachtjes sprak. 'Om de een of andere reden dwalen mijn gedachten steeds af naar je moeder.'

'Mijn moeder.'

Zedd knikte. 'Ik mis haar heel erg.'

'Ik ook,' zei Richard. 'Nu je het zegt, ik heb ook aan haar lopen denken.'

Zedd staarde in de verte. 'Een deel van mij stierf die dag met haar.'

Het kostte Richard even om zijn stem te vinden. 'Heb jij enig idee waarom ze weer dat brandende huis inging? Denk je dat er daarbinnen iets belangrijks was? Misschien iemand van wie wij niets wisten?'

Zedd schudde nadrukkelijk zijn hoofd. 'Ik was ervan overtuigd dat er een goede reden voor moest zijn geweest, maar ik heb zelf de as doorzocht.' Er welden tranen op in zijn ogen. 'Er lag niets anders dan haar beenderen.'

Richard keek door de deur naar buiten en zag de spookachtige schaduw van Shota op haar paard de weg afrijden zonder achterom te kijken.

21

Rachel aarzelde diep binnen in de donkere grot. Het werd steeds lastiger om iets te zien. Ze wenste dat ze niet kon ontcijferen wat er op de muren was getekend, maar toevallig kon ze dat wel. De hele weg door de grot had ze geprobeerd niet te veel aandacht te schenken aan de vreemde taferelen op de stenen muren rondom haar. Sommige van die afbeeldingen gaven haar kippenvel. Ze kon zich niet voorstellen waarom iemand zulke vreselijke, wrede dingen zou willen tekenen, maar ze kon wel begrijpen waarom ze dat in een grot zouden doen, waarom ze zulke duistere gedachten voor het daglicht wilden verstoppen.

De man gaf haar plotseling een zet. Rachel struikelde naar voren en viel plat op haar gezicht. Ze haalde hijgend adem doordat de lucht zo plotseling uit haar longen was geperst en spuugde het zand uit terwijl ze zich op haar armen omhoog drukte. Rachel was te boos om te huilen.

Toen ze achteromblikte zag ze dat hij, in plaats van naar haar te kijken, met die verontrustende gouden ogen voor zich uit de duisternis in keek, alsof zijn gedachten waren afgedwaald en hij haar helemaal vergeten was. Rachel keek achterom naar het licht en vroeg zich af of ze voorbij zijn lange benen kon duiken. Ze dacht dat ze misschien een schijnbeweging de ene kant op kon maken, en dan via de andere kant kon ontsnappen. Misschien lukte het. Maar hij was veel groter dan zij en hij kon ook vast sneller rennen, ook als haar benen niet van pudding waren geweest omdat ze zo lang vastgebonden had gezeten. Had hij haar messen maar niet van haar afgepakt. Maar als ze snel was, kon ze misschien een voldoende grote voorsprong krijgen om het te redden.

Voordat ze een kans had om het te proberen, merkte de man haar weer op. Hij greep haar bij de kraag, tilde haar overeind en duwde haar naar voren, dieper de zwarte muil van de grot in. Rachel had moeite haar weg te vinden over uitstekende rotspunten en om over kloven te springen. Toen ze beweging voor zich zag, bleef ze staan.

'Ach, kijk...' klonk een stem zo dun als een scheermes vanuit de duisternis. 'Bezoekers.'

Het laatste woord was langgerekt zodat het bijna klonk als het gesis van een slang.

Rachels huid werd ijskoud terwijl ze met grote ogen in de duisternis staarde, angstig over wie de eigenaar kon zijn van zo'n stem.

Vanuit die duisternis, als uit de onderwereld zelf, materialiseerde zich een schaduw, die naar voren gleed in het vage licht. Maar schaduwen glimlachten niet, besefte Rachel. Dit was een vrouw, een lange vrouw in een lange, zwarte mantel. Haar lange, weerbarstige haar was ook zwart. Haar huid daarentegen was zo bleek dat het bijna leek alsof haar gezicht vrij in de duisternis zweefde. Het deed Rachel denken aan de huid van een albinosalamander die zich overdag verstopte onder de bladeren op de bosbodem, nooit aangeraakt door zonlicht. Het geheel, van de ruwe zwarte stof van haar gewaad tot haar uitgedroogde huid, die strak over haar knokkels gespannen stond en haar ruige haar, leek zo droog als een karkas dat had liggen verschrompelen in de zon. Ze droeg het soort glimlach dat Rachel zich kon voorstellen bij een wolf wanneer er zich plotseling een maaltje aankondigde.

Hoewel haar ogen blauw waren, was het een soort blauw dat even verbleekt was als haar huid, zodat ze bijna blind leek. Maar Rachel zag aan de manier waarop die ogen haar uitgebreid opnamen, dat deze vrouw niet alleen in het licht prima kon zien, maar waarschijnlijk ook in het pikkedonker.

'Dit kan maar beter de moeite waard zijn,' zei de man achter Rachel. 'Dat rotkind heeft me in mijn been gestoken.'

Rachel keek achterom. Ze wist niet hoe de man heette. Hij had niet de moeite genomen haar dat te vertellen. Sinds hij haar gevangen had genomen, had hij eigenlijk vrij weinig gezegd, alsof ze geen persoon was maar een ding, een levenloos voorwerp, dat hij alleen maar had opgehaald. Zoals hij haar behandelde, kreeg ze het gevoel dat ze niet meer was dan een zak graan die hij over de kont van zijn paard had gegooid. Maar op dat moment waren het verdriet, de angst, de dorst en de honger tijdens de lange reis maar vage gevoelens achter in haar hoofd.

'Je hebt Chase vermoord,' zei ze. 'Je had eigenlijk meer verdiend.'

De vrouw fronste haar voorhoofd. 'Wie?'

'De man die bij haar was.'

'Ach, die,' zei de vrouw in het zwart. 'En jij hebt hem gedood?' Ze klonk licht nieuwsgierig. 'Weet je het zeker? Heb je hem begraven?'

Hij haalde zijn schouders op. 'Ik denk dat hij dood is. Mensen herstellen zich niet van zulke wonden. De bezwering hield me verborgen, net zoals u had beloofd, dus hij heeft niet eens gemerkt dat ik er was. Maar ik heb niet de tijd genomen om hem te begraven, aangezien ik wist dat ik zo snel mogelijk naar u terug moest komen.'

Haar dunne glimlach werd breder. Ze kwam steeds dichterbij, stak haar hand uit en streek met haar lange, benige vingers door zijn dikke haardos. Haar spookachtig blauwe ogen bestudeerden hem indringend. 'Heel goed, Samuel,' kirde ze. 'Heel goed.'

Samuel zag eruit als een hond die door zijn baasje achter de oren wordt gekrabd. 'Dank u, meesteres.'

'En heb je de rest meegenomen?'

Hij knikte gretig. Zijn gezicht warmde op door een glimlach. Rachel had hem een kil uitziende man gevonden, misschien door zijn vreemd goudkleurige ogen, maar als hij glimlachte, leek dat zijn aard te maskeren. Met die glimlach zag hij er beter uit dan de meeste andere mannen, hoewel hij voor Rachel een monster was en dat altijd zou blijven. Een warme glimlach veranderde niets aan wat hij had gedaan.

Samuel leek plotseling in een goed humeur te zijn. Rachel had hem nog nooit zo opgetogen gezien; hoewel ze een groot deel van de tijd in een zak had gezeten, over zijn paard vastgebonden, dus eigenlijk wist ze ook niet of hij in een goede bui was geweest of niet. Het kon haar ook niet schelen. Ze wilde hem alleen maar dood hebben. Hij had Chase vermoord, het beste wat Rachel ooit in haar leven was overkomen. Chase was de beste man die ooit had geleefd. Chase had haar in huis genomen nadat ze was ontkomen aan koningin Milena, het kasteel bij Tamarang en die vreselijke prinses Violet. Chase had van haar gehouden en voor haar gezorgd. Hij had haar geleerd om voor zichzelf te zorgen. Hij had een gezin waar hij van hield en zij hielden van hem en hadden hem nodig. Maar nu waren ze hem allemaal kwijt.

Chase was zo groot en zo goed met zijn wapens dat Rachel niet had verwacht dat iemand hem ooit zou kunnen verslaan, vooral niet een man alleen. Maar Samuel was als een geest verschenen en had Chase doorstoken in zijn slaap, hem doorstoken met dat prachtige zwaard, waarvan Rachel zeker wist dat het niet van Samuel kon zijn. Ze dacht liever niet aan hoe hij dat zwaard had gekregen en wie hij er nog meer mee had gedood.

Samuel stond erbij als een halfzachte, met zijn armen omlaagbungelend en zijn schouders afgezakt, terwijl die vrouw door zijn haren streelde en bemoedigende, vleiende woorden sprak. Het leek totaal niet bij hem te passen. Tot dat moment had Samuel steeds zelfverzekerd en vol vertrouwen geleken. Hij had Rachel constant duidelijk gemaakt dat hij de leiding had. Hij wist altijd precies wat hij wilde. Maar in aanwezigheid van deze vrouw was hij anders. Rachel verwachtte half dat hij zijn tong uit zijn mond zou laten hangen en zou gaan kwijlen.

'Je zei dat je de rest had meegebracht, Samuel,' zei de vrouw met haar sissende stem.

'Ja.' Hij wees achterom naar het licht. 'Het zit op het paard.'

'Nou, laat het dan niet buiten,' zei de vrouw, en nu nam haar stem een ongeduldige klank aan. 'Ga het halen.'

'Ja... ja, meteen.' Hij leek maar al te graag haar opdrachten op te volgen en haastte zich op weg.

Rachel keek hem na terwijl hij door de grot rende, zich een weg zocht over de rotsen op zijn pad en soms zijn handen tegen de muren zette om zich in evenwicht te houden, snel door de enge tunnel met tekeningen en naar de ingang van de grot. Ze zag licht flakkeren tegen de donkere muren. Toen ze een sputterend gesis hoorde, besefte ze dat het licht van een fakkel kwam. Ze draaide zich weer om en zag nog iemand, met een toorts, uit de duisternis komen.

Rachels mond viel open. Het was prinses Violet.

'Wel, wel, het weesje Rachel is bij ons terug,' zei Violet, terwijl ze de fakkel in een beugel aan de rotswand stak en naast de vrouw in het zwart ging staan.

Rachel had het gevoel alsof haar ogen uit haar hoofd zouden rollen. Ze kon haar mond niet dicht krijgen. Haar stem had zich ergens diep in haar maag teruggetrokken.

'Ach, Violet, lieverd, ik geloof dat je dat arme kleine ding doodsbang hebt gemaakt. Ben je je tong kwijt, kleintje?'

Prinses Violet was de enige die haar tong kwijtgeraakt was. Maar nu had ze hem terug. Op de een of andere manier, hoe onmogelijk het ook leek, had ze hem weer.

'Prinses Violet...'

Violet rechtte haar rug en haar brede schouders. Ze leek wel anderhalf keer zo groot als de vorige keer dat Rachel haar had gezien. Ze zag er molliger uit. Ouder.

'Het is nu koningin Violet.'

Rachel knipperde onthutst met haar ogen. 'Koningin...?'

Violet glimlachte op een manier die een kampvuur had kunnen bevriezen. 'Ja, dat klopt. Koningin. Mijn moeder is namelijk vermoord toen die man, die Richard, ontsnapte. Het was zíjn werk. Hij is verantwoordelijk voor de dood van mijn moeder, voor de dood van onze geliefde voormalige koningin. Hij heeft ons allemaal niets dan verdriet en vreselijke tijden gebracht.' Ze zuchtte diep. 'De zaken zijn veranderd. Nu ben ik koningin.'

Rachel kon het niet bevatten. Koningin. Het leek onmogelijk. Maar ze was vooral stomverbaasd dat Violet weer kon spreken, terwijl ze haar tong was kwijtgeraakt.

Een humorloze glimlach krulde Violets lippen terwijl ze tegelijkertijd haar voorhoofd fronste. 'Kniel voor je koningin.'

Het leek alsof de woorden niet tot Rachel doordrongen.

Violets hand verscheen uit het niets en sloeg Rachel zo hard dat ze op de grond belandde. 'Kniel voor je koningin!' Violets gil weerkaatste door de duisternis.

Hijgend van pijn en schrik hield Rachel een hand tegen haar wang terwijl ze overeind krabbelde op haar knieën. Ze voelde warm bloed over haar kin lopen. Violet was een stuk sterker dan vroeger.

De pijnlijke klap gaf haar het gevoel dat het verleden over haar heen raasde, alsof alles een droom was geweest en ze wakker werd in de nachtmerrie van haar vroegere leven. Ze was weer helemaal alleen, zonder Giller, zonder Richard, zonder Chase om haar te helpen. Ze was weer hulpeloos aan Violet overgeleverd, zonder één vriend op de wereld.

Violets glimlach was verdwenen. Terwijl ze neerstaarde op Rachel, die voor haar knielde, kneep ze haar ogen samen op een manier waar Rachel ongemakkelijk van slikte.

'Hij viel me aan, weet je. Toen hij nog Zoeker was, toen viel Richard me aan, hij deed me pijn, zomaar.' Ze zette haar vuisten op haar heupen. 'Hij heeft me erg verwond. Hij viel een kind aan! Mijn kaak was gebroken. Mijn tanden waren kapot. Mijn tong was doormidden, net zoals hij me ooit had beloofd dat hij zou doen. Ik kon niet meer praten.' Haar stem werd een diepe grom die Rachel tot op het bot verkilde. 'Maar dat was nog wel het minste van mijn pijn.'

Violet haalde diep adem om kalmer te worden. Ze streek haar roze satijnen jurk glad over haar heupen. 'Geen van de adviseurs van mijn moeder heeft me geholpen. Het waren stomme idioten die niets nuttigs voor me konden doen. Ze kwamen met eindeloze drankjes en kompressen en aroma's en bezweringen. Ze zeiden gebeden en brachten offers aan de goede geesten. Ze zetten bloedzuigers en hete potten op mijn huid. Niets daarvan werkte. Mijn moeder werd begraven, en ik kon er niet eens bij zijn. Ik was op dat moment bewusteloos.

Zelfs de sterren zeiden niets over mijn toestand of mijn kansen. De adviseurs stonden er voornamelijk bij hun handen te wringen, en waarschijnlijk plannen te maken om de kroon in te pikken als ik eindelijk zou sterven. Ik denk dat als het niet snel was gebeurd, een van hen me wel een handje had geholpen om me in het hiernamaals met mijn moeder te verenigen. Ik hoorde ze wel ongerust fluisteren over mij als koningin.'

Violet haalde nog eens diep adem. 'Midden in die nachtmerrie van pijn en leed, van verdriet en ellende, van mijn toenemende angst om te worden vermoord, kwam Zes om me te helpen.' Ze gebaarde naar de vrouw die naast haar stond. 'Net toen ik haar het meest nodig had, kwam Zes om me te redden, de kroon te redden en Tamarang zelf, toen niemand anders dat kon of wilde.'

'Maar, maar...' stamelde Rachel, 'je bent niet oud genoeg om koningin te zijn.'

Ze wist dat het een vergissing was zodra ze de woorden had uitgesproken, voordat haar gezonde verstand de tijd had om ze tegen te houden. Violets hand zoefde naar voren en sloeg Rachel op de andere wang. Toen greep ze Rachel bij de haren en trok haar ruw weer op haar knieën. Rachel legde een hand tegen de nieuwe, stekende pijn en veegde het bloed van haar mond.

Violet haalde haar schouders op, onverschillig over de pijn en het bloed. 'Hoe dan ook, ik ben de afgelopen jaren volwassen geworden. Ik ben niet langer het kind dat ik toen was, het kind dat jij nog steeds denkt dat ik ben, zoals toen jij hier nog woonde en onze vriendelijkheid en gulheid genoot.'

Rachel dacht niet dat Violet volwassen genoeg was om koningin te zijn, maar ze wist wel beter dan zoiets nog eens te zeggen. Ze wist ook wel beter dan slavernij te zien als 'vriendelijkheid'.

'Zes heeft me helpen herstellen. Zij heeft me gered.'

Rachel staarde zwijgend op naar het bleke, glimlachende gezicht.

'Ik heb mijn diensten aangeboden. Violet verwelkomde me in het kasteel. Haar moeders adviseurs deden haar in ieder geval geen goed.'

'Zes heeft haar krachten gebruikt om mijn gebroken en zwaar ontstoken kaak te genezen. Ik was zwak geworden doordat ik alleen maar dunne soep kon drinken. Met Zes' hulp kon ik tenminste weer gaan eten en weer op krachten komen. Er groeiden zelfs nieuwe tanden in mijn kaak. Ik had er nog nooit van gehoord dat iemand drie stel tanden kreeg, maar ik kreeg ze wel. Maar toch kon ik nog niet praten, dus toen ik gezond genoeg was, sterk genoeg, gebruikte Zes haar opmerkelijke krachten om een nieuwe tong bij me te laten groeien.' Ze balde haar vuisten langs haar zij. 'De tong die ik was kwijtgeraakt door de Zoeker.'

'De voormalige Zoeker,' corrigeerde Zes zachtjes.

'De voormalige Zoeker,' bevestigde Violet, aanzienlijk kalmer. Er keerde een zelfingenomen glimlachje terug op haar mollige gezicht. Het was een glimlach die Rachel maar al te goed kende. 'En nu ben jij terug.' Haar stem impliceerde een dreiging die haar woorden onuitgesproken lieten.

'En alle anderen?' vroeg Rachel, die probeerde tijd te rekken zodat ze kon nadenken. 'Alle adviseurs van de koningin?'

'Ik bén de koningin!' Schijnbaar was samen met al het andere ook Violets temperament gegroeid.

Bij een lichte aanraking van Zes op haar rug keek Violet op en glimlachte. Ze haalde nog eens diep adem, bijna alsof ze eraan was herinnerd aan haar manieren te denken.

Eindelijk beantwoordde ze Rachels vraag. 'Ik heb mijn moeders adviseurs niet nodig. Zij waren immers waardeloos. Zes vervult nu die rol, en ze doet het veel beter dan die idioten. Geen van hen heeft me immers een nieuwe tong kunnen geven, hè?'

Rachel keek op naar Zes. Die wolfachtige grijns was terug. Haar spookachtige blauwe ogen leken recht in Rachels blootliggende ziel te kijken. 'Zoiets ging hun vermogen ver te boven,' zei de vrouw met zachte stem, al had die stem een ondertoon van grote macht. 'Maar voor mij was het niet moeilijk.'

Rachel vroeg zich af of Violet alle adviseurs ter dood had laten brengen. De laatste keer dat Rachel in het kasteel was geweest, begon Violet, aan de zijde van haar moeder, net terechtstellingsbevelen uit te vaardigen. Nu ze koningin was, met Zes achter zich, was er niets om Violets grillen in te tomen.

'Zes heeft me mijn tong teruggegeven. Mijn stem teruggegeven. De Zoeker dacht dat hij me dat allemaal had afgenomen, maar nu heb ik het terug. Tamarang is veilig in mijn handen.'

Als het niet zo'n angstaanjagende gedachte was geweest, zo vreselijk, dan had Rachel misschien hardop gelachen over het idee van Violet als koningin. Rachel was Violets speelkameraadje geweest, haar metgezel, eigenlijk niets meer dan haar persoonlijke slaafje. Violets moeder, koningin Milena, had Rachel uit een weeshuis gehaald zodat Violet iemand had waarop ze haar leiderschapsvaardigheden kon oefenen; een jonger iemand, die Violet makkelijk aankon en kon mishandelen. Rachel was niet alleen ontsnapt, ze had koningin Milena's kostbare kistje van Orden meegenomen en dat uiteindelijk overhandigd aan Richard, Zedd en Chase.

Dat was al heel lang geleden. Violet leek nu halverwege haar tienerjaren te zijn, al was Rachel niet erg goed in het schatten van leeftijden van mensen die ouder waren dan zij. Ze was in ieder geval een stuk groter dan de vorige keer dat Rachel haar had gezien. Haar doffe haren waren nog langer. Haar beenderen waren zwaarder en dikker geworden. Net als de rest van haar was haar gezicht nog mollig, maar met die kleine, donkere, berekenende ogen, was het niet meer dat van een kind. Haar borst was ook niet langer plat maar was die van een vrouw geworden. Ze zag eruit als een volwassene die op het punt stond uit haar cocon te komen. Ze was altijd een stuk ouder geweest dan Rachel, maar nu leek ze een sprong te hebben gemaakt waardoor de kloof tussen hen groter was geworden. Toch leek ze nog lang niet oud genoeg om koningin te zijn.

Maar toch was ze dat.

Rachels knieën, bloot op de rotsen, deden ontzettend pijn. Ze durfde echter niet te vragen of ze mocht opstaan. In plaats daarvan stelde ze een vraag. 'Violet...'

Kléts.

Voordat ze tijd had om na te denken, had Violet haar weer geslagen, schijnbaar vanuit het niets, alsof ze op een reden daartoe had gewacht. Rachel zag vlekken voor haar ogen. Ze had het gevoel dat er een paar tanden waren losgeraakt door die klap. Rachel voelde voorzichtig met haar tong tot ze zeker wist dat ze allemaal nog op hun plek zaten.

'Koningín Violet,' gromde Violet. 'Maak die fout niet nog eens, anders laat ik je martelen wegens het aanstichten tot verraad.'

Rachel slikte de brok van angst in haar keel weg. 'Ja, koningin Violet.'

Violet glimlachte triomfantelijk. Ze was inderdaad de koningin. Rachel wist dat Violet hield van alleen maar de prachtigste dingen, de meest gedetailleerde versieringen, of het nu draperieën of schotels waren, de mooiste gewaden en de kostbaarste juwelen. Ze omringde zich met het beste van alles, en dat deed ze al toen ze nog maar prinses was. Dat maakte het des te vreemder dat ze zich nu in een grot ophield.

'Koningin Violet, wat doet u op deze vreselijke plek?'

Violet staarde een tijdje op haar neer en zwaaide toen met iets wat leek op een krijtje voor Rachels gezicht. 'Mijn erfgoed, mijn erfenis.'

Rachel begreep het niet. 'Uw wat?'

'Mijn gave.' Ze haalde nonchalant haar schouders op. 'Nou, niet precies dé gave, maar iets wat erop lijkt. Zie je, ik kom van een lange lijn van kunstenaars. Herinner je je James nog? De hofkunstenaar?'

Rachel knikte. 'Hij had maar één hand.'

'Ja,' zei Violet lijzig. 'Die man was een beetje brutaler dan goed voor hem was. Alleen omdat hij familie van de koningin was, dacht hij dat hij zich bepaalde indiscreties kon veroorloven. Hij had het mis.'

Rachel knipperde met haar ogen. 'Familie?'

'Een verre neef, of zoiets. Hij had een spoortje van de koninklijke bloedlijn in zich. Die uitzonderlijke bloedlijn heeft een unieke gave van... artisticiteit in zich. De familie van de regenten van Tamarang bezit nog steeds de draad van dat oeroude talent. Mijn moeder had die vaardigheid niet, maar door die bloedlijn heeft ze hem klaarblijkelijk wel aan mij overgedragen. Op dat moment was James de enige van wie we wisten dat hij dat zeldzame talent nog had. En dus werd hij aangesteld als hofkunstenaar en diende hij de kroon, mijn moeder koningin Milena.

De Zoeker... de voormalige Zoeker, Richard, voordat hij die problemen veroorzaakte die leidden tot de moord op mijn moeder, heeft ook James vermoord. Voor het eerst in de geschiedenis had ons land niet de beschikking over de diensten van een kunstenaar om de kroon te beschermen.

Op dat moment waren we ons er niet van bewust dat ik ook dat oude talent in me had.' Ze gebaarde naar de lange vrouw naast zich. 'Zes zag het in me. Ze vertelde me over mijn opmerkelijke vaardigheid. Zij heeft me geleerd hoe ik het moest gebruiken en me begeleid bij mijn... kunstlessen.

Veel mensen waren ertegen dat ik koningin werd, sommige daarvan waren zelfs de hoogste adviseurs van de kroon. Gelukkig vertelde Zes me over de geheime complotten.' Ze zwaaide weer met het krijtje voor Rachels gezicht heen en weer. 'De verraders vonden hier beneden tekeningen van zichzelf op de muren. Ik heb ervoor gezorgd dat iedereen weet wat er met verraders gebeurt. Daarmee, en met de hulp en raad van Zes, werd ik koningin. De mensen durven me niet langer te dwarsbomen.'

Toen ze eerder in het kasteel had gewoond, had Rachel al gedacht dat Violet extreem gevaarlijk was. Ze had op dat moment nog geen idee hoeveel gevaarlijker ze nog zou wórden. Rachel werd overspoeld door een verpletterende hopeloosheid.

Violet en Zes keken op toen ze Samuel weer binnen hoorden komen.

Omdat ze vreesde dat Violet haar nog eens zou slaan, besloot Rachel zich niet om te draaien om te kijken. Ze hoorde Samuel echter hijgen toen hij naderbij kwam. Violet maakte een hakkende beweging met haar hand om Rachel opzij te laten gaan. Rachel krabbelde onmiddellijk uit de weg, maar al te blij om buiten bereik van Violets arm te komen, al kon ze haar autoriteit dan niet ontvluchten.

Samuel had een leren zak bij zich, die met een touw was dichtgebonden. Hij zette de zak voorzichtig neer en maakte hem open. Hij keek op naar Zes. Ze maakte een ongeduldig handgebaar dat hij moest opschieten.

Het leek een soort kistje. Toen hij het uit de zak haalde, zag Rachel dat het zo zwart was als de verdoemenis. Ze was zelfs bang dat ze allemaal in die zwarte leegte zouden worden gezogen en verdwijnen naar de onderwereld.

Met één hand hield Samuel het sinistere ding omhoog naar Zes. Glimlachend pakte ze het van hem aan.

'Zoals beloofd,' zei ze tegen Violet, 'overhandig ik u hierbij koningin Violets kistje van Orden.'

Rachel herinnerde zich hoe koningin Milena zo'n zelfde kistje met dezelfde ademloze eerbied had opgetild. Alleen nu was het niet helemaal bedekt met zilver, goud en edelstenen. Zedd had Rachel verteld dat het echte kistje van Orden onder de foedraal met edelstenen had gezeten. Dit moest het kistje zijn dat al die tijd in die foedraal had gezeten toen Rachel het had meegenomen uit het kasteel, zoals tovenaar Giller haar had gevraagd.

Nu was Giller dood, Richard had niet langer zijn zwaard en Rachel was weer in de klauwen van Violet. En nu had Violet zelf een kostbaar kistje van Orden, net als haar moeder had gehad.

Violet glimlachte vals. 'Zie je, Rachel? Waar heb ik die ouwe, nutteloze adviseurs voor nodig? Zouden zij iets hebben kunnen bereiken van wat ik heb bereikt? Snap je, in tegenstelling tot die zwakkelingen waar jij mee omging, hou ik altijd vol totdat iets me lukt. Dat is wat je nodig hebt om koningin te zijn.

Ik heb het kistje van Orden terug. Ik heb jou terug.' Ze zwaaide weer met het krijtje. 'En ik krijg Richard ook terug, om hem te straffen.'

Zes zuchtte. 'Zo is het wel genoeg met het blijde weerzien. U hebt waar u om had gevraagd. Samuel en ik moeten praten over zijn volgende opdracht, en u moet terug naar uw "kunstles".'

Violet glimlachte samenzweerderig. 'Ja, mijn les.' Ze keek woest op Rachel neer. 'Er staat een ijzeren kist op je te wachten in het kasteel. En dan moeten we het nog over je straf hebben.'

Zes boog het hoofd. 'Dan ga ik maar, mijn koningin.'

Violet wapperde wegwuivend met haar hand. Zes greep Samuel bij zijn bovenarm en liep met hem weg. Hij moest goed uitkijken terwijl hij over en langs grote stenen liep. Zes leek zonder enig probleem door het schemerige licht te schrijden.

'Kom mee,' zei Violet op die geveinsd opgetogen toon die Rachels bloed verkilde. 'Je kunt toekijken terwijl ik teken.'

Toen Violet de fakkel greep, stond Rachel op wankele benen op en volgde haar koningin. Het licht van de flakkerende vlammen scheen op muren met eindeloze tekeningen van vreselijke dingen die mensen werden aangedaan. Er was geen enkele plek op de muur waar niet een of ander vreselijk tafereel op stond. Rachel miste Chase vreselijk, miste zijn bemoediging, zijn glimlach wanneer ze een les goed had voltooid, zijn troostende hand op haar schouder. Ze hield zoveel van hem. En Samuel had hem vermoord, had haar hoop en haar dromen vermoord. Ze voelde een verdoofd soort wanhoop terwijl ze Violet dieper de duisternis in volgde, dieper de waanzin in.

22

Nicci zag Richard een heel eind verderop op de lange borstwering, langs de buitenmuur met kantelen niet ver van de voet van een hoge toren, terwijl hij uitkeek over de verlaten stad ver beneden hem. Het schemerlicht dempte de kleuren van de stervende dag en maakte de glooiende zomergroene velden in de verte grijs. Cara stond niet ver van hem vandaan, zwijgend maar waakzaam.

Nicci kende Richard goed genoeg om de spanning in zijn lichaam te zien. Ze kende Cara goed genoeg om een weerspiegeling van die spanning in haar intens kalme uiterlijk te zien. Nicci duwde haar vuist tegen de zenuwknoop die zich in haar maag had gevormd.

Boven hen wervelden leigrijze wolken, waar af en toe een dikke regendruppel uit viel. In de verte rommelde de donder door de bergpassen, met de belofte van een roerige nacht. Ondanks de donkere, kolkende wolken, was de lucht vreemd stil. De hitte van de dag was abrupt verdwenen, alsof ze was gevlucht voor de storm die op het punt stond uit te breken.

Nicci bleef staan, legde een hand op de kantelen en ademde de vochtige lucht diep in. 'Rikka zei dat je me wilde spreken. Ze zei dat het dringend was.'

Richards gezicht weerspiegelde de dreigende storm. 'Ik moet weg. Meteen.'

Nicci had dat op de een of andere manier zien aankomen. Ze keek langs Richard naar Cara, maar de Mord-Sith liet geen reactie zien. Richard liep al dagen te broeden. Hij was zwijgend en afstandelijk geweest terwijl hij alles overpeinsde wat hij van Jebra en Shota had gehoord. Zedd had Nicci aangeraden hem tijdens zijn overpeinzingen met rust te laten. Nicci had zijn advies niet nodig gehad; ze kende Richards duistere buien waarschijnlijk beter dan wie ook.

'Ik ga met je mee,' zei ze, op een toon die duidelijk maakte dat ze geen tegenspraak dulde.

Hij knikte afwezig. 'Het is goed als je bij me bent. Vooral hiervoor.'

Nicci was opgelucht dat hij niet protesteerde, maar de kluwen van spanning in haar maag verstrakte zich nog verder bij dat laatste wat hij zei. Er hing een voelbare sfeer van gevaar in de lucht. Op dat moment was het haar zorg om te verzekeren dat hij – wat hij ook ging doen – zo goed mogelijk beschermd was.

'En Cara gaat ook mee.'

Hij bleef in de verte staren. 'Natuurlijk.'

Ze besefte dat hij naar het zuiden keek. 'Nu Tom en Friedrich terug zijn, zal Tom erop staan om ook mee te gaan. Zijn talenten kunnen van pas komen.'

Tom was lid van een elitekorps van beschermers van de Meester Rahl. Ondanks zijn vriendelijke uiterlijk was Tom meer dan formidabel. Mannen zoals hij werden niet tot dergelijke vertrouwde beveiligingsfuncties bevorderd voor de Meester Rahl omdat ze zo lief konden glimlachen. Net als andere D'Haraanse beschermers van de Meester Rahl had Tom een passie ontwikkeld voor zijn plicht om Richard te beschermen.

'Hij kan niet met ons mee,' zei Richard. 'We gaan per sliph. Alleen Cara, jij en ik kunnen in de sliph reizen.'

Nicci slikte moeizaam bij de gedachte aan zo'n reis. 'En waar gaan we naartoe, Richard?'

Eindelijk richtte hij zijn grijze ogen op haar. Hij keek in haar ogen op die specifieke manier van hem, alsof hij in haar ziel keek. 'Ik heb het uitgeknobbeld,' zei hij.

'Wat heb je uitgeknobbeld?'

'Wat ik moet doen.'

Nicci voelde haar vingers tintelen in een onbestemde angst. De blik van vreselijke vastberadenheid in zijn grijze ogen maakte haar knieën slap. 'En wat moet je dan doen, Richard?'

Hij dacht even na. 'Heb ik je ooit bedankt, omdat je Shota laatst tegenhield, toen ze me aanraakte?'

Nicci was niet onthutst over Richards plotselinge verandering van onderwerp. Ze wist dat Richard zo was. Het was vooral karakteristiek voor hem wanneer hem iets bijzonder dwarszat. Hoe geagiteerder hij was, hoe meer dingen er tegelijkertijd door zijn hoofd schenen te spelen, alsof zijn gedachten in een wervelwind van activiteit bezig waren, waardoor alles in die kolkende stroom van overpeinzingen werd gezogen.

'Ja, Richard.' *Wel honderd keer.*

Hij knikte kort. 'Nou, dank je.'

Zijn stem klonk afwezig, ver weg, terwijl hij terugdook in de duistere diepten van een innerlijke berekening waarvan de toekomst afhing.

'Ze deed iets pijnlijks met je, hè.' Het was geen vraag, maar een constatering waar Nicci meer en meer in was gaan geloven in de dagen sinds Shota's bezoek. Nicci wist niet wat Shota had gedaan, maar ze wenste dat ze zelfs die korte aanraking had kunnen voorkomen. Ze had geen idee hoeveel de heks in die korte tijd had kunnen overbrengen. Bliksem was immers ook een kortdurend iets. Richard had nooit gezegd wat Shota hem had laten zien, maar het was een terrein dat Nicci, om de een of andere reden, vreesde te betreden.

Richard zuchtte diep. 'Ja, dat klopt. Ze heeft me de waarheid laten zien. Deels daardoor ben ik eindelijk gaan begrijpen wat ik moet doen. Hoezeer ik het ook vrees...'

Toen hij zijn stem liet wegsterven, spoorde Nicci hem geduldig aan. 'En wat moet je dan doen?'

Richards vingers grepen zich vaster om het steen terwijl hij weer uitkeek over het donker wordende landschap ver beneden hen, en toen naar de sombere bergen die daarachter oprezen.

'Ik had gelijk, in het begin.' Zijn blik ging naar Cara. 'Toen ik jou en Kahlan meenam naar de bergen ver in Westland.'

Cara fronste haar voorhoofd. 'Ik weet nog dat u zei dat we naar die verlaten bergen gingen omdat u was gaan begrijpen dat je de oorlog niet kon winnen in een strijd tegen het leger van de Imperiale Orde. U zei dat u de mensen niet kon voorgaan in zo'n strijd die ze zeker zouden verliezen.'

Richard knikte. 'En ik had gelijk. Dat weet ik nu. We kunnen het niet winnen van hun leger. Shota heeft me geholpen dat in te zien. Misschien probeerde ze me ervan te overtuigen dat ik die strijd moest aangaan, maar deels vanwege alles wat zij en Jebra me hebben laten zien, weet ik dat we die gewoon niet kunnen winnen. Nu weet ik wat ik moet doen.'

'En dat is?' drong Nicci aan.

Richard zette zich eindelijk af van de stenen kantelen. 'We moeten gaan. Ik heb geen tijd om het nu allemaal uit te leggen.'

Nicci liep achter hem aan. 'Ik heb al wat dingen ingepakt. Alles staat klaar. Richard, waarom kun je me niet vertellen wat je besloten hebt?'

'Dat doe ik nog wel,' zei hij, 'later.'

'Je verspilt je tijd,' zei Cara zachtjes tegen Nicci terwijl ze naast haar achter Richard aanliep. 'Ik ben die kreek al op gepeddeld tot ik te moe werd om nog door te peddelen.'

Richard, die Cara's opmerking had gehoord, pakte Nicci bij de arm en trok haar naar voren. 'Ik ben nog niet klaar met het allemaal te overdenken. Ik moet alles op een rijtje krijgen. Ik zal het uitleggen als we er zijn, zal het aan iedereen uitleggen, maar nu hebben we geen tijd. Goed?'

'Waar gaan we dan heen?' vroeg Nicci.

'Naar het D'Haraanse leger. Jagangs hoofdleger valt binnenkort D'Hara binnen. Ik moet ons leger laten weten dat ze geen kans hebben om de strijd te winnen die op hen afkomt.'

'Dat zal ze opvrolijken,' zei Cara. 'Niets geeft soldaten een beter gevoel op de vooravond van de strijd dan hun leider te horen zeggen dat ze op het punt staan te sterven.'

'Heb je dan liever dat ik tegen ze lieg?' vroeg hij.

Cara's enige antwoord was een boze frons.

Aan het eind van de borstwering trok Richard de zware eiken deur onder aan de toren open. Binnen was een kamer waar al enkele lampen waren aangestoken. Nicci hoorde mensen de stenen treden aan de buitenkant oprennen.

'Richard!' Het was Zedd, die achter de grote, blonde D'Haraan Tom aankwam.

Richard bleef staan wachten tot zijn grootvader boven aan de trap was en de eenvoudige stenen kamer had bereikt.

Zedd haastte zich hijgend naar hem toe. 'Richard! Wat is er loos? Rikka kwam langsrennen en riep dat je vertrok.'

Richard knikte. 'Ik wilde dat je wist dat ik moest gaan, maar ik blijf niet lang weg. Ik ben over een paar dagen terug. Hopelijk kunnen jij, Nathan en Ann in de tussentijd iets in de boeken vinden wat kan helpen tegen de ketenvuurbetovering. Misschien kun je zelfs wel een oplossing vinden voor de besmetting van de akkoorden.'

Zedd maakte een geërgerd handgebaar. 'En zal ik dan als we toch bezig zijn ook maar even die storm uit de lucht toveren?'

'Zedd, wees niet boos op me, alsjeblieft. Ik moet gaan.'

'Goed dan, maar waar ga je naartoe, en waarom?'

'Ik ben er klaar voor, Meester Rahl,' zei Tom terwijl hij de kamer binnen kwam rennen.

'Het spijt me,' zei Richard tegen hem, 'maar jij kunt niet mee. We gaan met de sliph.'

Zedd gooide zijn armen in de lucht. 'De sliph! Je doet je best om mij ervan te overtuigen dat de magie faalt, en nu ben je van plan je leven in handen van dat wezen van magie te leggen? Ben je gek geworden, Richard? Wat is er aan de hand?'

'Ik ben me bewust van het gevaar, maar ik moet het risico nemen.' Richard gebaarde. 'Ken je het sterrensymbool op de deur van de enclave van de Eerste Tovenaar daarboven?' Toen Zedd knikte, klopte Richard op de bovenzijde van zijn zilveren armband. 'Dat is hetzelfde als dit hier.'

'Wat is daarmee?' vroeg Zedd.

'Weet je nog dat ik zei dat het een betekenis had? Het is een waarschuwing dat je je niet tot één ding moet beperken. Het is een waarschuwing om overal tegelijk te kijken, je nooit enkel op één ding te richten. Het betekent dat je je vijand niet moet toestaan je aandacht te trekken en alleen te kijken naar wat hij wil dat je ziet. Als je dat doet, ben je blind voor al het andere.

Daar ben ik mee bezig geweest. Jagang heeft me gedwongen – dat deed hij bij iedereen – om me op één ding te richten. En als een stommeling heb ik dat gedaan.'

'Zijn leger,' gokte Nicci. 'Bedoel je dat? Dat we ons allemaal hebben gericht op zijn invasiemacht?'

'Dat klopt. Deze sterren betekenen dat je je moet openstellen voor alles wat er is, je nooit op maar één ding moet richten, zelfs wanneer je je vijand neerslaat. Het betekent dat je je geest moet openstellen voor alles, zelfs wanneer het nodig is om die ene centrale dreiging veel aandacht te geven.'

Zedd hield zijn hoofd schuin. 'Richard, je moet je richten op de dreiging die op het punt staat je je leven te kosten. Zijn leger bestaat uit miljoenen soldaten. Ze komen alle verzet neerslaan en ons allemaal tot slaven maken.'

'Dat weet ik. Daarom kunnen we niet tegen ze vechten; dan verliezen we.'

Zedds gezicht werd knalrood. 'Dus stel jij voor om hun leger zonder verzet over de Nieuwe Wereld te laten denderen? Jouw plan is om Jagangs leger ongestoord steden te laten veroveren en al die dingen te laten gebeuren die Jebra net heeft verteld over Ebinissia? Wil je die mensen dan zo makkelijk laten afslachten of tot slaven laten maken?'

'Denk aan de oplossing,' bracht Richard zijn grootvader in herinnering, 'niet aan het probleem.'

'Dat is niet erg troostrijk voor degenen bij wie de keel wordt afgesneden.'

Richard verstijfde en staarde zijn grootvader aan, schijnbaar sprakeloos door wat Zedd had gezegd.

'Luister,' zei Richard uiteindelijk en hij harkte met zijn vingers door zijn haar, 'ik heb hier nu geen tijd voor. We praten erover als ik terug ben. De klok tikt door. Ik heb al veel te veel tijd verspild. Ik hoop alleen dat we nog voldoende tijd overhebben.'

'Genoeg tijd voor wát!' brulde Zedd.

Nicci hoorde voetstappen de trap op rennen.

Jebra holde de kamer in. 'Wat is er loos?' vroeg ze aan Zedd.

Zedd wuifde een hand in Richards richting. 'Mijn kleinzoon heeft besloten dat we de oorlog moeten verliezen, dat we niet tegen Jagangs leger moeten vechten.'

'Meester Rahl, dat kunt u niet menen,' zei ze. 'U kunt toch niet werkelijk overwegen die bruten te laten...' Jebra's stem stierf weg terwijl ze naar voren stapte en naar Richard opkeek. Ze glimlachte halverwege haar stap en stapte toen wankelend achteruit. Haar gezicht werd bleek en haar mond viel open. Haar kaak trilde toen ze tevergeefs probeerde te spreken. Haar gezicht werd slap van angst. Haar blauwe ogen rolden weg in de kassen.

Toen ze flauwviel, ving Tom haar in zijn armen en legde haar voorzichtig op de granieten vloer. De anderen verzamelden zich om de bewusteloze vrouw.

'Wat is er gebeurd?' vroeg Tom.

'Ik weet het niet,' zei Zedd, terwijl hij naast de vrouw neerknielde en zijn vingers op haar voorhoofd legde. 'Ze is flauwgevallen, maar ik weet niet waarom.'

Richard liep naar de deur die naar de ijzeren trap binnen in de toren leidde. 'Ik laat haar aan jouw zorgen over, Zedd. Jij bent de genezingsexpert. Ze is in goede handen. Ik kan me nu niet veroorloven nog meer tijd te verspillen.'

Hij draaide zich om. 'Ik kom zo snel mogelijk terug, dat beloof ik. Het zou niet meer dan een paar dagen moeten duren.'

'Maar Richard...'

Hij was de ijzeren trap al aan het afdalen. 'Ik kom terug,' riep hij naar hen omhoog, zijn stem galmend door de duisternis.

Zonder aarzeling volgde Cara hem de donkere toren in.

Nicci wilde hem niet te veel voorsprong geven, maar ze wist dat hij de sliph nog moest oproepen en dat ze dus nog wat tijd had. Terwijl Zedd diverse plekken op Jebra's hoofd onderzocht, hurkte Nicci tegenover hem naast de bewusteloze vrouw neer.

Nicci voelde aan het voorhoofd van de vrouw. 'Ze is gloeiend heet.'

Zedd keek op met een blik waar Nicci's hart bijna van bleef stilstaan. 'Ze heeft een visioen gehad.'

'Hoe weet je dat?'

'Ik weet iets van zieners in het algemeen en vooral van haar. Ze heeft een krachtig visioen gehad. Jebra is gevoeliger dan de meeste andere zieners. Haar emoties worden haar soms te veel bij bepaalde soorten visioenen. Dit visioen moet heel sterk zijn geweest om haar bewusteloos te laten raken.'

'Denk je dat het over Richard ging?'

'Dat kan ik echt niet zeggen,' zei de oude tovenaar. 'Dat zal zij ons moeten vertellen.'

Zedd wilde dan misschien niet speculeren, maar Jebra had in Richards ogen gekeken net voor ze flauwviel. Nicci had geen tijd om discreet te zijn. Ze kon Richard niet zonder haar laten vertrekken – en ze wist dat hij dat zou doen als zij er niet was op het moment dat hij klaar was om te gaan – maar tegelijkertijd kon ze niet weggaan zonder te weten of Jebra een visioen over hem had gehad dat iets belangrijks kon onthullen.

Nicci legde haar hand onder de nek van de vrouw en drukte met haar vingers tegen Jebra's schedelbasis.

'Wat doe je?' vroeg Zedd argwanend. 'Als je doet wat ik denk dat je doet, dan is dat niet alleen roekeloos, maar ook nog eens gevaarlijk.'

'Onwetendheid is ook gevaarlijk,' zei Nicci, terwijl ze een krachtstroom losliet.

Jebra's ogen schoten open. Ze haalde verschrikt adem. 'Nee...'

'Rustig maar,' troostte Zedd, 'het is al goed, lieverd. We zijn bij je.'

'Wat heb je gezien?' vroeg Nicci, die er geen doekjes om wond.

Jebra's paniekerige ogen vonden Nicci. Ze stak haar hand uit en greep de kraag van Nicci's gewaad. 'Laat hem niet alleen!'

Nicci hoefde niet te vragen over wie Jebra het had. 'Hoezo? Wat heb je gezien?'

'Laat hem niet alleen! Laat hem niet uit het oog, nog geen moment!'

'Waarom?' vroeg Nicci. 'Wat gebeurt er als hij alleen is?'

'Als je hem alleen laat, raken we hem kwijt.'

'Hoe dan? Wat heb je gezien?'

Jebra trok Nicci met beide handen dichter naar zich toe. 'Ga. Laat hem niet alleen. Wat ik heb gezien doet er niet toe. Als hij niet alleen is, kan het niet gebeuren. Begrijp je me? Als je toelaat dat hij van jou en Cara wordt gescheiden, maakt het niet uit wat ik heb gezien, dan maakt het voor niemand meer uit. Ik kan je niet vertellen hoe die scheiding in zijn werk gaat, alleen dat je het koste wat het kost moet voorkomen. Dat is het enige wat telt. Ga! Blijf bij hem!'

Nicci slikte moeizaam en knikte.

'Je kunt maar beter doen wat ze zegt,' zei Zedd tegen Nicci. 'Er is niets wat ik kan doen. Het is aan jullie.'

Hij greep haar hand, niet als Eerste Tovenaar maar als Richards grootvader. 'Blijf bij hem, Nicci. Bescherm hem. Hij is op zoveel manieren de Zoeker, de Meester Rahl, de leider van het D'Haraanse Rijk, maar op veel andere manieren is hij in zijn hart nog steeds een woudloper. Hij is onze Richard. Bescherm hem, alsjeblieft. We rekenen allemaal op je.'

Nicci staarde hem aan. Zijn smeekbede was zo onverwacht persoonlijk; een smeekbede die leek uit te stijgen boven de grotere behoefte van het verdedigen van de vrijheid van de Nieuwe Wereld, die was teruggebracht tot een eenvoudige liefde voor Richard de man. Ze begreep op dat ogenblik dat zonder de gemeende en eenvoudige zorg om Richard als individu, niets anders ertoe deed.

Toen Nicci overeind kwam, trok Jebra haar weer omlaag. 'Dit is geen profetie die "misschien" uitkomt, een mogelijkheid. Dit is zeker. Laat hem niet alleen, anders is hij aan haar genade overgeleverd.'

'Wiens genade?'

Jebra beet op haar lip terwijl er tranen opwelden in haar blauwe ogen. 'De duistere heks.'

Nicci voelde een huivering van ijzige angst langs haar ruggengraat kruipen.

'Ga,' fluisterde Jebra. 'Ga, alsjeblieft. Snel. Laat hem niet zonder jou vertrekken.'

Nicci sprong op en rende de kamer door. Bij de deur bleef ze staan en draaide zich om. Haar hart ging zo tekeer dat ze stond te wankelen. 'Ik zweer het, Zedd. Ik zal hem beschermen zo lang ik ademhaal.'

Zedd knikte, en er liep een traan over zijn verweerde wang. 'Snel.'

Nicci draaide zich om en rende de ijzeren trap af, met twee treden tegelijk, en haar voetstappen weergalmden door de enorme toren. Ze vroeg zich af wat Jebra nog meer had gezien in haar visioen wat Richard wachtte als hij van hen gescheiden raakte, als hij alleen werd gelaten. Maar uiteindelijk besloot Nicci dat het niet echt uitmaakte welk visionair lot het was, het maakte alleen maar uit dat Nicci het hoe dan ook niet mocht laten gebeuren.

Vleermuizen vlogen in wervelende wolken op door de toren, door de open ramen bovenaan naar buiten om op hun nachtelijke jacht te gaan, terwijl Nicci als een dolle de trap afrende. Het ruisende geluid van duizenden vliesachtige vleugels leek op een langzame, lage kreun die door de toren werd uitgeademd. Ze passeerde ijzeren deuren op overlopen zonder te blijven staan. Af en toe moest ze zich aan de leuning vastgrijpen om in evenwicht te blijven. Onder aan de trap rende ze om de omloop van het stinkende water rond de voet van de toren. Het zwarte water rimpelde toen kleine wezentjes onderdoken in hun inktachtige toevluchtsoord.

Nicci rende door de deur die open was geblazen toen Richard de grote barrière had vernietigd, die ooit de Oude Wereld van de nieuwe had gescheiden. De torens die die barrière van voeding hadden voorzien, stonden daar al sinds de grote oorlog, driedui-zend jaar geleden. In recentere tijden waren Jagang en zijn leger van de Imperiale Orde op afstand gehouden, niet in staat die bar-rière over te steken. Maar Richard had die torens vernietigd om terug te kunnen keren naar de Nieuwe Wereld nadat hij gevan-gen had gezeten in het Paleis van de Profeten, en als gevolg daar-van was de Imperiale Orde losgelaten op de Nieuwe Wereld. De oorlog was niet Richards schuld, maar zonder die daad van hem zou hij niet opnieuw zijn begonnen.

Richard en Cara stonden te wachten op de muur van de grote put van de sliph, het wezen dat samen met de Oude Wereld ach-ter de muur gevangen had gezeten, al die tijd dat de grotere bar-rière had standgehouden. Achter Richard en Cara keek het kwik-zilveren gelaat van de sliph naar Nicci terwijl ze de kamer inrende.

'Wilt u reizen?' vroeg de sliph met die enge stem die in de kamer rondkaatste.

'Ja, ik wil reizen,' zei Nicci ademloos terwijl ze haar ransel op-pakte. Cara had die daar vast voor haar neergezet. 'Bedankt,' zei ze tegen de Mord-Sith.

Richard stak zijn hand uit toen Nicci haar arm door een riem stak en de ransel op haar rug tilde. 'Kom op.'

Nicci pakte zijn hand en Richard trok haar met een zwaai op de muur. Nicci's hart voelde alsof het door haar keel omhoogkwam. Ze had wel eerder gereisd, dus ze kende het overstelpend ver-rukkelijke gevoel van die belevenis, maar toch vond ze het ook een angstig idee om te ademen in het levende kwikzilver van de sliph. Zo'n concept ging gewoon tegen het hele idee in van de adem van het leven.

'Het zal u behagen,' zei de sliph toen Nicci bij de anderen stond. Nicci protesteerde niet.

'Kom, we gaan,' zei Richard. 'Ik wil reizen.'

Een glanzende arm kwam vanuit het water omhoog en wikkelde zich om Richard en Cara heen, maar niet om Nicci.

'Wacht!' zei Nicci. 'Ik moet met ze mee.' De sliph aarzelde. 'Luis-ter naar me, Richard. Je moet Cara en mij bij de hand vasthou-den. Laat ons niet los, wat er ook gebeurt.'

'Nicci, je hebt dit al eerder gedaan. Het is heus...'

'Luister! Cara en ik vertrouwen jou, en jij moet ons vertrouwen. Je mag je niet van ons laten scheiden. Wat er ook gebeurt. Zelfs geen tel. Als dat gebeurt, raken we je kwijt. Als dat gebeurt, zal wat je ook van plan was, niet gebeuren.'

Richard keek een tijdlang zwijgend in haar ogen. 'Heeft Jebra een visioen gehad dat er iets zou gebeuren?'

'Alleen als je van ons gescheiden raakt. Alleen als je alleen bent.'

'Wat heeft ze dan gezien?'

'De heks, Zes. Jebra noemde haar "de duistere heks".'

Richard keek haar nog een tijdlang aan. 'Shota gaat achter Zes aan.'

'Dat kan wel zijn, maar Zes hééft Shota's macht op haar eigen territorium al eens ondermijnd.'

'Misschien tijdelijk. Maar ik zou niet in haar schoenen willen staan als Shota haar te pakken krijgt. Shota heeft haar troon bedekt met de huid van de laatste die haar thuis aanviel, en dat was een tovenaar.'

'Ik twijfel er niet aan hoe gevaarlijk Shota is, maar we weten niet hoe gevaarlijk Zes is. De gave is bij iedereen anders. Shota kan misschien uiteindelijk niet op tegen Zes' vaardigheid. Ik weet wel dat de Zusters van de Duisternis bang voor haar waren. Jebra heeft een vreselijk visioen gehad en zegt dat we je niet alleen mogen laten. Ik ben niet van plan ook maar de kleinste kans te laten bestaan dat haar visioen uitkomt.'

Hij moest de vastberadenheid in Nicci's gezicht gezien hebben, want hij knikte. 'Goed dan.' Hij pakte haar hand en toen die van Cara. 'Niet loslaten, dan hoeven we ons geen zorgen te maken.'

Nicci kneep instemmend in zijn hand. Ze boog zich langs hem heen en sprak tegen Cara. 'Begrijp je? We mogen hem niet uit het oog verliezen. Nog geen moment.'

Cara fronste haar voorhoofd. 'Sinds wanneer heb ik hem ooit uit het oog willen verliezen?'

'Waar wilt u naartoe reizen?' vroeg de sliph.

Nicci keek naar Richard en Cara en besefte dat de vraag aan haar gericht was. 'Naar dezelfde plek als waar zij heengaan.'

Het zilveren gezicht nam een sluwe uitdrukking aan. 'Ik kan niet onthullen wat mijn andere klanten doen als ze zich in mij bevinden. Vertel me wat u wilt, dan zal ik u behagen.'

Nicci wierp een fronsende blik op Richard.

'Ze onthult nooit iets aan een ander; het is een soort beroepseer. We gaan naar het Volkspaleis.'

'Het Volkspaleis,' zei Nicci. 'Ik wil naar het Volkspaleis reizen.'
'Ze gaat met Cara en mij mee,' zei Richard tegen de sliph. 'Naar
dezelfde plek. Begrijp je? Ze moet bij ons blijven terwijl we daarheen reizen.'
'Ja, meester. We gaan reizen.' Het gezicht, dat eruitzag als een
glanzend opgepoetst standbeeld, glimlachte. 'Het zal u behagen.'
De kwikzilveren arm wond zich strakker om hen alle drie en trok
hen van de muur. Nicci kneep hard in Richards hand.
Toen ze in de totale duisternis van de sliph vielen, hield Nicci
haar adem in. Ze wist dat ze moest ademhalen, maar het idee van
het inademen van die zilveren vloeistof maakte haar doodsbang.
Ademhalen.
Uiteindelijk deed ze dat, een wanhopige ademteug waarmee ze de
sliph in haar longen binnenhaalde. Kleuren, licht en vormen ver-
smolten overal rondom haar samen tot een spectaculair tafereel.
Nicci hield Richards hand stevig vast terwijl ze de zijdeachtige
verte in gleden. Het was prachtig, loom, een drijvend gevoel van
een duikvlucht op onvoorstelbare snelheid.
Ze haalde nog eens duizelingwekkend adem in het wezen van de
sliph. Het was een heerlijke bevrijding van alles wat haar plaagde, van het verpletterende gewicht op haar ziel. Het enige wat ze
nog had, was die band met Richard. Verder was er niets. Verder
was er niemand.
Het was verrukkelijk. Ze wilde dat het nooit meer ophield.

23

Kahlan keek toe terwijl de drie Zusters in de verte tuurden, op de uitkijk of ze iets zagen bewegen. Nu de zon onderging, begonnen de schaduwen over te gaan in een schemerig waas. Aan de horizon in het zuiden scheen een streepje zilver van het afnemende daglicht onder dreigende donkere wolken door, die zich opstapelden in een donkerpaarse hemel. De bovenranden van de wolken hadden een zweem rood licht, waardoor de avond een vreemde, dromerige sfeer kreeg.

De hemel hier, zo vaak gevuld met enorme, kolkende wolken, leek immens, waardoor Kahlan zich piepklein en onbeduidend voelde. De vlakten in het zuiden strekten zich eindeloos uit tot aan de verlaten horizon. Er groeide niet veel op zo'n desolate plek, en wat er groeide, werd meestal aangetroffen in de lagere gedeelten.

De wolken die over het landschap trokken, voerden regenbuien mee, maar zo groot als het hier was, leek de regen nooit meer dan een geïsoleerd fenomeen in de verte. Kahlan vermoedde dat als je een jaar lang op dezelfde plek bleef staan wachten tot een van die willekeurige buien boven je uitbrak, het waarschijnlijk nooit zou gebeuren. Het kale landschap gaf het leven de schijn dat het breekbaar en verloren was. Alleen de bergen in het noorden en oosten leken in staat om regen te onttrekken aan de voorbijdrijvende stoet wolken. De bomen groeiden daardoor alleen dicht in de buurt van hun bergachtige onderkomen.

Toen de paarden snoven en met hun hoeven stampten, trok Kahlan de leidsels naar zich toe en wreef afwezig een van de dieren onder zijn kin om hem te laten weten dat alles goed was. Het paard bonkte zachtjes tegen haar aan met zijn neus, vragend om meer. Kahlan wendde zich af van die spookachtige verlatenheid en richtte haar aandacht op het paard dat ze aaide.

In de verte zag ze de plek waar de muur van bergen afvlakte naar een grote landtong. Die landtong, als de staart van een slapend beest, was zo te zien de zuidelijke punt van de bergen waarlangs ze richting het zuiden waren gereden. Kahlan wenste dat ze weer terug was in die bergen. De bergen gaven haar een gevoel van beschutting, misschien omdat ze daar niet zoals op de open vlaktes het gevoel had dat iedereen in de wijde omtrek haar kon zien. Op de vlakte voelde ze zich naakt en onbeschut. Ze besefte dat ze niet echt wist waarom ze dat zo voelde, aangezien haar omstandigheden nauwelijks slechter konden; ze was de vergeten slaaf van de Zusters.

Kahlan zag op de verre landtong iets staan wat leek op gebouwen. Als haar ogen haar niet bedrogen, waren die gebouwen niet meer dan ruïnen. Als het echt gebouwen waren, dan waren er niet veel met een dak. Wat op het eerste gezicht onbegrijpelijk leek, begon ze te snappen: als de muren lang geleden waren verweerd, zou dat de vreemde vormen ervan verklaren. Ze zag geen sporen van mensen. Die waren waarschijnlijk ook allang vergeten.

Zelfs al waren die gebouwen allang verlaten, dan nog maakte dat de Zusters niet minder oplettend dan overal elders. Hun behoedzaamheid leek te zijn ontstaan uit een gevoel van complete en totale overheersing die bijna binnen hun bereik lag. Maar hier deelde Kahlan hun onbehaaglijkheid. De drie Zusters hadden het grootste deel van de dag gezwegen en alleen gesproken wanneer het nodig was. Kahlans schouderblad deed nog steeds pijn omdat Zuster Ulicia haar onverwachts had geslagen. Het was geen straf geweest voor een overtreding – echt of ingebeeld – maar meer een strenge waarschuwing om geen problemen te veroorzaken. De Zusters moesten soms hun superioriteit over anderen laten merken, al was het maar door te laten zien dat ze Kahlan pijn konden doen omdat ze daar toevallig zin in hadden. Ze moest haar gedachten intomen, anders kon een van de Zusters oppikken wat Kahlan vond van hoe ze werd behandeld. Ze had haar waardigheid samen met die gedachten weggeslikt en enkel gezegd: 'Ja, Zuster.'

Kahlan dacht niet dat het een goed idee was om in het donker rond te stommelen, vooral niet nu ze in een landschap waren aangekomen met diepe kloven en dat hier en daar was weggeslagen door puin dat van hellingen was gegleden. De paarden konden hier makkelijk een been breken. Maar in hun haast om naar Caska te komen, hadden de Zusters niet willen stoppen toen de avond begon te vallen. Wat de Zusters wilden, gebeurde ook. Kahlan keek er niet naar uit om uiteindelijk hun kamp in het donker op te moeten slaan.

'Ik denk dat daar iemand is,' zei Zuster Armina zachtjes, starend in de duisternis.

'Ik voel ook iets,' mompelde Zuster Cecilia.

Zuster Armina keek verwachtingsvol op. 'Misschien is het Tovi.'

'Het kan ook een wilde muilezel zijn.' Zuster Ulicia leek niet in de stemming om te blijven staan speculeren. 'Kom mee.' Ze keek achterom naar Kahlan. 'Blijf bij ons.'

'Ja, Zuster,' zei Kahlan. Ze gaf de Zusters de leidsels van hun paarden aan.

Zuster Cecilia, ouder dan de anderen, gromde van inspanning toen ze haar vermoeide been over het zadel zwaaide. 'Mijn herinneringen aan de zeldzame kaarten van de gewelven onder het Paleis van de Profeten zeggen me dat we dichter in de buurt komen.'

'Ik heb die oude kaarten ook eens gezien,' zei Zuster Ulicia toen ze eenmaal op haar paard zat. 'Deze plek heette het Diepe Niets. Dat zou betekenen dat dat, daar op die landtong, Caska moet zijn.'

Zuster Armina zuchtte ongeduldig terwijl ze haar paard achter de anderen aan stuurde. 'Dan vinden we hier eindelijk Tovi.'

'En als we haar dan eindelijk vinden,' zei Zuster Cecilia, 'heeft ze heel wat uit te leggen.'

Zuster Armina gebaarde naar de landtong in de verte. 'Je kent Tovi toch. Ze negeert altijd wat ze zou moeten doen, omdat ze denkt dat zij het beter weet. Ze is de meest obstinate vrouw die ik ooit heb ontmoet.'

Hoor háár nou, dacht Kahlan.

'We zullen zien hoe obstinaat ze is met mijn handen om haar keel,' zei Zuster Cecilia.

Zuster Armina spoorde haar paard aan en ging naast Ulicia rij-

den. 'Je denkt toch niet dat ze iets aan het uitspoken is, Ulicia?'
'Tovi?' Zuster Ulicia keek opzij. 'Nee, niet echt. Ze is soms misschien onuitstaanbaar, maar ze heeft hetzelfde doel als wij. Bovendien weet ze net zo goed als wij dat we alle drie de kistjes nodig hebben. Ze weet wat erbij komt kijken en wat er op het spel
staat.

Binnenkort hebben we alle drie de kistjes weer bij elkaar – dat is
alles wat echt telt – en dan zijn we al in Caska, dus eigenlijk hadden we er toch niet veel aan om Tovi al eerder te treffen. We hadden hier toch heen moeten komen.'

'Maar waarom zou ze zo ineens vertrokken zijn?' drong Zuster
Cecilia aan.

Zuster Ulicia haalde haar schouders op. In tegenstelling tot de
andere twee leek zij meer op haar gemak nu Caska in zicht was.
'Het kan best zijn dat ze troepen van de Imperiale Orde in de
buurt ontdekte en gewoon problemen wilde voorkomen, en dat
ze daarom het gebied heeft verlaten. Ze deed waarschijnlijk alleen maar wat het verstandigst was. Ze wist dat we hierheen
moesten komen. Ze zag waarschijnlijk een kans om weg te glippen, en heeft die gebruikt. Die voorzichtigheid dient ons. Ze is
uiteindelijk naar de plek gegaan die al die tijd al onze bestemming was, dus ik zou niet weten wat ze dan zou kunnen uitspoken.'

'Als jij het zegt.' Zuster Cecilia leek nogal teleurgesteld nu ze geen
zondebok had waar ze haar woede op kon richten.

Ze reden nog meer dan een uur in stilte verder, tot het de Zusters duidelijk werd dat rijden over dergelijk terrein in het donker
niet alleen kon leiden tot een gebroken been bij de paarden, maar
dat ze ook hun eigen nek riskeerden. Voor zover Kahlan kon zien,
waren ze niet veel dichter bij de landtong dan ze het grootste deel
van de dag al waren geweest. Op de vlakte waren de afstanden
veel groter dan ze leken. Wat eerst maar een paar mijl verderop
leek, kon je dagen kosten om te bereiken. De Zusters, hoe gretig
ook om Caska en Tovi te bereiken, waren moe en wilden stoppen.

Zuster Ulicia steeg af en gaf de leidsels aan Kahlan. 'Zet het kamp
op. We hebben honger.'

Kahlan boog haar hoofd. 'Ja, Zuster.'

Ze bond de paarden aan elkaar vast zodat die niet weg konden lopen, en liep toen naar de pakdieren toe om hun spullen uit te pakken. Ze was doodmoe, maar ze wist dat het waarschijnlijk nog uren zou duren voordat zij de kans zou krijgen om te gaan slapen. Het kamp moest worden opgezet, er moest eten worden klaargemaakt en dan moesten de paarden nog worden gevoederd, gedrenkt en verzorgd voor de nacht.

Zuster Ulicia greep Armina's arm en trok haar naar zich toe. 'Terwijl wij het kamp opbouwen, wil ik dat jij de omgeving verkent. Ik wil weten of het inderdaad alleen maar een muilezel is.'

Zuster Armina knikte en vertrok onmiddellijk te voet de duisternis in.

Zuster Cecilia keek Armina na, die in het donker verdween. 'Denk je echt dat het een muilezel is?'

Zuster Ulicia keek haar donker aan. 'Als het een muilezel is, blijft hij steeds op dezelfde afstand. Als het iemand is die ons in de gaten houdt, dan vindt Armina hem wel.'

Kahlan trok de beddenzakken tevoorschijn toen de Zusters vroegen om iets zachters om op te zitten dan de kale grond. Toen haalde ze de pannen uit de zadeltassen om eten klaar te maken.

'Geen vuur vanavond,' zei Zuster Ulicia toen ze Kahlan met de pan zag aankomen.

Kahlan staarde haar een tijdlang aan. 'Wat wilt u dan eten, Zuster?'

'Er zijn nog reiskoeken. Die kunnen we eten, samen met wat gedroogd vlees. We hebben ook pijnboompitten.' Ze keek de nacht in. 'Ik wil geen vuur hier op deze open plek, waar iedereen van de ene horizon naar de andere ons kan zien. Pak maar een van de kleinere lantaarns.'

Kahlan kon zich niet voorstellen waar de Zusters zich zorgen over maakten. Ze gaf Zuster Armina de lantaarn. De Zuster stak hem aan met een snelle beweging van haar vinger en zette hem toen op de grond voor haar en Zuster Ulicia neer. Kahlan had niet veel licht om de rest van de spullen bij uit te pakken, maar het was beter dan niets.

Eerder waren er wel eens patrouilles soldaten op hen gestuit. De Zusters waren nooit echt van slag geraakt over plotselinge ontmoetingen met vijandige troepen. De Zusters hadden de soldaten zonder enig probleem – of mededogen – uitgeschakeld.

Als ze die patrouilles tegenkwamen, zorgden de Zusters er zorgvuldig voor dat ze geen getuigen lieten ontsnappen, schijnbaar om te voorkomen dat er verslag uit kon worden gebracht aan het leger. Kahlan nam aan dat zulke berichten ertoe konden leiden dat er grote aantallen woeste mannen achter hen aankwamen. Maar de Zusters leken zich niet echt zorgen te maken over die mogelijkheid; het leek er meer op dat ze zich gewoon door niets wilden laten ophouden.

Het was uiterst belangrijk voor hen om Tovi en het laatste kistje te vinden, en ze hadden flink doorgereden om zo snel zo ver te komen. Kahlan was enigszins verbaasd dat ze Tovi niet al eerder hadden ingehaald, vooral aangezien er niets belangrijkers leek te bestaan voor de Zusters dan hun kostbare kistjes. Alleen waren het Meester Rahls kistjes. De Zusters hadden ze gestolen uit Richard Rahls paleis.

Op een bepaald moment waren ze in hun haast op een groot regiment bruten van de Imperiale Orde gestuit. De Zusters waren ongeduldig, wilden snel langs de soldaten komen en verder met hun tocht op weg naar de kistjes, maar de mannen leken geen haast te hebben om uit de weg te gaan. De Zusters wachtten tot midden in de nacht en liepen toen dwars door het kamp vol slapende mannen heen. Telkens als een van de mannen hen zag, spraken de Zusters zachtjes een bezwering uit waardoor de man zonder meer werd uitgeschakeld. De Zusters hadden er geen enkele moeite mee om een man te vermoorden die hen toevallig voor de voeten liep. Ze bewogen zich geruisloos en zonder angst door het kamp. Kahlan had die nacht een heleboel mannen zien sneuvelen. Voor de Zusters was het niet meer moeite geweest dan de mieren dood te trappen waar ze in hun eigen kamp last van hadden.

Maar dat was al een hele tijd geleden, en sindsdien hadden ze geen troepen meer gezien. Het leger van de Imperiale Orde was nu ver achter hen en was al een tijdlang geen overweging meer. Dat betekende echter niet dat er geen andere gevaren konden zijn, dus waren de Zusters vaak zo nerveus als katten. Alleen konden ze zonder waarschuwing makkelijk even gevaarlijk worden als adders.

Lang nadat Zuster Armina was teruggekeerd zonder dat ze iemand in de buurt had aangetroffen en de drie Zusters hadden gegeten, was Kahlan nog steeds bezig haar taken af te maken voor ze mocht eten. Ze borstelde de paarden toen ze dacht zachte voetstappen op de harde grond te horen. Het geluid onderbrak haar overpeinzingen over de soldaten. Haar hand met de roskam erin viel stil.

Ze keek over haar schouder en was verrast een verlegen slank meisje met kort, donker haar net in de vage lichtkring van de lantaarn te zien staan.

De maan liet zich maar af en toe tussen de overdrijvende wolken zien, dus het kamp moest het grotendeels doen met het licht van de enkele lantaarn die bij de Zusters stond. Ondanks het karige licht zag Kahlan goed genoeg om op te merken dat de lichte ogen van de jonge vrouw haar aanstaarden. In die ogen lag een duidelijke blik van opmerkzaamheid. Het meisje zag Kahlan.

'Alsjeblieft...' zei het meisje. Kahlan legde een vinger op haar lippen, bang dat de Zusters het meisje zouden horen. Net als de man in de herberg, zag dit meisje Kahlan en herinnerde ze zich haar lang genoeg. Kahlan was stomverbaasd, maar tegelijkertijd angstig dat het meisje hetzelfde zou overkomen als wat met de man was gebeurd.

'Alsjeblieft,' herhaalde het meisje op zachte fluistertoon, 'heb je iets te eten? Ik heb zo'n honger.'

Kahlan keek naar de Zusters. Ze waren druk in gesprek. Kahlan greep in haar zadeltas in de stapel aan haar voeten en haalde er een reep gedroogd hertenvlees uit. Weer legde ze een vinger over haar lippen en gaf het meisje het vlees aan. Het meisje knikte begrijpend en maakte geen geluid. Ze pakte het vlees gretig met beide handen aan en trok er met haar tanden onmiddellijk een stuk af.

'Ga nu,' fluisterde Kahlan, 'voor ze je zien. Snel.'

Het meisje keek op naar Kahlan en toen langs haar heen. Haar ogen werden groot. Ze stopte met kauwen.

'Ach, kijk,' kwam een dreigende stem van achter Kahlan, 'als het ons muilezeltje niet is, dat ons komt bestelen.'

'Alstublieft, ze had honger,' zei Kahlan, hopend dat ze Zuster Ulicia's woede kon koelen voordat die opvlamde. 'Ze vroeg om iets te eten. Ze heeft het niet gestolen. Ik heb haar mijn eigen voedsel gegeven, niet dat van jullie.'

De andere twee kwamen bij Zuster Ulicia staan, zodat ze leken op drie gieren op een rij. Zuster Armina tilde de lantaarn op om beter te kunnen zien. Alle drie keken ze alsof ze van plan waren de beenderen van het meisje kaal te plukken.

'Ze lag waarschijnlijk op de loer tot we sliepen,' zei Zuster Ulicia, die zich naar voren boog, 'zodat ze ons de keel kon afsnijden.'

Koperkleurige ogen glansden in het lamplicht terwijl de bange jonge vrouw naar hen opkeek. 'Ik lag niet op de loer. Ik had honger. Ik dacht dat ik misschien iets te eten kon krijgen, dat is alles. En ik heb het gevraagd, niet gestolen.'

De jonge vrouw deed Kahlan een beetje denken aan het meisje in Het Witte Paard, het meisje dat Kahlan had beloofd te beschermen, het meisje dat Zuster Ulicia zo bruut had vermoord. Elke avond voor ze in slaap viel, plaagde de herinnering aan de angst van dat meisje Kahlan nog steeds. Het brandde haar ziel dat ze haar belofte niet had kunnen waarmaken. Zelfs al kon het meisje zich Kahlans woorden niet lang genoeg herinneren om ze te begrijpen, dan nog vond Kahlan het vreselijk dat ze zo'n belofte had gedaan en die niet had kunnen inlossen.

Dit meisje was iets ouder, iets langer. Kahlan zag in haar ogen ook een zwijgend begrip van de werkelijke aard van het gevaar waar ze voor stond. Er lag een soort wetende behoedzaamheid in haar koperkleurige ogen. Maar ze bleef een meisje. Het vrouwzijn was nog een mysterie dat net voorbij haar horizon lag.

Plotseling sloeg Zuster Armina het meisje in haar gezicht. Door de klap draaide ze om en belandde op de grond. De Zuster dook boven op haar. Het meisje sloeg haar armen om haar hoofd en deed haar best om zich te verontschuldigen dat ze om voedsel had durven vragen. Zuster Armina klauwde tussen de klappen door aan de kleren van het meisje. Toen de Zuster opstond, hield ze een mes in haar hand dat Kahlan niet herkende. Ze zwaaide ermee in het lantaarnlicht en gooide het toen op de grond voor Zuster Ulicia's voeten. 'Ze had dit bij zich. Zoals je al zei, was ze waarschijnlijk van plan ons de keel af te snijden als we sliepen.'

'Ik had geen kwaad in de zin!' riep het meisje toen Zuster Ulicia haar eikenhouten staf optilde.

Kahlan wist maar al te goed wat er kwam, en dook boven op het bange meisje om haar af te schermen, te beschermen.

Zuster Ulicia's stok raakte Kahlans rug, precies op de plek waar ze eerder al was geslagen. Het meisje kromp ineen toen ze de klap van eikenhout tegen bot hoorde. Kahlan gaf een kreet van pijn. Met al haar kracht duwde ze het meisje verder bij de Zusters uit de buurt.

'Laat haar met rust!' riep Kahlan. 'Ze is nog maar een kind! Ze heeft alleen maar honger! Ze kan jullie niets doen!'

In de greep van de paniek sloeg het meisje haar magere armen om Kahlans nek, alsof het een wortel was die over de rand van een afgrond hing. Als Kahlan op dat moment de Zusters had kunnen vermoorden, zou ze het hebben gedaan. Maar nu kon ze niets meer doen dan een beschermend schild vormen voor het meisje; ze wist dat als ze probeerde tegen hen te vechten, de Zusters haar weg zouden trekken en straffen, en dat ze dan helemaal geen bescherming meer kon bieden. Dit was het uiterste wat Kahlan voor het meisje kon doen.

Weer sloeg Zuster Ulicia Kahlan op haar rug. Kahlan beet haar tanden op elkaar tegen de pijn. Steeds weer sloeg de vrouw toe met haar staf.

'Laat die blaag los!' riep Zuster Ulicia terwijl ze Kahlan bleef slaan.

Het meisje hijgde van angst.

'Het komt wel goed,' bracht Kahlan tussen hijgende ademteugen door uit. 'Ik bescherm je. Ik beloof het.'

Het meisje fluisterde 'dank je' in Kahlans oor.

Naast haar wanhopige verlangen om het onschuldige kind te beschermen, wilde Kahlan ook deze verbinding met de wereld niet kwijtraken. Het meisje wist dat Kahlan bestond. Ze kon haar zien, haar horen, zich haar herinneren. Kahlan had die reddingslijn naar de wereld van de mensen nodig.

Zuster Ulicia zette een stap dichterbij terwijl ze uit alle macht op Kahlan in bleef slaan. Kahlan wist dat ze in grote problemen zat, maar ze was niet van plan dit meisje hetzelfde te laten overkomen als het vorige. Het kind had niets gedaan om te verdienen wat Kahlan wist dat de Zusters met haar zouden doen.

'Hoe durf je...'

'Als je iemand wilt doden,' riep Kahlan op naar Zuster Ulicia, 'dood mij dan, maar laat haar met rust! Ze is geen bedreiging voor jullie.'

Zuster Ulicia leek er geen problemen mee te hebben om dat inderdaad te doen, grommend van inspanning terwijl ze Kahlan sloeg, steeds weer, in een aanval van razernij. Kahlan werd duizelig van de pijn, maar ze zou niet aan de kant gaan en de Zuster bij het meisje laten komen.

De jonge vrouw schuilde onder het grotere lichaam van Kahlan, jammerend van angst, niet om wat de Zusters haar konden aandoen, maar om wat ze Kahlan aandeden. De stok maakte een misselijkmakend geluid toen hij Kahlans achterhoofd raakte. Ze raakte bijna buiten westen. Toch liet ze de jonge vrouw nog niet los. Er kleefde bloed in haar haren en het liep ook langs haar gezicht.

Toen brak de stok plotseling op Kahlans rug. Het grootste stuk vloog buitelend de nacht in. Zuster Ulicia stond hijgend van blinde woede met een nutteloos eind hout in haar hand. Kahlan verwachtte dat ze zou worden vermoord, maar ergens kon haar dat niet langer iets schelen. Ze kon met geen mogelijkheid ontsnappen. Er was geen toekomst voor haar. Als ze niet kon vechten voor het leven van een onschuldige jonge vrouw, dan had haar leven geen waarde meer.

'Ulicia,' siste Armina toen ze Ulicia's pols greep. 'Zij ziet Kahlan. Net als die man in de herberg.'

Zuster Ulicia staarde haar metgezel aan, schijnbaar ontzet door het idee.

Armina trok een wenkbrauw op. 'We moeten erachter zien te komen wat er aan de hand is.'

Zuster Cecilia, haar gezicht verwrongen in een sinistere blik, die niet had gehoord wat Zuster Armina had gezegd, kwam dichterbij en torende boven Kahlan uit. 'Hoe durf je je tegen een Zuster te verzetten? We gaan die blaag levend villen en jij mag toekijken, om je een lesje te leren.'

'Zuster?' vroeg het meisje. 'Zijn jullie allemaal zusters?'

Plotseling leek de nacht onmogelijk stil. Kahlans wereld draaide misselijkmakend om haar heen. Elke ademhaling voelde aan alsof er een mes tussen haar ribben werd rondgedraaid. Tranen van pijn biggelden over haar wangen. Ze kon niet ophouden met trillen, maar ze was nog altijd niet van plan het meisje in de steek te laten.

Zuster Ulicia gooide het stuk gebroken staf aan de kant. 'Ja, we zijn Zusters. En wat dan nog?' vroeg ze wantrouwig.

'Tovi heeft me opgedragen naar jullie uit te kijken, al lijken jullie niet echt op Tovi.'

Iedereen zweeg.

'Tovi?' vroeg Zuster Ulicia toen behoedzaam.

Het meisje knikte. Ze tuurde langs Kahlans schouder. 'Ze is een oudere vrouw. Groot, groter dan jullie, en ze ziet er niet echt uit als jullie zus, maar ze zei dat ik moest uitkijken naar haar zusters. Ze zei dat jullie drieën nog een andere vrouw bij jullie hadden.'

'En waarom zou een meisje als jij doen wat Tovi vraagt?'

Het meisje streek haar donkere haren uit haar gezicht. Ze aarzelde voor ze antwoordde. 'Ze heeft mijn grootvader gevangengenomen. Ze zei dat als ik niet deed wat ze me opdroeg, ze hem zou vermoorden.'

Ulicia glimlachte zoals Kahlan dacht dat een slang zou glimlachen, als een slang kon glimlachen. 'Nee maar, volgens mij ken je Tovi echt. Waar is ze dan?'

Kahlan richtte zich op een arm op. Het meisje wees naar de landtong. 'Daar. Ze is op een plek met oude boeken. Ik moest haar laten zien waar de boeken lagen. Ze zei dat ik jullie naar haar toe moest brengen.'

Zuster Ulicia wisselde een blik met de andere twee. 'Misschien heeft ze de centrale locatie in Caska al gevonden.'

Zuster Armina kakelde opgelucht en sloeg Zuster Cecilia joviaal op haar schouder. Zuster Cecilia deed hetzelfde bij haar.

'Hoe ver is het?' vroeg Zuster Ulicia plotseling gretig.

'Als we morgen bij zonsopgang vertrekken, zijn we zeker twee dagen onderweg, misschien wel drie.'

Zuster Ulicia tuurde een tijdje in de duisternis. 'Twee of drie dagen...' Ze draaide zich weer om. 'Hoe heet je?'

'Jillian.'

Zuster Ulicia schopte Kahlan in haar zij, en door de onverwachte aanval rolde ze van het meisje af. 'Nou, Jillian, jij mag Kahlans beddenzak gebruiken. Zij zal hem niet nodig hebben. Zij blijft voor straf de hele nacht staan.'

'Alstublieft,' zei Jillian terwijl ze een hand op Kahlans arm legde, 'als zij er niet was geweest, hadden jullie nu geen gids om naar Tovi te komen. Straf haar alstublieft niet. Ze heeft jullie een dienst bewezen.'

Zuster Ulicia dacht een tijdje na. 'Ik weet er wel wat op, Jillian. Aangezien je het hebt opgenomen voor onze ongehoorzame slavin, mag jij ervoor zorgen dat ze de hele nacht niet gaat zitten. Als ze ons ongehoorzaam is, geef ik haar een pak slaag waardoor ze de rest van haar leven pijnlijk zal blijven hinken. Maar jij kunt dat voorkomen door te zorgen dat ze de hele nacht blijft staan. Wat vind je daarvan?'

Jillian slikte maar gaf geen antwoord.

Zuster Ulicia greep Kahlan bij haar haren en trok haar overeind. 'Zorg ervoor dat ze blijft staan, anders is alles wat wij doen jouw schuld. Begrepen?'

Jillian knikte, met grote koperkleurige ogen.

Zuster Ulicia glimlachte sluw. 'Mooi.' Ze wendde zich tot de andere twee. 'Kom mee. We gaan slapen.'

Toen ze weg waren, legde Kahlan voorzichtig een hand op het hoofd van het meisje dat aan haar voeten zat.

'Blij je te ontmoeten, Jillian,' fluisterde Kahlan, zodat de Zusters het niet zouden horen.

Jillian glimlachte naar haar op en fluisterde: 'Dank je wel dat je me hebt beschermd. Je hebt je aan je belofte gehouden.' Ze pakte Kahlans hand en hield die tegen haar wang. 'Jij bent de dapperste persoon die ik sinds Richard heb ontmoet.'

'Richard?'

'Richard Rahl. Hij is hier geweest. Hij heeft mijn opa toen gered, maar nu...'

Jillians stem stierf weg toen ze haar blik van die van Kahlan afwendde.

Kahlan streelde zachtjes over het hoofd van het meisje, in de hoop de pijn over haar grootvader wat te verzachten. Ze gebaarde met een ruk van haar kin. 'Kijk in die zadeltas daar, Jillian, en pak iets te eten voor jezelf.' Ze rilde van pijn en wilde heel graag gaan liggen, maar Kahlan wist dat Zuster Ulicia geen loze dreigementen had gespuid. 'En zou je dan alsjeblieft... vannacht gewoon bij me willen blijven zitten? Ik kan wel een vriendin gebruiken.'

Jillian glimlachte naar haar op. Het verwarmde Kahlans hart om zo'n welgemeende glimlach te zien.

'Morgenochtend sluit nog een andere vriend zich bij ons aan.'

Toen Kahlan haar voorhoofd fronste, wees Jillian naar de lucht. 'Ik heb een raaf die Lokey heet. Morgen komt hij ons vermaken

met zijn trucjes.' Kahlan glimlachte bij het idee om een raaf als vriend te hebben. Het meisje kneep in Kahlans hand. 'Ik laat je vannacht niet alleen, Kahlan. Dat beloof ik.'
Hoeveel pijn ze ook had, hoe naargeestig haar toekomst ook leek, Kahlan was blij. Jillian leefde nog. Kahlan had zojuist haar eerste strijd gewonnen, en dat was een bemoedigende prestatie.

24

Terwijl hij tussen de verzamelde soldaten door liep, beantwoordde Richard hun groeten met een glimlach en een knik. Hij was niet in de stemming om te glimlachen, maar hij vreesde dat de mannen het verkeerd zouden opnemen als hij dat niet deed. Hun ogen waren vol verwachting en hoop terwijl ze zijn gang tussen hen door volgden.

Veel mannen bleven zwijgend staan, met een vuist op hun hart, niet alleen als saluut maar ook uit trots. Richard kon met geen mogelijkheid aan die mannen uitleggen welke vreselijke dingen Shota hem had laten zien, dus glimlachte hij zo warm als hij kon opbrengen.

Voorbij het kamp flikkerde de bliksem aan de horizon. Zelfs boven de geluiden van het kamp uit, het rumoer van duizenden mannen en paarden, het gekletter van smidshamers, het lossen van voorraden, het uitdelen van proviand, de geschreeuwde bevelen, hoorde Richard het onheilspellende gerommel van de donder boven de Azrith Vlakte. Woeste donderwolken pakten steeds grotere zwarte schaduwen onder hun randen samen. De stille, vochtige lucht werd af en toe in beroering gebracht door windvlagen, waardoor de vlaggen en vaandels opwaaiden en luidruchtig klapperden. Bijna meteen ging de wind dan weer liggen, als een voorhoede die terugrende om verslag uit te brengen aan de samenpakkende storm.

Niemand leek echter om de dreigende hemel te malen. Ze wilden allemaal een glimp opvangen van Richard terwijl hij door het kamp liep. Ooit was dit leger erop gebrand geweest hem te vermoorden of gevangen te nemen. Maar dat was voordat Richard de Meester Rahl was geworden.

Zodra hij die verantwoordelijkheid op zich had genomen, had hij deze mannen de kans geboden zich in te zetten voor een waardige zaak in plaats van de wapens op te pakken in dienst van de tirannie. Er waren mannen geweest die dat aanbod met openlijke haat hadden ontvangen. Ze sloten zich in plaats daarvan aan bij de zaak van de Orde en trokken met blinde bruutheid door het land, om het hele idee uit te roeien dat een man het recht had zijn eigen leven te bepalen.

Maar de rest, of eigenlijk de meesten, had niet alleen Richards uitdaging aangenomen, ze hadden die omhelsd met een vurigheid die alleen mannen die in onderdrukking hadden geleefd, konden opbrengen. Die mannen, de eerste in vele generaties die echte vrijheid aangeboden kregen, begrepen wat dit betekende voor hun leven. Ze hielden zich hardnekkig vast aan de kans om te leven in een wereld waarvan Richard hen had laten zien dat die mogelijk was. Er was geen groter of betekenisvoller geschenk dat deze mannen op hun beurt konden geven aan hun gezinnen en geliefden: de kans om vrij te leven, om voor zichzelf te leven. Veel van hen waren bij die nobele inspanning omgekomen.

Net als de Mord-Sith volgden deze mannen hem nu omdat ze dat wilden, niet omdat ze werden gedwongen. Als ze hem 'Meester Rahl' noemden, had dat een betekenis voor hen die de titel nooit eerder had gehad. Maar ze stonden nu tegenover het scherpe staal waarmee een geloof werd afgedwongen dat leerde dat zij en hun geliefden geen recht hadden op een eigen leven. Richard twijfelde niet aan het hart van deze mannen, maar hij wist dat ze niet konden standhouden in een strijd tegen de enorme aantallen soldaten van de invasiemacht van de Imperiale Orde. Juist vandaag moest hij de Meester Rahl zijn. Om kans te maken op een toekomst die het leven de moeite waard maakte, moest Richard de Meester Rahl zijn in de puurste zin van het woord, de Meester Rahl die gaf om degenen die hij aanvoerde. Hij moest ze laten zien wat híj zag.

Verna, die met hem meeliep, verstevigde haar greep op zijn arm toen ze zich een stukje naar hem toe boog. 'Je kunt je niet voorstellen hoe goed het voor die mannen is om jou te zien voor de strijd die ophanden is, Richard, de strijd die de profetie al dui-

zenden jaren voorspelt. Je kunt je het gewoon niet voorstellen.'
Richard betwijfelde of de mannen zich konden voorstellen wat
hij op het punt stond van hen te vragen. Hij keek naar de glimlachende Verna. 'Ik weet het, priores.'

Doordat ze gestaag onderweg waren naar het zuiden, naar de
dreiging van de Imperiale Orde toe, had de rit vanaf het Volkspaleis om hen te bereiken aanzienlijk langer geduurd dan de vorige keer dat hij deze soldaten had opgezocht. Zodra de Orde
naar het noorden koerste en D'Hara binnenging, was dit leger alles wat er tegenover hen stond. Deze mannen waren de laatste
hoop van het D'Haraanse Rijk. Dat was hun roeping, hun plicht.
En Richard wist zonder enige twijfel dat ze die strijd zouden verliezen. Richards taak was om hen te overtuigen van de zekerheid
van hun naderende nederlaag en dood.

Cara en Nicci, vlak achter hem, trapten hem bijna op de hielen.
Hij dacht niet dat ze zo dichtbij hoefden te zijn om hem te beschermen, maar hij wist ook dat geen van beide vrouwen dat
waarschijnlijk van hem zou aannemen. Toen hij achteromkeek,
lachte Nicci krampachtig naar hem.

Hij vroeg zich af wat ze zou zeggen zodra ze hoorde wat hij de
soldaten ging vertellen. Hij nam aan dat ze het wel zou begrijpen. Van iedereen was zij waarschijnlijk de enige die het zou begrijpen. In feite rekende hij daarop. Haar begrip en steun waren
soms alles wat hem gaande hield. Er waren momenten geweest
dat hij het had willen opgeven, en dan had Nicci hem de kracht
gegeven om door te gaan.

Richard wist dat Cara blij zou zijn met wat hij ging zeggen, al
was het dan om heel andere redenen. Hoewel Cara even grimmig
keek als altijd, alsof ze het hele leger zou ombrengen als ze plotseling verraad pleegden en Richard aanvielen, kon hij zien aan de
manier waarop ze prutste aan haar roodleren pak dat ze stond
te popelen om eindelijk generaal Meiffert – Benjamin – weer te
zien. Sinds de laatste keer dat ze bij deze mannen waren geweest,
was ze iets minder terughoudend geweest in het tonen van haar
gevoelens voor de knappe D'Haraanse generaal. Richard vermoedde dat Nicci daar iets mee te maken had.

Hoe overweldigd hij zich ook voelde door de wereld die rondom
hem leek in te storten, hij voelde zich vanbinnen toch voldaan
dat een Mord-Sith ooit zulke gevoelens kon krijgen, en nog meer

dat ze die eindelijk liet blijken, al was het maar tegenover hem. Het was een bevestiging dat deze vrouwen, ondanks hun brute training, individuen waren met eigen, lang onderdrukte verlangens en aspiraties die niet waren verschrompeld en verdwenen, en dat de echte persoon daarbinnen weer kon opbloeien. Het was een bevestiging van zijn geloof in een betere toekomst, dat er een betere toekomst kon zijn, zoals wanneer je een mooie bloem vond in een uitgestrekte woestenij.

Terwijl Richard langs rijen tenten, wagens, paarden aan piketlijnen, kampsmidsen en bevoorradingsterreinen beende, zag hij van alle kanten mannen aankomen. Ze lieten hun avondtaken liggen, zoals het verzorgen van dieren, het repareren van wapentuig, het zorgen voor voorraden, het koken en opzetten van nog meer tenten. Na een blik op het dichte wolkendek wist hij dat het slimmer zou zijn als ze in ieder geval nog hun tenten opzetten.

Richard zag generaal Meiffert in de zee van mannen in donkere uniformen. De lange man stond tussen officieren voor een groot bevelsterrein. Toen Richard over zijn schouder keek, zag hij aan Cara's glimlach dat zij Meiffert ook al had opgemerkt.

De verzamelde officieren en mannen met hogere rang pasten niet allemaal in een tent, dus hadden ze zich verzameld op een veld met rotsblokken. Er waren afdaken overheen gespannen, verankerd aan de enorme rotsen, zodat de mannen op het bevelsterrein konden schuilen als het begon te regenen. Richard dacht niet dat het zeil ze tegen de wind zou beschermen, maar ze zouden in ieder geval grotendeels droog blijven terwijl ze de details uitwerkten die bij het leiden van zo'n groot leger kwamen kijken.

Richard boog zich een stukje naar Verna toe toen de donder de grond deed schudden. 'Zijn je Zusters er ook?'

Verna knikte. 'Ja. Ik heb ijlbodes gestuurd om ze te laten weten dat je hen bij de officieren wilde hebben. Er zijn een paar op verkenning verder weg, maar de rest zal hier zijn.'

'Meester Rahl,' zei generaal Meiffert met een vuist op zijn hart. Richard boog zijn hoofd. 'Generaal. Blij u te zien. De mannen zien er prima uit, zoals altijd.'

'Dank u, Meester Rahl.' Zijn blauwe ogen namen Cara al op. Hij maakte een buiging vanuit zijn middel voor haar. 'Meesteres Cara.'

Cara glimlachte werkelijk. 'Wat heerlijk om je te zien, Benjamin.'

Als Richard niet zo van streek was geweest over de dingen die hem hier hadden gebracht, dan zou hij groot genoegen hebben gevoeld om die twee zo in elkaars ogen te zien staren. Richard herinnerde zich dat hij ook zo naar Kahlan had gekeken, herinnerde zich hoe blij hij altijd was om haar te zien.

Kapitein Zimmer, met zijn voorgevormde lederen wapenrusting die zijn gespierde gestalte benadrukte, stond niet ver achter de generaal. Enkele andere officieren, in gelijksoortige maar iets eenvoudiger uniformen, wachtten in een groepje in de buurt, terwijl de meeste zich al hadden verzameld onder het afdak. De groepen mannen, ernstig in gesprek, zwegen allemaal en draaiden zich om naar Meester Rahl, de leider van het D'Haraanse Rijk.

Richard had geen tijd voor beleefdheden, dus stak hij meteen van wal. Ook de gewone soldaten die zich rondom hen hadden verzameld, keken zwijgend toe.

'Zijn alle officieren en mannen met hogere rangen hier, generaal?' vroeg Richard.

De man knikte. 'Ja, Meester Rahl. Al diegenen die in het kamp zijn, tenminste. Er zijn nog enkelen op patrouilles verder weg. Als we hadden geweten dat u kwam en wat u wenste, dan had ik ze teruggeroepen, maar het zou enige tijd duren om ze weer hier terug te krijgen. Als u wilt, laat ik ze onmiddellijk berichten dat ze moeten terugkeren.'

Richard stak afwerend een hand op. 'Nee, dat is niet nodig. Zolang de meesten maar hier zijn, is dat genoeg. De rest kan later op de hoogte worden gebracht.'

Er waren veel te veel mensen in het kamp, dus niet iedereen kon Richard verstaan. Zijn bedoeling was om in detail te spreken met de officieren en andere mannen van hogere rang, en hen dan het nieuws onder hun eigen mannen te laten verspreiden. Er waren genoeg officieren verzameld voor die taak.

De generaal gebaarde, op nonchalante maar duidelijk gezaghebbende wijze, naar de mannen rondom het bevelsterrein, die naar de grote gebeurtenis stonden te kijken. Ze begonnen zich onmiddellijk te verspreiden en gingen weer aan hun eigen werk, terwijl hun commandanten hun lot aanhoorden.

Generaal Meiffert stak een arm uit en nodigde Richard en zijn geleide uit om onder het afdak te komen staan. Richard keek eerst naar de hemel en schatte dat de kans groot was dat het zo meteen flink zou gaan regenen. Onder het grote afdak waren honderden mannen opeen gepakt. Richard sloeg met zijn vuist op zijn borst in antwoord op de gezamenlijke, gedempte klap van hun scherpe saluut.

'Ik ben hier vandaag,' begon Richard terwijl zijn blik langs alle ogen ging die hem aankeken, 'vanwege een zeer ernstige zaak... de komende eindstrijd tegen het aanstormende leger van de Imperiale Orde.

Er mag geen verwarring bestaan over wat ik te zeggen heb. Ieder van jullie moet begrijpen wat er op het spel staat, wat ik van jullie ga vragen en waarom. Dit gaat om ons leven, van ons allemaal; ik zal niets voor jullie achterhouden en zal alle vragen eerlijk en naar beste kunnen beantwoorden. Voel u alstublieft vrij om uw vragen te stellen, uw bedenkingen uit te spreken, of zelfs tegenwerpingen te maken over bepaalde punten terwijl ik vertel wat ik besloten heb. Ik stel prijs op uw gezamenlijke kennis en vaardigheden. Ik vertrouw op uw vakkundigheid en ervaring.

Maar ik heb zaken moeten afwegen en overdenken die jullie niet kunnen overzien, en met dat alles tezamen heb ik mijn besluit genomen. Ik begrijp dat jullie zonder dergelijke informatie mijn redenatie mogelijk niet helemaal begrijpen, dus ik zal mijn best doen om het uit te leggen, maar aan mijn besluit wordt niet getornd.' Richards stem kreeg een vastberaden klank. 'Jullie moeten mijn bevelen opvolgen.'

De mannen wisselden blikken uit. Zo'n streng bevel hadden ze nog niet eerder van Richard gehoord. In de stilte die viel, begon Richard langzaam te ijsberen terwijl hij zijn woorden zorgvuldig koos. Uiteindelijk gebaarde hij naar de menigte voor zich.

'Waar houden jullie je, als officieren, als bevelvoerders, het meest mee bezig?'

Na een tijd van verwonderde stilte sprak een officier aan de zijkant. 'Ik neem aan dat we allemaal nadenken over wat u al hebt genoemd, Meester Rahl: de eindstrijd.'

'Dat klopt, de eindstrijd,' zei Richard toen hij stil bleef staan en zich naar de mannen omdraaide. 'Daar denken we allemaal aan, dat alles aankomt op dat beslissende moment, de climax van ieders inspanningen. Dat er een uiteindelijke, grote veldslag zal volgen waarin alles wordt besloten: wie wint, wie verliest, wie regeert, wie dient, wie leeft, wie sterft. Zo denkt Jagang ook.'

'Anders zou hij hun leider niet zijn,' zei een oudere officier.

Hier en daar werd gegrinnikt.

'Dat is waar,' zei Richard op ernstige toon. 'Vooral in het geval van keizer Jagang. Zijn doel is om zijn zaak naar die eindstrijd te leiden en ons daarbij eens en voor altijd te verpletteren. Hij is een heel intelligente vijand. Hij heeft ervoor gezorgd dat wij ons richten op die laatste slag. Zijn strategie werkt.'

Het gelach was opgehouden. De mannen keken een beetje ontstemd dat Richard die man zoveel lof toezwaaide. Deze soldaten hadden geen hoge dunk van de vijand, want ze wilden voorkomen dat hun mannen de moed niet meer konden opbrengen om tegen hem te vechten.

Richard had er geen belang bij om Jagang minder gevaarlijk te laten lijken dan hij was. Integendeel; hij wilde deze mannen een heldere blik bieden op waar ze tegenover stonden, op de werkelijke omvang van de dreiging.

'Jagang houdt van een spel dat Ja'La dh Jin wordt genoemd.' Toen hij sommige mannen zag knikken, wist Richard dat ze in ieder geval enigszins op de hoogte waren van het spel. 'Hij heeft zijn eigen Ja'La-team, net zoals het Genootschap van de Orde zijn eigen leger heeft. Jagangs voornaamste zorg wanneer hij dat team naar een wedstrijd stuurt, is te winnen. Daarvoor heeft hij de grootste, potigste spelers voor zijn team verzameld. Hij ziet het niet als een wedstrijd, een competitie, zoals sommige anderen. Hij wil niet alleen elke Ja'La-wedstrijd winnen, maar de tegenstand volkomen overrompelen.

Jagangs team heeft één keer verloren. Zijn reactie was niet dat ze de volgende keer beter hun best moesten doen, de spelers te trainen en te coachen zodat ze het er de volgende keer beter van afbrachten. In plaats daarvan rekruteerde hij andere spelers. Hij stelde een team samen met de grootste, sterkste, snelste mannen. De vertaling van Ja'La dh Jin is trouwens "het spel des levens".

Aanvankelijk, toen hij alle koninkrijken en landen van de Oude Wereld samenvoegde tot één natie, verloor Jagang nog wel eens een strijd. Hij leerde de lessen van het leven. Hij verzamelde het grootste, gemeenste leger dat hij kon, en uiteindelijk verenigde hij de hele Oude Wereld onder het vaandel van de Orde. Toen hij deze oorlog begon, in opdracht van Het Genootschap van de Orde, zorgde Jagang ervoor dat hij alle noodzakelijke middelen tot zijn beschikking had, zodat zijn leger groot genoeg zou zijn om de klus te klaren. Jullie zouden het niet anders aanpakken. Jagang verloor nog steeds af en toe een veldslag. Weer leerde hij daarvan. Hij reageerde door zijn middelen aan te spreken en te zorgen dat hij meer manschappen kreeg. Zo benadert hij het doel: het winnen van een oorlog ten behoeve van de Orde. Het resultaat daarvan is dat hij nu een zo ongelooflijke troepenmacht heeft, dat hij alle verzet de kop in kan drukken. Hij weet dat hij zal winnen. Dus kijkt hij uit naar de eindstrijd.

Daarnaast is keizer Jagang een droomwandelaar, een man met krachten die hij heeft verkregen uit zeer oude magie. Hij gebruikt die vaardigheid om de gedachten van anderen binnen te gaan. Niet alleen om kennis te vergaren, maar ook om hen te besturen. Nu bestuurt hij, zoals jullie weten, een aantal begaafden, onder wie Zusters van het Licht en de Duisternis. Zo heeft hij zowel de krachten van staal als magie onder zijn bevel staan.'

'Meester Rahl,' onderbrak een van de oudere officieren Richards ijsberende voordracht, 'u onderschat onze mannen. Het grootste deel van ons leger bestaat uit D'Haraanse troepen, en de rest is door ons opgeleid. Deze mannen weten wat er op het spel staat. Het zijn geen groentjes. Het zijn ervaren soldaten die kunnen vechten. We hebben ook Verna en haar Zusters, en die hebben zich ook al bewezen. Samen met die vaardige soldaten en Zusters van het Licht hebben we het recht aan onze zijde staan.'

'De Imperiale Orde is niet voorbestemd om te verliezen alleen omdat ze kwaadaardig zijn. Uiteindelijk zal het kwaad zich tegen zichzelf keren, maar voor ons leven en de levens van degenen die we beschermen, is dat een schrale troost. Het kwaad kan wel duizend jaar standhouden, tweeduizend jaar, of misschien nog wel langer voordat het aan zijn eigen vergif bezwijkt.'

Richard begon weer te ijsberen, terwijl hij met veel passie sprak. 'Er zijn tijden in de geschiedenis geweest dat gebeurtenissen twee kanten op hadden kunnen gaan als de moedige inspanningen van enkele individuen er niet waren geweest, dat geef ik toe. In feite reken ik erop. Dit is het moment waarop we beslissen wat onze toekomst zal zijn. Dit is het moment waarop we moeten doen wat er gebeuren moet, hoe pijnlijk het ook is, als wij en onze kinderen een toekomst willen hebben. Onze toekomst, de toekomst van de vrijheid, hangt af van ons en van wat wij doen, en of we al dan niet slagen.'

'Meester Rahl,' zei de oudere officier met rustige overtuiging, 'de mannen weten dat we met onze rug tegen de muur staan. Ze zullen wel vechten, als u dat soms bedoelt.'

Richard besefte dat de mannen niet begrepen waar hij naartoe wilde. Hij bleef staan en met de handen ineengeslagen achter zijn rug keek hij de mannen aan. Ergens in zijn achterhoofd zag hij het spookachtige beeld dat hij door Shota had gezien van het bloedige eind van alles. Het leek wel een gewicht dat probeerde hem omlaag te trekken.

Richard sprak weer verder. 'Ik heb altijd gezegd dat ik niet kon voorgaan in een eindstrijd met de Orde, omdat we dan zouden verliezen. Er zijn sinds de vorige keer dat ik bij jullie was, dingen gebeurd waardoor ik dat nu nog sterker geloof.'

Het gerommel van afkeurend gemompel paste bij het gerommel van de donder die door de schemerige middaglucht trok. Voordat ze konden tegenspreken of op zijsporen konden belanden, ging Richard verder.

'Het leger van de Orde zal heel snel D'Hara binnenvallen vanuit het zuiden, onderweg naar het Volkspaleis. Jullie gaan richting het zuiden om hen te treffen. Ze weten dat. Ze verwachten dat. Ze willen dat. We marcheren op bevel van Jagang. Hij bestuurt onze tactiek. Hij trekt ons naar een veldslag toe, waarvan hij weet dat wij die niet kunnen winnen en hij die niet kan verliezen.'

Er klonken protesterende stemmen, allemaal roepend dat de toekomst niet vaststond en dat ze konden standhouden.

Richard stak een hand op om de mensen tot zwijgen te manen. 'Hoewel de toekomst niet vaststaat, is het wel realiteit. Als soldaten bepalen jullie je tactiek op basis van wat jullie weten, niet wat jullie wensen.

Zelfs als jullie door een of ander wonder deze ophanden zijnde strijd zouden winnen, zou het niet de beslissende strijd zijn. Zo'n strijd zou alleen maar een veldslag zijn die tegen een grote prijs wordt gewonnen, terwijl de Orde gewoon weer terug zou komen met een nóg groter leger. Zelfs als we deze strijd zouden winnen – en ik weet dat dat niet kan – dan zouden we een volgende strijd moeten leveren tegen nog meer manschappen, en dan nog een. Waarom? Omdat we, telkens als we tegen hen vechten, mensen verliezen en zwakker worden. We hebben weinig reserves. Telkens als Jagang ze nodig heeft, krijgt hij een aanhoudende stroom van bijna eindeloze versterkingen en wordt hij alleen maar sterker.

We zouden uiteindelijk verliezen, om een heel eenvoudige reden: geen enkele oorlog wordt ooit defensief gewonnen. Hoewel je een defensieve veldslag kunt winnen, is dat bij een oorlog niet mogelijk.'

'Dus,' vroeg een officier, 'wat stelt u dan voor? Dat we gaan onderhandelen over vrede?'

Richard verwierp het idee met een nonchalant, geërgerd gebaar. 'De Orde gaat niet akkoord met voorwaarden voor vrede. Misschien zouden ze ooit, in het begin, onze overgave hebben aanvaard en ons hebben laten buigen en hun laarzen kussen, zouden ze ons slavenketens hebben omgedaan, maar nu niet meer. Nu willen ze alleen een overwinning die wordt gekocht en betaald met ons bloed. Maar wat zou het uitmaken? Hoe dan ook, het eindresultaat zou gelijk blijven: de dood of onderwerping van ons volk. Hoe we verliezen, is grotendeels irrelevant. Overgave of nederlaag eindigt in hetzelfde resultaat. Hoe dan ook is alles dan verloren.'

'Maar... wat dán?' stamelde de man verhit. 'Vechten tot we uiteindelijk worden gedood of gevangengenomen?'

De mannen staarden naar de officier met het rode gezicht, die had gesproken. Deze mannen streden al heel lang tegen de Orde. Ze hoorden niets wat ze al niet wisten. Maar toch was vechten tegen het invasieleger alles wat ze zich konden voorstellen. Het was hun plicht. Het was het enige wat ze kenden.

Richard draaide zich om en keek naar Cara. Zoals ze daar stond in haar rode leer, haar voeten gespreid en haar handen ineengeslagen achter haar rug, zag ze eruit alsof ze dacht de Orde helemaal alleen aan te kunnen.

Richard gebaarde naar de vrouw die naast Cara stond. 'Nicci hier heeft ooit aan hun kant gediend.' Toen hij de fluisteringen hoorde over een vijand in hun midden, voegde hij eraan toe: 'Net zoals jullie ooit allemaal in dienst van de tirannie waren toen jullie dienden onder Darken Rahl, en sommigen van jullie zelfs nog onder zijn vader Panis Rahl. Jullie hadden geen keus. Darken Rahl gaf niet om wat jullie met je leven wilden doen. Hij gaf er alleen om dat zijn bevelen werden opgevolgd. Toen jullie de keus kregen, wijdden jullie je aan ónze zaak. Dat heeft Nicci ook gedaan. De mannen van de Orde zijn anders. Jullie vochten omdat jullie gedwongen werden onder dreiging van geweld of zelfs de dood. Zij vechten omdat ze geloven in hun zaak. Ze hongeren naar het gevecht. Ze willen deel uitmaken van hun oorlogsinspanningen. Aangezien Nicci er geweest is, bij Jagang, heeft ze kennis uit de eerste hand. Zij heeft dingen gezien die jullie kunnen helpen dit alles in het juiste perspectief te zien.'

Richard wendde zich weer naar Nicci. Ze leek op een standbeeld, haar huid glad en licht en haar haren uitgespreid over haar schouders. Er was niets aan haar gezicht of haar figuur wat Richard zou veranderen als hij inderdaad een standbeeld van haar zou maken. Ze was een toonbeeld van schoonheid, maar had onvoorstelbare monsterlijkheid gezien.

'Nicci, wil jij deze mannen eens vertellen wat er met hen gebeurt als ze worden gevangengenomen door de Imperiale Orde?'

Richard had geen idee wat ze zou gaan zeggen, maar hij wist wel, vooral door de dingen die Jebra hem had verteld, dat de Orde alleen maar minachting had voor het leven.

'De Orde stelt gevangenen niet meteen terecht.' Met dodelijke kalmte schreed Nicci een stap dichter naar alle starende mannen toe. Ze wachtte aan Richards zijde tot de stilte pijnlijk werd en ze de onverdeelde aandacht had van iedereen die voor haar stond.

'Eerst,' zei ze, 'wordt elke gevangen man gecastreerd.'

Er ging een collectieve kreet van afgrijzen op onder de verzamelde mannen.

'Daarna, nadat ze al onbeschrijflijke pijn en vernedering hebben ondergaan, worden degenen die nog leven, gemarteld. Degenen die de martelingen overleven, worden uiteindelijk op een of andere brute wijze alsnog ter dood gebracht.

Degenen die zich zonder verzet overgeven aan de Orde, krijgen een dergelijke behandeling niet. Dat is het doel achter die wreedheid tegen gevangenen: hun potentiële tegenstander zo bang maken dat hij zich zonder verzet overgeeft. Hun behandeling van burgers in de veroverde steden is even beestachtig, en met hetzelfde doel. Als resultaat daarvan zijn veel steden zonder enig gevecht in handen van de Orde gevallen.

Jullie hebben lang en zwaar tegen hen gestreden. Jullie zou niets van dat alles bespaard blijven. Als jullie gevangen worden genomen door Jagangs troepen, dan is er geen hoop voor jullie. Jullie zullen met heel je hart wensen dat je nooit geboren was. De dood zal jullie enige bevrijding zijn.

Niet dat het uitmaakt. Het leven onder de Orde is niet veel beter dan wachten op de dood in handen van de Orde. Leven onder de Orde is een langzame, pijnlijke dood op zich. Het duurt alleen langer; de ellende strekt zich jarenlang uit.

Alleen degenen die het leven en alles wat goed is, haten, floreren er. De Orde moedigt in feite iedereen aan die alle goede dingen in het leven haat. Hun leerstellingen zijn immers gevormd vanuit een bittere haat jegens alles wat goed is. De omgeving die uit dergelijke overtuigingen voortkomt, is er een van algehele ellende. De haters genieten van de ellende van anderen, aangezien het goede ze woest maakt. Als jullie gevangen worden genomen, worden die haters jullie meesters.'

De mannen zwegen ontdaan. In die stilte hoorde Richard het zachte getik van regen op het afdak boven hen. De storm rolde over hen heen.

Nicci sprak nonchalant in de stilte. 'De gebakken testikels van vijanden zijn een zeer geliefd hapje bij de soldaten van de Imperiale Orde. De kampvolgers lopen na een veldslag speurend over het slagveld, op zoek naar bruikbare spullen en gewonde vijanden die ze levend kunnen castreren. De kostbare, bloedige juwelen die worden geoogst van een levende vijand, zijn een waardevol en populair goed tijdens de dronken viering van de overwinning. De soldaten geloven dat die delicatesse hun grotere kracht en viriliteit geeft. Naderhand richten ze hun aandacht op de vrouwelijke gevangenen.'

Richard kneep met zijn duim en wijsvinger in de brug van zijn neus. 'Anders nog iets?'

Nicci trok een wenkbrauw op. 'Is dat niet genoeg?'

Richard zuchtte diep en liet zijn hand zakken. 'Ja, natuurlijk.' Hij wendde zich weer tot de mannen. 'De simpele waarheid is dat jullie op geen enkele manier de komende strijd kunnen winnen. Julie zullen verliezen.'

Richard haalde diep adem en sprak uiteindelijk de onuitspreke-lijke woorden uit waarvoor hij was gekomen. 'En daarom komt er geen eindstrijd. We gaan niet tegen keizer Jagang en zijn leger van de Imperiale Orde vechten. Als Meester Rahl, leider van het D'Haraanse Rijk, weiger ik aan zo'n daad van zinloze zelfvernietiging mee te werken. We gaan niet tegen ze vechten.

In plaats daarvan ben ik hier om ons leger op te breken. Er komt geen eindstrijd. Jagang zal geen verzet vinden in de Nieuwe Wereld.'

Richard zag bij veel mannen tranen in de ogen verschijnen.

25

Richards woorden kwamen aan als een klap in het gezicht. Een boze officier riep: 'Waarom moeten we dan nog vechten?' Hij gebaarde naar zijn metgezellen. 'We zijn al jaren met deze oorlog bezig. Veel van onze medesoldaten zijn niet langer bij ons, omdat ze hun leven hebben opgeofferd voor onze zaak en geliefden. Als er geen kans is, als we toch uiteindelijk verliezen, waarom hebben we dan de moeite genomen om te vechten? Waarom moeten we nog doorgaan met deze strijd?'

Richard glimlachte bitter. 'Dat is het punt juist.'

'Welk punt?' gromde de man.

'Als de mensen geen kans zien op triomf, geen kans om te winnen, en in plaats daarvan alleen maar verwoesting en de dood voor zich zien, dan verliezen ze hun wil om te vechten. Als ze zien dat ze geen kans hebben om hun overtuigingen te verspreiden, dat ze alleen naar de dood kunnen uitkijken als ze dat blijven proberen, dan zullen ze zo'n oorlog helemaal willen afblazen.'

De man werd alleen maar bozer, net als veel van de andere officieren. 'Dus u bedoelt dat we de oorlog maar moeten vergeten? Dat we het niet kunnen winnen van de wil van de Orde? Dat aangezien we toch niet kunnen winnen, er niets is om voor te vechten?'

Richard sloeg zijn handen achter zijn rug ineen en tilde vastberaden zijn kin op. Hij wachtte tot hij er zeker van was dat iedereen luisterde. 'Nee, ik zeg jullie dat ik wil zorgen dat de mensen van de Oude Wereld het zo gaan zien.'

De mannen fronsten verward hun voorhoofd en mompelden vragend naar elkaar. Ze zwegen snel weer toen Richard verder ging. 'Jagang brengt zijn leger naar D'Hara. Hij wil met ons in gevecht gaan. Waarom? Omdat hij denkt dat hij ons kan verslaan. Ik denk dat hij gelijk heeft. Ik denk dat niet omdat jullie moed, training, kracht of vaardigheden te kort komen, maar gewoon omdat ik weet hoe enorm zijn middelen zijn. Ik ben in de Oude Wereld geweest. Ik weet hoe groot het er is. Tot op zekere hoogte weet ik, doordat ik door de Oude Wereld heb gereisd, hoeveel mensen en vee, voedsel en andere middelen ze hebben. Ik heb die dingen gezien, op een schaal zoals ik nog nooit eerder had gezien. Ze hebben reserves die jullie je met geen mogelijkheid kunnen voorstellen.

Jagang heeft een enorm leger verzameld van woeste mannen, die zijn toegewijd aan hun overtuigingen. Ze zijn van plan alles en iedereen te vertrappen die zich tegen hen verzet. Ze verlangen ernaar overwinnaars en helden te worden, hun geloof te verspreiden. Jagang heeft alles gekregen wat hij uit ervaring wist nodig te hebben, en toen heeft hij dat verdubbeld. Gewoon, voor de zekerheid, heeft hij het daarna nóg eens verdubbeld.

Jagang heeft er moreel geen moeite mee om een oorlog niet uit te vechten door evenveel middelen in te zetten als een tegenstander bezit, en hij gelooft ook niet in een eerlijk gevecht tot de dood. Hij heeft geen belangstelling voor een gelijke strijd, en dat hoeft hij ook niet. Hij heeft alleen belangstelling voor heerschappij. Dat is zijn taak.

Daarom willen ze dat we ons verdedigen vanuit de positie waarin we het meest kwetsbaar zijn: op het slagveld, in een traditionele eindstrijd. Daar zijn al Jagangs inspanningen op gericht geweest, omdat dat is wat iedereen verwacht. Ze willen ons op die manier tegemoet treden, omdat we dan geen enkele kans hebben tegen hun overmacht. We kunnen gewoon op geen enkele manier voldoende strijdtroepen verzamelen om stand te houden. Ze kunnen ons dan verpletteren.

Naderhand zullen ze hun grote overwinning vieren – alsof die prestatie al ooit twijfelachtig was – door onze testikels te bakken en vervolgens in een dronken orgie onze vrouwen, zusters en dochters te verkrachten!'

Richard boog zich naar de mannen toe en prikte met een vinger tegen zijn slaap. 'Denk na! Zitten jullie zo vast in het concept van een traditionele eindstrijd dat jullie het doel ervan vergeten zijn? Vinden jullie "de manier waarop het altijd is gedaan" belangrijker dan de reden waarom? De enige reden voor zo'n strijd is om de vijand te verslaan, de zaak voor eens en voor altijd te beslechten. Dat concept van een eindstrijd heeft geleid tot de gedachte dat het op die manier moet gebeuren omdat het altijd zo is gedaan.

Hou op je nutteloos aan dat idee vast te houden. Denk na. Laat je niet langer verblinden door wat je eerder hebt gedaan. Hou op in je eigen graf te springen omdat het zo hoort. Denk na – denk ná – over hoe je je doel kunt bereiken.'

'Wilt u zeggen dat u een beter idee hebt dan tegen ze te vechten?' vroeg een jongere officier. Net als de meeste mannen keek ook hij oprecht onthutst.

Richard haalde diep adem om zijn woede in de hand te krijgen. Hij sprak op zachtere toon en keek naar alle sombere gezichten terwijl hij verder sprak. 'Ja. In plaats van te doen wat er van ons verwacht wordt en ons in een eindstrijd te storten, wil ik ze gewoonweg vernietigen. Dat is immers het hoofddoel van een grote eindstrijd. Als zo'n eindstrijd dat doel niet zal bereiken, dan moeten we een andere manier vinden.

In tegenstelling tot degenen die vechten voor de overtuigingen van de Orde, hoeven wij niet op te scheppen over een glorieuze overwinning op het slagveld. Er ís geen glorie in zulke dingen. Het enige wat bestaat, is succes of falen. Falen betekent een nieuw tijdperk van duisternis. Succes betekent een vrij leven. De beschaving staat op het spel. Zo simpel is het.

Er is geen strak afgebakend slagveld in zo'n strijd om het leven, zo'n strijd voor ons eigen overleven tegen mensen die ons willen vermoorden omdat ze vinden dat wij geen recht hebben om te bestaan. Zo'n strijd is geen gevecht over een stuk land, een oorlog over grondgebied, maar heeft zijn basis in de gedachten van mensen, in de ideeën die hen motiveren.

Onze geliefden zijn niet beter gediend met een overwinning op het slagveld; ze zullen alleen gediend zijn als wij overwinnen in deze ideeënstrijd.'

Generaal Meiffert stak een hand op. 'Meester Rahl, als we niet de confrontatie met ze aangaan in een veldslag, hoe stelt u dan voor dat we zo'n taak volbrengen, tegen een vijand waarvan u net zegt dat hij zo groot en onverslaanbaar is? Het zijn dan misschien hun overtuigingen die hen drijven, maar wij moeten het toch opnemen tegen hun zwaarden.'

Velen knikten, blij dat hun generaal de vraag had gesteld die ze allemaal in gedachten hadden. Het was ook de vraag waar Richard op had gewacht. Hij had hun de hoop op een overwinning in een traditionele slag ontnomen door hun gedachtegang te beïnvloeden. Nu moest hij ze laten zien hoe ze de oorlog konden winnen.

Terwijl het tromgeroffel van de regen op het canvas boven hen luider werd, keek Richard, met zijn handen achter zijn rug, naar alle gezichten voor zich. 'Jullie moeten de donder en bliksem van de vrijheid zijn. Jullie moeten de wraak zijn die wordt losgelaten op een volk met corrupte ideeën, dat niet alleen het kwaad in zijn hart heeft toegelaten, maar het ook autoriteit en waarde heeft gegeven.

We moeten de oorlog op ónze manier uitvechten. We moeten hem uitvechten om wat hij werkelijk is: geen legers op een slagveld die optreden als surrogaat voor ideeën, maar een oorlog voor de toekomst van de mensheid.

Als zodanig is het een oorlog waar de Oude Wereld totaal aan is toegewijd, waarin iedereen aan hun kant zich heeft gewijd aan de strijd. Ze zijn gepassioneerd over hun zaak. Ze gelóven in wat ze doen. Ze denken dat het recht aan hun kant staat, dat ze moreel handelen, dat ze de wensen van de Schepper vervullen, en daarom zijn ze gerechtigd om iedereen te vermoorden die ze willen, om te bepalen hoe de mensheid moet leven.

Stuk voor stuk investeren ze hun eigendommen, hun arbeid, hun rijkdom en hun leven in die strijd. Hun mensen – niet alleen hun leger – willen ons onderwerpen en ons laten buigen voor hun geloof. Ze willen dat wij slaven worden van hun geloof, net zoals ze zelf zijn. Ze moedigen hun leger aan om onschuldige mensen aan te vallen, hier in de Nieuwe Wereld, om hun overtuigingen aan ons op te dringen. Ze willen dat wij, als volgelingen van hetzelfde geloof als zij, ons leven opofferen aan dat geloof, dat we leven zoals zij willen dat we leven, ze willen ons voorschrijven wat onze kinderen moeten geloven... indien nodig met geweld.

Alle mensen die geloven in de leefwijze van de Orde, die bijdragen in goederen, aanmoedigingen en steun of gebeden aan de soldaten die ons verpletteren, maken deel uit van de oorlog. Elk van die mensen voegt iets toe aan hun zaak. Als zodanig zijn zij evenzeer de vijand als de soldaten die voor hen met de zwaarden zwaaien. Zij zijn degenen die hun legers voeden met jongemannen en alles wat ze nodig hebben om achter ons aan te komen, van voedsel tot morele bijstand en aanmoediging.'

Richard wees naar het zuiden. 'In feite zijn de mensen die deze oorlog mogelijk maken, misschien wel de grootste vijand, omdat ze elk stilzwijgend ons van verre kwaad toewensen, ons haten omdat ze daarvoor kiezen, omdat ze denken dat ze ons zonder gevolgen hun wil kunnen opleggen.

Alles wat geplunderd wordt, gaat daarheen terug om hen voor hun steun te belonen. Slaven worden teruggestuurd om voor hen te werken. Bloed en tranen worden afgedwongen om hun eis om te geloven kracht bij te zetten.

Die mensen hebben ervoor gekozen om te geloven, hebben ervoor gekozen om te denken dat zij het recht hebben om ons leven te besturen, hebben de keus gemaakt om alles te doen wat nodig is om ons te overheersen. Er moeten consequenties zijn voor de keuzes die zij hebben gemaakt, vooral wanneer die keuzes het leven van anderen die hun geen kwaad hebben gedaan, verwoesten.'

Richard stak zijn handen uit. 'En hoe gaan we dat doen?' Hij balde zijn handen tot vuisten. 'We moeten deze oorlog naar de mensen toe brengen die hem steunen en goedkeuren. Niet alleen het leven van onze vrienden, families en geliefden moet in de bloedige ketel worden gesmeten die de mensen van de Oude Wereld op het vuur hebben staan. Het moet nu ook hun eigen leven zijn.

Ze zien dit als een strijd voor de toekomst van de mensheid. Ik ben van plan ervoor te zorgen dat het dat ook is. Ik wil dat ze goed begrijpen dat als ze ons willen vermoorden en onderwerpen – om welke reden dan ook – dat daar dan consequenties aan verbonden zijn.

Vanaf vandaag gaan we een echte oorlog aan, een totale oorlog, een oorlog zonder genade. We leggen onszelf geen zinloze regels op voor wat "eerlijk" is. Onze enige opdracht is te winnen. Dat is de enige manier waarop wij, onze geliefden en onze vrijheid kunnen overleven. Onze overwinning is alles wat moreel is. Ik wil dat iedereen die de Orde steunt, de prijs betaalt voor zijn agressie. Ik wil dat ze betalen met hun eigen geld, hun toekomst, zelfs hun leven. Het wordt tijd om achter die mensen aan te gaan, met niets anders dan kille, zwarte woede in ons hart.' Richard stak een vuist op. 'Verpulver hun beenderen tot bloed en stof!'

Het bleef even stil terwijl iedereen tegelijk ademhaalde, en toen brak er een donderend gejuich uit, alsof ze allemaal in het geheim hadden geweten dat ze geen kans van slagen hadden; dat ze verdoemd waren tot de dood en uiteindelijk falen, maar nu hadden gezien dat er toch een kans was. Er was eindelijk een echte kans om hun huizen, hun geliefden en hun toekomst te redden.

Richard liet het gejuich een tijdje gaan en stak toen een hand op om de mannen tot zwijgen te manen.

'Het leger van de Orde heeft de steun van de mensen uit hun vaderland. De soldaten van de Orde weten stuk voor stuk dat hun families, vrienden en buren hen steunen. De mannen van de Orde hebben berichten nodig van diegenen die nog in de Oude Wereld zijn. En ik wil dat de mannen van de Orde dan gejammer horen. Ik wil dat ze weten dat hun huizen worden verwoest, hun steden en dorpen platgebrand, hun winkels en oogsten vernietigd, en dat hun geliefden met niets achterblijven.

De Orde preekt dat het leven in deze wereld uit niets dan ellende bestaat. Zorg ervoor dat het ook zo is. Trek het dunne laagje opsmuk van de beschaving af die ze zo minachten.'

Richard keek naar Verna en de vrouwen bij haar, allemaal Zusters van het Licht. 'Ze haten magie; maak ze er doodsbang voor. Ze vinden dat met magie begaafden moeten worden vernietigd; zorg dat ze geloven dat dat onmogelijk is. Ze willen een wereld zonder magie; laat ze alleen maar wensen dat ze ons nooit meer kwaad maken. Ze willen overheersen; zorg ervoor dat ze zich alleen nog maar willen overgeven.'

Terwijl de bliksem knisperde in de schemerige middaglucht en de door de wind voortgedreven regen kletterde op het afdak boven hen, richtte Richard zijn aandacht weer op de mannen. Toen het laatste gerommel van de donder was weggestorven, ging hij verder.

'Om ons doel te bereiken, moeten we een gecoördineerd plan hebben dat is gericht op elk facet van de dreiging. Hiervoor moeten sommige van onze troepen zich wijden aan een belangrijk doel: het opjagen en verwoesten van hun bevoorradingskonvooien. Die konvooien zijn essentieel voor het overleven van de Orde. Zij zorgen niet alleen voor de nodige versterkingen, maar sturen ook een gestage voorraad proviand die ze nodig hebben om te overleven. De troepen van de Imperiale Orde plunderen onderweg, maar dat is bij lange na niet voldoende om hen te voeden. Hun enorme aantallen zijn ook een zwák punt. We moeten ze die voorraden die ze nodig hebben om hier in zulke aantallen te overleven, onthouden. We moeten die vitale verbinding doorhakken. Als de soldaten van de Imperiale Orde verhongeren, zijn ze even dood als wie dan ook. Elke Orde-soldaat die sterft door verhongering, is er eentje minder waarover we ons zorgen hoeven te maken. Dat is alles wat voor ons telt.

En de rekruten die vanuit het zuiden komen, zijn veel kwetsbaarder, aangezien zij zich nog niet hebben aangesloten bij de ervaren mannen of in grote groepen zijn. Ze zijn slecht getraind en weinig meer dan jong tuig dat op weg gaat om te verkrachten en te plunderen. Slacht ze af voordat ze naar het noorden komen en de kans krijgen. Het zal moeilijker voor ze worden nieuwe rekruten te werven als die al op hun eigen grondgebied worden vermoord, voordat ze ooit op pad kunnen gaan om weerloze vreemdelingen te doden. Het is nog beter als het kleine eenheden zijn, die zich pas aan het verzamelen zijn in hun eigen dorpen. Breng de oorlog naar hen toe. Dood ze voordat ze de kans hebben om die naar ons toe te brengen. Als jongemannen weten dat ze nooit helden zullen worden, nooit geplunderde waar of gevangen jongedames in handen zullen krijgen en zien dat ze niet ver komen voordat ze worden aangevallen door mannen die niet zo vechten als ze verwachten, die zich niet storten op een zinloze strijd tegen een onmogelijke overmacht, dan zal hun passie om te vechten snel bekoelen. Als dat niet gebeurt, dan kunnen ook zij sterven voor ze ooit de kans krijgen zich bij het leger in het noorden aan te sluiten. Als ze de lijken van hun jonge helden in spe rottend op de drempel zien liggen, kunnen we het enthousiasme van de mensen van de Oude Wereld om zeep helpen.'

Richard schatte de oplettende blikken van zijn gehoor in voor hij verder ging. 'Het idee van een eindstrijd sterft hier, vandaag. Vandaag lossen we op in het niets. Na vandaag is er geen leger meer van het D'Haraanse Rijk dat de Imperiale Orde in een eindstrijd kan vernietigen. Zij willen dit immers om ons volk te ontdoen van onze bescherming, zodat het naakt en kwetsbaar is. Dat staan we niet toe. Vandaag beginnen we deze oorlog op een nieuwe manier te vechten – op ónze manier – een manier die rationeel is doordacht, een manier waarmee we zullen winnen.

Ik wil dat iedereen in de Oude Wereld jullie vreest alsof jullie engelen der wrake zijn. Vanaf vandaag worden jullie de schimmenlegioenen uit D'Hara.

Niemand zal weten waar jullie zijn. Niemand zal weten wanneer jullie toeslaan. Niemand zal weten wáár jullie toeslaan. Maar ik wil dat iedereen in de Oude Wereld zonder enige twijfel weet dat jullie achter hen aankomen en aanvallen alsof de onderwereld zelf op het punt staat open te barsten om hen te vernietigen. Ik wil dat ze de schimmenlegioenen van D'Hara vrezen alsof jullie de dood zelf zijn.

Ze willen graag sterven zodat ze naar de eeuwigdurende glorie van het hiernamaals kunnen gaan... geef ze wat ze willen.'

Een van de mannen achteraan schraapte zijn keel. 'Meester Rahl, daarbij zullen onschuldige mensen omkomen. Dit zijn geen soldaten die we gaan aanvallen. Er sterven een heleboel kinderen bij dit soort acties.'

'Ja, dat is helaas waar, maar laat je niet afleiden of van je vastberadenheid afbrengen door zo'n valse en irrelevante last. De Orde is verantwoordelijk voor een oorlog die wordt gevoerd tegen onschuldige mensen die hen geen kwaad hebben gedaan, ook vrouwen en kinderen. Wij willen enkel die agressie zo snel mogelijk laten ophouden.

U hebt gelijk dat er onschuldige mensen, ook kinderen, gewond zullen raken of sneuvelen. Wat is het alternatief? Doorgaan goede mensen op te offeren uit angst om een onschuldige iets aan te doen? Wij zijn allemaal onschuldig. Onze kinderen zijn allemaal onschuldig. Zíj zijn nu degenen die kwaad wordt berokkend. De overheersing van de Orde zal uiteindelijk iedereen kwaad berokkenen, ook al die kinderen in de Oude Wereld. De Orde zal veel van hen in monsters veranderen. Veel mensen zullen uiteindelijk sterven als de Orde zegeviert.

Bovendien zijn de levens van de mensen in de Oude Wereld niet onze verantwoordelijkheid, maar die van de Orde. Wij zijn niet met deze oorlog begonnen, wij hebben hen niet aangevallen; zij vielen óns aan. Het enige wat we kunnen doen, is deze oorlog zo snel mogelijk laten eindigen. En dit is de enige manier waarop dat kan. Uiteindelijk is dit het meest menselijke wat we kunnen doen, omdat dit tot het minste verlies aan levens leidt.

Waar mogelijk moeten jullie natuurlijk proberen onschuldige mensen te sparen, maar dat is niet ons hoofddoel. Het doel is om een eind te maken aan de oorlog. Daarvoor moeten we hun de mogelijkheid ontnemen om oorlog te voeren. Als soldaten is dat onze verantwoordelijkheid.

We verdedigen ons bestaansrecht. Als we slagen, helpen we daarmee vanzelf talloze anderen om ook vrij te leven. Maar het is niet ons doel om hun volk te bevrijden. Als zij vrij willen zijn, kunnen ze zich bij ons aansluiten.

Toevallig ken ik mensen in de Oude Wereld die zich al hebben afgewend van de Orde en die in deze strijd aan onze kant staan. Een eenvoudige smid die Victor heet en zijn troepen in Altur'-Rang, bijvoorbeeld, hebben een vlam van vrijheid aangestoken in de Oude Wereld en vechten al aan onze kant. Als je dergelijke mensen tegenkomt, die verlangen naar vrijheid, moeten jullie ze aanmoedigen en hun steun inschakelen. Zij zijn bereid dorpen en steden in vlammen te zien opgaan als daarmee ook maar het ongedierte dat hun leven verpest, in rook opgaat.

Maar bij alles wat jullie doen, moeten jullie nooit vergeten dat jullie doel is om de Orde ervan te weerhouden ons te vermoorden, en dat we moeten doen wat nodig is om te zorgen dat ze geen zin meer hebben om te vechten. Daarvoor moeten we de oorlog naar hén toebrengen.

Ik heb verdriet over de onschuldige levens die verloren zullen gaan, maar dat is een direct resultaat van de immorele acties van de Orde. Wij hoeven ons leven niet op te offeren om te voorkomen dat onschuldige mensen aan hun kant iets overkomt. We kunnen niet verantwoordelijk zijn voor hun leven in een strijd die we niet zelf hebben gekozen.

We hebben alle recht om ons bestaansrecht te verdedigen. Laat niemand je ooit iets anders wijsmaken. De dreiging moet worden geëlimineerd. Al het andere staat gelijk aan fluitend je graf in wandelen.'

De mannen stonden somber en zwijgend onder het opwapperende afdak, dat hen beschermde tegen de stortregen. Niemand sprak hem tegen. Ze vochten al heel lang een strijd die ze verloren. Ze hadden duizenden mensen zien sterven. Ze begrepen dat er geen andere manier was.

Richard gebaarde naar kapitein Zimmer, een jonge man met een vierkante kaak en een stierennek, die met zijn armen over zijn brede borst geslagen stond. Hij luisterde in opperste concentratie naar Richard. De man was commandant geworden van de speciale troepen toen Kahlan kapitein Meiffert had bevorderd tot opperbevelhebber van de D'Haraanse troepen. Kahlan had Richard ook verteld dat kapitein Zimmer en zijn mannen heel goed waren in wat ze deden, dat ze ervaren waren, zakelijk onder spanning, onvermoeibaar, onbevreesd en kil efficiënt in het doden. Dingen waar de meeste soldaten voor terugdeinsden, brachten een grijns op hun gezicht. Kahlan had hem ook verteld dat ze de oren van vijanden verzamelden.

'Kapitein Zimmer, als onderdeel van onze nieuwe, gecoördineerde operatie heb ik een speciale taak voor u.'

De man liet een aanstekelijke glimlach zien terwijl hij zijn armen liet zakken en zijn rug rechtte. 'Ja, Meester Rahl?'

'Van primair belang is de eliminatie van iedereen – iedereen – die de leerstellingen van de Orde preekt. Deze mensen zijn de oorsprong van de haat, de bron van de corrupte overtuigingen die het leven vergiftigen.

Het Genootschap van de Orde heeft zich ten doel gesteld de hele mensheid te overheersen om alle mensen onder het juk van hun strenge leerstellingen te scharen. Ze verkondigen dat iedereen dood moet die niet voor hun geloof wil buigen. De ideeën van deze mannen vormen de vonk waarmee tot moord wordt aangezet. Als die leerstellingen er niet waren, zouden zij hier niet zijn om mensen te vermoorden.

De Orde is een adder die bestaat door hun overtuigingen, hun ideeën, hun leerstellingen. Die adder strekt zich helemaal uit vanuit het hart van de Oude Wereld. Vanaf dit moment is het uw doel om die adder te onthoofden. Dood elke man die hun geloofsovertuigingen preekt. Als iemand een voordracht geeft, wil ik dat zijn lijk de volgende morgen op een zeer openbare plek wordt gevonden, en ik wil dat iedereen ziet dat hij geen natuurlijke dood is gestorven. Ik wil dat ze weten dat het uitdragen van het geloof van de Orde gelijkstaat aan een snelle dood.

Hoe u ze doodt, is niet relevant, maar doden moeten we ze. Als ze dood zijn, kunnen ze hun vergif niet langer verspreiden en andere mannen ertoe aanzetten om ons te vermoorden. Dat is uw taak: dood ze. Hoe minder tijd het kost om er eentje te doden, hoe sneller u nog anderen een kopje kleiner kunt maken.

Vergeet echter nooit dat de hogepriesters van Het Genootschap van de Orde begaafd zijn. Hoewel jullie voorzichtig moeten zijn en in gedachten moeten houden dat die mannen tovenaars zijn, moeten jullie ook onthouden dat zelfs dergelijke tovenaars een hart hebben dat het bloed door hun aderen rondpompt. Een pijl is voor hen even dodelijk als voor ieder ander.

Ik weet dit omdat ik nog niet zo lang geleden bijna werd gedood door een pijl die tijdens een verrassingsaanval op mijn kamp werd afgevuurd.' Richard gebaarde naar de twee vrouwen achter zich. 'Ik had geluk dat Cara en Nicci er waren om mijn leven te redden. Maar het punt is dat die mannen ondanks hun macht kwetsbaar zijn. Jullie kunnen ze uitschakelen.

Hoe vaak heb ik jullie immers niet horen zeggen dat jullie staal tegen staal zijn zodat ik de magie tegen magie kan zijn? In die spreuk zit ingebed dat begaafden sterfelijk zijn en kwetsbaar zijn voor dezelfde gevaren als ieder ander.

Ik weet dat u en uw mannen manieren zullen vinden om die mensen uit te schakelen. Ik wil dat elke man die de haat van de overtuigingen van de Orde preekt, merkt dat de dood daarvan het gevolg is. Er mag geen twijfel bestaan over de harde waarheid dat zij niet aan dat lot zullen ontkomen alleen omdat ze begaafd zijn. U en uw mannen moeten ze die waarheid onder de neus wrijven.

Dit gaat over waarheid en illusie, een strijd over welke van die concepten de mensheid zal dienen. Ze preken een illusie van overtuigingen over dingen die niet echt zijn, over geloof en fantasie, over koninkrijken in andere werelden, over straffen en beloningen nadat wij niet meer bestaan. Ze doden om mensen te dwingen voor dat geloof te buigen.

Het tegenwicht daarvoor is de realiteit van onze belofte dat er consequenties zijn als ze ons kwaad doen. Die belofte moeten we gestand doen. Die belofte moet waarachtig zijn. Als we in deze strijd falen, dan staat de mensheid een lange, duistere periode te wachten.'

Richard keek uit over de zwijgende mannen en sprak zachtjes, maar op een toon die ze stuk voor stuk konden verstaan. 'Ik reken op jullie ervaring en oordeel om te doen wat er gebeuren moet. Als jullie iets zien waarvan jullie denken dat het nuttig voor hen is, vernietig het dan. Als iemand probeert jullie te dwarsbomen, dood ze dan. Ik wil dat hun oogsten, hun huizen, hun dorpen en hun steden worden platgebrand. Ik wil de Oude Wereld helemaal vanaf hier zien branden. Ik wil dat er geen steen op de andere blijft staan. Ik wil dat de Oude Wereld zo in puin ligt dat ze niet langer de mogelijkheid hebben hun moorddadige praktijken uit te breiden. Ik wil dat hun wil om te vechten wordt gebroken. Ik wil dat hun enthousiasme wordt gesmoord.

Ik vertrouw erop dat jullie manieren zullen verzinnen om dat alles te bereiken. Laat je niet beperken door wat ik aandraag. Denk erover wat een waardevol hulpmiddel voor hen is en wat het daarom tot een goed doelwit voor ons maakt. Denk erover na hoe jullie je nieuwe bevelen het beste kunnen uitvoeren.'

Hij keek naar de ogen van de mannen die hij nu vroeg om iets te doen wat ze nooit hadden verwacht. 'Er komt geen eindstrijd met het leger van de Orde. We zullen ze niet tegemoet treden zoals zij wensen. In plaats daarvan zullen we ze tot in het graf najagen.'

De verzamelde officieren sloegen allemaal met een vuist op hun borst.

Richard wendde zich weer tot kapitein Zimmer. 'U hebt mijn bevelen over uw specifieke doel. Wees meedogenloos. Er moet deze mannen geen alternatief resten. Hun dood is het enige aanvaardbare resultaat. Laat het snel, zeker en zonder genade gebeuren.'

Kapitein Zimmer stond kaarsrecht overeind. 'Dank u, Meester Rahl, dat u mij en mijn mannen de kans biedt om de wereld te ontdoen van degenen die dit vergif verspreiden.'

'Er is nog iets anders wat u en uw mannen voor mij moeten doen.'

'Ja, Meester Rahl?'

'Breng me hun oren.'

Kapitein Zimmer glimlachte terwijl hij zijn vuist op zijn hart legde. 'Ze krijgen geen kans op genade of ontsnapping, Meester Rahl. Ik zal u bewijs brengen.'

Terwijl de officieren begonnen te denken aan hun nieuwe doelstellingen, kwamen ze naar voren met voorstellen voor doelwitten en methoden om die te vernietigen. Hun gezicht klaarde op van enthousiasme, want ze waren zo gewend geraakt aan het idee dat er geen andere keus was dan zich te laten afmatten door een onverzettelijke vijand, dat hun gezichten gegroefd en verweerd waren geraakt door de last.

Nu zag Richard een nieuwe levenslust in hen, opwinding omdat er een oplossing was, een eind in zicht. Mannen kwamen met ideeën zoals het verzilten van akkers, het vergiftigen van waterreservoirs met rottende, geïnfecteerde karkassen en lijken, het vernietigen van dammen, het omhakken van boomgaarden, het slachten van vee en het platbranden van molens. Nicci ontmoedigde sommige voorstellen, legde uit waarom die niet zouden werken of te veel moeite zouden kosten, en bood alternatieven. Ze verfijnde andere ideeën om ze nog verwoestender te maken.

Tot op zekere hoogte werd Richard misselijk van de dingen die hij hoorde, en de wetenschap dat hij de geestelijk vader was van een dergelijke vernietiging, maar toen dacht hij aan het visioen dat Shota hem over Kahlan gegeven had. Die afgrijselijke dingen, en nog meer, waren maar al te echt voor talloze onschuldige mensen. Dus was hij blij dat ze eindelijk terugsloegen op een manier waarbij er een kans bestond om aan dat afgrijzen een einde te maken. De Orde had er immers zelf om gevraagd.

'We moeten opschieten,' zei Richard tegen de officieren en verzamelde Zusters. 'Elke dag die verstrijkt, neemt de Orde meer plekken in, onderwerpt, martelt, verkracht en vermoordt meer mensen.'

'Dat vind ik ook,' zei generaal Meiffert. 'Dit kan geen mars naar het zuiden worden.'

'Nee, dat klopt,' zei Richard. 'Ik wil dat jullie snel vertrekken en hard toeslaan. De Orde heeft een enorm leger en overal waar ze gaan, valt de Nieuwe Wereld onder hun zwaarden. Maar door hun grootte zijn ze log. Het kost ze veel tijd om zich door het land te verplaatsen. Jagang gebruikt zijn traagheid als tactiek: elke stad die op zijn weg ligt, moet afwachten, zich voorstellen wat er van hen zal worden. Het geeft de angst de tijd zich op te bouwen tot het ondraaglijk wordt.

We hebben in feite een voordeel, omdat als we cavalerie gebruiken en de eenheden klein en beweeglijk houden, we bliksemsnel op de een of andere plek kunnen toeslaan. Zij willen steden overspoelen, ze insluiten en bezetten. We moeten ons niet laten meeslepen in dergelijke uitputtingsslagen. We moeten eenvoudigweg alles verwoesten wat we kunnen en dan onmiddellijk verder trekken naar het volgende doelwit. We moeten iedereen in de Oude Wereld angst aanjagen, het gevoel geven dat er niet te ontkomen valt aan onze wraak.'

Een officier met een baard gebaarde naar het kamp. 'We hebben lang niet genoeg paarden om het hele leger in een cavalerie te veranderen.'

'Dan moeten jullie snel paarden zien te vinden voor alle mannen,' zei Cara. 'Haal ze overal vandaan.'

De officier krabde nadenkend in zijn baard. Hij glimlachte naar Cara. 'Maak u geen zorgen, we vinden er wel iets op.'

Een andere man liet van zich horen. 'Ik ken een aantal plaatsen in D'Hara waar paarden worden gefokt. Ik denk dat we vrij snel kunnen verzamelen wat we nodig hebben.' Toen Richard instemmend knikte, legde hij zijn vuist op zijn hart. 'Ik zal er onmiddellijk voor zorgen,' zei hij voordat hij de regen in liep.

'Het leger moet worden opgedeeld in kleinere eenheden,' zei Richard tegen generaal Meiffert nadat de officier langs was gerend. 'We willen niet dat ze samen blijven in één grote troep.'

De generaal staarde voor zich uit terwijl hij erover nadacht. 'We delen ze op in een aantal aanvalstroepen en sturen ze meteen naar het zuiden. Ze zullen zichzelf moeten redden, van zichzelf afhankelijk zijn. Ze kunnen niet afgaan op een bevelvoering die alle details van hun acties bestuurt of ze van wat dan ook voorziet.'

'We zullen een of andere vorm van communicatie moeten opzetten,' zei een van de oudere officieren, 'maar u hebt gelijk, ik denk niet dat het mogelijk is om alles te coördineren. We moeten iedereen heldere instructies geven en ze dan hun werk laten doen. Er is meer dan genoeg in de Oude Wereld om aan te vallen.'

'Het is beter als ze geen contact houden,' zei Nicci. Toen enkele mannen haar aanstaarden, vervolgde ze 'Elke boodschapper die wordt gevangengenomen, wordt gemarteld. De Orde heeft daarvoor experts in dienst; een man die wordt gevangen, zal alles vertellen wat hij weet. Als alle eenheden contact onderhouden, dan kunnen ze worden verraden. Als iemand die wordt gevangen, niet weet waar de andere eenheden zijn, dan kan hij die informatie ook niet prijsgeven.'

'Dat klinkt als verstandig advies,' zei Richard.

'Meester Rahl,' zei generaal Meiffert op behoedzame toon, 'ons hele leger loslaten op de Oude Wereld, zonder enige tegenstand aldaar, zal een ongeëvenaarde verwoesting veroorzaken. Als we ze een dergelijke taak meegeven, al die mannen van de cavalerie, nou, dan zullen ze de Oude Wereld schade toebrengen op een schaal die nog nooit eerder is vertoond.'

De man gaf Richard nog een laatste kans om van gedachten te veranderen, en een laatste kans om duidelijk te maken dat hij zijn gevoel van doelmatigheid niet ten koste van hen zou laten varen. Richard ontdook de indirect gestelde vraag niet. In plaats daarvan haalde hij diep adem en sloeg zijn handen achter zijn rug ineen. 'Weet je, Benjamin, ik herinner me nog een tijd toen alleen al de woorden "D'Haraanse soldaten" me angst aanjoegen.'

De mannen knikten spijtig omdat het nu niet meer zo was.

'Door ons te verstrikken in een eindstrijd die we met geen mogelijkheid kunnen winnen,' zei Richard, 'is Jagang erin geslaagd de D'Haraanse soldaten zwak en kwetsbaar te laten lijken. We worden niet langer gevreesd. Omdat ze ons nu zien als zwak, denken ze dat ze met ons kunnen sollen.

Ik denk dat dit onze laatste kans is om de oorlog te winnen. Als we deze kans laten glippen, zijn we gedoemd.

Ik wil deze kans niet verspillen. Niets wordt gespaard. Ik wil dat Jagang van boodschapper na boodschapper hoort dat de hele Oude Wereld in brand staat. Ik wil dat ze denken dat de onderwereld zelf is opengebarsten om hen op te slokken.

Ik wil dat mensen weer trillen van verlamde angst bij het idee dat er wraakzuchtige D'Haraanse soldaten achter hen aan komen. Ik wil dat alle mannen, vrouwen en kinderen in de Oude Wereld de schimmenlegioenen van de D'Haranen uit het noorden vrezen. Ik wil dat iedereen in de Oude Wereld de Orde gaat haten, omdat ze een dergelijk lijden over hen afroepen. Ik wil dat er vanuit de Oude Wereld een brul opgaat om de oorlog te beëindigen.

Dat is alles wat ik te zeggen heb, heren. Ik denk dat we geen moment te verliezen hebben, dus laten we aan het werk gaan.'

Mannen, vervuld van een nieuwe vastberadenheid, salueerden terwijl ze in een rij langs Richard liepen, hem bedankten en zeiden dat ze de klus zouden klaren. Richard keek ze na terwijl ze de regen inrenden naar hun troepen.

'Meester Rahl,' zei generaal Meiffert terwijl hij naar hem toe kwam, 'ik wilde u alleen maar even laten weten dat zelfs als u niet bij ons bent, u ons voorgaat in de komende strijd. Hoewel het niet één grote strijd wordt zoals iedereen had verwacht, hebt u de mannen iets gegeven wat ze zonder u niet zouden hebben. Als dit werkt, dan is uw leiderschap datgene geweest dat de koers van de oorlog heeft gekeerd.'

Richard keek naar de regen, die vanaf de rand van het canvas afdak in een gordijn van waterdruppels omlaagkwam. De grond werd modderig onder de laarzen van de soldaten, die alle kanten op renden. Het tafereel deed Richard denken aan het visioen waarin hij knielde in de modder, met zijn polsen achter zijn rug vastgebonden en een mes op zijn keel. In gedachten hoorde hij Kahlan zijn naam schreeuwen. Hij dacht aan zijn hulpeloosheid, zijn gevoel dat de wereld ten einde was. Hij moest de plotseling opkomende angst wegslikken. De herinnering aan Kahlans gegil deed pijn in zijn botten.

Verna kwam naast de generaal staan. 'Hij heeft gelijk, Richard. Mij bevalt het ook niet om andere mensen dan soldaten bij het gevecht te betrekken, maar alles wat je zei is waar. Zij zijn degenen die hiermee zijn begonnen. Dit gaat om het overleven van de beschaving zelf, en zij hebben zichzelf deelgenoot gemaakt in de strijd. Er is geen andere manier. De Zusters zullen doen wat je vraagt; daarvoor geef ik je mijn woord als priores.'

Richard had gevreesd dat ze tegen het plan zou zijn. Hij was onuitsprekelijk dankbaar. Hij omhelsde haar stevig en fluisterde: 'Dank je.'

Hij had altijd gevonden dat degenen aan zijn kant niet alleen de redenen moesten begrijpen waarom ze streden, maar dat ze dat ook met of zonder hem moesten doen, voor zichzelf. Nu dacht hij dat ze inderdaad begrepen wat er allemaal op het spel stond, en dat ze zouden vechten, niet alleen omdat het hun plicht was, maar omdat ze het voor zichzelf deden.

Verna hield Richard op armlengte van zich af en tuurde in zijn ogen. 'Wat is er?'

Richard schudde zijn hoofd. 'Ik ben zo ziek van alle vreselijke dingen die de mensen overkomen. Ik wil gewoon dat deze nachtmerrie ophoudt.'

Verna glimlachte even. 'Je hebt ons de manier laten zien om dat voor elkaar te krijgen, Richard.'

'En welke rol zult u in dit alles spelen, Meester Rahl?' vroeg de generaal toen Richard zich van Verna afwendde. 'Als ik het vragen mag.'

Richard zuchtte en richtte zijn aandacht weer op het heden. Het vreselijke visioen vervaagde uit zijn gedachten. 'Ik vrees dat er iets ernstig mis is met de magie. Het leger van de Imperiale Orde is slechts één van de dreigingen die we het hoofd moeten bieden.'

Generaal Meiffert fronste zijn voorhoofd. 'Wat is er dan mis?'

Richard dacht niet dat hij het hele verhaal nog eens kon uitleggen, dus hield hij het kort en kernachtig. 'De vrouw die u tot generaal heeft bevorderd, wordt vermist. Ze is in handen van enkele Zusters van de Duisternis.'

De man keek volkomen verward. 'Mij tot generaal bevorderd?' Hij tuurde in de waas van zijn herinneringen. 'Ik weet niet meer...'

'Het heeft allemaal te maken met de problemen die zijn ontstaan met de magie.'

De generaal en Verna wisselden een blik uit.

'Het was Meester Rahls vrouw, Kahlan,' zei Cara. 'Zij is degene, Benjamin, die je tot generaal heeft benoemd.' Meiffert keek stomverbaasd.

Cara haalde haar schouders op. 'Het is een lang verhaal voor een ander moment,' zei ze terwijl ze een hand op zijn schouder legde. 'Niemand van ons behalve Meester Rahl herinnert zich haar. Het was een bezwering die ketenvuur wordt genoemd.'

'Ketenvuur?' Verna werd nog wantrouwiger. 'Welke Zusters?'

'Zuster Ulicia en haar andere leermeesteressen,' zei Nicci. 'Ze hebben een oude bezwering gevonden die ketenvuur heet, en die in gang gezet.'

Verna keek Nicci nogal koel aan. 'Ik neem aan dat jij wel weet hoeveel problemen die vrouwen veroorzaken, aangezien jij ooit een van hen was.'

'Ja,' zei Nicci behoedzaam, 'en jij nam Richard gevangen en bracht hem naar het Paleis van de Profeten. Als je dat niet had gedaan, had hij de grote barrière niet verwoest en zou de Imperiale Orde nu nog in de Oude Wereld zijn, niet in de Nieuwe. Als je een schuldige wilt aanwijzen: de Zusters van de Duisternis zouden Richard nooit hebben ontmoet als jij hem niet gevangengenomen had en hem over de barrière naar de Oude Wereld had gebracht.'

Verna perste haar lippen strak opeen. Richard kende die blik en wist wat er kwam.

'Oké,' zei hij zacht, voordat ze elkaar in de haren vlogen. 'We hebben allemaal gedaan wat we toen moesten doen, wat ons toen het beste leek. Ik heb ook fouten gemaakt. We kunnen alleen de toekomst vormgeven, niet het verleden.'

Verna's mond vertrok en ze keek alsof ze niets liever wilde dan verder ruziën, maar ze wist wel beter. 'Je hebt gelijk.'

'Natuurlijk heeft hij gelijk,' zei Cara. 'Hij is de Meester Rahl.'

Ondanks zichzelf glimlachte Verna. 'Inderdaad, Cara. Hij komt profetieën vervullen, ook al was hij dat niet eens van plan.'

'Nee,' zei Richard, 'ik ben hier om ons te helpen onszelf te redden. Dit is nog niet achter de rug, en profetie, in het geval waar jij het over hebt, heeft een andere betekenis.'

Verna's argwaan keerde meteen terug. 'Welke betekenis dan?'

'Ik heb nu geen tijd om erop in te gaan. Ik moet teruggaan en kijken of Zedd en de anderen iets hebben ontdekt.'

'U bedoelt om uw vrouw te vinden, Meester Rahl?' vroeg generaal Meiffert.

'Ja, maar het is nog erger. Er zijn nog andere dingen gaande. Er is een fundamenteel probleem met de magie.'

'Zoals?' drong Verna aan.

Richard keek haar in de ogen. 'Je moet weten dat de akkoorden de wereld van het leven hebben besmet. De magie zelf is aangetast. Delen ervan zijn al uitgevallen. Er valt niet te zeggen wanneer er nog meer zal uitvallen, of hoe snel. We moeten terug om te kijken wat er aan kan worden gedaan, áls er al iets aan kan worden gedaan. Ann is samen met Nathan en Zedd op zoek naar antwoorden.'

Voordat Verna haar vragen op hem kon afvuren, richtte Richard zijn aandacht op de generaal. 'Nog één ding. Zonder dit leger dat hen in de weg staat, weet ik zeker dat Jagang zal proberen het Volkspaleis in te nemen.'

Generaal Meiffert krabde in zijn blonde haren terwijl hij dat overpeinsde. 'Ik denk het ook.' Hij keek op. 'Maar het paleis ligt hoog op een enorm plateau. Er zijn maar twee wegen naar boven: de smalle weg met de ophaalbrug, of via de grote binnendeuren. Als de grote deuren dicht zijn, komt er geen aanval vanaf die kant, en de weg is vrij nutteloos voor een gewapende aanval.

Gewoon voor de veiligheid adviseer ik toch enkelen van onze beste mannen naar het paleis te sturen ter versterking. Als we allemaal naar het zuiden gaan, staan commandant-generaal Trimack en het Eerste Rot helemaal alleen tegenover Jagangs hele leger. Maar toch, een aanval op het paleis?' Hij schudde sceptisch zijn hoofd. 'Het paleis is ondoordringbaar.'

'Jagang heeft begaafden bij zich,' bracht Cara hem in herinnering. 'En vergeet niet, Meester Rahl, dat die Zusters al eerder het paleis zijn binnengekomen, heel lang geleden. Weet u nog?'

Voordat Richard antwoord kon geven, greep Verna zijn arm en keek hem fronsend aan. 'Waarom zouden die Zusters die bezwering gebruiken die je noemde, die ketenvuurbetovering?'

'Om de mensen te laten vergeten dat Kahlan bestaat.'

'Maar waarom zouden ze dat willen?'

Richard zuchtte. 'Zuster Ulicia wilde Kahlan het Volkspaleis binnen krijgen om de kistjes van Orden te stelen. De ketenvuurbetovering was bedoeld om iemand zo goed als onzichtbaar te maken. Met de ketenvuurbetovering die op Kahlan is gelegd, herinnert niemand haar zich. Niemand herinnert zich dat ze gewoon naar binnen liep en de kistjes uit de Tuin des Levens pakte.'

'Heeft ze de kistjes meegenomen...' Verna knipperde verbaasd met haar ogen. 'Waarvoor, in hemelsnaam?'

'Zuster Ulicia heeft ze in het spel gebracht,' zei Nicci.

'Goede Schepper,' zei Verna met een hand tegen haar voorhoofd gedrukt. 'Ik zal enkele Zusters daar achterlaten met een ferme waarschuwing.'

'Misschien zou jij een van hen moeten zijn,' zei Richard terwijl hij naar buiten keek en zag dat de regen bij vlagen horizontaal werd geblazen door de wind. 'We kunnen niet toestaan dat het paleis valt. Chaos veroorzaken in de Oude Wereld is relatief eenvoudig voor de Zusters. Misschien is het verdedigen van het paleis tegen Jagangs horde en zijn begaafden een veel grotere uitdaging.'

'Mogelijk heb je gelijk,' gaf ze toe terwijl ze een lok door de wind losgetrokken, golvend haar uit haar gezicht trok.

'Intussen zal ik kijken wat ik kan doen om Ulicia en haar Zusters van de Duisternis tegen te houden.' Richard keek om naar Nicci en Cara, toen naar alle mannen die zich door de regen spoedden om hun nieuwe missie uit te voeren. 'Ik moet terug.'

Generaal Meiffert sloeg met zijn vuist op zijn borst. 'Wij zullen het staal tegen staal zijn, Meester Rahl, zodat u de magie tegen magie kunt zijn.'

Verna raakte Richards wang aan en er stonden tranen in haar bruine ogen. 'Pas goed op jezelf, Richard. We hebben je allemaal nodig.'

Hij knikte en schonk haar een warme glimlach, waarin hij meer woorden legde dan hij kon uitspreken.

Generaal Meiffert legde een arm om Cara's middel. 'Kan ik jullie naar je paarden begeleiden?'

Cara glimlachte op een heel vrouwelijke manier naar hem op. 'Dat zou fijn zijn.'

Nicci trok de kap van haar mantel omhoog toen ze onder het afdak uit doken, de regen in. Ze keek naar Richard en fronste wantrouwend haar voorhoofd. 'Hoe kom je aan dat idee van een 'schimmenlegioen'?'

Hij legde een hand op haar onderrug en liep met haar mee door de stortregen. 'Shota gaf me het idee toen ze zei dat ik moest ophouden schimmen na te jagen. Ze impliceerde dat je een schim niet kunt vinden, niet kunt pakken. Ik wil dat deze mannen schimmen zijn.'

Ze legde teder een arm om zijn schouders terwijl ze naar hun paarden renden. 'Je hebt het goed aangepakt, Richard.' Ze zag ongetwijfeld het verdriet in zijn ogen.

26

Rachel gaapte. Schijnbaar vanuit het niets draaide Violet zich om en sloeg haar hard genoeg om haar van de rots te doen tuimelen waar ze op zat.

Onthutst richtte Rachel zich op een arm op. Ze legde haar hand tegen haar wang en wachtte tot de stekende pijn ophield, wachtte tot alles om haar heen ophield met draaien. Tevreden ging Violet weer aan het werk.

Rachel was zo versuft geweest door slaapgebrek dat ze niet had opgelet en Violets klap haar volkomen onverwacht had geraakt. Rachels ogen traanden van de tintelende pijn, maar ze wist wel beter dan iets te zeggen of te laten merken hoeveel pijn ze had.

'Gapen is in het beste geval onbeleefd en in het slechtste geval respectloos.' Violets mollige gezicht was over haar schouder gekeerd. 'Als je je niet gedraagt, gebruik ik de volgende keer de zweep.'

'Ja, koningin Violet,' antwoordde Rachel op nederige toon. Ze wist maar al te goed dat Violet haar dreiging zou waarmaken.

Rachel was zo moe dat ze nauwelijks haar ogen open kon houden. Ze was ooit Violets 'speelkameraadje' geweest, maar nu leek ze alleen nog een doelwit voor mishandeling.

Violet was uit op wraak. Elke avond stopte ze een ijzeren bit in Rachels mond. Het was een angstaanjagende gebeurtenis. Rachel moest haar tong in een snavelachtige klem steken, die was gemaakt van twee platte, gepolijste stukken ijzer. Dan werden de klemmen stevig op elkaar gedrukt zodat haar tong ertussen vastzat.

Rachel had ontdekt dat als ze zich verzette, haar dat alleen maar een pak slaag opleverde, waarna de wachters haar mond open wrongen en dan met een tang haar gevoelige tong grepen en die in de klem trokken. Uiteindelijk wonnen ze altijd; haar tong kon zich nergens verstoppen. Zodra de klem om haar tong zat, werd het ijzeren masker dat er deel van uitmaakte, om haar hoofd gesloten om het geheel onbeweeglijk te houden. Met dat masker op kon Rachel niet praten. Zelfs slikken was moeilijk. Dan sloot Violet haar de hele nacht in haar oude ijzeren kist op. Ze zei dat ze wilde dat Rachel wist hoe het was om te leven met pijn en zonder te kunnen praten.

En pijn deed het. Ze was bijna gek geworden toen ze de hele nacht in haar ijzeren kist opgesloten zat met dat vreselijke ding om haar tong geklemd. Aanvankelijk, doodsbang door het gevoel van opgeslotenheid en eenzaamheid, omdat ze er niet uit kon, omdat ze dat pijnlijke ding niet kon afdoen, had ze gegild en gegild. Grinnikend had Violet alleen maar een zwaar kleed over de kist gegooid om Rachels geschreeuw te dempen. Maar huilen en schreeuwen zorgde er alleen maar voor dat haar tong meer pijn deed door de ijzeren klem en ging bloeden.

Ze was uiteindelijk pas echt opgehouden met huilen en gillen toen Violet haar gezicht voor het kleine venstertje stak en zei dat als Rachel niet stil was, ze Rachels tong door Zes eruit zou laten snijden. Rachel wist dat Zes dat zou doen als Violet het vroeg.

Daarna schreeuwde ze niet meer en hield ze zich rustig. Ze rolde zich op tot een bal in haar kleine gevangenis en dacht terug aan alles wat Chase haar had geleerd. Dat was uiteindelijk wat haar had gekalmeerd.

Chase zou haar hebben gezegd dat ze niet aan haar huidige benarde situatie moest denken, maar moest vooruitkijken naar het moment waarop ze eraan kon ontkomen. Chase had haar geleerd hoe ze moest letten op patronen in de manier waarop mensen zich gedroegen, en openingen wanneer ze niet opletten. Dus dat deed ze elke nacht als ze in haar ijzeren kist lag, als ze niet kon slapen en lag te wachten tot het ochtend werd, tot de mannen kwamen om haar uit de kist te bevrijden en dat vreselijke toestel van haar hoofd te halen.

Rachel kon nauwelijks eten omdat haar tong zo rauw en geschaafd was; niet dat ze haar hoe dan ook veel te eten gaven. Elke morgen bleef haar tong nog uren pijnlijk bonzen nadat de klem was verwijderd. Haar kaken deden ook pijn, omdat het toestel haar mond de hele nacht openhield. Eten deed pijn. En als ze dan at, smaakte alles naar vuil metaal. Praten deed ook pijn, dus ze sprak alleen wanneer Violet haar iets vroeg. Violet, die doorhad dat Rachel liever niet sprak, lachte soms minachtend en noemde Rachel haar kleine doofstommetje.

Rachel was volkomen ontmoedigd dat ze weer in de klauwen van zo'n kwaadaardige persoon was beland, en droeviger dan ze ooit was geweest, omdat Chase weg was. Ze kon de herinnering aan hoe hij zo bruut was omgebracht niet uit haar hoofd zetten. Ze rouwde eindeloos om hem. Haar hartzeer, ellende en volkomen eenzaamheid leken ondraaglijk. Als Violet niet met haar tekenlessen bezig was of bevelen gaf aan mensen om dingen te doen – of aan het eten was, of sieraden uitprobeerde, of werd opgemeten voor gewaden – amuseerde ze zichzelf door Rachel pijn te doen. Soms herinnerde Violet Rachel eraan hoe ze haar ooit had bedreigd met een vuurstok, hield ze Rachel bij de pols vast en legde een witheet kooltje uit het vuur op haar arm. Maar toch deed Rachels verdriet om Chase meer pijn dan alles wat Violet haar ooit kon aandoen. Nu Chase weg was, maakte het haar bijna niet meer uit wat er met haar gebeurde.

Violet moest Rachel 'straffen', zoals zij dat noemde, voor alle vreselijke dingen die Rachel had gedaan. Violet had besloten dat het verlies van haar tong grotendeels Rachels schuld was geweest. Violet had gezegd dat het heel lang zou duren voordat Rachel vergeving verdiende voor zo'n ernstige overtreding, en ook omdat ze zo respectloos was geweest om uit het kasteel te ontsnappen. Violet zag Rachels ontsnapping als een schandelijke verwerping van wat zij hun 'gulheid' ten opzichte van een waardeloos weeskind noemde. Ze ging vaak eindeloos door over alle moeite die zij en haar moeder voor Rachel hadden gedaan terwijl uiteindelijk bleek dat ze een ondankbaar wicht was.

Als Violet er eindelijk genoeg van kreeg om haar pijn te doen, vermoedde Rachel dat ze ter dood zou worden gebracht. Ze had Violet terechtstellingsbevelen horen uitvaardigen voor gevangenen die waren beschuldigd van 'ernstige misdaden'. Als iemand haar maar voldoende ontstemde, of als Zes haar vertelde dat die persoon een bedreiging vormde voor de kroon, dan vaardigde

Violet een terechtstellingsbevel uit. Als diegene de grote fout had gemaakt om openlijk Violets gezag of recht op de troon te betwijfelen, dan vertelde Violet haar wachters om het langzaam en pijnlijk te laten verlopen. Soms ging ze zelfs kijken om ervoor te zorgen dat haar wensen werden ingewilligd.

Rachel herinnerde zich de tijd waarin koningin Milena terechtstellingen had bevolen en Violet voor het eerst was begonnen toe te kijken. Als haar speelkameraadje moest Rachel met haar mee. Rachel wendde altijd haar ogen af van het vreselijke schouwspel; Violet nooit.

Zes had een heel systeem opgezet, zodat mensen in het geheim de namen van anderen konden opgeven die zich tegen de koningin uitspraken. Zes had Violet verteld dat mensen die dergelijke geheime berichten doorgaven, moesten worden beloond voor hun loyaliteit. Violet beloonde de verraders goed voor de namen die ze doorkreeg.

Sinds de vorige keer dat Rachel bij haar was, had Violet een nieuwe voorliefde ontwikkeld voor het toebrengen van pijn. Zes zei vaak dat pijn een goede leermeester was. Violet stelde erg veel prijs op het gevoel dat zij de levens van anderen bestuurde, dat ze andere mensen kon laten lijden.

Ze was ook zeer argwanend ten opzichte van iedereen geworden. Iedereen behalve Zes althans, op wie ze was gaan rekenen als de enige die ze kon vertrouwen. Violet koesterde een groot wantrouwen ten opzichte van de meesten van haar 'loyale onderdanen', en noemde ze vaak niemendallen. Violet noemde Rachel vroeger ook altijd een niemendal.

Toen Rachel de vorige keer in het kasteel had gewoond, hadden mensen er altijd goed voor gezorgd dat ze de verkeerde mensen niet boos maakten, maar het was meer een gevoel dat ze gewoon op hun tenen liepen. De mensen waren bang geweest voor koningin Milena, en met reden, maar soms lachten of glimlachten ze nog wel. De wasvrouwen roddelden, de koks tekenden soms lachende gezichtjes in het eten, het schoonmaakpersoneel floot terwijl ze hun werk deden, en de soldaten vertelden soms moppen aan elkaar terwijl ze tijdens hun wachtdienst door de gangen van het kasteel hun ronde liepen.

Nu werd er stilzwijgend gebeefd telkens als koningin Violet of Zes in de buurt was. Niemand van het schoonmaakpersoneel, de wasvrouwen, de naaisters, de koks of de soldaten glimlachte of lachte ooit. Ze leken allemaal constant bang terwijl ze gehaast hun werk deden. De sfeer in het kasteel was nu altijd geladen met angst, omdat iedereen elk moment de klos kon zijn. Iedereen deed zijn uiterste best om openlijk respect voor de koningin te tonen, vooral in het bijzijn van haar lange, grimmige raadsvrouw. De mensen leken voor Zes even bang te zijn als voor Violet. Als Zes glimlachte met die vreemde, lege, slangachtige glimlach van haar, bleven mensen verstijfd staan, met grote ogen terwijl het zweet hen uitbrak, en slikten dan opgelucht als ze uit het zicht was verdwenen.

'Precies hier,' zei Zes.

'Precies hier wát?' vroeg Violet, knauwend op een broodstengel. Rachel liet zich voorzichtig terugzakken op de rots waar ze van af was geslagen. Ze vermaande zichzelf dat ze beter moest opletten. Die klap was haar eigen schuld, omdat ze zich had verveeld en niet had opgelet. Nee, dat was niet waar, hield ze zich voor. Het was Violets schuld. Chase had haar gezegd niet de schuld van anderen op zich te nemen.

Chase. De moed zakte haar weer in de schoenen toen ze aan hem dacht. Ze moest zich op andere dingen richten, anders werd ze zo droevig dat ze zou gaan huilen. Violet tolereerde niets wat Rachel zonder toestemming deed, en huilen hoorde daar ook bij.

'Precies daar,' zei Zes nog eens met overdreven veel geduld. Toen Violet haar alleen aanstaarde, trok Zes een lange vinger over de met toortsen verlichte muur. 'Wat ontbreekt er?'

Violet boog zich naar voren en tuurde naar de muur. 'Eh...'

'Waar is de zon?'

'Nou,' zei Violet vinnig terwijl ze weer rechtop ging staan en met een vinger naar een gele schijf wees, 'daar. Je ziet toch ook wel dat dat de zon is.'

Zes keek haar even boos aan. 'Ja, natuurlijk zie ik dat dat de zon is, mijn koningin.' Haar lege glimlach keerde terug. 'Maar waar bevindt hij zich aan de hemel?'

Violet klopte met het krijtje tegen haar kin. 'De hemel?'

'Ja. Waar bevindt hij zich in de hemel? Recht omhoog?' Zes wees met haar vinger omhoog. 'Moeten we het zo zien dat we recht opkijken naar de zon aan de hemel? Is het het middaguur?'

'Nou, nee, natuurlijk is het niet het middaguur, je weet dat dat niet kan. Het moet laat op de dag zijn. Dat weet je ook.'

'O ja? En hoe moeten wij dat weten? Het maakt immers niet uit wat ik weet dat het moet zijn. De tekening moet zeggen wat het is. Die kan niet om commentaar van mij vragen, hè?'

'Nee, dat is waar,' gaf Violet toe.

Zes trok haar vinger weer over de muur onder de zon. 'Dus wat ontbreekt er dan?'

'Wat er ontbreekt, wat er ontbreekt...' mompelde Violet. 'O!' Snel tekende ze een rechte lijn waar Zes met haar vinger had gewezen. 'De horizon. We moeten de tijd van de dag vastleggen met de horizon. Dat had je me al eens verteld. Ik was het vergeten.' Ze keek Zes woest aan. 'Het is ook wel heel veel om allemaal te onthouden, hoor. Het is heel moeilijk om alles op een rijtje te houden.'

Zes hield haar kille glimlach op haar gezicht. 'Ja, mijn koningin, natuurlijk is het dat. Vergeef me, ik was vergeten hoe moeilijk ik het zelf vond om al die dingen te leren toen ik uw leeftijd had.'

De tekening waar Violet aan werkte, was ingewikkelder dan alle andere in de grot, maar Zes was er altijd bij om Violet eraan te herinneren wanneer ze wat moest tekenen.

Violet schudde met het krijtje naar Zes. 'Het zou goed voor je zijn om dat in gedachten te houden.'

Zes vlocht zorgvuldig haar vingers ineen. 'Ja, mijn koningin, natuurlijk.' Ze tuitte haar lippen, wendde haar blik van Violet af en draaide zich weer om naar de muur. 'Nu moeten we op dit punt de sterrenkaart voor dit domein gaan maken. Ik kan u de les over de specifieke reden later geven, als u wilt, maar ik denk dat het verstandiger is om u nu maar gewoon te laten zien wat er nodig is.'

Violet keek naar de plek waar Zes naar wees en haalde haar schouders op. 'Natuurlijk.' Ze sabbelde weer verder op haar broodstengel terwijl ze wachtte.

Zes sloeg een boekje open. Violet boog zich naar voren, turend in het flakkerende licht. Zes tikte met een lange nagel op de bladzijde terwijl Violet eindelijk door de knapperige broodstengel heen beet. 'Ziet u de azimut? Herinnert u zich nog die les over de referentiehoek ten opzichte van de horizon voor deze ster hier?'

'Ja...' zei Violet lijzig, en keek alsof ze echt wist waar Zes het over had. 'Dat heeft te maken met die hoekreferentie hier, toch?'

'Ja, dat klopt. Het is een aspect van het bindmiddel dat alles samenbrengt.'

Violet knikte. 'En dat op zijn beurt de koppeling naar hem legt...' zei ze peinzend.

'Inderdaad. De koppeling is één element van wat nodig is om het op zijn plaats te vergrendelen op het moment van de concluderende verbinding. Dat maakt op zijn beurt de horizon die u net hebt getekend noodzakelijk om deze hoek te bepalen. Anders zou het een zwevende correlatie zijn.'

Violet knikte weer. 'Ik geloof dat ik nu begrijp waarom ze verbinding moeten maken. Als de onderlinge relatie niet vastligt' – ze ging rechtop staan en wees naar een boog met symbolen – 'dan zouden deze op elk moment kunnen gebeuren. Vandaag, morgen, of, nou, tien jaar vanaf nu.'

Zes glimlachte sluw. 'Correct.'

Violet glimlachte triomfantelijk om haar prestatie. 'Maar waar halen we al die symbolen vandaan, en hoe weten we waar we ze moeten gebruiken in de tekening? En wat dat betreft, hoe weten we dat ze nodig zijn op de precieze punten waar je me ze hebt laten tekenen?'

Zes haalde geduldig adem. 'Nou, ik zou u dat allemaal eerst kunnen leren, maar dat zou zo'n twintig jaar studie in beslag nemen. Wilt u zo lang op wraak wachten?'

Violets frons verdiepte zich. 'Nee.'

Zes haalde haar schouders op. 'Dan stel ik voor dat we de kortste weg nemen en dat ik u help bij het besturen van het ontwerp.'

Violet vertrok haar mond. 'Als jij het zegt.'

'U beheerst de basis, mijn koningin. U doet het behoorlijk goed voor deze fase in de ontwikkeling van uw talent. Ik verzeker u dat hoewel ik u help met sommige ingewikkelde delen, niets van dit alles zou werken zonder uw aanzienlijke talent hierin. Ik zou dit niet kunnen laten werken zonder uw vaardigheid.'

Violet glimlachte als een leerling die in het zonnetje wordt gezet. Ze keek nog eens zorgvuldig in het boekje dat Zes openhield, en wendde zich toen weer naar de muur waar ze de elementen die ze uit het boek nodig had, tekende.

Rachel stond ervan te kijken hoe goed Violet kon tekenen. Alle muren in de grot, van de ingang helemaal tot achterin waar ze werkten, waren bedekt met tekeningen. Ze stonden op elke beschikbare plek. Hier en daar leek het alsof ze in kleine open plekken tussen oudere tekeningen waren geperst. Sommige van die tekeningen waren erg goed en gedetailleerd met schaduw. De meeste waren echter eenvoudige tekeningen van beenderen, gewassen, slangen of andere dieren. Er waren afbeeldingen bij van mensen die dronken uit kroezen met schedels en gekruiste beenderen erop. Op een plek rende een vrouw die van stokjes leek te zijn gemaakt een huis uit dat in brand stond; de vrouw was ook omhuld met vlammen. Op een andere plek lag een man in het water naast een zinkende boot. Weer een ander tafereel toonde een slang die een man in zijn enkel beet. De wanden waren ook bedekt met tekeningen van doodskisten en graven van allerlei soorten. Alle tekeningen hadden echter één ding gemeen: het waren vreselijke dingen.

Maar er was geen enkele tekening in de hele grot die de complexiteit benaderde van hetgeen Violet nu aan het tekenen was. Andere tekeningen waren slechts af en toe levensgrote afbeeldingen van mensen, en zelfs daar waren maar een paar dingen aan toegevoegd, zoals rotsen die op hen vielen of dat ze werden vertrapt door een paard. De meeste tekeningen waren meer van hetzelfde, maar waren slechts een paar handbreedtes groot. Violets tekening ging echter een paar meter door, van de grond tot zo hoog ze kon reiken, en dan dieper de grot in. Violet had dat hele ding in haar eentje getekend, onder begeleiding van Zes natuurlijk.

Maar wat Rachel het meest alarmeerde, was dat nadat Violet een tijd aan de tekening had gewerkt, nadat ze er sterren, formules, diagrammen en vreemde, ingewikkelde symbolen aan had toegevoegd, ze in het midden van dat alles uiteindelijk de gestalte van een persoon had getekend. Die persoon was Richard.

Violets tekening was anders dan alle andere in de grot. Alle andere tekeningen waren hiermee vergeleken simpel en ruw. De andere tekeningen waren eenvoudig en duidelijk, zoals een donderwolk met schuine strepen om regen aan te duiden, of een grauwende wolf, of een man die naar zijn borst greep terwijl hij achterover viel. Er stond weinig anders op de muren, op een paar simpele dingen om de figuren heen na.

Violets tekening zat vol elementen die volkomen anders waren. Er stonden getallen en vormen, woorden in vreemde talen, sommige langs de lijnen van diagrammen geschreven, zorgvuldig op plaatsen waar hoeken samenkwamen, en er waren overal in de afbeelding vreemde geometrische symbolen aangebracht. Telkens als Violet een van die symbolen tekende, kwam Zes heel dichtbij staan en fluisterde ze geconcentreerd aanwijzingen voor elke lijn. Soms corrigeerde ze de plek waar Violet het krijtje wilde plaatsen, voorkwam dat ze het de muur liet raken zodat het niet in de verkeerde volgorde of op de verkeerde plaats terechtkwam. Eenmaal schrok Zes en greep Violets pols voor ze het krijtje op de muur kon zetten. Zuchtend van opluchting bewoog Zes toen Violets hand en hielp haar op de juiste plek te beginnen.

In tegenstelling tot de andere tekeningen in de grot, werd die van Violet gemaakt in verschillende kleuren. De andere tekeningen, helemaal tot diep in de grot, tot waar Violet met die van haar was begonnen, waren eenvoudige krijttekeningen. Violets tekening bevatte groene bomen, blauw water, een gele zon en rode wolken. Sommige vormen waren helemaal in het wit gemaakt, en andere hadden meerdere kleuren die ordelijk waren ingedeeld.

En in tegenstelling tot alle andere tekeningen kon Rachel, als ze bij het verlaten van de grot achteromkeek, elementen van deze tekening in het donker zien opgloeien. De gloed kwam niet door de kalk, want diezelfde kalk op andere delen in de tekening gloeide niet op.

Er was ook ergens een deel van een symbool dat opgloeide wanneer het in het duister werd gedompeld. Het was een vreemd gezicht, dat gloeide in een verder donkere tekening die helemaal bestond uit ingewikkelde vormen. Telkens als de fakkel in de buurt kwam, was het gezicht niet te zien en leek het alleen maar op een netwerk van lijnen. Rachel kon nooit zien welke delen van de tekening nu eigenlijk het gezicht vormden, maar in het donker leek het haar aan te staren, met zijn ogen te volgen, haar na te kijken toen ze vertrok.

Maar waar Rachel pas echt kippenvel van kreeg, was de afbeelding van Richard. Die was zo goed getekend, dat Rachel hem alleen al aan zijn gezicht kon herkennen. Rachel was stomverbaasd om te zien hoe goed Violet kon tekenen. Er waren echter nog andere dingen waaraan je kon zien dat het Richard was, zelfs als de tekening niet zo goed was geweest. Zijn zwarte tenue was accuraat weergegeven, net zoals Rachel het zich herinnerde. Er waren zelfs enkele van die mysterieuze symbolen rond de zomen van zijn tuniek aangebracht. Zes had Violet heel precies begeleid bij het tekenen van die vormen. In Violets tekening droeg Richard ook de soepele mantel die van gesponnen goud leek te zijn gemaakt. Zoals Violet die had getekend, leek het bijna alsof hij onder water stond.

En overal rondom hem waren golvende gekleurde vlakken aangebracht, die Zes 'aura's' noemde. Bij elke kleur lagen complexe formules en vormen tussen de vlakken en Richard in. Zes had gezegd dat uiteindelijk, als laatste stap, die tussenliggende elementen tussen hem en zijn wezen zouden worden verbonden om een barrière te vormen. Wat dat betekende, wist Rachel niet, maar ze begreep dat het belangrijk was voor Violet. Zes scheen vooral op dat deel trots te zijn, op die tussenliggende barrière. Soms stond ze er lange tijd alleen maar naar te staren.

In de tekening had Richard het Zwaard van de Waarheid bij zich, maar het was vaag getekend, alsof het tegelijkertijd wel en niet van hem was. Het leek bijna deel van hem uit te maken zoals Violet het had getekend; het kruiste zijn borst, maar Rachel kon niet bepalen of hij het vasthield, doordat het zwaard zo vaag was getekend. Violet had er hard aan gewerkt om haar tekening zo te maken. Zes had het haar een paar keer laten overdoen, omdat ze zei dat het te 'stoffelijk' was.

Rachel verwonderde zich erover dat het zwaard bij Richard was getekend, aangezien Samuel Richards zwaard nu had. Toch leek het niet meer dan passend dat Richard met het zwaard was getekend. Misschien vond Zes dat ook.

Violet stapte achteruit, hield haar hoofd schuin en beoordeelde haar werk. Zes stond gefascineerd toe te kijken, te staren alsof ze helemaal alleen was. Ze stak aarzelend een hand uit en raakte lichtjes de vormen rondom Richard aan.

'Wanneer maken we de uiteindelijke verbinding tussen de elementen?' vroeg Violet.

Terwijl Zes met haar vingers langzaam, lichtjes over de vormen streek, reageerden enkele tussenliggende elementen op haar aanraking door te flonkeren en te gloeien in het schemerige licht.

'Binnenkort,' fluisterde ze. 'Binnenkort.'

27

'**M**eester Rahl!'

Richard draaide zich nog net op tijd om om Berdine halsoverkop op zich af te zien rennen en een sprong te zien maken. Ze belandde tegen zijn borst en sloeg zowel haar armen als haar benen om hem heen, met een kracht die hem de adem benam. Haar lange, eenvoudige vlecht van golvend bruin haar sloeg als een zweep om hem heen. Richard zette wankelend een stap achteruit terwijl hij zijn armen om haar heen sloeg zodat ze niet zou vallen. Met haar armen en benen om hem heen geklemd, leek ze echter zijn hulp niet nodig te hebben.

Richard had zelfs een vliegende eekhoorn zelden zo'n grote sprong zien maken. Ondanks alles wat hij aan zijn hoofd had, moest hij toch glimlachen om Berdines uitgelatenheid. Wie had gedacht dat een Mord-Sith ooit zo spontaan uitbundig zou worden als een klein meisje?

Ze leunde achterover met haar handen om zijn schouders en haar benen nog om zijn middel geslagen, en grijnsde naar hem. Toen ontmoette ze Cara's afkeurende blik. 'Ik ben nog steeds zijn favoriet, dat kan ik merken.'

Cara rolde enkel met haar ogen.

Met zijn handen om Berdines middel tilde Richard haar op en zette haar neer. Ze was kleiner dan de meeste andere Mord-Sith die Richard kende. Ze was ook voluptueuzer en veel levendiger. Richard had haar altijd een nogal ontwapenende mengeling van onschuldige sensualiteit met ondeugende speelsheid gevonden. Net als alle Mord-Sith, bezat ze echter ook het potentieel van plotseling, meedogenloos geweld, dat vlak onder het sprankelende oppervlak van haar kinderlijke verwondering verborgen lag. Ze hield openlijk en vol passie van Richard, maar op een eerlijke, onschuldige, zusterlijke manier.

'Het is hartverwarmend om je weer te zien, Berdine. Hoe gaat het met je?'

Ze keek hem verwonderd aan. 'Meester Rahl, ik ben Mord-Sith. Hoe denkt u dat het gaat?'

'Je zult wel volop problemen veroorzaken,' zei hij zachtjes.

Ze glimlachte, ingenomen met zijn opmerking. 'We hoorden dat u hier al was geweest, maar toen ben ik u net misgelopen. Dat was al de tweede keer in korte tijd. Ik wilde u niet nog eens laten verdwijnen voordat ik u had gezien. We hebben zoveel te bespreken dat ik niet eens weet waar ik moet beginnen.'

Richard keek de brede gang door, over het grote vlak goudkleurig marmer met vele aderen in een diagonaal patroon dat was omrand met zwart graniet, en zag een groepje soldaten met ferme pas in zijn richting marcheren. Hoog boven hem viel de regen aanhoudend op de dakramen waardoor een vlak, grijs licht binnenviel. Op de een of andere manier leek dat matte licht zich te verzamelen en helder te weerkaatsen op de gepoetste borstplaten van de soldaten.

Ze hadden allemaal gebogen bijlen aan hun riemen gehaakt, naast de zwaarden en lange messen die ze ook droegen. Enkele mannen waren bewapend met kruisbogen, die waren aangespannen en klaar om te vuren. Die mannen, tot wie de anderen een ruime afstand hielden, droegen zwarte handschoenen. Hun kruisbogen waren geladen met dodelijk uitziende schichten met rode veren.

De gangen waren vol met allerlei soorten mensen, van degenen die hier woonden en werkten, tot de mensen die hier waren gekomen om goederen te verhandelen of te ruilen. Ze weken allemaal uiteen voor de naderende soldaten. Tegelijkertijd wierpen ze steelse blikken op Richard. Als Richard hen aankeek en ze betrapte, bogen sommigen hun hoofd terwijl anderen zich op een knie lieten vallen. Richard glimlachte en probeerde ze op hun gemak te stellen.

Het kwam maar zelden voor, tenminste de afgelopen jaren, dat de Meester Rahl thuis in zijn paleis was. Richard kon nauwelijks van de mensen verwachten dat ze niet nieuwsgierig naar hem keken. In zijn zwarte tenue van de oorlogstovenaar, met de soepele gouden mantel, was hij moeilijk over het hoofd te zien. Maar hij kon een dergelijke plek nog steeds niet als zijn thuis zien; in zijn hart was het Hartlandbos zijn thuis. Hij was opgegroeid tussen hoge bomen, geen enorme stenen pilaren.

Commandant-generaal Trimack van het Eerste Rot in het Volkspaleis kwam abrupt tot stilstand en bonsde bij wijze van saluut met zijn vuist tegen de voorgevormde lederen wapenrusting over zijn borst. Het zachte metalige gerammel van wapenrustingen stierf weg nadat de twaalf mannen bij hem ook een saluut hadden gebracht. Die mannen, die constant in de gangen rondkeken en elk van de voorbijgangers in ogenschouw namen, waren de persoonlijke wachters van de Meester Rahl wanneer hij in zijn paleis was. Ze keken stuk voor stuk naar Cara en maakten een snelle beoordeling van Nicci, die naast Richard stond. Deze mannen waren de ring van staal die voorkwam dat het kwaad zelfs maar een blik kon werpen op de Meester Rahl. Ze dienden in het Eerste Rot, omdat zij de meest vaardige en loyale leden waren van alle D'Haraanse troepen.

Na het saluut maakte de commandant nog een buiging voor Cara en toen voor Richard. 'Meester Rahl, we zijn verheugd u eindelijk thuis te mogen verwelkomen.'

'Ik ben bang dat het slechts een kort bezoekje is, generaal Trimack. Ik kan niet blijven.' Richard gebaarde naar Cara en Nicci. 'We hebben dringende zaken af te handelen en moeten meteen weer vertrekken.'

Generaal Trimack, die oprecht teleurgesteld maar niet heel verbaasd keek, slaakte een zucht. Toen leek hem iets in te vallen en klaarde zijn gezicht wat op. 'Hebt u die vrouw gevonden – uw vrouw – die in de Tuin des Levens was geweest en dat beeldje had achtergelaten dat u daar vond?'

Richard voelde een steek van pijn om Kahlan. Hij voelde zich schuldig omdat hij niet meer deed om haar te vinden. Hoe kon hij zich steeds door andere dingen laten weerhouden om naar Kahlan te zoeken? Hoe kon er ook maar iets belangrijker zijn en hem afleiden van zijn zoektocht naar haar? Hij probeerde niet te denken aan het visioen over haar dat Shota hem had gegeven. Het leek wel alsof hij door alles wat er gaande was, zijn zoektocht naar de persoon die het meeste voor hem betekende, aan de kant had gezet. Hij wist dat het niet echt zo was, dat er niets aan te doen was, maar toch moest hij terug naar de Burcht en een manier ontdekken om haar te vinden. Ook al werkte hij aan andere dingen, ze was nooit echt lang uit zijn gedachten. Hij dacht constant na over waar Zuster Ulicia Kahlan naartoe kon hebben gebracht. Nu ze de kistjes van Orden hadden – of althans, twee ervan – waar zouden de Zusters dan naartoe gaan? Wat konden ze van plan zijn? Als hij dat kon uitvissen, kon hij misschien achter ze aan gaan.

Het viel hem ook in dat ze nog steeds *Het boek van de getelde schaduwen* nodig hadden om het juiste kistje van Orden open te maken, dus het was ook mogelijk dat als hij maar lang genoeg op één plek bleef, ze naar hem toe zouden moeten komen, aangezien het boek nu alleen nog maar in zijn herinnering bestond. Het simpele feit was dat als ze niet bereid waren te gokken en de kans te lopen dat ze het mis hadden, ze *Het boek van de getelde schaduwen* nodig hadden om het juiste kistje te openen. Richard kon zich niet voorstellen dat ze dat zouden riskeren om wat zij verwachtten dat hun onsterfelijkheid zou betekenen. Ze hadden de sleutel nodig die alleen hij had, om de oplossing voor het openen van het juiste kistje te vinden. Kahlan was een deel van de sleutel tot die oplossing, maar ze hadden nog steeds nodig wat alleen Richard had.

De enige methode die hij kon bedenken om haar te vinden, was door alles te weten te komen over ketenvuur en de kistjes van Orden, en ergens in die mengeling lag dan misschien een aanwijzing over wat de Zusters zouden gaan doen. De boeken die hij daarvoor moest bestuderen, en de mensen die ze het best begrepen en veruit de meeste ervaring met dergelijke dingen hadden, waren in de Burcht. Hij moest daar weer naartoe.

Richard keek in de afwachtende ogen van de generaal. 'Nog niet, vrees ik. We zijn nog steeds naar haar op zoek, maar dank u voor uw zorgen.'

Niemand behalve Richard kon zich haar zelfs maar herinneren; haar glimlach, de schaduw van haar ziel, die te zien was in haar groene ogen. Af en toe leek Kahlan zelfs voor hem niet echt. Ze leek onmogelijk, iemand die nooit alles kon zijn wat hij zich herinnerde, alsof ze alleen maar een voortbrengsel kon zijn van al zijn diepste wensen voor zijn leven. Hij kon begrijpen hoeveel moeite de mensen in zijn omgeving hadden om met deze situatie om te gaan.

'Het spijt me dat te horen, Meester Rahl.' De generaal tuurde langs de menigte mensen in de gangen. 'Ik vertrouw erop dat u deze keer tenminste niet hier bent midden in een chaos van problemen?'

Nu was het Richards beurt om te zuchten. Waar moest hij beginnen? 'Ergens wel.'

'Het leger van de Imperiale Orde stoot nog steeds door naar D'-Hara?' vroeg de generaal.

Richard knikte. 'Ik ben bang van wel. Om kort te gaan, generaal, heb ik onze troepen het bevel gegeven niet in een veldslag tegen keizer Jagangs leger te vechten, omdat ze niet voldoende manschappen hebben om een kans te maken. Het zou een slachtpartij worden zonder enig resultaat, en Jagang zou uiteindelijk toch de hele Nieuwe Wereld overheersen.'

Generaal Trimack krabde over een litteken, dat wit afstak tegen de roodachtige huid achter op zijn kaak. 'Maar welke andere optie hebben we dan, Meester Rahl, dan de vijand in een veldslag tegemoet te treden?' Zijn zachte, eenvoudige woorden klonken als advies, met een voorzichtigheid die voortkwam uit ervaring, met hoop die op de rand van wanhoop balanceerde.

Een tijdlang luisterde Richard naar het gefluister van voetstappen op steen, een kathedraalachtig geluid, terwijl de menigte zich gestaag door de gangen bewoog.

'Ik heb onze troepen opgedragen onmiddellijk te vertrekken en de Oude Wereld in de as te leggen.' Richard richtte zijn blik weer op de generaal. 'Zij wilden een oorlog; ik ben van plan ze die wens door de strot te rammen en ze erin te zien stikken.'

Bij dat onthutsende nieuws viel bij enkele mannen de mond open. Commandant-generaal Trimack staarde hem een tijdje verbaasd aan, maar toen streelde hij peinzend met een vinger over zijn litteken. Uiteindelijk bewees zijn sluwe blik dat hij ondanks zijn aanvankelijke verbazing wel wat voelde voor het idee. 'Ik neem aan dat dat betekent dat het Eerste Rot die smeerlappen uit het paleis zal moeten houden.'

Richard keek de man in de ogen. 'Denkt u dat u het aankunt?'

De mond van de generaal krulde op in een scheve glimlach. 'Meester Rahl, mijn nederige talent zal nauwelijks doorslaggevend voor de veiligheid van het paleis zijn. Uw voorvaderen hebben dit gebouw neergezet zoals het is, juist om te voorkomen dat iemand het zou innemen.' Hij gebaarde naar de hoog oprijzende pilaren, muren en balkons overal om hen heen. 'Naast de natuurlijke verdedigingen zit dit gebouw vol krachten waarmee begaafden van de vijand worden verzwakt.'

Richard wist dat het paleis was gebouwd in de vorm van een bezwering die de macht van een Rahl binnen het paleis versterkte en de kracht van elke andere begaafde verminderde. Het hele paleis zelf was gebouwd in de vorm van een embleem. Tot op zekere hoogte begreep Richard de vorm en de algemene betekenis ervan; hij herkende het krachtthema dat inherent was aan het patroon.

Helaas verzwakte die bezwering ook begaafden die aan zijn kant stonden, zoals Verna. Verna moest helpen bij de verdediging van het paleis, maar als zij en de andere Zusters werden verzwakt door de bezwering, dan zouden ze daar nog meer moeite mee hebben. Gelukkig zou iedereen die aanviel, hetzelfde probleem hebben, zodat het ze geen voordeel zou opleveren ten opzichte van Verna en haar Zusters. Hij kon er alleen maar op rekenen dat Verna haar best zou doen. 'Naast versterkingen stuur ik ook enkele Zusters hiernaartoe, samen met Verna, hun priores.'

Generaal Trimack knikte. 'Ik ken haar. Ze is koppig als ze blij is, en onmogelijk als ze dat niet is. Wat een geluk dat ze aan onze kant staat, Meester Rahl, en niet aan de andere.'

Richard kon een glimlach niet onderdrukken. De man kende Verna inderdaad. 'Ik kom terug zodra ik kan, generaal. Intussen reken ik op u om het Volkspaleis te bewaken.'

'De grote binnendeuren zullen verzegeld moeten worden.'

'Doe wat u het beste lijkt, generaal.'

'De grote deuren bevatten dezelfde kracht als de rest van het paleis, dus zij vormen geen zwakke schakel die een kans biedt om aan te vallen. Het enige punt is dat als we de deuren sluiten, er een eind komt aan de handel, en dat is het levensbloed van het paleis... in vredestijd, althans.'

Richard keek naar de drommen mensen die door de gang en over de balkons boven hem liepen. 'Met alles wat er gaande is, is er toch geen handel mogelijk in het paleis. Niemand zal in staat zijn de Azrith Vlakte over te steken, of elders in de Nieuwe Wereld te reizen. Overal ligt de handel op zijn gat. Bereid u maar voor op een lang beleg.'

De man haalde zijn schouders op. 'Dat doen vijandelijke legers altijd, daarbuiten wachten en hopen dat wij verhongeren. Onmogelijk; op de Azrith Vlakte zullen zíj eerst verhongeren. Komt u nog terug, Meester Rahl, om te helpen het paleis te verdedigen?'

Richard veegde met een hand over zijn mond. 'Ik weet niet wanneer ik weer terug kan komen. Maar als ik kan, kom ik, dat beloof ik. Nu moet ik me richten op deze nieuwe inspanning. We gaan proberen de Orde de das om te doen door het hart eruit te snijden in plaats van te proberen tegen hun spierballen te vechten.'

'En als ze een beleg van het paleis beginnen en u moet terugkeren? Hoe komt u dan binnen?'

'Nou, ik heb geen draak, dus hierheen vliegen gaat niet.' Toen de man hem alleen maar niet-begrijpend aanstaarde, schraapte Richard zijn keel en zei: 'Als het nodig is, kan ik op dezelfde manier komen als ik vandaag heb gedaan, met behulp van magie, met de sliph.'

De generaal keek niet alsof hij het begreep, maar hij aanvaardde wat Richard zei zonder vragen te stellen.

'Ik ga er nu weer naar terug, generaal. Als u wilt, kunt u ons begeleiden en het met eigen ogen zien.'

Generaal Trimack keek enigszins opgelucht dat hij werd uitgenodigd om mee te gaan en de Meester Rahl te beschermen. Richard pakte Berdines arm en liep samen met haar door de gang, terwijl de soldaten een beschermend kordon om hem heen trokken. Berdine was aanzienlijk kleiner dan Richard, dus boog hij zich een beetje omlaag om met haar te praten zonder zijn stem te verheffen. 'Ik moet een paar dingen weten. Heb je nog verder gewerkt aan de vertaling van Kolo's boek?'

Ze grijnsde als een keukenmeid die roddels te vertellen had. 'Dat kun je wel zeggen. Vanwege sommige dingen die Kolo schreef, heb ik echter mijn onderzoek moeten uitbreiden naar andere boeken, zodat ik beter kon begrijpen hoe alles in elkaar grijpt.' Ze boog zich dichter naar hem toe. 'Er waren dingen gaande die wij niet eens beseften, voorheen, toen we er samen aan werkten. We hadden nog maar een topje van de ijsberg gezien.'

Richard dacht dat ze er de helft nog niet van wist. 'Denk je dat die dingen te maken hebben met Eerste Tovenaar Baraccus?' Berdine bleef abrupt stilstaan en staarde hem aan. 'Hoe wist u dat?'

28

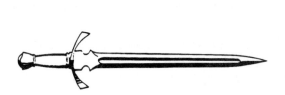

Richard stak zijn arm uit, pakte Berdine vast en trok haar met zich mee. 'Ik leg het later wel uit, als ik meer tijd heb. Wat schreef Kolo in zijn dagboek over Baraccus?'

'Nou, wat Kolo schreef is slechts een deel van het verhaal. Kolo heeft alleen wat aanwijzingen gegeven over wat er gaande was, dus om de lege plekken in te vullen, ben ik begonnen de boeken te lezen in uw eigen geheime bibliotheken.'

Het bleef Richard verbazen dat hij nu, als de Meester Rahl, toegang had tot dergelijke geheime bibliotheken. Hij nam aan dat al die boeken een onvoorstelbare schat aan kennis bevatten. 'Wat voor boeken?'

Berdine wees. 'Een van die bibliotheken ligt op onze route, niet in de openbare gedeelten maar dieper in de privégedeelten van het paleis; plekken waar bijna niemand mag komen. Ik zal het u laten zien. Een deel hiervan heeft te maken met iets wat centrale locaties worden genoemd.'

Nicci, die aan zijn andere zijde voortbeende, boog zich naar hem toe. 'Nathan heeft me wel eens verteld dat hij gelezen had over plekken, die ook centrale locaties werden genoemd.'

'Zoals?' vroeg Richard.

Nicci trok haar blonde haren weg van haar gezicht en legde ze op haar rug. 'De centrale locaties zijn supergeheime bibliotheken. Ergens rond of na de grote oorlog zijn de centrale locaties aangelegd als veilige, goed bewaakte en verborgen plekken om boeken te bewaren. Boeken waarvan men vond dat ze te gevaarlijk waren om te worden gelezen door ieder ander dan een heel beperkt, select groepje mensen. Nathan dacht dat er mogelijk een stuk of zes van die locaties waren.'

'Dat klopt,' zei Berdine. Ze keek om zich heen om te controleren of geen van de soldaten hen kon afluisteren. 'Meester Rahl, ik heb een verwijzing gevonden waarin werd geïmpliceerd dat ten minste enkele van die locaties zijn gemarkeerd met de naam van een Meester Rahl uit de profetie.'

Richard bleef staan. 'Je bedoelt dat ze zijn naam op een grafsteen hebben gezet?'

Berdine trok haar wenkbrauw op. 'Inderdaad. Er stond dat die plekken, die bibliotheken, zich bij de botten bevonden. Voor zover ik weet van profetie, was het de bedoeling dat een toekomstige Meester Rahl de boeken daar zou moeten kunnen vinden, en daarom stond er, tenminste op één plek, dat zijn naam op een grafsteen was gezet.'

'In Caska.'

Berdine knipte met haar vingers en schudde toen met een wijsvinger onder zijn neus. 'Dat is inderdaad de plek die werd genoemd. Hoe wist u dat?'

'Ik ben er geweest. Mijn naam staat op een groot monument op de begraafplaats.'

'U bent er geweest? Waarom? Wat zocht u? Wat hebt u gevonden?'

'Ik heb een boek gevonden – *Ketenvuur* – waarmee ik kon bewijzen wat er met mijn vrouw is gebeurd.'

Berdine wierp een blik op Cara en Nicci voordat ze Richard weer aankeek. 'Ik heb geruchten gehoord dat u een vrouw hebt. Eerst dacht ik dat het stom geroddel was. Dus het is echt waar?'

Richard haalde diep adem terwijl ze door de gang liepen, omgeven door wachters en aangestaard door de passerende menigte. Hij had geen zin om aan Berdine uit te leggen dat ze Kahlan kende en in feite behoorlijk wat tijd met haar had doorgebracht. 'Het is waar,' zei hij alleen maar.

'Meester Rahl, wat is er allemaal gaande?'

Richard wuifde de vraag weg. 'Het is een lang verhaal, en ik heb nu geen tijd om het te vertellen. Wat is er met die centrale locaties waar je zo opgewonden over bent?'

'Nou,' zei Berdine terwijl ze zich tijdens het lopen weer naar hem toe boog, 'u weet toch nog dat Baraccus zelfmoord pleegde toen hij terugkeerde uit de Tempel der Winden?'

Richard keek haar kort aan. 'Ja.'

'Daar zat iets achter.'

'Hoe bedoel je?'

Berdine kwam bij een zijgang, die werd bewaakt door twee mannen met lansen. Toen ze Richard en zijn geleide zagen, sloegen ze zich met een vuist op de borst en stapten aan de kant. Berdine trok een van de dubbele, met metaal beklede, deuren open. Op het gepolijste oppervlak was een gedetailleerde afbeelding van een hoftuin aangebracht. Achter de deur lag een smallere gang, betimmerd met diepglanzend mahoniehout, waar geen mensen waren. Het was de ingang naar de privégedeelten van het paleis. 'Ik heb niet kunnen ontdekken wát, maar ik denk dat Baraccus iets deed terwijl hij in de Tempel der Winden was.' Berdine keek naar hem om of hij oplette. 'Iets belangrijks. Iets groots.'

Richard knikte terwijl hij Berdine door de lege gang volgde. 'Toen Baraccus in de Tempel der Winden was, heeft hij er op de een of andere manier voor gezorgd dat ik met Subtractieve Magie zou worden geboren.'

Deze keer was het Nicci die Richards arm greep, hem met een ruk tot stilstand bracht en naar haar omdraaide. 'Wat? Hoe kom je aan dat idee?'

Richard knipperde met zijn ogen om haar onthutste gezicht. 'Dat heeft Shota me verteld.'

'En hoe moet Shota zoiets weten?'

Richard haalde zijn schouders op. 'Je kent heksen toch, ze zien dingen in de tijdstroom. En de rest heb ik afgeleid uit stukken van de geschiedenis die ik ken.'

Nicci keek allesbehalve overtuigd. 'Waarom zou Baraccus in godsnaam zoiets doen? Shota wil je wijsmaken dat die oude tovenaar toevallig naar de onderwereld reisde en dat hij toen hij daar was dacht: Ach, nu ik er toch ben, laat ik er dan eens voor zorgen dat als de een of andere Richard Rahl over drieduizend jaar wordt geboren, hij meteen maar even de Subtractieve Magie meekrijgt?

Richard keek haar aan. 'Het is een beetje ingewikkelder, Nicci. Ik ben er vrij zeker van dat hij het deed om iets tegen te gaan wat een andere tovenaar had gedaan die er vóór hem was geweest. Die tovenaar was Lothain. Ken je hem nog, Berdine?'

'Natuurlijk.'

'Lothain was een spion.'

Berdine haalde geschrokken adem. 'Dat dacht Kolo ook – dat hij al die tijd al een spion was – dat hij daar was neergezet om te wachten op een kans toe te slaan. Kolo geloofde niet dat Lothain gewoon gek was geworden of zoiets, zoals iedereen aannam. Dat was het verhaal in die tijd, dat de spanning en het gevaar van zijn werk Lothain hadden aangegrepen en dat hij er niet meer tegen kon, dat hij gewoon zijn verstand was verloren. Kolo heeft nooit moeite gedaan om andere mensen te vertellen wat hij dacht, omdat hij vermoedde dat ze hem toch niet zouden geloven, en ook omdat de mensen waren gaan geloven dat Baraccus de spion was.'

Richard fronste zijn voorhoofd terwijl hij verder liep. 'Baraccus! Dat is belachelijk.'

'Dat vond Kolo ook.'

'Wat heeft die tovenaar Lothain dan zogenaamd gedaan?' vroeg Nicci op ferme toon, om hem terug te brengen naar het onderwerp en om de ernst van haar vraag te onderstrepen.

Richard keek even in haar blauwe ogen en zag daar niet alleen Nicci, maar de machtige tovenares die ze in werkelijkheid was. Door haar prachtige gelaat, haar indringende blauwe ogen en de manier waarop ze hem met zoveel ontzag bejegende, om nog maar niet te spreken over haar trouwe vriendschap, was het eenvoudig te vergeten dat ze een tovenares was die dingen had gezien en gedaan die hij zich nauwelijks kon voorstellen. Ze was waarschijnlijk een van de machtigste tovenaressen die ooit had geleefd, en ze was zeker iemand om rekening mee te houden.

Bovendien verdiende Nicci het om de waarheid te weten. Hij had niet geprobeerd die voor haar achter te houden, hij had gewoon nog geen tijd gehad om erover te praten. In feite wenste hij dat hij er haar al over had verteld, dat hij had gevraagd wat zij van dit alles vond, vooral dat deel over de geheime bibliotheek van Baraccus en het boek dat hij zijn vrouw daarheen had laten brengen om veilig te bewaren voor Richard... tot de dag dat er weer een oorlogstovenaar was om voor hun zaak te strijden.

Richard zuchtte. Er was gewoon nog geen tijd geweest. Hoe graag hij haar ook alles wilde vertellen, hij wilde er de tijd voor nemen en zelf ook enkele vragen stellen, dus besloot hij voor nu de meeste details weg te laten en het kort te houden.

'Lothain was een spion voor de regenten van de Oude Wereld. Misschien voorzag hij dat ze niet in staat zouden zijn om de oorlog te winnen. Misschien nam hij alleen maar extra voorzorgsmaatregelen. Hoe dan ook, toen hij naar de Tempel der Winden ging, plantte hij het zaad zodat hun zaak op een zeker moment in de toekomst weer kon opstaan. Hij deed tenminste iets om te zorgen dat er weer een droomwandelaar zou worden geboren. Baraccus was niet in staat de sabotage ongedaan te maken, dus deed hij iets anders. Hij zorgde ervoor dat er een tegenwicht zou worden geboren: ik.'

Nicci, sprakeloos, kon hem alleen maar aanstaren.

Richard wendde zich weer naar Berdine. 'Maar wat heeft die toestand met Baraccus te maken met die centrale locaties?'

Berdine keek weer om zich heen om te zien waar de soldaten zich bevonden. 'Kolo schreef in zijn dagboek dat er onder een groep invloedrijke mensen werd gefluisterd dat Baraccus misschien een verrader was, en dat als dat zo was, hij misschien iets vreselijks had gedaan in de Tempel der Winden.'

Richard schudde gefrustreerd zijn hoofd. 'Wat dachten ze dan dat hij had gedaan?'

Berdine haalde haar schouders op. 'Daar ben ik nog niet achter. Het werd allemaal heel stil gehouden. Ze waren allemaal heel voorzichtig. Niemand wilde rechtstreeks iets zeggen of Baraccus beschuldigen van verraad. Ze wilden niet de verkeerde mensen kwaad maken. Hij werd nog steeds door heel veel mensen erg hoog geacht, ook door Kolo.

Het zou zelfs wel kunnen dat ze geen specifieke beschuldiging hadden, maar gewoon het vermoeden hadden dat hij misschien iets had gedaan. Vergeet niet dat er na Baraccus nooit meer iemand de Tempel in kon komen, tot u dat deed. Blijkbaar waren ze ook bang voor die vrouw, Magda Searus. U weet wel, die later Belijdster werd.'

'Ja, dat weet ik nog,' zei Richard. 'Toch vind ik het vreemd dat iets wat mogelijk zo rampzalig kon zijn, niet openlijker werd besproken.'

'Nee,' zei Berdine zachtjes, bijna alsof de geesten van het verleden haar anders zouden horen. 'Dat is het juist. Ze vreesden dat als mensen hun vermoedens ontdekten, het dan paniek zou kunnen veroorzaken of zoiets, dat mensen het zouden opgeven. Vergeet niet dat de oorlog toen nog gaande was en het nog maar de vraag was of ze het zouden overleven, laat staan of ze zouden overwinnen. Iedereen maakte zich zorgen over de moraal van de mensen die maar door bleven vechten, en tegelijkertijd waren ze op zoek naar een manier om te overwinnen. En midden tussen dat alles maakte dat kleine groepje hooggeplaatste mensen zich zorgen dat Baraccus iets vreselijks had gedaan in de Tempel der Winden.'

Richard stak zijn handen omhoog. 'Zoals wat dan?'

Berdines gezicht vertrok in een getergde uitdrukking. 'Weet ik niet. Kolo gaf alleen maar vage aanwijzingen. Hij geloofde in Baraccus. En hij was boos omdat die mensen deden wat het dan ook was wat ze deden, maar tegelijkertijd was hij niet in de positie om hen tegen te spreken. Hij was niet een van de bevelhebbers of een tovenaar met een voldoende hoge rang.

Maar er was een alinea in zijn dagboek waar ik kippenvel van kreeg toen ik haar las. Ik weet niet of die over het dispuut over Baraccus ging of niet. Het wees er niet specifiek op, niet zo...'

'Wat stond er in die alinea?'

Samen met Richard leunden ook Nicci en Cara naar voren.

Berdine zuchtte diep. 'Hij schreef in zijn dagboek, vertelde over het rotweer en hoe zat iedereen de regen was, en hij maakte een terloopse opmerking dat hij van streek was omdat hij van zijn bronnen had vernomen dat "ze" vijf kopieën hadden gemaakt van "het boek dat nooit mocht worden vermenigvuldigd".'

Daar keek Richard van op, en hij kreeg kippenvel.

'Niet ver daarna,' zei Berdine, 'schreef hij weer over de centrale locaties.'

'Dus wat denk je dan? Dat ze misschien die kopieën die ze niet hadden mogen maken, hebben verstopt op die geheime centrale locaties?'

Berdine glimlachte en tikte met haar vinger tegen haar slaap. 'Nu begint u dezelfde vragen te stellen die ik mezelf ook al heb gesteld.'

'En hij vertelt helemaal niet welk boek ze dan hadden vermenigvuldigd?' vroeg Nicci. 'Zelfs geen aanwijzing?'

Berdine schudde haar hoofd. 'Dat is het deel waar ik kippenvel van kreeg. Maar er stond meer dan zijn woorden alleen.'

'Hoe bedoel je?' vroeg Nicci ongeduldig.

'Je weet dat als je zo lang werkt aan de vertaling van het werk van een bepaalde auteur, je leert zijn stemming te peilen, zijn bedoelingen te begrijpen, zijn gedachtegangen te volgen, ook al heeft hij die niet opgeschreven? Nou.' Ze trok haar bruine vlecht over haar schouder en speelde met het uiteinde 'Ik kon aan de manier waarop hij het schreef, zien dat hij zelfs bang was om de titel van zo'n geheim boek, zo'n belangrijk boek dat het nooit mocht worden vermenigvuldigd, op te schrijven. Het was alsof hij op eieren liep door het zelfs maar in zijn dagboek te noemen.'

Richard vond dat ze zeker een goed punt had.

Berdine bleef staan voor een hoge, zwartgeverfde ijzeren deur. 'Hier heb ik de boeken gevonden waarin staat dat de centrale locaties zich bij de botten bevinden, wat dat ook betekenen mag.'

'De plek die ik heb gevonden, lag tussen de catacomben,' zei Richard.

Berdine fronste haar voorhoofd peinzend. 'Dat zou het kunnen verklaren.'

'Nathan heeft me verteld,' zei Nicci zachtjes terwijl haar blik van Richard naar Berdine en weer terugging, 'dat hij denkt dat er catacomben onder het Paleis van de Profeten waren, en dat het paleis zelf daar was gebouwd om te verbergen wat er begraven lag.'

De soldaten kwamen tot stilstand en verzamelden zich in een groepje een eindje verderop in de gang. Richard zag Berdine naar hen kijken.

'Wilt u hierbuiten even wachten met uw mannen?' vroeg Berdine aan generaal Trimack. 'Ik moet de bibliotheek in om Meester Rahl enkele boeken te laten zien. Ik denk dat het verstandig is dat u de gang bewaakt en zorgt dat er niemand rondsluipt.'

De generaal knikte en liet zijn mannen postvatten op verschillende plekken in de gangen. Berdine haalde een sleutel onder haar kleding vandaan. 'Hierbinnen heb ik een boek gevonden waar ik nachtmerries van kreeg.' Ze keek om naar Richard en opende de deur.

Nicci boog zich dicht naar Richards oor toe. 'Deze plek is afgeschermd.' Haar stem klonk gespannen van wantrouwen.

'Maar zij is niet begaafd,' fluisterde Richard terug. 'Ze kan niet door schilden heen. Als het afgeschermd is, hoe kan zij dan binnenkomen?'

Berdine, die hen hoorde, zwaaide met de sleutel toen ze die weer

335

uit het slot had verwijderd. 'Ik heb de sleutel. Ik wist waar Darken Rahl die verstopte.'

Nicci trok een wenkbrauw op en keek Richard weer aan. 'Met die sleutel heeft ze zojuist de schilden op de deur uitgeschakeld. Zoiets heb ik nog nooit eerder gezien.'

'Die sloten moeten zijn ontworpen om vertrouwde assistenten of onbegaafde wetenschappers toegang te geven,' gokte Richard. Hij wende zich weer tot Berdine terwijl zij met de grendel voor de zware deur bezig was. 'Heb je trouwens nog meer over Baraccus ontdekt?'

'Niet veel,' zei ze met een blik over haar schouder. 'Behalve dat Magda Searus, de vrouw die de eerste Belijdster werd, ooit met hem getrouwd is geweest.'

Richard kon haar alleen maar aanstaren. 'Hoe wéét ze die dingen toch?' mompelde hij binnensmonds.

'Wat zegt u?' vroeg Berdine.

'Niets,' zei hij, en hij maakte een wegwerpgebaar voordat hij naar de deur wees. 'Dus wat heb je daarbinnen gevonden?'

'Iets wat te maken heeft met wat Kolo schreef.'

'Je bedoelt over dat boek dat niet mocht worden vermenigvuldigd?'

Berdine schonk Richard alleen maar een sluwe glimlach terwijl ze de sleutel weer in een binnenzak van haar kleding wegstak en de zwarte deur openduwde.

29

Drie hoge vensters, die het grootste deel van de tegenoverliggende wand besloegen, lieten het vale licht van de late middag binnen. Er kletterde regen tegen het glas en de
druppels liepen in kronkelende stroompjes omlaag. De muren in
deze kamer waren volgebouwd met boekenplanken, die waren
gemaakt uit hout van de gouden eik. Er was net genoeg ruimte
in het midden van de kamer voor een eenvoudige eikenhouten tafel, die op zijn beurt slechts groot genoeg was voor vier houten
stoelen, een aan elke kant. Midden op tafel stond een opmerkelijke lamp met vier lobben, die elke stoel van eigen licht voorzag
door middel van een zilverkleurige reflector. Met een armgebaar
stuurde Nicci een vonk van haar gave naar de vier lonten. De
vlammen sprongen op en verspreidden een goudkleurige gloed
door de kleine kamer.

Richard zag dat, ondanks de manier waarop de bezwering van
het paleis de kracht van iedereen behalve een Rahl verzwakte, zij
geen moeite leek te hebben om de lampen aan te steken.

Berdine liep naar de boekenplanken rechts van de deur. 'In het
deel van Kolo's dagboek, waar hij het over het boek had dat niet
mocht worden vermenigvuldigd, denk ik dat hij impliceerde dat
de mannen die Baraccus niet vertrouwden, ook degenen waren
die de kopieën hadden gemaakt. Ik denk tenminste dat ik hen
bedoelde, maar ik ben er niet zeker van; hij noemt ze "die halfzachten van *Garkels garenspinsels*".'

Nicci draaide zich razendsnel om naar Berdine. '*Garkels garenspinsels*!'

Richard keek van Nicci's stomverbaasde gezicht naar dat van Berdine. 'Wat is *Garkels garenspinsels?*' vroeg hij.

'Een boek,' zei Berdine.

Richard keek Nicci vragend aan.

Nicci pufte geërgerd. 'Het is meer dan alleen maar een boek, Richard. *Garkels garenspinsels* is een boek met profetieën. Een heel, heel vreemd boek met profetieën. Het is zeven jaar voor de grote oorlog geschreven. In de gewelven onder het Paleis van de Profeten lag een vroege uitgave ervan. Het was een curiositeit die elke Zuster tijdens haar onderwijs over profetie heeft bestudeerd.'

Richard tuurde naar de boeken op de planken rondom. 'Wat was er zo vreemd aan?'

'Het is een boek met profetieën die uit niets anders bestaan dan roddels en achterklap.'

Richard keek haar weer aan. 'Ik snap het niet.'

'Nou,' zei Nicci, aarzelend op zoek naar de juiste woorden, 'men geloofde niet dat het profetie was over toekomstige gebeurtenissen... niet precies. Het is, nou, men denkt eigenlijk dat het profetieën zijn over toekomstige roddels, zogezegd.'

Richard wreef in zijn vermoede ogen en zuchtte. Hij keek weer op naar Nicci. 'Je bedoelt dat die kerel Garkel voorspellingen schreef over roddels?'

Toen Nicci knikte, kon hij alleen maar vragen: 'Waarom?'

Nicci boog zich een beetje naar hem toe. 'Dat is juist de vraag waar iedereen een antwoord op wilde hebben.'

Richard schudde zijn hoofd alsof hij het spinrag dat zijn gedachten vertroebelde, wilde afschudden.

'Er zijn veel dingen die geheim zijn, weet je.' Nicci gebaarde naar Berdine. 'Net zoals die toestand met dat boek dat niet mocht worden vermenigvuldigd. Dat soort geheimen blijft vaak geheim omdat mensen ze mee het graf in nemen. Daarom kunnen we soms tijdens het bestuderen van historische gegevens bepaalde mysteries niet oplossen, omdat er gewoon geen informatie te vinden is. Maar soms drijven er links en rechts kleine stukjes informatie rond, dingen die mensen hebben gezien of gehoord, en dan gaan die mensen over die smakelijke details roddelen. Er waren Zusters in het Paleis van de Profeten, die dachten dat er in dit profetische boek vol roddels aanwijzingen verstopt zaten over wat die toekomstige geheimen zouden blijken te zijn.'

Richard trok een wenkbrauw op. 'Je bedoelt dat die Zusters in feite luisterden naar roddels om iets nuttigs op te vangen?'

Nicci knikte. 'Zoiets, ja. Er waren namelijk enkele Zusters die dit boek met schijnbare onzin een van de belangrijkste profetische boeken vonden die er bestonden. Het werd heel goed bewaakt. Het mocht nooit de gewelven uit om te worden bestudeerd, zoals sommige andere boeken met profetieën.

Er waren Zusters die heel wat vrije tijd besteedden aan dit ogenschijnlijk rare boek. Aangezien mensen meestal niet de moeite nemen om roddels op te schrijven, denkt men dat *Garkels garenspinsels* het enige boek in zijn soort is, het enige schriftelijke verslag van roddels, ook al waren die nog niet ontstaan. Die Zusters geloofden dat er gebeurtenissen waren, die niet op een andere manier ontdekt of bestudeerd konden worden dan via dit boek, dat aan dergelijke gebeurtenissen voorafging. In feite geloofden zij dat ze gefluisterde roddels afluisterden over dingen die in de toekomst zouden gebeuren, roddels over geheimen. Ze geloofden dat *Garkels garenspinsels* waardevolle aanwijzingen bevatte over geheimen die niemand anders kende, en die op geen enkele andere manier bekend konden worden.'

Richard drukte zijn vingers tegen zijn voorhoofd terwijl hij dit alles probeerde te bevatten. 'Je zegt dat er Zusters waren die dit boek bestudeerden. Weet je toevallig ook namen van enkelen van die Zusters?'

Nicci knikte langzaam. 'Zuster Ulicia, bijvoorbeeld.'

'O, geweldig,' mompelde Richard.

Berdine opende een glazen deurtje voor een van de boekenplanken en haalde een boek van de plank. Ze draaide zich weer om en liet Richard en Nicci het kaft zien. De titel was *Garkels garenspinsels*.

'Toen ik in Kolo's dagboek las over "die halfzachten van *Garkels garenspinsels*", was die naam zo vreemd dat hij in mijn achterhoofd bleef hangen. Snapt u wat ik bedoel? Toen was ik hier op een dag bezig met onderzoek en kreeg ik die boektitel in het oog. Ik besefte niet dat het een boek met profetieën was, zoals jij zegt, Nicci.'

Nicci haalde een schouder op. 'Sommige boeken met profetieën zijn moeilijk als zodanig te herkennen, vooral voor iemand die daar niet in is opgeleid. Zulke belangrijke boeken kunnen gewoon saaie verslagen lijken of, in het geval van *Garkels garenspinsels*, niets meer dan triviale onzin.'

Berdine wees langs de boekenplanken rondom de kleine kamer. 'Alleen bewaren ze triviale dingen niet echt in deze ruimte.'

'Daar zeg je wat,' zei Richard.

Berdine glimlachte, blij dat hij de logica van haar redenatie inzag. Ze legde het boek neer op de tafel midden in de kleine bibliotheek en sloeg voorzichtig het kaft open. Ze bladerde door de kwetsbare pagina's tot ze de plek vond die ze zocht. Toen keek ze hen om de beurt aan. 'Aangezien Kolo dit boek noemde, dacht ik dat ik het zou moeten lezen. Het was heel saai. Ik viel bijna in slaap. Het leek helemaal niet van belang' – ze tikte op een bladzijde – 'tot ik dit hier zag. Hier werd ik echt wakker van.'

Richard draaide zijn hoofd om de woorden te lezen die ze aanwees. Hij moest even turen om de betekenis te achterhalen van de alinea, die in het Hoog-D'Haraans was geschreven. Hij krabde over zijn slaap terwijl hij hardop vertaalde. '"Zo zenuwachtig zullen die bemoeizieke halfzachten zijn wanneer ze de sleutel kopiëren die nooit moet worden vermenigvuldigd, dat ze zullen trillen van angst om wat ze hebben gedaan en dat ze de schaduw van de sleutel tussen de botten zullen gooien en nooit zullen onthullen dat slechts één sleutel waarachtig is gesneden."'

Het haar in Richards nek ging recht overeind staan.

Cara sloeg haar armen over elkaar. 'Dus je wilt zeggen dat toen het op de daad zelf aankwam en ze kopieën maakten, ze bang werden en dat alles op één kopie na nep is?'

Berdine haalde haar hand over haar lange vlecht van glanzend bruine haren. 'Het lijkt erop.'

Richard was nog steeds in gepeins verzonken. 'De schaduw van de sleutel tussen de botten gegooid...' Hij keek op naar Berdine. 'Ze hebben ze verstopt op de centrale locaties. Begraven bij de botten.'

Berdine glimlachte. 'Het is zo fijn dat u terug bent, Meester Rahl. U en ik denken precies hetzelfde. Ik heb u zo gemist. Er zijn zoveel dingen zoals dit, die ik met u had willen bespreken.'

Richard legde teder een arm om haar schouders en vertelde haar zonder woorden dat hij er net zo over dacht.

Berdine sloeg nog een paar bladzijden van het boek om en stopte uiteindelijk bij een bladzijde die leeg was. 'In een aantal boeken lijkt er tekst te ontbreken, zoals op deze plek hier.'

'Profetie,' zei Nicci. 'Het is een deel van de ketenvuurbetovering, die de Zusters van de Duisternis hebben gebruikt op Richards vrouw. De bezwering heeft ook alle profetie weggevaagd die gerelateerd was aan haar bestaan.'

Berdine overpeinsde Nicci's woorden. 'Dat zal het zeker des te moeilijker maken. Daardoor is veel informatie verdwenen die nuttig zou kunnen zijn. Verna had het erover dat er een exemplaar miste van de boeken van profetie, maar ze wist niet waarom.'

Nicci keek naar de boekenplanken. 'Laat me alle boeken zien die je kent, waarin tekst ontbreekt.'

Richard vroeg zich af waarom Nicci zo argwanend keek.

Berdine opende enkele glazen deurtjes en haalde er boeken achter vandaan, die ze om de beurt aan Nicci gaf. Nicci keek ze vluchtig door en legde ze toen op tafel. 'Profetie,' zei ze nog eens, terwijl ze het laatste boek dat Berdine haar gaf op de stapel gooide.

'Waar wil je naartoe?' vroeg Richard.

In plaats van antwoord te geven, keek ze naar Berdine. 'Heb je nog meer boeken gevonden met ontbrekende tekst?'

Berdine knikte. 'Nog eentje.'

Ze wierp een korte blik op Richard en duwde toen een rij boeken aan de kant. Achter op de boekenplank trok ze een paneel opzij. Een klein deel van de muur ging open en er verscheen een vergulde nis met een boekje op een donkergroen fluwelen kussentje met gouden franje. Het leren kaft zag eruit alsof hij ooit rood was geweest, maar was nu zo verbleekt en versleten dat de vage kleur nog enkel een aanwijzing was voor hoe mooi het vroeger moest zijn geweest. Het was een kwetsbaar, fraai boekje, deels intrigerend omdat het zo klein was, en deels vanwege de ingewikkeld versierde leren kaft.

'Ik hielp Meester Rahl – ik bedoel Darken Rahl – vroeger altijd bij vertalingen van boeken in het Hoog-D'Haraans,' legde Berdine uit. 'Deze kamer was een van de plekken waar hij zijn eigen boeken bestudeerde. Zo wist ik ook waar ik de sleutel kon vinden en wist ik van het bestaan van dit geheime vak achter in de boekenkast. Ik dacht echt dat het nuttig zou kunnen zijn.'

'En? Was het dat?' vroeg Richard.

'Ik dacht van wel, maar ik vrees van niet. Ook hierin ontbreekt tekst. Maar in tegenstelling tot die andere boeken, ontbreken in deze niet slechts hier en daar wat stukken tekst of alinea's. Dit boek bevat geen enkel woord meer. Het is helemaal leeg.'

'Geen enkel woord meer?' vroeg Nicci argwanend. 'Laat eens kijken.'

Berdine gaf het boekje aan Nicci. 'Het is helemaal leeg, zeg ik je. Kijk zelf maar. We hebben er niets aan.'

Nicci opende het stokoude, versleten kaft en bekeek de eerste bladzijde. Ze liet haar vinger over de bladzijde glijden alsof ze las. Ze sloeg de bladzijde om en bestudeerde de volgende, en deed datzelfde toen nog eens.

'Goede geesten,' fluisterde ze, terwijl ze scheen te lezen.

'Wat is er?' vroeg Richard.

Berdine ging op haar tenen staan, rekte zich uit en keek over de rand van het boek heen. 'Het kan niets zijn. Zie je, het is leeg.'

'Nee, het is niet leeg,' mompelde Nicci terwijl ze las. 'Dit is een magisch boek.' Ze keek op. 'Het lijkt alleen maar leeg voor onbegaafden. En, in het geval van dit boek, moeten zelfs begaafden voldoende van de gave bezitten om dit te kunnen lezen. Dit is een heel belangrijk werkje.'

Berdine trok haar neus op. 'Hè?'

'Magische boeken zijn gevaarlijk, sommige bijzonder gevaarlijk. Andere, zoals dit hier, gaan nog een stapje verder.' Nicci zwaaide met het boek naar de Mord-Sith. 'Dit boekje is veel meer dan alleen maar bijzonder gevaarlijk.

Meestal worden zulke boeken op de een of andere manier afgeschermd. Als men ze gevaarlijk genoeg vindt, worden ze beschermd met bezweringen waardoor de tekst zo snel uit de gedachten van de lezer verdwijnt dat ze zich niet herinneren het te hebben gelezen. Daardoor denken ze dat de bladzijden leeg zijn. Iemand zonder de gave kan de woorden in een boek van magie gewoon niet in zijn gedachten houden. Je ziet de woorden in dit boek eigenlijk wel, maar je vergeet dat zo snel weer dat je niet beseft dat er iets op de bladzijden staat; de woorden verdwijnen alweer uit je gedachten voordat je ze echt ziet.

Die specifieke bezwering is deels de basis voor het concept van de ketenvuurbetovering. De tovenaars in vroeger tijden – die vaak dergelijke bezweringen gebruikten om de gevaarlijke boeken te beschermen die ze schreven – begonnen zich af te vragen of zoiets ook mogelijk was bij een mens, waardoor iemand in feite verdween, net zoals de woorden in sommige magische boeken schijn-baar kunnen verdwijnen.'

Nicci gebaarde vaag terwijl haar gedachten weer afdreven naar het boek. 'Maar wanneer er een ziel in het spel is, wordt de hele zaak natuurlijk onbeschrijflijk ingewikkeld.'

Richard had lang geleden al geleerd dat hij *Het boek van de getelde schaduwen* alleen uit zijn hoofd had kunnen leren omdat hij begaafd was. Zedd had hem verteld dat als hij de gave niet had gehad, hij de woorden niet lang genoeg in gedachten had kunnen vasthouden om er ook maar één van te onthouden. 'Dus waar gaat dit boek over?' vroeg hij.

Nicci wendde eindelijk haar blik af van de bladzijden en keek op. 'Dit is een magisch instructieboek.'

'Dat weet ik, dat zei je al,' zei hij geduldig. 'Wat voor instructies?'

Nicci keek weer op de bladzijde en slikte toen ze hem weer in de ogen keek. 'Ik denk dat dit het oorspronkelijke instructieboek is om de kistjes van Orden in het spel te brengen.'

Richard voelde weer kippenvel tintelen op zijn armen en benen. Hij pakte voorzichtig het boek uit Nicci's handen. En inderdaad, het was helemaal niet leeg. Elke bladzijde stond vol met klein geschreven woorden, diagrammen, kaarten en formules. 'Dit is in het Hoog-D'Haraans geschreven.' Hij keek op naar Nicci. 'Wil je zeggen dat je Hoog-D'Haraans kunt lezen?'

'Natuurlijk.'

Richard en Berdine wisselden een blik uit. Hij zag meteen dat dit een ongelooflijk ingewikkeld boek was. Hij had Hoog-D'Haraans geleerd, maar dit boek zou het uiterste van zijn kunnen vergen. 'Dit is veel technischer dan het Hoog-D'Haraans dat ik wel eens heb gelezen,' zei hij, terwijl hij door het boekje bladerde.

Nicci boog zich naar hem toe en wees naar een plek op de bladzijde. 'Dit is allemaal referentiemateriaal voor de formules die nodig zijn bij bezweringen. Je moet die formules en bezweringen kennen om het echt te begrijpen.'

Richard keek in haar blauwe ogen. 'En begrijp jij het?'

Ze vertrok haar mond terwijl ze fronsend naar de bladzijde keek. 'Ik weet het niet. Ik zou het beter moeten bestuderen om te weten of ik kan helpen bij de vertaling ervan.'

Berdine ging weer op haar tenen staan en tuurde naar het boek, alsof ze wilde zien of de woorden nu misschien wel voor haar verschenen. 'Waarom kun je het niet meteen zien? Ik bedoel, je kunt het lezen en begrijpen, of niet.'

Nicci kamde met haar vingers door haar blonde haren en haalde diep adem. 'Zo eenvoudig is het niet met boeken over magie. Het is net zoiets als ingewikkelde wiskundige vergelijkingen oplossen. Je kent misschien de getallen en denkt aanvankelijk dat je weet waar het over gaat, dat je de vergelijking kunt oplossen, maar als je dan onbekende symbolen in die vergelijking begraven vindt – symbolen die verwijzen naar dingen die je niet kent – dan is de hele vergelijking eigenlijk niet meer op te lossen. Gewoon die getallen kennen is niet genoeg. Je moet weten wat elk element betekent, of anders tenminste de waarde of hoeveelheid kunnen vinden die het element vertegenwoordigt.

Dit lijkt daar veel op, al vereenvoudig ik het nu zodat je begrijpt wat ik bedoel. Hierin staan niet alleen symbolen, maar ook achterhaalde verwijzingen naar bezweringen, waardoor het nog moeilijker te begrijpen is. Dat het in het Hoog-D'Haraans is geschreven, maakt het nog erger, omdat in de loop der tijd Hoog-D'Haraanse woorden en hun betekenis zijn veranderd. Daarnaast bevat deze tekst ook nog eens oeroud jargon.'

Richard greep haar arm om haar aandacht te trekken. 'Nicci, dit is belangrijk; denk je dat je het kunt?'

Ze keek aarzelend naar het boek. 'Het zal enige tijd duren voor ik er voldoende van kan vertalen om je te zeggen of ik enige kans van slagen heb.'

Richard pakte het boek van haar aan, deed het dicht en gaf het haar weer terug. 'Dan kun je het maar beter met je meenemen. Als we meer tijd hebben, kun je het bestuderen en kijken of je het begrijpt.'

Ze fronste argwanend haar wenkbrauwen. 'Waarom? Waar denk je aan?'

'Nicci, snap je het niet? Dit kan wel eens ons antwoord zijn. Als jij dit kunt begrijpen, dan geeft wat hierin staat ons misschien de mogelijkheid om tegen te gaan, te keren of ongedaan te maken wat Zuster Ulicia heeft gedaan. Hiermee kunnen we misschien de kistjes van Orden weer uit het spel halen.'

Nicci wreef zachtjes met haar duim over het kaft van het boekje. 'Dat klinkt logisch, Richard, maar weten hoe je iets moet doen betekent nog niet dat je het ongedaan kunt maken.'

'Zoals proberen jezelf onzwanger te maken?' vroeg Cara.

Nicci glimlachte. 'Zoiets.'

Cara's onverwachte vergelijking deed Richard weer denken aan Kahlan, aan toen ze zwanger was. Een bende kerels had haar alleen aangetroffen en haar bijna doodgeslagen. Ze had hun ongeboren kind verloren. Haar zwangerschap eindigde al voordat hij er zelfs maar van geweten had.

Bij de herinnering aan Kahlan, zo ernstig gewond, zakte hij bijna door zijn knieën. Hij moest die vreselijke gedachten terugdwingen naar de duisternis waar ze vandaan waren gekomen. Nicci fronste haar voorhoofd toen ze het verdriet op zijn gezicht zag. Hij negeerde haar onuitgesproken bezorgdheid om hem. 'Ik hoef je er niet aan te herinneren hoe belangrijk dit is,' zei hij.

Ze hield hem lange tijd gevangen met haar blik, alsof ze hem wilde vertellen dat het onmogelijk was, maar dat uit alle macht niet hardop wilde zeggen. Uiteindelijk kneep ze haar lippen opeen en knikte. 'Ik doe mijn best, Richard.' Plotseling klaarde haar gezicht op. Ze bladerde naar het einde van het boek en sloeg snel de laatste bladzijde om. Even was ze in gedachten verzonken terwijl ze de laatste bladzijde peinzend bekeek. 'Dit is interessant,' mompelde ze.

'Wat?' vroeg Richard.

Nicci keek op van wat ze aan het lezen was. 'Nou, achter in sommige magische boeken wordt soms, als voorzorgsmaatregel tegen ongeoorloofd gebruik, een laatste stap toegevoegd die essentieel is maar niet in het boek wordt genoemd. Als dat zo is, dan kunnen we misschien, zelfs als de kistjes al in het spel zijn, de reeks van benodigde specifieke acties onderbreken. Begrijp je wat ik bedoel? Soms, als het boek gevaarlijk genoeg is, is het op zichzelf niet compleet maar is er nog iets anders nodig om het compleet te maken.'

'Iets anders? Zoals wat?'

'Dat weet ik niet. Dat ben ik aan het nakijken.' Ze stak een vinger op. 'Laat me hier even een stukje van lezen...' Even later keek ze op, tikkend op de bladzijde. 'Ja, ik had gelijk. Dit stukje is een waarschuwing dat bij het gebruik van dit boek de sleutel moet worden gebruikt. Zonder de sleutel is al het voorgaande niet alleen steriel, maar ook fataal. Er staat dat binnen één jaar de sleutel moet voltooien wat er met dit boek tot stand is gebracht.'

'Sleutel,' herhaalde Richard op vlakke toon. Hij keek naar Berdine. '"Ze zullen trillen van angst om wat ze hebben gedaan en zullen de schaduw van de sleutel tussen de botten gooien,"' citeerde ze uit *Garkels garenspinsels*. 'Denkt u dat dat de sleutel is waar dit boek het over heeft?'

Ergens langs de donkere rand van het bewustzijn begon hem iets te dagen. Met een bliksemsnelle inval, begreep Richard het. Zijn hele lichaam werd plotsklaps ijskoud, en zijn armen en benen werden gevoelloos. 'Goede geesten...' fluisterde hij.

Nicci keek hem fronsend aan. 'Richard, wat is er? Je bent krijtwit.'

Richard kon zijn stem amper gebruiken. Eindelijk hoorde hij zichzelf zeggen: 'Ik moet terug naar Zedd.'

Nicci stak haar hand uit en legde die op zijn arm. 'Wat is er dan?'

'Ik denk dat ik weet wat de sleutel is.' Richard begon te hijgen terwijl zijn hart bonsde als een gek. Alles wat hij wist, werd op de kop gezet, en alle stukjes vielen uiteen. Hij had het gevoel alsof hij geen adem kon halen.

Ze zullen trillen van angst om wat ze hebben gedaan en zullen de schaduw van de sleutel tussen de botten gooien.

'Nou, wat denk je...'

'Ik leg het wel uit als we er zijn. We moeten gaan... nú.'

Ongerust stopte Nicci het boekje in een zak van haar zwarte gewaad. 'Ik doe mijn best, Richard. Ik kom er wel uit, dat beloof ik.'

Hij knikte afwezig terwijl zijn hersens op volle toeren werkten om alle stukjes weer in elkaar te passen. Hij had het gevoel alsof hij alleen maar toekeek terwijl hij in beweging kwam. Hij greep Berdine bij haar arm. 'Baraccus had een geheime plek, een bibliotheek. Je moet proberen te achterhalen waar die was.'

Berdine knikte bij zijn indringende blik. 'Goed, Meester Rahl. Ik zal kijken wat ik kan ontdekken. Ik doe mijn best.'

Ze keek neer op de witte knokkels van zijn hand om haar arm. Richard besefte dat hij haar misschien wel pijn deed en liet los. 'Dank je, Berdine. Ik weet dat ik op je kan rekenen.' De anderen staarden hem aan. 'Ik moet terug naar Zedd. Ik moet hem meteen spreken. Ik moet weten hoe hij eraan is gekomen.'

'Waaraan?' Nicci legde een hand op zijn borst en hield hem tegen voordat hij de deur uit kon gaan. 'Richard, wat is er zo belangrijk dat...'

'Luister, ik leg het uit als we terug zijn,' onderbrak hij haar. 'Nu moet ik hierover nadenken.'

Nicci en Cara wisselden een ongeruste blik uit. 'Goed, Richard. Rustig maar. We zijn snel weer terug in de Burcht.'

Hij greep met zijn vuist Cara's roodlederen pak vast en duwde haar voor zich uit door de deuropening. 'Breng ons terug naar de sliph, via de kortste route.'

Volkomen zakelijk omvatte Cara haar Agiel met haar vuist. 'Komt u maar mee.'

Hij wendde zich om naar Berdine, en draafde achteruit achter Cara aan. 'Je moet alles proberen te ontdekken wat je kunt vinden over Baraccus. Alles!'

Berdine rende net voor Nicci uit. 'Doe ik, Meester Rahl.'

Hij wees naar haar. 'Verna komt hier binnenkort naartoe. Zeg haar dat ik wil dat ze je helpt. Laat haar Zusters je ook helpen. Kijk in elk boek in het hele paleis als het moet, maar zoek alles uit over Baraccus: waar hij geboren is, waar hij is opgegroeid, waar hij van hield, waar hij niet van hield. Hij was Eerste Tovenaar, dus er zou informatie over hem moeten zijn. Ik wil weten wie zijn haar knipte, wie zijn kleren maakte, wat zijn lievelingskleur was. Alles, hoe onbeduidend je ook denkt dat het is. En als je toch bezig bent, probeer dan ook meer uit te vissen over wat die halfzachten van *Garkels garenspinsels* deden.'

'Maak u geen zorgen, Meester Rahl; als er informatie te vinden is, zal ik het vinden. Ik zal het uitzoeken en een antwoord voor u hebben wanneer u terugkeert.'

Richard greep Nicci's hand om te zorgen dat ze hem bijhield en wendde zich toen weer tot Cara. 'Snel.'

Berdine, haar Agiel in haar vuist geklemd, rende achter hen aan en bewaakte de achterhoede. Richard was zich slechts vaag bewust van het licht dat weerkaatste op gepolijste wapenrustingen en wapens, en het gerinkel van maliën terwijl de soldaten achter hen aan snelden alsof de Wachter zelf achter de Meester Rahl aan zat.

Terwijl zijn gedachten sneller voortraasden dan zijn voeten, besloot Richard dat hij beter eerst naar Caska kon gaan.

Hoe meer hij over dat idee nadacht, en terwijl stukjes van de puzzel op hun plek vielen, bedacht hij zich. Met de sliph kon hij snel terug naar Caska reizen vanaf de Burcht. Hij moest eerst naar Zedd.

Terwijl ze door de doolhof van gangen, kamers en tunnels renden, hoorde Richard in de verte het gebeier van de klok die de mensen opriep voor de devotie aan de Meester Rahl. Hij vroeg zich af of ze binnenkort allemaal zouden knielen voor de Wachter van de onderwereld en hun devotie aan hem zouden uitspreken.

30

Zes stond abrupt op. Zonder een woord te zeggen, nam ze drie lange passen naar de muur van de grot met Violets uitgebreide tekening erop. De vrouw drukte zorgvuldig haar benige handen op de krijtsymbolen die Violet daar enkele dagen eerder had getekend. Die symbolen waren plotseling gaan gloeien, met een geel licht vanaf het gele krijt, een rood licht van het rode krijt en een blauw licht vanaf het blauwe krijt. De spookachtige verlichting van de opvlammende kleuren glansde over de muren van de grot, zoals het licht weerkaatst op een gerimpeld wateroppervlak.

Rachel keek naar Violet, die op een kruk met paarse kwastjes zat die ze enkele dagen eerder door Rachel naar binnen had laten dragen. De vervelde koningin krabde met haar nagel aan het versplinterende steen op de muur achter zich. Rachel was Violet gaan zien als de koningin van de grot, aangezien ze daar steeds meer tijd doorbrachten.

Violet zat liever niet op een rots terwijl ze tekende. Een vieze oude steen, had ze gezegd, was meer dan goed genoeg voor Rachel, maar niet voor een koningin. Zes had helemaal niets gegeven om de stoel. Ze leek altijd belangrijkere dingen aan haar hoofd te hebben dan zitkussens. Violet was het zat te wachten terwijl Zes nadacht over die belangrijke zaken, en dus had ze Rachel de zware kruk naar de grot laten zeulen.

Nu zat de koningin van de grot, onder het flakkerende licht van toortsen en gloeiende symbolen, op haar troon met kwastjes en wachtte tot haar raadsvrouw haar adviseerde over wat er nu moest gebeuren.

'Hij komt eraan,' siste Zes. 'Hij komt weer door de leegte.'

Het was Rachel zonneklaar dat de vrouw niet echt tegen Violet sprak, maar tegen zichzelf. De koningin had er net zo goed niet kunnen zijn.

Violet keek op. Ze leek niet van zins op te staan tot Zes haar zei dat het nodig was en ze weer tekeningen moest maken, maar haar interesse was duidelijk wel gewekt. Dit was immers wat ze wilde; de enige reden waarom ze al die ingewikkelde tekeningen had gemaakt in een donkere, bedompte grot. Terwijl ze ook gewaden had kunnen passen, juwelen had kunnen uitproberen of naar prachtige feesten had kunnen gaan waar gasten kropen voor de jonge koningin.

Zes scheen verzonken in haar eigen wereld, terwijl ze haar handen over de tekening liet glijden. Ze legde haar wang tegen het steen en stak tegelijkertijd een arm naar achteren. 'Kom, mijn kind.'

Violets ronde gezicht vertrok in een frons. 'Je bedoelt, "mijn koningin".'

Zes hoorde haar niet of had geen zin zichzelf te verbeteren. 'Snel. Het is tijd om te beginnen met de verbindingen.'

Violet stond op. 'Nu? Het is allang etenstijd. Ik ben uitgehongerd.'

Zes, die met haar wang langs de krijttekening van Richard streek als een kat die kopjes tegen je benen geeft, leek totaal geen belangstelling te hebben voor een maaltijd. Ze rolde met haar lange vingers en wenkte Violet. 'Het moet nu gebeuren. Snel. We mogen zo'n zeldzame kans niet verspillen. De verbindingen die we nodig hebben, kosten tijd en we weten niet hoeveel tijd we hebben.'

'Nou, waarom zijn we dan niet eerder begonnen, toen er...'

'We moeten nu beginnen, terwijl hij in de leegte is.' Zes klauwde met een hand in de lucht. 'Makkelijker zijn ogen uit te krabben wanneer hij blind is,' zei ze met haar sissende stem.

'Ik zie niet in waarom...'

'De weg is de weg. Wilt u dit of niet?'

Violet liet tegelijk met haar stijve, afwijzende houding haar opstandigheid varen. Ze trok een donkere blik. 'Ja.'

Een sensuele glimlach krulde Zes' lippen. 'Laat het dan beginnen. U moet nu de verbindingen voltooien.'

Met een plotselinge vastberadenheid pakte Violet de stukjes gekleurd krijt van een richeltje langs de stenen muur achter haar koninklijke kruk. Toen ze naast Zes kwam staan, tikte de vrouw met een lange, dunne vinger op het steen.

'Begin bij het teken van de dolk, zoals ik u heb geleerd, zoals u hebt geoefend, om ervoor te zorgen dat bij aanvang van de verbinding datgene wat u tot stand hebt gebracht klaar is om snel en zeker toe te slaan.'

'Weet ik, weet ik,' zei Violet terwijl ze trefzeker de punt van het gele krijtje op het uiteinde van een van de ingewikkelde, gloeiende symbolen naast Richard zette.

Zes greep Violets pols en trok het krijtje een stukje van de muur af. Ze verplaatste Violets hand een paar centimeter en liet het krijtje toen weer tegen het symbool belanden, maar bij de volgende top in de vorm, met een omtrek die bestond uit tientallen punten.

'Ik had u verteld,' zei Zes met geforceerde beleefdheid terwijl ze Violet hielp de lijn te beginnen, 'dat een vergissing hier een eeuwigheid meegaat.'

'Weet ik; ik had gewoon de verkeerde top te pakken, dat is alles,' snauwde Violet. 'Ik weet het nu wel.'

Zes, die de koningin negeerde en haar blik op de tekening gericht hield, knikte goedkeurend toen Violet het krijtje over het steen bewoog. 'Omschakelen op rood,' zei Zes zachtjes nadat Violet het krijtje een paar centimeter over de open plek had getrokken. Zonder protest of aarzeling ruilde Violet het krijtje om voor het rode en begon ermee te tekenen in een hoek vanaf de gele lijn die ze al had getekend. Nadat ze de helft van de resterende afstand tot de tekening van Richard had overbrugd, stopte ze zonder dat Zes haar hoefde aan te sporen en verruilde het rode voor een blauw krijtje.

Toen aarzelde ze en keek op naar Zes. 'Dit is het knooppunt? Toch?'

Zes knikte al. 'Dat klopt,' mompelde ze, ingenomen met wat ze zag. 'Dat klopt, ga nu rond en weer terug om de eerste afbinding te voltooien.'

Violet tekende een blauwe cirkel aan het uiteinde van de rode lijn, voordat ze haar hand verplaatste naar de lege plek op de gladde muur van donkere steen. Toen het blauwe krijtje een van de punten op het volgende symbool bereikte, ging ze weer terug en tekende een lijn vanaf de cirkel naar Richard. De drie door Violet getekende lijnen begonnen te gloeien. De blauwe cirkel ontvlamde met een straal licht, alsof er een vuurtoren door een venster in het donkere steen scheen.

Zes stak abrupt een hand op en beval Violet te stoppen voordat ze haar krijtje naar het volgende punt in de reeks kon brengen.

'Wat is er?' vroeg Violet.

'Er... klopt iets niet...' Zes legde haar wang tegen de tekening, deze keer pal op Richards gezicht. 'Er klopt iets helemaal niet...'

Richard nam nog een zilveren ademteug van extase, maar door zijn dringende zorgen was het deze keer niet de verrukkelijke ervaring die hij anders in de sliph had.

Hij besefte echter dat, telkens als hij in de sliph reisde, hij zich meestal ergens ernstig zorgen over maakte; hij reisde immers eigenlijk alleen in de sliph als er een of ander probleem was. Toch had het nog nooit zo aangevoeld. Dit gevoel was niet zozeer angst, maar meer het grote maar ontastbare gewicht van een naar voorgevoel. Met elke ademhaling drukte het fantoomgewicht harder op hem.

Binnen in de sliph was er niet echt zicht mogelijk, net zoals er geen echt gevoel was van tijd of van boven of beneden. Toch was er een soort van zicht; er waren kleuren en af en toe vage vormen die leken op te doemen om dan even snel weer te verdwijnen. Er was ook een visuele weergave van het fenomeen van ongelooflijke snelheid, waardoor hij het gevoel had dat hij als een pijl uit een boog was afgeschoten. Tegelijkertijd was er een gevoel alsof je bijna bewegingloos zweefde door de dichte leegte van de sliph. Die verschillende sensaties, vermengd tot een stevige mix van het geheel van ervaringen, onderdrukte zijn neiging om ze in afzonderlijke stukken te verdelen.

Terwijl hij door de kwikzilveren essence van de sliph spoedde, begon hij zijn ongerustheid van zich af te zetten. Toen voelde Richard de vage aanraking van een vreemd gevoel tegen zijn huid, een steelse druk waarvan hij meteen wist dat hij zoiets nog nooit eerder tijdens het reizen had gehad. Er trok een tintelend voorgevoel door hem heen.

Maar een voorgevoel, besefte hij, was niet tastbaar, en dat was deze aanraking wel geweest.

Terwijl hij dreef in de omhelzing van de enorme zilveren leegte, probeerde hij dit gevoel van aanraking te scheiden van al het andere.

Richard voelde de rustige afzondering van de sliph om zich heen, die hem streelde, hem isoleerde van de enorme snelheid, die je anders het idee zou geven dat je vast en zeker uit elkaar zou worden gescheurd. Hij voelde nog steeds hoe de kalmerende sereniteit zijn angst onderdrukte om de vloeistof waarin hij dreef in te ademen. Maar Richard voelde ook nog iets anders, ook al kon hij die verontrustende ervaring niet genoeg van alle andere scheiden om haar te definiëren.

Maar hij raakte er steeds meer van overtuigd dat er iets mis was, angstaanjagend mis. Dat was nog verontrustender omdat hij niet begreep hoe hij wist dat er iets niet was zoals het hoorde. Hij probeerde te begrijpen waarom hij zoiets dacht. Het moest die korte aanraking zijn geweest, concludeerde hij. Hij vroeg zich af of hij het zich had ingebeeld, maar verwierp die gedachte. Hij had het echt gevoeld.

Het leek bijna alsof hij de aanwezigheid voelde van een duistere smet. Alsof hij op een mooie dag op een warm, zonovergoten weiland lag, omgeven door de vele kleuren en zachte geur van wilde bloemen, kijkend naar pluizige wolken die langzaam langsdreven door een helderblauwe lucht, en dan ineens de vage stank opving van een ontbindend karkas terwijl hij tegelijk besefte dat het geluid dat hij hoorde, het gezoem van vliegen was.

Wat normaal leek op een tijdloze bezwering die zich razendsnel door de gladde, zilveren sliph bewoog, had zich uitgerekt tot een zeer verontrustende vertraging.

Cara had zijn rechterhand in een ijzeren greep gevat, maar Nicci greep zijn linkerhand nog steviger vast. Hij merkte aan dat knijpen dat zij ook iets voelde. Hij wenste dat hij haar kon vragen wat, maar praten was onmogelijk in de sliph.

Richard deed zijn ogen wijder open en probeerde meer te zien van wat er rondom hem was, maar het was een gedempte, troebele wereld waar weinig te zien was behalve de glanzende lichtschachten – geel, rood, blauw – die het schemerlicht waar ze doorheen raasden, doordrongen. Richard dacht niet dat die lichtschachten net zo bewogen als ze normaal deden. Het was moeilijk om van dergelijke dingen zeker te zijn in de sliph. Het was meestal een wazige reeks gebeurtenissen in plaats van een werkelijke waarneming.

Er was iets vóór hem, besefte Richard, iets wat zich soepel voortbewoog door het zilveren waas. Eerst leek het op lange, slanke bloemblaadjes die net open begonnen te gaan. Toen het dichterbij kwam, zag Richard dat het meer leek op talloze armen – taps toelopende, lange, kronkelende voorwerpen – die zich uitspreidden vanaf een middengedeelte dat hij om de een of andere reden niet helemaal kon bevatten.

Het was desoriënterend om naar te kijken, omdat het zo onbegrijpelijk was. Toen het ding nog dichterbij kwam, kreeg Richard de indruk dat het van stukken glas was gemaakt, samengevoegd tot een ordelijk geheel, iets wat voor hem openwolkte. Hij kon tussen de transparante, zich uitstrekkende armen door kijken en de gekleurde lichtschachten erachter zien glanzen.

Het was het vreemdste wat hij ooit had gezien. Hoe hij ook zijn best deed, hij kon er de logica gewoon niet van ontdekken. Het leek wel alsof het er was, maar tegelijkertijd ook niet. En toen, met een ijzige schok, begreep hij het. Tegelijkertijd trok Nicci zo hard aan zijn hand dat ze bijna zijn arm uit de kom rukte. Die ruk moest hem terug hebben getrokken, want Cara, die nog steeds zijn andere hand vasthield, zeilde in een boog om hem heen. Richard bukte. De doorzichtige vorm zoefde langs zijn gezicht en miste hem op een haar na.

Nicci had hem net op tijd opzij getrokken.

Richard wist nu wat het was.

Het was het beest.

Het gevoel dat er een kwaadaardige aanwezigheid was, was zo sterk dat het hem overspoelde met een verstikkende paniek. Terwijl het beest als een soort tijdsvisioen langs hem heen dreef, draaide het zich om. De glazige armen spreidden zich uit toen ze weer naar hem toekwamen en nog eens probeerden hem te grijpen. Met een harde ruk trok Nicci hem weer weg bij het stervormige net van tentakels dat zich voor hem uitspreidde. Weer probeerden de armen hem te omsluiten. Richard trok zijn hand weg uit die van Cara en pakte zijn mes. Met haar nu vrije hand greep ze onmiddellijk zijn hemd in haar vuist om hem vast te houden.

Richard deed zijn best om uit te halen naar de reikende armen, die hem in hun dodelijke omhelzing wilden trekken. Het duurde niet lang voor hij besefte dat vechten met een mes binnen in de sliph zo goed als onmogelijk was. Het was een te vloeibare omgeving, en Richard kon niet met voldoende snelheid toeslaan. Het was alsof hij zich door honing probeerde voort te bewegen. Hij veranderde van tactiek en wachtte nu tot de armen bij hem in de buurt kwamen, wachtte tot datgene wat zich in het glazige midden bevond naar hem toekwam.

Toen dat gebeurde, bracht hij het lemmet vooruit naar dat bewuste centrum van de doorzichtige dreiging. Maar in plaats van doorstoken te worden door het mes, leek het wezen zich alleen maar om Richards wapen heen te vouwen en moeiteloos weg te draaien. En toen viel het weer aan, nu met een soort abrupte, intense furie die Richard kon voelen. Het ding bewoog zich met een soepele gratie die zich niet leek te storen aan de vloeibare wereld eromheen. Aan zijn ene kant zag Richard de glanzende gestalte van Cara, die nog steeds zijn hemd vasthield terwijl ze met haar vrije hand het beest aanviel. Aan de andere kant wist hij dat Nicci probeerde magie te gebruiken. Het leek er niet op alsof haar magie werkte binnen in de sliph.

Een van de tentakels van het beest draaide zich om Richards arm, een andere sloeg om die van Cara heen. Ze greep zijn pols met haar andere hand. Het beest greep nu ook haar andere arm en trok hen moeiteloos van elkaar af. Binnen een tel was Cara verdwenen. In de troebele schemering kon Richard niet zien waar ze was of hoe dichtbij ze misschien nog was. Erger nog, hij wist niet of alles in orde met haar was, of het wezen haar misschien had. Nicci legde haar arm beschermend wat strakker om Richards middel en hield zich uit alle macht vast toen er nog meer kronkelende, transparante armen uit het schemerlicht opdoken en om hen heen kronkelden. Het was alsof ze vastzaten in een nest vol slangen, die zich allemaal oprolden en met grote kracht knepen zodra ze beet hadden. De tentakel om Richards been werd zo strak aangespannen dat hij bang was dat zijn vlees van zijn botten zou worden gescheurd. Hoewel Richard Nicci niet op de conventionele manier kon horen, bespeurde hij haar gedempte kreten van woede terwijl ze tegen het ding streed dat hen vast had. Rondom Nicci flikkerde woest een vreemd, gedempt soort bliksem. Richard wist dat ze probeerde haar krachten te gebruiken, maar het had geen effect op het beest.

Richard negeerde de pijn van de glazige tentakels die hem al in hun greep hadden en stak steeds maar weer toe, hakkend in dikke armen die er slechts gedeeltelijk leken te zijn. Met een vastberaden, gerichte woede haalde hij uit met het mes en kon enkele van de armen weghakken van de kern van het ding. Zodra ze doorgesneden waren, verdwenen ze woest kronkelend in de leegte rondom hen, alsof ze wegzonken in een bodemloze zee.

Het leek niets uit te halen; steeds meer kronkelende tentakels kwamen uit de duisternis op hem af. Hij had het gevoel dat hij in een diepe kuil vol kwade slangen stond. Richard vocht met al zijn kracht, hakkend, stekend, houwend. Zijn armen deden pijn van de inspanning. Nicci worstelde met één hand met de dikke tentakels, maar haar andere arm weigerde nog altijd hem los te laten. Hij kon merken aan de manier waarop ze kronkelde en haar rug kromde dat ze pijn had. Richard liet de tentakels rondom hem gaan en begon uit alle macht in te hakken op de armen van het beest die Nicci pijn deden. Maar toen werd ze ineens bij hem vandaan gerukt.

Richard was plotseling alleen in het niets, met een glazig, glibberig, krachtig wezen, dat probeerde hem naar het midden te trekken, naar iets wat hij kon horen grauwen, happen, klikken.

Hij kon op geen enkele manier tegen zo'n ding vechten, kon niet op tegen een dergelijke kracht, kon niet ontsnappen aan de vele armen die hem grepen. Nog meer armen kronkelden op hem af om hem te vangen.

Met al zijn kracht stak hij nog net voor zijn arm werd vastgegrepen zijn mes in de richting van het midden, dat hij niet duidelijk kon ontwaren. Hij voelde dat hij contact maakte met iets stevigs. Het beest gaf een kreet die pijn deed aan zijn oren. De armen gingen iets losser om hem heen liggen, hielden hem nog altijd vast, maar gaven Richard net genoeg ruimte om zijn lichaam met een ruk te draaien zodat hij aan de greep van het wezen ontkwam. Binnen een tel, als een pompoenzaadje waar je met natte vingers in kneep, schoot hij uit de dodelijke greep vandaan.

Richard probeerde weg te zwemmen, te ontkomen aan de woest

slaande, doorzichtige armen die op hem afkwamen, maar het wezen was sneller en sterker dan hij, en onvermoeibaar.

'Hier!' spoorde Zes Violet aan terwijl ze met haar knokkels midden op een embleem klopte.

Violet rende met haar krijtje naar de plek die haar raadsvrouw aanwees. Haar vingers vlogen met snelle, zekere bewegingen over het steen. Met de rug van haar andere hand veegde Violet het zweet van haar gezicht en uit haar ogen. Rachel had Violet nog nooit zo hard en snel zien werken.

Rachel wist niet wat er gaande was, maar ze begreep wel dat iets niet helemaal ging zoals Zes had verwacht. Ze bevond zich op het randje van een woede- of paniekaanval. Rachel vreesde allebei die emoties.

Terwijl Violet snel verbindingen voltooide, krijtjes verwisselde en naar elk volgend punt ging, ging Zes verder met het zachtjes zingen van bezweringen. Het bijtende geluid van die gefluisterde woorden sneed Rachel door haar ziel. Hoewel ze de woorden en hun betekenis niet begreep, werden ze uitgesproken met een sinistere bedoeling die haar doodsbang maakte.

Rachel keek naar de grotingang verderop, maar nu het buiten donker was, kon ze niets zien. Ze wilde vluchten, maar durfde niet. Ze wist dat als zij de reden was waarom Violet of Zes moest staken waar ze mee bezig was om achter haar aan te komen, het haar heel slecht zou vergaan.

Chase had haar geleerd haar impulsen in te tomen, zoals hij dat noemde, en uit te kijken naar echte kansen. Hij had haar gewaarschuwd dat als ze niet in direct levensgevaar was, ze alleen moest handelen wanneer ze een goed uitgewerkt plan had. Hij zei dat ze niet uit blinde angst moest handelen, maar manieren moest zoeken om de kans van slagen te vergroten. Hoe druk de andere twee ook waren, Rachel wist dat ze samen in hun opgewonden toestand elke misdraging van Rachel zouden afstraffen met onmiddellijk geweld. Dit was niet de juiste kans; nu opstaan en wegrennen was geen goed plan, en dat wist ze.

Terwijl Rachel stil en zwijgend bleef zitten en probeerde onopgemerkt te blijven, klopte Zes zachtjes met de zijkant van haar vuist tegen enkele opgloeiende knooppunten in de verbindingen die Violet had getekend. Elke gloeiende cirkel die ze aanraakte, werd donker, met een laag, grommend geluid waardoor Rachel de rillingen over de rug liepen. De grot leek wel te zoemen met het rijzen en dalen van Zes' ritmische gezang.

Violet, die tekende met grote, woeste halen, keek opzij om te zien wat Zes deed. Zes, die de bakens een voor een doofde, begon de koningin in te halen. Violet ging als in trance sneller tekenen. Het krijtje maakte klikkende geluiden met elke lijn die Violet op het steen tekende, en het geluid van het krijtje volgde het ritme van Zes' gezang.

Overal rondom de afbeelding van Richard sloeg Zes, die verzen mompelde met een stijgende, zangerige stem, die geleidelijk een steeds harder huilende wind de grot in trok, met de zijkant van haar vuist tegen punten in de verbinding die Violet nu al urenlang aan een stuk tekende. Rachel had gedacht dat Violet ieder moment van uitputting kon instorten, maar het leek er eerder op dat ze zichzelf steeds verder aanspoorde in een poging om Zes voor te blijven. Hoe snel haar hand ook bewoog, elke lijn die Violet tekende leek heel precies, elke kruising was recht en compleet. Zes had Violet eindeloos laten oefenen met het tekenen van de symbolen, en nu leek dat zijn vruchten af te werpen.

De tekening van Richard was nu bijna helemaal omgeven door het web van symbolen en verbonden lijnen. Met een vreemd woord, dat Zes schreeuwde om de gierende wind te overstemmen, doofde ze het laatste baken naast de tekening van Richard. De wind ging plotseling liggen. Stukjes van bladeren en takjes dwarrelden neer in de plotseling stille lucht.

Zes onderbrak haar gezang. Ze fronste haar voorhoofd. Met haar vingertoppen raakte ze enkele symbolen aan, alsof ze de hartslag ervan wilde meten. Glanzend gekleurd licht flikkerde door de grot. 'Het heeft hem,' fluisterde Zes in zichzelf.

Violet keek op en slikte terwijl ze probeerde op adem te komen. 'Wat?'

Zes zei: 'Hoogste punt naar laagste punt.' Ze richtte een giftige blik op de geschrokken Violet. 'Nu!'

Zonder aarzeling draaide Violet zich weer om naar de muur en reikte omhoog, waarna ze spiraalvormige lijnen omlaag tekende vanaf een van de centrale elementen boven Richards hoofd.

Zes stak een hand op. 'Hou u klaar, maar raak de primaire invocatiepunten niet aan tot ik het zeg.'

Violet knikte. Zes rolde met haar ogen terwijl ze zich op haar vingertoppen geleund naar de tekening van Richard overboog. Terwijl Violet en Rachel toekeken, mompelde Zes zachtjes enkele vreemde woorden.

31

Nicci brak door het kwikzilveren oppervlak van de sliph. Het gewicht van de loodzware vloeistof rolde van haar haren en gezicht af. Kleuren en licht leken te ontploffen in de rustige, vredige duisternis.

Ademhalen.

Met een uiterste krachtsinspanning spuide Nicci meteen de zilveren vloeistof uit haar longen.

Ademhalen.

De behoefte was groter dan haar angst, dus haalde ze wanhopig, hijgend adem. Het brandde, alsof ze zure dampen inademde. De kamer draaide misselijkmakend om haar heen. Nicci zag een rode veeg. Ze zwaaide houterig met haar armen en hijgde opnieuw. Toen bereikte ze de rand en gooide ze een arm over de stenen muur van de sliphput om zichzelf overeind te houden. Ze dreigde overmand te raken door paniek.

Een hand greep haar arm. Het lukte Nicci haar ransel over de muur te tillen. Een andere hand reikte naar haar en trok haar voldoende omhoog zodat ze beide armen over de muur kon slaan. Het rood dat ze had gezien, was Cara.

'Waar is Meester Rahl!'

Nicci keek knipperend op in de intens blauwe ogen van de Mord-Sith. Ze waren zo blauw dat het pijn deed. Ze sloot haar ogen en schudde haar hoofd, terwijl ze probeerde wijs te worden uit de ervaring, uit de verwarring, van het schelle geluid van Cara's stem die door het merg van haar beenderen weerkaatste.

'Richard...'

Het leek wel alsof haar ingewanden pijn deden; ze wilde niets liever dan hem helpen.

'Richard...'

Cara gromde van inspanning terwijl ze de niet meewerkende Nicci optilde en de bovenste helft van haar lichaam verder uit de put trok. Nicci, die zich voelde als een schipbreukeling in een stormachtige zee, gleed over de rand van de stenen muur en kon nog steeds niet veel bijdragen aan haar eigen redding. Cara liet zich op een knie op de vloer zakken en ving de slappe Nicci op voordat ze op de stenen terechtkwam. Toen Cara haar eenmaal op de stenen vloer had laten zakken, verzamelde Nicci al haar kracht en drukte zich op trillende armen op. Ze leek haar gebruikelijke kracht nu niet te kunnen verzamelen. Het was een angstaanjagend gevoel dat haar lichaam niet deed wat ze het opdroeg. Met grote moeite kreeg ze zichzelf uiteindelijk overeind en liet zich zwaar tegen de muur van de put zakken.

Ze hijgde nog steeds terwijl ze probeerde op adem te komen. Alles deed haar pijn. Een tijdlang bleef ze slap tegen de stenen muur hangen om haar krachten te verzamelen.

Cara greep haar bij de kraag van haar gewaad en schudde haar door elkaar. 'Nicci, waar is Meester Rahl?'

Nicci knipperde met haar ogen, keek om zich heen en probeerde zich te oriënteren. Ze had zoveel pijn. De pijn deed haar denken aan een afranseling van Jagang, zoals ze tijdens een van zijn woedeaanvallen altijd uiteindelijk de pijn door een half verdoofde mist van verwarring begon te voelen. Maar dit was niet het werk van de keizer. Dit was pijn van iets wat gebeurd was in de sliph. Reizen was nooit eerder een pijnlijke ervaring geweest.

'Waar is Meester Rahl!'

Nicci kromp ineen; de schreeuw die door de ruimte weerkaatste, deed pijn in haar oren. Ze slikte langs het rauwe gevoel in haar keel. 'Ik weet het niet.' Ze legde haar ellebogen op haar knieën en trok haar vingers door haar haren, en hield toen haar bonzende hoofd met beide handen vast. 'Goede geesten, ik weet het niet.'

Cara leunde zo snel en woest over de rand van de put dat Nicci bang was dat ze erin zou vallen. Instinctief greep ze naar de benen van de Mord-Sith, maar Cara viel niet.

'Sliph!' Cara's schreeuw weerkaatste door de eeuwenoude, stoffige stenen ruimte. Nicci deelde haar gevoel, maar wist dat ze met woede niets zou bereiken.

Ze negeerde de verzengende pijn in haar gewrichten en kwam wankel overeind. Het duizelige gevoel nam een beetje af. Ze zag de kwikzilveren vorm van het gezicht van de sliph deels uit de put opduiken, haar gelaatstrekken die zich vormden in het glanzende oppervlak om naar hen op te kijken.

'Waar is Meester Rahl?' vroeg Cara.

De sliph negeerde Cara's vraag en tuurde naar Nicci. 'U moet dat nooit meer doen wanneer u zich in mij bevindt.' De vreemde stem galmde zachtjes door de ruimte.

'Je bedoelt magie?' gokte Nicci.

'Ik kan een dergelijke kracht die binnen in mij wordt vrijgegeven zeer moeilijk doorstaan, maar zoiets kan nog erger zijn voor u en ieder ander die samen met u reist. U moet nooit meer uw vermogen gebruiken wanneer u reist. Het zal u op zijn minst ziek maken. Maar het kan ook veel erger uitpakken. Het is gevaarlijk voor allen.'

'Daar heeft ze gelijk in,' zei Cara vertrouwelijk. 'Toen je daarmee begon, deed het evenveel pijn alsof er een Agiel op me werd gebruikt. Mijn benen werken nog steeds niet helemaal goed.'

'Die van mij ook niet,' gaf Nicci toe. 'Maar ik kon dat beest toch niet zomaar Richard laten grijpen zonder te proberen hem te beschermen?'

Slecht op haar gemak omdat ze zelfs maar de geringste indruk had gewekt dat ze niets had ondernomen om Richard te beschermen, schudde Cara haar hoofd. 'Ik zou veel ergere dingen willen doorstaan om Meester Rahl te beschermen. Je hebt het goed gedaan; het kan me niet schelen wat de sliph zegt.'

'Mij ook niet,' zei Nicci. Op dat moment maakte ze zich echter geen zorgen over zichzelf of over Cara. Ze wendde zich tot de sliph. 'Waar is Richard? Wat is er met hem gebeurd? Waar is hij?'

'Ik kan niet...'

Cara's geduld, als ze dat al had gehad, was op. Ze sprong op de sliph af alsof ze die zilveren nek wilde wurgen. 'Waar is hij!'

Het gezicht gleed buiten bereik. Nicci greep Cara's pak vast en trok de vrouw naar achteren, tot ze weer op de vloer naast haar stond. Haar gezicht, rood van woede, had bijna dezelfde kleur als haar leren pak.

'Sliph, dit is belangrijk,' zei Nicci, en probeerde redelijk te klinken. 'Wij waren bij Richard – bij Meester Rahl, jouw meester – toen we werden aangevallen. Daarom moest ik mijn krachten gebruiken. Ik probeerde hem te redden. Dat beest is extreem gevaarlijk.'

Het smetteloze, zilveren gezicht vertrok in een angstige blik. 'Dat weet ik, het deed me pijn.'

Nicci zweeg in stomme verbazing. 'Het beest heeft je pijn gedaan?'

De sliph knikte. Weerspiegelingen van de kamer bogen en vervloeiden in kronkelende vormen over de gladde omtrekken van de als uit steen gehouwen zilveren gelaatstrekken. Nicci staarde er verwonderd naar terwijl er zich glanzende, kwikzilveren tranen vormden onder de ogen van de sliph, die over het glanzende oppervlak van haar wangen biggelden. 'Het deed pijn. Het wilde niet reizen.' Het zilveren voorhoofd fronste met een soort verontwaardiging boven op de pijn. 'Het had geen recht om me zo te gebruiken. Het deed me pijn.'

Nicci en Cara wisselden een blik uit.

Cara keek dan misschien verbaasd, maar niet meelevend. En Nicci moest toegeven dat haar zorgen om Richard op dat moment voorrang hadden boven al het andere.

'Sliph, het spijt me,' zei Nicci, 'maar...'

'Waar is hij?' gromde Cara. 'Vertel ons gewoon waar Meester Rahl is.'

De sliph aarzelde. 'Hij reist niet meer.'

'Waar is hij dan?' herhaalde Cara.

De stem van de sliph nam een kille, afstandelijke toon aan. 'Ik onthul nooit informatie over anderen die bij me zijn geweest.'

'Hij is niet zomaar een reiziger!' schreeuwde Cara woedend. 'Het is Meester Rahl!'

De sliph trok zich terug naar de achterwand van de put.

Nicci stak een hand op naar Cara, zodat ze een beetje kalmeerde en even haar mond hield. 'We werden aangevallen door iets kwaadaardigs toen we samen reisden. Dat weet je.' Nicci probeerde de dreiging in haar stem te onderdrukken. Ze wist echter dat het haar niet helemaal lukte. Haar toenemende paniek over Richard maakte nadenken lastig, en dat gold ook voor Jebra's paniekerige waarschuwing dat ze Richard geen moment alleen mochten laten. 'Sliph, dat kwaadaardige ding zat achter je meester aan, achter Richard aan. Wij zijn Richards vrienden, dat weet je ook. Hij heeft onze hulp nodig.'

'Meester Rahl is misschien wel gewond,' voegde Cara eraan toe. Nicci knikte bevestigend. 'We moeten naar hem toe.' De stilte in de stenen ruimte voelde pijnlijk aan. Nicci probeerde nog steeds aan het gevoel te wennen dat ze terug was, probeerde nog steeds de pijn weg te drukken die haar verscheurde, terwijl ze overdacht wat ze moest doen. 'We moeten naar Richard toe,' herhaalde ze. Het zilveren gezicht kwam een stukje verder omhoog zodat er ook een zilveren hals vanuit de put verscheen. De sliph keek Nicci vragend aan. 'U wilt reizen?'

Nicci hield haar woede angstvallig in toom. 'Ja. Dat klopt. We willen reizen.'

Cara, die begreep wat Nicci deed, gebaarde naar de put. 'Ja, dat klopt. We willen reizen.'

'Ik zal nooit meer magie gebruiken binnen in jou, dat beloof ik.' Nicci wenkte de sliph dichterbij. 'We willen reizen, nu meteen. Nu meteen.'

Het gezicht van de sliph klaarde op alsof alles vergeven en vergeten was. 'Het zal u behagen.' Ze scheen te popelen om hen tevreden te stellen. 'Kom, we gaan reizen.'

Nicci zette een knie op de muur. Haar dijen deden pijn van de inspanning. Ze negeerde de brandende pijn in haar spieren en gewrichten en klom op de brede stenen muur. Ze was opgelucht dat ze eindelijk een manier hadden gevonden om de sliph te laten meewerken; als ze dan niet wilde zeggen waar Richard was, kon ze hen naar hem toe brengen.

'Ja, we gaan reizen,' zei Nicci, die nog steeds niet op adem was gekomen.

De sliph vormde een arm, sloeg die om Nicci's middel en hielp haar de muur op te klimmen. 'Komt u maar. Waar wilt u naartoe reizen?'

'Naar waar Meester Rahl is.' Cara klom op de muur naast Nicci. 'Breng ons daarheen,' zei ze, en glimlachte naar de sliph, 'dat zal ons behagen.'

De sliph aarzelde en keek haar aan. De arm trok zich terug en ging weer op in het loom klotsende oppervlak. Het zilveren gezicht keek plotseling onpersoonlijk, afwijzend zelfs. 'Ik kan geen informatie prijsgeven over andere klanten.'

Nicci balde haar handen tot vuisten. 'Hij is niet zomaar een klant! Hij is je meester en hij zit in de problemen! Hij is onze vriend! Je moet ons naar hem toe brengen!'

Het weerspiegelende gezicht van de sliph ging achteruit. 'Zoiets kan ik niet doen.'

Nicci en Cara bleven een tijdlang zwijgend staan; ze wisten geen van beiden meer wat ze moesten doen, hoe ze de sliph konden overhalen om mee te werken. Nicci had zin om te gillen, of te huilen, of voldoende magie op de sliph los te laten om haar te koken zodat ze zou gaan praten. 'Als je ons niet helpt,' zei ze uiteindelijk op vlakke toon, 'dan zul je meer pijn voelen dan van het beest. Daar zal ik voor zorgen. Dwing me daar alsjeblieft niet toe. We weten dat je Richard wilt beschermen. Dat proberen wij ook te doen.'

De sliph staarde hen zwijgend aan, als een zilveren standbeeld, alsof ze probeerde de dreiging in te schatten.

Cara drukte haar vingers tegen haar slapen. 'Het is alsof je probeert te praten met een emmer water,' mompelde ze.

Nicci wierp de sliph een woedende blik toe. 'Je brengt ons naar je meester. Dat is een bevel.'

'Je kunt maar beter doen wat ze zegt,' zei Cara, 'anders krijg je, als zij klaar met je is, met mij te maken.' De Mord-Sith gooide haar Agiel op in haar vuist om haar woorden kracht bij te zetten.

Maar toen bleef ze plotseling verstijfd staan, starend naar het wapen. Het bloed trok uit haar gezicht weg. Zelfs haar handen staken wit af tegen het rode leer van haar pak.

Nicci boog zich naar haar toe en legde een hand op Cara's schouder. 'Wat is er?'

Cara's openhangende mond kwam eindelijk in beweging. 'Hij is dood.'

'Waar heb je het over?'

Cara's blauwe ogen vertoonden een enorme paniek. 'Mijn Agiel is dood in mijn hand. Ik voel hem niet.'

Hoewel Nicci duidelijk de verbijstering in de stem van de Mord-Sith hoorde, begreep ze de reden ervan niet. Het leek nauwelijks reden voor paniek als een Agiel haar geen pijn deed. Maar toch was een dergelijke rauwe angst aanstekelijk. 'Betekent dat iets?' vroeg Nicci, bang voor het antwoord.

De sliph keek toe vanaf de andere kant van de put.

'De Agiel krijgt zijn kracht via onze band met de Meester Rahl, door zijn gave.' Ze stak haar wapen naar voren. 'Als de Agiel dood is, dan is de Meester Rahl dat ook.'

'Luister, ik zal als het moet mijn krachten gebruiken om die sliph te dwingen ons naar hem toe te brengen. Maar Cara, je moet geen overhaaste conclusies trekken. We kunnen niet weten...'

'Hij is er niet.'

'Waar is hij niet?'

'Nergens.' Nog steeds staarde Cara neer op het slanke wapen in haar trillende hand. 'Ik voel de band niet meer.' Haar vochtige blauwe ogen richtten zich op Nicci. 'De band vertelt ons altijd waar de Meester Rahl is. Ik voel hem niet meer. Ik voel niet meer waar hij is. Hij is er niet. Hij is nergens.'

Nicci werd overspoeld door een vlaag van misselijkheid. Ze werd licht in haar hoofd. Haar vingers en tenen werden gevoelloos. Ze draaide zich weer om naar de sliph. Die was weg.

Nicci leunde over de muur en tuurde in de put. In de duisternis beneden zag ze een vage zilveren glans terwijl het wezen verdween, waarna er alleen duisternis overbleef.

Ze draaide zich om naar Cara en greep een handvol leer boven op haar schouder. Toen sprong ze van de muur af en trok Cara met zich mee. 'Kom mee. Ik ken iemand die ons kan vertellen waar Richard is.'

32

Met Cara aan haar zijde rende Nicci door de met fakkels verlichte gang, over prachtig versierde tapijten die hun voetstappen dempten, langs deuropeningen waarachter het donker was, langs kamers waar olielampen met hun warme licht alleen lege meubels beschenen.

De Burcht, bijna even enorm als de berg die hem met zijn stoïcijnse stenen schouders beschutte, voelde leeg en spookachtig aan. Nicci had tientallen jaren doorgebracht in het enorme complex dat bekendstond als het Paleis van de Profeten en dat op bepaalde manieren aan de Burcht deed denken, maar het paleis was levendig geweest doordat er honderden mensen woonden, van de priores tot de staljongens. Ook dat was een plek van tovenaars geweest, al waren die tovenaars dan nog in opleiding. De Burcht bestond voor mensen, maar toch was het er stil en was er niemand die hem leven kon geven. Als er een plek was die je verlaten kon noemen, dan was het het immense gebouw van de Burcht wel.

Cara rende uit alle macht, gedreven door haar loyaliteit aan en liefde voor Richard, door de angst dat het ergste met hem was gebeurd. Nicci rende even snel, gedreven door de angst van zelfs maar het idee dat hij dood was, alsof ze sneller wilde rennen dan de dood zelf. Ze kon zichzelf niet toestaan die gedachte zelfs maar te overwegen, anders zou ze instorten van wanhoop. Een wereld zonder Richard zou voor haar een dode wereld zijn.

Cara remde, schuivend over de gepolijste grijsmarmeren vloer, net voldoende af om de bocht door te komen terwijl Nicci een hand om een koude, zwartmarmeren trapstijl sloeg en de brede zwartgranieten trap oprende. De vensters ver boven hen waren donker, waardoor ze leken op zwarte gaten in de wereld. De trap, die werd verlicht door een paar glazen bollen, rees op door een enorme toren die zich eindeloos ver boven hen leek uit te strekken, waardoor Nicci het gevoel kreeg alsof ze helemaal onder in een diepe stenen put was.

Het geluid van hun voetstappen echode door de Burcht, als de spookachtige fluisteringen van allang overleden zielen die ooit in deze zelfde gangen hadden gelopen, deze zelfde trap hadden beklommen, hadden geleefd en liefgehad en die hier hadden gewoond.

Boven aan de derde reeks treden ging Nicci voorop, met pijnlijke benen van de vurige inspanning, een brede gang in. Terwijl ze rende langs warme roodbruine kersenhouten pilasters tussen vlakken felgekleurd glas in lood, wees ze voor zich uit en liet Cara weten dat ze bij de volgende gang rechtsaf zouden slaan.

Toen ze eindelijk in het stelsel van kleinere gangen waren aanbeland dat leidde naar de vertrekken waar ze logeerden, zag Nicci Zedd in de verte op hen af komen lopen. Rikka volgde hem op de hielen.

De oude tovenaar, die grimmig bleef stilstaan, wachtte tot ze bij hem waren. 'Wat is er?' vroeg hij; blijkbaar kon hij aan de blik op hun gezicht zien dat er iets mis was.

'Waar is Meester Rahl?' wilde Rikka weten toen ze abrupt achter hem tot stilstand kwam.

Nicci herkende de ongeruste blik op haar gezicht. Het was dezelfde blik die Cara al had sinds ze had ontdekt dat haar Agiel niet meer werkte.

Nicci keek omlaag en zag dat Rikka haar Agiel in een strak aangespannen vuist hield, net zoals Cara. Die talismannen van hun band met de Meester Rahl waren nu dood.

'Waar is mijn kleinzoon?' vroeg Zedd op gepijnigde, persoonlijke toon. 'Waarom is hij niet bij jullie?' Dat laatste klonk als een beschuldiging, alsof hij hun herinnerde aan de waarschuwing van Jebra voor ze vertrokken en aan de belofte die Nicci had gedaan. 'Zedd,' begon Nicci, 'we weten het niet zeker.'

De tovenaar hield zijn hoofd schuin, en zijn grijze haren piekten alle kanten uit. De blik die hij haar gaf, was die van de tovenaar die de leiding overnam van de verontruste man. 'Zeg wat je bedoelt, kind.'

Als de situatie niet zo dodelijk ernstig was geweest, had Nicci misschien wel gelachen om hoe hij haar noemde. 'We waren samen in de sliph, op weg terug naar de Burcht,' vertelde Nicci hem, 'toen ergens onderweg – je weet nooit waar je bent als je reist – het beest ons aanviel.'

Zedd keek naar Cara. 'Het beest.'

Cara knikte bevestigend.

'En toen?'

'Ik weet het niet.' Nicci stak gefrustreerd haar armen uit, zoekend naar woorden om hun ervaring te beschrijven. 'We probeerden ertegen te vechten. Het had allemaal slangachtige armen. We worstelden ermee. Ik probeerde mijn Han ertegen te gebruiken...'

'In de sliph?'

'Ja, maar het hielp weinig tot niets. Ik heb alles geprobeerd wat ik kon bedenken. Toen trok het beest Cara en mij gewoon bij Richard weg. We konden hem niet vinden in het donker. We hebben het geprobeerd, maar we konden helemaal niets vinden, zelfs elkaar niet. Zoals ik al zei, is het onmogelijk te bepalen waar je bent in de sliph. Je kunt niets zien, je kunt eigenlijk ook niet echt horen. Het is een verwarrende plek, en hoe we ook ons best deden, we konden Richard gewoon niet vinden.'

Zedd leek met het ogenblik kwader te worden. 'Waarom zijn jullie dan hier in plaats van in de sliph, op zoek naar hem?'

'De sliph spuugde ons uit,' zei Cara. 'We waren weer hier, terug in de Burcht. Nicci en ik probeerden allebei om Meester Rahl te vinden, maar... er was niets. Geen beest, geen Meester Rahl. Toen dumpte de sliph ons hier, op de plek waar we naartoe onderweg waren toen we werden aangevallen.'

'Wat doen jullie dan hierboven?' vroeg hij nog eens op dreigende toon. 'Waarom zijn jullie niet weer in de sliph om te zoeken of, beter nog, om de sliph jullie te laten vertellen waar hij is?'

Nicci zag dat hij zijn handen langs zijn zij had gebald. Ze wist hoe hij zich voelde. Ze pakte zachtjes zijn arm. 'Zedd, de sliph wil ons niet vertellen waar hij is. Geloof me, we hebben het geprobeerd. Het is misschien mogelijk om haar zover te krijgen, dat weet ik niet, maar ik denk dat ik een betere manier weet; iemand die ons misschien kan vertellen waar Richard is: Jebra. Ik wil geen tijd meer verspillen, en ik denk dat Jebra misschien eerder een antwoord voor ons heeft dan de sliph.'

Zedd kneep zijn dunne lippen nadenkend opeen. 'Het is een poging waard,' zei hij uiteindelijk, 'maar je moet begrijpen dat die vrouw in alle staten is, al sinds jullie vertrokken. Ze was op haar beste momenten ontroostbaar, en verder in de greep van iets wat wel leek op hysterie. We hebben geprobeerd haar te kalmeren, maar het mocht niet baten. Ik vrees dat door alles wat ze heeft doorstaan het des te intimiderender voor haar is om de plotselinge terugkeer van haar unieke visioenen onder ogen te zien. Ze heeft er duidelijk moeite mee om te wennen aan dat ze ze weer heeft, om nog maar niet te spreken over de aard van dit visioen in het bijzonder.

We hebben haar uiteindelijk in bed gestopt, in de hoop dat als ze wat rust kreeg, ze weer op krachten zou komen en beter kon omgaan met de verwarring van haar visioenen. Gelukkig is ze er in ieder geval niet zo erg aan toe als koningin Cyrilla; ze vecht om zelf niet aan de waanzin ten prooi te vallen. Ze is zich ervan bewust dat ze ons moet kunnen helpen, maar op dit moment is haar wanhoop gewoon sterker dan haar gezonde verstand. Ik weet ook zeker dat haar volkomen uitputting het nog moeilijker voor haar maakt. We hopen dat ze ons meer kan vertellen als ze wat is uitgerust.'

'En wat heeft ze gezegd?' vroeg Nicci, in de hoop dat het antwoord een aanwijzing zou bevatten.

Zedd keek haar een tijdje in de ogen. 'Ze zei dat jullie zouden terugkeren zonder Richard.'

Nicci staarde de man aan. 'En wat is er van hem geworden?'

Zedd wendde zijn blik af. 'Dat is het deel dat we nog proberen uit haar te krijgen.'

'Mijn Agiel is dood,' zei Rikka. 'Ik voel de band niet meer. Ik voel Meester Rahl niet meer. Stel dat hij dood is?'

Zedd draaide zich een beetje om en stak een hand op, alsof hij haar maande rustig te blijven. 'Laten we geen overhaaste conclusies trekken. Er kunnen vele verklaringen voor zijn.'

Cara leek niet in het minst opgevrolijkt. 'Zoals?' vroeg ze.

Zedd richtte zijn hazelnootkleurige ogen op de Mord-Sith en keek haar een tijdje onderzoekend aan terwijl hij nadacht. 'Ik weet het niet, Cara. Ik weet het gewoon niet. Ik ga in gedachten alle mogelijkheden al na sinds Jebra me zei dat hij niet met jullie mee terug zou komen. Er zijn vele mogelijkheden, maar op dit moment nauwelijks aanwijzingen. We sparen geen enkele moeite, dat kan ik je beloven.'

Nicci slikte de brok in haar keel weg. 'Op dit moment is onze beste kans om aan Jebra te vragen waar Richard is. Als ze ons dat kan vertellen, kunnen we iets doen. Als we iets kunnen doen, hebben we de kans om hem te helpen.'

'Als hij nog leeft,' zei Rikka.

Nicci knarste met haar tanden en wierp een woedende blik op de vrouw. 'Hij leeft nog.'

Rikka slikte. 'Ik bedoel alleen maar...'

'Nicci heeft gelijk,' drong Cara aan. 'We hebben het wel over Meester Rahl. Hij leeft nog.' Er rolde een traan over haar wang. 'Hij leeft nog.'

'Maar toch,' zei de tovenaar met gepijnigde stem, 'moeten we voorbereid zijn op het ergste.' Toen hij de blik op Cara's gezicht zag, glimlachte hij lichtjes. 'Het wordt geen waarheid door het alleen maar hardop te zeggen. Wat is, is. Ik zeg alleen maar dat we ons moeten voorbereiden op elke mogelijke gebeurtenis, dat is alles. Het is het verstandigst. Het is wat Richard zelf zou doen als hij een van ons kwijtraakte, en wat hij van ons zou willen voor het geval hem iets overkwam. Jullie zouden toch ook van hem verwachten dat hij zou vechten als er iets met jullie gebeurde? We kunnen de zaak waar we voor staan, niet negeren. Richard zou willen dat we doorvechten, dat we vechten voor onszelf.'

Nicci had nu meer dan ooit het gevoel dat ze de Eerste Tovenaar zelf hoorde spreken. Ze begreep wel waar Richard zijn opmerkelijke vastberadenheid vandaan had.

Cara keek de man boos aan. 'Je praat alsof hij dood is. Dat is niet zo.'

Zedd glimlachte en knikte instemmend. Het lukte hem niet om overtuigend over te komen.

'Ik moet Jebra spreken,' zei Nicci. 'Nu is dat de beste plek om te beginnen. Wat heeft ze nog meer gezegd over haar visioen?'

Zedd zuchtte. 'Niet veel. Ze had al jaren geen visioen meer gehad, en deze was niet alleen een volslagen verrassing, maar schijnbaar ook nog eens overstelpend afschrikwekkend. Ik vrees dat de reden waarom ze geen visioenen meer had gehad, kwam door wat Richard zei over de falende magie. Als dat zo is, dan spreekt het boekdelen dat dit visioen door haar falende vermogen heen is gedrongen. Toen ze bij bewustzijn was en op de momenten dat ze samenhangend kon praten, leek haar vermogen om haar visioen in zijn geheel te overzien, de gebeurtenissen erin, gefragmenteerd en incompleet te zijn.'

'Misschien kunnen we haar helpen er wijs uit te worden,' zei Nicci zo vriendelijk mogelijk, hoe vastberaden ze ook was om die vrouw te laten doen wat nodig was.

Zedd dacht duidelijk niet dat het zin zou hebben, maar blijkbaar nam hij liever nog wel die moeite dan zich neer te leggen bij het onvoorstelbare.

'Deze kant op,' zei hij toen hij zich soepel omdraaide en haastig door de schemerig verlichte gang liep.

Bij een nogal kleine, mahoniehouten boogdeur met ingewikkeld snijwerk van wingerds en overlappende bladeren, klopte Zedd, met Nicci en de twee Mord-Sith naast zich, zachtjes aan. Terwijl hij op antwoord wachtte, wendde hij zich tot Rikka. 'Ga Nathan halen. Zeg hem dat het dringend is, en dat hij zijn spullen moet pakken. Hij zal onmiddellijk moeten vertrekken.'

Nicci vermoedde dat ze wist wat Zedd Nathan zou vragen, maar ze zette die gedachte uit haar hoofd. Daarvoor zou ze het ondenkbare moeten denken. In plaats daarvan richtte ze zich op wat haar te doen stond. Ze moest Jebra zover krijgen dat ze vertelde waar Richard was, wat er met hem gebeurd was. Indien nodig was Nicci van plan haar gave te gebruiken om dat te bereiken.

Terwijl Rikka wegrende door de gang, klopte Zedd nog eens aan, wat harder nu. Toen er geen reactie kwam, keek hij over zijn schouder naar Nicci. Hij prutste met de manchetten van zijn eenvoudige mantel. 'Voel je iets... vreemds?'

Nicci's hoofd was zo vol van paniekerige gedachten en emoties dat ze niet had opgelet. Ze waren immers in de Burcht. Er waren overal alarmen die hen zouden moeten beschermen tegen indringers. Ze zette haar gedachten van zich af en liet haar zintuigen een verhoogde staat van bewustzijn bereiken. 'Nu je het zegt, het voelt inderdaad... vreemd.'

'Hoezo vreemd?' vroeg Cara, die haar Agiel weer in de hand nam. Ze leek weer even te schrikken voor het besef tot haar doordrong.

Nicci trok voorzichtig de hand van de tovenaar van de grendel voor hij de deur kon openen. 'Er is toch niemand bij haar binnen? Misschien Tom, of Friedrich?'

Zedd keek haar fronsend aan. 'Niet dat ik weet. Die twee zijn op patrouille. Ik zat bij Jebra toen ik jou en Cara voelde aankomen. Ze sliep. Ik wilde er zijn als ze wakker werd zodat ze me meer over haar visioen kon vertellen. Ik liet haar achter en ben jullie tegemoet gelopen, in de hoop dat ze het mis had over Richard. Ann en Nathan waren al naar bed. Ik neem aan dat het een van hen kan zijn.'

Nicci, haar zintuigen nu gespitst, schudde haar hoofd. 'Het is niet een van hen. Iets anders.'

Zedd staarde peinzend voor zich uit, alsof hij zijn oren gespitst had op elk geluidje, maar Nicci wist dat hij niet echt luisterde. Hij deed hetzelfde wat zij deed, gebruikte zijn gave om te tasten naar wat ze niet konden horen of zien, probeerde de aanwezigheid van leven te bespeuren. Voor zover Nicci echter kon voelen, waren alleen Zedd en Cara bij haar, en vaag aan de andere kant van de deur voelde ze Jebra.

Maar er was ook nog iets anders. Alleen kon ze het gevoel niet plaatsen. Het was een aanwezigheid, maar niet het soort gevoel dat ze zou hebben als er nog een andere persoon achter de deur wachtte. Maar het leek wel wat op een ander gevoel dat ze pas nog had gehad. Ze fronste haar voorhoofd en probeerde het zich te herinneren.

'Ik heb hier overal extra alarmen geplaatst,' zei Zedd tegen haar.

Nicci knikte. 'Dat weet ik. Ik heb ze gevoeld.'

'Niemand kan daarlangs zijn gekomen. Dat zou ik weten. Verdorie, zelfs een muis kan niet langs de valstrikken die ik heb geplaatst.'

'Kan het komen door wat Meester Rahl ons heeft verteld?' vroeg Cara zachtjes. 'Ik bedoel, over dat er iets mis is met de magie? Kan het zijn dat er iets mis is met jullie gave en dat jullie daarom voelen wat jullie voelen?'

Zedd keek de vrouw zuur aan. 'Je bedoelt alsof onze gave... nou ja, gehusseld is?'

Cara haalde haar schouders op en voegde er toen aan toe: 'Ik weet niet veel van magie, maar misschien is dat ook wat er mis is met mijn Agiel. Misschien is dat alles. Meester Rahl drong behoorlijk aan; hij was er zeker van dat de magie aangetast was. Misschien zijn jullie begaafde zintuigen op diezelfde manier aangetast. Misschien was de conclusie die ik trok, helemaal verkeerd. Misschien is dat de reden, die aantasting.'

Zedd wees het idee puffend van de hand. Hij stak een arm opzij en de olielampen op de tafels aan weerszijden van de deur gingen uit. 'Nou, dat deel van mijn kracht werkt nog, dus dat betekent dat het werkt,' fluisterde hij. Hij legde zijn hand weer op de grendel en keek Nicci vastberaden aan. 'Wees op alles voorbereid.'

'Wacht,' zei Nicci.

Zedd keek achterom. Zijn gezicht was moeilijk te zien in het schemerige licht, maar zijn ogen niet. Ze zag er iets van Richards ogen in. 'Wat is er?' vroeg hij.

'Ik denk net aan iets waar ik over heb lopen peinzen.' Nicci strengelde haar vingers in elkaar terwijl ze zich snel alle details probeerde te herinneren. Uiteindelijk schudde ze met een vinger. 'Toen het beest ons aanviel tijdens het reizen, kreeg ik een vreemd gevoel. Ik lette er niet op, omdat het toch al zo vreemd is in de sliph dat het moeilijk te bepalen is of wat je voelt van belang is, laat staan echt ongewoon. Dagelijkse sensaties kunnen heel wonderlijk, zelfs wonderbaarlijk lijken. Je weet niet of het alleen maar een ophoping is van alle onbekende gevoelens, of meer dan dat.'

'En wanneer had je dat gevoel precies?' vroeg Zedd, die plotseling bijzonder veel belangstelling had voor wat ze zei. 'De hele tijd tijdens het reizen, of op een bepaald moment?'

'Nee, zoals ik al zei, kwam het nadat het beest ons aanviel.'

'Wees eens wat specifieker. Denk na. Was het toen het beest aanviel? Misschien toen het Richard greep? Of toen het jou greep?'

Nicci drukte haar vingertoppen tegen haar slapen en kneep haar ogen dicht in een wanhopige poging om zich alles te herinneren. 'Nee... nee, het was nadat ik bij Richard weg was getrokken. Niet meteen erna, maar wel vrij snel.'

'Wat was de volgorde waarin die gebeurtenissen zich afspeelden?'

'Het beest viel aan. Wij vochten ertegen. Ik probeerde mijn gave te gebruiken, maar dat hielp niet. Het beest deed me pijn. Richard gebruikte zijn mes om die tentakels af te hakken. Hij zorgde ervoor dat ik niet werd geplet.

Toen trok het beest Cara bij hem weg. Niet lang daarna trok het ook mij bij Richard weg. Toen, kort daarop, gebeurde het. Ik weet dat nog omdat ik in paniek op zoek was naar Richard toen ik dat vreemde gevoel kreeg.'

Nicci keek de tovenaar aan. 'Weet je, net nadat ik dat gevoel kreeg, kon ik niet langer de aanwezigheid van het beest voelen. Ik heb gezocht, geprobeerd Richard te vinden, maar dat lukte niet. Toen de sliph ons terugbracht naar de Burcht, vervaagde dat gevoel en vergat ik het.'

'Hoe voelde het, dat gevoel?'

Nicci gebaarde. 'Precies zoals wat er achter die deur is.'

Zedd staarde haar een tijdlang aan. 'Wat daarachter is, voelt hetzelfde? Een soort... zoemende stroom van kracht?'

Nicci knikte. 'Een magische lading, die op de een of andere manier geen basis heeft.'

'Magie lijkt zo vaak vrij rond te zweven,' zei Cara. 'Wat is daar zo vreemd aan?'

Zedd schudde zijn hoofd. 'Magie is niet iets wat zomaar alleen rondzweeft. Magie heeft geen bewustzijn, maar dit gevoel bootst op de een of andere manier een bewuste bedoeling na.'

'Ja,' zei Nicci. 'Zo voel ik het ook. Daarom voelt het zo vreemd, omdat magie van deze strekking niet basisloos kan zijn. Dit is dominantie die karakteristieke, besturende velden van aanwezigheid genereert, maar zonder het leven dat nodig is om ze te genereren.'

Zedd rechtte zijn rug. 'Dat is een heel goede beschrijving van wat ik voel.' Hij tuurde argwanend naar de deur. 'Ik denk dat als we dichterbij komen, we het beter kunnen voelen en misschien kunnen ontdekken wat het is. Als we dicht genoeg in de buurt kunnen komen, kunnen we het misschien analyseren.' Hij keek hen beiden aan. 'Laten we maar oppassen.'

Gedrieën wachtten ze dicht opeengepakt in de schemerige gang terwijl de tovenaar langzaam de grendel verschoof en de deur openduwde. Nicci voelde niets meer met de deur een stukje open dan toen hij dicht had gezeten. Zedd stak zijn hoofd even naar binnen en duwde de deur toen verder open. Het was donker binnen, en alleen het vage licht vanuit de gang onthulde vormen en schaduwen van wat er binnen was.

Tegen de muur links van hen zag Nicci een stoel staan met een sprei netjes over de rugleuning gevouwen. Niet ver van de deuropening, links in de kamer, stond een lage ronde tafel met een onaangestoken lamp erop. Achter de tafel stond een leeg bed. De verkreukelde lakens waren van het bed geduwd en lagen in een hoop op de vloer. Nicci tuurde aandachtig, net als Zedd en Cara, maar ze zag Jebra niet. Als ze ergens anders in de kamer was, was het te donker om haar te zien. Nu dat vreemde gevoel nog sterker was binnen in de kamer, deed Nicci's innerlijke zicht haar niet veel goed.

Zedd stuurde een vonkje van zijn Han naar de lamp. De lont was omlaaggedraaid, dus was het licht niet sterk genoeg om de zware slagschaduwen uit de hoeken of achter de kast aan de andere kant van de kamer te verdrijven. Maar er was nog steeds geen teken te zien van Jebra.

Nicci, die haar emoties had losgelaten en zich in plaats daarvan richtte op het zicht dat werd bestuurd door haar Han, stapte langs Zedd heen en bleef gespannen midden in de kamer staan luisteren. Met haar gave probeerde ze zich open te stellen voor het gevoel van een andere aanwezigheid die zich verstopte in de duisternis, maar ze voelde niets.

De gordijnen werden in beweging gebracht door een lichte bries. De dubbele deuren naar het balkon, met kleine ruitjes erin, stonden open. Nicci had zelf ook een balkon aan deze kant van het gebouw, dus wist ze dat het uitkeek op de donkere stad ver beneden, onder aan de berg.

Boven op de balustrade rondom het balkon, belemmerde een donker silhouet het uitzicht op het maanverlichte landschap.

Achter Nicci draaide Zedd de lont in de olielamp hoger. Toen het lichter werd, zag Nicci dat Jebra op het balkon stond. Ze stond met haar rug naar hen toe op blote voeten op de brede stenen balustrade.

'Goede geesten,' fluisterde Cara, 'ze gaat springen.'

Ze bleven alle drie verstijfd staan, bang om de vrouw te laten schrikken zodat ze zou springen voor ze bij haar konden komen. Ze leek nog niet te hebben opgemerkt dat ze er waren.

'Jebra,' zei Zedd met een zachte, behoedzame stem, 'we kwamen kijken hoe het met je gaat.'

Als Jebra hem al hoorde, dan toonde ze geen reactie. Nicci dacht echter niet dat Jebra iets hoorde, behalve de spookachtige fluistering van de magie. Nicci voelde de zwakke golven van die buitenaardse kracht langs haar heen stromen, zoemend op de ziene-res af die als een standbeeld op de balustrade stond.

Ze staarde uit over de stad Aydindril ver beneden haar. Een lich-te bries speelde met haar korte haren.

Nicci wist dat het balkon uitzicht bood op de vallei beneden, maar niet recht boven de rand van de Burcht hing. Toch zou Je-bra tientallen meters vallen naar een van de binnenpleinen, loop-paden, borstweringen of daken van de Burcht. Vanaf deze hoog-te maakte het niet uit dat ze niet helemaal van de berg viel als ze viel of sprong; ze zou het zeker ook niet overleven als ze op de stenen van de Burcht ver onder hen terechtkwam.

'Sterren,' zei Jebra met een lage, ijle stem tegen de leegte voor haar.

Zedd greep Nicci's arm en trok haar naar zich toe. Hij sprak in haar oor. 'Ik denk dat er iemand op zoek is naar dezelfde ant-woorden als wij. Ik denk dat iemand door haar geest aan het spit-ten is. Dát voelen we. Het is een dief, een gedachtedief.'

'Jagang,' zei Cara ademloos.

Nicci wist dat dat een logische aanname was. Nu de band met Richard op de een of andere manier verbroken was, kon Jagang in theorie zoiets doen. Zonder Richard in de rol van de Meester Rahl, waren ze allemaal plotseling kwetsbaar voor de droom-wandelaar.

Een misselijkmakende rilling van ijzige angst verspreidde zich door Nicci bij de herinnering aan Jagang, die haar geest en haar wil had bezet. Zonder de Meester Rahl was de band die hen al-len beschermde, verbroken. Als de keizer door de nacht reed, kon hij best eens ontdekken dat ze onbeschermd waren. De droom-wandelaar kon op ieder moment zonder enige waarschuwing on-gezien en ongemerkt hun geest binnendrijven en zich in hun ge-dachten ingraven.

Maar Nicci kende Jagang. Ze wist hoe het voelde als hij iemands geest bezette. Hij had immers op een bepaald moment ook haar geest bezet, haar door die vreselijke aanwezigheid bestuurd. Dit was anders. 'Nee,' zei ze, 'het is Jagang niet. Wat ik voel is iets anders.'

'Hoe weet je dat zo zeker?' fluisterde Zedd.

Nicci wendde eindelijk haar blik van Jebra af en keek de fron-sende tovenaar aan. 'Nou, om te beginnen,' fluisterde ze, 'zou je

377

niets voelen als het Jagang was. De droomwandelaar laat geen sporen na. Je merkt niet dat hij er is. Dit is heel anders.'

Zedd wreef over zijn gladgeschoren kin. 'Toch komt het me bekend voor,' mompelde hij in zichzelf.

'Sterren,' zei Jebra nog eens tegen de nacht buiten het balkon.

Zedd wilde naar de openstaande dubbele deuren lopen, maar Nicci greep zijn arm en hield hem tegen. 'Wacht,' fluisterde ze.

'Sterren, op de grond gevallen,' zei Jebra met een spookachtige stem.

Zedd en Nicci keken elkaar aan.

'Sterren tussen het gras,' zei Jebra met diezelfde dode stem.

Zedd verstijfde. 'Goede geesten. Nu herken ik het.'

Nicci boog zich naar hem toe. 'De aanwezigheid?'

De tovenaar knikte langzaam. 'Dat is het gevoel van een heks die haar kracht gebruikt.'

Jebra strekte zijdelings haar armen uit.

'Ze gaat springen!' riep Nicci toen Jebra voorover de nacht in begon te vallen.

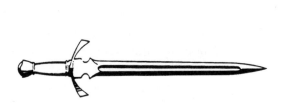

33

Richard hoestte verscheurend. De pijn van zijn plotselinge hoestbui bracht hem met een schok weer bij bewustzijn. Hij probeerde te kreunen, zonder veel succes. Hij had geen adem om mee te kreunen. Samen met het bewustzijn kwam er een toenemende, verwarde paniek dat hij stikte, alsof hij verdronk.

Hij hoestte nog eens en kromp ineen van pijn. Hij probeerde een kreet van pijn te slaken toen hij zich oprolde tot een bal op de grond, zijn armen strak om zijn middel geslagen om een volgende hoestaanval te onderdrukken.

Ademhalen.

Richard beschouwde die spookachtige stem, die leek voort te komen van een plek in de onderwereld, als de stem van de waanzin. Hij deed zijn uiterste best om juist géén adem te halen. Hij haalde voorzichtig langzame vingerhoedjes vol lucht binnen om zo te proberen een volgende pijnlijke hoestbui te voorkomen.

Ademhalen.

Hij wist niet waar hij was, en op het ogenblik kon hem dat ook niet schelen. Alles wat ertoe deed, was het gevoel dat hij stikte. Hij wilde niet ademhalen, hoe wanhopig hij ook lucht nodig had. Dat gevoel was zo bedrukkend, zo misselijkmakend, dat het niet alleen zijn gedachten lamlegde maar echt almachtig was. Hij ging liever dood dan dat dit gevoel aanhield. Hij kon het niet verdragen.

Richard wilde zich niet bewegen, want met elke tel werd het makkelijker om niet te ademen. Het scheen hem toe dat als hij het nog eventjes wat langer kon redden om niet te ademen, dan het pijn en lijden even over de top van die donkere heuvel daarbuiten zou eindigen. Hij deed zijn best om volkomen stil te blijven liggen, in de hoop dat de wereld zou ophouden met draaien voordat hij moest overgeven. Hij kon zich wel voorstellen hoeveel pijn dat zou doen. Als hij nog een tijdje langer stil kon blijven liggen, dan zou het allemaal makkelijker worden. Als hij gewoon nog een tijdje stil kon blijven liggen, dan zou het allemaal weggaan. *Ademhalen.*

Hij negeerde de zijdeachtige stem in de verte. Zijn gedachten dreven af naar een tijd in het verleden, toen hij ook zoveel pijn had gehad. Dat was toen Denna hem hulpeloos in de boeien had geslagen, toen hij aan haar genade was overgeleverd, toen ze hem martelde tot hij ijlde. Denna had hem echter geleerd om pijn te verdragen. Hij stelde zich voor dat ze voor hem stond, naar hem keek, afwachtte of hij over het randje naar de dood zou gaan. Er waren momenten geweest dat hij de top van die donkere heuvel in de verte had bereikt en aan de andere kant naar beneden onderweg was. Als dat gebeurde, was daar altijd Denna die haar mond over die van hem legde en met geweld haar leven in hem blies. Ze had niet alleen zijn leven bestuurd, ze had zijn dood bestuurd. Ze had hem alles afgepakt. Zelfs zijn eigen dood was niet langer van hem geweest; zij had de macht erover.

Ze keek nu naar hem. Haar zilveren gezicht kwam dichterbij en wachtte af wat hij zou doen. Hij vroeg zich af of hij nu dood mocht gaan, of dat ze weer haar mond over die van hem zou leggen en...

Ademhalen.

Richard verwonderde zich. Denna leek helemaal niet op een zilveren standbeeld.

'U moet ademhalen,' zei de zijdeachtige stem. 'Als u dat niet doet, gaat u dood.'

Richard keek knipperend op naar het mooie gezicht dat zacht werd verlicht door het koele maanlicht. Hij probeerde wat meer lucht in te ademen en kneep zijn ogen dicht. 'Pijn,' fluisterde hij met het geheel van die korte ademteug.

'U moet. Het is het leven.'

Leven. Richard wist niet of hij wel wilde leven. Hij was zo moe, zo uitgeput. De dood leek zo verlokkelijk. Geen moeite meer.

Geen pijn meer. Geen wanhoop meer. Geen eenzaamheid meer. Geen tranen meer. Geen pijn van het gemis van Kahlan meer. Kahlan.

Ademhalen.

Als hij stierf, wie zou haar dan helpen?

Hij haalde dieper adem en forceerde de lucht door de schurende pijn in zijn longen. Hij dacht aan Kahlans glimlach in plaats van aan de pijn. Hij haalde nog eens adem. Nog dieper.

Een zilveren hand gleed zachtjes over zijn schouderblad, alsof die hem wilde troosten tijdens de pijn van de worsteling om in leven te blijven. Het gezicht keek droevig en meelevend naar zijn strijd.

Ademhalen.

Richard knikte terwijl hij zich verzette tegen zijn krampen en het koude vuur van de nachtlucht inademde. Hij hoestte een dunne, rode vloeistof en bloedklontertjes met een metaalachtige smaak op. Hij haalde nog eens adem, wat hem de kracht gaf om nog meer op te hoesten van de vloeistof die zijn longen brandde. Een tijdlang bleef hij op zijn zij liggen, om beurten happend naar lucht en hoestend om de vloeistof uit zijn longen te krijgen.

Toen hij weer makkelijker ademde, al was het onregelmatig, rolde hij zich op zijn rug en hoopte dat het gedraai zou ophouden. Hij sloot zijn ogen maar daar werd het alleen maar erger van, want naast het gedraai voelde hij toen ook nog een rollende, kantelende beweging. Zijn maag draaide zich om en hij kon ieder moment overgeven.

Hij opende zijn ogen en staarde in de duisternis op naar de bladeren boven zich. Hij zag vooral esdoornbladeren in het baldakijn van boomtakken boven zich. Kijken naar die bladeren – talismannen van de beschermgeest – voelde goed. In het maanlicht zag hij nog andere soorten bomen. Om zijn gedachten af te leiden van zijn pijn en misselijkheid, probeerde hij alle bomen te identificeren die hij kon zien. Hij zag kluitjes hartvormige lindebladeren en, verder boven hem, een of twee takken van witte dennen, zo te zien. In de verte aan de zijkanten stonden een paar eiken, sparren en balsembomen. Dichterbij stonden echter vooral esdoorns. Bij elke windvlaag hoorde hij het opvallende, zachte geratel van populierenbladeren.

Naast de pijn en zijn moeite om adem te halen, besefte Richard dat er iets mis was vanbinnen. Iets veel basalers, essentiëlers. Het was geen letsel in de normale betekenis, maar hij wist dat er iets heel erg mis was. Hij probeerde het gevoel te duiden, maar kon er niet de vinger op leggen. Het was een hol, leeg, verlaten gevoel dat hij niet kon verbinden aan de bekende emoties in zijn leven, zoals zijn verlangen om Kahlan te vinden of wat hij had gedaan om het D'Haraanse leger de Oude Wereld in te sturen. Hij dacht na over de verontrustende dingen die Shota hem had verteld, maar dat was het ook niet.

Het was meer een gevoel van een onrustbarende leegte binnen in hem, waarvan hij wist dat hij die nog nooit eerder had gevoeld. Daarom had hij zo'n moeite eruit wijs te worden: het was een volkomen onbekend gevoel. Er was iets geweest, een of ander gevoel over zichzelf waarvan hij besefte dat hij er nooit over had nagedacht, het nooit had gezien als een apart element, een onafhankelijk deel van wie hij was, maar nu was het weg.

Richard had het gevoel alsof hij niet langer zichzelf was.

Hij dacht aan het verhaal dat Shota hem had verteld over Baraccus en het boek dat hij had geschreven, *Geheimen van de macht van een oorlogstovenaar*. Richard vroeg zich af of zijn innerlijke stem hem probeerde te vertellen dat zo'n boek hem in deze situatie zou kunnen helpen. Hij moest toegeven dat het probleem aanvoelde alsof het op de een of andere manier verband hield met zijn gave.

De herinnering aan dat boek zorgde ervoor dat zijn gedachten afdwaalden naar wat Shota hem over zijn moeder had verteld, dat ze niet alléén was omgekomen in die brand. Zedd had heel nadrukkelijk gezegd dat hij de verkoolde resten van het huis had doorzocht en geen andere beenderen had gevonden. Hoe kon dat nou? Of Zedd óf Shota moest het mis hebben. Om de een of andere reden kon hij zich dat van hen allebei niet voorstellen.

Ergens diep in zijn gedachten lag het antwoord. Maar hoe hij ook zijn best deed, het wilde niet tevoorschijn komen. Richard voelde een steek van verdriet om zijn moeder, een gevoel dat hem al heel zijn leven af en toe kwelde. Hij vroeg zich af wat zij zou vinden van alles wat er met hem gebeurde. Ze had nooit de kans gekregen hem te zien opgroeien, hem als man te zien. Ze had hem alleen maar als jongen gekend.

Hij wist dat zijn moeder dol zou zijn geweest op Kahlan. Ze zou zo blij voor hem zijn geweest, zo trots om een schoondochter zoals Kahlan te hebben. Ze wilde altijd dat hij een goed leven zou hebben. En hij kon geen beter leven hebben dan met Kahlan. Maar hij had niet langer een leven met Kahlan.

Hij nam aan dat hij een leven had en, alles in aanmerking genomen, dat was wel ongeveer alles wat hij op dit moment kon verwachten. Hij kon tenminste nog proberen zijn dromen te verwezenlijken. Dode mannen hadden geen dromen.

Richard lag op zijn rug en liet de lucht naar zijn brandende spieren stromen, liet zich weer bij zinnen komen en probeerde zich te vermannen. Hij was zo zwak dat hij zich nauwelijks kon bewegen, dus probeerde hij dat ook maar niet. Zolang hij hier lag om zich te herstellen, dacht hij na over alles wat er gebeurd was en probeerde zijn gedachten op een rijtje te krijgen.

Hij was onderweg terug geweest naar de Burcht met Nicci en Cara toen ze werden aangevallen. Het was het beest geweest. Hij had de aura van kwaad eromheen gevoeld. Het verscheen in een vorm waarin het nog nooit eerder was verschenen, maar het lag in zijn aard om verschillende gestalten aan te nemen. Het enige waarin het altijd consequent was, was dat het achter hem aan zou blijven komen tot het hem gedood had.

Hij herinnerde zich dat hij ertegen gevochten had. Zijn hand ging naar een plek op zijn been waar een van de tentakels hem had geknepen tot hij dacht dat het vlees van zijn been zou scheuren. Zijn dij was opgezwollen en pijnlijk, maar gelukkig niet opengescheurd. Hij wist nog dat hij een paar armen van het wezen had doorgehakt. Hij herinnerde zich dat Nicci had geprobeerd haar kracht te gebruiken, en dat hij wenste dat ze daarmee ophield, omdat het dwars door de sliph heen trok en ook hem had pijn gedaan. Hij vermoedde dat als de substantie van de sliph er niet was geweest, hij door Nicci's magie om het leven had kunnen komen. Het had het beest in ieder geval geen kwaad gedaan, althans niet voldoende om het te vertragen. Het beest moest dus ook tot op zekere hoogte zijn afgeschermd door de sliph.

Hij wist nog dat Cara bij hem weg werd getrokken. En ook Nicci werd woest van hem losgerukt. Hij herinnerde zich dat het beest had geprobeerd hem te verscheuren. En hij wist nog dat hij zich plotseling had weten te bevrijden.

Maar toen was er iets gebeurd wat hij niet begreep. Toen hij los was van het beest, had hij plotseling een onbekend, pijnlijk gevoel gehad dat hem tot in het diepst van zijn wezen raakte. Het was heel anders geweest dan de pijn die door Nicci's kracht werd veroorzaakt, of door die van enige andere magie die hij ooit had gevoeld.

Magie.

Zodra hij die gedachte had gevormd, wist hij dat hij gelijk had; het was een soort magie geweest. Het was de aanraking geweest van een bezwering die in niets leek op alles wat hij ooit had gevoeld, maar hij herkende het als de aanraking van magie. Hoewel hij los was van het beest – hij had niet eens geweten waar het beest op dat ogenblik was – was dat het moment waarop alles plotseling was veranderd.

Toen hij scherp inademde door de plotselinge aanval van die vreemde krachtsontlading, vulde de essentie van de sliph zijn longen weer. Die ademhaling had hem een schok van paniek bezorgd. Richard herinnerde zich een gelijksoortig gevoel van toen hij nog klein was. Hij was samen met enkele andere jongens aan het duiken geweest naar de bodem van een vijver, een wedstrijdje wie de meeste kiezels kon opduiken. Doordat ze de hele middag hadden gezwommen en van takken de kleine maar diepe vijver in waren gedoken, was de modderige bodem omgewoeld. Onder het troebele water, tijdens het duiken naar kiezels, was Richard zijn richtingsgevoel kwijtgeraakt. Hij had geen lucht meer toen hij zijn hoofd stootte tegen een dikke tak. Gedesoriënteerd als hij was, dacht hij dat die botsing met de tak betekende dat hij boven water was gekomen en een van de lage takken over de rand van de vijver had geraakt. Dat was niet zo. Het was een tak onder water. Voordat hij besefte wat hij deed, had hij dat modderige water ingeademd.

Hij was dicht bij het wateroppervlak, dicht bij de oever en dicht bij zijn vrienden geweest. Het was een angstaanjagende ervaring, maar het was snel voorbij en hij had zich ook snel hersteld en een lesje geleerd: dat hij meer respect moest hebben voor water. Die herinnering, dat hij als jongen water in zijn longen had gekregen, samen met de natuurlijke weerstand om water in te ademen, hadden het des te moeilijker gemaakt om de eerste keer in de sliph adem te halen. Hij had zich echter over die angst heen gezet, en het bleek een extatische ervaring.

Maar in de sliph, toen hij plotseling merkte dat hij verdronk, was er geen oppervlak, geen oever en geen hulp nabij. Zoiets was nog nooit eerder in de sliph gebeurd. Hij had geen enkele kans gehad om te ontsnappen, naar het oppervlak te komen, en niemand had hem kunnen helpen.

Richard keek in het maanlicht. De sliph was vlakbij en keek naar hem. Hij besefte dat ze niet in een put zat zoals hij haar altijd had gezien. Ze stond op de grond, op een karig bebost terrein. Hij hoorde geen andere geluiden dan die van de natuur. Hij rook niets anders dan bosgeuren.

Onder de bladeren, dennennaalden, humus en wortels voelde Richard een ruwe stenen vloer. De naden ertussen waren breed, meer dan een vinger dik. Dit waren geen smalle voegen zoals die in fraai gebouwde paleizen, maar ze waren zonder twijfel door mensenhanden gemaakt.

En in plaats van uit haar put rees het zilveren gezicht van de sliph lichtjes op uit een kleine, onregelmatige opening in de oude stenen vloer. Puntige stukken van die stenen vloer lagen nu boven op de droge bladeren en takken, alsof ze net van onderaf waren opengebroken, alsof de sliph erdoorheen was gebroken.

Richard ging overeind zitten. 'Sliph, is alles goed met je?'

'Ja, meester.'

'Weet jij wat er gebeurd is? Ik had het gevoel dat ik verdronk.'

'Dat was ook zo.'

Richard staarde naar het gezicht in het maanlicht. 'Maar hoe kan dat? Wat is er mis gegaan?'

Een zilveren hand kwam boven de grond uit en streek met kwikzilveren vingers tastend langs zijn voorhoofd. 'U hebt niet de benodigde magie om te reizen.'

Richard knipperde verward met zijn ogen. 'Dat begrijp ik niet. Ik heb al zo vaak gereisd.'

'Voorheen had u wat nodig was.'

'En nu niet meer?'

De sliph keek hem een tijdje aan. 'Nu niet meer,' bevestigde ze.

Richard had het gevoel alsof hij hallucineerde. 'Maar ik heb beide kanten van de gave. Ik kan reizen.'

De sliph voelde voorzichtig nog eens aan zijn gezicht. De hand ging omlaag naar zijn borst en stopte daar even om licht druk uit te oefenen. Haar arm ging weer terug het donkere gat in de gebroken steen in. 'U hebt de benodigde magie niet.'

'Dat zei je al. Het slaat nergens op. Ik was al aan het reizen.'
'Terwijl u reisde, verloor u wat nodig is.'
Richard zette grote ogen op. 'Bedoel je dat ik een kant van de gave ben kwijtgeraakt?'
'Nee, ik bedoel dat u de gave niet hebt. U hebt helemaal geen magie. U kunt niet reizen.'
Richard moest die woorden nog eens in gedachten herhalen om er zeker van te zijn dat hij het goed had verstaan. Hij zag niet hoe hij zich kon hebben vergist over wat de sliph had gezegd. Zijn geest raasde langs flarden van verwarde gedachten terwijl hij probeerde te bedenken hoe zoiets mogelijk was.
Toen besefte hij iets vreselijks. Kon de aantasting die was veroorzaakt door de akkoorden, hier verantwoordelijk voor zijn? Had die aantasting hem eindelijk ingehaald en zijn gave ongedaan gemaakt, zijn gave zonder dat hij het merkte, laten wegrotten tot hij uiteindelijk verdwenen was?
Maar dat zou het gevoel niet verklaren dat hij in de sliph had gehad, net nadat hij was ontsnapt aan de tentakels van het beest en net voor hij begon te verdrinken; het plotselinge gevoel van een donkere, steelse magie die hem had aangeraakt toen hij op zijn kwetsbaarst was.
Richard keek om zich heen maar zag niets anders dan bomen. Ze waren zo dicht dat hij er in het maanlicht niet doorheen kon kijken. Als woudloper haatte hij het gevoel niet te weten waar hij was.
'Waar zijn we eigenlijk? Hoe zijn we hier gekomen?'
'Toen het gebeurde, toen u verloor wat nodig is om te reizen, moest ik u hierheen brengen.'
'En waar is "hier"?'
'Het spijt me, maar dat weet ik niet precies.'
'Hoe kun je me hierheen brengen en dan niet weten waar je bent? Je weet altijd waar je bent en naar welke plekken je kunt reizen.'
'Ik ben hier nog nooit eerder geweest. Dit is een nooduitgang. Ik wist er natuurlijk van, maar ik was hier nog nooit geweest. Ik had nog nooit te maken gehad met een noodgeval.
Dat vreselijke beest deed me pijn. Ik deed mijn best om u allen in leven te houden. En toen was er nog iets anders wat binnen in mij kwam. Ik kon het niet tegenhouden. Net als het beest, kwam het binnen zonder mijn toestemming. Het schond mij.'
Dat bevestigde Richards gevoel van de gebeurtenissen, dat net na-

dat het beest de greep op hem verloor er nog iets anders, een of andere kracht, hem met veel dwang had aangeraakt.

'Het spijt me dat je pijn hebt geleden, sliph. Wat is er met het beest gebeurd?'

'Nadat die andere kracht in me kwam, was het beest niet meer.'

'Bedoel je dat het door die andere kracht vernietigd is?'

'Nee. De kracht raakte het beest niet aan. Het raakte alleen u met volle energie aan. Daarna had u niet langer wat nodig is om te reizen. En naderhand zocht het beest nog een tijdje in me rond voor het verdween. Ik kon u niet langer in me houden, dus moest ik op zoek naar de dichtstbijzijnde nooduitgang.'

'En Nicci en Cara? Zijn zij gewond geraakt? Zijn ze veilig?'

'Zij voelden ook de pijn van wat er met mij gebeurde, en een van hen probeerde haar kracht binnen in mij te gebruiken, en dat is verkeerd. Toen ik u hierheen had gebracht, heb ik hen naar de Burcht gebracht waarheen ze wilden reizen. Ik zei tegen degene die haar kracht had gebruikt, dat het gevaarlijk was en dat ze dat niet meer mocht doen.'

'Ik geloof dat ik het begrijp,' zei Richard. 'Het deed mij ook pijn. Waren ze erg gewond?'

'Ze zijn veilig in de Burcht.'

'Dan moeten wij ons ergens tussen het Volkspaleis en de Burcht bevinden,' zei Richard, half tegen zichzelf.

'Nee.'

Hij keek in het vloeibare, zilveren gezicht. 'Dat begrijp ik niet. We waren onderweg van het paleis naar de Burcht. Als jij me eruit hebt gelaten, dan is deze plek, deze nooduitgang, ergens tussen het paleis en de Burcht.'

'Hoewel ik deze plek niet ken, ken ik wel het gebied. We zijn op een plek iets meer dan halverwege door het Middenland vanaf de Burcht, voorbij de Vlakte van Agaden, bijna in de wildernis.'

Richard had het gevoel alsof de wereld net had gesteigerd en hem ver had verwijderd van waar hij was geweest. 'Maar... maar dat is veel, veel verder van het Volkspaleis dan de Burcht. Waarom heb je me niet naar de dichtstbijzijnde plek gebracht, naar de Burcht?'

'Zo werk ik niet. Wat voor u de kortste afstand kan lijken tussen twee plekken, is niet de kortste weg voor mij. Ik ben op veel plekken tegelijkertijd.'

Richard boog zich naar de sliph toe. 'Hoe kun je nou op vele plekken tegelijkertijd zijn?'

'U hebt één voet op die donkere steen, de andere op een lichtere steen. U bent ook op twee plekken tegelijk.'

Richard zuchtte. 'Ik geloof dat ik het snap.'

'Ik reis op een andere manier dan u. Deze plek hier, hoewel die voor u halverwege in het Middenland ligt, was voor mij de dichtstbijzijnde. Ik moest u snel weer naar uw eigen wereld brengen zodat u kon ademhalen. U had niet langer wat nodig is om te reizen. Uw longen waren gevuld met mij. Voor onbegaafden is dat giftig. Ze gaan er dood aan. Maar voor u, aangezien u al in mij was en mij al inademde, was er een korte overgangsperiode, dus was het niet meteen dodelijk dat ik mij in u bevond. U zou snel gestorven zijn, maar ik had een korte tijd voor dat zou gebeuren. Ik heb mijn best gedaan om u te redden, om u naar een plek in uw eigen wereld te brengen waar u zich hopelijk zou kunnen herstellen. Ik heb u hierheen gebracht, het zegel verbroken en u weer naar uw eigen wereld gebracht. U was gewond, maar ik wist dat mijn essence, die nog binnen in u was, uw leven korte tijd in stand zou houden.'

'Als ik niet langer kon reizen omdat ik de benodigde gave niet meer had, waarom dacht je dat dan?'

'Ik ben voorzien van eigenschappen om te helpen bij noodgevallen. Die eigenschappen bevinden zich in mij, en dus bevonden ze zich ook in u. Ze helpen het herstelproces in gang te zetten. Het is alleen bedoeld voor noodgevallen, en zelfs daarbij werd ik nog gewaarschuwd dat ik niet zeker kon zijn of het zou werken, omdat er altijd variabelen zijn die je niet kunt besturen.

Terwijl u tussen de beide werelden sliep en mijn magie, die nog binnen in u was, werkzaam was om te verwijderen wat nu giftig voor u was, heb ik de anderen naar de Burcht gebracht. Toen ik terugkeerde, heb ik gewacht tot u zich voldoende had hersteld om weer te gaan ademen, en toen heb ik u eraan helpen herinneren wat u moest doen om in leven te blijven.

Een tijdlang wist ik niet of het zou lukken. Ik heb nog nooit zoiets hoeven doen. Het was vreselijk om alleen maar te kunnen afwachten terwijl ik u daar zag liggen, niet wetend of u ooit weer zou gaan ademen. Ik vreesde dat ik u teleurgesteld had en dat ik de oorzaak van uw dood zou zijn.'

Richard staarde langdurig in het zilveren gezicht. Uiteindelijk glimlachte hij. 'Dank je, sliph. Je hebt mijn leven gered. Dat heb je goed gedaan. Heel goed.'

'U bent mijn meester. Ik zou alles voor u doen.'

'Je meester. Een meester die niet kan reizen.'

'Het is voor mij even verwarrend als voor u.'

Richard probeerde erover na te denken, er logica in te zien, maar nu zijn ademhaling nog hard en pijnlijk op zijn borst drukte nadat hij bijna was verdronken in de sliph, had hij moeite zijn gedachten te richten.

Richard legde zijn onderarmen op zijn knieën. 'Het is zeker niet mogelijk dat je me terugbrengt naar de Burcht?'

'Jawel, meester. Als u wilt reizen, kan ik u brengen.'

Richard rechtte zijn rug. 'Echt waar? Hoe dan?'

'U moet gewoon de vereiste magie opdoen, dan kan ik u brengen. Dan gaan we reizen en dat zal u behagen.'

De vereiste magie opdoen. Hij wist niet eens hoe hij de magie moest gebruiken die hij had, of die hij had gehad. Hij kon zich niet voorstellen wat er met zijn gave was gebeurd, en had al helemaal geen idee hoe hij die terug kon krijgen. Er waren in het verleden wel momenten geweest dat hij ervan af wilde, maar nu dat echt gebeurd was, wilde hij haar alleen maar terug.

Toen hij zijn gave verloor, was het beest hem schijnbaar kwijtgeraakt in de sliph. Als troost voor het verlies van zijn gave leek het er in ieder geval op dat hij zich even geen zorgen hoefde te maken over het beest; zijn gave was immers het mechanisme geweest waardoor het beest zich aan hem vast had gehaakt, de manier waarop het hem opjoeg. Er was zogenaamd evenwicht in magie; misschien was dat het evenwicht voor het kwijtraken ervan.

Richard haalde zijn vingers door zijn haren. 'In ieder geval hebben Nicci en Cara het gered en zijn veilig.' Hij keek op naar de sliph. 'Weet je zeker dat alles goed met ze is?'

'Ja, meester. Ze zijn veilig. Ik heb ze naar de Burcht gebracht, waarheen ze wilden reizen. Zij hadden wat nodig is om te reizen.'

'En je hebt ze verteld waar ik ben. Je hebt ze verteld wat er gebeurd is.'

Ze keek verbaasd, omdat het meer klonk als een bevel dan als een vraag. 'Nee, meester. Ik onthul nooit wat ik met een ander doe.'

'O, geweldig,' mompelde hij. Hij probeerde zijn ergernis in toom te houden. 'Maar je hebt mij ook over anderen verteld.'

'U bent mijn meester. Ik doe dingen met u die ik met niemand anders zou doen.'

'Sliph, ze zijn mijn vrienden. Ze zijn waarschijnlijk gek van ongerustheid over me. Je moet ze vertellen wat ze weten moeten.'

Het zilveren hoofd keek hem schuin aan. 'Meester, ik kan u niet verraden. Dat zou ik nooit doen.'

'Het is geen verraad. Ik zeg je dat het goed is als je ze vertelt wat er gebeurd is.'

De sliph keek alsof dit het vreemdste verzoek was dat ze ooit had gekregen. 'Meester, u wilt dat ik anderen over ons vertel, over wat we doen wanneer we samen zijn?'

'Sliph, probeer het te begrijpen. Je bent geen prostituee meer.'

'Maar mensen gebruiken me voor hun genoegen.'

'Dat is niet hetzelfde.' Richard haalde zijn vingers door zijn haren en probeerde zijn stem niet boos te laten klinken. 'Luister, vroeger hebben tovenaars veranderd wie je was, wat je was.'

De sliph knikte ernstig. 'Ik weet het, meester. Ik weet het nog. Het gebeurde mij, tenslotte.'

'Nu ben je anders. Het is niet hetzelfde. Je kunt die dingen niet gelijkstellen. Ze zijn verschillend.'

'Ik heb de plicht gekregen om anderen op deze wijze te dienen. Mijn aard is nog hetzelfde.'

'Maar er zijn mensen die je bijzonder zouden waarderen om je hulp.'

'Ik word altijd al gewaardeerd om wat ik doe.'

'Dit is anders dan wat je eerst deed.' Richard wilde deze discussie helemaal niet aangaan. Hij had belangrijkere dingen aan zijn hoofd. 'Sliph, als je met ons reist, help je vaak om levens te redden. Toen je met ons reisde naar het Volkspaleis, hielp je me een einde te maken aan de oorlog. Je doet goede dingen.'

'Als u het zegt, meester. Maar u moet begrijpen dat degenen die me gemaakt hebben, me gemaakt hebben tot wat ik ben. Ze hebben gebruikt wat er ooit in mij was om me te scheppen zoals ik nu ben. Ik kan niet anders zijn dan hoe ik ben. Ik kan mezelf niet anders wensen, net zozeer als u nu niet kunt reizen door het eenvoudigweg te wensen.'

Richard zuchtte. 'Je zult wel gelijk hebben.' Met één hand brak hij droge takjes doormidden terwijl hij nadacht. Hij wisselde een lange blik uit met het mooie gezicht dat hem aankeek en aan zijn lippen hing. Uiteindelijk sprak hij zachtjes. 'Er zijn momenten waarop er geen andere mogelijkheid is en je anderen moet vertrouwen. Dit is een van die momenten.'

Iets aan zijn woorden kwam duidelijk bij haar aan. Het mooie, vloeibare gezicht kwam een stukje dichterbij. 'U bent het,' fluisterde de sliph.

'Het? Wie, het?'

'Degene van wie Baraccus me vertelde dat hij zou komen.'

De haartjes in Richards nek kwamen overeind. 'Heb jij Baraccus gekend?'

'Hij was ooit mijn meester, zoals u nu bent.'

'Natuurlijk,' fluisterde Richard in zichzelf. 'Hij was Eerste Tovenaar.'

'Hij is degene die vond dat ik die noodelementen moest hebben waar ik u over heb verteld. Hij bepaalde ook dat deze nooduitgang er moest zijn. Als hij dat niet had gedaan, was u gestorven. Hij was heel wijs.'

'Heel wijs,' vond Richard ook, terwijl hij de sliph met grote ogen aanstaarde. 'Je zei dat Baraccus je iets heeft verteld over iemand die zou komen?'

De sliph knikte. 'Hij was heel vriendelijk voor me. Zijn vrouw haatte me, maar Baraccus was vriendelijk voor me.'

'Je hebt zijn vrouw ook gekend?'

'Magda.'

'Waarom zou zij je haten?'

'Omdat Baraccus vriendelijk voor me was. En omdat ik hem van haar heb weggevoerd.'

'Je bedoelt dat je hem wegvoerde als hij wilde reizen.'

'Natuurlijk. Als ik tegen hem zei dat het hem zou behagen, sloeg zij haar armen over elkaar en keek me woest aan.'

Richard glimlachte een beetje. 'Ze was jaloers.'

'Ze hield van hem en wilde niet dat hij bij haar wegging. Als ik met hem terugkeerde na het reizen, stond ze vaak op hem te wachten. Hij glimlachte altijd als hij haar zag, en dan glimlachte zij terug.'

'En wat zei Baraccus over mij?'

'Hij zei hetzelfde wat u net zei, dat er momenten zijn waarop er geen andere mogelijkheid is en je anderen moet vertrouwen. Dat waren zijn woorden, gelijk aan die van u. Hij zei dat op een dag een andere meester precies diezelfde woorden zou gebruiken en er dan precies hetzelfde aan zou toevoegen als u deed: "Dit is zo'n moment."

Hij zei dat als een meester ooit die woorden tegen me zei, dat betekende dat hij de juiste was en dat ik hem bepaalde dingen moest vertellen.'

Richard voelde ook alle haartjes op zijn armen recht overeind staan. 'Jij hebt Magda Searus ergens heen gebracht, hè?'

'Ja, meester. En daarna heb ik Baraccus nooit meer gezien. Maar voor die tijd, toen hij me vertelde dat iemand op een dag die woorden zou uitspreken, zei hij dat ik diegene zijn boodschap moest doorgeven.'

'Heeft hij een boodschap achtergelaten?' Toen ze knikte, wapperde hij ongeduldig met zijn hand. 'Wat is die dan?'

'"Het spijt me, Richard. Ik ken de antwoorden niet die je redding zouden zijn. Als ik die wel kende, geloof mij alsjeblieft, dan zou ik ze graag geven. Maar ik ken het goede in je. Ik geloof in je. Ik weet dat je het vermogen hebt om te slagen. Er zullen tijden zijn waarop je aan jezelf twijfelt. Geef niet op. Bedenk dan dat ik in je geloof en dat ik weet dat je in staat bent je doel te bereiken. Je bent een zeldzaam iemand, Richard. Geloof in jezelf."'

Richard bleef stokstijf zitten. De woorden kaatsten door zijn hoofd. Ze kwamen hem vreemd bekend voor. 'Ik heb bijna precies diezelfde woorden al eens eerder gehoord.'

De sliph gleed een stukje dichter naar hem toe en haar gezicht verstrakte. 'O ja?'

Richard concentreerde zich terwijl hij de woorden weer overpeinsde en probeerde zich te herinneren...

Toen schoot het hem te binnen. Het was net nadat Shota hem had verteld over Baraccus. Net voordat ze vertrok, had ze precies die woorden tegen hem gezegd. Er was iets aan die woorden, uitgesproken door Shota, wat een vage herinnering had opgeroepen. 'Het was Shota, de heks,' zei Richard, fronsend bij de herinnering. 'Zij zei dat tegen me.'

De sliph trok zich terug. 'Het spijt me, meester. U bent niet geslaagd voor de test.'

Richard keek op. 'Wat voor test?'

'De test die Baraccus u heeft gegeven. Het spijt me, maar u bent niet geslaagd voor zijn test. Meer kan ik u niet vertellen.' Zonder nog iets te zeggen, verdween de sliph abrupt in het zwarte gat tussen de stenen.

Richard dook op zijn buik en tuurde in het gat. 'Nee! Wacht! Niet weggaan!'

Zijn eigen stem kaatste naar hem terug vanuit de lege, donkere schacht. De sliph was weg. En zonder zijn gave kon hij haar niet terugroepen.

34

Nicci hoorde een zachte klop op de deur. Zedd keek op maar bleef zitten. Cara, die met haar handen achter haar rug ineengeslagen uit het raam stond te kijken, keek achterom. Nicci stond het dichtst bij de deur en deed open.

Het kleine vlammetje van de lamp op tafel kon niet alle schemering uit de kamer verdrijven, maar het wierp een warm licht op het gezicht van de lange profeet.

'Wat is er gaande?' vroeg Nathan met zijn lage stem. Hij keek argwanend naar de aanwezigen in de kamer. 'Rikka wilde niet veel meer zeggen dan dat jij en Cara terug waren en dat Zedd me onmiddellijk wilde spreken.'

'Dat klopt,' zei Zedd. 'Kom binnen, alsjeblieft.'

Nathan keek om zich heen in de sombere kamer terwijl hij naar binnen beende. 'Waar is Richard?'

Nicci slikte. 'Hij heeft het niet met ons mee terug gered.'

'Hij heeft het niet gered?' Hij zweeg even toen hij de troosteloze blik op Nicci's gezicht zag. 'Goede geesten...'

Zedd, die naast Jebra's bed zat, keek niet op. Jebra was bewusteloos. Als ze probeerden haar ogen te sluiten, sprongen haar oogleden meteen weer open. Uiteindelijk hadden ze het opgegeven en haar naar het plafond laten staren. Zedd had al zo goed mogelijk voor haar gebroken been gezorgd. Ze had heel veel geluk gehad dat Cara niet alleen snel was maar ook sterk, en dat ze nog net op tijd Jebra's enkel had kunnen grijpen toen ze als een baksteen van het balkon was gevallen. Toch had de ziener door haar vaart een zwaai onder het balkon gemaakt, en haar been gebroken toen ze een steunbeer raakte. Nicci vermoedde dat de vrouw al bewusteloos was toen ze begon te vallen.

Het was een ernstige breuk geweest. Zedd was onmiddellijk aan het werk gegaan, maar door de ongebruikelijke toestand waarin Jebra verkeerde, had hij de breuk niet kunnen genezen. Alles wat hij had kunnen doen, was het been zetten, een spalk aanbrengen en voldoende van zijn gave toevoegen om te helpen bij het genezingsproces. Wanneer ze eindelijk wakker werd, zou hij de genezing kunnen voltooien. Als ze wakker werd. Nicci had haar twijfels. Nicci wist dat Jebra's gebroken been wel het minste van haar problemen was. Ondanks alles wat ze hadden geprobeerd, hadden ze haar niet uit haar catatonische toestand kunnen wekken. Zedd had het geprobeerd. Nicci had het geprobeerd. Ze had zelfs gevaarlijke bezweringen met Subtractieve Magie gebruikt. Zedd was er aanvankelijk tegen geweest, maar toen Nicci hem confronteerde met de zwart-witkeuze die ze hadden, had hij met tegenzin toegegeven.

Helaas had zelfs dat niet geholpen. Jebra's geest was voor hen afgesloten. Welke magie de heks ook op haar had gebruikt, het was iets wat ze niet konden doorbreken. Wat er ook gedaan was, Nicci had niet het idee dat het omkeerbaar was. Als ze de aard ervan kenden, hadden ze misschien een kans om de bezwering op te heffen, maar ze wisten niet precies waar ze mee te maken hadden.

Nathan bukte zich en legde twee vingers tegen de slaap van de bewusteloze vrouw. Hij rechtte zijn rug weer en schudde hulpeloos zijn hoofd bij Zedds vragende gezicht.

Nicci had nog nooit zoiets gezien. Zedd had echter aanvankelijk peinzend over zijn kin gewreven. Hij had gemompeld dat hem iets vreemd bekend voorkwam. Wat, dat kon hij niet zegen. Hoe Nicci ook had aangedrongen, en ondanks zijn eigen wanhopige verlangen om iets te doen, was Zedd radeloos omdat hij niet kon duiden waarom hij het gevoel had dat hij een aspect van een dergelijke bezwering al eerder had gezien. Hij was immers, zo had hij hun in herinnering gebracht, de Eerste Tovenaar, en hij had een groot deel van zijn leven besteed aan het bestuderen van dergelijke dingen. Hij dacht dat hij in staat zou moeten zijn om te identificeren welk soort web er om de vrouw heen was gesponnen. Nicci wist dat als Jebra bij bewustzijn was, hun taak een stuk makkelijker zou zijn, maar Zedd was niet bereid een excuus voor zijn eigen falen te gebruiken om te ontdekken hoe de bezwering in elkaar stak.

Nicci hoorde commotie in de gang. Nathan stak zijn hoofd naar buiten om te kijken.

'Wat is er?' riep een stem in de verte. Het was Ann, die samen met Rikka de gang door kwam rennen. Eindelijk bereikte ze de deur. 'Wat is er aan de hand?'

Toen ze de kamer binnenkwam, hijgend van de inspanning, legde Nathan een grote hand op haar schouder. 'Er is iets met Richard gebeurd.'

Plukjes grijs haar staken omhoog uit de losse knot achter op haar hoofd, als een pluim van verwarde veren. Haar berekenende blik gleed langs iedereen in de kamer, en schatte de ernst in die ze in ieders ogen zag. Het was een soort snelle, basale evaluatie die Nicci altijd associeerde met Ann.

Als priores van de Zusters van het Licht had ze altijd een gezaghebbende aanwezigheid gehad die zo ongeveer iedereen vrees aanjoeg, van hoogstaande Zusters tot staljongens. Hoewel Nicci niet langer een Zuster van het Licht was, werd ze altijd behoedzaam wanneer de voormalige priores de kamer binnenkwam. De kleine gestalte van de vrouw deed niets af aan de sfeer van dreiging die haar leek te omgeven.

Ann richtte een intense blik op Nathan. 'Wat is er gebeurd? Is de jongen gewond...'

'Dat weet ik nog niet,' zei Nathan, die een hand opstak om haar stortvloed aan vragen tegen te gaan voordat die over hem heen kon komen. 'Laat de vrouwen het uitleggen.'

'Alles wat we weten,' zei Nicci, toen Ann haar vurige blik op haar richtte, 'is dat we tijdens het reizen in de sliph hierheen, op de terugweg vanaf het Volkspaleis, werden aangevallen door het beest. Cara en ik hebben Richard geprobeerd te helpen het af te houden, maar toen werden we van hem gescheiden. Zodra dat gebeurde, voelde ik een of andere extrinsieke magie. Voordat we het wisten, waren Cara en ik weer terug in de Burcht. Richard was niet bij ons. We hebben geen idee wat er met hem gebeurd is nadat hij werd geraakt door die vreemde kracht die ik voelde. We hebben het beest daarna ook niet meer gezien.

Toen we hier terug waren, werd Jebra aangevallen door een web.

Ik kon bespeuren dat het was uitgeworpen door dezelfde persoon die de kracht veroorzaakte waar Richard in de sliph door werd geraakt. Doordat Zedd de unieke samenstelling ervan herkende, weten we nu dat het een kracht was die was opgeroepen door een heks.'

'En mijn Agiel werkt niet meer,' zei Cara, die haar wapen omhoogstak. 'Onze band met Meester Rahl is verbroken. We voelen hem niet meer.'

'Lieve Schepper,' fluisterde Ann terwijl ze haar blik afwendde.

Zedd gebaarde naar de vrouw die in het bed voor hem lag. 'Welke kracht die heks ook heeft opgeroepen, Jebra is er nog steeds bewusteloos van. We kunnen haar niet wekken. Hoewel ik weet dat ze door een bezwering van een heks is geraakt, kan ik niet achterhalen hoe een heks zoiets zou kunnen; een web uitwerpen van zo ver weg. In mijn ervaring zijn ze niet alleen erg op zichzelf, maar kúnnen ze dingen van deze aard gewoon niet. Dat gaat hun vaardigheid te boven.'

'Weet je zeker dat het een heks was?' vroeg Ann.

Zedd haalde diep adem terwijl hij de vraag serieus overdacht. 'Ik heb eerder met een heks te maken gehad. Zodra een kat eenmaal zijn klauwen in je heeft geslagen, vergeet je niet meer snel hoe dat voelt. Ik ken niet de specifieke persoon die dit heeft gedaan, maar ik herken het gevoel. Het was een heks.'

Nicci vouwde haar armen over elkaar. 'Ik denk dat we een vrij goed idee hebben welke heks dit was. Zes. En vergeet niet: alleen omdat je de signatuur van de kracht van een heks kent, betekent dat nog niet dat dezelfde grenzen per se van toepassing zijn op degene die dit heeft gedaan. Als immers iemand je krachten als tovenaar herkent, betekent dat nog niet dat ze je grenzen of je werkelijke potentieel kennen.'

'Dat is waar,' gaf Zedd met een zucht toe.

Nathan wuifde het gesprek over heksen van tafel. 'Heeft Jebra nog iets anders gezegd over dat visioen van haar? Wat dan ook?'

Zedd en Nicci wisselden een blik uit. 'Nou, niet tot die bezwering over haar kwam. Net voordat ze in deze toestand verzeild raakte, hoorden we haar zeggen: "Sterren. Sterren gevallen op de grond. Sterren tussen het gras."'

'Sterren...' herhaalde Nathan ijsberend door het kamertje, terwijl hij met zijn ene hand zijn elleboog ondersteunde en met de vingers van de andere tegen zijn kin tikte. Uiteindelijk draaide hij zich om naar Zedd. 'Ik vrees dat zo'n profetie me niets zegt. Het is mogelijk dat ze alleen maar een fragment hardop uitsprak. In dat geval kan het heel goed zijn dat ik niet voldoende houvast heb om er iets mee te doen.'

Nicci's moed zonk haar in de schoenen. Ze had gehoopt dat de profeet in staat zou zijn meer van de profetie van de ziener te ontcijferen.

Ann krabde aan haar neus en zocht naar woorden. 'Dus het is mogelijk dat we...' Ze schraapte haar keel. '... Dat we Richard kwijt zijn. Dat die heks hem heeft gedood.'

Cara zette een agressieve stap naar voren. 'Meester Rahl is niet dood!'

In de galmende stilte stond Zedd op uit zijn stoel. Hij keek waarschuwend naar Cara voordat hij Ann aansprak. 'Ik denk het ook niet.'

Ann keek van Cara's verhitte gezicht naar Zedd. 'Ik weet waarom zij het niet gelooft. Wat is jouw reden?'

Hij gebaarde naar Jebra. 'De vrouw die hier in dit bed ligt.'

Ann fronste haar voorhoofd. 'Hoe bedoel je?'

'Nou, het eerste visioen dat Jebra sinds jaren heeft, gaat over Richard.'

'Dat klopt,' zei Nicci. 'Haar visioen ging over wat er met hem zou gaan gebeuren. Ze vertelde mij – heel specifiek mij – dat ik hem niet alleen mocht laten, nog geen ogenblik.'

Ann trok een wenkbrauw op. 'En toch deed je dat.'

Nicci negeerde de sneer. 'Ja. Niet met opzet, maar vanwege het beest. Het beest was een onvoorziene factor, een willekeurige gebeurtenis.'

Toen Ann alleen nog maar verdwaasder keek, legde Zedd het uit. 'Wij denken dat de heks van plan was om Richard aan te raken met haar kracht. Maar het beest kwam precies op het verkeerde moment binnenvallen en verknalde haar zorgvuldig opgezette plan.'

Anns frons verdiepte zich. 'Op welke manier?'

'Het beest zorgde ervoor dat ze Richard niet te pakken kreeg, zoals ze van plan was,' zei Nicci. 'Vanwege het beest raakte ze Richard in de sliph kwijt, net zoals wij. Nu heeft ze een probleem. Ze moet hem zoeken.'

'Dus deed zij hetzelfde als wij,' zei Zedd. 'Ze kwam hiernaartoe, of stuurde althans haar kracht hiernaartoe, om bij de ziener uit te zoeken waar hij kon zijn.'

'Ze was op zoek naar een profetie?' vroeg Ann. 'Heksen zien dingen in de tijdstroom. Waarom zou ze een ziener nodig hebben?'

Zedd spreidde zijn handen. 'Ja, ze zien dingen, maar, zoals Nathan vast beter kan uitleggen dan ik, ze zien niet precies wat ze willen zien of wanneer ze het willen zien.'

Nathan knikte instemmend. 'Er is een element van willekeur bij profetie. Het komt wanneer het komt, niet wanneer jij wilt dat het komt. Misschien kenden de oude tovenaars de sleutels om profetie op gezette momenten te gebruiken, maar als dat zo was, dan hebben ze die kennis niet doorgegeven. Je kunt bij profetie maar zelden kiezen welke gebeurtenissen je wilt zien.'

Zedd stak een vinger op om een punt te benadrukken. 'Zes zag waarschijnlijk, via haar vaardigheid of door haar bezwering die te maken had met die gebeurtenissen, dat Jebra al een visioen had gehad waarin was onthuld wat er met Richard zou gebeuren en waar hij naartoe zou gaan, dus glipte ze gewoon Jebra's geest binnen om het antwoord te stelen.'

'Ik denk dat we daarom Jebra niet wakker krijgen,' zei Nicci. 'Ik denk dat Zes niet wil dat iemand anders die informatie ook in handen krijgt. Hoewel Jebra maar een paar woorden hardop gesproken heeft, wed ik dat Zes alle informatie heeft – het hele visioen – uit Jebra's geest. Ik denk dat Zes vervolgens Jebra dwong om van dat balkon af te springen en zelfmoord te plegen, zodat ze haar visioen aan niemand anders kon onthullen. Toen dat niet lukte, maakte de bezwering Jebra bewusteloos; het is net als een zelfmoord, en veel makkelijker dan van een afstand iemand te vermoorden, en even effectief wat haar betreft.'

Nathan was tijdens het luisteren steeds dieper gaan fronsen. Hij draaide zijn hand om en om alsof hij de gebeurtenis in gedachten van alle kanten bekeek. 'Dus jij denkt dat Jebra in haar profetie onthulde dat Richard sterren gaat vinden die op de grond zijn gevallen? Dat hij naar een plek gaat met sterren tussen het gras? Zoals een plek waar je meteorieten kunt vinden?'

Zedd sloeg zijn handen achter zijn rug ineen en knikte. 'Het lijkt er wel op.'

Nathan staarde voor zich uit terwijl hij dit overpeinsde, en af en toe knikte hij in zichzelf. Ann leek minder overtuigd. 'Dus jij denkt dat Richard nog leeft,' vroeg ze, 'en dat die heks, die Zes, hem op de een of andere manier in haar macht heeft?'

Nicci knikte eenmaal ferm naar de voormalige priores. 'Dat is de conclusie waarop Zedd en ik zijn uitgekomen.'

Ann boog zich dichter naar haar vroegere ondergeschikte toe. 'Met welk doel? Ik kan me wel redenen voorstellen waarom Zes Richard zou willen vermoorden, maar waarom zou ze hem in handen willen krijgen?'

Nicci wendde haar ogen niet af van de strakke blik van de vrouw. 'Zes heeft Shota, de heks die hier woonde, afgetroefd. Waarom? Nou, wat heeft Zes ingepikt? Shota's metgezel Samuel,' zei ze in antwoord op haar eigen vraag. 'En Samuel heeft het Zwaard van de Waarheid, het zwaard dat Richard ooit bezat.'

Ann keek alsof ze de draad was kwijtgeraakt. 'Wat heeft dat er nou weer mee te maken?'

'Waar heeft Samuel het zwaard voor gebruikt? Wat heeft hij gestolen?' vroeg Nicci.

Anns ogen werden groot. 'Een van de kistjes van Orden.'

'Van een Zuster van de Duisternis,' zei Nicci, 'met behulp van het Zwaard van de Waarheid.'

Ann richtte een onthutste blik op Zedd. 'Maar waarom zou Zes Richard willen hebben?'

Zedd keek naar de vloer terwijl hij met zijn vingertoppen over de rimpels in zijn voorhoofd wreef. 'Om het juiste kistje van Orden open te maken, heb je een heel belangrijk boek nodig. Ik denk dat vooral jullie twee dat boek wel zouden moeten kennen.'

Nathans mond viel open toen hij het besefte.

'*Het boek van de getelde schaduwen*,' zei Ann ademloos.

Zedd knikte. 'Het enige exemplaar van dat boek bevindt zich nu in Richards hoofd. Hij heeft het origineel uit zijn hoofd geleerd en toen verbrand.'

'Dan moeten wij hem eerst vinden,' zei Ann.

Zedd gromde minachtend bij dat idee en trok zijn wenkbrauwen spottend verwonderd op, alsof hij zoiets nooit zonder haar had kunnen bedenken.

'We hebben een dringender probleem,' zei Nicci.

Cara, aan de andere kant van het kamertje, zwaaide met haar Agiel. 'Tot we Meester Rahl vinden, bestaat er geen band.'

'Zonder de band,' zei Nicci, 'zijn we allemaal aan de genade van de droomwandelaar overgeleverd.'

Dit besef leek Ann te raken als een donderslag.

'Er moet onmiddellijk iets gebeuren,' voegde Zedd eraan toe. 'De dreiging is groot, en er is maar weinig tijd. Als we niets doen, kunnen we elk moment deze oorlog verliezen.'

'Waar doel je op?' vroeg Nathan argwanend.

Zedd keek op naar de profeet met zijn boze blik. 'Jij moet de Meester Rahl worden. We kunnen het ons geen moment langer veroorloven onze mensen zonder band te laten rondlopen. En daarna moet je onmiddellijk naar het Volkspaleis vertrekken.'

Nathan bleef zwijgend en met een grimmige blik staan. Hij was een lange man, met brede schouders. Met het grijzige haar dat tot op die schouders kwam, was hij een imposante gestalte. Nicci werd moedeloos bij de gedachte dat iemand anders Richards plaats als Meester Rahl zou innemen.

Maar het alternatief was dat de droomwandelaar hun gedachten kon binnendringen. Ze wist maar al te goed hoe dat voelde. Ze wist dat haar band met Richard niet alleen haar leven had gered, maar haar ook de vreugde van het leven had leren kennen. Haar band met Richard was geen formele onderwerping geweest aan het leiderschap van de Meester Rahl, zoals bij de mensen in D'-Hara; het was een veel diepere overgave geweest aan Richard, de man. De man van wie ze gehouden had vanaf bijna het eerste moment dat ze de levensvonk in zijn grijze ogen had gezien. Richard had haar niet alleen laten zien hoe ze weer moest leven, maar ook hoe ze moest liefhebben.

Ze slikte de pijn weg van de wetenschap dat ze hem nooit zou krijgen, en erger nog, dat zijn hart aan iemand anders toebehoorde, aan iemand die ze zich niet eens herinnerde. Het zou beter gaan als Nicci zich die Kahlan kon herinneren, zou weten dat ze slim was, liefhebbend, mooi, omdat ze dan blij kon zijn voor Richard. Het was moeilijk blij voor hem te zijn terwijl hij hield van een fantoom.

'Ik begrijp het,' zei Nathan uiteindelijk met zijn lage stem.

Ann keek alsof ze wel duizend tegenwerpingen had, een voor elk jaar van de leeftijd van de profeet, maar ze kon ze blijkbaar voor zich houden, omdat ze besefte wat de consequenties waren als ze geen Meester Rahl hadden.

'Het D'Haraanse leger is niet ver van het paleis,' zei Nathan. 'Ze zullen binnenkort tegenover Jagangs horde komen te staan. Ik denk dat je gelijk hebt, en dat ik onze zaak het beste kan dienen als ik daar ben.'

Nicci had het nog niemand van hen verteld. Ze schraapte haar keel om ervoor te zorgen dat haar stem haar niet in de steek liet. 'Richard heeft het leger toegesproken. Daarom ging hij naar D'-Hara. Hij heeft ze verteld dat ze niet konden vechten tegen het leger van de Imperiale Orde met enige hoop op een overwinning.'

Anns gezicht werd knalrood. 'Maar wat verwacht hij dan dat ze doen! Als ze niet tegen het leger van de Orde strijden, wat moeten ze dan?'

'De Oude Wereld in de as leggen,' zei Nicci met grimmige vastberadenheid.

Zedd, Nathan en Ann staarden haar zwijgend aan.

'Wát heeft hij ze opgedragen?' vroeg Zedd ongelovig.

'Het is de enige manier,' zei Nicci. 'We hebben geen enkele kans hun leger te vernietigen. In plaats daarvan wil Richard dat het D'Haraanse leger hun strijdlust om zeep helpt. Het is onze enige kans.'

'Goede geesten,' fluisterde Zedd terwijl hij zich afwendde. Hij liep naar het raam en staarde de nacht in. Uiteindelijk draaide hij zich weer om, met tranen in zijn ogen. 'Ik heb in zijn schoenen gestaan. Ik moest onze mensen aansporen om dingen te doen die gebeuren moesten.' Hij schudde zijn hoofd weer. 'Die arme jongen. Ik vrees dat hij gelijk heeft. Ik had het zelf ook moeten inzien, maar ik denk dat ik dat gewoon niet wilde. Soms is er eenzame moed voor nodig om te doen wat er gebeuren moet.'

Cara stapte naar voren en knielde voor Nathan neer. Ze boog haar hoofd. 'Meester Rahl, leid ons. Meester Rahl, leer ons. Meester Rahl, bescherm ons. In uw licht gedijen we. In uw genade zijn we beschut. In uw wijsheid zijn we nederig. Wij leven slechts om te dienen. Ons leven behoort u toe.'

Zedd liet zich op een knie vallen, net als Rikka. Nicci deed hetzelfde. Uiteindelijk, met tegenzin, volgde Ann.

'Meester Rahl, leid ons,' zeiden ze allemaal tegelijk. 'Meester Rahl, leer ons. Meester Rahl, bescherm ons. In uw licht gedijen we. In uw genade zijn we beschut. In uw wijsheid zijn we nederig. Wij leven slechts om te dienen. Ons leven behoort u toe.'

Nathan stond zwijgend met ineengeslagen handen neer te kijken op de gebogen hoofden, en leek in alles de Meester Rahl. Toen ze klaar waren met hun devotie, stonden ze op, ietwat slecht op hun gemak door de onuitgesproken betekenis van wat ze zojuist hadden gedaan; het betekende dat Richard niet langer de Meester Rahl was.

'Het is gedaan,' zei Cara. Ze nam haar slanke, rode wapen in haar hand en keek ernaar met vochtige blauwe ogen. 'Mijn Agiel leeft weer.' Ze glimlachte op een afwezige, droevige manier. 'De band is weer hersteld. Alle D'Haranen zullen hem herkennen en weten dat we weer een Meester Rahl hebben.'

Nathan liet langzaam zijn adem ontsnappen. 'Dat hebben we dan in ieder geval mee.'

'Nathan,' zei Zedd tegen de profeet, 'je moet onmiddellijk naar D'Hara. Er bevinden zich troepen van de Imperiale Orde in de grotere passen ten oosten van hier in D'Hara, die nog steeds proberen zich via de achterdeur toegang te verschaffen. Ik zal je een paar routes om hen heen laten zien.

Het is beter als de Meester Rahl, de hoeder van de band, zij aan zij staat met diegenen die nu alleen in het paleis zijn.'

'En hoe zit het met Jagangs leger?' vroeg Ann, die bezorgd keek toen Nathan instemmend knikte. 'Wat denk je dat Jagang gaat doen zodra hij ontdekt dat het D'Haraanse leger is verdwenen, net voor hij zijn vuist eromheen kon sluiten?'

Zedd haalde zijn schouders op. 'Hij zal een beleg beginnen van het Volkspaleis. Verna en enkelen van haar Zusters zullen daar zijn om te helpen bij de verdediging, maar het Volkspaleis is gebouwd in de vorm van een bezwering waardoor de kracht van een Rahl wordt versterkt en die van anderen verzwakt. Verna en de Zusters zullen niet de volledige kracht van hun vermogen kunnen gebruiken. Op dit ogenblik is Nathan de enige Rahl die we hebben om te helpen bij de verdediging van het paleis en de mensen daar.'

'Daarom moet Nathan meteen naar het paleis,' zei Nicci.

'Vanavond nog,' voegde Zedd eraan toe.

Nathan verplaatste zijn blik van Zedds ogen naar die van Nicci. 'Ik begrijp het. Ik zal mijn best doen. Laten we hopen dat Richard op een dag zijn positie weer van me kan overnemen.'

Op dat moment hielpen zijn woorden tenminste iets van de druk op Nicci's hart af te nemen.

'Daar gaan we aan werken,' overtuigde Zedd hem.

'Je kunt erop rekenen,' zei Nicci.

Cara wees met haar Agiel naar de profeet. 'En jij kunt maar be-ter geen rare gedachten krijgen dat je die positie kunt behouden. Hij behoort Meester Rahl toe.'

Nathan trok een wenkbrauw op. 'Ik bén nu de Meester Rahl.'

Cara trok een zuur gezicht. 'Je weet best wat ik bedoel.'

Nathan glimlachte traag.

Ann porde Nathan met een vinger in zijn ribben. 'En haal je ook maar niks in je hoofd, Mééster Rahl. Ik ga met je mee om te zor-gen dat je niet in de problemen komt.'

Nathan haalde zijn schouders op. 'Ik neem aan dat de Meester Rahl wel een assistent kan gebruiken. Jij voldoet wel.'

35

Nadat hij naar zijn idee wel een eeuwigheid op de koude stenen vloer diep in een eenzaam woud had gelegen, starend in die zwarte put zonder te weten wat hij moest doen, ging Richard eindelijk weer overeind zitten. Hij had de sliph geroepen tot hij zijn stem bijna kwijt was, maar er was geen antwoord gekomen. De sliph was weg.

Richard zette zijn ellebogen op zijn knieën. Hij boog zijn hoofd en sloeg zijn handen achter zijn nek ineen. Het voelde alsof hij verdwaald was, en hij wist niet wat hij moest doen. Hoe vaak had hij zich al zo gevoeld sinds hij zijn Hartlandbos had verlaten, hoe vaak had hij al gedacht dat hij aan het eind van zijn Latijn was?

Hij had altijd een uitweg gevonden. Hij wist niet of dat deze keer ook zou lukken.

In zijn jeugd had Richard nooit geweten dat hij was geboren met de gave. Hij had helemaal niets van magie geweten. Zodra hij ontdekte dat hij was geboren met de gave, wilde hij die niet. Hij wilde er alleen maar van af zijn, alsof het een ziekte was die hij had geërfd. Hij wilde gewoon zichzelf zijn. Maar uiteindelijk had hij zijn vaardigheden op waarde weten te schatten en begrepen dat ze deel uitmaakten van wie hij was.

Ze hadden hem immers vaak geholpen niet alleen zijn eigen leven te redden, maar ook dat van Kahlan en vele anderen. Zijn gave was een deel van hem, iets wat niet van hem kon worden gescheiden, net zoals hij zijn hart of longen niet kon missen.

Maar nu was hij op de een of andere manier de gave kwijtgeraakt.

Aanvankelijk, toen de sliph hem had verteld dat hij niet langer de magie had die nodig was om te reizen, had hij nauwelijks kunnen geloven dat zoiets mogelijk was, dat zijn gave echt weg kon zijn. Hij had gedacht dat het een storing in de magie moest zijn, een soort anomalie. Toen hij nog van zijn gave af wilde, had hij nagevraagd hoe dat eventueel zou kunnen, en had hij gehoord dat zoiets gewoon niet mogelijk was.

Hoewel het hem onvoorstelbaar leek, wist Richard dat het waar was. Hij wist dat, omdat hij samen met zijn gave ook zijn herinneringen aan *Het boek van de getelde schaduwen kwijt* was. Hij had het net zo goed nooit uit zijn hoofd hoeven leren, omdat samen met de gave die volledige herinnering ook verloren was.

Het boek van de getelde schaduwen was een magisch boek geweest. Je moest de gave hebben om het te kunnen lezen en zelfs maar een woord van de tekst te kunnen onthouden. Zonder de gave kon Richard geen magische boeken lezen, of eigenlijk zich de woorden niet lang genoeg herinneren om te weten dat er iets te lezen viel. Zonder de gave leken magische boeken leeg. En nu was zijn herinnering aan *Het boek van de getelde schaduwen* uitgevaagd.

Bovendien had hij nu gefaald in een test waarvan hij niet eens wist dat hij eraan had deelgenomen. Het was hem zelfs niet helemaal duidelijk wat die test was geweest. Maar op de een of andere manier was hij niet geslaagd.

Hij had het gevoel alsof hij Kahlan had teleurgesteld.

Hij kon zich niet voorstellen hoe die woorden een test van Baraccus konden zijn geweest. Hoe konden ze hem in hemelsnaam testen? En waaróp werd hij getest? Hij wist niet over welke test de sliph het had, dus hij kon er ook niet achter komen waarom hij was gezakt.

Hij wenste dat Zedd bij hem was om te helpen het te begrijpen, of Nicci, of Nathan; wie dan ook. Hij vroeg zich af hoe vaak hij die nacht al had gewenst dat hij antwoorden kreeg, dat er hulp kwam, dat iemand hem kwam redden.

Geen van die wensen was in vervulling gegaan. Wensen, zo wist hij, werden nooit vervuld.

Hij bracht zichzelf in herinnering dat hij kostbare tijd verspilde met zelfmedelijden. Hij moest nadenken, niet blijven zitten wachten tot er iemand anders kwam om het denkwerk voor hem te doen.

Hij ging achterover liggen op de stenen en staarde op naar het dak van bladeren en takken boven hem, en de sterren daarachter. Hij glimlachte vol zelfspot; misschien zou een vallende ster zijn wensen in vervulling laten gaan. Toen zette hij de gedachte aan wensen van zich af en concentreerde zich op zijn huidige situatie.

Hij had alles al honderd keer in zijn hoofd rond laten malen, maar begreep het nog steeds niet. Baraccus zei, via die boodschap die hij bij de sliph had achtergelaten, dat hij niet de antwoorden had die Richard konden redden. Baraccus geloofde echter dat Richard in zich had wat hij nodig had om te slagen. Baraccus zei tegen Richard dat hij in zichzelf moest geloven, en wilde ook overbrengen dat hij in Richard geloofde, hoewel hij niet specifiek Richards naam had gebruikt.

Die boodschap, zo overpeinsde Richard, was bedoeld voor degene die zou worden geboren met de Subtractieve kant van de gave, die door Baraccus was vrijgegeven uit de Tempel der Winden. Maar Baraccus wist niet hoe die persoon zou heten of specifiek wie die persoon zou zijn. Dat dacht Richard tenminste. Het was aannemelijker dat Baraccus direct en persoonlijk sprak zonder namen te gebruiken. De boodschap was ook zonder de naam van de uiteindelijke ontvanger duidelijk genoeg. Het klonk alsof hij direct werd aangesproken.

Hoe kon dat een test zijn? Hoe kon Richard daarvoor gezakt zijn? Hij zuchtte gefrustreerd terwijl hij een lange grasspriet uit een van de gebarsten specievoegen naast zich trok. Terwijl hij peinsde, plette hij de zachte onderkant van de stengel met zijn voortanden. Kon het zijn dat de sliph een of andere kracht van Baraccus had gekregen, zoals dat vermogen dat ze had om bij noodgevallen op te treden, zodat ze kon zien of Richard bezat wat hij nodig had om te slagen? Kon het dat inzicht zijn geweest waardoor de sliph wist dat Richard tekortschoot?

De bron. Richard staarde op naar de sterren. Hij had de sliph verteld dat hij die woorden eerder van Shota had gehoord, en toen was de sliph plotseling klaar met hem geweest.

Kende de sliph Shota? Misschien vond Baraccus dat Richard zich niet moest inlaten met heksen. Misschien was dat de reden dat

Richard was gezakt, omdat hij niet alles helemaal alleen deed. Hij trok een gezicht. Hij kon zich nauwelijks voorstellen dat Baraccus er iets op tegen zou hebben dat hij met anderen samenwerkte om antwoorden te vinden en problemen op te lossen. Hij liet zijn gedachten nog eens over de woorden gaan, voor zover hij ze zich kon herinneren.

Het spijt me, Richard. Ik ken de antwoorden niet die je redding zouden zijn. Als ik die wel kende, geloof mij alsjeblieft, dan zou ik ze graag geven. Maar ik ken het goede in je. Ik geloof in je. Ik weet dat je het vermogen hebt om te slagen. Er zullen tijden zijn waarop je aan jezelf twijfelt. Geef niet op. Bedenk dan dat ik in je geloof en dat ik weet dat je in staat bent je doel te bereiken. Je bent een zeldzaam iemand, Richard. Geloof in jezelf.

Dat was volgens de sliph de boodschap van Baraccus geweest. Richard herinnerde zich echter dat Shota nog niet zo lang geleden precies hetzelfde tegen hem had gezegd, net voordat ze vertrok. Richard geloofde niet echt in toeval. In dit geval zeker niet. Shota had niet toevallig diezelfde woorden gebruikt die Baraccus aan de sliph had doorgegeven. De boodschap was te lang en gedetailleerd, met kenmerken die veel te persoonlijk waren.

Als het geen toeval was, en Richard was daarvan overtuigd, waarom zou Shota dan precies dezelfde woorden hebben gebruikt als Baraccus? Was het een soort boodschap? Wilde ze hem iets vertellen? Ergens voor waarschuwen?

Als de heks hem wilde helpen, waarom had ze hem dan niet gewaarschuwd voor de test en het hem verteld? Als ze hem het antwoord niet kon geven, dan had ze hem tenminste kunnen vertellen wat die test zou zijn. Zedd had echter vaak gezegd dat een heks je nooit vertelde wat je weten wilde zonder je iets te vertellen wat je niet wilde weten. Kon dat het zijn? Hij betwijfelde het, aangezien ze hem die dag vele vreselijke dingen had verteld; dingen die hem uiteindelijk hadden geholpen in te zien wat hij moest doen met het leger in plaats van ze te laten vechten tegen Jagang in een eindstrijd.

Maar wat hem bleef dwarszitten, was dat er unieke elementen in de boodschap zaten: *antwoorden die je redding zouden zijn; graag geven, ik ken het goede in je; je hebt het vermogen om te slagen; bedenk dat ik in je geloof.* Dat waren allemaal enigszins ongebruikelijke patronen in de manier waarop mensen spraken. Ze waren niet heel erg bijzonder, maar een beetje excentriek, bijna kinderlijk en toch formeel, op een eenvoudige manier. Richard zuchtte. Hij kon er de vinger niet op leggen, maar er was iets opvallend onconventioneels in het taalgebruik van de boodschap. Met een ijzige schok van besef herinnerde hij het zich.

Hij wist weer waarom die woorden hem zo bekend waren voorgekomen toen Shota ze zei. Dat kwam doordat hij precies diezelfde woorden al eens eerder had gehoord. Dat waren exact dezelfde woorden die waren uitgesproken door de nachtspicht op de avond dat Richard Kahlan had ontmoet.

Ze waren in de schuilden geweest. Kahlan vroeg of hij bang was voor magie, en toen zijn antwoord haar goedkeuring had, had ze een klein gestreept flesje tevoorschijn gehaald met de spicht erin. De nachtspicht, Shar, had Kahlan over de grens geleid, maar tegen die tijd was het wezen stervende. De spicht kon niet leven op een andere plek dan haar thuis en verwijderd van haar soortgenoten. Ze had niet voldoende kracht om de grens nog eens over te steken.

Richard herinnerde zich dat Kahlan had gezegd: 'Shar heeft haar leven opgeofferd om mij te helpen, want als Darken Rahl slaagt, zal ook heel haar geslacht ten onder gaan.'

De spicht was degene geweest die Richard voor het eerst had verteld dat Darken Rahl achter hem aanzat. Shar had Richard gewaarschuwd dat als hij vluchtte, hij zou worden gevangen en gedood. Richard had de spicht bedankt voor haar hulp aan Kahlan. Hij had Shar verteld dat zijn leven langer zou duren omdat zij hem er die dag van had weerhouden iets doms te doen. Hij had Shar verteld dat zijn leven beter was doordat hij haar kende, en had de spicht bedankt omdat ze Kahlan veilig door de grens had gebracht.

Shar had hem toen verteld dat ze in hem geloofde en al dat andere, precies zoals Baraccus het via de sliph had gezegd. Destijds had hij aangenomen dat die ietwat vreemde uitspraken gewoon typisch waren voor spichten; misschien was dat ook zo, maar Baraccus had precies diezelfde woorden gebruikt, met een bepaalde reden.

Shota had ook diezelfde woorden gebruikt – met opzet of doordat ze niet besefte uit welke bron ze kwamen – ongetwijfeld om hem te helpen herinneren aan die woorden van Shar. Ze besefte waarschijnlijk niet eens waarom ze die woorden had gebruikt, maar door haar vermogen waren ze bedoeld om hem aan het denken te zetten. Om hem het zich te laten herinneren. Het was waarschijnlijk alleen maar vanwege het vreselijke visioen dat Richard had gehad, van Kahlan bij zijn executie, dat hij Shota's woorden niet in verband had gebracht met diezelfde woorden die hij jaren eerder van de nachtspicht had gehoord. Dat visioen was gewoon sterker geweest dan al het andere.

Richard luisterde naar de nachtelijke geluiden in het bos, van sjirpende insecten, ruisende bladeren in de wind en een spotvogel in de verte, toen er nog een andere herinnering bij hem kwam bovendrijven.

Shar, de spicht, had zijn naam gebruikt zonder aan hem te zijn voorgesteld. Hij nam aan dat de spicht die misschien had opgevangen in haar flesje in de buidel aan Kahlans riem.

Of misschien kende ze zijn naam al.

Richards ogen werden zo groot als schoteltjes toen hij zich nog iets anders herinnerde. Hij had de spicht gevraagd waarom Darken Rahl hem probeerde te doden, of het was omdat hij Kahlan hielp of om een andere reden. Shar was vlak bij hem gekomen en had gevraagd: 'Andere reden? Geheimen?'

Geheimen.

Richard sprong overeind en slaakte een kreet toen hij het plotseling begreep. Hij drukte zijn polsen tegen zijn slapen en kon een volgende schreeuw niet onderdrukken. 'Ik begrijp het! Goede geesten, ik begrijp het!'

Geheimen.

Richard dacht destijds dat de spicht alles wist over de tand die hij onder zijn hemd droeg, maar dat was het helemaal niet. Het had niets te maken met die tand. Shar vroeg hem iets heel anders. Ze bood hem zijn eerste kans om het geheime boek in zijn bezit te krijgen dat Baraccus hem had nagelaten.

Maar het was te vroeg geweest. Richard was er nog niet klaar voor. Richard was toen ook gezakt voor Baraccus' test. Voor de eerste keer, die nacht met de spicht, had hij gefaald. Baraccus kon waarschijnlijk niet voorspellen wanneer Richard er klaar voor zou zijn. Hij moest een manier verzinnen om hem van tijd tot tijd te testen. Shota had gezegd dat Baraccus er dan wel voor had gezorgd dat hij met de vaardigheid geboren zou worden, maar dat betekende nog niet dat hij op de juiste manier zou handelen. Baraccus had hem zijn vrije wil niet afgenomen, en daarom moest Baraccus af en toe degene testen die met die vaardigheid was geboren, om te zien of hij hem had leren gebruiken om die dingen te doen die gedaan moesten worden. Richard vroeg zich af hoeveel andere gebeurtenissen op zijn weg het werk van Baraccus waren geweest. Op dit moment kon hij daar met geen mogelijkheid achter komen. Hij wist wel dat toen de sliph zei dat hij niet voor de test geslaagd was, dat in ieder geval al de tweede keer was dat hij ervoor was gezakt. De test van de sliph was een reservetest, een herhalingstest, voor wanneer Richard meer had geleerd. Als hij de kans had gehad om te ontdekken wie hij echt was.

Geheimen.

Richard had het gevoel alsof zijn hoofd zou knappen. Alle emoties die hij ooit had gehad, leken op elkaar te botsen en zijn maag om te draaien door de spanning en opwinding van dit alles. Hij dook neer op de stenen vloer en greep de rand van de put zo hard vast dat zijn knokkels wit werden.

'Sliph! Kom terug! Ik weet wat Baraccus bedoelde! Ik begrijp het nu! Sliph!'

Slechts centimeters van hem vandaan welde een vloeibaar metaal op in het koude, zilverachtige maanlicht, dat zich vormde tot het perfecte gelaat van de sliph. Het was een onmogelijk mooi visioen, waarin de wuivende bomen en zijn eigen gezicht werden weerspiegeld in vloeiende vervormingen van de realiteit.

De sliph glimlachte loom. 'Wilt u uw antwoord herzien, meester?'

Richard kon dat kwikzilveren gezicht wel zoenen. 'Ja.'

De sliph hield haar hoofd schuin. 'Wat wilt u me toevertrouwen, meester?'

'Een nachtspicht zei me dat eerder. Niet alleen Shota.' Richard gebaarde gefrustreerd; hij wilde alles in één adem vertellen voordat de sliph kon zeggen dat hij niet voor de test was geslaagd. 'Shota kwam later. Het was een nachtspicht die voor het eerst diezelfde woorden tot me richtte, de woorden die Baraccus gebruikte. Daar heb ik het voor het eerst gehoord. Dat is wat Baraccus wilde dat ik wist, dat het de nachtspichten zijn.'

Richard verwachtte half dat er zilveren armen om zijn nek zouden krullen om hem dichterbij te trekken. 'Anders nog iets, meester?' fluisterde de sliph intiem.

'Ja. Met die boodschap wilde Baraccus dat ik besefte dat wat hij had achtergelaten – voor mij alleen – verstopt is bij de nachtspichten.'

De sliph kwam nog dichterbij, nog steeds met die zachte, wetende glimlach op haar gezicht. Haar blik nam hem helemaal op. Voor het eerst bewogen haar lippen mee met haar woorden terwijl haar stem een ademloos gefluister van overgave was. 'U bent geslaagd voor de test, meester. Dat behaagt me.'

'Dat is nog eens wat nieuws,' zei Richard.

De sliph lachte, een geluid zo helder en plezierig als het maanlicht. 'Kent u de woonplaats van de spichten, meester?'

Richard schudde zijn hoofd. 'Nee, maar Kahlan heeft me iets over hen verteld, over waar ze wonen. Kahlan is mijn vrouw. Ze heeft ook wel eens in jou gereisd en dat behaagde haar, maar je herinnert je haar niet. Ze is gevangengenomen door heel kwaadaardige mensen, die een bezwering hebben uitgesproken waardoor iedereen haar is vergeten; een beetje zoals wat met jou is gebeurd. Ik probeer haar te vinden voordat diezelfde kwaadaardige mensen iederéén kwaad kunnen doen.

Daar gaat het allemaal om. Daarom heeft Baraccus me iets nagelaten, iets wat me kon helpen bij mijn inspanningen.'

'Ik begrijp het. Ik ben blij voor u, meester.'

'Hoe dan ook, Kahlan vertelde me over de plek waar de nachtspichten wonen. Ze zei dat het er mooi is.'

'Dat zei Baraccus ook.'

'Kahlan zei dat je de spichten overdag niet kunt zien, alleen in de nacht. Ik neem aan dat ze daarom ook nachtspichten worden genoemd.

Kahlan zei dat ze als sterren zijn, als sterren die uit de hemel zijn gevallen. Ze zei dat het net is alsof je sterren tussen het gras ziet.'

De sliph knikte bij zijn opwinding. 'Ik ben blij dat het u behaagt, meester.'

'Kun je daarnaartoe? Naar de plek van de nachtspichten, die plek van sterren die op de grond zijn gevallen?'

'Zelfs als u kon reizen, vrees ik van niet,' zei de sliph. 'Baraccus heeft bepaald dat deze nooduitgang hier om een bepaalde reden moest worden gemaakt. Hij wilde niet dat ik naar het thuis van de nachtspichten kon gaan, omdat hij niet wilde dat iemand wist dat hij daarnaartoe ging. Hij wilde ook niet dat het een bestemming werd, maar dat het een verre, geheime plek bleef van sterren op de grond.

Baraccus vertelde me dat deze uitgang niet ver van de spichten vandaan is, maar dichterbij kan ik niet komen. Hij wilde niet dat ik iemand vertelde dat deze plek bestond, of dat ik zelfs maar iets over mijn toekomstige meesters zou loslaten. Het was zijn manier om u te beschermen. Daarom kon ik uw vrienden niet vertellen waar u was. Die geheimzinnigheid en beveiliging waren ook bedoeld als poging om de juiste woorden door de juiste persoon te laten uitspreken. Dat heeft u niet alleen beschermd, maar u ook verstoken van de hulp van uw vrienden, zodat u zélf moest nadenken. En Baraccus zei dat nadenken voor u de sleutel zou zijn.'

Richards hoofd liep om van alles wat hij ontdekte. Hij boog zich naar voren en zocht bevestiging voor wat hij al wist. 'Jij hebt Baraccus' vrouw Magda hierheen gebracht, hè? En zij had iets bij zich.'

'Ja. Dit is de plek waar ik Magda naartoe heb gebracht nadat ik meester Baraccus voor de laatste keer zag. Zij repareerde het steen hier voordat ze terugging. Dat was de laatste keer dat ik haar zag. Niemand is sindsdien door deze uitgang gekomen.

U bent geslaagd voor de test, meester. Dit is de weg naar de geheime bibliotheek die Baraccus u heeft nagelaten.'

36

Voorzichtig stapte Kahlan tussen het puin door van de oude gebouwen, die in duizenden jaren tot ruïnen waren vervallen en ingestort. Hele brokstukken waren de steile heuvel af gerold. Stoffige resten steen lagen verspreid in de droge, rulle aarde van de helling. In het donker was een kleine misstap genoeg om naar beneden te storten, en de afgrond was diep. Jillian, een lenige, schimmige gedaante voor hen, klom met het gemak van een berggeit over het puin. Zuster Ulicia, die voor Kahlan uit liep, en de twee andere Zusters achter haar, hijgden en puften van inspanning van de zware klim. Hoewel de Zusters graag door wilden gaan, begon de vermoeidheid haar tol te eisen. Regelmatig verloren ze hun evenwicht, gleden uit en tuimelden bijna naar beneden.

Kahlan vond dat de Zusters beter het daglicht konden afwachten voor de laatste klauterpartij door de ruïnen van de stad Caska, maar dat advies hield ze voor zich. De Zusters deden hun eigen zin; Kahlan had daar geen enkele invloed op. Het zou haar alleen op een aframmeling komen te staan, omdat ze zich met hun zaken had bemoeid.

Maar al te graag zou ze een Zuster naar beneden zien storten om haar nek te breken, hoewel ze wist dat twee Zusters het haar even moeilijk konden maken als drie. Zelfs één Zuster was al in staat haar leven tot een hel te maken. Ieder van hen kon haar ondraaglijke pijnen bezorgen door middel van de ijzeren band om haar nek. Daarom klom ze verder en onthield zich van commentaar op de dwaasheid van zo'n tocht bij maanlicht.

Jillians route was zo moeilijk begaanbaar dat ze de paarden op de landtong hadden laten staan. Bepaalde spullen hadden de Zusters echter niet uit het oog willen verliezen, en al helemaal niet onbeheerd achterlaten. Daarom moest Kahlan ze dragen, samen met de rest van de bagage. Het was slopend om die zware last het steile pad op te sjouwen. Jillian had iets van haar willen overnemen, maar dat mocht niet van de Zusters. Kahlan was hun slavin, hadden ze gezegd, en moest dus het slavenwerk doen. Jillian hoefde hen alleen zo snel mogelijk naar Tovi te brengen. Kahlan had Jillian stilzwijgend geseind dat ze naar de Zusters moest luisteren en op pad moest gaan. In stilte had ze zichzelf getroost met de gedachte dat zwaar werk haar sterker zou maken, terwijl de Zusters, die elke inspanning meden, alleen maar zwakker zouden worden.

Kahlan wilde sterk blijven. Eens zou ze al haar krachten nodig hebben, maar nu had ze een lange dag achter de rug en begon uitgeput te raken. In elk geval was het eind van deze lange, overhaaste reis in zicht. Binnenkort zouden de Zusters herenigd zijn en zouden ze misschien een tijdje op dezelfde plaats blijven, zich iets meer ontspannen, minder gauw boos zijn. Hoewel Kahlan verlangde naar een paar dagen rust, was ze bang voor wat dat zou betekenen.

De Zusters hadden duidelijk de indruk gewekt dat dit het eind van hun reis, van hun onderneming zou zijn en het begin van een nieuw tijdperk. Kahlan had geen idee wat dat inhield, maar het baarde haar grote zorgen. Onder elkaar spraken de Zusters vaak over de beloning die hun te wachten stond en bijna binnen handbereik was. Als de anderen ongeduldig werden, had Zuster Ulicia meer dan eens opgemerkt: 'Het duurt niet lang meer.'

Hoewel Kahlan geen idee had wat ze van plan waren, welke grote gebeurtenis er op komst was, wist ze zeker dat het te maken had met de kistjes die ze op haar rug droeg – de kistjes van Meester Rahl. De twee Zusters achter haar hielden die kistjes nauwlettend in de gaten. De vorige avond had ze de Zusters horen zeggen dat de voorbereidingen konden beginnen, zodra ze Tovi en het derde kistje hadden teruggevonden.

Op het hoogste punt van de steile helling slaakte Kahlan een zucht van opluchting. Ze stonden aan de voet van een afbrokkelende muur, waarvan hele stukken door stroompjes waren ondermijnd en weggespoeld. Ze wierp een laatste blik op de maanverlichte vlakte in de diepte, waarna ze Jillian volgde door een van de donkere gaten in de muur. Toen ze in de opening dook, die een heel eind onder het steen doorliep, ontdekte ze dat de muur de dikte had van een heel huis. De bouwers van die enorme muren moesten erg bevreesd zijn geweest voor mogelijke aanvallers.

Het steile pad werd aan de andere kant van de muur vlakker en voerde hen tussen dicht opeenstaande gebouwen door. Aan de rand van de stad waren veel gebouwen ingestort of zodanig verzakt dat ze bijna omvielen. De massieve muur eromheen had een hoop puin tegengehouden, maar sommige brokstukken van de ruïnen waren over de muur heen gevallen. Ook waren er in de loop der tijd kapotte stenen, rotsblokken en stukken cement door het water weggespoeld.

Algauw kwamen ze in een smal straatje, met aan weerszijden gebouwen die in betere staat verkeerden dan aan de rand van de stad. De buitencirkel had waarschijnlijk het meest van de weersomstandigheden te lijden gehad en was daardoor ook het meest aangetast. Nadat ze de smalle straatjes achter zich hadden gelaten, kwamen ze bij een begraafplaats. In het maanlicht was het een spookachtig gezicht. Er stonden her en der standbeelden, alsof er geesten rondwaarden tussen de doden.

Op hun wandeling tussen de graven door zag Kahlan dat op de heuvels boven haar gebouwen als een eindeloos tapijt het golvende landschap bedekten. In de onbewolkte lucht zag ze Lokey vliegen, Jillians raaf. Het meisje had hem nooit aangewezen, in de hoop dat de Zusters hem voor een gewone vogel zouden aanzien, maar als Kahlan haar kant uit keek, seinde Jillian soms met haar ogen dat ze omhoog moest kijken. Vaak haalde Lokey acrobatische toeren in de lucht uit, waarom Jillian moest lachen als de Zusters een andere kant uit keken. Het meisje greep elke reden voor vreugde aan, te midden van de ellende die de Zusters haar en haar grootvader hadden bezorgd. Zuster Armina had de raaf een keer opgemerkt, maar dacht dat het een gier was, die hen in het troosteloze landschap volgde. Kahlan had het zo gelaten.

'Hoe ver is het nog?' vroeg Zuster Ulicia en ze bleef tussen de grafstenen staan. Het klonk alsof ze Jillian niet vertrouwde.

Jillian wees. 'Niet ver meer. Dat gebouw door. Daar is de toegang tot de doden.'

Zuster Ulicia snoof verontwaardigd. 'De toegang tot de doden. Echt iets voor Tovi met haar gevoel voor theater.'

Schouderophalend merkte Zuster Armina op: 'Een erg toepasselijke naam, als je het mij vraagt.'

'Vooruit!' Zuster Ulicia gebaarde dat het meisje moest doorlopen.

Jillian zette zich meteen in beweging. Ze liet de wirwar van paadjes op de begraafplaats achter zich en bracht hen naar de verlaten stad. Hoewel Kahlan het in het maanlicht niet goed kon zien, leek het of alles dezelfde stoffige, doodse kleur had – de muren, daken, straten, alles. De spookachtige stilte die er tussen de gebouwen hing, gaf de nacht een griezelige, doodse sfeer. Kahlan had het gevoel alsof ze door het reusachtige skelet liep van een vroegere stad, die nu was ontdaan van elk greintje weefsel, waarvan alleen nog maar de half vergane bleke botten over waren.

Via een brede passage – afgaande op de prachtige gewelfde muren was die vroeger erg mooi geweest – glipte Jillian als een schim door de arcaden aan de voorzijde van een groot gebouw. Eenmaal binnen konden ze nauwelijks iets zien. Kahlan hoorde stukjes cement onder de voeten van het meisje kraken. De Zusters hadden geen oog voor de mozaïeken op de vloer. Kahlan kon echter in het maanlicht de verschoten tegeltjes zien, die met elkaar een voorstelling vormden van bomen en paden en een muur die rond een begraafplaats liep. Ze kon zelfs mensen in de mozaïeken onderscheiden.

Terwijl ze naar de afbeeldingen op de vloer keek en haar zware last torste, struikelde ze doordat er een tegeltje ontbrak, waardoor ze op haar knieën viel. Meteen kreeg ze een klap op haar hoofd van Zuster Ulicia, zodat ze languit voorover viel.

'Opstaan, stom rund!' schreeuwde Zuster Ulicia, terwijl ze Kahlan in haar ribbenkast schopte.

Kahlan probeerde het, maar met haar zware bepakking was dat makkelijker gezegd dan gedaan. 'Ja, Zuster.' Tussen twee trappen door naar adem happend, hoopte ze tijd te winnen.

Jillian sprong er tussenin. 'Laat haar met rust.'

Zuster Ulicia richtte zich met een vernietigende blik op. 'Bemoei je er niet mee, anders breek ik dat kippennekje van je.'

'Volgens mij moeten we haar levend villen,' zei Zuster Armina, 'en haar daarna aan de gieren voeren.'

Zuster Ulicia gaf een ruk aan Jillians kraag. 'Ga opzij, dan kan ik die luie koe een lesje leren.'

'Laat haar met rust,' herhaalde Jillian, die weigerde achteruit te gaan.

'We moeten die snotaap de keel doorsnijden om van haar af te zijn,' merkte Zuster Cecilia klaaglijk op. 'Dit is tijdverspilling. We kunnen Tovi nu zelf wel vinden.'

Kahlan wist dat ze de Zusters gunstig moest stemmen, anders zouden ze hun dreigementen uitvoeren en het meisje kwaad doen. Eindelijk kon ze opkrabbelen, waarna ze meteen Jillian bij de arm pakte en haar uit de gevarenzone wegtrok. 'Het spijt me – mijn schuld,' zei ze. 'We kunnen verder.'

Ze had zich al half omgekeerd om weg te lopen, maar zette zich niet in beweging. Zonder toestemming kon ze dat beter niet doen.

Zuster Ulicia verroerde zich niet. In haar ogen lag een bloeddorstige blik.

'Eerst laten we dat kind eens zien welk lesje we al een tijdje in petto voor je hebben. Anders raak je er maar aan gewend dat we je overtredingen door de vingers zien.'

'Laat Kahlan met rust,' zei Jillian, half achter Kahlans rug, terwijl ze zich verzette tegen elke poging om haar nog verder achteruit te duwen.

Zuster Ulicia plantte haar vuisten op haar heupen: 'O ja, en wat gebeurt er anders?'

'Dan laat ik u niet zien waar Tovi is.'

'Stom kind,' snauwde Zuster Ulicia. 'We weten al waar Tovi is. Ze is hier. Je hebt ons al naar haar toe gebracht.'

Jillian schudde haar hoofd. 'Hier beneden lopen kilometerslange gangen. U zult tussen de botten verdwalen. Als u Kahlan niet met rust laat, wijs ik u de weg niet meer.'

'Ik voel Tovi's aanwezigheid al.' Zuster Cecilia zuchtte laatdunkend. 'Snijd dat meisje de strot door. We zijn zo dicht bij Tovi in de buurt, dat ik haar met behulp van mijn gave wel kan vinden.'

'Ja, ik voel haar aanwezigheid ook,' zei Zuster Armina.

'Dat ze in de buurt is,' zei Jillian, 'betekent niet dat jullie de juiste gang erheen kunnen vinden. Hieronder, beneden bij de botten, kan het gebeuren dat je vlak bij haar bent, maar als je dan de verkeerde afslag neemt, loop je kilometers om zonder haar ooit te bereiken. Er zijn mensen in deze catacomben gestorven doordat ze de uitgang niet meer konden vinden.'

Zuster Ulicia sloeg haar handen in elkaar en dacht na, terwijl ze op het meisje neerkeek. 'We hebben er nu geen tijd voor,' verklaarde ze uiteindelijk. 'Ga door,' zei ze tegen Jillian, waarna ze een veelbetekenende blik naar de andere twee Zusters wierp. 'We zullen het haar gauw betaald zetten, dit en de rest.' Met een dreigend gezicht wendde ze zich weer tot Jillian, die haar met grote schrikogen aankeek. 'Breng ons naar Tovi, want als ze ongeduldig wordt, is ze in staat je grootvaders botten te breken... één voor één.'

Jillians gezicht vertrok van angst. Meteen ging ze hen voor naar de doolhof van gangetjes en kamers aan de achterkant van het gebouw. In sommige gangen viel het maanlicht, maar op andere plaatsen was het benauwd en stikdonker. Om te kunnen zien, ontstaken de Zusters vlammetjes, die boven hun handpalm flikkerden. Jillian keek verschrikt toen ze zag dat de vrouwen zoiets konden.

Ze verlieten het gebouw en kwamen op weer een andere begraafplaats. Zonder haar pas in te houden ging Jillian hen voor over de rustplaats van de doden, tussen heuveltjes door met knoestige olijfbomen en rijen graven, die begroeid waren met wilde bloemen. Ten slotte liet ze hen stilhouden bij een gekantelde grafsteen naast een zwart gat in de grond.

'Dit rattenhol in?' vroeg Zuster Armina.

'Als u tenminste bij Tovi wilt komen.' Jillian pakte een lantaarn naast de grafsteen op en toen een Zuster hem had aangestoken, begon ze met de afdaling. De anderen volgden, elkaar verdringend op de nauwe trap. De eeuwenoude treden waren onregelmatig, de scherpe randen weggesleten en glad. Met alle ballast op haar rug was de afdaling voor Kahlan een zware klus. De Zusters schenen bij met hun dansende vlammetjes. Als ze op een vlak stuk kwamen, namen ze weer een andere trap en daalden verder af in de catacomben.

Eindelijk waren ze helemaal beneden, waar de smalle doorgang overging in bredere gangen, die waren uitgehakt in de zachte, maar vaste rotsbodem. In de wanden waren overal nissen aangebracht. Kahlan zag dat in alle nissen botten lagen.

'Pas op voor uw hoofd,' riep Jillian over haar schouder, terwijl ze door een opening aan de zijkant stapte.

Gebukt volgden ze haar naar een ruimte waar het plafond even laag was als de deuropening. Bij elke kruising sloeg Jillian een bepaalde gang in, zonder ook maar even te aarzelen, alsof ze een spoor volgde dat op de vloer was getekend. Kahlan zag een paar voetafdrukken in de aarde, maar er liepen ook voetsporen naar een heleboel andere gangen. Ze waren allemaal te groot om van een meisje afkomstig te zijn.

Het krappe gangetje kwam ten slotte uit op een reeks grote vertrekken. Ze liepen door een eindeloze aaneenschakeling van ruimtes, volgestouwd met ordelijke stapels botten. In de kleinere kamers waren nissen uitgehakt, die ook vol botten lagen, alsof ze ruimte te kort waren gekomen om alle doden onder te brengen. In een aantal vertrekken bevonden zich uitsluitend doodshoofden. Kahlan schatte dat het er duizenden moesten zijn. Alle doodshoofden waren netjes met het gezicht naar voren in de grote nissen uitgestald. Alle nissen waren tjokvol gestouwd. Kahlan keek naar de lege oogkassen, die haar leken aan te staren terwijl ze voorbij liep. Ze bedacht dat het allemaal mensen waren geweest, die ooit hadden geleefd. Ieder van hen was een levend, ademend, denkend individu geweest. Al die mensen hadden een bestaan geleid vol angsten en verlangens. Het herinnerde haar eraan hoe kort en kostbaar het leven was, hoe belangrijk het was, omdat het eens voorbij zou zijn. Voor die mensen was het al voorbij. Het herinnerde haar er nogmaals aan waarom ze haar eigen leven terug wilde.

Jillian had haar het gevoel gegeven dat ze weer in contact stond met de buitenwereld, met wie ze was. Toen Jillian haar zag en wist wie ze was, was Kahlan weer opgeleefd, alsof ze werkelijk iemand was, alsof haar bestaan betekenis had gekregen.

Ze kwamen door kamers met botten van dij- en scheenbenen, opgeborgen in aparte nissen, en botten van armen in weer andere nissen. Sommige hadden grote stenen bakken, die in de onderkant van de zijmuren waren uitgehakt. In die bakken lagen de kleinere botjes, keurig opgeborgen.

Kahlan vond het een merkwaardig gebruik om de botten van een skelet op die manier te sorteren. Het leek haar respectvoller tegenover de doden om hun botten bij elkaar te houden, Kahlan veronderstelde dat ze daar misschien geen plaats voor hadden gehad, omdat deze manier van opslaan ruimtebesparend was. Misschien was het gewoon te veel werk geweest om een nis voor één dode of zelfs één familie uit te hakken, terwijl er zoveel doden begraven moesten worden. Misschien was er een epidemie geweest, waaraan een groot deel van de bevolking was bezweken, en hadden ze geen tijd gehad om zich met zulke details bezig te houden.

Aan de dichte bebouwing binnen de stadsmuren te zien was ruimte waarschijnlijk een schaars goed geweest. Als de bevolking haar doden binnen de stadsmuren had willen houden, had ze noodzakelijkerwijs concessies moeten doen. Vreemd, want het land om de stad was onbewoond en strekte zich in alle leegte eindeloos uit. Kahlan vroeg zich af of er soms een tijd van oorlogen was geweest, waarin sentimentele overwegingen het veld hadden moeten ruimen voor de behoeften van de levenden. De landtong leek echter uitstekend te verdedigen. Hoewel delen van de stad aan een steile helling grensden, hadden ze de stad aan de achterkant kunnen uitbreiden. Maar misschien hadden ze het te ingewikkeld gevonden om de massieve stadsmuren te verleggen.

Ook vroeg ze zich af of de mensen die hier vroeger woonden, iets anders voor de doden voelden dan de meeste mensen. Want wat betekende een hoop botten als het leven eruit geweken was? De persoon zelf bestond niet meer. Het was immers het leven dat telde; met de dood was daar een eind aan gekomen.

Toch moesten de mensen hier waarde aan die botten hebben gehecht, en aan hun doden, als je bedacht hoe moeilijk het moest zijn geweest om zo'n ondergrondse stad te bouwen. Ook waren er rond de nissen verschoten versieringen te zien, die met zorg waren geschilderd of uitgesneden. Dus de nabestaanden hadden om hun doden gegeven en gerouwd.

Als zij zou overlijden, vroeg ze zich af, zou er dan nog iemand aan haar denken, zou er nog iemand weten dat zij, Kahlan, had bestaan en van het leven had gehouden? Ze voelde een vreemde jaloezie op alle botten die daar lagen. Ze hadden allemaal vrienden en familie gehad, die hen persoonlijk hadden gekend, die om hen rouwden, die de resten van hun geliefde doden hadden opgeborgen, opdat de levenden hen in gedachten zouden houden.

Wat was er gebeurd met de mensen die in deze stad hadden gewoond, met de mensen die deze botten hadden opgeborgen? Ze vroeg zich af door wie zij begraven waren. De verlaten gebouwen vormden immers het stille bewijs dat er niemand meer in leven was. Alleen Jillian was er nog. Kahlan had uit haar verhalen begrepen dat Jillian afkomstig was van een klein nomadenvolk dat deze stad van tijd tot tijd aandeed.

Plots kwamen ze bij een stuk van de gang dat te zien aan het puin op de vloer gedeeltelijk was ingestort. Zuster Armina greep het meisje bij de arm. 'Deze tocht door de catacomben wordt steeds gekker. Haal het niet in je hoofd een geintje met ons uit te halen.'

Jillian hief haar hand op en wees. 'Maar we zijn er bijna. Kom, dan kunt u het zelf zien.'

'Goed,' zei Zuster Ulicia, 'ga maar door.'

Jillian liep om een grote stenen plaat heen, die eruitzag alsof hij vroeger de gang had versperd. In de grond liepen groeven op de plek waar hij opzij was geschoven om de doorgang vrij te maken. Toen Jillian doorliep, zag Kahlan dat haar lantaarn een kamer erachter verlichtte. In het stevige rotsgesteente waren richels uitgesneden, waarop overal boeken stonden. Hoewel de leren banden waren verschoten, leken de meeste vroeger donkerrood en diepblauw te zijn geweest; de andere kaften varieerden van lichtgroen tot goudkleurig.

De Zusters keken verbaasd bij de aanblik van al die boeken. Hun humeur klaarde zienderogen op. Zuster Armina floot zacht en hield haar pas in om de boekenplanken te bekijken. Zuster Cecilia begon hard te lachen. Zelfs Zuster Ulicia glimlachte even, terwijl ze over de stoffige rug van de boeken streek.

'Hierheen.' Jillian gaf te kennen dat ze verder moesten lopen.

Zonder morren liepen ze achter het meisje aan door een reeks kamers, waarvan de meeste klein en hokkerig waren, met planken vol boeken. Jillian zocht haar weg door een wirwar van gangen, die in het zachte gesteente waren uitgehakt en hen steeds verder de ondergrondse bibliotheek in voerden. De Zusters wendden hun hoofd van links naar rechts. Helemaal verdiept in hun pogingen om zo veel mogelijk titels te lezen, schuifelden ze achter Jillian en Kahlan aan. Het schijnsel van hun lantaarn verlichtte in het voorbijgaan donkere kamers, waar nog meer boeken bleken te staan.

'Naar de onderwereld met het Licht,' mompelde Zuster Ulicia opgetogen. 'We hebben de centrale locatie in Caska gevonden. Hier moet het boek zijn. Ik durf te wedden dat Tovi ernaar aan het zoeken is.'

'Ik wed dat ze het al heeft gevonden,' zei Zuster Cecilia met van opwinding trillende stem.

Zuster Ulicia grinnikte. 'Ik denk dat je gelijk hebt.'

Door een fraai bewerkte gang met een gewelfd plafond en een muurschildering van een wijngaard, waarvan de kleuren nog maar een flauwe afspiegeling vormden van wat ze waren geweest, sloegen ze de hoek om en kwamen bij een dubbele deur. De beide deuren waren versierd met eenvoudig houtsnijwerk van duivenranken en -bladeren en zo smal dat ze samen één brede deur vormden. Kahlan nam aan dat de dubbele deur de ingang iets meer cachet verleende.

'Ik voel de aanwezigheid van Tovi... eindelijk.' Zuster Cecilia slaakte een zucht van verlichting.

'Dan moeten we vanavond maar met de rituelen beginnen,' merkte Zuster Armina vrolijk op.

Zuster Ulicia knikte en legde haar hand op de bronzen deurkruk. 'Als Tovi erin is geslaagd het boek te vinden – ik durf te wedden van wel – en de drie kistjes zijn weer bij elkaar, dan zou ik niet weten waarom we niet meteen kunnen beginnen.' Ze glimlachte fijntjes. 'Hoe eerder de Wachter uit zijn gevangenis is bevrijd, des te eerder krijgen we onze beloning.'

Kahlan vroeg zich af of er een manier was om hun plannen te verijdelen. Ze wist zeker dat er geen weg terug was als de Zusters eenmaal hun doel hadden bereikt – voor niemand. Denkend aan de kistjes die ze meesjouwde, vroeg ze zich af wat er zou gebeuren als ze een van de kistjes kapot smeet wanneer de Zusters door het weerzien met Tovi waren afgeleid. Misschien had ze zelfs tijd genoeg om beide kistjes kapot te gooien.

Met die daad zou ze zich niet alleen de blinde woede van de Zusters op de hals halen; ze zouden haar waarschijnlijk doden. Kahlan had echter ingezien dat het evengoed haar dood zou zijn als de Zusters in hun onderneming slaagden.

Zuster Armina boog zich voorover. 'En om te beginnen moeten we dan een oude rekening vereffenen.' Op haar gezicht verscheen een boosaardige uitdrukking. 'Ik herinner me nog maar al te goed dat ik door dat onmens naar de tenten werd gestuurd. Ik vergeet nooit wat de soldaten met ons mochten doen.'

Zuster Ulicia vertrok haar wenkbrauwen tot een moordlustige frons. 'O, dat is een van de rekeningen die we maar al te graag willen vereffenen. Met een onheilspellende glimlach drukte ze de deurkruk naar beneden. 'Kom, we gaan.'

37

Zuster Ulicia gooide de deuren open en stapte de aarde-donkere kamer in. 'Tovi, wat doe je in het donker? Slaap je?' Haar stem klonk geërgerd. 'Word wakker. Hier zijn we. Eindelijk hebben we je gevonden.'

De Zusters liepen voorop. De vlammetjes boven hun opgeheven handpalm gaven net genoeg licht om de fakkels te zien, die aan weerszijden in houders aan de muur hingen, maar verder bleef het donker. De Zusters stuurden hun vlammetjes naar de koude fakkels toe, zodat ze aanflitsten. Toen de fakkels begonnen te branden, stroomde het licht de kamer in. Het was een vrij klein vertrek met boekenrekken die in het gele gesteente waren uitgehakt. Aan de andere kant van de kamer stond een zware houten tafel met een ijzeren onderstel. In een hoge, met houtsnijwerk versierde stoel achter de tafel zat een fors gebouwde man. Zijn kin rustte op zijn duim, terwijl hij hen nauwlettend opnam.

Kahlan had nog nooit zo'n vervaarlijk ogende kerel gezien.

De drie Zusters bleven als aan de grond genageld staan. Hun wijd opengesperde ogen gaven blijk van verbijstering en ongeloof over wie ze voor zich hadden.

De krachtige verschijning zat rustig aan de tafel en keek de drie Zusters onderzoekend aan. Dat hij niets zei, niet bewoog en geen enkele haast leek te hebben, vergrootte slechts de voelbare spanning in de kamer. Alleen de fakkels maakten een suizend geluid. De man was met zijn omvangrijke, gespierde armen en stieren-nek de verpersoonlijking van puur gevaar. Hij had geen hemd aan. Zijn vlezige schouders puilden uit een lamsleren vest, dat in het midden openviel en zijn krachtige blote borst liet zien. Om zijn armen, boven zijn gespierde biceps, droeg hij zilveren banden. Aan elke dikke vinger had hij een gouden of zilveren ring, niet zozeer als versiering maar als schaamteloos vertoon van roofzucht. Zijn kaalgeschoren hoofd glom in het flakkerende toortslicht. Als hij een bos haar had gehad, dacht Kahlan, zou dat afbreuk hebben gedaan aan zijn angstaanjagende verschijning. Door zijn linker neusvleugel zat een gouden ring met een dun gouden kettinkje eraan, dat naar een andere ring midden in zijn linkeroor liep. Zijn enige gezichtsbeharing was een vijf centimeter lange snor langs zijn arrogante mondhoeken en een plukje in het kuiltje van zijn kin.

Hoe angstaanjagend, intimiderend en meedogenloos de man er op zichzelf al uitzag, het griezeligste aan hem waren zijn ogen zonder enig oogwit. In plaats daarvan waren het inktzwarte poelen, waarin naargeestige, donkere schaduwen zwommen. Toch was het Kahlan zonder meer duidelijk dat hij zijn blik op haar richtte, een blik die haar het gevoel gaf naakt te zijn. Onder de aanstormende paniek leken haar knieën het te begeven. Zodra hij zijn lugubere blik op de Zusters richtte, zocht Kahlan op de tast naar Jillian en sloeg beschermend een arm om haar heen. Hoewel het meisje beefde, was het Kahlan opgevallen dat ze niet verbaasd leek de man daar aan te treffen.

Kahlan begreep niets van het zwijgen van de Zusters en hun gebrek aan actie. De man vormde zo overduidelijk een bedreiging, dat het haar logisch leek dat de Zusters hem, bij wijze van voorzorgsmaatregel, al in een hoopje as zouden hebben veranderd. De Zusters hadden nog nooit geaarzeld iemand te doden die misschien een beetje lastig zou kunnen worden. En deze man was wel meer dan alleen maar lastig. Hij zag eruit alsof hij in staat was hun schedel met één vuistslag te verbrijzelen. Aan zijn blik te zien was dat voor hem de normaalste zaak van de wereld.

Achter Kahlan doken vanuit een donkere hoek twee potige kerels op, die de dubbele deur sloten. Ook deze mannen zagen er vervaarlijk uit. Hun gezicht was overdekt met woest kronkelende tatoeages. Hun enorme spierbundels glommen van het zweet en roet, alsof ze nooit de vettige rook van de kampvuren van zich af spoelden. Toen ze naast elkaar voor de dichte deuren gingen staan, rook Kahlan hun zurige zweetlucht vermengd met de stank van brandend pek.

De twee mannen waren tot de tanden gewapend. Zware leren, met spijkers beslagen banden liepen kruiselings over hun borst, met een uiteenlopende sortering messen eraan. Aan hun wapenriemen hingen bijlen en morgensterren, die glinsterden in het licht van de suizende fakkels. Hun gezicht zat vol metalen spijkers – in hun oren, wenkbrauwen en neusbruggen, alsof ze de spijkers er eigenhandig in hadden geramd. Ook deze mannen waren kaalgeschoren. De twee zagen er niet menselijk uit, laat staan beschaafd, eerder als een bewuste deformatie van de mens, een soort dat van staal en roet hield en dierlijke trekken had aangenomen. Hoewel ze korte zwaarden bezaten, trokken ze die niet. Ze leken in het geheel niet bang te zijn voor de Zusters.

'Keizer Jagang...' De huilerige, zwakke stem van Zuster Ulicia stierf weg van pure angst.

Keizer Jagang! Twee woorden die Kahlan tot in het diepst van haar ziel schokten. Iets in het beeld dat ze zich over de man had gevormd, gebaseerd op het schouwspel van zijn leger in de verte en van de plaatsen waar zijn leger doorheen was getrokken, joeg haar nog meer angst aan dan de Zusters. Zijn mannelijkheid vormde een bedreiging van een heel andere orde.

Zo lang Kahlan zich kon heugen, hadden ze hun best gedaan om bij hem uit de buurt te blijven en nu zaten ze hier, oog in oog met Jagang. Hij zag er ontspannen uit, als een man die alles goed in de hand had, en hij leek zich geen zorgen te maken. Zelfs de Zusters van de Duisternis konden hem niet van zijn stuk brengen. Kahlan wist dat de ontmoeting geen toeval was, maar dat hij het erop aan had gestuurd. Naast angst, gewekt door de gesprekken die ze van de Zusters had afgeluisterd en hun stelselmatige pogingen hem te ontlopen, was er nog iets anders, iets ongrijpbaars, een duistere vrees in het diepst van haar ziel, als een verloren herinnering, een schaduw waar ze niet bij kon komen. Toen Kahlan opzij keek, zag ze dat de Zusters stokstijf bleven staan, alsof ze ter plekke in een standbeeld waren veranderd, en dat hun gezichten lijkbleek waren geworden.

Zuster Ulicia droeg haar blauwe jurk, speciaal gekozen voor het weerzien met Tovi. Die jurk was groezelig geworden, niet alleen van de klim naar de landtong, maar ook van de afdaling onder de grond. Zuster Armina droeg een jurk met witte ruches rond de manchetten en een laag decolleté. Gezien de omstandigheden, een stoffige grafkelder waar ze door hitsige bruten werd bekeken, zagen de ruches er belachelijk misplaatst uit. Zuster Cecilia, ouder en ingetogener, als altijd tot in de puntjes verzorgd met haar grijze krullen, keek alsof ze op het punt stond gek te worden.

Jagang keek de drie Zusters met een norse blik aan. Hij genoot van het moment, wist Kahlan, hij genoot van hun doodsangst. Als de Zusters iets aan de situatie hadden kunnen doen, hadden ze het vast al gedaan.

Zuster Armina bevochtigde haar droge lippen met haar tong. 'Excellentie,' zei ze met een iel, nerveus stemmetje. In Kahlans oren klonk het als een zielige poging tot een respectvolle groet, die eerder door angst dan door eerbied werd ingegeven.

'Excellentie,' zei ook Zuster Cecilia, met al even onvaste stem.

Een heel enkele keer had Kahlan de Zusters voorzichtig of zelfs op hun hoede gezien, maar nooit bang. Dat ze ook bang konden zijn, had ze zich niet kunnen voorstellen, omdat ze alles altijd volledig in de hand leken te hebben. Opeens was er geen spoor meer te bekennen van hun gebruikelijke hooghartige houding. De drie Zusters bogen houterig, als marionetten aan een touwtje.

Toen ze zich oprichtte, slikte Zuster Ulicia angstig. Ondanks haar vrees, nam ze het woord, aangespoord door haar nieuwsgierigheid en de ondraaglijke stilte. 'Excellentie, wat doet u hier?'

Jagangs dreigende blik ging over in een valse grijns om haar zoetsappige, onschuldige, verleidelijke toon. 'Ulicia, Ulicia...' Hij zuchtte diep. 'Wat ben je toch een gigantisch stom mens.'

De drie vrouwen vielen op hun knieën, alsof ze door een onzichtbare vuist tegen de grond werden gekwakt. Een zacht gejammer ontsnapte aan hun lippen. 'Alstublieft, excellentie, het is nooit onze bedoeling geweest...'

'Ik weet precies wat jullie bedoeling is. Ik weet elk smerig detail dat in jullie gedachten is geweest.'

Kahlan had Zuster Ulicia nooit voor iemand zien kruipen en haar al helemaal niet zo van streek gezien.

'Excellentie... ik begrijp niet...'

'Natuurlijk niet,' zei hij smalend, terwijl haar woorden in de stilte wegstierven. 'Daarom liggen jullie voor mij op je knieën in

plaats van omgekeerd, al zou je dat maar al te graag willen, nietwaar, Armina?'
Toen zijn blik naar Zuster Armina gleed, slaakte ze een verschrikt
kreetje. Het bloed gutste uit haar oren en liep in een rood straaltje langs haar sneeuwwitte hals omlaag. Ze beefde, maar bewoog
zich niet.
Jillian greep Kahlan vast. Die legde haar hand beschermend op
Jillians wang, drukte haar tegen zich aan om haar te troosten, al
wist ze dat er eigenlijk geen troost mogelijk was.
'Hebt u Tovi dan ook?' vroeg Zuster Ulicia, zo perplex door de
wending die de gebeurtenissen hadden genomen dat ze er niets
van begreep.
'Tovi!' Jagang stootte een bars gelach uit. 'Tovi! Hoezo? Tovi is
al een eeuwigheid dood.'
Zuster Ulicia verstijfde van schrik. 'Is ze dood?'
Onverschillig gebaarde hij met zijn hand. 'Naar het hiernamaals
gestuurd door een gemeenschappelijke vriend, een erg ontrouwe
en verraderlijke vriend. Ik denk dat de Wachter van de onderwereld erg boos op Tovi is, omdat ze haar plicht aan hem heeft
verzaakt. Jullie zullen een eeuwigheid de tijd krijgen om uit te
vinden hóé boos hij precies is.' Zijn zelfgenoegzame grijns verscheen opnieuw, terwijl hij de vrouw dreigend aanstaarde. 'Maar
niet voordat ik met jullie klaar ben.'
Zuster Ulicia boog haar hoofd. 'Natuurlijk, excellentie.'
Kahlan zag dat Zuster Armina in haar broek had geplast. Zuster
Cecilia keek alsof ze elk moment kon gaan huilen – of gillen.
'Excellentie,' bracht Zuster Ulicia uit, 'hoe kunt u... ik bedoel,
we hebben onze band.'
'Jullie band!' Jagang schaterde het uit en sloeg met zijn hand op
de tafel. 'Ach, jullie band met Meester Rahl! Jullie ontroerende
trouw aan Meester Rahl, die jullie zogenaamd beschermt tegen
mijn talenten als droomwandelaar.'
Het deed Kahlan verdriet dat de Zusters een soort bondgenoot-
schap met Meester Rahl hadden gesloten. Om de een of andere
reden had ze hem hoger aangeslagen. Het deed pijn dat ze zich
zo in hem had vergist.
'"Wij zijn niet degenen die Richard Rahl aanvallen,"' kweelde Jagang met falsetstem, terwijl hij theatraal zijn handen in elkaar
sloeg. Het was duidelijk dat hij een uitspraak van Ulicia citeer-

de. '"Jagang is degene die achter hem aan zit, die hem probeert te vernietigen, wij niet. Wij zullen de macht van Orden uitoefenen en dan geven we Richard Rahl wat alleen wij hem kunnen geven. Dat is genoeg om onze band te behouden en ons tegen de droomwandelaar te beschermen."'

Hij liet het verwijfde toontje varen. 'Jullie trouw en toewijding aan Meester Rahl zijn ontroerend.' Hij sloeg met zijn vuist op tafel. Zijn gezicht liep rood aan van woede. 'Denken jullie echt, stomme teven, dat zo'n gekunstelde band met Meester Rahl jullie voor problemen kan behoeden?'

Kahlan herinnerde zich dat de Zusters daarover hadden gesproken en dat ze het toen ook niet goed had begrepen. Waarom zou Richard Rahl iets met deze slechte vrouwen te maken willen hebben, laat staan een verbond met hen sluiten? Zou dat echt waar zijn? Zou hij geen haar beter zijn dan zij?

Eén ding in het hele verhaal klopte echter niet. Als ze hem trouw hadden gezworen, waarom hadden ze dan de kistjes uit zijn paleis gestolen?

'Maar de magie van onze band...' De stem van Zuster Ulicia stierf weg in de stilte.

Jagang ging staan, met als effect dat de drie vrouwen naar adem hapten en nog erger beefden. Als ze daartoe in staat waren geweest, hadden ze minstens een stap achteruit gezet.

Hij schudde zijn hoofd, alsof hij zich verbaasde dat ze het nog steeds niet had begrepen. 'Ulicia, ik heb alles gevolgd, want ik zat in jouw geest. Ik was erbij die dag, jaren geleden, toen je Richard Rahl je listige plannetje voorlegde. Eigenlijk dacht ik niet dat het je ernst was. Ik kon me niet voortellen dat je zo stom was te geloven dat je door zo'n regeling los van mij zou komen.'

'Maar het had moeten werken.'

'Nee, het was uitgesloten dat zoiets zou kunnen werken. Het was een absurd idee. Omdat je het zo graag wilde geloven, dacht je dat het werkte.'

'Als u die dag in onze geest was,' vroeg Zuster Cecilia, 'waarom hebt u ons dan in de waan gelaten dat het was gelukt?'

Met zijn inktzwarte ogen keek hij haar strak aan. 'Weet je niet meer wat ik jullie in het begin heb verteld, de eerste dag dat jullie voor me stonden? Ik zei dat controle belangrijker was dan doden. Ik zei dat ik jullie alle zes had kunnen doden, maar wat zou

430

ik daarmee opschieten? Zolang jullie onder mijn gezag staan, vormen jullie geen bedreiging voor me en kan ik op een heleboel manieren profijt van jullie hebben.

Natuurlijk weten jullie dat niet meer. Jullie dachten me voor de gek te kunnen houden met jullie kromme, dwaze idee dat je een band zou kunnen smeden. Jullie menen iedereen te slim af te zijn, maar daar staan jullie dan! Jullie zijn nooit aan mijn heerschappij ontkomen.'

'Waarom hebt u ons dan door laten gaan met... wat we deden?' vroeg Zuster Cecilia.

Schouderophalend liep Jagang om de tafel heen. 'Als ik wilde, had ik jullie elk moment kunnen tegenhouden. Ik wist dat ik jullie in mijn macht had, maar wat zou ik daarmee opschieten? Nog een paar Zusters van de Duisternis erbij, terwijl ik er al genoeg heb – hoewel een stuk minder dan eerst.' Hij boog zich naar hen toe en zei terloops: 'Het aantal Zusters dat sterft voor de zaak van het Genootschap van de Orde ligt vrij hoog.'

'Maar jullie,' zei Jagang, terwijl hij zijn rug rechtte, 'zijn bijzonder interessant voor me. Met jullie had ik Zusters van de Duisternis die ondernemend zijn.' Met zijn dikke vinger tikte hij tegen zijn slaap. 'Die sluwe plannetjes hadden en de kennis om ze uit te voeren.

Jullie hebben je hele leven doorgebracht in de gewelven van het Paleis van de Profeten, gewelven met duizenden boeken, die verloren zijn gegaan. Ook al zijn jullie plannen soms irrationeel – kijk maar hoe jullie erbij zitten – dat neemt niet weg dat jullie door een studie van tientallen jaren een schat aan kennis hebben verworven. Het betekent ook niet dat al jullie plannen onhaalbaar zijn.'

'Dus u hebt al die tijd geweten wat we van plan waren? Vanaf de dag dat we de band met Richard Rahl hebben gesmeed?'

Jagang keek Zuster Ulicia verstoord aan. 'Natuurlijk wist ik het. Op het moment dat jullie het plan bedachten, wist ik het ook.' Zijn stem klonk zacht, maar dreigend. 'Je dacht dat ik mensen alleen in hun dromen bezocht, maar dat is niet zo. Je dacht dat ik niet in je geest was, als je wakker was. Maar als ik eenmaal iemands geest ben binnengedrongen, Ulicia, blijf ik daar de hele tijd.

Ik weet altijd alles wat jullie denken. Elke smerige inval die je krijgt, zie ik. Elke gedachte, elke handeling, elke gemene wens hoor ik alsof je hem hardop hebt uitgesproken. Omdat ik me niet kenbaar maakte, was je zo dom om te denken dat ik er niet was, maar ik was er wél.' Hij schudde vermanend met zijn dikke vinger. 'O, Ulicia, ik was er wel.

Toen je Richard Rahl je plannetje ontvouwde, dat je hem trouw wilde zweren in ruil voor iemand die hij innig liefhad, kon ik nauwelijks geloven dat je dacht dat het zou werken.'

Het stemde Kahlan bedroefd te horen dat Richard Rahl zoveel van iemand hield. Op de een of andere manier had ze zich op een heel diep niveau met hem verbonden gevoeld sinds ze in zijn prachtige tuin was geweest. Ze hadden hetzelfde gevoel voor schoonheid, dezelfde waardering voor wat er groeide, voor de natuur en de wereld om hen heen, voor het leven zelf. Maar nu hoorde ze dat hij een overeenkomst met de Zusters van de Duisternis had gesloten en dat er iemand was die hij innig beminde. Dat gaf haar het gevoel alsof ze niet bestond. Ze vroeg zich af wat ze zich eigenlijk in het hoofd had gehaald.

'Maar... maar,' stamelde Zuster Ulicia, 'het werkte...'

Jagang schudde zijn hoofd. 'Trouw op jouw voorwaarden. Trouw, ook al ging je door met hem te ondermijnen, ook al ging je door met alles waartegen hij stelling neemt. Trouw, ook al bleef je gezworen aan de Wachter van de onderwereld. Trouw, gebaseerd op je speciale, egoïstische wensen, is niet meer dan het is – een vrome wens. En wensen worden heus geen werkelijkheid omdat jij het zo graag wilt.'

Het was enigszins een opluchting voor Kahlan te horen dat het werk van de Zusters gericht was op Richards ondermijning. Misschien betekende het dat hij geen echte bondgenoot van de Zusters was. Misschien werd hij wel, net als zij, tegen zijn zin door hen gebruikt.

'Toen jullie hem de voorwaarden voor jullie trouw oplegden, wist ik niet wat ik hoorde,' zei Jagang met weidse gebaren. 'Jullie beweerden zomaar dat jullie mochten bepalen wat die trouw inhield en niet hij. Ik bedoel, als je je opvattingen op dat soort lariekoek wilt baseren, Ulicia, waarom bespaar je jezelf de moeite niet en besluit je dat wilskracht genoeg is om je tegen het binnendringen van de droomwandelaar te beschermen? Als afweer was het even effectief geweest.'

Hoofdschuddend voegde hij eraan toe: 'Arme Ulicia, wat wreed toch dat het leven niet zo in elkaar zit dat het je dwaze wensen vanzelf vervult.'

Met een weids armgebaar zei hij: 'En nog verbazingwekkender vind ik het dat de andere Zusters het ook geloofden. Dat weet ik, omdat ik ook in hun geest zat. Ik zag hoe blij ze waren dat ze zich aan mijn macht konden onttrekken, omdat jij zogenaamd een band met Meester Rahl kon smeden volgens je eigen opvattingen over trouw.'

'Maar u hebt ons laten begaan,' zei Zuster Ulicia nog steeds verbijsterd. 'Waarom hebt u toen niet toegeslagen?'

Jagang haalde zijn schouders op. 'Ik had al genoeg Zusters onder de duim. Dit zag ik als een interessante kans. Ik leer een heleboel van de kennis die anderen bezitten. Wie nieuwe dingen leert, krijgt meer macht dan hij anders zou hebben verkregen. Ik besloot af te wachten wat jullie met jullie eigen listen konden bereiken, wat ik ervan kon leren. Ik kon jullie immers laten vallen, zodra het experiment me ging vervelen. Ik heb een paar keer op het punt gestaan om dat te doen, pas nog, toen Zuster Armina zei: "Ik zou Jagang dolgraag willen opknopen en hem eens onder handen nemen."' Hij trok een wenkbrauw op. 'Weet je dat nog, Armina? En mocht je het zijn vergeten, dan help ik je af en toe wel herinneren, om je geheugen even op te frissen.'

Zuster Armina hief smekend haar hand op. 'Ik, ik bedoelde alleen...'

Toen hij haar dreigend aankeek, hield ze haar mond, niet in staat een excuus te verzinnen.

Daarna ging Jagang verder: 'Ja, ik was er de hele tijd. Ja, ik heb alles gezien. Ja, ik had jullie elk moment uit kunnen schakelen. Maar ik heb iets wat jij niet hebt, Ulicia, namelijk geduld. Met geduld kun je bergen verzetten of eromheen lopen of eroverheen klimmen.'

'Maar u had Richard Rahl kunnen grijpen, toen we met hem onderhandelden, of u had hem kunnen grijpen in zijn kamp.'

'Jullie hadden hem ook in zijn kamp kunnen grijpen. Jullie hadden hem betoverd en in jullie macht, dus jullie hadden hem af kunnen maken. Waarom hebben jullie dat niet gedaan? Omdat jullie een veel grootser plan hadden, dus lieten jullie hem met rust in de overtuiging dat de band jullie beschermde, terwijl jullie in-tussen iets veel waardevollers konden najagen.'

'Maar u had hem niet nodig,' drong ze aan. 'Dus u had hem wel kunnen grijpen.'

'Ach, doden kan nuttig zijn bij wijze van straf, maar het is lang zo bevredigend niet als wat je met mensen kunt doen, zolang ze in leven zijn. Neem jullie drie bijvoorbeeld. De dood is geen zware straf en als je de Schepper hebt gediend, krijg je in het hierna-maals zelfs een beloning. Jullie drie zullen het echter zonder het Licht van de Schepper moeten stellen. Wat heb ik daaraan? Ik kan iemand die leeft, veel meer laten lijden.' Hij boog zich naar hen over. 'Zijn jullie het daarmee eens?'

'Ja, excellentie,' bracht Zuster Ulicia met geknepen stem uit, ter-wijl het bloed uit haar oor druppelde.

'Bepaalde delen van jullie plan bevallen me wel.' Hij rechtte zijn rug. 'Die komen me goed van pas – zoals de kistjes van Orden. Waarom zou ik Richard Rahl doden, als ik gelegenheid heb nog veel meer te doen? Door hem in leven te laten kan ik hem on-voorstelbaar laten lijden.

Ik heb hem die dag in zijn kamp gespaard, net zoals jullie heb-ben gedaan toen jullie de ketenvuurbetovering in gang zetten, om-dat het me een nieuwe kans gaf hem alles af te pakken. Doordat ik in jullie geest zat, was ik, net als jullie, beschermd tegen de ke-tenvuurbetovering.

Met wat ik dankzij jullie heb gekregen, kan ik Richard Rahl be-roven van zijn macht, zijn land, zijn volk, zijn vrienden en dier-baren. In naam van het Genootschap van de Orde kan ik hem al-les afpakken.'

Tandenknarsend hief Jagang zijn gebalde vuist op. 'Omdat hij zich tegen onze rechtvaardige zaak verzet, ben ik van plan hem tot in het diepst van zijn ziel te kwetsen en als ik hem dan hele-maal heb uitgewrongen, als ik hem elke vorm van pijn heb be-zorgd die er in deze wereld bestaat, zal ik zijn levensvlam doden. En jullie hebben me dat mogelijk gemaakt.'

Zuster Ulicia knikte bedroefd om alles wat aan haar voorbijging. Ze scheen zich bij haar nieuwe rol te hebben neergelegd. 'Excel-lentie, zonder het boek kunnen we niets doen. Dat kwamen we hier ophalen.'

Jagang pakte een boekwerk van tafel op en hield het voor hen omhoog. '*Het boek van de getelde schaduwen.* Voor dat boek kwamen jullie toch? Toen ik op jullie moest wachten, heb ik het maar alvast opgezocht.'

Hij smeet het boek op tafel. 'Een uitzonderlijk zeldzaam werk. Dit is uiteraard een kopie, al mocht het eigenlijk nooit worden vermenigvuldigd. Daarom is het hier opgeborgen. Natuurlijk was ik erbij, in jullie geest, toen jullie dat allemaal ontdekten. Door jullie weet ik zelfs hoe het geverifieerd moet worden.' Zijn verontrustende ogen gleden naar Kahlan. 'En door de halsband die jullie haar hebben omgedaan, kan ik haar onder controle houden.' Met een smalende glimlach wendde hij zich tot Zuster Ulicia. 'Weet je, omdat ik in je geest zit, hoef ik alleen maar een commando te geven. Via jou kan ik elke stap van haar sturen – even makkelijk als jij dat kunt.'

Kahlans hoop op ontsnapping vervloog. De Zusters waren al wreed, maar deze man was nog veel wreder. Ze wist niet wat zijn bedoelingen waren, maar daar maakte ze zich geen illusies over; ze waren ongetwijfeld slecht.

Er begon haar nog iets anders te dagen. Om de een of andere reden was ze waardevol voor de Zusters en nu even waardevol voor Jagang. Hoe kon zij dienen als middel om een eeuwenoud boek te verifiëren, dat duizenden jaren was weggeborgen? Er was haar verteld dat ze niets voorstelde, dat ze niet meer was dan een slavin. Ze begon te beseffen dat de Zusters tegen haar hadden gelogen. De Zusters wilden haar laten denken dat ze waardeloos was, terwijl juist bleek dat ze ontzettend belangrijk voor hen allemaal was.

Jagang wees naar Jillian. 'Naast de halsband, heb ik het meisje nog, als ik Kahlan moet overtuigen dat ze me maar beter kan gehoorzamen. Vertel eens, liefje, heb je ooit met een man geslapen?'

Jillian drukte zich tegen Kahlan aan. 'U hebt me beloofd dat u mijn grootvader zou loslaten. U zou hem en de anderen vrijlaten, als ik precies deed wat u zei en de Zusters naar u toe zou brengen. Ik heb gedaan wat u wilde.'

'Inderdaad en je hebt je rol overtuigend gespeeld. Ik zat in hun geesten, de hele tijd, en daar heb ik jouw optreden gevolgd. Je hebt mijn instructies onberispelijk uitgevoerd.' Zijn toon werd even dreigend als zijn blik. 'Geef antwoord op mijn vraag, anders voer ik je grootvader en de anderen aan de gieren. Heb je ooit iets met een man gehad?'

435

'Ik begrijp niet wat u bedoelt,' zei ze met een klein stemmetje.
'Dat is dan duidelijk. Wel, als Kahlan niet alles doet wat ik haar opdraag, geef ik je aan de soldaten voor hun gerief. Ze zijn dol op jonge grietjes als jij, zonder ervaring met... hun soort verlangens.'

Jillian klampte zich aan Kahlans hemd vast, drukte haar gezicht tegen haar arm, alsof ze een snik wilde smoren. Kahlan kneep het meisje in de schouder om haar te troosten, om haar te laten weten dat haar niets zou overkomen zolang zij het kon verhelpen.

'U hebt mij,' zei Kahlan. 'Laat haar met rust.'

'Tovi heeft het derde kistje,' zei Zuster Ulicia. Kahlan begreep dat ze de zaak probeerde te rekken, tijd wilde winnen en bij Jagang in de gunst wilde komen.

Verstoord keek hij haar aan. 'Dat kistje is gestolen.'

'Gestolen? Nou... dan kan ik u helpen het weer terug te krijgen.'

Jagang leunde met zijn rug tegen de tafel en sloeg zijn gespierde armen over elkaar. 'Ulicia, wanneer dringt het tot je door dat ik niet alleen voor je sta, maar dat ik ook in je geest zit. Ik weet alles wat je denkt. Maar ga vooral door snode plannetjes te bedenken, want ze zijn erg inventief.

En wat heb je een grootse plannen bedacht,' zei hij met een tevreden zucht, terwijl hij op haar af liep. 'Je bent er verder mee gekomen dan ik voor mogelijk had gehouden.'

Zijn stem kreeg een ondertoon die Kahlan deed huiveren. 'Kijk nou eens waarmee ik voor mijn geduld ben beloond.' Hij wendde zich naar haar toe en hield haar gevangen in zijn huiveringwekkende, inktzwarte blik. 'Wil je weten waarom ik je vrij heb laten rondlopen om te doen wat je wilde? Hier is het antwoord. Door je je gang te laten gaan, Ulicia, heb je me mijn meest begeerde trofee in handen gespeeld.'

Op dat moment wist Kahlan dat ze het bij het rechte eind had gehad. Om de een of andere reden was ze waardevol. Ze zou graag willen weten waarom. Ze zou graag willen weten wie ze werkelijk was.

Machteloos moest ze toezien dat Jagang de afstand tussen hen steeds kleiner maakte. Ze kon nergens heen. Als om de gedachte aan vluchten bij voorbaat te ontmoedigen, voelde ze een pijnscheut door haar ruggengraat en benen trekken, zodat ze zich onmogelijk kon bewegen. Ze wist dat de verlammende pijn haar via de halsband was toegebracht, want de Zusters hadden al eerder hetzelfde gedaan. Jagang was daarvan op de hoogte, doordat hij al die tijd in hun geest was geweest en het had gezien. Zijn wrede gezichtsuitdrukking maakte haar duidelijk dat hij haar deze keer de pijn had toegebracht.

Jagang stak zijn hand uit om met zijn dikke vingers door Kahlans haar te strijken. Hoewel ze van zijn aanraking walgde, kon ze het niet voorkomen. Terwijl hij haar aanstaarde, leek hij alles om zich heen te vergeten.

'Ja, Ulicia, je hebt me de meest begeerde trofee bezorgd. Je hebt me Kahlan Amnell gegeven.'

Amnell. Nu wist ze dus haar achternaam. Ze had een lichte aarzeling gehoord, alsof er achter die naam nog een titel hoorde.

Met een obscene grijns, waarvan ze de betekenis niet wilde weten, boog hij zich naar haar over. Kahlan week geen duimbreed, al had ze weinig keus. Jagang perste zijn krachtig gespierde lichaam tegen haar aan. Het was alsof een stier zich met zijn volle gewicht tegen haar aan wierp.

De man tilde met zijn ene vinger haar haar op uit haar nek. Zijn stoppelbaard schuurde langs haar wang, terwijl hij zijn mond bij haar oor bracht. 'Maar Kahlan weet niet wie ze is. Ze weet niet eens hoe waardevol ze eigenlijk is.'

Voor het eerst zou Kahlan onzichtbaar willen zijn, zoals ze onzichtbaar was voor iedereen behalve Jillian en de Zusters. Door deze man wilde ze niet herkend worden. Dit was een man bij wie ze zo ver mogelijk uit de buurt wilde zijn.

'Je hebt niet het flauwste benul,' fluisterde hij op een vertrouwelijke toon, die haar kippenvel gaf van angst, 'hoe buitengewoon onplezierig dit voor jou gaat worden. Je bent mijn geduld wel waard, je bent alles waard wat ik van Ulicia door de vingers heb moeten zien. Wij zullen erg intiem met elkaar worden, jij en ik. Mocht je menen dat ik het slecht met Meester Rahl voorheb, dan zinkt dat in het niet bij wat ik met jou van plan ben, lieverd.'

Nog nooit in haar leven had Kahlan zich zo eenzaam en hulpeloos gevoeld. Onwillekeurig gleed er een traan over haar wang, maar de wanhopige snik in haar keel kon ze wegslikken.

38

Toen Jagang zich omdraaide en haar losliet, kon Kahlan eindelijk opgelucht ademhalen. Ook al had hij haar nauwelijks aangeraakt, dat hij zo dichtbij was geweest, vervulde haar met een verlammende angst. Zijn veelbetekenende blik was duidelijk geweest. Ze wist dat hij alles met haar kon doen, dat ze volledig aan zijn genade was overgeleverd.

Nee, zolang er lucht in haar longen was, mocht ze zich niet aan zulke gedachten overgeven. Ze mocht zichzelf niet toestaan te denken dat ze hulpeloos was. Ze moest haar verstand gebruiken en niet in paniek raken. Met angst zou ze niets bereiken. Misschien was het waar dat ze geen zeggenschap over haar leven meer had, maar als ze zich overgaf aan blinde paniek, was ze helemaal aan zijn wil overgeleverd. Dat was precies wat hij wilde.

Jagang, die aan de andere kant van de kamer bij de zware tafel stond, trok het boek naar zich toe. Hij sloeg het open en steunde met beide handen op de tafel, terwijl hij de inhoud bekeek. Door de ronde lijn van zijn brede schouders, zijn gespierde rug en dikke nek had hij iets weg van een stier. Zijn kleding droeg bij aan zijn barbaarse verschijning. Het leek of Jagang en zijn mannen de nobele idealen van de mensheid bewust van zich hadden afgeschud om in plaats daarvan een primitief, dierlijk standpunt in te nemen. Dat ze niet naar een hogere, maar juist naar een lagere bestaansvorm streefden was een van de oorzaken dat deze mannen er zo onmiskenbaar gevaarlijk uitzagen. Ze streefden niet naar het menselijke, maar naar een lager niveau.

Een eindje terug, voor de dubbele deur, stonden de twee zwijgende wachters wijdbeens en met hun handen op hun rug. Kahlan legde haar hand op Jillians schouder, toen het meisje naar haar opkeek. In haar ogen lag de onuitgesproken angst voor de twee mannen, die haar af en toe duistere blikken toewierpen.

De twee wachters zagen Kahlan niet. Althans, ze dacht van niet. Ze had hun gedrag bestudeerd en het was haar opgevallen dat ze, behalve naar Jillian, ook af en toe naar de Zusters keken, al was het zonder veel interesse. Zodra Jagang echter het woord tot Kahlan richtte, raakten de wachters erg in de war. Hoewel ze er niets van zeiden, wist Kahlan dat ze dachten dat hun leider in zichzelf aan het praten was. Net als iedereen – met uitzondering van Jillian, de Zusters en Jagang vanwege zijn verbinding met de Zusters – waren de wachters Kahlan al vergeten voordat ze zich realiseerden dat ze haar hadden gezien. Kahlan wenste dat ze voor hun leider even onzichtbaar kon zijn.

'Hoe zit het met uw leger, excellentie?' vroeg Zuster Ulicia. Kennelijk probeerde ze tijd te winnen door een gesprek met hem aan te knopen. Ook zij vocht tegen de paniek.

Met een boosaardige grijns keek Jagang over zijn schouder. 'Ze zijn in de buurt.'

Verbaasd knipperde Zuster Ulicia met haar ogen. 'In de buurt?'

Nagrinnikend knikte hij. 'Iets voorbij de noordelijke horizon, in D'Hara.'

'Noordelijk... in D'Hara,' liet Zuster Armina zich ontvallen. 'Maar dat is onmogelijk, excellentie.'

Hij trok een wenkbrauw op, zichtbaar genietend van hun verbazing.

'Uw boodschappers moeten zich vergist hebben in de positie van uw leger,' zei Zuster Armina, die klonk alsof ze haar kans schoon zag om bij de keizer in de gunst te komen. Ze streek met haar tong over haar lippen. 'Wat ik bedoel, excellentie, is dat we, nou ja, al een tijd geleden uw troepen zijn gepasseerd. Toen waren ze nog in het Middenland en trokken naar het zuiden, waarna ze om de tussenliggende bergketen heen zouden trekken. Ze kunnen onmogelijk...'

Haar bibberende stem stierf weg, alsof bij de aanblik van Jagang de moed haar in de schoenen was gezonken, zelfs de moed om te spreken, en er van haar niets over was dan een angstig hoopje ellende.

'O, maar ze zijn al om de bergketen heen getrokken en in noordelijke richting D'Hara binnengemarcheerd,' zei Jagang. 'Zie je wel, ik heb jullie geest zo beïnvloed dat jullie gingen waarheen ik jullie stuurde, op het moment dat ik dat wilde. Ik streefde ernaar jullie in de waan te laten dat jullie veilig waren, dat jullie wisten waar ik was. Jullie hebben mijn influisteringen niet gehoord, maar dat gefluister heeft jullie geleid, ook al waren jullie je daar niet van bewust.'

'Maar we hebben uw troepen gezien,' zei Zuster Cecilia. 'We hebben ze gezien en zijn eromheen getrokken. We hebben ze ver achter ons gelaten.'

'Jullie hebben gezien wat jullie wilden zien,' zei Jagang, onverschillig de zaak wegwuivend. 'Jullie dachten dat jullie zelf bepaalden waar jullie heen gingen, terwijl jullie in feite door mij werden gedirigeerd – rechtstreeks naar mij en mijn hoofdleger.

Ik heb jullie een aantal achterhoededivisies laten passeren en daarna een paar legereenheden die naar het zuiden trokken, naar andere gebieden in het Middenland. Ik liet jullie geloven wat ik wilde, om ervoor te zorgen dat jullie vertrouwen hadden in jullie plannen. Intussen zorgde ik dat mijn hoofdleger verder trok volgens mijn plannen.

Onze troepen zijn veel verder gekomen dan jullie dachten. Ik wil een eind aan deze oorlog maken en ik heb begrepen dat jullie je doel ook bijna hebben bereikt, dus heb ik mijn tactiek aangepast. Gewoonlijk laat ik het hoofdleger niet in zo'n moordend tempo oprukken, omdat het de troepen uitput en me een hoop soldaten kost. Onder normale omstandigheden vind ik dat een zinloos verlies, maar nu het eind in zicht is, heb ik het ervoor over. Trouwens, soldaten zijn er om de zaak van de Orde te dienen en niet omgekeerd.'

'Ik begrijp het,' zei Armina met een ijl stemmetje, terneergeslagen toen ze hoorde hoe erg ze om de tuin waren geleid en willoos hun plicht hadden gedaan.

'En nu aan de slag.'

De drie Zusters sprongen onmiddellijk naar voren, alsof ze een onzichtbare halsband droegen, waaraan iemand een ruk had gegegeven. 'Ja, excellentie,' zeiden ze als uit één mond. Jagang had hun blijkbaar een bevel toegesnauwd, dat alleen zij hadden kunnen horen, waarschijnlijk om hen eraan te herinneren dat hij in hun geest zat.

Kahlan bedacht dat hij haar onder controle had door de halsband rond haar nek, die hij via de geest van de Zusters bestuurde. Ze dacht echter niet dat hij haar rechtstreeks kon besturen. Behalve dat hij een soort basale haat tegen haar koesterde, probeerde hij haar onder de duim te houden door haar zo'n verlammende angst in te boezemen dat ze niet kon nadenken – en daarnaast had hij nog de halsband en de Zusters. Het leek of hij wel in de geest van de Zusters zat, maar niet in haar geest.

Maar daar kon ze natuurlijk niet helemaal zeker van zijn. Per slot van rekening had hij de Zusters misleid om hetzelfde te denken – dat de droomwandelaar niet in hun geest was en daar al hun gedachten kon lezen. Hoewel ze aannam dat het in principe mogelijk was, dacht ze eigenlijk niet dat hij ook haar geest bezet hield. Hij behandelde haar op een andere manier dan de Zusters. Zij waren zijn verraderlijke krijgsgevangenen; Kahlan was zijn trofee.

Hij had hen met opzet om de tuin geleid. Het kwam erop neer dat hij hun gedachten bespiedde. Ze hadden plannen en hij wilde die heimelijk afluisteren, zodat hij ze ten eigen voordele kon benutten. Hij wist dat Kahlan aan niets anders dacht dan hoe ze aan de Zusters kon ontkomen. Andere plannen had ze niet. Ze kon zich niet eens herinneren wie ze werkelijk was. Voor Jagang was het niet interessant om in haar geest rond te snuffelen. Het was zonneklaar dat ze niet zijn gevangene wilde zijn, dat ze haar eigen leven terug wilde. Hij zou dus niets wijzer worden door in het geheim haar gedachten af te luisteren – in elk geval nu niet, maar pas als ze helder kon nadenken in plaats van beheerst te worden door blinde paniek.

Als het echter klopte dat hij niet in haar geest zat, waarom dan niet? Hij was toch een droomwandelaar, iemand met zoveel macht dat de Zusters hadden geprobeerd uit zijn buurt te blijven – naar het bleek tevergeefs, juist door zijn vermogen en kracht. Kahlan wilde hij heel graag hebben, de meest begeerde trofee had hij haar genoemd. Als hij haar geest was binnengedrongen, had hij haar in bedwang kunnen houden met dezelfde onzichtbare leiband die hij voor de Zusters gebruikte en hoefde hij dat niet meer via hen te doen. Het leek niets voor hem om zijn toevlucht te nemen tot zo'n indirecte dwangmethode als het niet nodig was. Als hij in haar geest kon binnendringen, zou hij de Zusters niet nodig hebben om haar onder de duim te houden.

Waarom zou hij ervan afzien zijn aanwezigheid in haar geest kenbaar te maken, als hij daartoe wél in staat was? Bovendien, als ze zo belangrijk voor hem was, zou hij haar beslist op die manier in bedwang willen houden, dus waarom kon hij niet haar geest binnendringen en haar direct aansturen?

Er was meer aan de hand. Ze had duidelijk de indruk gekregen dat hij bepaalde dingen bewust verzweeg.

'Dus dit is het dan,' zei hij tegen de Zusters. 'Dit is *Het boek van de getelde schaduwen*. Hiervoor zijn jullie gekomen. Dit is wat jullie nodig hebben. Ik wil dat jullie meteen beginnen.'

'Maar excellentie,' zei Zuster Ulicia, onthutst bij het idee, 'we hebben maar twee kistjes. We hebben ze alle drie nodig.'

'Nee, dat is niet zo. Met behulp van dit boek kunnen jullie erachter komen of een van de twee kistjes die we al hebben, de goede is. Als het ontbrekende kistje het exemplaar is dat ons, of alles wat bestaat, zal vernietigen, hebben we het toch niet nodig?'

Zuster Ulicia keek alsof ze bijzonder goede redenen had waarvoor ze het derde kistje nodig hadden, maar die liever niet naar voren bracht. 'Nou ja,' zei ze, naar de juiste woorden zoekend, 'ik neem aan dat er wat in zit. We hebben immers nog niet eerder de kans gehad om *Het boek van de getelde schaduwen* te bestuderen, dus weten we het niet zeker. Wat er op andere plaatsen staat geschreven, kan onjuist zijn. Misschien hebt u gelijk, excellentie, dat we het derde kistje niet nodig hebben.'

Voor Kahlan was het duidelijk dat Zuster Ulicia het zelf niet geloofde, maar Jagang leek zich van haar twijfel niets aan te trekken.

'Het ligt hier klaar.' Hij gebaarde naar het boek, dat op de zware tafel lag. 'Als jullie dit boek hebben bestudeerd, kunnen jullie vertellen welk kistje wat is – welk kistje we nodig hebben. Mocht blijken dat ze allebei verkeerd zijn, dan is tegen die tijd het derde kistje misschien weer terecht.'

De Zusters leken er bitter weinig voor te voelen, maar wilden hem ook niet tegenspreken.

Nadat ze de anderen vluchtig had aangekeken, stemde Zuster Ulicia ten slotte met zijn voorstel in. 'Geen van ons heeft dit boek eerder gezien, dus we zullen... het heel goed moeten doornemen. Ik denk dat u gelijk hebt, excellentie. Het me lijkt prima om het boek te bestuderen.'

Met zijn hoofd schuin gebaarde Jagang naar het boek op de tafel. 'Vooruit, aan de slag.'

De Zusters verdrongen zich rond de tafel en bogen zich met een eerbiedige blik over het boek, waarnaar ze al zo lang op zoek waren geweest. Ze lazen in stilte, terwijl Jagang tegelijk de Zusters én het boek in de gaten hield.

'Excellentie,' zei Zuster Ulicia, nadat ze het kort had bekeken, 'ik geloof dat we niet zomaar kunnen... beginnen, zoals u dat stelt.'

'Waarom niet?'

'Kijkt u hier maar eens.' Ze tikte op de bewuste bladzijde. 'Helemaal in het begin wordt bevestigd wat we al eerder vermoedden, namelijk dat er een beveiliging tegen ongevallen is ingebouwd. Er staat dat het noodzakelijk is...'

Abrupt hield ze haar mond en keek over haar schouder naar Kahlan.

'Nou ja,' ging ze door, 'hier in het begin staat: "Verificatie van de waarheid van de woorden van *Het boek van de getelde schaduwen*, indien uitgesproken door een ander in plaats van gelezen door degene die over de kistjes beschikt, kan alleen worden gegarandeerd door gebruik te maken van een ..." Kijkt u zelf maar, excellentie, wat er staat.'

Het was Kahlan duidelijk dat de vrouw vermeed om de rest hardop uit te spreken. Jagang las de woorden eveneens in stilte.

'Nou en?' bracht hij ten slotte naar voren. 'Het ís gelezen door iemand die over de kistjes beschikt. Het is door mij gelezen, via jullie. Ik beschik nu over de kistjes.'

Zuster Ulicia schraapte haar keel. 'Excellentie, ik wil graag volkomen eerlijk tegen u zijn...'

'Ik zit in je geest, Ulicia. Je kunt niet anders dan volkomen eerlijk tegen me zijn. Ik weet dat je twijfels hebt over mijn plan, maar die gedachten niet hardop durft uit te spreken. Als jullie me zouden proberen voor de gek te houden, zou ik dat weten.'

'Ja, excellentie.' Ze wees naar het boek. 'Maar ziet u, dit is een erg technische kwestie.'

'Wat is een technische kwestie?'

'De verificatie, excellentie. Dit is een handleiding voor de toepassing van uiterst ingewikkelde zaken. Die zaken zijn niet alleen uiterst complex, maar ook uiterst gevaarlijk – voor ons allemaal. Daarom is het van doorslaggevend belang dat we de aanwijzingen goed opvolgen. Dit is geen zaak waar we nonchalant mee kunnen omspringen. We kunnen niet zomaar dingen aannemen. De aanwijzingen in dit boek zijn buitengewoon gedetailleerd, en terecht. We moeten ieder woord, iedere zin, iedere formule overdenken. We moeten elke mogelijkheid afwegen. Het leven van ons allemaal hangt ervan af of we de uiterste zorgvuldigheid zullen betrachten.'

'Wat is er zo technisch aan? Er staat duidelijk: "Verificatie, indien uitgesproken door een ander." Maar het wordt niet door een ander uitgesproken. We lezen de tekst rechtstreeks.'

'Dat is het nou juist, excellentie. We lezen het niet rechtstreeks.' Jagangs gezicht werd rood van razernij. 'Wat denken jullie eigenlijk wel dat we hier aan het doen zijn?'

Zuster Ulicia snakte naar adem, alsof een onzichtbare hand haar keel dichtkneep. 'Excellentie, u beschikt wel over de kistjes, maar u leest niet echt in *Het boek van de getelde schaduwen*.'

Dreigend boog hij zich naar haar toe. 'Wat lees ik dan?'

'Een kopie,' zei ze.

Hij dacht even na. 'Nou en?'

'Het komt erop neer dat u technisch gezien niet *Het boek van de getelde schaduwen* leest, maar een kopie. In feite leest u iets wat door een ander is uitgesproken.'

De frons in zijn voorhoofd werd dieper. 'Wie is dan degene die het leest?'

'De persoon die het boek heeft gekopieerd.'

Jagang ging rechtop staan. Aan zijn gezicht te zien begon het hem te dagen. 'Ja... dit is niet het origineel, dus eigenlijk hoor ik het van degene die de kopie heeft gemaakt.' Hij krabde over zijn stoppelige wangen. 'Dus dan moet het geverifieerd worden.'

'Precies, excellentie,' zei Zuster Ulicia, zichtbaar opgelucht.

Jagang keek over zijn schouder naar Kahlan. 'Kom hier.'

Kahlan gehoorzaamde meteen om te voorkomen dat hij haar pijn deed in een gevecht dat hij makkelijk kon winnen. Jillian week niet van haar zijde. Het meisje voelde er blijkbaar niets voor om achter te blijven bij de twee vervaarlijk uitziende wachters.

Jagang omvatte Kahlans nek met zijn vlezige hand, trok haar

krachtig naar zich toe en duwde haar met haar neus op het boek. 'Bekijk dit eens en vertel me of het echt is.'

Toen hij haar had losgelaten, voelde Kahlan nog de pijnlijke moet in haar hals, waar hij haar met zijn sterke vingers had geknepen. Ze moest zich beheersen om niet over de branderige plek te wrijven en pakte in plaats daarvan het boek op.

Ze had niet het flauwste idee hoe ze kon vaststellen of een boek dat ze nog nooit had gezien, echt was of niet. Ze had geen enkel idee waaraan ze kon zien of het authentiek was. Alleen wist ze wel dat Jagang dat niet als excuus zou accepteren. Hij verwachtte een antwoord en zou niet willen horen dat ze het ook niet wist. Ze besloot het op zijn minst te proberen. Door het boek bladerend probeerde ze de indruk te wekken dat ze in elk geval een serieuze poging deed, terwijl ze in werkelijkheid alleen maar lege bladzijden omsloeg van een boek dat voor haar op tafel lag.

'Het spijt me,' zei ze uiteindelijk, niet in staat om iets anders dan de waarheid te bedenken. 'Alle bladzijden zijn leeg. Er valt niets te verifiëren.'

'Ze kan de woorden niet zien, excellentie,' zei Zuster Ulicia zachtjes, alsof het haar nauwelijks verbaasde. 'Dit is een magisch boek. Er is een ongebroken verbinding met een speciaal soort Han nodig om ze te kunnen lezen.'

Jagang keek naar de halsband rond Kahlans nek. 'Ongebroken.' Daarna keek hij haar wantrouwend in de ogen. 'Misschien liegt ze wel. Misschien wil ze ons niet vertellen wat ze ziet.'

Kahlan vroeg zich af of dit de bevestiging was dat hij haar geest niet had bezet, of dat hij om de een of andere reden een arglistige valstrik voor haar aan het uitzetten was. Maar wat voor zin had het, vroeg ze zich af, om op dit punt zo terughoudend te zijn met de onthulling dat hij in haar geest zat – als het inderdaad waar was? De kistjes en het boek waren immers de belangrijkste reden waarom hij de Zusters om de tuin had geleid. Hij had zijn heimelijke aanwezigheid speciaal gebruikt om hen hierheen te brengen, naar dit boek.

Plots trok Jagang aan Jillians haar. Ze slaakte een verbaasd, maar kort en afgemeten kreetje. Het was duidelijk dat hij haar pijn deed. Ze weerhield zichzelf om niet de hand weg te trekken, waarmee hij haar haren vasthield, want dan trok hij misschien ook haar hoofdhuid mee.

'Ik zal dat meisje een oog uitsteken,' zei Jagang tegen Kahlan. 'En daarna vraag ik je nog een keer of dat boek echt is of niet. Als je me om welke reden dan ook geen antwoord geeft, zal ik haar andere oog uitsteken. Dan vraag ik het je voor de laatste keer. Als je dan nog geen antwoord geeft, zal ik haar hart eruit rukken. Wat vind je daarvan?'

De Zusters keken zwijgend toe en deden geen pogingen om tussenbeide te komen. Jagang trok een mes uit de schede aan zijn riem. Jillian begon te hijgen van angst, toen hij haar met een ruk omkeerde. Met zijn arm om haar hals geklemd, drukte hij haar tegen zijn borst, zodat ze machteloos was en doodstil moest blijven staan, terwijl hij de punt van het mes gevaarlijk dicht bij haar gezicht hield.

'Laat me dat boek zien,' zei Kahlan, in de hoop het onherroepelijke af te wenden.

Met het mes tussen duim en wijsvinger geklemd pakte hij het boek op en gaf het aan haar. Kahlan bladerde deze keer nauwkeuriger door het boek, ervoor wakend dat ze geen bladzijde oversloeg waar iets op zou kunnen staan, maar ze zag nog steeds niets. Elke pagina was leeg. Er viel niets te zien, niets waaruit ze kon opmaken of het boek echt was of niet.

Ze sloeg het boek dicht en streek met haar hand over het kaft. Nog steeds wist ze niet wat ze moest doen. Ze had geen idee waar ze op moest letten. Ze draaide het boek om en bekeek de achterflap. Ze monsterde de schepranden van het papier. Het weer een slag draaiend bekeek ze de titel, die in gouden letters op de rug stond. Jillian slaakte een geknepen gilletje, toen Jagang haar keel steviger omvatte en haar optilde. De punt van zijn mes hield hij vlak voor het rechteroog van het meisje. Ze knipperde, maar kon haar gezicht niet afwenden. Haar wimpers streken langs de punt van het mes.

'Tijd om je blind te maken,' grauwde Jagang.

'Het is niet echt,' zei Kahlan.

Hij keek op. 'Wat zeg je daar?'

Kahlan reikte hem het boek aan. 'Het is een verkeerde kopie. Het is niet echt.'

Zuster Ulicia deed een stap naar voren. 'Hoe weet je dat?' Ze was duidelijk erg ontdaan dat Kahlan het boek niet echt had genoemd, terwijl ze er geen woord van had kunnen lezen.

Kahlan negeerde haar. In plaats daarvan bleef ze strak in de griezelige ogen van de droomwandelaar kijken, waarin wazige schimmen als dreigende onweerswolken boven een middernachtelijke horizon dreven. Ze had al haar wilskracht nodig om haar blik niet af te wenden.

'Weet je het zeker?' vroeg Jagang.

'Ja,' zei ze, met al het zelfvertrouwen dat ze kon opbrengen. 'Het is niet echt.'

Jagang, die nu uitsluitend aandacht voor Kahlan had, liet Jillian los. Zodra het meisje vrij was, vluchtte ze naar Kahlan en verschool zich achter haar rug.

Jagang keek Kahlan diep in de ogen. 'Hoe weet je dat het niet echt *Het boek van de getelde schaduwen* is?'

Kahlan, die het boek nog steeds naar hem uitstak, draaide het om zodat hij de titel op de rug kon zien. 'Jullie zijn allemaal op zoek naar *Het boek van de getelde schaduwen*, maar dit boek heet *Het boek van de getelde schaduw*.'

Zijn blik werd nog dreigender. 'Wat zeg je daar?'

'U vroeg hoe ik wist dat het niet echt was. Dat komt doordat er "schaduw" staat en geen "schaduwen". Het is een vervalsing.'

Zuster Cecilia streek vermoeid over haar gezicht. Zuster Armina sloeg haar ogen ten hemel. Zuster Ulicia keek echter fronsend naar het boek en las de titel zelf. 'Ze heeft gelijk.'

'Nou en?' Jagang hief zijn handen ten hemel. 'Dus aan het woord "schaduw" ontbreken twee letters. Er staat schaduw, enkelvoud in plaats van meervoud. Nou en?'

'Simpel,' zei Kahlan. 'Het ene boek is echt, het andere niet.'

'Simpel?' vroeg hij. 'Noem je dat simpel?'

'Wat is er dan zo ingewikkeld aan?'

'Waarschijnlijk heeft het niets te betekenen,' zei Zuster Cecilia, die gretig de kant koos van haar slechtgehumeurde meester. 'Enkelvoud of meervoud, wat maakt het uit? Het gaat niet om het kaft, maar om de inhoud.'

'Het kan een vergissing zijn,' zei Jagang. 'Misschien heeft degene die de kopie heeft ingebonden, een vergissing gemaakt. Het boek is waarschijnlijk door iemand anders ingebonden, dus de rest is in orde.'

'Zo is het maar net,' merkte Zuster Armina op, die de keizer ook wilde bijvallen. 'Degene die het heeft ingebonden, heeft zich ver-

447

gist, niet degene die het boek heeft overgeschreven. Het lijkt me erg onwaarschijnlijk dat het door één en dezelfde persoon is gedaan. De boekbinder was vast een onhandige klungel. Degene die de woorden van dit boek heeft geschreven, moet een begaafde zijn geweest. Het gaat om de woorden die in het boek staan. Dat is de informatie die moet kloppen, niet wat er op de omslag staat. Het is ongetwijfeld een eenvoudige vergissing van een boekbinder, die niets te betekenen heeft.'

'Maar we hebben haar hiervoor juist meegenomen,' hielp Zuster Ulicia hen fluisterend herinneren. 'Het boek zelf waarschuwt dat het bij zo'n gelegenheid moet worden geverifieerd door... haar.'

'Dit is een uiterst delicate kwestie. Het antwoord is veel te simpel,' verkondigde Zuster Cecilia.

Zuster Ulicia keek haar scheef aan. 'En als een moordenaar met een mes op je af komt, vind je zijn lemmet dan te simpel om aan te nemen dat je in gevaar bent?'

Zuster Cecilia zag er niet uit alsof ze het grappig vond. 'Dit is een veel te ingewikkelde kwestie om aan de hand van zoiets simpels een besluit over te nemen.'

'O?' Zuster Ulicia schonk haar een blik vol minachting. 'En waar staat het geschreven dat de verificatie ingewikkeld moet zijn? Er staat alleen dat ze het moet verifiëren. Geen van ons heeft de fout opgemerkt. Zij wel, dus heeft ze de opdracht naar behoren vervuld.'

Zuster Cecilia keek neer op de Zuster die vroeger hun leidsvrouw was geweest, maar nu niet meer. Zuster Ulicia was niet meer degene die het voor het zeggen had, degene die ze gunstig moesten stemmen.

'Ik denk niet dat het iets te betekenen heeft,' zei Jagang. Nog steeds keek hij Kahlan aan, die terugkeek zonder met haar ogen te knipperen. 'Ik betwijfel of ze zeker weet dat het niet echt is. Volgens mij probeert ze gewoon haar eigen hachje te redden.'

Kahlan haalde haar schouders op. 'Als u dat denkt, mij best, maar misschien laat u de twijfel niet toe, omdat u per se wilt geloven dat deze kopie echt is en niet omdat hij dat is,' zei ze met een opgetrokken wenkbrauw.

Jagang keek haar even strak aan. Opeens griste hij het boek uit haar handen en richtte zich weer tot de Zusters. 'We moeten goed kijken wat erin staat. Dat is belangrijk voor het vinden en openen van het juiste kistje. We moeten zeker weten dat er niet op de een of andere manier mee is geknoeid.'

'Excellentie,' begon Zuster Ulicia, 'misschien is er geen manier om te bepalen of wat er geschreven staat...'

Jagang smeet het boek op de tafel en onderbrak haar. 'Ik wil dat jullie drieën het boek grondig doorlopen. Kijk of je ook maar enige aanleiding vindt om te denken dat het niet echt zou kunnen zijn.'

Zuster Ulicia schraapte haar keel. 'Nou ja, we kunnen proberen om...'

'Nu meteen!' Zijn zware stem schalde door de kamer. 'Of willen jullie liever naar de tenten gaan om mijn mannen te vermaken? Jullie mogen kiezen hoe jullie me willen dienen. Zeg het maar.'

De drie Zusters vlogen naar de tafel en bogen zich over het boek om het te bestuderen. Jagang drong zich in tussen Zuster Ulicia en Zuster Cecilia. Blijkbaar wilde hij meekijken met wat ze lazen om zich ervan te verzekeren dat ze niets over het hoofd zouden zien.

39

Toen ze zeker wist dat ze alle vier bezig waren, loodste Kahlan Jillian zacht naar de andere kant van het vertrek, een stukje opzij van de twee grote wachters.

'Nu wil ik dat je goed naar me luistert en precies doet wat ik zeg,' zei Kahlan tegen haar, zo zacht dat Jagang en de Zusters het niet konden horen. Fronsend keek Jillian haar aan en wachtte af.

'Ik moet even iets uittesten. Straks loop ik naar die twee wachters...'

'Hè?'

Kahlan legde haar hand over Jillians mond. 'Sst!'

Jillian keek vluchtig naar de bewakers, bang dat ze hun aandacht had getrokken. Gelukkig was dat niet zo.

Nu ze haar bedoeling duidelijk had gemaakt, trok Kahlan haar hand weer terug. 'Ik vermoed dat ik door die drie tovenaressen ben betoverd. Daardoor weet ik waarschijnlijk niet meer wie ik ben – het is een soort magie. Behalve Jagang en zij kan niemand zich mij herinneren als ze me hebben gezien. Bijna niemand anders in elk geval. Ik heb geen idee waarom jij dat wel kunt. Ze hebben me ook deze halsband omgedaan en daarmee kunnen ze me pijn doen.

Nu denk ik niet dat de wachters me kunnen zien, maar dat moet ik eerst zeker weten. Ik wil dat je hier blijft staan. Kijk niet naar me, want dan gaan ze je wantrouwen...'

'Maar...'

Kahlan legde haar vinger op de lippen van het meisje. 'Luister en doe gewoon wat ik zeg.'

Met een knikje stemde Jillian uiteindelijk in.

Zonder te wachten of het meisje zich zou bedenken en met haar in discussie zou gaan, keek Kahlan nog eens goed of Jagang en de Zusters in het boek verdiept waren. Toen dat het geval bleek te zijn, zette ze zich in beweging. Ze bewoog zich zo geluidloos mogelijk. Waarschijnlijk wisten de wachters niet eens dat ze er was, maar als Jagang of de Zusters haar zouden horen, was alles bij voorbaat verloren.

De twee wachters tuurden strak voor zich uit om de keizer in de gaten te houden. Een enkele keer keek de wachter die het dichtst bij Jillian stond, tersluiks naar haar. Dan liet hij zijn blik even op haar rusten. Kahlan wist wat er in de wachter omging: hij hoopte dat Jagang hem Jillian zou geven. Iemand als Jagang, zo stelde ze zich voor, zou af en toe extraatjes uitdelen bij wijze van voorrecht voor het bekleden van een vertrouwelijke positie als lijfwacht van de keizer. Jillian had geen idee welk lot haar te wachten stond. Daarom moest Kahlan iets doen om het tij te keren.

Toen ze voor de wachters stond, zorgde ze dat ze niet in de zichtlijn stond tussen hen en de vier mensen bij de tafel. Ook moest ze ervoor waken dat ze niet de aandacht van de Zusters of Jagang trok. Zelfs als de twee wachters zich Kahlan niet lang genoeg konden herinneren om haar aanwezigheid te registreren, zouden ze zeker in actie komen wanneer hun leider door een mysterieuze oorzaak plotseling uit het zicht verdween. Deze twee waakzame kerels waren ongetwijfeld buitengewoon vaardig. De kleinste aanleiding kon genoeg zijn om hen erop attent te maken dat er problemen waren. Kahlan was van plan geen kleine, maar een heel grote aanleiding te geven – maar pas als ze er klaar voor was.

Terwijl ze daar stond, voor de twee mannen, besefte ze dat ze niet hoger reikte dan hun schouders, dus dat ze hun zicht ook niet kon blokkeren. Ze keken niet naar haar, gaven op geen enkele manier blijk van haar aanwezigheid. Voorzichtig raakte ze het metalen staafje aan dat een van de mannen door zijn neus droeg. Hij trok zijn neus op, krabde er even aan, maar weerde haar hand niet af.

Gerustgesteld dat hij niets kon doen, stak Kahlan haar hand uit en trok soepel een mes uit de schede, die aan een leren borstriem hing. Toen ze de schede in het toortslicht zag glimmen, deed ze haar best om het er gelijkmatig uit te halen, zonder draaiing of druk op de schede of de riem. Ongemerkt kon ze het mes helemaal lostrekken.

Het was prettig een wapen in handen te hebben. Het deed haar denken aan die keer in Het Witte Paard, toen de Zusters de herbergier en zijn vrouw hadden gedood. Ze herinnerde zich dat ze een zwaar kapmes had gepakt om de Zusters ervan te weerhouden de dochter pijn te doen.

Ze herinnerde zich de diepe voldoening die het gaf een wapen vast te houden, omdat het betekende dat ze iets had waarmee ze haar leven in de hand had, iets wat haar hielp om te overleven. Gewapend zijn betekende dat ze niet was overgeleverd aan de genade van slechte mensen, die zich aan geen enkele wet hielden, ongeacht of het een wet van mensen of van de rede was. Het betekende dat ze geen hulpeloze prooi was voor degenen die sterker waren en hun kracht gebruikten om anderen te overheersen. Kahlan liet het mes razendsnel door haar hand tollen, liet het door haar vingers glijden, keek naar de weerkaatsing van het toortslicht terwijl het rondwentelde. Ze pakte het bij het heft en bekeek het scherp geslepen, gepolijste lemmet. Het mes betekende verlossing, misschien niet voor haarzelf, maar in elk geval voor Jillian.

Opeens realiseerde ze zich waar ze was en wat ze aan het doen was. Snel liet ze het wapen in haar laars glijden. Ze keek naar Jillian, om zich ervan te vergewissen dat die zich gedeisd hield. Het meisje had haar ogen opengesperd.

Ze ging opnieuw aan de slag. Voorzichtig trok ze een tweede mes uit de schede, die de andere wachter aan zijn borstriem droeg. Het lemmet was iets dunner en het wapen iets beter uitgebalanceerd. Net als het eerste mes, stak ze het lemmet door het leer van haar laars, vanaf de bovenkant naar beneden, waarbij ze er goed op lette dat het lemmet langs haar enkel gleed. Toen duwde ze de punt stevig in de zool van haar laars. Zo kon het mes in zijn provisorische schede niet verschuiven en haar onder het lopen bezeren.

Zo zacht mogelijk sloop Kahlan op de bal van haar voet terug naar een verschrikt kijkende Jillian. De Zusters en hun meester waren in een geanimeerd gesprek gewikkeld over het belang van de stand van de sterren, het weer en het jaargetijde om de nodige kracht op te roepen en samen te ballen voor bepaalde toverspreuken. De Zusters legden de betekenis van bepaalde passages uit, terwijl Jagang om de paar minuten een vraag stelde en hun veronderstellingen in twijfel trok.

Kahlan was verrast te horen hoe goed onderlegd de keizer was. De Zusters ontdekten dat hij soms meer over bepaalde zaken rond de kistjes van Orden wist dan zij. Jagang zag er niet uit als iemand die boekenwijsheid waardeerde, maar daarin had ze zich vergist. Terwijl Kahlan het meeste van wat er werd gezegd, niet begreep, was het duidelijk dat Jagang erg belezen was en goed in staat om op een intelligente manier met de Zusters te overleggen, vooral over zaken die volgens hen uitsluitend in dit zeldzame boekwerk stonden.

Jagang was niet zomaar een gruwelijk monster. Hij was veel erger dan dat, namelijk een erg intelligent monster.

'Goed,' zei Kahlan, zo zacht dat de anderen haar niet konden horen. 'Luister goed naar me. We hebben waarschijnlijk weinig tijd.'

Jillian keek haar aan, haar ogen nog steeds opengesperd. 'Hoe hebt u dat gedaan?'

'Het klopte wat ik dacht. Ze kunnen me niet zien.'

'En waar hebt u geleerd dat mes zo rond te draaien?'

Kahlan haalde haar schouders op. Ze had nu geen tijd op die vraag in te gaan. Er waren belangrijker zaken. 'Kijk, ik wil je hieruit smokkelen. Misschien is het je enige kans.'

Het idee joeg Jillian duidelijk schrik aan. 'Maar als ik ontsnap, zal hij mijn grootvader doden en de anderen waarschijnlijk ook. Ik kan niet weggaan.'

'Zo houdt hij je in zijn macht. De waarheid is dat jullie allemaal worden gedood, ook als je niet weggaat. Je moet begrijpen dat dit waarschijnlijk de enige kans op vrijheid is die je krijgt en ooit nog zult krijgen.'

'Weet u dat zeker? Hoe kan ik mijn grootvaders leven in gevaar brengen voor iets waarvan u denkt dat het misschien gaat gebeuren?'

Kahlan slaakte een diepe zucht. Ze had dit liever niet willen uitleggen. 'Ik heb geen tijd om het netjes uit te drukken, om je rustig over te halen. Ik heb alleen tijd om de naakte waarheid te vertellen, dus dat ga ik doen. Luister goed.

Ik weet wat voor mannen dit zijn. Ik heb met eigen ogen gezien wat ze met jonge vrouwen doen. Ik heb hun naakte, gehavende lichamen gezien, gewoon languit op de grond of in greppels gedumpt als afval, nadat ze door soldaten van de Imperiale Orde waren misbruikt.

Als je niet weggaat, zullen er op z'n minst vreselijke dingen met je gebeuren. Je zult de rest van je korte leven als slavin fungeren, die door de soldaten voor hun vunzige genoegen en gerief wordt gebruikt op een manier die je niet wilt weten. De rest van je leven zul je doorbrengen in doodsangst en droefheid. In het minst erge geval zul je blijven leven, terwijl je elke minuut wenst dat je dood zou zijn. In het ergste geval zal Jagang je doden zodra hij vertrekt.

Hoe het ook afloopt, het is dwaasheid te denken dat hij je laat gaan. Wat er ook gebeurt, of je nu ontsnapt of blijft, misschien laat hij je grootvader en de anderen in leven, alleen maar omdat het hem te veel tijd en moeite kost ze te doden. Jagang heeft belangrijker zaken aan zijn hoofd.

Maar jij bent voor hem een waardevolle buit. Misschien geeft hij je aan die twee wachters als beloning voor hun dienstbaarheid. Op die manier trekt Jagang dit soort genadeloze bruten aan voor zijn keizerlijke hofhouding – door hun smakelijke hapjes toe te stoppen. Weet je wel wat ze met je zullen doen, voordat ze je de strot afsnijden? Weet je dat eigenlijk wel?'

Jillian zweeg even, waarna ze slikte en het woord nam. 'Ik weet wat Jagang daarnet bedoelde, toen hij vroeg of ik met een man had geslapen, ook al deed ik alsof ik het niet begreep. Ik weet wat zijn dreigement betekende dat hij me aan de soldaten zou geven. Ik weet wat hij bedoelde toen hij zei dat soldaten dol zijn op een meisje als ik. Ik weet wat hij bedoelde met hun verlangens.

Mijn ouders hebben me gewaarschuwd voor de gevaren van dat soort vreemdelingen. Mijn moeder heeft het me uitgelegd. Ik denk dat ze me nog niet alles heeft verteld, omdat ik anders nachtmerries zou krijgen. Ik denk dat de dingen die u weet, me nachtmerries zouden bezorgen. Daarnet deed ik alleen maar alsof ik niet begreep waar Jagang het over had, zodat hij niet zou weten hoe bang ik was voor wat hij me aan kon doen.'

Onwillekeurig moest Kahlan glimlachen. 'Je hebt er erg verstandig aan gedaan om dat voor jezelf te houden.'

Jillian trok met haar mondhoeken. Ze vocht tegen de tranen over het ellendige lot dat haar te wachten stond, zoals ze zojuist had toegegeven. 'Hebt u een plan?'

'Ja. Je hebt lange benen, maar toch betwijfel ik of je hen voor kunt blijven. Maar er is wel een andere manier, waarbij je gebruik maakt van wat jij weet en zij niet. Je hebt gezegd dat mensen maar één foute afslag hoeven te nemen of ze verdwalen in de doolhof van tunnels en kamers. Zelfs met een kleine voorsprong kun je ze snel kwijtraken door al die bochten en afslagen. Ik denk dat in dit ingewikkelde gangenstelsel zelfs de macht van de Zusters van weinig nut is om je te pakken te krijgen en dat Jagang het zonde van zijn tijd vindt om het te proberen.'

Ze keek nog steeds aarzelend. 'Maar ik...'

'Jillian, dit is je kans om te ontsnappen. Waarschijnlijk krijg je geen andere meer. Ik wil niet dat je iets afschuwelijks overkomt. Als je blijft, zal dat zeker gebeuren. Ik wil dat je deze kans grijpt. Ik wil je hieruit hebben. Dit is het enige wat ik voor je kan doen.'

Er verscheen een blik van afschuw op Jillians gezicht. 'Wou u zeggen dat... u niet met me meegaat?'

Met op elkaar geperste lippen schudde Kahlan haar hoofd. Ze tikte tegen de metalen band om haar nek. 'Hiermee kunnen ze me tegenhouden. Het is een vorm van magie. Ze zullen me ermee uitschakelen. Maar vóór die tijd kan ik ze waarschijnlijk lang genoeg tegenhouden om jou de gelegenheid te geven te ontsnappen.'

'Maar ze zullen u pijn doen of zelfs doden, omdat u me hebt geholpen te vluchten.'

'Ze zullen me hoe dan ook pijn doen. Jagang heeft al gedreigd dat hij me alle gruwelen zal bezorgen die hij maar kan bedenken. Erger kan het niet meer worden. En ik denk niet dat ze me zullen doden, voorlopig tenminste niet. Ze hebben me nog nodig.

Ik zal je helpen om te ontkomen en daarmee uit. Dat heb ik besloten en het is mijn eigen keus. Dat is het enige wat ik voor je kan doen, het enige waar ik nog iets in te kiezen heb. Als ik jou help, geeft dat mijn eigen leven meer zin, hoe het verder ook met me afloopt. Dan heb ik in elk geval teruggevochten. Dan heb ik in elk geval op dit punt een overwinning op hen behaald.'

Met grote ogen keek Jillian haar aan. 'U bent even dapper als Meerster Rahl.'

Kahlan trok haar wenkbrauwen op. 'Bedoel je Richard Rahl? Ken je Richard Rahl?'

Jillian knikte. 'Hij heeft mij ook geholpen.'

Verwonderd schudde Kahlan haar hoofd. 'Voor iemand die in zo'n verlaten uithoek van de wereld woont, heb je een verbazingwekkend aantal interessante mensen ontmoet. Wat deed hij hier eigenlijk?'

'Hij kwam terug van de doden.'

Kahlan fronste haar wenkbrauwen. 'Wat zeg je nou?'

'Nou ja, niet echt van de doden. Tenminste, hij vertelde me dat het niet echt zo was. Maar hij kwam uit de put van de doden op de begraafplaats, zoals de vertellingen hadden voorspeld. Ik ben de priesteres van de botten. Ik ben zijn dienares, zijn dromenwerpster. Hij is mijn meester. Voor mij zijn er een heleboel andere bottenpriesteressen geweest, maar bij hen is hij niet geweest. Ik had geen idee dat hij uitgerekend in mijn tijd terug zou keren. Hij kwam omdat hij ook op zoek was naar boeken. Hij heeft deze ondergrondse gangen gevonden. Ik heb nooit geweten dat ze er waren. Niemand van mijn volk heeft dat geweten. Zelfs mijn grootvader wist niet dat deze bewaarplaats voor de botten bestond. Richard zocht een boek dat hem bij iets belangrijks kon helpen. Het boek heette *Ketenvuur*. Toen hij deze plaats had ontdekt en aan mij liet zien, heb ik het boek voor hem gevonden. Hij was zo blij! En ik was dolgelukkig dat hij dankzij mij had gevonden wat hij nodig had.

Sinds ik met hem hier onder de grond ben geweest, heb ik de plek voortdurend verkend, omdat ik de ligging van elke bocht, elke tunnel en elk vertrek wilde weten. Ik hoop dat Richard op een dag terugkomt – hij heeft gezegd dat hij het zal proberen – en dan kan ik hem alles laten zien. Ik wil heel erg graag dat hij trots op me is.'

Kahlan las in haar ogen het verlangen om deze man een plezier te doen, om iets voor hem te doen dat hij zou waarderen, om erkenning te krijgen voor haar inspanningen en vaardigheden. Eigenlijk wilde ze Jillian van alles vragen, maar daar had ze de tijd niet voor. Eén vraag brandde haar echter op de lippen: 'Wat is hij voor man?'

'Meester Rahl heeft mijn leven gered. Ik heb nog nooit iemand als hij ontmoet.' Jillian glimlachte afwezig. 'Hij was, nou ja, ik weet het niet...' Ze slaakte een zucht, omdat ze de juiste woorden niet kon vinden.

'Ik begrijp wat je bedoelt,' zei Kahlan, toen ze de dromerige blik in de koperkleurige ogen van het meisje zag.

'Hij heeft me al eens uit handen van Jagangs soldaten gered. Zij zochten naar de boeken. Ik was ontzettend bang dat de man die me vasthield, me de keel af zou snijden, maar Richard heeft hem gedood. Daarna hield hij me in zijn armen en droogde mijn tranen.' Ze keek op, na verdiept te zijn geweest in haar herinneringen. 'En hij heeft mijn grootvader ook gered. Nou ja, om precies te zijn, de vrouw die bij hem was, redde hem.'

'Een vrouw?'

Jillian knikte. 'Nicci. Ze zei dat ze tovenares was. Ze was zo mooi dat ik mijn ogen niet van haar af kon houden. Zo'n mooie vrouw heb ik nog nooit gezien. Het leek wel of er een goede geest aan me was verschenen. Haar haren glansden als de zon zelf en haar ogen waren even blauw als de hemel.'

Kahlan zuchtte. Het was logisch dat iemand als hij een mooie vrouw bij zich had. Ze begreep eigenlijk niet waarom die mogelijkheid niet eerder in haar was opgekomen.

Waarom wist ze niet, maar opeens kreeg ze het gevoel alsof een soort ondefinieerbare hoop, misschien wel een ondoorgrondelijk verlangen naar iets waardevols, dat gehuld lag in de nevelen van haar verleden en waaraan ze zich steeds had vastgeklampt... haar zojuist was ontglipt. Ze moest haar ogen van Jillians starende blik afwenden, anders ging ze misschien huilen bij de gedachte aan de uitzichtloze situatie waarin ze gevangen zat. Ze deed alsof ze over haar schouder keek om te controleren of de keizer en zijn Zusters nog steeds bezig waren, terwijl ze een onverwachte, eenzame traan wegpinkte.

De Zusters leken in een felle discussie gewikkeld over de in het boek uitgelegde praktijken. Jagang eiste telkens een verklaring waarom ze zo zeker wisten dat bepaalde stukken klopten.

Toen Kahlan haar hoofd weer terugdraaide, keek Jillian haar strak aan. 'Maar ze was niet zo mooi als u.'

Kahlan glimlachte. 'Tact is vast een noodzakelijke eigenschap voor een bottenpriesteres.'

'Nee,' zei Jillian, opeens bang dat Kahlan haar niet zou geloven. 'Echt waar. U hebt iets heel speciaals.'

Kahlan fronste haar wenkbrauwen. 'Wat bedoel je daarmee?'
In haar poging de juiste woorden te vinden trok Jillian een rimpel in haar neus. 'Ik weet niet goed hoe ik het moet uitleggen. U bent mooi en intelligent en u weet wat u moet doen, maar er is nog iets.'
Misschien kon Jillian haar een hint geven wie ze werkelijk was, dacht Kahlan. Ze had uitgekeken naar iemand die haar zou kunnen zien en herkennen, iemand die haar misschien een aanwijzing kon geven wie ze was.
'Wat dan?'
'Ik weet het niet precies. Iets nobels.'
'Iets nobels?'
Jillian knikte. 'In zekere zin doet u me aan Meester Rahl denken. Zonder ook maar even te aarzelen, heeft hij mijn leven gered, net zoals u wilt doen. Maar dat is niet het enige. Ik weet niet hoe ik het moet uitleggen. Hij had iets speciaals... en u hebt dat ook.'
'Prima, dan hebben we in elk geval iets gemeen, want ik ga je ook het leven redden.'
Kahlan haalde diep adem om moed te verzamelen, terwijl ze nogmaals over haar schouder keek. De anderen waren nog steeds in een verhitte discussie gewikkeld. Zich naar Jillian omdraaiend keek ze haar ernstig aan. 'We moeten het nu doen.'
'Maar ik ben nog steeds bezorgd om mijn grootvader...'
Kahlan keek het meisje diep in de ogen. 'Luister goed naar mij, Jillian. Je moet vechten voor je leven, want een ander leven krijg je niet. Ze zullen je heus niet sparen omdat je bent gebleven. Ik weet zeker dat je grootvader zou willen dat je deze kans grijpt.'
Jillian knikte. 'Ik begrijp het. Meester Rahl heeft me ook verteld hoe belangrijk het leven is.'
Op de een of andere manier deed het Kahlan goed om dat te horen en ze glimlachte, maar die glimlach vervaagde snel toen ze dacht aan wat haar te doen stond. Ze wist niet of Jagang en de Zusters snel klaar zouden zijn, of dat ze de rest van de nacht nog bezig zouden blijven, maar ze mocht deze gelegenheid niet voorbij laten gaan.
'We moeten het nu doen, want straks durf ik het misschien niet meer. Ik wil dat je precies doet wat ik tegen je zeg.'
'Dat zal ik doen,' beloofde Jillian.

'Dit is hoe we het gaan aanpakken: jij blijft hier staan, ik ga naar die twee mannen toe en dood ze.'

Jillian keek haar met grote ogen aan. 'Wat gaat u doen?'

'Ik ga ze doden.'

'Hoe? U bent maar een vrouw; zij zijn veel groter en met z'n tweeën.'

'Het kan wel, als je maar weet hoe.'

'Gaat u hun de keel doorsnijden?' gokte Jillian.

'Nee, ze zouden te veel lawaai maken als ik dat deed. Trouwens, ik kan hun niet allebei tegelijkertijd de keel afsnijden. Daarom zal ik ze nog twee messen afpakken en daarmee steek ik ze precies... hier.'

Kahlan prikte met haar vinger in Jillians rug, een stukje opzij, in het zachte plekje bij een van haar nieren. Die aanraking deed het meisje al kermen van pijn, zo gevoelig was het daar.

'Een messteek in de nier is zo pijnlijk dat iemand geen geluid meer kan maken.'

'Dat meent u niet. Ze zullen het echt wel uitschreeuwen.'

Kahlan schudde haar hoofd. 'Een steek in de nier is zo pijnlijk dat het je keel dichtknijpt en elke kreet bij voorbaat wordt gesmoord. Die kans moeten we grijpen. Voordat ze in elkaar zakken, op de grond vallen en het loodje leggen, moeten we zorgen dat we die deur uit zijn. We moeten zo zacht mogelijk naar buiten glippen om zo veel mogelijk tijd te winnen. Het duurt waarschijnlijk maar even voordat we worden gesnapt, maar in die tussentijd kunnen we weglopen.

Jij blijft hier staan. Zodra ik de messen in hun rug steek, loop jij zo hard je kunt naar de deur. Maar doe het geluidloos. We ontmoeten elkaar bij de deur.'

Jillian hijgde van angst bij wat haar te doen stond en haar ogen stonden vol tranen. 'Maar ik wil dat u met me meegaat.'

Voor het meisje neer hurkend nam Kahlan haar in haar armen. 'Dat weet ik wel. Dit is alles wat ik kan doen om je te beschermen, Jillian, maar ik denk dat het genoeg is om je te laten ontsnappen.'

Het meisje droogde haar tranen. 'Maar wat zullen ze met u doen?'

'Denk nu alleen maar aan hoe je zelf kunt ontkomen. Als ik kans zie om te ontsnappen, beloof ik je dat ik het zal doen. Zeg tegen Lokey dat hij naar me moet uitkijken voor het geval het me lukt.'

'Oké.'

Kahlan wist dat het ijdele hoop was. Ze gaf een kneepje in Jillians schouder en stond op. Voor de laatste keer keek ze nog eens goed naar het viertal bij de tafel. Het was maar goed dat ze dat deed.

Jagang wierp een blik over zijn schouder om te kijken waar Kahlan mee bezig was. Kahlan stond roerloos naast Jillian en keek toe hoe hij en de Zusters aan het werk waren, alsof ze de hele tijd niets anders had gedaan dan rustig haar lot afwachten. Vervolgens concentreerde hij zich weer op de felle woordenwisseling tussen Zuster Ulicia en Zuster Cecilia. Zuster Ulicia was even koppig als altijd, terwijl Zuster Cecilia probeerde Jagang gunstig te stemmen door hem naar de mond te praten.

Zodra ze zeker wist dat Jagang zijn aandacht weer op het boek had gevestigd, liep Kahlan op de wachters af. Terwijl de ene wachter Jillian met onverholen wellust opnam, trok Kahlan voorzichtig een lang mes uit zijn wapenriem. Onverwijld liep ze naar de andere wachter, die ze eveneens zijn mes ontfutselde.

Ze ging achter de mannen staan, constateerde met een snelle blik dat de Zusters en Jagang nog druk bezig waren, waarna ze Jillian aankeek. Het meisje knikte dat ze gereed was en streek met haar handpalmen over haar heupen.

Kahlan stak haar hand uit naar de wachter rechts van haar om hem een mes af te pakken, dat hij in een schede aan een riem in zijn zij droeg. Ze stak het lemmet van het mes tussen haar tanden. Meteen daarna inspecteerde ze de onderrug van de wachters om te zien waar ze hen exact moest raken. Voor de man aan haar linkerhand koos ze een plekje rechts opzij, voor de man aan haar rechterhand juist weer een plekje aan de linkerkant, zodat de twee doelwitten dicht naast elkaar lagen en ze met volle kracht toe kon steken.

Ze keek nog een paar keer van links naar rechts om er zeker van te zijn dat elk van de twee messen de juiste plek zou raken. Als ze mis stak, zou dat fataal zijn, niet per se voor de wachters, maar voor Jillian, die voor die fout zou moeten boeten. Daarom moest het de eerste keer al meteen raak zijn.

Kahlan ademde diep in, hield haar adem even vast en stootte hem hard uit, om extra fel toe te kunnen slaan. Met alle kracht die ze in zich had, dreef ze de twee messen in de rug van de wachters. Ze gleden er tot aan het heft in.

Beide mannen verstijfden onder de gruwelijke schok.

Kahlan had opnieuw ingeademd. Deze keer ademde ze zo snel mogelijk uit, terwijl ze al haar energie verzamelde om de twee heften naar elkaar toe te trekken, zodat de messen al draaiend dwars door hun nieren sneden.

De mannen stonden als versteend en iets gebogen, hun rug gekromd onder de intens folterende pijn. Hun ogen puilden uit hun kassen, hun mond was wijd opengesperd, maar zonder geluid te maken. Ze stonden daar, dodelijk gewond en onmachtig om adem te halen, laat staan om te schreeuwen.

Toen Kahlan opkeek, was Jillian al onderweg. Kahlan draaide zich om en zette snel een van de twee smalle deuren open. Ze wilde het haar achtervolgers niet al te makkelijk maken door beide deuren open te zetten.

Jillian was bij de deur, toen de twee mannen in elkaar begonnen te zakken. Met haar hand op Jillians rug, op het plekje tussen haar schouders, schoof Kahlan haar door de deur en duwde haar de gang in. Ze pakte het mes, dat ze tussen haar tanden had geklemd, en riep: 'Rennen. Wat er ook gebeurt, blijf niet stilstaan.'

Jillian knikte met een gezicht alsof de Wachter zelf haar op de hielen zat.

Kahlan draaide zich om en wilde de deur sluiten, maar precies op dat moment ploften de mannen op de grond. Vier gezichten draaiden zich geschrokken haar kant uit. Kahlan trok de deur dicht en rende ook alsof de Wachter haar op de hielen zat.

Ze zag Jillian in de schemerige verte. Vlak voor een knooppunt van gangen, die in alle mogelijke richtingen liepen, bleef het meisje staan en keek om naar Kahlan. Even wisselden ze een blik van verstandhouding. Toen was Jillian weg, verdwenen in een van de gangen. Het was zo donker in de verte dat Kahlan niet eens precies wist welke afslag Jillian had gekozen.

Achter haar klonk het geraas van versplinterd hout, alsof de deuren werden verbrijzeld. Het toortslicht, dat plotseling in de gang viel, bescheen Kahlan. Razendsnel bleef ze staan en draaide zich om. Ze greep het mes bij de punt vast. In de kamer zag ze schimmen, die naar het gat van de deuropening snelden. Met de uiterste krachtsinspanning hief ze het mes op, voordat er al iemand in de deuropening was verschenen.

Een woedende Zuster Cecilia kwam als eerste naar buiten. Het mes doorboorde haar borst. Hoewel Kahlan had gehoopt dat Jagang voorop zou lopen, was ze er vrij zeker van geweest het een Zuster zou zijn, dus had ze het mes op die hoogte gericht. Het lemmet had zijn doel geraakt, recht in het hart van Zuster Cecilia. De Zuster plofte op de grond. Kahlan draaide zich om en begon zo hard mogelijk te rennen. Toen ze zich even omdraaide, zag ze de anderen over het levenloze lichaam van Zuster Cecilia tuimelen.

Kahlan rende voor haar leven. Ze nam de eerste afslag naar links. Ze wist niet meer welke gang Jillian in was geschoten, maar ze zag haar niet meer. Het meisje was verdwenen.

Ze werd overstelpt door een golf van blijdschap, die haar tot diep in haar ziel vervulde van opwinding over dit succes. Het had gewerkt. Ze had haar belofte aan Jillian en zichzelf gehouden. Op dit ene punt had ze hen in elk geval verslagen.

Ook al rende ze voor haar leven, ze voelde zich in een overwinningsroes. Ze had niet alleen twee wachters uitgeschakeld, maar ook Zuster Cecilia. Beelden van de pijn die de vrouw haar had bezorgd en van de voldoening die ze uit haar dood putte, flitsten door haar hoofd, terwijl ze nog nagenoot van haar wraakneming. Nu het had gewerkt en Jillian was ontkomen, werd ze echter overmand door hevige angst. Ze wist dat ze niet kon ontsnappen. Ze kon alleen verder rennen, willekeurige gangen inslaan en wachten op het einde.

Dat kwam met een onverwacht pijnlijke schok, even pijnlijk als wat de twee mannen ervaren hadden. Ze registreerde dat ze op de grond viel, al voelde ze dat niet. Daarna leek het of het hele plafond en de dode stad erboven op haar neerstortten. Toen werd haar wereld zo zwart als het graf.

40

Tegen de tijd dat hij de top van de helling had bereikt, was Richard niet alleen buiten adem, maar ook uitgeput. Hij wist dat hij zich onderweg te weinig tijd had gegund om te eten en nu brak dat hem op. Het leek of er lood in zijn benen zat. Zijn maag deed pijn van de honger. Hij voelde zich slap en wilde alleen maar gaan liggen, maar dat kon niet, niet nu hij zo dichtbij was en er zoveel op het spel stond.

Onderweg had hij een paar pijnboompitten en een handvol bosbessen gegeten, die hij in het voorbijgaan had geplukt, maar hij was niet het pad afgegaan om meer eetbaars te zoeken. Die tijd had hij zich niet gegund.

Gelukkig had hij zijn ransel bij zich, dus had hij de vorige avond rond zonsondergang een vislijn in een meertje kunnen uitwerpen. Daarna had hij een armvol droog hout geraapt en met zijn vuurslag een kampvuur aangestoken. Tegen de tijd dat het vuur heet was, hadden er drie forellen aan de haken van zijn lange vislijn gehangen. Hij had zo'n honger dat hij even in de verleiding kwam ze rauw op te eten, maar vis werd snel gaar, dus beheerste hij zich.

Omdat hij niet langer dan noodzakelijk wilde pauzeren, had hij maar weinig geslapen op zijn korte reis vanaf de sliph. Hoe eerder hij het boek in handen zou krijgen dat Baraccus voor hem had nagelaten, des te beter. Het boek had al drieduizend jaar op hem gewacht en elke dag langer was er één te veel. Hij meende dat de problemen waar hij nu voor stond, misschien vermeden hadden kunnen worden als hij zo slim was geweest het boek eerder te vinden. Hij hoopte dat het hem op de een of andere manier kon helpen bij zijn zoektocht naar Kahlan, misschien zelfs om de besmette ketenvuurbetovering ongedaan te maken.

Het leek hem het beste om het boek zo snel mogelijk op te halen. Onder het lezen kon hij dan op zijn gemak eten. Daarna kon hij zich druk maken over dingen als slaap en hoe hij terug naar de Burcht moest komen.

De Burcht lag nog een heel eind weg. Waar hij zich precies bevond wist hij niet, alleen dat het een onbewoond gebied in of in de buurt van de wildernis was, een flink eind ten zuiden van de Vlakte van Agaden. Daarom maakte hij zich zorgen hoe hij aan paarden moest komen. Eén probleem tegelijk, hield hij zichzelf voor, één probleem tegelijk.

Ook al was de klim langs de steile rotsachtige helling een riskante onderneming, hij kon zich er niet toe brengen om te stoppen, nu hij wist dat hij er bijna was. Bovendien, als hij de nachtspichten wilde zien, kon dat alleen 's nachts, dus wilde hij de beklimming niet uitstellen tot de volgende ochtend, waarna hij de rest van de dag zou moeten wachten tot het weer donker werd.

Toen hij eindelijk de top had bereikt, speurde Richard de omgeving af om zich te oriënteren. Na het hoogste punt van de steile helling vlakte het terrein af en ging over in een dun begroeid eikenbos. Het briesje dat eerder op de dag had gewaaid, was uren geleden rond zonsondergang gaan liggen en nu was het doodstil, een stilte die als een zwaar gewicht op hem drukte. De typisch nachtelijke geluiden van beestjes en insecten, die in de eindeloos uitgestrekte laaglanden overal te horen waren, waren stilgevallen toen hij bij de top kwam.

In het maanlicht viel het Richard meteen op dat er iets mis was met de bomen. Het leek of ze allemaal dood waren. De dikke, plompe stammen waren knoestig en verwrongen. De bast was in slordige repen van de stam losgeraakt. De kromme, verbogen takken zagen eruit als klauwen, klaar om toe te slaan naar wie de plek durfde te betreden.

Richard, die zich tot nu toe had geconcentreerd op zijn tocht en de beklimming, was plotseling op zijn hoede. Met gespitste oren luisterde hij of hij iets hoorde in de griezelige stilte. Behoedzaam sloop hij tussen de bomen door, terwijl hij probeerde zo min mogelijk geluid te maken. Dat viel niet mee, aangezien de grond bezaaid lag met droge takken en bladeren. De kruinen boven hem wierpen grillige schaduwen in het maanlicht en er hing een kilte in de lucht die hem deed huiveren.

Bij zijn volgende stap hoorde hij een vreemd gekraak, alsof er iets onder zijn voet knapte. Hij had jarenlang in de bossen gewoond, maar toch had hij zo'n geluid nog nooit gehoord.

Als versteend bleef hij staan luisteren. Razendsnel ging hij in gedachten na of hij zoiets eerder had gehoord, of hij wist wat de oorzaak kon zijn. Hoe hard hij ook zijn best deed, hij kon het geluid niet thuisbrengen. Toen het verder stil bleef en hij niets zag bewegen, stapte hij voorzichtig achteruit en tilde zijn voet op van wat hij had vertrapt.

Nadat hij om zich heen had gekeken en alle schaduwen goed had onderzocht, hurkte hij neer om te zien waarop hij had getrapt. Het lag bedolven onder een laag bladeren. Voorzichtig schoof hij de rottende bladeren opzij. Half begraven in de bosgrond en donker van ouderdom, staarde een kapot doodshoofd hem aan. Onder het gewicht van zijn voet was het ronde schedeldak gebroken. De oogkassen leken hem aan te kijken en waren nog intact.

Toen Richard speurend naar de grond keek, zag hij dat er meer bulten onder de bladeren schuilgingen. Hij zag nog iets anders: doodshoofden die niet door een laag bosafval waren bedekt. Vanwaar hij neerhurkte, zag hij een stuk of zes doodshoofden die helemaal of gedeeltelijk bloot lagen, en nog veel meer ronde vormen die met bosafval waren bedekt. Ook vond hij onder de laag bladeren de botten die bij het doodshoofd hoorden waarop hij had getrapt.

Langzaam stond hij op en liep verder, terwijl hij de grond, de dikke, kromme boomstammen en de takken boven zijn hoofd zorgvuldig in de gaten hield, maar hij zag niemand en hoorde niets.

Nu hij wist waarop hij moest letten, leek het of hij overal doodshoofden zag. Bij dertig hield hij op met tellen. De botten lagen overal verspreid en niet bij elkaar, wat het geval geweest zou zijn als deze mensen tegelijk of als groep zouden zijn gestorven. Op een paar uitzonderingen na leek het of ze afzonderlijk waren bezweken. Het zou natuurlijk kunnen dat hun stoffelijk overschot hierheen was gebracht. Dat kon hij niet met zekerheid zeggen. In een paar uitzonderlijke gevallen lagen de doodshoofden bij elkaar, maar dat kon toevallig zijn, bedacht hij – misschien waren die mensen gewoon naast een ander lijk neergevallen.

Richard ging op zijn hurken zitten om een aantal doodshoofden nader te onderzoeken, zowel de exemplaren die bloot lagen als degene die door een laag bladeren waren bedekt. Eerst dacht hij dat er een veldslag had plaatsgevonden, maar voor zover hij dat in het maanlicht kon vaststellen, waren deze mensen niet op hetzelfde tijdstip omgekomen. Sommige botten waren nog intact, terwijl andere al aan het verteren waren. Sommige botten bleken zo oud te zijn dat ze bij zijn aanraking al uit elkaar vielen. Deze plaats leek wel een dodenakker, maar dan eentje waar de ontzielde lichamen boven de grond werden bewaard, in plaats van eronder.

Het tweede wat hem opviel, was dat er geen roofdieren waren geweest, die de rust van de doden hadden verstoord. Toen hij nog gids was, had Richard veel kadavers in het bos gezien. Dieren knaagden altijd aan een dood lichaam, of dat nu van een mens was of van een ander dier. Deze lichamen waren echter geleidelijk vergaan en de skeletten lagen er hetzelfde bij toen ze op de grond waren gevallen – op hun zij, of met hun armen gespreid, of met hun gezicht naar beneden. Geen enkel skelet lag in de grafhouding, met de armen keurig over de borst gekruist of langs de zij gestrekt. Maar het meest merkwaardige was nog wel dat geen enkel lichaam door een roofdier was aangevreten.

Terwijl Richard gestaag door het eikenbos liep, vroeg hij zich af of het eind ooit in zicht zou komen. In een maanloze, bewolkte nacht, of zelfs als het overdag bewolkt was, zou je hier makkelijk kunnen verdwalen. Alles leek op elkaar. De bomen stonden op gelijke afstanden van elkaar en behalve de maan en de sterren was er niets waarop hij zich kon oriënteren.

Richard liep verder, een halve nacht lang leek het wel, door het woud der doden. Hij wist zeker dat hij de aanwijzingen van de sliph had opgevolgd. De sliph had hem echter niet kunnen vertellen wat hij zou aantreffen. Ze had niet meer geweten dan de aanwijzingen die Baraccus haar had gegeven, en dat was drieduizend jaar geleden. Sinds die tijd was het landschap misschien ingrijpend veranderd. De botten zagen er echter lang niet zo oud uit. Er konden natuurlijk ook duizenden jaren geleden botten in het eikenbos hebben gelegen, maar dan waren die allemaal tot stof vergaan.

Terwijl Richard verder liep, begon het in het woud steeds duisterder te worden, totdat hij in de grauwe schemering kwam van een groepje reusachtige dennen. De stammen stonden dicht bij elkaar en elke stam had dezelfde afmetingen als zijn huis in het Hartlandbos. Het leek wel of er voor hem een hoge bergwand oprees. De stammen waren zo recht als zuilen en vertakten zich pas op een punt dat hij niet kon zien. Maar de takken benamen hem alle zicht op de hemel erboven en maakten van het bos een donkere, verwarrende doolhof tussen de dikke stammen.

Richard bleef staan en overdacht hoe hij de juiste richting moest aanhouden in de aardedonkere duisternis die voor hem lag, nu het uitgesloten was dat hij in een rechte lijn kon lopen. Op dat moment hoorde hij het gefluister.

Hij hield zijn hoofd scheef en luisterde goed of hij de woorden kon opvangen, maar dat lukte niet. Daarom stapte hij behoedzaam het donkere bos in en liet zijn ogen aan de duisternis wennen voordat hij verder liep. Het duurde niet lang of hij begon de contouren van de bomen voor hem te onderscheiden, dus sloop hij verder, steeds dieper tussen de dicht opeen staande stammen van de monumentale dennen door.

'Ga terug,' hoorde hij een gefluister.

'Wie is daar?' fluisterde hij terug.

'Ga terug,' klonk een ijl stemmetje, 'of blijf voor altijd tussen de botten van hen die je voorgingen.'

'Ik wil de nachtspichten spreken,' zei Richard.

'Dan ben je voor niets gekomen. Ga terug,' herhaalde de stem nadrukkelijker.

Richard probeerde de stem te vergelijken met hoe hij zich herinnerde dat een nachtspicht klonk. Het was wel niet precies hetzelfde, maar er waren beslist overeenkomsten. 'Kom alsjeblieft tevoorschijn. Dan kan ik met je praten.'

Er volgde een doodse stilte. Richard zette weer een tiental stappen verder het donker in.

'Laatste waarschuwing,' zei het geheimzinnige stemmetje. 'Ga terug.'

'Ik heb een lange tocht gemaakt, dus ik ga niet terug zonder de nachtspichten gesproken te hebben. Het is belangrijk.'

'Voor ons niet.'

Met zijn hand op zijn heup bleef Richard staan, terwijl hij probeerde te bedenken wat hem te doen stond. Zijn hoofd was verre van helder. Vermoeidheid belemmerde hem om goed na te denken. 'Ja, dit is voor jullie ook belangrijk.'

'Hoe dan?'

'Ik kom ophalen wat Baraccus voor me heeft achtergelaten.'

'Die anderen deden hetzelfde en je bent voorbij hun botten gekomen.'

'Kijk, dit is belangrijk. Uiteindelijk hangt jullie leven er net zo goed van af. In dit gevecht kan niemand aan de kant blijven staan. Iedereen zal door het strijdgewoel meegesleurd worden.'

'De verhalen die je over een schat hebt gehoord, zijn leugens. Hier is niets.'

'Een schat? Nee, je begrijpt het niet. Daar is het me niet om begonnen. Ik denk dat je me verkeerd beoordeelt. Ik ben al door de testen gekomen die Baraccus voor me had opgesteld. Daarom ben ik hier. Ik ben Richard Rahl. Ik ben getrouwd met Kahlan Amnell, de Biechtmoeder.'

'Die naam zegt ons niets. Ga terug nu het nog kan.'

'Nee, dat is het juist. Ik ben naar haar op zoek.' Vertwijfeld streek Richard met zijn hand door zijn haar. Hij wist niet hoeveel tijd hij had om het hele verhaal te vertellen, of hoeveel hij ervan kon weglaten, als hij de nachtspichten wilde overtuigen van de ware reden van zijn komst, hen wilde overtuigen dat ze hem moesten helpen.

'Jullie hebben haar wel gekend, maar er werd magie gebruikt om te zorgen dat iedereen Kahlan zou vergeten. Jullie hebben haar gekend, maar zijn haar vergeten, net als alle anderen. Kahlan kwam hier vroeger geregeld. Als Biechtmoeder deed ze haar best om het land van de nachtspichten te behouden en tegen indringers te beschermen.

Ze heeft me verteld over het prachtige land van de nachtspichten. Ze heeft me verteld over de open velden in de eeuwenoude, afgelegen bossen. Ze heeft gezien hoe jullie tegen de schemering bij elkaar komen om in het gras tussen de wilde bloemen te dansen. Ze heeft me verteld over de vele avonden dat ze op haar rug in het gras lag, terwijl de nachtspichten zich om haar verzamelden en met haar spraken over wat we gemeenschappelijk hebben: dromen, hoop en liefde. Toe nou, ze was met jullie bevriend.'

Toen zag Richard een flauw licht vanachter een boom komen.

'Ga terug, of je botten zullen daar blijven liggen, bij die van de anderen die naar de schat hebben gezocht, en niemand zal je ooit weerzien of weten hoe het met je is afgelopen.'

'Als ik goud nodig had, zou ik ervoor werken. Ik ben niet geïnteresseerd in een schat.'

Het flauwe lichtje liep weg. 'Niet elke schat bestaat uit goud.' Terwijl het in de verte verdween, wierp het in het voorbijgaan rondwentelende lichtstralen op de boomstammen.

'Ik heb Shar gekend,' riep Richard het na.

Het lichtje bleef staan en de stralen tolden niet meer rond.

Even zag Richard dat het sprankje licht op korte afstand in de lucht hing, terwijl het een zwak schijnsel wierp op de dicht bijeen staande woudreuzen, die als schildwachten bewaakten wat erachter lag.

'Ben je niet gekomen omdat de legenden zeggen dat hier een schat ligt?'

'Nee.'

'Wat weet je van die naam die je daarnet noemde?'

'Ik heb Shar gezien, toen ze de grens was overgestoken. Shar deed dat om de dreiging van Darken Rahl te keren. Shar is de grens overgestoken om mij te zoeken, zodat ik mee kon doen in die strijd. Voordat ze stierf, zei Shar dat als ik ooit hulp van de nachtspichten nodig had, ik haar naam moest zeggen, en dan zouden ze me helpen, want geen vijand mocht het weten.'

Richard wees naar het bos met de dode eiken, waar de vergeten, verteerde menselijke resten lagen. 'Ik heb zo'n idee dat geen van de mensen die daar is omgekomen, haar naam kende of de naam van een andere spicht.'

Het lichtje keerde langzaam tussen de bomen door terug en bleef ten slotte staan, niet zo ver van hem vandaan. Hij voelde de zachte gloed van de lichtstralen zijn gezicht aftasten. Het leek op de lichte aanraking van een spinnenweb.

Richard zette een stap dichterbij. 'Ik heb Shar nog gesproken voor ze stierf. Ze zei dat ze het niet meer volhield zonder haar soortgenoten, maar dat ze te zwak was om de reis naar huis te ondernemen. Ze was de eerste die me de test van Baraccus afnam. Ze zei dat ze in me geloofde, dat ik het vermogen bezat om te slagen. Het was een boodschap van hem. Ze vroeg me naar bepaalde geheimen.'

'En ben je voor haar test geslaagd?'

'Nee,' gaf Richard toe. 'Ik was er nog niet aan toe om het allemaal te begrijpen. Dat kwam later pas. De sliph zei dat ik nu voor de test ben geslaagd, die Baraccus voor me had opgesteld.'

'Hoe heet je?'

'Ik ben opgegroeid als Richard Cypher. Later heb ik ontdekt dat ik eigenlijk Richard Rahl heet. Ze hebben me nog een heleboel andere namen gegeven: de Zoeker, de waar geborene, de brenger des doods, Richard de Heetgebakerde, de kiezel in de vijver en Caharin. Zegt een van die namen je soms iets?'

'Zegt de naam Ghazi je iets?'

'Ghazi?' Richard dacht even na. 'Nee, moet ik die kennen?'

'Het betekent "vuur". Ghazi kreeg die naam bij monde van de profetie. Als jij die ene bent, moet je die naam ook kennen.'

'Het spijt me, maar dat is niet zo. Ik weet niet waarom, maar ik kan je vertellen dat ik niet veel ophep met de profetie.'

'Sorry, maar er is rampspoed over dit land gekomen. De spichten hebben het momenteel erg moeilijk. We kunnen je niet helpen. Ga terug.'

De spicht liep opnieuw weg. Rondtollend zweefde hij weg tussen de reusachtige bomen.

Richard stapte naar voren. 'Shar zei dat de spichten me zouden helpen als dat nodig was! Ik heb jullie hulp nodig!'

Het lichtpuntje kwam nogmaals tot stilstand. Uit de manier waarop het onbeweeglijk in de lucht hing, maakte Richard op dat het over iets nadacht. Na een poosje begon het langzaam rond te draaien, waarbij het flikkerende lichtstraaltjes om zich heen wierp. Het kwam een stukje terug.

Toen noemde de spicht een naam die Richard in geen jaren hardop had horen uitspreken. Het bloed stolde in zijn aderen.

'En zegt díé naam je iets?' vroeg de spicht.

'Hoe weet je dat mijn moeder zo heette?' fluisterde Richard.

De spicht schoof langzaam dichterbij. 'Vele, vele seizoenen geleden is Ghazi de donkere grens overgetrokken om haar te vinden, te helpen, te vertellen over haar zoon, de vele dingen te vertellen die ze moest weten, de vele dingen die haar zoon moest weten, maar Ghazi kwam niet meer terug.'

Met grote ogen keek Richard naar het wezentje. 'Wat doen spichten overdag? Als het licht is?'

De spicht, niet veel meer dan een gloeiend zilverkleurig sinteltje, tolde langzaam rond, waarbij hij lichtstraaltjes op Richards gezicht wierp. 'Dan gaan we naar een donkere plaats. We houden niet van licht.'

'En kunnen jullie tegen vuur?'

De lichtstraaltjes werden zwakker. 'Vuur kan ons doden.'

'Goede geesten...' fluisterde Richard.

De spicht kwam dichterbij en het flikkerlicht werd helderder, terwijl het wezentje zijn gezicht leek te bestuderen. 'Wat is er?'

'Hoe luidde de profetie over Ghazi?' vroeg Richard.

Het langzaam rondwervelend licht bleef even staan. 'De profetie ging over Ghazi's dood. Er werd gezegd dat hij in het vuur zou omkomen.'

Richard sloot even zijn ogen. 'Vele seizoenen geleden, toen ik nog jong was, kwam mijn moeder om bij een brand.'

De spicht zweeg.

'Het spijt me,' zei Richard op zachte toon, terwijl Shota's woorden hem te binnen schoten. 'Ik denk dat Ghazi bij mij thuis is omgekomen. Ons huis vloog in brand. Nadat mijn moeder mijn broer en mij veilig naar buiten had gebracht, is ze weer naar binnen gegaan om iets op te halen – we hebben nooit geweten wat het was. De rook heeft haar waarschijnlijk verstikt. Ze is nooit meer naar buiten gekomen. Ik heb haar nooit meer gezien. Ze kwam om in de vlammenzee.

Ik denk dat ze is teruggegaan om Ghazi te halen. Ik denk dat mijn moeder en Ghazi samen bij die brand zijn omgekomen, zonder dat Ghazi zijn opdracht heeft voltooid.'

De spicht nam hem een tijdje nauwlettend op. 'Ik vind het heel erg wat je moeder is overkomen. Na al die tijd maakt het je nog steeds aan het huilen.'

Richard was sprakeloos en kon alleen nog maar knikken.

De spicht begon weer sneller rond te draaien. 'Bij ons ben je bekend onder de naam Richard Cypher. Kom, Richard Cypher, dan vertellen we je wat Ghazi aan je moeder had willen vertellen.'

Richard volgde het schitterlichtje het eeuwenoude bos in, waar het vredig en rustig was. Nog nooit had hij zulke grote bomen gezien. Het verbaasde hem dat deze piepkleine wezentjes tussen zulke grote woudreuzen leefden.

Het leek of ze al uren hadden gelopen, maar Richard wist dat het zo voelde doordat hij uitgeput was. Toen ze ten slotte vanuit de bomen op een groot open veld kwamen, kon hij zijn ogen nauwelijks geloven. Wat hij zag, was precies zoals Kahlan het had beschreven. De weelderige weide glinsterde van de honderden nachtspichten, die tussen de hoge grashalmen en de wilde bloemen door gleden. De sterrenhemel, die tussen de hoge dennen zichtbaar was, leek dof en doods vergeleken bij de fonkelende lichtjes in het gras.

Het was een prachtig gezicht, maar het stemde Richard bedroefd, omdat het hem aan Kahlan herinnerde, aan de eerste dag dat hij haar had ontmoet, toen ze hem aan Shar had voorgesteld, aan de keer dat ze hem over de spichten had verteld. Kahlan en de spichten waren in zijn gedachten voorgoed met elkaar verbonden.

Nu wist hij ook, na al die tijd, dat zijn moeder het brandende huis was ingegaan om een nachtspicht te redden, dat ze niet alleen was gestorven.

Al die gebeurtenissen hadden plaatsgevonden doordat iemand duizenden jaren geleden naar de Tempel der Winden was gegaan en iets in gang had gezet wat zou uitmonden in Richard, die werd geboren met beide kanten van de gave, hoewel hij ze volgens de sliph allebei niet meer had.

Terwijl Richard de weide op liep, kwamen enkele nachtspichten dichterbij, die nieuwsgierig waren naar de onbekende bezoeker. De lichtjes van de spichten werden afwisselend feller en doffer, alsof ze met elkaar aan het praten waren.

'Hoe heet je?' vroeg Richard aan de spicht die hem al die tijd had vergezeld.

'Ik heet Tam.'

Richard zag de spichten dichterbij glijden, omhoogkomen tot ze met hem op gelijke hoogte waren, voordat ze wegschoten.

'Ons aantal neemt af,' zei Tam. 'Dat is nog nooit gebeurd. Het zijn zware tijden voor ons, maar we weten niet wat de oorzaak is.'

'Dat is onder andere de reden van mijn komst,' vertelde Richard hem. 'Ik hoop hulp te krijgen, zodat ik de oorzaak van de ziekte onder de spichten kan wegnemen. Als ik daar niet in slaag, zullen jullie allemaal van de wereld verdwijnen.'

Tam dacht daar een poosje in stilte over na. Andere spichten, die Richards woorden hadden gehoord, zweefden weg en nestelden zich tussen de donkere grashalmen, alsof ze een plekje zochten om ongestoord te kunnen wenen. Een enkele spicht kwam juist dichterbij.

'Veel van ons hebben Ghazi gekend,' zei Tam. 'Ze missen hem. Kun je ons vertellen wat hij het laatst heeft gezegd voor hij stierf? Zoals je me ook Shars laatste woorden hebt verteld?'

'Het spijt me, Tam, maar ik heb Ghazi nooit gezien. Ik heb nooit geweten dat hij mijn moeder heeft opgezocht. Ghazi en mijn moeder zijn waarschijnlijk om het leven gekomen, voordat hij de kans kreeg ons te vertellen waarom hij gekomen was.' In stilte vroeg Richard zich af of dat achter de brand had gezeten.

Veel spichten dempten hun lichtjes, als blijk van teleurstelling dat hij hun niet Ghazi's laatste woorden kon vertellen.

Richard, die zich het doel van zijn komst herinnerde, richtte het woord weer tot zijn gids. 'Luister, Tam, ik ben voor iets belangrijks gekomen. Zoals ik al zei, zou het uiteindelijk ook een eind aan het leed van de spichten kunnen maken. Ik ben gekomen omdat Baraccus iets voor me heeft achtergelaten. Zijn bibliotheek is hier. Hij heeft zijn vrouw op pad gestuurd met een boek voor mij.'

'Magda,' zei een van de spichten vlakbij. Hij wist niet precies welke spicht had gesproken, maar het klonk anders dan Tam, meer als een vrouwenstem.

'Inderdaad.'

'Dat was lang voor onze tijd,' zei ze, 'maar de woorden van Baraccus zijn aan ons doorgegeven. We hebben de geheimen bewaard, zoals hij ons heeft gevraagd. Ik ben Jass. Kom, Tam en ik zullen je laten zien waar het is.'

Tam en Jass gingen Richard voor door het soepele gras naar de hoge bomen links van hen. Toen ze tussen de bomen door liepen, weg van het open veld, leek het of ze opnieuw een donkere wereld betraden. Dankzij de twee spichten had hij echter genoeg licht om te kunnen zien waar hij liep.

'Is het ver?' vroeg Richard.

'Niet ver,' zei Jass.

'De plaats ligt in ons land,' zei Tam. 'Het is een plaats die we kunnen bewaken en beschermen. In de afgelopen millennia is het zaad van de verhalen in de vruchtbare grond van versnipperde feiten geplant. Begoten met wensen heeft het wortel geschoten en is gaan groeien. Daaruit is een weelde aan geruchten ontsproten, die door de wind zijn verspreid en beweerden dat we een fabelachtige hoeveelheid goud verborgen hielden. Wie daar eenmaal in geloofde, kon niet van het tegendeel overtuigd worden. De waarheid is voor zulke mensen minder aanlokkelijk dan goud. De droom om in één klap rijk te worden had zoveel aantrekkingskracht dat ze liever alles wat hun dierbaar was ervoor opofferden dan te accepteren dat het een ijdele hoop was. Wat wij verbergen,' zei Jass, 'is geen schat, maar een belofte die onze voorouders hebben afgelegd.'

'Ook dat is een soort schat,' zei Richard. 'Voor de juiste persoon in elk geval wel.'

Wat de spichten dichtbij hadden genoemd, leek Richard een heel eind weg. Het putte hem steeds meer uit om zijn ene voet voor zijn andere te zetten. Hij rammelde van de honger, terwijl ze door het stille bos liepen. Het was diep in de nacht toen ze het eind van het bos hadden bereikt en Richard in de diepte een vallei zag liggen, die door het zilveren maanlicht werd beschenen. De kom van de vallei was bedekt met weelderige bossen, evenals de berghellingen, die het dal aan weerszijden insloten. De plaats waar hij stond en die uitkeek op de hele vallei, was niet alleen indrukwekkend, maar bood ook een onvergetelijk uitzicht op alles waar Richard altijd van had gehouden. Wat zou hij daar graag op ontdekkingstocht gaan, daar ergens in die bossen rondzwerven... maar dan met Kahlan. Zonder haar had schoonheid geen betekenis meer. Zonder Kahlans glimlach was de wereld verlaten en doods.

'Hier is de bibliotheek, die we van Meester Baraccus moeten bewaken,' zei Tam.

Richard keek om zich heen. Hij zag alleen varens, een paar klimplanten die vanuit het donker omhoogklommen, en dikke stammen van de dennenbomen die langs de helling groeiden, waarvandaan hij omlaagkeek.

'Waar?' vroeg hij. 'Ik zie nergens een gebouw.'

'Hier,' zei Jass terwijl ze naar een kleine kei dreef en zich daarop neerzette. 'Hieronder is de bibliotheek.'

Richard krabde zich eens op zijn hoofd. Hij vond het een vreemde plek voor een bibliotheek, maar toen herinnerde hij zich dat de ingang van de bibliotheek in Caska onder een grafsteen had gezeten en zag hij de logica er wel van in. Een gebouw zou misschien allang ontdekt en geplunderd zijn.

Hij boog zich voorover en zette zijn schouder tegen de steen, in een holte zonder uitsteeksels. Hij betwijfelde of hij sterk genoeg was om zo'n enorme platte steen te verplaatsen, maar toch duwde hij er met zijn volle gewicht tegenaan. Met veel krachtsinspanning kon hij de steen langzaam opzij draaien.

De spichten kwamen dichterbij om ook te kunnen zien wat zich onder de steen bevond. De steen had op een kleine, zorgvuldig gladgestreken verhoging gelegen. In die verhoging zat geen gat en er liep geen trap naar beneden.

Richard knielde neer en begon te graven in de onderlaag, in het binnenste van de stenen verhoging. Het voelde zacht en droog aan.

'Het is gewoon zand.'

'Ja,' zei Jass. 'Toen Magda kwam, heeft ze de aanwijzingen van haar man opgevolgd door magie te gebruiken en wat hieronder zit, met zand te vullen.'

'Met zand,' vroeg Richard ongelovig.

'Ja,' antwoordde Jass.

'Hoeveel zand?' vroeg Richard. Hij verheugde zich niet bepaald op het uitgraven van een met zand volgestort gat, hoe klein dan ook.

'Zie je dat riviertje beneden in de vallei?' vroeg Jass.

Richard tuurde omlaag. Hij zag de glinsterende weerschijn van een watertje dat tussen de zandbanken door kronkelde.

'Ja, ik zie het.'

'Volgens de overlevering,' zei Jass, 'had Magda een krachtige betovering van Baraccus meegekregen. Ze zou een wervelwind hebben ontketend, die het zand uit de rivierbedding omhoogtrok, in een grote slurf naar dit gat leidde en opvulde, zodat hij beschermd was.'

'Beschermd?' vroeg Richard. 'Waartegen?'

'Tegen iedereen die erin slaagt in de buurt te komen. Het zand is bedoeld om mensen te misleiden die op zoek zijn naar wat hieronder ligt.'

'Nou ja, als er genoeg zand ligt, houdt dat indringers wel een tijdje tegen.' Wantrouwend keek Richard naar de twee spichten, die langzaam rondtolden in het maanlicht. 'Hoeveel zand ligt er eigenlijk?'

Tam zweefde een stukje voorbij de rand van de helling. 'Zie je de richel daar beneden?'

Voorzichtig boog Richard zich over de rand om te kijken. Die richel zat een meter of honderd onder de platte steen. 'Ja, ik zie het.'

'Op die diepte bevindt zich de bibliotheek.'

'Is de bibliotheek daar beneden en helemaal onder het zand bedolven?'

'Ja,' antwoordde Tam.

Richard was verbijsterd. De hoeveelheid zand ging zijn voorstellingsvermogen te boven. 'Hoe kan ik dat allemaal uitgraven? Het kost een eeuwigheid om zoiets voor elkaar te krijgen.'

Tam keerde terug en zweefde vlak bij zijn gezicht. 'Misschien, maar Baraccus zei dat, als je de ware was, je zou weten wat je moest doen.'

'Als ik de ware was?' Richard voelde hoe de teleurstelling hem als een berg zand neerdrukte. 'Waarom moet ik altijd de ware zijn?'

Tam tolde een poosje rond. 'Daar hebben wij niets over te zeggen.'

Van teleurstelling kermde hij het uit. Hij was zo dichtbij en toch zo ver weg. 'Als ik de ware ben, waarom heeft hij dan geen boodschap voor me achtergelaten, zodat ik tenminste weet wat ik moet doen?'

Tam en Jass zwegen een tijdje, alsof ze nadachten.

'Hij heeft nog wel iets doorgegeven,' zei Jass uiteindelijk.

'En wat dan?'

'Baraccus zei dat de spichten eeuwenlang op wacht moesten staan, maar als het zand der tijden ten slotte was doorgelopen, zou de ware komen voor wie het boek was bestemd en het meenemen.'

Jass wentelde zich dichterbij: 'Heb je daar iets aan, Richard Cypher?'

Met zijn hand streek hij over zijn gezicht. Waarom kon Baraccus hem niet gewoon vertellen hoe hij de *Geheimen van de kracht van een oorlogstovenaar* moest terugvinden? Misschien had Baraccus gedacht dat de man voor wie dat boek was bestemd, die kracht al bezat, zodat het voor hem geen probleem zou zijn. Misschien had hij gedacht dat Richard een magische wervelwind kon opwekken om het zand eruit te halen. In dat geval was Richard toch de ware niet. Niet alleen wist hij niet hoe hij zijn kracht moest gebruiken, maar sinds hij in de sliph was geweest, was hij zijn gave ook nog kwijt.

Wat Richard betrof, was het zand der tijden allang doorgelopen. De Zusters van de Duisternis hadden de kistjes van Orden in het spel gebracht; de akkoorden hadden het leven op de wereld aangetast door om te beginnen de magie te vernietigen, wat waarschijnlijk het leed veroorzaakte dat de spichten had getroffen; het leger van de Imperiale Orde zaaide dood en verderf in de Nieuwe Wereld. Het ergste voor hemzelf was echter dat Kahlan onder invloed van de ketenvuurbetovering was ontvoerd en dringend zijn hulp nodig had. En hier stond hij dan: te wachten tot het zand der tijden doorgelopen was.

Hij haalde zijn hand van zijn gezicht en boog zich met een diepe frons over de rand van het klif, terwijl hij naar de richel ver onder hem keek. Het zand der tijden.

Hij keek naar links en bestudeerde de rots. Daar zag hij niets wat hem van dienst kon zijn, maar rechts van hem meende hij een manier te zien om langs de rotsen omlaag te klimmen. Hij deed zijn ransel af en zette hem op de grond, terwijl hij zijn schepje eruit haalde en snel in gereedheid bracht.

'Als het zand der tijden ten slotte was doorgelopen, zou de ware komen voor wie het boek was bestemd en het meenemen,' citeerde hij. 'Dat zei je toch?'

'Ja,' zei Jass. 'Dat is ons verteld.'

Richard tuurde opnieuw over de rand van het klif. 'Ik moet naar beneden klimmen, naar die richel,' zei hij tegen de schichten.

'We gaan met je mee om je bij te lichten,' zei Tam.

Onverwijld klom Richard langs de steile rotshelling. De afdaling bleek even lastig te zijn als hij had verwacht, maar duurde niet lang. Algauw stond hij op de smalle richel, ver onder de top waarop de kei lag die hij had weggedraaid.

Hij inspecteerde de rotswand door er net zo lang in te prikken tot hij had gevonden wat hij zocht. Meteen begon hij te graven, te hakken en stukken steen los te wrikken. Die zaten zo vast dat hij bij het schaarse licht van de maan en de twee spichten moeilijk met zekerheid kon zeggen of het was wat hij dacht. Toen er stukken steen los begonnen te komen, kreeg hij er meer vertrouwen in. Hoe meer stenen hij wegtrok, des te makkelijker lieten de andere los.

Hij moest voorzichtig te werk gaan om een paar grotere stenen te verwijderen. Eén verkeerde stap en hij zou uitglijden en van de smalle richel vallen. Sommige stenen in het uitdijende gat waren te groot om op te tillen, dus die moest hij uit de steeds wijder wordende opening weg kantelen. Gelukkig slaagde hij erin het gesteente onder de meeste grote keien los te krijgen en die keien vervolgens naar buiten rollen. Terwijl hij aan de zijkant van de smalle richel stond, liet hij de stenen en keien langs hem heen vallen. Hij zag ze door de nachtelijke lucht keilen, waarna ze geluidloos neerkwamen op de bomen diep onder hem.

Opeens, toen hij met zijn schepje in iets zachts groef, kwamen de laatste stenen van het dekstuk met een knarsend geluid los en stortten zich in een lawine van puin naar beneden. Richard moest wegduiken. Daarna spoot met donderend geraas een slurf zand uit het gat naar buiten, eerst recht vooruit en daarna in een boog omlaag.

Richard stond met zijn rug tegen de rotswand gedrukt. Zijn hart bonkte van verbazing bij die onverwachte uitbarsting, waardoor een opening in het holle binnenste van de rots ontstond. De twee spichten tolden rond bij het zien van dit verrassende tafereel. Een van de twee, Richard wist niet welke, vloog een tijdje met de slurf zand mee op zijn weg naar buiten en omlaag, en kwam daarna weer terug.

Er leek geen eind aan te komen, maar ten slotte slonk de stroom tot een dun straaltje, dat met onregelmatige tussenpozen naar buiten dwarrelde.

Zonder te aarzelen klom Richard de opening in. 'Kom,' riep hij over zijn schouder naar de spichten. 'Ik heb licht nodig.'

De twee spichten kwamen meteen en vlogen over zijn schouders om hem met hun lichtjes voor te gaan. Toen ze de ruimte erachter beschenen, ging Richard rechtop staan en klopte het zand van zich af, terwijl hij rondkeek naar de planken vol boeken. Vol verbazing besefte hij dat hij de eerste was die hierbinnen stond na Magda Searus, de vrouw die later de eerste Biechtmoeder zou worden.

Dat hielp hem herinneren aan Kahlan en de noodzaak haar te vinden, dus hij begon meteen om zich heen te kijken. Het zag eruit als een eenvoudige bibliotheek, met een deuropening aan de andere kant, die zo te zien dieper naar het binnenste van de rots leidde. Hij kon vaag nog andere deuropeningen en een wenteltrap onderscheiden. Ook al was het zand naar buiten gestroomd, er lag nog steeds een laagje dat alles bedekte. Het zou een tijd kosten om deze plaats schoon te krijgen en vast te stellen wat er allemaal stond.

Rechts van hem op een stenen lessenaar tegen een kale stenen muur, lag een boek helemaal apart. Richard tilde het van de lessenaar, blies het zand en het stof eraf. Op de omslag stond *Geheimen van de kracht van een oorlogstovenaar*.

Zacht liet hij zijn vingers over de vergulde letters op de kaft glijden, terwijl hij opnieuw de woorden las die voor hem waren bestemd. Het besef dat hij oorlogstovenaar was, vervulde hem met diep ontzag. De Eerste Tovenaar Baraccus zelf had dit boek geschreven voor degene die geboren zou worden met de kracht, die door hem was losgelaten uit de Tempel der Winden. Richard had eindelijk de schat gevonden die door Baraccus aan hem was nagelaten.

De twee nachtspichten zweefden aan weerszijden boven zijn schouder, terwijl hij eerbiedig naar het boek keek dat eindelijk zijn vragen zou beantwoorden, dat hem eindelijk zou helpen zijn gave te leren beheersen.

Met kloppend hart sloeg Richard ten slotte het boek open om te zien wat hij van Baraccus moest weten. De eerste bladzijde was leeg. Richard sloeg nog meer bladzijden om, maar die waren ook leeg. Hij bladerde door het hele boek, maar ontdekte dat het boek helemaal blanco was, op de titel na.

Richard masseerde zijn slapen. Hij voelde zich onpasselijk worden.

'Ziet een van jullie soms iets op deze bladzijden staan?'

'Nee,' zei Jass. 'Het spijt me.'

'Ik zie helemaal niets,' viel Tam hem bij.

Toen realiseerde Richard zich wat het probleem was. Hij was ten einde raad. *Geheimen van de kracht van een oorlogstovenaar* was een handleiding voor het gebruik van een bijzondere vorm van de gave. Het boek vereiste magie, terwijl Richard op de een of andere manier niet over zijn gave kon beschikken. Zonder de hulp van zijn gave, zou niets van wat op die bladzijden geschreven stond, in zijn hoofd blijven hangen. De woorden zouden al vergeten zijn, voordat hij wist dat hij ze had gelezen.

Net zoals hij zich geen woord meer kon herinneren van *Het boek van de getelde schaduwen*, kon hij de tekst van *Geheimen van de kracht van een oorlogstovenaar* niet lang genoeg vasthouden om zich te herinneren dat hij hem had gelezen. Zonder zijn gave leken het allemaal lege bladzijden. Zolang hij niet wist wat er mis was met zijn gave, was hij niet in staat dit boek te lezen.

'Ik moet het meenemen,' zei Richard tegen de nachtspichten.

'Dat heeft Baraccus al voorspeld, Richard Cypher,' zei Tam.

Richard vroeg zich af of Baraccus de rest ook allemaal had geweten, maar had geen tijd om daarbij stil te staan. Hij klom weer door de opening naar buiten, naar de rotswand. Het viel hem op dat de rotswand boven de opening naar de bibliotheek uitstak, waarschijnlijk om te voorkomen dat het water in de loop der tijd het dekstuk zou aantasten of naar binnen zou slaan. Het zand moest droog blijven, zodat de boeken intact bleven en het zand er niet uit zou stromen. Richard bedacht dat de bibliotheek voorlopig beschermd was tegen de regen.

Op de top van het klif, stopte hij het waardevolle boek in zijn ransel. Hij zag dat er binnen in de stenen rand, die eerst vol zand had gezeten, een wenteltrap afdaalde in de donkere diepte. Om te voorkomen dat iemand de bibliotheek zou vinden, duwde hij met al zijn kracht tegen de kei tot die weer op zijn plaats was gerold.

Hijgend van inspanning slingerde hij zijn ransel op zijn rug. Door zijn hoofd schoten talloze verschillende gedachten. Op de terugweg door het donkere woud sprak Richard nauwelijks met de spichten, behalve om ze voor hun hulp te bedanken.

Bij de weide aangekomen keek hij zijn ogen uit bij het schouwspel van alle nachtspichten, die door het gras en de wilde bloemen zweefden. Sommige draaiden rond in paren, alsof ze een ingewikkelde dans uitvoerden. Hij vroeg zich af hoeveel méér spichten er waren geweest, toen Kahlan hier was.

Hij miste haar zo erg dat hij een brok in zijn keel kreeg. Zij was alles voor hem, zijn hele wereld, maar die wereld leek hem op allerlei manieren te ontglippen.

'Ik moet gaan,' zei hij tegen Tam en Jass. 'Ik hoop dat ik met behulp van wat ik hier heb gevonden, een eind kan maken aan het leed van de spichten, en zoveel anderen.'

'Kom je nog terug?' vroeg Jass.

Denkend aan de verborgen bibliotheek knikte Richard. 'Ja, en dan hoop ik dat ik Kahlan bij me heb en dat jullie je haar weer kunnen herinneren. Ik weet zeker dat ze dolblij zal zijn om jullie allemaal weer te zien.'

'Als we ons haar weer kunnen herinneren,' merkte Jass op, 'zullen wij ook dolblij zijn.'

Richard, die zijn eigen stem niet vertrouwde, knikte en zette zich in beweging. Tam vergezelde hem door het eeuwenoude bos om hem de weg te wijzen. Waar de eeuwenoude bomen ophielden, bleef de spicht staan. 'Het was heel wijs van Baraccus om jou te kiezen, Richard Cypher. Ik denk dat je het vermogen hebt om te slagen. Het ga je goed.'

Met een trieste glimlach bedacht Richard dat hij daar graag even zeker van zou willen zijn. Hij kon niet langer beschikken over zijn gave – als hij die nog had – en hij had geen idee hoe hij zou kunnen slagen. Misschien kon Zedd hem helpen.

'Dank je, Tam. Jij en de spichten zijn uitstekende bewakers geweest van wat Baraccus jullie heeft nagelaten. Ik zal mijn best doen om jullie te beschermen, en alle andere onschuldigen die in gevaar zijn.'

'Als je faalt, Richard Cypher, weet ik dat het niet aan jou ligt. Als je ooit onze hulp nodig hebt, noem dan, zoals Shar al zei, een van onze namen en dan proberen wij je te helpen.'

Richard knikte. Hij liep weg, maar draaide zich nog één keer om en zwaaide. De rondtollende spicht gaf even een roze gloed af, waarna hij tussen de bomen verdween. Opeens voelde Richard zich ontzettend verloren, met het maanlicht als enige gezelschap. Er leek geen eind te komen aan het bos met de dode eiken. Half verdoofd ploeterde hij voort. Hij moest eten en slapen, maar eerst wilde hij uit het vreemde woud weg, terug naar het gewone bos. Hij zag de botten tussen de boomwortels liggen, alsof de eiken de doden naar zich toe wilden trekken om ze te omhelzen.

Ergens in het dode bos, nadat hij al piekerend een heel eind had doorgelopen, voelde Richard opeens een kilte in de lucht. Hij huiverde en van schrik ademde hij de scherpe kou diep in. Het leek of hij in de klauwen van de winter was gevallen.

Toen hij opkeek, zag hij iets wat op een schim leek, die zich verhief tussen de schedels. Toen hij zag wat het werkelijk was, kroop er opnieuw een rilling langs zijn ruggengraat.

Er stond een lange vrouw met stug zwart haar. Ze droeg een inktzwart gewaad. Haar huid was zo bleek als het maanlicht, waardoor het leek of haar uitgemergelde gezicht in een donkere poel dreef. Haar uitgedroogde vlees spande strak om haar knokige gelaatstrekken. Hij stelde zich voor dat de doden er een tijd zo uit hadden gezien, terwijl ze levenloos in het verlaten woud lagen te wachten tot de wormen hun werk zouden doen. Haar flauwe, dreigende glimlach typeerde haar onmiskenbaar als iemand die de botten van afgedankte mensen op zo'n plaats zou laten rotten, tussen de doden die al in staat van ontbinding waren.

Richard had het zo koud dat hij zich niet kon bewegen. Hij besefte dat hij beefde, maar kon er niet mee ophouden. Zijn tenen en vingers waren gevoelloos geworden. Eigenlijk wilde hij in beweging komen, wegrennen, maar zijn benen weigerden dienst. Hij kon zijn gave niet meer oproepen. Hij had geen zwaard meer, dat hij kon trekken. Hulpeloos verdronk hij in de betoverende blik van haar bleekblauwe ogen.

Richard vroeg zich af of zijn ontzielde lichaam op deze desolate

plek zou wegrotten om te worden vergeten, samen met alle andere anonieme botten van mensen die hier met hooggespannen
verwachtingen heen waren gegaan.

De vrouw spreidde haar armen, zoals een raaf zijn vleugels
spreidt, en de nacht slokte hem op.

42

Kahlan werd zich geleidelijk bewust van het verwarrende gegons van stemmen dichtbij en veraf, maar ze was te versuft om zeker te weten of het echte stemmen waren of dat ze het zich slechts verbeeldde. Van sommige gedachten die eindeloos door haar hoofd speelden, wist ze dat het verbeelding moest zijn, al leken ze nog zo echt. Ze kon onmogelijk het ene moment op een bloemenweide tussen de sterren zijn, het volgende moment in een zware veldslag, waar paarden met uitgemergelde ruiters op hun rug rondliepen, terwijl ze even later op een draak door de wolken vloog. Hoe echt het allemaal ook leek, het kon niet waar zijn. Draken bestonden immers niet. Dat was een mythe. Maar als ze echte stemmen hoorde, kon ze de woorden niet verstaan, die haar voorkwamen als onbestemde, rauwe klanken. Elke keer als iemand zo'n klank uitstootte, deed het diep vanbinnen pijn.

Wat vaststond, was dat haar hoofd langzaam en ritmisch bonkte. Het leek of haar schedel bij elke bonk onder de druk open zou splijten. Aan het eind van elke cyclus werd ze overspoeld door een golf van misselijkheid, die pas verdween bij de volgende overweldigende, folterende hoofdpijnaanval.

Ook al deed ze haar best haar ogen te openen, Kahlan kon haar zware oogleden niet omhoogkrijgen. Dat vroeg meer inspanning dan ze op dat moment kon opbrengen. Bovendien was ze bang dat het licht zou zijn en ze wist zeker dat licht pijn zou doen aan haar weerloze ogen, alsof iemand er lange naalden in zou steken. Het leek of ze door een onbekend, zwaar gewicht werd verlamd, zodat ze zich niet kon bewegen, terwijl een onzichtbare hand haar folterde door ondraaglijke druk op haar uit te oefenen. Wanhopig probeerde ze zich eraan te ontworstelen en haar armen te buigen, maar die waren te stijf. Ze probeerde haar benen te bewegen, of alleen maar haar knie op te tillen, maar haar benen leken bekneld te zitten in de omhullende, dichte duisternis.

Een geluid, misschien wel een snauw, deed haar opschrikken. Ze kwam nog meer bij en keerde vanuit haar doffe verwarring terug naar de wereld van het leven. Nu wist ze zeker dat het stemmen waren. Af en toe kon ze een paar woorden opvangen.

Als aan een reddingslijn klampte ze zich aan de woorden vast, zodat ze zich uit de donkere krochten van bewusteloosheid kon optrekken. Gelijkmatig ademend concentreerde ze zich op de woorden en drong de bonkende hoofdpijn naar de achtergrond, terwijl ze goed naar de afzonderlijke woorden luisterde, die ze tot een betekenisvol geheel probeerde samen te voegen. Ze herkende vrouwenstemmen en de stem van een man. Een norse man.

De pijn bij het ontwaken was echter nog heviger dan de kwellingen van haar droomachtige staat van bewusteloosheid. De realiteit maakte de pijn tot een ergere foltering, een onontkoombaar lijden, een meedogenloze marteling, die door haar lichaam beukte.

In een poging de pijn uit haar geest te bannen, opende Kahlan haar ogen net wijd genoeg om haar omgeving goed te bekijken. Ze lag in een afgesloten ruimte. Het leek op een tent van lichtbruin canvas, maar als het een tent was, was het de grootste die ze ooit had gezien. Aan de zijkant hingen weelderige tapijten, die als dubbele deuren dienst leken te doen.

Ze lag op dikke kleden, die niet op de vloer lagen, maar op een soort verhoging. De kleden deden haar transpireren in de warme, bedompte lucht. Gelukkig lag ze niet onder een deken. Misschien hadden ze haar daar neergelegd om te zorgen dat er niemand op haar trapte. Voor haar stond een stoel met houtsnijwerk in de rugleuning, maar er zat niemand.

Her en der stonden lampen op kastjes, terwijl er nog meer lampen aan kettingen hingen. Hoewel die van weinig nut waren om de naargeestige sfeer in de tent te verjagen, camoufleerde de geur van brandende olie enigszins de stank van zweet, dieren en uitwerpselen. Kahlan was blij dat het licht geen pijn aan haar ogen deed, zoals ze had gevreesd.

Een van de Zusters beende heen en weer in het vale licht, als een geestverschijning die haar graf niet meer kon vinden.

Een mengelmoes van gedempte geluiden dreef van buitenaf de tent in door het zware canvas en de met tapijten beklede wanden. Het leek alsof ze zich in een stil toevluchtsoord bevond midden in een drukke stad. Kahlan hoorde het eentonige gemompel van duizenden mannen, geklepper van paardenhoeven, geratel van wagens, gebalk van muilezels en het metalige gerinkel van wapens en pantsers. Op een afstand hoorde ze soldaten bevelen schreeuwen, lachen of vloeken, terwijl er dichterbij verhalen werden verteld, die ze niet goed kon verstaan.

Kahlan wist wat voor soort leger dit was. Ze had er af en toe een glimp van opgevangen, was door steden getrokken waar het leger was geweest en had de mensen gezien die waren gemarteld, verkracht en vermoord. Ze had geen lust om ooit de tent uit te gaan en zich tussen die woestelingen, want dat waren het, te begeven.

Toen ze merkte dat Jagang haar kant uit keek, hield ze zich bewusteloos door regelmatig te ademen, doodstil te blijven liggen en haar ogen tot spleetjes te knijpen. Blijkbaar dacht hij dat ze nog niet was bijgekomen, want zijn blik dwaalde weer af naar de ijsberende Zuster Ulicia.

'Zo simpel kan het niet zijn,' beweerde Zuster Armina, die naast een tafel stond en hooghartig haar neus in de lucht stak.

Kahlan zag nog net de rand van een boek over de tafel uitsteken. Zuster Armina's uitgestoken hand rustte op de leren band van het boek.

'Armina,' vroeg Jagang op rustige, bijna vriendelijke toon, 'weet je wel hoe amusant ik het vind om in de gekwelde geest van een Zuster te zitten, die ik naar de tenten heb gestuurd, waar ze van hand tot hand gaat?'

De vrouw verbleekte en deinsde achteruit tot ze met haar rug tegen de tentwand stond. 'Nee, excellentie.'

'Om getuige te zijn van haar doodsangst? Om in haar geest te zijn en haar hulpeloosheid te zien, als sterke handen haar de kleren van het lijf scheuren en zich aan haar lichaam vergrijpen, als ze op de grond wordt gegooid, haar benen uit elkaar worden gedwongen en ze wordt besprongen door mannen die haar slechts als prooi voor hun wellust zien? Mannen die geen enkele sympathie voor haar voelen, die het onverschillig laat hoeveel pijn ze veroorzaken bij het meedogenloos najagen van hun begeerten? Weet je hoe bevredigend het voor me is om in de geest van die gekwelde Zuster te zitten en, om het zo maar eens uit te drukken, ooggetuige te zijn van haar welverdiende straf?'

Met een panische blik in haar opengesperde ogen fluisterde Zuster Armina: 'Nee, excellentie.'

'Daarom stel ik voor dat je ophoudt met protesteren, wat je niet doet omdat je er anders over denkt, maar omdat je denkt dat ik het wil horen. Ik ben niet geïnteresseerd in je hielenlikkerei. In bed mag je me vleien, als je denkt dat je daardoor bij mij in de gunst raakt, wat trouwens niet zo is, maar in deze zaak ben ik alleen geïnteresseerd in de waarheid. Je kruiperige argumenten helpen ons niet verder, dat doet alleen de waarheid. Als je iets zinnigs te zeggen hebt, zeg het dan, maar houd op Zuster Ulicia in de rede te vallen en haar te bekritiseren met argumenten waarvan je denkt dat ik ze wil horen, anders stuur ik je binnenkort weer naar de tenten. Heb je dat begrepen?'

Zuster Armina sloeg haar ogen neer. 'Ja, excellentie.'

Zuster Ulicia haalde diep adem toen Jagang zijn aandacht op haar richtte, en hield op met ijsberen. Ze stak haar hand uit naar het boek op tafel. 'Het probleem is, excellentie, dat we op geen enkele manier aan de inhoud kunnen zien of het de ware kopie is of niet. Ik weet dat u dat van ons verlangt en ik denk dat we het echt hebben geprobeerd, maar de waarheid is dat we geen aanknopingspunt hebben om de vraag afdoende te beantwoorden.'

'Waarom niet?'

'Als er bijvoorbeeld staat: "Zet de kistjes neer met de voorkant naar het noorden," hoe kunnen we weten of het een juiste of onjuiste aanwijzing is? Voor zover we weten kan "met de voorkant naar het noorden" nauwkeurig zijn overgenomen uit het originele manuscript. In dat geval zou het fataal zijn om die aanwijzing niet op te volgen. Het kan ook een verminking van de originele aanwijzing zijn en dan is het fataal om hem wél op te volgen. Hoe kunnen we dat beoordelen? U wilt dat we de echtheid van het boek beoordelen door het gewoon te lezen, maar dat kunnen we niet. Ik weet dat u het niet op prijs stelt als ik u naar de mond praat. U hebt er meer aan als ik eerlijk ben.'

Jagang keek haar wantrouwend aan. 'Pas op, Ulicia, dat het geen vleien gaat worden. Daarvoor ben ik niet in de stemming.'

Zuster Ulicia boog haar hoofd. 'Natuurlijk, excellentie.'

Jagang kruiste zijn dikke armen over zijn brede borst en kwam ter zake. 'Dus degenen die het boek hebben vermenigvuldigd, zouden ons maar één manier hebben gegeven om het echte van de verkeerde exemplaren te onderscheiden?'

'Ja, excellentie,' antwoordde Zuster Ulicia, ook al vond ze het blijkbaar eng een standpunt in te nemen waarvan ze wist dat het hem zou mishagen. De keizer kon echter haar gedachten lezen, dus hij zou toch wel weten wat er werkelijk in haar omging. Kahlan kon zich voorstellen dat Zuster Ulicia had bedacht dat ze beter open kaart kon spelen, omdat ze dan de minste kans maakte zijn toorn op te wekken. Zo slim was Zuster Ulicia wel.

'Dus je denkt dat er maar één verklaring mogelijk is, dat de afwijking geen vergissing is geweest, maar opzettelijk en weloverwogen is aangebracht?'

'Ja, excellentie. Er moet een manier zijn om de exemplaren van elkaar te onderscheiden, anders zou het puur toeval zijn of het boek op de juiste manier wordt gebruikt. De kistjes van Orden zijn gemaakt als tegenwicht...'

Zwijgend wierp ze een snelle blik in Kahlans richting. Kahlan had haar ogen tot spleetjes geknepen, zodat de vrouw niet kon zien dat ze bij bewustzijn was. Zuster Ulicia richtte zich weer tot Jagang.

'Ze hebben waarschijnlijk bedacht dat de situatie wel erg wanhopig moest zijn als het nodig was dat tegenwicht in te zetten en men wilde weten of het boek echt was, omdat men riskeerde alles waarin men geloofde kwijt te raken. Men zou het boek immers willen gebruiken om alles te redden, waarin men geloofde. Als degenen die de kistjes als tegenwicht gebruikten, zich op de verkeerde kopie baseerden, zouden ze niet alleen hun leven kunnen verliezen – de wereld van het leven zelf zou verloren kunnen gaan.'

'Tenzij de makers van de kopieën een mogelijke dief wilden misleiden,' zei Jagang.

'Maar excellentie,' zei Zuster Ulicia, 'om verraderlijke plannen te verijdelen, zouden de hoeders van de kistjes een manier moeten hebben om de echte kopie van de verkeerde te onderscheiden. Als ze de mensen die na hen kwamen, geen methode in handen zouden geven om dat onderscheid te maken, lieten ze het aan het toeval over of hun nageslacht zou overleven. Ze hebben die kopieën in de eerste plaats gemaakt omdat ze zich zorgen maakten wat er in de toekomst kon gebeuren als er maar één originele tekst zou zijn. Zo'n uniek exemplaar zou bloot staan aan vele bedreigingen, van vuur en water tot wormen, en dan hebben we het nog niet eens over opzettelijke pogingen om het te vernietigen. Ze wilden er zeker van zijn dat er een accurate kopie zou zijn, als het ooit nodig was de kistjes te gebruiken, maar het originele boek was, om redenen die ze zelf niet allemaal konden bedenken, niet meer voorhanden. De toekomst aan dat toeval overlaten was om te beginnen al strijdig met de reden waarom ze de kopieën hadden gemaakt.

Begrijpt u wat ik bedoel? Door één echte en voor de rest valse kopieën te maken, probeerden ze mensen af te houden van het onjuiste gebruik van de kistjes – door een hindernis in te bouwen bij de toepassing ervan – maar als de kistjes echt nodig waren, wilden ze niet dat het resultaat van het toeval afhing. Ze lieten het nageslacht een methode na waarmee de waarheid geverifieerd kon worden.

Aangezien de tekst in het boek op zichzelf geen tegenstrijdigheden bevat, neem ik aan dat de makers van de kopieën een andere methode hebben ontwikkeld om het goede van de verkeerde exemplaren te onderscheiden.'

Jagang wendde zich tot de andere Zuster. 'Ach, Armina heeft een idee. Zeg op, liefje.'

Zuster Armina schraapte haar keel. 'Moeten we echt geloven dat een woord in het enkelvoud, waar meervoud had moeten staan, de enige aanwijzing is dat dit boek niet klopt?'

De Zuster schudde haar hoofd. 'Hoewel ik de redenering in grote lijnen onderschrijf, denk ik dat het antwoord veel te simpel is en de boodschap veel te vaag. Zo wordt het op zichzelf een kwestie van toeval of we het juiste van het verkeerde exemplaar kunnen onderscheiden, tenzij er een manier is om dat te bevestigen.'

'Maar die is er toch?' Zuster Ulicia trok een wenkbrauw op en boog zich lichtjes naar de vrouw toe. 'Hier staat het, meteen in het begin. Daar wordt precies verteld hoe we moeten bepalen dat het boek echt is. Er staat dat zíj het moet verifiëren. Dat heeft ze gedaan.'

Armina sloeg haar armen over elkaar. 'Nogmaals, dat vind ik een veel te simpel antwoord.'

'Als het zo simpel is, Armina, waarom begrijp je het dan niet?' vroeg Zuster Ulicia.

Kahlan kneep haar ogen nog iets meer dicht toen Zuster Ulicia naar haar wees. 'Zij heeft de afwijking gevonden. Waarom heeft niemand van ons die opgemerkt? Zij was de enige die het zag. Zonder haar was het ons waarschijnlijk niet eens opgevallen, en als we het wel hadden gezien, zouden we hebben gedacht dat het niet belangrijk was en het hebben genegeerd. Ze heeft gedaan wat ze volgens het boek moest doen. Ze heeft de afwijking gevonden. Ze heeft gezegd dat het betekent dat het een onjuiste kopie is. Dat is precies wat ze volgens het boek zelf geacht wordt te doen. Sommigen van ons vinden die afwijking misschien niet gecompliceerd genoeg om de doorslag te geven, maar daar gaat het niet om. Het blijft een feit dat we de echtheid van dit boek moeten verifiëren. Vanwege een afwijking, die zij alleen heeft opgemerkt, beweert ze dat het een verkeerde kopie is. Dat is het enige wat telt. Die uitspraak moeten we voor waar aannemen.'

Terwijl hij over de woorden van de twee vrouwen nadacht, wreef Jagang met zijn vlezige hand over zijn stierennek en beende voor de tafel heen en weer. Een tijdje bekeek hij het boek aandachtig, waarna hij het woord nam.

'Er is maar één manier om er zeker van te zijn.' Dreigend keek hij de Zusters beurtelings aan. 'We moeten de andere kopieën vinden en ze onderling vergelijken. Als bij allemaal, of slechts een paar, de titel dezelfde afwijking vertoont, dan blijkt daaruit dat het niets te betekenen heeft. Vertonen ze echter allemaal op één na dezelfde afwijking, dan is het boek zonder afwijking waarschijnlijk de juiste kopie. Vervolgens kunnen we de teksten met elkaar vergelijken en als het boek zonder afwijkende titel van de andere exemplaren verschilt, weten we zeker dat het de enige ware kopie is.'

'Excellentie,' zei Zuster Armina, eerbiedig haar hoofd buigend, 'dat is een geweldig idee. Als we de andere exemplaren kunnen vinden en dit boek heeft als enige een afwijking in de titel, bewijst dat mijn punt, namelijk dat het een gewone, eenmalige fout van een domme boekbinder is.'

Jagang keek haar even strak aan, verbrak het oogcontact en liep naar een kist aan de zijkant. Nadat hij het deksel had opengemaakt, pakte hij er een boek uit, dat hij met zo'n kracht neersmeet dat het over het tafelblad naar de twee Zusters gleed. Zuster Armina pakte het boek op en las wat er op de omslag stond. Zelfs in het gedempte licht van de olielampen zag Kahlan het gezicht van de vrouw dieprood kleuren.

'*Het boek van de getelde schaduw*,' fluisterde ze ongelovig.

'Schaduw?' vroeg Zuster Ulicia, terwijl ze over Zuster Armina's schouder meekeek. 'Staat er geen "schaduwen"?'

'Nee,' zei Jagang. 'Er staat *Het boek van de getelde schaduw*, hetzelfde dus als op het boek uit Caska.'

'Maar, maar,' stamelde Zuster Armina, 'dat begrijp ik niet. Waar komt deze kopie vandaan?'

Bij zijn dreigende blik voegde zich nog een minachtende grijns. 'Het Paleis van de Profeten.'

Zuster Armina's mond viel open van sprakeloze verbijstering.

Zuster Ulicia fronste haar wenkbrauwen. 'Hè, dat kan niet waar zijn. Weet u dat zeker?'

'Of ik dat zeker weet?' gromde hij spottend. 'O ja, heel zeker. Weet je, ik heb dit boek al een tijdje. Onder andere daarom heb ik jullie ongestoord je gang laten gaan met jullie dwaze onderneming. Om erachter te komen of ik het juiste boek had, had ik dezelfde vrouw nodig als waar jullie op aasden.

De hele tijd dat ik dit boek in mijn bezit heb gehad, is me nooit opgevallen dat het woord "schaduw" in de titel niet klopte met wat er zou moeten staan. Ik nam gewoon aan dat er stond wat er zou moeten staan, maar onze bewusteloze vriendin daar zag het meteen.'

'Maar hoe kunt u het uit het Paleis van de Profeten weggehaald hebben?' vroeg Zuster Ulicia. 'Wij weten niet beter dan dat ze de kopieën samen met de botten in verborgen catacomben hebben verstopt, zoals het exemplaar in Caska. Voordat het paleis werd verwoest, zijn daar nooit catacomben ontdekt.'

Jagang glimlachte in zichzelf, alsof hij het een stel kinderen moest uitleggen. 'Je vindt jezelf zo slim, Ulicia, dat je het uitgevonden hebt van de kistjes, van het boek dat nodig is om ze te openen, van de catacomben en die ene persoon die de tekst van het boek moet verifiëren, maar ik weet al tientallen jaren wat jullie nog maar pas hebben ontdekt.

Ik bezoek al een hele tijd de geest van mensen, om daarvan te profiteren voor onze zaak. Je zou verbaasd zijn wat ik lang geleden allemaal te weten ben gekomen. Terwijl jullie verwikkeld waren in paleispolitiek, in allerlei vormen van machtsstrijd op jullie eigen kleine eilandje, in het beurtelings te vriend houden van de Schepper en de Wachter, naar gunsten dingend voor jullie trouw aan nu eens de ene en dan weer de ander, ben ik bezig geweest de Oude Wereld te verenigen voor de zaak van het Genootschap van de Orde, de enige ware zaak van de Schepper en daarom de enige ware zaak van de mensheid.

Terwijl jullie jongemannen tot tovenaar opleidden, liet ik diezelfde jongeren het ware Licht zien. Zonder dat de Zusters het wisten, waren veel van die jonge tovenaars al toegewijd aan de toekomstige redding van de mensheid door discipelen van de Orde te worden. Ze hebben tientallen jaren in het Paleis van de Profeten rondgelopen, jullie stonden er met je neus bovenop, terwijl ze als broeders van het Genootschap van de Orde werkten. En terwijl ze in de gewelven van het paleis al die geheime boeken lazen, zat ik in hun geest.

Als droomwandelaar gaf ik ze aanwijzingen en leiding bij hun studie. Ik wist wat er nodig was; ik kon ze ernaar laten zoeken. Die broeders van de Orde hebben lang geleden de geheime ingang naar de catacomben ontdekt – goed weggestopt onder een ongebruikte, reeds lang vergeten opslagruimte in het oude gedeelte van de stallen. Ze hebben dit boek, evenals andere waardevolle werken, uit de catacomben ontvreemd, en het aan mij overhandigd toen ik na mijn triomfantelijke vereniging van de Oude Wereld bij het paleis arriveerde. Deze kopie heb ik al tientallen jaren in mijn bezit.

Het enige wat ik niet kon, was door de grote barrière trekken om aan de beide kistjes te komen en aan degene die het boek kon verifiëren. Met hun bemoeienissen hebben de Zusters me erg geholpen, omdat ze daardoor de barrière voor mij hebben geslecht. Nu het Paleis van de Profeten is verwoest, vrees ik dat de catacomben en de boeken erin voorgoed verloren zijn gegaan, maar die jongemannen hebben het merendeel van de verborgen boekwerken bekeken, dus heb ik door hun ogen de meeste boeken wel gelezen. Het paleis en de catacomben zijn verdwenen, maar de kennis is niet allemaal verloren gegaan. Die jongemannen zijn onze broeders geworden. Velen leven nog en zijn dienstbaar aan onze strijd.

Toen ik hoorde dat jullie van plan waren de Biechtmoeder gevangen te nemen, besefte ik dat ik daarvan gebruik kon maken om haar eindelijk in handen te krijgen en haar ten eigen bate te gebruiken. Daarom liet ik jullie in de waan dat jullie je doel bereikten, terwijl jullie in feite precies deden wat ik wilde. Dus nu heb ik het boek én de Biechtmoeder, over wie het boek zegt dat zij de echtheid moet bevestigen.'

De beide Zusters keken hem sprakeloos aan.

Kahlans hoofd liep om van verwarring. De Biechtmoeder. Dus zij was de Biechtmoeder. Maar wat was een Biechtmoeder in vredesnaam?

Jagang schonk de Zusters een sluwe glimlach. 'Jullie zijn ontzettend stom geweest, nietwaar?'

'Ja, excellentie,' gaven ze met een klein stemmetje tegelijkertijd toe.

'Zoals jullie zien,' ging hij door, 'hebben we nu twee kopieën van *Het boek van de getelde schaduwen*, die allebei hetzelfde mankement vertonen, namelijk dat er "schaduw" op het kaft staat, in plaats van "schaduwen".'

'Maar dat zijn er nog maar twee,' merkte Zuster Armina op. 'Stel dat alle andere kopieën aan hetzelfde euvel lijden?'

'Dat denk ik niet,' zei Zuster Ulicia.

'Maar als het wél zo is, zou het toch iets bewijzen?'

Vragend trok Jagang zijn wenkbrauwen boven zijn donkere ogen op. 'Ik heb nu twee exemplaren, allebei met precies dezelfde fout. We hebben de rest nodig om de theorie te staven dat er één boek is met de correcte titel – "schaduwen" in plaats van "schaduw". Het ziet ernaar uit dat we de Biechtmoeder in leven moeten houden tot we kunnen zien of ze inderdaad de afwijking heeft gevonden waarmee de echte kopie kan worden geïdentificeerd.'

'En als alle kopieën dezelfde afwijking vertonen, excellentie?' vroeg Zuster Armina.

'Dan weten we dat de fout in de titel niet de methode is om *Het boek van de getelde schaduwen* te verifiëren. Misschien is het nodig dat ze de kopie zelf inkijkt, zodat ze meer gegevens voor haar verificatie heeft – dingen die ze nu nog niet kan zien.'

Zuster Armina hief haar hand op. 'Maar excellentie, ik weet niet of dat eigenlijk wel kan.'

Jagang ging niet in op Armina's bezwaar, maar pakte het boek uit haar handen en legde het naast het exemplaar op de tafel. 'De Biechtmoeder is nog steeds belangrijk voor ons. Zij is de enige manier om de ene, ware kopie te verifiëren. We weten nog niet zeker of ze dat afdoende heeft gedaan. Haar oordeel was gebaseerd op de beperkte informatie die beschikbaar was. Voorlopig hebben we haar nodig en moet ze blijven leven.'

'Ja, excellentie,' zei Zuster Armina.

'Ik geloof dat ze aan het bijkomen is,' zei Zuster Ulicia.

Kahlan besefte dat ze zo aandachtig had meegeluisterd dat ze haar ogen niet goed dicht hield toen Zuster Ulicia haar kant uit keek. De Zuster kwam dichterbij en keek op haar neer.

Kahlan wilde de anderen niet laten merken dat ze zichzelf bij de titel van de Biechtmoeder had horen noemen. Ze rekte zich een beetje uit, alsof ze nog maar net was bijgekomen uit haar bewusteloosheid, terwijl ze probeerde te bedenken wat die titel kon betekenen.

'Waar zijn we?' mompelde ze geveinsd slaapdronken.

'Daar zul je gauw genoeg achterkomen.' Zuster Ulicia rammelde Kahlan krachtig aan haar schouder door elkaar. 'Word wakker!'

'Wat is er? Moet ik iets voor u doen, Zuster?' Kahlan wreef met haar knokkels in haar ogen, terwijl ze er zo verward en versuft mogelijk probeerde uit te zien. 'Waar zijn we?'

Zuster Ulicia haakte haar vinger onder Kahlans halsband en trok haar overeind.

Voordat Zuster Ulicia nog iets kon zeggen, greep Jagang met zijn vlezige hand haar arm vast en trok haar achteruit naar zich toe. Zijn doelwit was Kahlan. Met zijn vuisten pakte hij haar bij de boord van haar hemd vast en tilde hij haar van de grond.

'Je hebt twee van mijn lijfwachten gedood,' siste hij tussen zijn opeengeklemde tanden door. 'Je hebt Zuster Cecilia gedood.' Zijn hoofd werd rood van groeiende razernij. Zijn wenkbrauwen waren gefronst boven zijn donkere ogen. Het leek of het bliksemde tussen de schimmige wolken die in zijn zwarte ogen ronddreven. 'Hoe kom je op het idee dat je ze kon doden en ermee weg kon komen?'

'Ik dacht niet dat ik ermee weg zou komen,' zei Kahlan zo rustig mogelijk. Zoals ze had verwacht, wekte haar kalmte alleen maar zijn woede op.

Hij brulde het uit van tomeloze razernij en rammelde haar zo hard door elkaar dat het leek of haar nekspieren scheurden. Dit was duidelijk een man die bij de geringste provocatie een onbeheersbare woedeaanval kreeg. Hij was in staat haar te vermoorden.

Hoewel Kahlan niet dood wilde, was een snelle dood wellicht te verkiezen boven alles waarmee hij haar had gedreigd. Ze kon in elk geval niets doen om hem tegen te houden.

'Maar als je wist dat je er niet mee zou wegkomen, hoe kwam je er dan bij om het te doen?'

'Wat maakt het voor verschil?' vroeg Kahlan op rustige, onverschillige toon, terwijl hij haar aan haar hemd omhooghield, zodat haar laarzen boven de grond zweefden.

'Waar heb je het over?'

'U hebt me al verteld dat u me zult behandelen op een manier die gruwelijker is dan alles wat ik ooit heb meegemaakt. Ik geloof u; dat is immers de enige manier waarop mensen als u kunnen winnen – met dreigementen en wreedheid. Omdat u zo'n zelfingenomen dwaas bent, hebt u de fout begaan me te vertellen dat ik me geen voorstelling kan maken van de gruwelijke dingen die u met me van plan bent. Dat was een grote vergissing.'

'Vergissing? Waar heb je het over?' Hij hees haar op, trok haar tegen zijn gespierde lichaam aan. 'Wat voor vergissing?'

'*Keizer*, u hebt een tactische fout gemaakt,' zei Kahlan. Door de klemtoon op zijn titel liet ze het klinken als een honende belediging. Ze wilde hem boos maken en dat lukte.

Hoewel ze in zijn vuisten met de wit geworden knokkels bungelde, probeerde Kahlan beheerst, zelfs ongeïnteresseerd, te klinken. 'Weet u, u hebt me duidelijk gemaakt dat ik niets te verliezen heb, wat ik ook doe. U hebt duidelijk gemaakt dat u niet voor rede vatbaar bent. U hebt gezegd dat u de meest vreselijke dingen met me gaat doen. Dat maakt me alleen maar sterker, omdat ik geen hoop heb op genade. Door me duidelijk te maken dat ik geen hoop op een sprankje genade hoef te koesteren, hebt u me een voorsprong gegeven die ik eerst niet had.

Weet u, door die fout te maken, hebt u me laten zien dat ik niets te verliezen had als ik uw wachters zou doden en omdat ik toch al onderworpen was aan uw ergste kwellingen, kon ik net zo goed wraak nemen op Zuster Cecilia. Door die tactische blunder hebt u me laten zien dat u helemaal niet zo slim bent, dat u gewoon een bruut bent, tegen wie ik me kan verzetten.'

Hij liet zijn greep iets verslappen, zodat Kahlans laarzen met hun neus de grond raakten en ze iets meer houvast had.

'Je bent me er eentje,' zei hij, terwijl de woedende uitdrukking op zijn gezicht had plaatsgemaakt voor een traag, sluw lachje. 'Ik ga me erg vermaken met wat ik voor je in petto heb.'

'Ik heb u al op uw fout gewezen en toch doet u het weer. U bent blijkbaar een langzame leerling, nietwaar?'

Daarnet, toen hij haar woedend tegen zich aan had gedrukt met zijn gezicht vlak bij het hare, terwijl hij haar dreigend vasthield, had Kahlan de kans schoon gezien voorzichtig zijn mes uit de schede aan zijn riem te trekken. Tussen haar vingers schoof ze het omhoog tot achter haar handpalm. Hij was zo kwaad geweest dat hij er niets van had gemerkt.

In plaats van een nieuwe woedeaanval te krijgen, begon hij opeens hard te lachen.

Kahlan had zijn mes stevig in haar hand geklemd. Onverhoeds stak ze zo hard mogelijk toe. Eigenlijk had ze het mes tot ver onder zijn ribben willen stoten om zijn vitale organen te raken, misschien zelfs zijn hart, als ze zo diep kon komen. Door de manier waarop hij haar vasthield, was haar bewegingsruimte beperkt, waardoor ze haar doelwit op een haar na miste. In plaats daarvan boorde het mes zich in zijn onderste rib en bleef met de punt in het bot steken.

Voordat ze het mes eruit kon trekken om opnieuw toe te slaan, greep hij haar bij de pols en draaide haar hardhandig om. Met haar rug klapte ze tegen zijn borst. Voordat ze zich kon verweren, had hij haar het mes ontfutseld. Met zijn arm kneep hij haar de keel dicht en benam haar de adem, terwijl hij haar tegen zijn gespierde lichaam drukte. Zijn borst zwoegde woedend op en neer.

Ze was niet van plan zich zomaar over te geven. Voordat ze uit ademnood flauw zou vallen, gebruikte ze al haar spierkracht om de hak van haar laars in zijn scheenbeen te planten. Aan zijn kreet van pijn te horen had ze hem goed geraakt. Met haar elleboog stootte ze recht in de zojuist toegebrachte wond. Hij kromp in elkaar. Toen haar elleboog terugveerde van de klap, zwaaide ze die verder naar voren om er meer kracht mee te kunnen zetten en ramde hem achteruit tegen zijn kaak. Hij was echter zo groot, zo sterk dat het hem amper deerde. Het leek wel of ze speldenprikken uitdeelde aan een stier en net als bij een stier, maakte elke speldenprik hem alleen maar bozer.

Jagang, die nauwelijks van haar aanval te lijden had gehad, greep met zijn volle vuist haar hemd vast voordat ze hem kon ontglippen. Hij gaf haar een harde stomp in haar middel, waardoor ze dubbel sloeg en de lucht uit haar longen werd geperst. Naar adem happend probeerde ze haar longen te vullen in weerwil van de hevige pijn.

Kahlan besefte pas dat ze op haar knieën lag, toen hij haar aan de haren omhoogtrok en op haar eigen benen zette. Ze wankelde op haar benen. Jagang grinnikte. Zijn woede was geluwd door het onverwachte, riskante maar eenzijdige gevecht, dat hem de gelegenheid gaf haar pijn te doen. Hij begon het een leuk spelletje te vinden.

'Waarom doodt u me niet gewoon?' kon Kahlan met moeite uitbrengen, terwijl hij naar haar stond te kijken.

'Je doden? Waarom zou ik je willen doden? Wat heb ik daaraan? Ik wil dat je leeft, want dan kan ik je laten lijden.'

De twee Zusters maakten geen aanstalten hun meester in bedwang te houden. Kahlan wist dat ze niet zouden protesteren, wat hij haar ook aandeed. Zolang hij met zijn aandacht bij Kahlan was, lette hij niet op hen. Voordat hij haar nogmaals een dreun kon verkopen, stroomde er licht de tent in, waardoor hij werd afgeleid.

'Excellentie,' zei een zware stem van opzij. Een grote geweldenaar hield het kleed open en wachtte. De man zag er exact hetzelfde uit als de beide wachters die Kahlan had gedood. Ze nam aan dat Jagang kon beschikken over een onuitputtelijke voorraad van zulke mannen.

'Wat is er?'

'We staan klaar om het kamp op te breken, excellentie. Het spijt me dat ik u stoor, maar u wilde gewaarschuwd worden als we zover waren. U zei dat we haast moesten maken.'

Jagang liet Kahlans haar los. 'Goed, aan de slag dan maar.'

Plots draaide hij zich om en gaf haar met de bovenkant van zijn vuist zo'n harde dreun dat ze tegen de grond sloeg.

Terwijl ze op de vloer lag bij te komen van de klap, legde hij zijn hand op de wond boven zijn rib, trok hem weg om te kijken hoe erg het bloedde en veegde hem aan zijn broek af. Blijkbaar concludeerde hij dat het een betrekkelijk onschuldige wond was, niets om zich druk over te maken. Voor zover Kahlan kon zien, zat hij onder de littekens, de meeste van veel ergere verwondingen dan die zij hem had toegebracht.

'Zorg ervoor dat ze geen rare ideeën meer in haar hoofd haalt,' zei hij tegen de Zusters, terwijl hij in de richting van het kleed liep dat de wachter voor hem ophield.

Kahlan voelde vanuit de halsband een brandende scheut door haar zenuwen omlaag naar haar tenen schieten. De vlammende pijn deed haar onwillekeurig naar adem happen. Ze wilde het uitschreeuwen van woede omdat de stekende pijn haar weer verscheurde. Ze verafschuwde de manier waarop de Zusters haar met de halsband in bedwang hielden. Ze verafschuwde de machteloze pijn die de Zusters haar konden toebrengen.

Zuster Ulicia kwam dichterbij en stond over haar heen gebogen. 'Dat was erg stom van je, nietwaar?'

Kahlan kon niet antwoorden door de verlammende pijn, anders zou ze de Zuster verteld hebben dat het helemaal niet dom van haar was, dat het de moeite waard was geweest. Zolang ze lucht in haar longen had, zou ze zich tegen hen verzetten. Als het moest, zou ze zich met haar laatste adem verweren.

43

Kahlan stond in de opening van keizer Jagangs tent, maar deinsde terug toen ze het leger van de Imperiale Orde voor het eerst van dichtbij zag. Vanuit de verte had het er iets minder gruwelijk uitgezien. Hoewel ze dus al een aardig beeld had gehad, was het een angstaanjagend schouwspel.

De dichte mensenmassa liep door tot aan de horizon. Iedereen was in beweging of zich aan het verplaatsen. Mensen bogen zich en gingen staan, draaiden zich om, tilden spullen op, voegden zich bij hun gelederen, zadelden de paarden, laadden de wagens in, terwijl regimenten ruiters zich als golven door de menigte verspreidden, waardoor het op een onafzienbare, kolkende, verraderlijke, donkere zee leek.

Tussen de vele duizenden mannen zag ze niemand die er vriendelijk of ongevaarlijk uitzag. Stuk voor stuk zagen ze er wreed en luguber uit, alsof ze zich erop verheugden om verschrikkelijk tekeer te kunnen gaan. Deze mannen leken uitsluitend gedreven te worden door het vooruitzicht onbeperkt dood en verderf te zaaien. Kahlan huiverde bij de gedachte aan wat de mensen te wachten stond die op hun pad kwamen.

Terwijl ze goed rondkeek, begon het haar op te vallen dat de mannen van elkaar verschilden. De groep soldaten die zich het dichtste bij de keizer bevond, was het meest gedisciplineerd, ordelijk en beheerst in hun handelingen. Ook besteedden ze meer zorg aan hun wapens. Alle mannen in de buurt van de keizerlijke tent leken op het tweetal dat door Kahlan was gedood.

Daarachter liepen andere mannen rond. Hun uniformen waren

anders, een combinatie van maliënkolders en leer. Ze zagen er bijna even groot en goed getraind uit als de mannen rond de keizer, maar hun voornaamste wapen bleek een sikkelvormige bijl te zijn. Elke volgende ring bestond uit een andere groep soldaten: schutters met pijl en boog in de aanslag, zwaardvechters en eenheden piekeniers die zich in gesloten formatie opstelden ter voorbereiding op de lange mars die ze voor de boeg hadden.

Hoewel elke kring soldaten rond de keizer was uitgerust met eigen uniformen, die hen typeerden als horend bij die groep, waren ze allemaal fors, gespierd, gepantserd en zwaar bewapend met een goede kwaliteit wapens. Dit was de kern van de keizerlijke krijgsmacht, die bestond uit zijn meest gevaarlijke, angstaanjagende en geduchte soldaten.

In de binnenste cirkels bevonden zich mannen die eruitzagen als officieren. Sommige officieren gaven bevelen aan boodschappers of hun ondergeschikten, terwijl anderen bij elkaar kwamen om aan de hand van kaarten plannen te maken. Weer anderen hadden af en toe een kort onderhoud met Jagang.

Voorbij de ringen met beroepssoldaten bevond zich het gespuis, dat verreweg het grootste deel van het leger vormde. De wapens van deze mannen – zwaarden, bijlen, spiesen, lansen, knotsen, knuppels en messen – waren slordig vervaardigd en zagen er des te dodelijker uit. Dit waren ruwe kerels, die op ongeregeldheden uit leken te zijn. Ze hadden één ding gemeen met de mannen rond de keizer, namelijk dat ze er allemaal uitzagen als naïeve idealisten die vastbesloten waren hun overtuiging met geweld op te leggen. Kahlan had het gevoel of ze op een gevaarlijk eiland was gestrand, dat omringd was door monsters in een ruwe zee.

In de binnenste cirkel zag Kahlan zag nog iets wat afweek van de rest. Er waren vrouwen. Die waren haar eerst niet opgevallen, doordat hun jurken zo vaal waren dat ze nauwelijks van de mannen te onderscheiden waren. Afgaande op de manier waarop die vrouwen iedereen in de gaten hielden, vermoedde ze dat het Zusters waren, die de keizer bewaakten. Er waren ook mannen die vrijwel ongewapend waren, met een blik in hun ogen die Kahlan aan de Zusters deed denken. Ook dat waren waarschijnlijk begaafden. Geen enkele man of Zuster wierp zelfs maar een blik in Kahlans richting. Alleen Zuster Ulicia, Zuster Armina en Jagang wisten dat ze er was.

Er liepen ook jongemannen rond. Aan hun eenvoudige, ruimvallende broeken en het ontbreken van wapens te zien waren het waarschijnlijk slaven, belast met het huishoudelijke werk. Kahlan zag uit enkele andere tenten op het veld van de keizer jonge vrouwen naar buiten komen, die in wagens werden geleid, voordat de tenten werden neergehaald. Wat het doel van hun aanwezigheid onder de hogere rangen was, bleek uit de onbeschaamde manier waarop de mannen deze vrouwen aanstaarden en uit hun schaarse kledij. De lege, doodse blik in hun ogen maakte haar duidelijk dat deze vrouwen krijgsgevangenen waren, die als hoer hun diensten moesten aanbieden.

Het gespuis een eind verderop maakte een onophoudelijk, luidruchtig tumult, terwijl de mannen in de binnenring stil aan de gang waren met de voorbereidingen om het kamp op te breken. De meeste mannen in de buurt hadden hun gezicht toegetakeld met spijkers, ringen, kettingen en bijzondere tatoeages, waardoor ze er niet alleen woest uitzagen, maar ook uitgesproken niet-menselijk, alsof ze hogere waarden verwierpen ten gunste van iets primitievers. Wreedheid was duidelijk hun levensdoel. Terwijl ze aan het werk waren, spraken ze weinig en gehoorzaamden de bevelen, die hun werden toegeschreeuwd door rondrijdende officieren. Met geoefende precisie pakten ze alle spullen in, brachten de wapens in gereedheid en zadelden de paarden.

De grote massa soldaten in de buitenring ging echter lang niet zo ordelijk en zorgvuldig te werk. Ze smeten hun spullen lukraak op een hoop. Als ze vertrokken, lieten ze een bende afval en kapotte geplunderde spullen achter. Daar maakten ze zich niet druk over. Het was hun levenswerk om iedereen tot de orde te roepen die niet in hun superioriteit geloofde.

Toen Zuster Ulicia zag hoe Kahlan op al die vervaarlijk uitziende kerels reageerde, maakte ze een hoofdgebaar in de richting van de mannen en boog zich naar Kahlan over. 'Ik weet hoe je je voelt.'

Kahlan betwijfelde dat. Ze wilde echter niets terugzeggen, omdat ze vrij zeker wist dat Jagang in de geest van de Zuster zat en in de gaten hield wat Kahlan zei als hij niet in de buurt was.

'Wat maakt het uit hoe ik me voel?' vroeg ze aan de twee Zusters, die haar oplettend aankeken. 'Hij doet toch met me wat hij wil.' Ze betastte de snee in haar wang, waar Jagang haar met een van zijn ringen had gesneden. De wond was eindelijk opgehouden met bloeden. 'Dat heeft hij me duidelijk genoeg gemaakt.'

'Ja, dat denk ik ook,' zei Zuster Ulicia.

'Hij doet met ons allemaal wat hij wil,' voegde Zuster Armina eraan toe. 'Ik kan maar niet geloven dat we ons zo voor de gek hebben laten houden.'

Een groep officieren keerde terug met Jagang. Ze werden gevolgd door soldaten met reeds gezadelde paarden. Andere mannen waren al bezig om kasten, stoelen, tafels en kleinere spullen uit de keizerlijke tent te halen en in de kisten op de gereedstaande wagens te laden. Zodra de tent was leeggeruimd, maakten ze de scheerlijnen los en lieten de stokken zakken, waarna ten slotte de hele tent werd afgebroken. In een oogwenk was wat een hele tentenstad had geleken, met de grote tent van de keizer in het midden, niet meer dan een leeg veld.

Jagang gebaarde een man dat hij Kahlan de teugels van een paard moest overhandigen. 'Vandaag rijd je met mij mee.'

Hoewel Kahlan zich afvroeg wat ze na vandaag zou doen, hield ze haar mond. Het klonk alsof hij iets met haar van plan was. Ze had geen idee wat, maar vreesde het ergste.

Ze zette haar laars in een stijgbeugel, sprong in het zadel en overzag de mensenzee, terwijl ze probeerde in te schatten hoe groot haar kansen waren als ze probeerde uit te breken. Misschien zou het haar lukken om voorbij de mannen te komen, omdat niemand, met uitzondering van de Zusters en Jagang, haar zich lang genoeg kon herinneren om haar werkelijk te zien. Hoe akelig het vooruitzicht ook was, tussen die soldaten was ze zo goed als onzichtbaar. In hun ogen zou het lijken of een paard zonder ruiter de benen nam en ze zouden niet zonder enige reden onder de voet gelopen willen worden.

De Zusters, ook te paard, hielden haar goed in het oog. Ze reden aan weerszijden van Kahlan om te zorgen dat ze niet wegliep. Zelfs al was ze voor de soldaten onzichtbaar, Kahlan wist dat de Zusters haar met behulp van de halsband ter plekke konden neerhalen. Daarvoor hoefden ze niet eens vlak in de buurt te zijn; dat had Kahlan door schade en schande geleerd. Haar benen deden nog pijn van wat de Zusters haar even daarvoor hadden aangedaan. Het was maar goed dat ze de tocht te paard zou doen, want te voet zou ze niet ver komen.

De mensenzee had zich al in beweging gezet als een donkere, aanzwellende vloed. Miljoenen wapens glinsterden in het licht van de dageraad, waardoor het leek of het leger vloeibaar was. Als een stevig vlot met keizerlijke lijfwachten en een hofhouding van Zusters, dienaren en slaven, dreven ze op de uitgestrekte, kolkende oceaan van mannen die noordwaarts naar de horizon trokken.

Ze reden met de warme, opgaande zon aan hun rechterhand. Tussen de twee Zusters in en omringd door de lijfwachten van de keizer, reed Kahlan voort in de mensenmassa die naar het noorden trok. Hoog in het zadel had ze een goed zicht op alles om haar heen. In elk geval hoefde ze de spullen van de Zusters niet te sjouwen, zoals ze daarvoor altijd had moeten doen.

De soldaten, die in de ochtend nog levendig met elkaar aan het kletsen waren, vielen spoedig stil door de eentonige, zware mars. Praten begon te vermoeiend te worden. Het duurde niet lang of Kahlan begon te transpireren van de hitte. Mannen met zware lasten ploeterden voort, hun ogen op de grond gericht. Wie stopte, zou waarschijnlijk onder de voet gelopen worden. Voor zover ze kon zien, bevond zich achter hen nog een legermacht van miljoenen, die met hen meeging naar het noorden.

In de loop van de dag trokken wagens of mannen te paard door de menigte om voedsel uit te delen. Op regelmatige afstanden reden wagens die water vervoerden. Al snel vormden zich rijen mannen, die tijdens het marcheren op hun beurt wachtten om water te krijgen uit een van de voorbijrollende wagens.

Tegen de middag arriveerde er een kleine wagen in de kring van mensen rond de keizer. Hij bracht warm eten mee, dat aan alle officieren werd uitgereikt. De Zusters gaven Kahlan hetzelfde wat de anderen te eten kregen – een plat brood, gewikkeld om gezouten, lillend vlees. Het was niet erg lekker, maar Kahlan had honger en was blij dat ze iets te eten had.

Toen de avond viel, was iedereen uitgeput van de inspannende mars. Ze hadden al lopend gegeten en waren geen enkele keer gestopt. Ze hadden een afstand afgelegd die Kahlan met zo'n groot leger niet voor mogelijk had gehouden. Ze had het gevoel dat ze door een dikke laag stof was bedekt. Toch betwijfelde ze of ze liever een regenbui had gehad om het stof af te spoelen, want dan zou ze weer onder de modder zitten.

Tot haar verbazing zag ze voor zich iets liggen wat leek op het keizerlijke veld. Vlaggen op de tenten klapperden in de warme wind, alsof ze de keizer welkom wilden heten. Ze begreep dat de wagens met de spullen van de keizer vooruit waren gereden om dit kamp op te zetten. Het leger was zo groot en legde zulke enorme afstanden af, dat het uren, zo niet dagen, kostte voor ze allemaal voorbij dezelfde plek waren gekomen. Ook als ze vooruitreden, bleven de wagens beschermd door het leger. De marcherende soldaten weken uiteen om ze door te laten, zodat ze vaart konden zetten en voor het donker het kamp konden opzetten. Tegen de tijd dat de keizer arriveerde, stond alles weer klaar.

Kahlan zag vlees dat aan het spit boven een aantal vuren werd geroosterd. De geur deed haar maag knorren van de honger. Boven andere vuren hingen dampende ketels aan ijzeren haken. Slaven liepen af en aan. Ze droegen etenswaren, dekten de tafels, draaiden aan de spitten, roerden in ketels en voegden er ingrediënten aan toe ter bereiding van het avondeten. Schalen met brood, vlees en fruit werden in gereedheid gebracht.

Jagang, die vlak voor Kahlan uit reed, steeg voor zijn grote tent af. Een man kwam aanrennen om de teugels over te nemen. Toen de Zusters en Kahlan afstapten, kwamen er andere jongemannen om ook hun paarden weg te leiden. Alsof ze aan een woordeloos commando gehoor gaven, voerden de Zusters Kahlan mee, terwijl ze Jagang naar binnen volgden onder het grote, versierde tapijt door dat voor de tentopening hing en door een gespierde soldaat met ontbloot bovenlijf voor hen open werd gehouden. Hij was nat van het zweet, waarschijnlijk door het opzetten van de tent, en er hing een zurige lucht om hem heen.

Binnen zag het er hetzelfde uit als toen ze die ochtend waren vertrokken. Het was nauwelijks te zien dat ze zich hadden verplaatst. De lampen waren al aangestoken. Kahlan was blij dat de geur van brandende olie iets wegnam van de stank van urine, uitwerpselen en zweet. Er was een aantal slaven haastig bezig de tafel in gereedheid te brengen voor de keizerlijke maaltijd.

Jagang draaide zich plots om en trok Zuster Ulicia aan haar haren naar zich toe. Eerst slaakte ze een kreetje van pijn en schrik, maar ze hield snel haar mond en bood geen verzet toen hij haar dichterbij trok. De slaven keken vluchtig op toen ze Zuster Ulicia's uitroep hoorden. Daarna gingen ze echter meteen verder met hun werk, alsof er niets aan de hand was.

'Waarom kan niemand anders haar zien?' vroeg Jagang.

Kahlan begreep meteen waar hij het over had.

'Door de betovering, excellentie. De ketenvuurbetovering.' Zuster Ulicia stond in een onhandige en ongemakkelijke houding, half voorover en uit balans. 'Dat was juist de bedoeling van de betovering – dat niemand haar kon zien. De bezwering werd speciaal gemaakt om iemand onzichtbaar te maken. Ik denk dat ze is ontworpen om een spion te creëren die niemand in de gaten heeft. We hebben de betovering voor dat doel gebruikt, zodat we de kistjes van Orden uit het Volkspaleis konden smokkelen zonder dat iemand het in de gaten had.'

Kahlan was diep geschokt te horen hoe ze was gebruikt, hoe ze van haar leven en haar geheugen was beroofd. Met een brok in haar keel hoorde ze hoe arrogant en respectloos de Zusters met haar kostbare leven omsprongen. Wat gaf deze vrouwen het recht om iemand zo te behandelen?

Nog niet zo lang geleden had ze gemeend dat ze een niemendal was zonder geheugen, een slavin van de Zusters. In korte tijd had ze ontdekt dat ze Kahlan Amnell was en de Biechtmoeder – wat dat ook mocht zijn. Nu wist ze bovendien dat ze was vergeten dat ze Amnell heette en de Biechtmoeder was, omdat de Zusters haar hadden betoverd.

'Dat is hoe de betovering zou moeten werken,' zei Jagang. 'Waarom zag die herbergier haar dan? Waarom zag dat grietje in Caska haar dan?'

'Ik, ik weet het niet,' stamelde Zuster Ulicia.

Hij trok haar nog meer naar zich toe. Ze wilde zijn vuisten grijpen om te voorkomen dat haar hoofdhuid zou losscheuren, maar toen ze bedacht dat ze zich beter niet tegen hem kon verzetten, liet ze haar armen vallen en haar schouders hangen.

'Laat ik de vraag zo formuleren dat zelfs een stomkop als jij hem kan bevatten. Wat hebben jullie fout gedaan?'

'Maar excellentie...'

'Jullie moeten iets fout hebben gedaan, anders hadden die twee haar niet kunnen zien!' Zuster Ulicia beefde, maar reageerde niet toen hij haar de les begon te lezen.

'Jij en Armina kunnen haar zien, omdat jullie de uitvoerders zijn van de betovering. Ik kan haar zien, omdat ik in jullie geest zat en door hetzelfde proces wordt beschermd. Maar verder zou niemand anders haar moeten kunnen zien. En nu,' zei hij na een korte pauze tussen zijn opeengeklemde tanden door, 'vraag ik nogmaals: wat hebben jullie verkeerd gedaan?'

'Excellentie, we hebben niets verkeerd gedaan. Dat zweer ik.'

Met zijn vinger gebaarde Jagang naar Armina. Ze kwam schoorvoetend, maar gedwee naderbij.

'Wil je mijn vraag beantwoorden en me vertellen wat jullie verkeerd hebben gedaan? Of wil je liever dat ik je samen met Ulicia naar de tenten stuur?'

Haar angst verbijtend, spreidde Zuster Armina haar armen. 'Excellentie, ik zou graag bekennen om mezelf te sparen, maar Ulicia spreekt de waarheid. We hebben niets verkeerd gedaan.'

Hij wierp een boze blik op de Zuster die hij bij haar haren vasthield. 'Het lijkt me overduidelijk dat jullie twee ongelijk hebben – de betovering zou haar onzichtbaar moeten maken, maar sommigen kunnen haar zien. En toch willen jullie vasthouden aan iets wat onmiskenbaar een leugen is? Jullie moeten iets verkeerd hebben gedaan, anders hadden die twee mensen haar niet kunnen zien.'

Zuster Ulicia, die zo'n pijn had dat de tranen haar over de wangen stroomden, probeerde haar hoofd te schudden. 'Nee, Excellentie. Het werkt niet zo.'

'Wat werkt niet zo?'

'De ketenvuurbetovering. Als ze eenmaal is ontketend, gaat ze haar eigen gang. De betovering doet het werk en regelt zichzelf. Daar hebben wij geen zeggenschap of sturing over. In feite is het onmogelijk in het proces in te grijpen. Het wordt in gang gezet en dan verloopt de betovering volgens een vooropgezette procedure. We weten niet eens wat die procedure is. In sommige opzichten werkt het hetzelfde als een geconstrueerde betovering. We zouden er niet aan durven morrelen. De kracht die door het ketenvuur wordt losgelaten, is veel groter dan we kunnen reguleren – en we kunnen zo'n betovering ook niet meer veranderen, zelfs al zouden we het willen.'

'Ze heeft gelijk, excellentie. We wisten wat de bedoeling was, wat het beoogde resultaat was, maar we weten niet hoe de betovering werkt. Waarom zouden we er iets aan veranderen? We wilden dat het werkte, dat de bezwering deed waarvoor ze was bestemd. We hadden geen reden ermee te knoeien, dus kunnen we ook niets verkeerd hebben gedaan.'

'We hebben haar alleen maar in gang gezet,' benadrukte Zuster Ulicia met een door tranen verstikte stem. 'We hebben haar door de verificatiewebben gehaald om te kijken of alles in orde was en vervolgens hebben we haar ontketend. De betovering heeft de rest gedaan. We weten niet waarom die twee mensen haar toch kunnen zien. Dat heeft ons ook volkomen verrast.'

Hij richtte zijn dreigende blik op Zuster Armina. 'Kun je herstellen wat er mis is gegaan?'

'We hebben geen idee wat er aan de hand is,' zei Zuster Armina, 'dus kunnen we het ook niet herstellen. We weten niet eens zeker of er iets mis is. Misschien is het wel normaal dat de betovering zo werkt – dat er een paar mensen zijn die haar om onbekende redenen nog steeds kunnen zien. We hebben nog niet eerder met zo'n ingewikkelde betovering te maken gehad. We hebben geen idee wat er mis is – als er iets mis is – en hoe we dat moeten herstellen.'

'Misschien was het een willekeurige anomalie,' opperde Zuster Ulicia, toen de stilte in de tent onheilspellend werd. 'Dat gebeurt wel eens met magie. Weeffoutjes, die aan de aandacht van makers zijn ontsnapt en niet zijn verholpen. Zoiets zou het kunnen zijn. Per slot van rekening is de betovering al duizenden jaren oud. De bedenkers ervan hebben haar nooit uitgetest, dus er kunnen zich probleempjes voordoen waarvan ze zich niet bewust waren.'

Jagang keek niet erg overtuigd. 'Er moet iets zijn wat jullie verkeerd hebben gedaan.'

'Nee, excellentie. Zelfs de oude tovenaars konden niets doen zodra de betovering in gang was gezet. De magie van Orden is immers in het leven geroepen om de betovering te keren, wanneer die eenmaal was ontketend. Er is niets anders dat haar verloop kan wijzigen.'

Kahlan spitste haar oren. Ze vroeg zich af waarom de Zusters een betovering hadden gebruikt om de kistjes van Orden te stelen, die juist bedoeld waren als tegenwicht tegen die betovering. Misschien hadden ze er zeker van willen zijn dat niemand van dat tegenwicht gebruik kon maken.

Jagang liet eindelijk Zuster Ulicia los. Met een minachtend gegrom smeet hij haar tegen de grond. Ze legde haar handen op haar hoofd om de pijn te verzachten.

Heen en weer benend overdacht de keizer wat hem was verteld. Toen er iemand de tent in gluurde, bleef hij staan en gaf een teken. Verscheidene vrouwen kwamen binnen met kruiken, waaruit ze de mokken op tafel met rode wijn volschonken. De ruimte werd overstroomd door jonge bedienden, die dienbladen en schalen met dampend heet voedsel serveerden. Jagang liep weer heen weer en lette nauwelijks op de slaven die aan de slag gingen.

Toen de tafel was gedekt, nam Jagang erachter plaats in de met houtsnijwerk versierde stoel. Peinzend keek hij naar de twee Zusters. De slaven stelden zich achter hem op, klaar om zijn verzoeken in te willigen, of hem te brengen waar hij om vroeg.

Ten slotte richtte hij zijn aandacht op het eten. Hij klauwde in de ham en rukte er een vuistvol warm vlees af. Met zijn andere hand trok hij hele repen van de grote vleeshomp af en at ze op. Intussen bekeek hij de Zusters en Kahlan alsof hij aan het afwegen was of hij ze zou laten leven of doden.

Toen hij de ham had opgegeten, trok hij zijn mes uit zijn riem en sneed er een stuk gebraden rundvlees mee af. Hij reeg de lap rood vlees aan zijn mes en hield die een tijdje op. Het bloed liep over het lemmet langs zijn arm naar zijn elleboog die op de tafel rustte. Toen keek hij glimlachend op naar Kahlan. 'Dit is een nuttiger gebruik van mijn mes dan jij in gedachten had, vind je niet?'

Hoewel Kahlan even overwoog te zwijgen, was de verleiding te groot. 'Wat ik in gedachten had, vind ik nuttiger. Ik wou dat ik mijn doel had geraakt. Dan hadden we dit gesprek niet gehad.'

Hij glimlachte in zichzelf. 'Misschien.' Toen nam hij een grote slok wijn uit een mok, waarna hij zijn tanden in de homp rundvlees zette die nog steeds aan zijn mes was gespietst. Al kauwend bleef hij Kahlan aankijken. 'Kleed je uit.'

Ze keek verbijsterd. 'Hè?'

'Kleed je uit.' Hij gebaarde met het mes. 'Helemaal.'

Koppig klemde ze haar kaken op elkaar. 'Nee, als u me zonder kleren wilt zien, zult u ze van mijn lijf moeten scheuren.'

Hij haalde zijn schouders op. 'Dat komt nog wel, gewoon voor de lol, maar nu gebied ik je om je uit te kleden.'

'Waarom?'

Hij trok een wenkbrauw op. 'Omdat ik dat zeg.'

'Nee,' herhaalde ze.

Zijn griezelige ogen gleden naar Zuster Ulicia. 'Vertel Kahlan maar over de marteltenten.'

'Excellentie?'

'Vertel haar over onze schat aan ervaring om mensen zover te krijgen dat ze gehoorzamen. Vertel haar welke folteringen we toepassen.'

Voordat Zuster Ulicia iets kon zeggen, nam Kahlan het woord. 'Ga uw gang en martel me maar. Niemand is geïnteresseerd in die oudewijvenpraat. Ik weet toch al dat u me pijn gaat doen – dus ga uw gang.'

'O, maar ik ga jou helemaal niet martelen, liefje.' Hij draaide een poot af van een gebraden gans en gebaarde ermee naar een jonge vrouw achter hem. 'Ik ga háár martelen.'

Kahlan keek naar de vrouw, die plotseling panisch was geworden, en toen weer fronsend naar Jagang. 'Hoezo?'

Hij nam een hap uit het donkere ganzenvlees. Het vet droop van zijn vingers en hij likte zijn ringen af. 'Nou,' zei hij, terwijl hij in het vlees prikte dat aan de ganzenpoot zat, 'misschien moet ik dat dan maar uitleggen. Weet je, een van onze martelingen is dat de ondervrager een sneetje maakt in de onderbuik van de bewuste persoon.' Zich omdraaiend porde hij met de ganzenpoot in de buik van de jonge vrouw, net onder haar navel. De poot liet een vetveeg achter op haar blote huid. 'Ongeveer hier.

En daarna,' ging hij verder, nadat hij zich weer om had gedraaid, 'duwt de ondervrager een tang in haar buik en peurt net zo lang tot hij een stukje van de dunne darm te pakken heeft. Het is allemaal nogal glibberig daarbinnen en degene die de behandeling ondergaat, ligt niet bepaald stil, als je snapt wat ik bedoel, dus het duurt meestal even om het goede gedeelte van de ingewanden te pakken te krijgen. Als dat is gelukt, begint hij ze langzaam naar buiten te trekken. Dat is een pijnlijke geschiedenis.'

Hij boog zich over zijn eten en scheurde weer een reep ham af. 'Als je niet doet wat ik zeg, dan gaan we allemaal naar de foltertenten toe'. Met de slappe reep ham in zijn hand wees hij naar links. 'En dan geef ik een van mijn ervaren folteraars opdracht om dat te doen met dit meisje achter mij.'

Met een ijzige blik keek hij Kahlan aan. 'Allemaal omdat jij weigert mijn bevel op te volgen. Je zult dat hele pijnlijke gebeuren moeten volgen. Je zult naar haar gegil moeten luisteren, naar haar smeekbeden om haar leven te sparen; je zult moeten toekijken terwijl ze leegbloedt, terwijl haar vitale ingewanden naar buiten worden getrokken. Als de man het er een eind uit heeft getrokken, begint hij het om een stok te winden, zoals garen om een klos, zodat de boel een beetje netjes en opgeruimd blijft. Daarna zal hij stoppen en mij aankijken.

Dan zal ik je beleefd vragen om mijn bevel op te volgen. Als je dan weer weigert, laten we hem langzaam nóg een stuk van haar gevoelige, tere, bloederige ingewanden naar buiten trekken en rond de stok wikkelen, terwijl we allemaal luisteren naar haar gegil, haar gekerm en haar smeekbeden om te mogen sterven. Dat hele proces kan wel een tijd in beslag nemen. Het is een gruwelijk langzame en pijnlijke beproeving.' Jagang schonk Kahlan een vrolijke glimlach. 'En ten slotte zul je haar stuiptrekkend dood zien gaan.'

Kahlan keek naar het meisje. Ze had zich niet verroerd, maar was even wit geworden als de berg suiker in de schaal aan de ene kant van de tafel.

Jagang kauwde met smaak op zijn vlees en spoelde de hap met een grote teug wijn weg. 'Daarna mag je zien hoe haar ontzielde karkas op de lijkwagen wordt gegooid, samen met de andere verminkte lichamen van de mensen die ondervraagd zijn.

Vervolgens stel ik Ulicia en Armina voor de keus of ze naar de tenten gestuurd willen worden als vermaak voor mijn mannen, die nogal sterke begeerten hebben, óf dat ze liever een methode bedenken om die halsband rond je nek zo te gebruiken dat je meer pijn krijgt dan je ooit hebt gehad. Maar ik stel als voorwaarde dat je niet flauw mag vallen, want ik wil natuurlijk dat je het allemaal bewust meemaakt.'

Hoewel buiten de herrie van het leger onverminderd doorging, was het in de tent doodstil geworden. Jagang sneed nog een stuk van het bloederige rundvlees af en ging door.

'Als de Zusters al hun mogelijkheden hebben uitgeput, en ik denk dat ze onder mijn aansporing wel met een paar ingenieuze ideeën komen, sla ik je persoonlijk in elkaar tot je nog maar een haarbreed van de dood verwijderd bent. Daarna zal ik je de kleren van het lijf rukken en zul je hier naakt voor me staan.'

Met zijn angstaanjagende ogen keek hij haar strak aan. 'Kies maar, liefje. Wat je ook kiest, je zult hoe dan ook mijn bevel gehoorzamen en uiteindelijk naakt voor me staan. Aan welke manier geef je de voorkeur? Schiet op, want die keus krijg je niet meer.'

Kahlan zag in dat er niets anders op zat. Verzet was zinloos. Ze slikte een brok in haar keel weg en begon onmiddellijk haar hemd los te knopen.

44

Jagang schepte een handvol pecannoten uit een zilveren kom en mikte er een paar in zijn mond. Met een triomfantelijke glimlach keek hij toe, terwijl Kahlan zich begon uit te kleden. Door de zelfvoldane uitdrukking op zijn gezicht voelde ze zich nog wanhopiger en machtelozer.

Haar gezicht was vuurrood geworden, maar ze deed geen pogingen meer zich tegen zijn bevel te verzetten. Ze zou goed moeten kiezen welk gevecht ze aanging en het stond bij voorbaat vast dat ze dit zou verliezen. Het was de vraag of ze ooit zou kunnen winnen. Dat betwijfelde ze. Voor haar was geen redding mogelijk. Dit was haar leven, haar toekomst, alles wat haar nog restte. Ze had niets meer om naar uit te kijken, geen reden om nog iets goeds te verwachten.

Zonder omhaal kleedde ze zich uit. Ze liet haar kleren in een hoopje op de grond vallen en nam niet de moeite ze op te vouwen. Toen ze het laatste kledingstuk had uitgetrokken, bleef ze in elkaar gedoken staan in het doodstille vertrek. Ze hield haar ogen neergeslagen, want ze wilde Jagangs geile, wellustige overwinnaarsblik niet zien. Zo goed mogelijk probeerde ze te verbergen dat ze beefde.

'Ga rechtop staan,' zei Jagang.

Kahlan gehoorzaamde. Ze was opeens doodmoe, niet van lichamelijke inspanning, maar van alles bij elkaar. Waarom verzette ze zich nog? Wat voor leven stond haar te wachten? Ze zou nooit vrij zijn, liefde kennen, zich veilig voelen. Er was geen enkele kans dat ze ooit gelukkig zou worden.

Op dat moment wilde ze niets liever dan zich zo klein mogelijk maken en huilen – of gewoon ophouden met ademen en dan was het afgelopen. Alles leek hopeloos. Het was zinloos zich te verzetten tegen zoveel kracht, zo'n overmacht en zulke grote vermogens.

Haar schaamte was over. Het kon haar niets meer schelen of hij haar aanstaarde. Als hij klaar was met eten, zou hij wel meer doen dan haar alleen maar aanstaren. Daar had ze niets in te kiezen. Ze had nergens meer iets over te zeggen. Haar leven was een armzalig aftreksel geworden. Nu ze zelfs dit niet in de hand had, niet eens kon bepalen of ze zich aan de vernederingen overgaf, had ze geen leven meer. Andere mensen hadden een leven, maar zij niet. Ze haalde adem, keek, voelde, luisterde, proefde, ze dacht nog na, maar dat kon je niet echt leven noemen.

'Recht tegenover de tentopening staat een rotsformatie,' zei Jagang, terwijl hij achterover in zijn stoel leunde. 'Herinner je je nog dat je die bij aankomst hebt gezien?'

Kahlan keek naar hem op, innerlijk verdoofd. Als een gehoorzame slavin deed ze wat hij haar opdroeg en dacht na over zijn vraag. Die had ze inderdaad gezien. Ze herinnerde zich dat ze in de verte een uitstekende rots had gezien, waar de donkere mensenzee omheen was gestroomd. 'Ja, ik weet het nog,' antwoordde ze op doffe toon.

'Prima.' Hij nam een grote slok en zette de kom neer. 'Ik wil dat je naar die rots loopt, niet in een rechte lijn, maar in een grote boog.' Hij trok een wenkbrauw op. 'Geen reden om te blozen, liefje. De mannen kunnen je niet zien, weet je nog?'

Kahlan keek hem met grote ogen aan. 'Maar waarom moet ik dat dan doen?'

Hij haalde zijn schouders op. 'Wel, je hebt twee van mijn wachters gedood. Ik heb een paar nieuwe nodig.'

'Daarbuiten lopen genoeg mannen rond.'

Hij glimlachte. 'Ja, maar ze kunnen jou niet zien. Ik heb mannen nodig die je wel kunnen zien.'

Het begon haar te dagen. Opeens voelde ze zich weer erg naakt. 'Ik heb bedacht dat er geen betere manier is om de mannen te selecteren die jou kunnen zien dan door je naakt aan hen te vertonen.' Met zijn blik nam hij haar van top tot teen op. 'Geloof me, als ze je kunnen zien, zullen ze dat niet onder stoelen of banken steken. Als ze je kunnen zien, zoals de herbergier en dat meisje, en vooral in deze staat, dan weet ik zeker dat ze alles laten vallen waar ze mee bezig zijn en naar buiten komen om je hartelijk te begroeten.'

Hij schaterde het uit om zijn eigen grap. Niemand in de tent vertoonde ook maar een glimp van een lach, maar dat liet hem koud. Eindelijk stierf zijn gebulder weg.

'Ik durf te wedden dat er onder al die mannen een paar zijn die je kunnen zien. Tussen zoveel mannen moeten wel een paar "anomalieën" zitten, zoals Ulicia ze noemt.' Hij hield zijn hoofd scheef. 'Zo kom ik aan wachters die je niet kunt overvallen, waar je niet stiekem voorbij kunt sluipen, zoals bij die andere twee. Weet je, liefje, je hebt een tactische fout gemaakt. Je had die list moeten bewaren tot zich een betere gelegenheid voordeed om te ontsnappen. Die kans heb je nu verspeeld.'

Ze had het niet verspeeld. Ze had het gedaan om Jillians leven te redden. Kahlan wist dat er geen kans was dat ze ooit vrij zou komen, maar ze had Jillian wel haar vrijheid kunnen geven. Het was zinloos om dat tegen hem te zeggen, dus liet ze hem in de waan dat hij een punt had gescoord in het spelletje dat hij met haar speelde.

Kahlan wist niet hoe ze hem het plan uit zijn hoofd kon praten. Ze hoopte dat ze voor iedereen onzichtbaar bleef. Opeens werd ze bang dat iedereen haar kon zien als ze de keizerlijke tent uit stapte. Ze voelde de hitsige blikken van miljoenen opgefokte mannen al op zich rusten.

Jagang gebaarde. 'Ulicia en Armina, jullie gaan met haar mee, maar houd een beetje afstand. Als iemand haar ziet, wil ik niet dat hij jullie in de gaten krijgt en zich inhoudt voordat hij zich kenbaar heeft gemaakt. Ik wil dat iedere man die haar ziet, gretig en brutaal genoeg is om zijn werk onmiddellijk te laten vallen en onze mooie dame te inspecteren.'

Al buigend zeiden ze eenstemmig: 'Ja, excellentie.'

Jagang liet de schijn van vrolijkheid varen en gebood dreigend: 'Naar buiten. Loop rechtsom met een grote boog door het kamp naar die rotsformatie en weer terug naar de tent. Schiet op!'

Schoorvoetend liep Kahlan over de zachte tapijten naar het kleed dat voor de tentopening hing. Zijn wellustige blik priemde in haar rug. Ze schoof het kleed opzij en glipte door de opening.

Bij de aanblik van het uitgestrekte kamp, verstijfde ze van angst. Trillend bij elke stap dwong ze zichzelf om tussen de potige geweldenaren voor de keizerlijke tent door te lopen. De tranen prikten in haar ogen. Ze voelde zich vernederd en volkomen naakt voor al die mannen in het kamp.

Aan de rand van de binnenste ring soldaten bleef ze staan, doodsbenauwd om zich verder te wagen. Ze wilde het uitschreeuwen van woede, van dodelijke schaamte. Ze voelde zich klemgezet door degenen die haar onder de duim hielden. Haar benen weigerden dienst. Toen ze over haar schouder keek, stond keizer Jagang vlak voor zijn tent en hield de vrouw die hij gedreigd had te folteren, aan haar haren vast. Ze huilde van machteloosheid.

Kahlan had zich al een keer opgeofferd om Jillians leven te redden. Ze besloot dat ze dit zou doen om het leven te redden van de vrouw die nu door Jagang op zo'n vreselijke manier werd bedreigd. Zij was ook maar een slavin, die niets te kiezen had in het leven. Kahlan was de enige die haar een verschrikkelijk lijden kon besparen.

Kahlan draaide zich weer om naar het chaotische kampement en liep verder. De grond was ongelijk. Ze moest uitkijken waar ze haar voeten neerzette om niet op stenen, kapotte spullen of verse drollen te trappen.

Ze herinnerde zichzelf eraan dat geen van de mannen haar kon zien. Bij de volgende kring soldaten, waarvoor bonken van kerels op wacht stonden, bleef ze staan. Tersluiks gluurde ze naar een man naast haar. Hij zag haar niet en hield alleen maar de boel verderop in de gaten. Tot dusver had niemand haar gezien. Toen ze omkeek, zag ze dat de Zusters bleven wachten tot ze verder liep. Jagang hield nog steeds de vrouw aan haar haren vast. Kahlan begreep de boodschap en liep onverwijld door.

Er stonden paarden in de buurt. Even overwoog ze om erheen te rennen. In gedachten stelde ze zich voor dat ze op een paard sprong, weggaloppeerde en uit het kamp wist te ontsnappen. Ze wist dat het fantasie was. De Zusters zouden een golf van pijn door de halsband sturen en haar op de grond smijten. Bovendien zou de vrouw die Jagang vasthield, sterven. Hij was er de man niet naar loze dreigementen te uiten. Die zou hij zeker uitvoeren, opdat niemand dacht dat hij had gebluft.

Hoewel Kahlan wist dat ze onmogelijk kon ontsnappen, leidde

het fantaseren erover haar aandacht af van al die mannen om haar heen, van al die smerige handen waar ze onwillekeurig naar bleef kijken. Ze voelde zich ontzettend kwetsbaar en naakt. In het uitgestrekte kamp was ze een even opvallende verschijning als een roomwitte waterlelie in een grote, stinkende moddervlakte.

Ze liep snel, want hoe vlugger ze haar ronde volbracht, des te eerder zou ze terug zijn in de beschutte omgeving van de tent. Het was een akelig idee dat Jagangs tent haar toevluchtsoord was en die verschrikkelijke man haar beschermer, maar dan zou ze in elk geval uit het zicht van de soldaten zijn. Dat was alles wat ze op dat moment wilde. Daarop concentreerde ze zich: loop naar de rotsformatie en weer terug. Hoe sneller ze dat deed, des te eerder zou ze weer in de tent zijn.

Tenzij er in de menigte soldaten mannen waren die haar konden zien. Dat was best mogelijk. Ze had al twee mensen ontmoet die haar hadden gezien, twee van een betrekkelijk klein aantal mensen. Dit leger bestond uit miljoenen soldaten. De kans was groot dat ze mannen tegen zou komen die haar maar al te goed konden zien.

Wat zou ze in dat geval doen? Ze wierp een blik over haar schouder. De Zusters waren ergens ver achter haar in de mensenzee. Stel dat een van de mannen haar zou grijpen, tegen de grond trok en wegsleepte? Eindelijk zetten de Zusters zich weer in beweging en volgden haar, maar nog steeds lagen ze een eind achter. Kahlan vroeg zich bezorgd af wat er zou gebeuren als de mannen haar opeens konden zien en vastgrepen? Stel dat een hele groep mannen haar kon zien. Zouden de Zusters in staat zijn een troep smeerlappen van haar af te trekken? Bovendien liepen de Zusters een heel eind achter haar. Hoe erg zouden de mannen haar al hebben aangerand voordat de Zusters opdoken?

Maar de Zusters konden magie gebruiken. Dan zouden ze toch zeker niet werkloos toekijken terwijl zij werd verkracht? Ze vroeg zich af waar ze dat vertrouwen op baseerde.

Jagang zou haar in elk geval voor zichzelf willen houden. Hij was er de man niet naar om zijn meest begeerde trofee met ondergeschikten te delen. Hij wilde haar voor zichzelf houden. Bij het idee dat hij boven op haar zou liggen, kroop er een ijskoude rilling over haar rug.

Haar dringendste probleem op dit moment was niet Jagang, maar deze mannen. Toen ze langs een soldaat liep die met zijn rug naar haar toe stond, pakte ze met een soepele beweging het mes uit de schede op zijn heup. Ze liet de beweging synchroon lopen met haar normale armzwaaien. Als de Zusters haar in de gaten hielden, zouden ze het niet kunnen zien. De man wierp een blik achterom, want hij had iets gevoeld. Hoewel hij haar even recht in het gezicht keek, wendde hij zijn blik af en hervatte het gesprek. De mannen tussen wie ze door was gelopen, bevonden zich nog steeds in de buitenste kringen van de vele cirkels rond het keizerlijke veld, maar nu moest ze verder om zich tussen de gewone soldaten te begeven. Ze waren aan het drinken, lachen en dobbelen, en vertelden elkaar verhalen rond de kampvuren. Er waren paarden, die vastgebonden waren aan palen, en hier en daar stonden wagens. Sommige mannen hadden al primitieve tenten opgezet, terwijl andere genoegen namen met een maal bij het kampvuur of in de open lucht in slaap waren gevallen.

Ook zag ze dat er vrouwen naar de tenten werden meegenomen. Geen enkele vrouw keek er vrolijk bij. Ze zag andere vrouwen naar buiten komen, waar ze werden opgewacht en naar de volgende tent gesleurd. Kahlan herinnerde zich dat Jagang de Zusters had gedreigd hen voor straf naar de tenten te sturen. Het gejammer van de vrouwen in de tenten deed Kahlan het ergste vrezen voor wat haar te wachten stond als ze straks terug was in Jagangs tent. Hoe verschrikkelijk het ook was om door die mannen naar hun tent meegenomen te worden, toch kon Kahlan geen medelijden voor de Zusters opbrengen. Zelfs als ze uiteindelijk door die mannen verkracht zouden worden, waren ze in Kahlans ogen nog niet genoeg gestraft. Ze verdienden een veel gruwelijker lot.

Een van de mannen bij haar in de buurt keek naar haar. Ze zag een flits van herkenning in zijn ogen, terwijl hij haar strak aankeek. Hij zag haar. Zijn mond viel open, zo opgetogen was hij dat deze prachtige vrouw hem, bij wijze van spreken, zomaar in zijn schoot werd geworpen.

Toen hij overeind kwam, maar nog niet helemaal rechtop stond, reet Kahlan zijn buik van links naar rechts open, terwijl ze snel doorliep, alsof er niets aan de hand was. De man keek verbijsterd en deed een zwakke poging zijn ingewanden tegen te houden, die als een rommelig zootje naar buiten puilden. Hij wankelde en sloeg tegen de grond, een paniekerig gegrom uitstotend dat ongemerkt opging in het algehele lawaai. Zodra hij de grond raakte, stroomden zijn ingewanden eruit. Mannen keken om, sommigen geschrokken, anderen lachend. Iedereen dacht dat de man zojuist een tweegevecht had verloren.

Kahlan bleef niet staan en keek niet om. Ze bleef doorlopen, zonder haar ferme pas te onderbreken, terwijl ze zichzelf aan haar opdracht herinnerde: loop in een grote boog naar de rots en weer terug naar de tent. Doe wat je is opgedragen.

Toen er een man uit de menigte opdook en op haar afstormde, spande ze haar spieren aan en maakte gebruik van de vaart die de man had, door het mes onder zijn ribben te steken, zodat zijn vitale organen uiteen werden gereten. Door de opgaande stoot en zijn neervallende gewicht verdween haar vuist door de snee naar binnen, tot diep in zijn warme ingewanden. Zonder een woord te zeggen zeeg hij als een zoutzak in elkaar, waaruit ze opmaakte dat ze waarschijnlijk zijn hart had geraakt. Na die korte ontmoeting was haar hele hand met bloed besmeurd.

Ze vroeg zich af waar ze dit soort dingen had geleerd. Het leek wel of het vanzelf ging, zoals emoties ook vanzelf komen, zonder dat je ze hoeft op te roepen. Hoewel ze zich niets van haar verleden herinnerde, wist ze blijkbaar hoe ze een wapen moest hanteren. Dat kwam haar in elk geval goed van pas.

Terwijl ze zich een weg zocht door de zee van soldaten, kwam ze bij een plek waar het gonsde van de activiteiten. Iedereen was naar achteren geweken en in het midden van het laaggelegen terrein was een open veld ontstaan, waarop twee teams een Ja'La-wedstrijd speelden. Er stonden tienduizenden soldaten omheen, die het ene of het andere team aanmoedigden. Ja'La was een agressief spel, waarbij de spitsspeler het meest van het andere team te verduren had. Toen hij neerviel en doodbloedde, juichte de helft van de omstanders uitbundig.

'Nou, nou,' zei een man aan haar linkerzij. 'Ik geloof dat ik een mooie hoer op bezoek heb.'

Terwijl ze zich naar hem omdraaide, greep een andere man van rechts haar pols, verdraaide die en pakte haar het mes af. Ogenblikkelijk doken de twee mannen bovenop haar, grepen haar beet en trokken haar weg uit de menigte die naar het Ja'La-spel stond te kijken.

Kahlan probeerde zich los te worstelen, maar ze waren veel sterker en hun aanval had haar verrast. Heimelijk was ze razend op zichzelf dat ze niet beter had opgelet. Geen van de andere mannen in de buurt had iets in de gaten. Die konden haar niet zien; voor hen was ze onzichtbaar, maar niet voor deze twee, die haar insloten om haar van de andere soldaten af te schermen, voor het geval iemand hun kersverse trofee van hen wilde afpakken. Kahlan had net zo goed met die twee alleen kunnen zijn.

Een van beide mannen schoof zijn hand tussen haar benen. Geschokt hapte ze naar adem bij die plotselinge schending. Toen hij zich naar haar toe boog om haar vast te grijpen, wist ze haar pols los te rukken. Razendsnel bracht ze haar arm naar achteren en ramde zo hard met haar elleboog midden in zijn gezicht dat zijn neus brak. Schreeuwend wankelde hij achteruit, terwijl het bloed over zijn wangen en in zijn ogen stroomde. De andere man begon te lachen, omdat hij het als een gelegenheid zag om haar voor zichzelf te houden. Hij liep de andere kant uit en sleurde haar mee. Zijn sterke hand omklemde haar polsen, terwijl hij haar met de andere hand alvast begon te betasten.

Kahlan worstelde en kronkelde, maar hij was veel te groot en stevig gebouwd. Ze kon niet voldoende kracht zetten om zich uit zijn greep te bevrijden.

'Jij bent een pittige donder,' fluisterde hij in haar oor. 'Wat denk je wel... dat je je heilige verplichting aan de soldaten van de Orde kunt verzaken? Vind je jezelf te goed om dienstbaar te zijn in de tenten? Vergeet dat maar. Hier is mijn tent, dus doe je plicht.'

Kahlan wrong zich in allerlei bochten en probeerde hem te bijten, terwijl hij haar naar een lege tent in de buurt sleepte. Hij gaf haar een vuistslag, die haar deed duizelen. Het lawaai van het kampement vervaagde. Ze verloor de macht over haar spieren, kon zich niet meer verzetten tegen de smerige soldaat, die haar naar zijn tent sleurde.

Opeens zag ze het gezicht van Zuster Ulicia opduiken. Voor het eerst was ze blij een van de Zusters te zien.

De Zuster leidde zijn aandacht even van Kahlan af en drukte vervolgens haar vingers tegen zijn slaap. Nu ze vrij was, sprong Kahlan weg, terwijl haar overweldiger op zijn knieën viel en jammerend van pijn zijn vuisten naar zijn hoofd bracht.

'Sta op,' gebood Zuster Ulicia. 'Of ik doe nog iets veel ergers.'

Wankelend kwam hij overeind. 'Je bent per direct ontboden naar de tent van de keizer om hem als speciale wachter te dienen.'

De man keek verbijsterd. 'Speciale wachter?'

'Inderdaad. Je moet deze lastige jongedame voor Zijne Excellentie bewaken.'

De man wierp Kahlan een blik toe die niet veel goeds voorspelde. 'Graag.'

'Graag of niet, schiet op. Dit is een bevel van keizer Jagang persoonlijk.' Met haar duim wees ze over haar schouder. 'Die kant op.'

De soldaat boog zijn hoofd, overduidelijk bevreesd voor haar magische krachten. Hij bekeek de Zuster met argwanende, maar onuitgesproken afkeer. De begaafden stonden kennelijk niet in hoog aanzien bij deze kerels.

'Dan zie ik je binnenkort wel weer,' zei de man dreigend tegen Kahlan, waarna hij wegrende om te doen wat hem was opgedragen.

Kahlan zag dat Zuster Armina dezelfde opdracht gaf aan de man met de gebroken neus. Ze sprak zo zacht dat Kahlan het niet boven al het gejuich uit kon horen, maar de man had het wel gehoord, want hij verstijfde van schrik, maakte een buiging voor haar en rende de eerste man achterna.

Zuster Ulicia richtte haar aandacht weer op Kahlan. 'Tranen brengen je geen steek verder en nu lopen, jij!'

Kahlan sprak haar niet tegen. Hoe eerder dit voorbij was, des te beter. Ze zette zich meteen in beweging, terwijl ze zich gelukkig prees dat ze van de vier mannen die haar tot nu toe hadden gezien, er twee had uitgeschakeld. Ze moest rakelings langs het Ja'-La-spel lopen, dat de menigte tot steeds grotere opwinding opzweepte. Ze stopte even en ging op haar tenen staan om te kijken waar de rots zich bevond en toen koerste ze daar recht op af.

Tegen de tijd dat ze Jagangs tent weer had bereikt, waren er vijf mannen gevonden. Allen stonden voor de tent op bevelen te wachten. De man met de gebroken neus was er ook bij. Hij wierp haar een boosaardige blik toe toen ze langs hem liep. Vervolgens werd ze door de Zusters de tent in geloodst.

Na de eerste keer dat Zuster Ulicia haar had bevrijd, was Kahlan erin geslaagd zich razendsnel weer te bewapenen. Deze keer had ze twee messen weten te bemachtigen, voor elke hand één.

Ze had ze met het heft in haar vuist geklemd en het lemmet tegen haar pols, zodat de Zusters, die haar op enige afstand waren gevolgd, de messen niet hadden kunnen zien.

Ze had nog zes andere mannen kunnen doden, die haar hadden gezien, zonder dat de Zusters er iets van hadden gemerkt. Het was niet moeilijk geweest, omdat de mannen geen aanval van een naakte vrouw hadden verwacht. Daar hadden ze zich lelijk in vergist. Omdat ze niet op hun hoede waren geweest, had Kahlan snel en zonder omhaal kunnen toesteken. Er was zoveel herrie in het kamp, zoveel chaos, dronkenschap, geschreeuw en geruzie, dat de Zusters de door Kahlan uitgeschakelde mannen niet eens opmerkten.

Een enkele keer was het haar niet gelukt om iemand die haar kon zien, te doden. Soms waren Zuster Ulicia en Armina te dicht in de buurt geweest. Soms hadden ze te goed opgelet, waren haar te hulp geschoten en hadden de betreffende soldaat aangesteld als nieuwe wachter. In dat geval had Kahlan haar messen op de grond laten vallen en tussen de soldaten laten verdwijnen, zodat de Zusters niet zouden vermoeden wat ze van plan was geweest. Omdat ze voor bijna alle mannen onzichtbaar was, was het makkelijk geweest om tijdens de lange, zenuwslopende tocht tussen de soldaten aan andere messen te komen.

Zodra ze de tent in kwam, wierp Jagang haar haar kleren toe. 'Kleed je aan.'

Hoewel ze dat bevel niet had verwacht, vroeg ze niet naar de reden, maar begon zich meteen aan te kleden. Onder zijn niet-aflatende donkere blik was het een hele opluchting zich gekleed aan hem te kunnen vertonen, ook al leek zijn interesse in wat hij van haar had gezien, er niet door verflauwd.

Ten slotte wendde hij zich weer tot de Zusters. 'Ik heb onze nieuwe wachters geïnstrueerd.' Zijn glimlach deed de Zusters verschrikt in elkaar krimpen. 'Nu er een paar wachters zijn die jullie van deze taak ontlasten, hebben jullie tijd om in de tenten een andere last op jullie te nemen.'

'Maar excellentie...' protesteerde Zuster Armina met trillende stem, 'we hebben alles gedaan wat u verlangde. We hebben de mannen...'

'Denk je echt dat je me maar korte tijd hoeft te gehoorzamen, en dat ik dan zomaar al die jaren vergeet dat jullie slimme plannetjes tegen mij beraamden? Denk je echt dat ik zo makkelijk vergeet dat jullie je plichten hebben verzaakt, jullie dienstbaarheid aan de zaak van de Orde, jullie verantwoordelijkheid om wereldlijke verlangens op te offeren voor het heil van anderen?'

'Zo was het niet, excellentie.' Handenwringend zocht Zuster Armina naar woorden waarmee ze zich eruit zou kunnen redden. 'Ja, ik geef toe dat we schandalig egoïstisch zijn geweest, maar het was niet tegen u gericht.'

Hij stootte een minachtend lachje uit. 'Alsof ik er geen last van zou hebben als de Wachter uit de onderwereld wordt bevrijd. Alsof het niet tegen mij is gericht, tegen de leefwijze van de Orde, tegen de Schepper, als de mensheid aan de Wachter van de Doden wordt overgeleverd.'

Zuster Armina zweeg, want daar kon ze niets tegen inbrengen. Kahlan had de Zusters altijd als adders gezien, maar nu waren het adders die kronkelden voor iemand die een veel te dikke huid had om hun giftanden in te zetten. Zuster Ulicia en Armina waren aantrekkelijke vrouwen. Kahlan had zo'n idee dat ze het daardoor nog zwaarder te verduren zouden krijgen van de beestachtige soldaten van het Imperiale leger.

'Ik heb nu de macht over de...' Jagang, die bijna haar titel had gebruikt, onderbrak zichzelf. '... over Kahlan, door de halsband en via jullie vermogen. Ik heb jullie aanwezigheid niet nodig om dat vermogen op te roepen als het nodig is – zolang jullie maar in leven zijn. Ik zal mijn mannen op het hart drukken dat ze wel van jullie vrouwelijke charmes mogen genieten, maar jullie niet mogen doden.'

'Dank u wel, excellentie,' bracht Zuster Ulicia uit met een iel stemmetje. Ze klemde haar rok tussen haar vuisten, waarvan de knokkels wit waren.

'Buiten staan twee mannen op jullie te wachten. Ik heb ze al verteld wat ze moeten doen. Ga met ze mee.' Hij wierp hun een dodelijke grijnslach toe. 'Een goede nacht, dames. Dat hebben jullie verdiend, en nog veel meer.'

Terwijl de Zusters wegliepen, bleef Kahlan in het midden van de tent staan. Haar wachtte hetzelfde lot.

Jagang kwam naar haar toe. Ze had het gevoel dat ze van angst zou flauwvallen of zou overgeven bij de gedachte aan wat er ging gebeuren.

45

Kahlan staarde naar het patroon in het tapijt bij haar voeten op de grond, want ze wilde Jagang niet uitdagend in zijn zwarte ogen kijken. Zo'n staaltje van bravoure zou haar op het moment niet verder helpen.

Toen ze had moeten lopen, terwijl de Zusters op een paard hadden gezeten, had ze zich voorgehouden dat het haar sterker zou maken; er zou een tijd komen dat ze haar krachten hard nodig zou hebben. Op dezelfde manier hield ze zich voor dat ze haar innerlijke kracht nu niet voor een zinloze daad van verzet zou gebruiken. Het was verspilde moeite als ze zou protesteren tegen haar overweldiger en wat hij met haar ging doen, terwijl ze hem toch niet kon tegenhouden. Ze wilde haar withete woede voor het juiste moment bewaren.

En dat moment zou komen. Ze beloofde zichzelf dat haar tijd zou komen. Al moest ze zich in de kaken van de dood zelf werpen, ze zou haar smeulende woede koelen op wie dit haar en alle andere onschuldige slachtoffers van de Imperiale Orde aandeden.

Ze zag dat Jagangs laarzen vlak voor haar stil bleven staan. Omdat ze verwachtte dat hij haar zou vastgrijpen, hield ze haar adem in. Ze wist niet hoe ze zou reageren als dat werkelijk gebeurde, hoe ze kon verdragen wat hij met haar ging doen. Ze sloeg haar ogen iets op, net genoeg om het mes te kunnen zien dat aan zijn riem hing. De muis van zijn hand rustte op het heft.

We gaan naar buiten, kondigde hij aan.

Fronsend keek Kahlan op. 'Naar buiten? Waarom?'

'Vanavond is er een Ja'La dh Jin-toernooi. De verschillende regimenten van ons leger hebben elk hun eigen team. 's Avonds zijn er vaak wedstrijden. Het is goed voor het moreel van de soldaten dat de keizer bij de spelen aanwezig is.

We halen mannen uit het hele veroverde deel van de Nieuwe Wereld en geven hun de kans om mee te doen en andere teams uit te dagen. Voor hen is het een prachtige kans om te integreren in de nieuwe cultuur die we de overwonnen landen brengen, zich te voegen naar het stelsel van de Orde en mee te doen met onze levenswijze.

De beste spelers kunnen tot helden uitgroeien. Vrouwen vechten om zo'n man. Mijn team bestaat uit zulke topspelers, helden die nooit verliezen. Na het spel worden ze opgewacht door een schare vrouwen, allemaal even begerig om hun benen voor hen te spreiden. Ja'La-spelers kunnen elke vrouw krijgen die ze willen.'

Kahlan bedacht in stilte dat Jagang als keizer ook een ruime keus had, want veel vrouwen vallen nu eenmaal voor een man met macht en autoriteit, en toch drong hij zich met geweld aan haar op. Blijkbaar nam hij liever iets wat hem niet op een presenteerblaadje werd aangereikt, gaf hij de voorkeur aan iets waar hij geen recht op had op grond van zijn positie.

'Vanavond spelen een paar teams voor een plaats in de competitie. Ze hopen allemaal een keer tegen mijn team te mogen spelen om de eerste plaats. Mijn team speelt een tot twee keer per maand tegen de winnaar van de competitie. Het heeft nog nooit verloren. Elke groep nieuwkomers koestert de vurige wens dat ze eens het topteam van de keizer zal verslaan en kampioen van het toernooi wordt. Zo'n team zou met beloningen overladen worden, waaronder de niet te versmaden aandacht van de allermooiste vrouwen, die nu alleen maar oog hebben voor de spelers in mijn team.'

Hij vertelde met zoveel smaak over wat die vrouwen deden, dat het leek alsof hij alle vrouwen over één kam schoor en Kahlan tot hetzelfde in staat achtte, maar dan sneed ze nog liever haar polsen door.

Ze negeerde zijn toespelingen en veranderde van onderwerp. 'Als uw eigen team niet speelt, waarom gaat u dan toch kijken? U lijkt me niet iemand die uw onderdanen uit pure edelmoedigheid wil trakteren op uw hooggeëerde aanwezigheid.'

Hij wierp haar een verbaasde blik toe, alsof het een rare vraag was. 'Om hun tactiek te zien, natuurlijk, om de sterke en zwakke kanten ontdekken van de toekomstige tegenstanders van mijn team.'

Opnieuw glimlachte hij sluw. 'Dat doe jij ook – de kracht van je tegenstander taxeren – en zeg niet dat het niet waar is. Ik zie je blik naar de wapens gaan, de inrichting van de kamer, de positie van de wachters, mogelijke dekking en vluchtwegen. De hele tijd ben je op zoek naar kansen, de hele tijd op de uitkijk, de hele tijd aan het beramen hoe je degenen die je in de weg staan, kunt verslaan. Het principe van Ja'La dh Jin is hetzelfde. Het is een strategisch spel.'

'Ik heb het spel gezien. Volgens mij is tactiek van ondergeschikt belang en gaat het vooral om wie het wreedst is.'

'Nou ja, als je niet van de tactiek houdt,' zei hij met een vuile grijns, 'geniet je er vast wel van de mannen te zien zweten, zwoegen en vechten. Dat is waarom vrouwen meestal naar Ja'La kijken. Mannen houden meer van de tactiek, van het verloop van het spel, van de mogelijkheid hun team aan te moedigen en zich in te beelden dat ze zelf van die krachtpatsers zijn. De vrouwen kijken graag naar de halfnaakte lijven en van het zweet glimmende spierbundels. Ze willen dat de sterkste man wint, dromen ervan om het liefje te zijn van zo'n grote held, terwijl ze heimelijk beramen hoe ze zichzelf kunnen aanbieden.'

'Ik vind het allebei even zinloos, zowel het geweld als de platte seks.'

Hij haalde zijn schouders op. 'Ja'La dh Jin betekent in mijn eigen taal "het spel des levens". Het leven is toch ook een strijd, een keihard gevecht? Een strijd tussen de mensen onderling en tussen de seksen? Het leven is wreed, net als Ja'La.'

Kahlan wist dat het leven wreed kon zijn, maar dat wreedheid niet was waar het in het leven om ging. Ze wist ook dat de seksen niet elkaars tegenstander waren, maar samen moesten werken en van het leven genieten.

'Voor mensen als u is dat zo,' zei ze. 'Dat is een van de verschillen tussen u en mij. Voor mij is geweld het laatste redmiddel als ik mijn leven moet verdedigen, mijn recht op bestaan. Voor u is wreedheid het middel om uw verlangens te bevredigen, zelfs uw meest normale verlangens, want iets anders dan geweld hebt u niet te bieden in ruil voor wat u begeert of nodig hebt – ook vrouwen. U eigent zich dingen toe, maar u verdient het niet.

Ik ben beter dan u. U hebt geen waardering voor het leven en wat daarbij hoort. Ik wel. Daarom moet u alles kapotmaken wat goed is – omdat het de leugen aantoont van uw nietswaardige bestaan, omdat het veel te goed laat uitkomen dat u uw leven verspilt. Dat is de reden dat u en uw soortgenoten mensen als ik haten – omdat ik beter ben en dat weten jullie.'

'Dat is typisch de overtuiging van een zondaar. Het is een zonde tegen de Schepper en je medemensen om betekenis aan je eigen leven te hechten.'

Toen ze hem alleen maar boos aankeek, trok hij vermanend een wenkbrauw op, terwijl hij iets naar haar overhelde. Hij stak zijn vlezige vinger op, waaraan hij een buitgemaakte ring droeg, om haar op iets belangrijks te wijzen, alsof hij een egoïstisch, koppig kind, dat een aframmeling verdiende, terechtwees. 'Het Genootschap van de Orde leert ons dat iemand die beter dan anderen is, slechter is dan iedereen.'

Bij het horen van die platte ideologie kon Kahlan hem alleen maar met grote ogen aanstaren. Die vrome, hol klinkende leus gaf haar plotseling goed inzicht in de peilloze diepte van zijn wreedheid en in het schadelijke karakter van de Orde zelf. Het was een concept dat zich ver had verwijderd van de fundamenten waarop het was verrezen – dat elk leven evenveel bestaansrecht had. Het diende uitsluitend als rechtvaardiging om te doden uit naam van een verwrongen opvatting van de Orde over het algemeen belang. Met die simpele maar irrationele slogan had hij ongewild zijn hele filosofie onthuld.

Dat verklaarde de verdorvenheid van zijn zaak en de overheersende emoties waardoor die menigte monsterlijke mannen daarbuiten werd voortgedreven, hun bereidwilligheid iedereen te doden die zich niet aan hun leer onderwierp. Het was een doctrine die wars was van beschaving, die primitiviteit tot levensstijl verhief en voortdurend geweld vereiste om alle nobele ideeën en de mensen die ze koesterden, uit te roeien. Het was een beweging met aantrekkingskracht voor dieven die zich wilden rechtvaardigen, en moordenaars die heilige absolutie zochten voor het bloed van de onschuldige slachtoffers waarmee hun ziel was doordrenkt.

Verworvenheden kwamen niet toe aan degenen die ze tot stand hadden gebracht, maar aan anderen, die er niet voor hadden gewerkt en het niet verdienden, juist ómdat ze er niet voor hadden gewerkt en het niet verdienden. Diefstal stond meer in aanzien dan eigen prestaties.

Het was de totale ontkenning van het individu. Tegelijkertijd was het een afschuwelijk trieste capitulatie voor zwakte, een onvermogen om op een ander dan primitief dierlijk niveau te leven, terwijl men zich klein maakte uit angst dat iemand anders beter zou zijn. Het was niet zomaar een afwijzing van al het goede, een afkeer van eigen inspanning, maar iets veel ergers. Het was de uitdrukking van een alles verterende haat jegens het goede, die voortkwam uit een innerlijke onwil om naar het waardevolle te streven. Evenals alle irrationele overtuigingen waren ook deze ideeën onwerkbaar. Om te kunnen leven, moesten ze opzij worden gezet, anders kon men niet de wereldheerschappij nastreven die daarmee in strijd was. De Orde zelf, de fakkeldrager van gelijkheid, bestond niet uit gelijken. Het maakte niet uit of het een Ja'La-speler was, een uitstekend gekwalificeerde soldaat of de keizer zelf, maar de besten werden naar voren gehaald en vereerd. Dat betekende dat de Orde innerlijk werd verteerd door zelfhaat, omdat ze niet volgens hun eigen leerstellingen konden leven en bang waren door de mand te vallen. Als straf voor hun onvermogen zich aan de verheven leer te houden, geselden ze zichzelf door te verkondigen hoe waardeloos de mens was en richtten hun haat op zondebokken. De slachtoffers kregen de schuld.

Uiteindelijk was dit geloof niets anders dan een zelfbedachte religie – onvoorstelbare nonsens die als een mantra werd herhaald om het geloofwaardig te maken, om het als heilig te laten klinken.

'Ik heb de Ja'La-spelen al gezien,' zei Kahlan. Ze wendde zich af. 'Ik hoef ze niet meer te zien.'

Hij greep haar bij haar bovenarm vast, draaide haar met een ruk om, zodat ze hem moest aankijken. 'Ik weet dat je dolgraag met me naar bed wilt, maar dat kan wachten. Eerst gaan we naar de Ja'La-spelen kijken.'

Op zijn gezicht verscheen een vunzige glimlach, alsof er gore drab uit zijn verrotte ziel oprees. 'Als je niet kunt genieten van het spel omwille van de tactiek en de strijd, kun je je ogen eens laten gaan over het naakte vlees van de spelers. Ik weet zeker dat het schouwspel je begeerte zal wekken naar wat er vanavond komt, dus beteugel je ongeduld.'

Kahlan vond het opeens nogal dom dat ze had geprotesteerd tegen iets waardoor ze niet met hem naar bed hoefde, maar Ja'La werd buiten gespeeld, te midden van al die mannen en ook dat trok haar niet aan. Ze had echter geen keus. Ze verafschuwde het om tussen die gemene kerels te zijn, maar probeerde zich te vermannen. De soldaten konden haar immers niet zien. Het was dwaas om zo bang te zijn.

Hij duwde haar naar de uitgang van de tent. Ze verzette zich niet. Dit was niet het juiste tijdstip om zich te verzetten.

Buiten stonden de vijf speciale bewakers op wacht. Hoewel ze allemaal zagen dat Kahlan gekleed was, hielden ze hun mond. Ze stonden in hun volle lengte rechtop, alert en klaar om toe te schieten zodra hun dat werd opgedragen. Kennelijk zetten ze hun beste beentje voor om indruk op de keizer te maken.

Kahlan nam aan dat het voor de keizer geen bezwaar was als hij beter was dan de anderen en het hem niet slechter maakte dan iedereen. Hij vocht voor een leer, maar beschouwde zichzelf als uitzondering, evenals zijn mannen dat deden. Kahlan besloot wijselijk hem daar niet op te wijzen.

'Dit zijn je nieuwe bewakers,' zei Jagang tegen haar. 'Ik verwacht geen herhaling van het vorige incident, want deze mannen kunnen je zien.'

De mannen zagen er erg tevreden uit, zowel met zichzelf als met de onschuldig ogende vrouw die ze moesten bewaken.

Met een snelle blik taxeerde Kahlan de eerste man die door de Zusters was aangesteld, de vriend van de man met de gebroken neus. Ze keek eens goed naar zijn wapens, een mes en een slordig vervaardigd zwaard, waarvan de greep uit twee houten helften bestond die met staaldraad aan de kling waren bevestigd. Ze keek naar de lompe manier waarop hij die wapens droeg. In een oogopslag wist ze dat hij ze met veel bravoure had gebruikt om onschuldige vrouwen en kinderen af te slachten. Ze betwijfelde of hij er ooit mee tegen een andere man had gevochten. Hij was een schoft en intimidatie was zijn favoriete wapen.

Aan zijn zelfvoldane glimlach te zien had hij weinig respect voor haar. Per slot van rekening had hij haar bijna zover gekregen dat ze haar plicht deed in zijn tent. In zijn beleving had het maar weinig gescheeld of ze had onder hem gelegen.

'Jou,' zei ze, terwijl ze naar het punt recht tussen zijn ogen wees, 'jou zal ik als eerste doden.'

Alle mannen grinnikten. Met een keurende blik nam ze de mannen en hun wapens op, zodat ze wist wat ze moest weten. Daarna wees ze op de man met de gebroken neus: 'En jij bent als tweede aan de beurt.'

'En wij dan?' vroeg een van de andere drie mannen, die zijn lachen niet kon inhouden. 'In welke volgorde ga je ons doden?'

Kahlan haalde haar schouders op. 'Dat weet je zodra ik je de keel doorsnijdt.'

De mannen lachten allemaal, maar Jagang niet. 'Als ik jullie was, zou ik haar serieus nemen,' sprak de keizer. 'De laatste keer dat ze een mes in handen kreeg, heeft ze twee van mijn trouwste lijfwachten gedood – mannen die veel betere soldaten waren dan jullie – en nog een Zuster van de Duisternis. Dat heeft ze in haar eentje gedaan en het ging razendsnel.'

Het gelach stierf weg.

'Jullie moeten allemaal waakzaam blijven,' grauwde Jagang met diepe stem, 'anders mol ik jullie hoogstpersoonlijk als ik denk dat jullie je plicht verzaken. Als ze aan jullie toezicht ontsnapt, stuur ik jullie naar de foltertenten en instrueer de beulen dat ze jullie een maand en een dag in leven moeten houden, dat jullie vlees moet gaan rotten voordat jullie zelf sterven.'

Hierna waren de mannen wel overtuigd van de ernst van Jagangs opdracht en de waarde van zijn trofee.

Een grote escorte van honderden, zo niet duizenden van zijn meest bekwame wachters uit de binnencirkel groepeerde zich om de keizer heen, terwijl hij doelbewust wegschreed van zijn tent. De vijf speciale wachters hadden Kahlan omsingeld, behalve aan de kant waar Jagang liep. In een wigformatie van gepantserde en bewapende soldaten trok het hele gezelschap door het kampement. Kahlan nam aan dat dit voor een leider als Jagang een normale voorzorgsmaatregel tegen indringers was, maar dat was niet de enige reden.

Hij voelde zich beter dan alle anderen.

46

Tegen de tijd dat ze van de Ja'La-wedstrijd naar het veld met de keizerlijke tent terugkeerden, maakte Kahlan zich nog meer zorgen. Het was niet uitsluitend angst dat ze met zo'n grillige en gevaarlijke man alleen zou zijn, of paniek om wat hij met haar van plan was. Behalve dat was er ook nog zijn duistere onderstroom van wreedheid die vlak onder de oppervlakte kolkte. Er lag een blos op zijn wangen, zijn bewegingen waren feller geworden, zijn commentaar was scherper en de gloed in zijn inktzwarte ogen intenser. Door het kijken naar de spelen was Jagangs stemming nog agressiever geworden dan gewoonlijk. De spelen hadden hem in elk opzicht geprikkeld.

Tijdens het toernooi had hij het gevoel gehad dat een van de teams niet optimaal had gefunctioneerd, dat het niet zijn uiterste best had gedaan. Hij was van mening geweest dat de spelers zich hadden ingehouden en zich niet met hart en ziel in het spel hadden gestort. Toen ze hadden verloren, had hij ze op het veld laten executeren.

De menigte had nog harder gejuicht dan tijdens de nogal saaie wedstrijd zelf. Jagang was bejubeld omdat hij de verliezers om het leven had gebracht. De daaropvolgende wedstrijden werden met opvallend meer vuur gespeeld, op een veld dat doorweekt was van het bloed van de onthoofden. Ja'La was een spel waarin de spelers renden, wegdoken en langs elkaar heen draafden. Ze probeerden de tegenpartij de zware bal – de broc – af te pakken door hem klem te zetten of te achtervolgen. Als ze de broc in handen hadden, openden ze de aanval en probeerden een doelpunt te scoren. Vaak vielen de mannen neer of werden ze omvergelopen, waarna ze over de grond rolden. Hun ontblote bovenlijven glommen in de zomerse hitte al snel van het zweet, maar ook van het bloed. De vrouwelijke kampvolgers die vanaf de zijlijn toekeken, werden volstrekt niet afgeschrikt door het bloed. Daardoor werden ze juist nog begeriger om de aandacht te trekken van de spelers, die de menigte met hun snelle, agressieve tactiek tot uitzinnigheid opzweepten.

In tegenstelling tot het eerste verliezende team, dat was geëxecuteerd, werden de andere verliezers alleen gegeseld en niet ter dood gebracht, want ze hadden zich tijdens het spel voldoende ingezet. De straf werd toegediend door middel van een afschuwelijke zweep, die uit een aantal touwen met knopen bestond. Aan het eind van elk touw hing een zwaar klompje metaal. De mannen kregen één geseling voor elke punt die ze hadden verloren. De meeste teams hadden met meerdere punten verloren, terwijl één zweepslag al genoeg was om iemands rug open te halen.

De menigte telde enthousiast mee, elke keer dat er een slag werd uitgedeeld aan een speler van het verliezende team, die op zijn knieën midden op het veld lag. De winnaars dansten vaak uitgelaten om het veld, zich uitslovend voor het publiek, terwijl de verliezers met gebogen hoofd hun geseling ondergingen.

Kahlan was doodziek geworden van het schouwspel. Jagang had het daarentegen enorm opgewonden. Hoewel ze blij was dat de spelen voorbij waren, bekroop haar een knagend gevoel van angst nu ze terug was op het keizerlijke veld en op het punt stond zijn tent te betreden. Al dat geweld en bloed had Jagang in een agressieve bui gebracht. Aan de blik in zijn ogen zag ze dat hij zich door niemand iets zou laten ontzeggen. En voor vannacht had hij zijn zinnen op Kahlan gezet.

De speciale wachters stelden zich juist voor de tent op, toen ze een man het terrein op zag komen, gevolgd door een klein gezelschap. Jagang onderbrak zijn instructies aan Kahlans speciale wachters, terwijl zijn kring van beschermers uiteenweek om de man en een groepje officieren door te laten.

De man kwam ademloos tot stilstand en vertelde dat hij een boodschapper was.

'Wat is er aan de hand?' vroeg Jagang, met een vragende blik naar het zestal officieren dat hem vergezelde. Als Jagang eenmaal zijn zinnen op iets had gezet, werd hij daar niet graag bij gestoord. Kahlan wist dat ze het middelpunt van zijn broeierige gedachten was en dat hij met haar naar binnen wilde. Nu het tijdstip eindelijk was aangebroken, duldde hij geen uitstel meer.

Tot dusver had hij haar niet onfatsoenlijk betast. Dat bewaarde hij voor later. Zoals een stad die op de route van zijn leger ligt, in angstige spanning op de komende aanval wacht, zo voelde zij de wurgende angst bij het vooruitzicht van wat haar te wachten stond. Hoewel ze zich niet wilde voorstellen wat hij met haar zou gaan doen en hoe het zou zijn, kon ze aan niets anders denken. Evenmin kon ze haar razende hartslag tot bedaren brengen.

De boodschapper reikte een leren koker aan. Het deksel maakte een ploffend geluid toen Jagang het eraf wipte, waarna hij er met twee vingers een opgerold document uit trok. Nadat hij het zegel had verbroken, rolde hij het papier uit en hield het in het licht van de fakkels bij de ingang van de tent om het te kunnen lezen. De ringen aan zijn vingers fonkelden in het toortslicht.

De keizer las de boodschap eerst fronsend en daarna lachend. Ten slotte schaterde hij het uit en keek zijn officieren aan. 'Het leger van het D'Haraanse Rijk is op de vlucht geslagen. Verkenners en Zusters rapporteren eensluidend dat D'Haranen zo bang werden voor de naderende confrontatie met Jagang de Rechtvaardige en het leger van de Orde, dat ze allemaal zijn gedeserteerd en zich in alle mogelijke richtingen hebben verspreid. Dat bewijst wel wat een trouweloze lafaards ze zijn. Het D'Haraanse Rijk heeft geen strijdkrachten meer. Niets staat ons meer in de weg om naar het Volkspaleis op te rukken.'

De officieren juichten de keizer toe. Iedereen was opeens in een goede bui. Jagang feliciteerde zijn officieren, omdat de vijand door hun toedoen op de vlucht was geslagen.

Kahlan hoorde dit alles van terzijde aan. Terwijl alle anderen naar Jagang keken, die met het papier zwaaide en verkondigde dat het eind van de oorlog in zicht was, tilde ze langzaam en voorzichtig haar voet op tot haar vingers het heft van het mes te pakken kregen dat ze in haar rechterlaars had verstopt.

Met minieme bewegingen, om niet de aandacht van de vijf mannen of Jagang zelf te trekken, trok ze het wapen uit haar laars en hield het in haar hand. Zodra ze het goed vast had, pakte ze het tweede mes uit haar andere laars.

Stevig greep ze het met leer omwikkelde handvat van de beide kunstig vervaardigde steekwapens vast en wond haar vingers strak om de greep. Dat ze in elke hand een mes had, gaf haar het gevoel een doel te hebben, verjaagde haar hulpeloze vrees voor wat haar die nacht te wachten stond. Nu had ze tenminste iets waarmee ze hem aan kon vallen. Ze wist dat ze Jagang waarschijnlijk niet kon tegenhouden, maar het zou niet zonder tegenstand gaan. Dit was haar kans hem te laten boeten.

Zonder haar hoofd te bewegen liet ze haar blik heen en weer glijden om te kijken waar iedereen precies stond. Jagang bevond zich jammer genoeg niet meer in haar buurt. Hij was naar de boodschapper gelopen en stond nu dichter bij zijn officieren. Kahlan wist dat de man niet dom was. Als ze naar hem toe liep, zou hij meteen argwaan krijgen. Hij zou weten dat er iets achter zat. Bovendien was hij een ervaren strijder, die in actie zou komen voordat ze naar hem uit kon halen. Zelfs als hij dichterbij had gestaan, waren haar kansen niet veel beter geweest.

Ze wist een beter doelwit, een betere gelegenheid om toe te slaan. De vijf speciale wachters stonden links van haar, niet ver uit de buurt; de officieren een eindje verderop naar rechts. De officieren konden haar niet zien. Daarachter lag een kamp vol mannen die haar niet konden zien. Maar ook al zagen de officieren haar niet, de vijf speciale wachters hielden haar in de gaten. Zodra ze in beweging kwam, zouden ze ogenblikkelijk reageren. Ze wist dat ze een hoop bloed kon vergieten, maar dat er nauwelijks kans was om te ontsnappen.

Het alternatief was dat ze zich machteloos moest onderwerpen aan de komende verkrachting. Kahlan riep haar woede op en greep de handvatten van de messen nog steviger vast. Dit was haar kans om wraak te nemen op degenen die haar gevangenhielden.

Met een rake, directe, harde stoot plantte ze het lange mes in haar linkerhand midden in de borst van de speciale wachter die ze beloofd had als eerste te doden. In een uithoek van haar geest registreerde ze zijn grote verbijstering. Ook de wachter daarnaast, de man met de gebroken neus, sperde zijn ogen open en verstijfde van schrik. Kahlan gebruikte het handvat, dat uit de borst van de eerste man stak, om zich af te zetten. Met het heft als houvast slingerde ze zich om de man heen die ze had neergestoken. Tegelijkertijd zwaaide ze het mes in haar rechterhand met een boog rond. Het lemmet sneed de keel door van de man met de gebroken neus. In twee tellen had ze hen allebei gedood.

Toen de eerste man in elkaar zakte, haalde Kahlan met haar laars naar hem uit om het mes uit zijn borst los te trekken en zelf in tegengestelde richting te springen, waar de officieren stonden. Bij de derde tel stortte ze zich op de dichtstbijzijnde officier, alsof ze een Ja'La-speler aanviel. Terwijl ze op hem afvloog, dreef ze het mes in haar rechterhand diep in zijn buik en reet hem in één haal open. Op hetzelfde moment stak ze met het andere mes recht in de keel van de man schuin achter de eerste officier. Hij was de hoofdofficier en haar eigenlijke doelwit. Ze trof hem met zo'n kracht dat het lemmet zich door zijn wervelkolom boorde en er dwars door zijn nek aan de andere kant uitkwam. Nu zijn ruggenmerg geraakt was, klapte zijn zware lichaam zo snel tegen de grond dat Kahlan, die nog steeds het mes vasthield, haar evenwicht verloor en werd meegesleurd. Voordat ze zich kon herstellen of het mes wegtrekken, schoot de kracht van de halsband door haar heen alsof ze door de bliksem was getroffen.

Tegelijkertijd vlogen de resterende drie speciale wachters haar aan, smeten haar omver en duwden haar met haar gezicht omlaag tegen de mulle grond. Door de halsband waren haar armen slap en krachteloos geworden, en had ze geen controle over haar benen, zodat het de mannen geen enkele moeite kostte haar van haar wapens te ontdoen.

De wachters sjorden haar overeind toen Jagang hun dat schreeuwend opdroeg. Kahlan hijgde van inspanning na de korte strijd. Haar hart klopte als een bezetene. Ook al had ze niet kunnen ontsnappen, toch was ze niet helemaal teleurgesteld. Om te beginnen had ze haar kansen niet erg hoog ingeschat. Ze had gehoopt een paar officieren te kunnen doden en daarin was ze geslaagd. Het enige wat ze jammer vond, was dat de speciale wachters haar hadden gegrepen, maar niet gedood.

Jagang stuurde de verbijsterde officieren weg, met als uitleg dat het een vorm van magie was, die uit de hand was gelopen. Hij verzekerde hun dat hij alles onder controle had. Gerustgesteld door de reactie van hun keizer leken de mannen, gewend aan geweld als ze waren, de plotselinge dood van twee medeofficieren door een onzichtbare hand, laconiek of in elk geval beheerst op te nemen.

Toen de officieren het keizerlijke veld verlieten, brachten ze een aantal mannen bijeen, die toesnelden om de lijken weg te halen. De wachters die kwamen kijken wat al die opschudding had veroorzaakt, waren ontsteld dat er binnen hun eigen kring zulke moorden hadden plaatsgevonden. Onopvallend keken ze naar Jagang om zijn stemming te peilen, maar toen ze zagen hoe rustig hij eronder bleef, gingen ze snel aan de slag om de vier dode mannen af te voeren.

Zodra ze waren vertrokken, richtte Jagang zijn boze blik op Kahlan. 'Ik zie dat je goed naar de spelen hebt gekeken. Blijkbaar heb je beter op de tactiek gelet dan op de naakte huid van die gespierde mannen.'

Kahlan keek strak naar de drie speciale wachters die haar vasthielden. 'Als ik iets beloof, doe ik dat ook.'

Jagang liet langzaam zijn adem ontsnappen, alsof hij zich moest inhouden om haar niet hoogstpersoonlijk te vermoorden. 'Je bent een bijzondere vrouw – en een geduchte tegenstander.'

'Ik ben de brenger des doods,' zei ze tegen hem.

Hij keek vluchtig naar de vier lijken, die in de donkere nacht werden afgevoerd. 'Zeg dat wel.' Daarna richtte hij zijn volle aandacht op de drie wachters die Kahlan vasthielden. 'Noem één reden waarom ik jullie niet naar de foltertenten zou moeten sturen.'

De mannen, eerst nog zelfvoldaan dat ze haar hadden neergehaald, zagen er opeens niet meer zo tevreden uit. Nerveus keken ze elkaar aan.

'Maar excellentie,' zei een van de wachters. 'De twee die gefaald hebben, hebben die fout met hun leven moeten betalen. Wij drieën hebben haar tegengehouden. We hebben haar niet laten ontsnappen.'

'Ik ben degene die haar heeft tegengehouden,' zei Jagang met nauwelijks bedwongen woede. 'Ik heb haar tegengehouden met de halsband die ze om haar nek draagt.' Een tijdje nam hij hen zwijgend op en liet zijn razernij enigszins bekoelen. 'Maar mijn naam is niet voor niets Jagang de Rechtvaardige. Ik zal jullie drie voorlopig in leven laten, maar laat dit een les voor jullie zijn. Ik heb jullie gewaarschuwd dat ze gevaarlijk is. Nu begrijpen jullie misschien wat ik bedoel.'

'Ja, excellentie,' zeiden de drie in koor.

Jagang haakte zijn handen op zijn rug in elkaar. 'Laat haar los!'

Hij schonk elke man afzonderlijk nog een vernietigende blik, waarna hij Kahlan bij de arm nam en haar naar de tentopening bracht. Ze stond nog te bibberen op haar benen door de schok van de halsband. Al haar gewrichten deden pijn. Haar armen en benen leken wel in brand te staan.

Ze had zich afgevraagd of het waar was wat Jagang had gezegd, dat hij de aanwezigheid van de Zusters niet nodig had om de halsband te kunnen gebruiken. Nu wist ze dat het zo was. Zonder de halsband had ze een redelijke kans gehad te ontsnappen, maar met de halsband was dat uitgesloten. Ze zou Jagangs vermogen voortaan niet meer onderschatten. In elk geval wist ze het nu zeker. Soms was het erger als de twijfel bleef knagen of ze misschien toch iets had kunnen uitrichten.

'Ik wil dat jullie drie voor de tent de wacht houden. Als ze zonder mij naar buiten komt, moeten jullie haar tegenhouden.'

De drie soldaten maakten een buiging. 'Ja, excellentie.' Ze zagen er lang niet meer zo zelfingenomen uit. Ze zagen eruit als mannen die ternauwernood aan de doodstraf waren ontsnapt.

Terwijl de wachters hun posities betrokken, wierp Jagang een grimmige blik naar Kahlan. 'Dit is de laatste keer dat je in je eentje tussen mijn mannen mag rondwandelen. Het was een korte wandeling. Je hebt maar een klein gedeelte van mijn leger gezien. Morgen krijg je de kans om meer van mijn manschappen te zien. En veel meer mannen zullen jou morgen te zien krijgen.

Ik weet niet wat de anomalie is waarover Ulicia het had, of wat die heeft veroorzaakt, maar dat interesseert me niet. Wat me interesseert is dat ik dit, zoals alles, in mijn voordeel ga gebruiken. Ik zal ervoor zorgen dat je goed wordt bewaakt. Morgen mag je weer paardrijden en dan zullen we je een rondleiding door de troepen geven, maar deze keer zonder kleren aan. Op die manier help je me een ruime voorraad nieuwe wachters te vinden. Het zal een enerverende dag worden.'

Kahlan bracht er niets tegenin. Het zou haar niet helpen. Aan de weloverwogen manier waarop hij haar het plan uit de doeken deed, kon ze merken dat hij haar ongerust wilde maken. Ze vermoedde dat haar vernederingen nog maar net waren begonnen.

Keizer Jagang leidde haar door de tentopening alsof ze van koninklijken bloede was. Hij dreef de spot met haar, dat wist ze. Terwijl ze naar binnen liep, voelde ze de greep van de halsband verslappen. Eindelijk kon ze haar armen en benen weer bewegen. De pijn begon gelukkig ook weg te trekken.

Binnen in de tent was het nagenoeg donker. Er brandden alleen kaarsen, die de tent in een warme gloed hulden. Het leek er gezellig en veilig, bijna alsof het een gewijde plaats was, wat het allerminst was.

Ze had het gevoel dat ze naar haar terechtstelling werd geleid.

47

De slaven die een avondmaal van lichte hapjes voor de keizer hadden bereid, werden allemaal weggestuurd. Toen hij hun dat bevel toesnauwde, gingen ze maar al te graag, want ze hadden de blik in zijn ogen gezien en de kreten van de stervende mannen gehoord.

Hij keek ze na terwijl ze zich naar buiten haastten. Met zijn dikke vinger tussen haar schouderbladen loodste hij Kahlan langs de tafel, die was volgeladen met bekers wijn, schalen met vlees, donkere broden, kommen met noten en een rijke sortering vruchten en lekkernijen. Door een opening met een kleed ervoor bracht hij haar naar zijn slaapkamer binnen in de tent.

De slaapkamer was van de rest van de tent en de buitenwereld afgeschermd door een soort gevoerde panelen, waarschijnlijk om het geluid te dempen. Aan de wanden hingen dierenhuiden en handgeweven kleden in zacht getinte motieven. Het was een sfeervol ingericht vertrek met verfijnde tapijten, fraaie meubelstukken, kasten met glazen deuren vol boeken, sierlijke zilveren en gouden lampen. Het bed had gedraaide spijlen van donker hout op elke hoek. Er lagen vachten op; de lakens en slopen waren van satijn.

Kahlan verborg haar trillende handen op haar rug. Ze zag Jagang naar de andere kant van de kamer lopen. Daar trok hij zijn lamswollen vest uit en gooide dat over een stoel die bij een klein schrijfbureau stond. Zijn naakte borst en rug waren begroeid met donker, krullend haar. Hij was in alle opzichten een beer van een vent, niet iemand die waarde hechtte aan satijnen beddengoed.

Kahlan vermoedde dat zulke dingen hem niet interesseerden, maar dat hij ze wilde hebben als statussymbool. Waarschijnlijk was hij vergeten dat in de Orde niemand geacht werd beter te zijn dan een ander. Ze nam aan dat hij zich nooit afvroeg of de mannen in die smerige tenten onder satijnen lakens lagen.

Jagang keek haar aan. 'Vrouw, kleed je je zelf uit, of moet ik je de kleren van je lijf scheuren? Zeg het maar.'

'Of ik me zelf uitkleed of dat u dat doet, het blijft verkrachting.'

Zijn rug rechtend keek hij haar een tijdje aan in de stilte binnen in de tent. Buiten in het kamp was het veel rustiger geworden. Er was alleen nog een dof gemurmel te horen van gedempte gesprekken die in de verte werden gevoerd. De mannen waren moe van de lange dagmars en de opwinding van de Ja'La-spelen. Jagang had bovendien bevolen dat ze elke dag even hard moesten doormarcheren, tot ze het Volkspaleis hadden bereikt. De meeste soldaten lagen dus ongetwijfeld in hun tenten te slapen.

Alleen Jagang was nog niet tot rust gekomen. Hij was al opgewonden geweest na de spelen, maar nu Kahlan ook nog vier mannen had vermoord, was hij door het dolle heen. Niet dat het Kahlan veel kon schelen. Hij mocht haar bewusteloos slaan, want dan zou ze niet merken wat hij met haar deed.

'Nu ben je van mij,' zei hij met een diepe, dreigende stem. 'Je bent van mij en van niemand anders. Van mij alleen. Ik kan met je doen wat ik wil. Als ik je de strot doorsnijd, is het je plicht om dood te bloeden. Als ik je weggeef aan de drie mannen die je kunnen zien, moet je je aan hen onderwerpen, of je het leuk vindt of niet, vrijwillig of niet. Jij behoort mij toe. Jouw lot ligt in mijn handen. Daar heb je niets over te zeggen, helemaal niets. Alles wat je overkomt, bepaal ik.'

'Het blijft verkrachting.'

In drie boze stappen liep hij naar de andere kant van de kamer en gaf haar een dreun met de achterkant van zijn vuist, zodat ze languit op de grond viel. Aan haar haren trok hij haar omhoog en smeet haar op bed. De wereld tolde toen ze door de lucht vloog. Op een haar na miste ze een houten bedstijl.

'Natuurlijk is het verkrachting! Dat wil ik juist! Dat is wat je te wachten staat.' Als een dolle stier stoof hij op het bed af. In zijn zwarte ogen dreven schimmige onweerswolken. Voordat ze er erg in had, had hij haar al besprongen. Kahlan had het allemaal van tevoren uitgedacht. Ze was niet van plan hem tegen te houden, hem het genoegen te bezorgen dat hij haar met geweld moest dwingen. Toen hij echter boven op haar zat, met haar heupen tussen zijn benen geklemd, verdween haar voornemen door de plotselinge paniek om wat ze voor geen geld wilde laten gebeuren. Ze vergat al haar plannen en probeerde wanhopig zijn handen weg te duwen, maar hij was niet in de stemming zich tegen te laten houden. Ze was bij lange na niet tegen hem opgewassen. Hij nam niet eens de moeite haar een klap te geven om haar weerstand te breken. In één haal trok hij haar hemd open.

Toen hij een pauze inlaste, bleef Kahlan roerloos liggen, hijgend van inspanning. Uitgebreid bekeek hij haar borsten.

Ze gebruikte de onverwachte rust om zichzelf tot de orde te roepen. Daarnet had ze vier onmenselijke kerels gedood. Dan kon ze dit ook. Dit was niets vergeleken bij het dragen van een halsband om haar nek, beroofd te zijn van haar geheugen, het verlies van haar identiteit en wie ze was, een hulpeloze slavin te zijn van de Zusters van de Duisternis en de keizer van een troep gespuis.

Dit was niets. Ze moest niet op zo'n onnozele manier met hem vechten, door als een schoolmeisje te proberen de handen van deze bullebak weg de duwen. Dat was geen vechten, dat zou ze niet meer doen. Ze wist wel beter. Ja, natuurlijk was ze bang, maar ze mocht niet aan paniek toegeven. Toen ze die vier mannen had gedood, was ze ook bang geweest, maar ze had haar angst bedwongen en gehandeld.

Ze was beter dan hij. Hij was alleen sterker en had geweld nodig om zich aan haar te vergrijpen. Die wetenschap gaf haar overwicht op hem en dat wist hij. Ze zou zich nooit vrijwillig aan hem geven, omdat ze beter was dan hij en veel beter verdiende. Een vrouw als Kahlan kon hij alleen met geweld nemen, want hij was als man zwak en waardeloos.

'Is uw meest begeerde trofee naar tevredenheid, excellentie?' vroeg ze spottend.

'O ja.' Jagangs verdorven glimlach verbreedde zich. 'Trek je reisbroek uit.'

Toen ze geen aanstalten maakte om hem te gehoorzamen, deed hij het voor haar, waarbij hij de knopen een voor een losmaakte alsof ze een kostbaar voorwerp was. Ze lag met haar handen langs haar zij. Hij haakte zijn vingers onder haar tailleband, stroopte haar broek naar beneden en trok hem binnenstebuiten over haar voeten uit. Daarna smeet hij het kledingstuk op de grond, terwijl hij zich inhield om haar bijna naakte lichaam van top tot teen te bekijken.

Kahlan beet in stilte op de binnenkant van haar wang om niet in paniek zijn hand weg te duwen, die over haar been omhoogstreek naar de zachtheid van haar dij. Ze vocht tegen haar tranen en zou er alles voor over hebben om ergens anders te zijn, om niet overgeleverd te zijn aan de willekeur van dit monster.

'En nu de rest,' fluisterde hij hees. 'Trek je ondergoed uit.'

Ze kon merken dat het uitkleden hem nog meer had geprikkeld, dus ze gehoorzaamde, terwijl ze probeerde het er zo min mogelijk verleidelijk uit te laten zien.

Hij keek toe, terwijl hij op de rand van het bed zat en zijn laarzen uittrok. Hij liet zijn broek zakken en schopte hem weg. Zowel misselijk als bang voor zijn naaktheid, gaf Kahlan aan haar zwakheid toe door haar blik af te wenden.

Ze vroeg zich af hoe ze hierna ooit nog van een man zou kunnen houden en zijn aanraking verdragen. Streng riep ze zichzelf tot de orde. Ze zou geen kans meer krijgen van iemand te gaan houden, dus piekerde ze over een probleem dat zich nooit zou voordoen.

Het bed schudde onder zijn gewicht toen hij naast haar kwam liggen. Hij pauzeerde even om haar te bekijken en met zijn hand over haar buik te strijken. Ze had een ruwe aanraking verwacht, een agressief beetpakken, maar in plaats daarvan was het een vluchtige betasting, een beheerste taxatie van iets waardevols. Ze verwachtte niet dat die vriendelijke aanpak erg lang zou duren.

'Je bent een buitengewone vrouw,' zei hij met hese stem, meer tegen zichzelf dan tegen haar. 'Dit is heel iets anders dan toen ik je door de ogen van anderen zag. Dat begrijp ik nu wel.'

Zijn hele toon was veranderd. De woede was gesmolten in de hitte van zijn begeerte voor haar. Hij stond op het punt zich over te geven aan ongebreidelde wellust.

'Het is beslist niet hetzelfde... Ik heb altijd geweten dat je een bijzondere vrouw was, maar nu ik je zelf zie... je bent een buitengewone vrouw. Echt... buitengewoon.'

Kahlan vroeg zich af waar hij op doelde met zijn uitspraak dat hij haar door de ogen van anderen had gezien. Zou hij haar soms door de ogen van de Zusters hebben bekeken? Ze werd getroffen door een onaangename gedachte: dat hij had toegekeken als ze zich uitkleedde, terwijl ze in de veronderstelling had verkeerd dat er alleen een Zuster in de buurt was. Ze vond dat zo'n flagrante schending van haar integriteit dat ze witheet van woede werd.

Dus hij was daar toen geweest, had haar bekeken, had zijn plannen gesmeed. Tegelijkertijd had ze echter het gevoel dat hij nog iets anders bedoelde. Dat zijn woorden nog iets anders inhielden, dat ze een verborgen betekenis hadden. Iets in zijn manier van praten gaf haar het idee dat hij het had over haar leven vóór de Zusters, voordat ze was vergeten wie ze eigenlijk was. De gedachte dat hij haar door de ogen van de Zusters had bekeken, maakte haar boos, maar de gedachte dat hij haar eerder had gezien, in een leven dat ze zich niet meer kon herinneren, vond ze nog verontrustender.

Plots draaide hij zich naar haar toe. 'Je hebt geen idee hoe lang ik hier al naar heb verlangd.'

Haar ademhaling en hartslag begonnen net tot rust te komen, maar opeens ging alles weer veel te snel. Haar hart bonkte opnieuw tegen haar ribben. Ze wilde hem afremmen, zodat ze de tijd kreeg om na te denken hoe ze hem tegen kon houden. Zodra ze echter zijn lichaam tegen het hare voelde, was ze als verdoofd. Ze kon geen enkele manier bedenken om hem te laten stoppen. Ze dacht alleen maar de hele tijd dat ze dit niet wilde. Toen dacht ze aan wat ze zichzelf had voorgenomen: dat ze beter was dan hij en zich daarnaar moest gedragen. Zwijgend keek ze langs hem heen naar het dak van de tent, dat zacht werd beschenen door het licht van de lampen.

'Je hebt geen idee hoe graag ik dit met je heb willen doen,' zei hij met een plots dreigende stem. 'Je hebt geen idee wat je allemaal te wachten staat.'

Ze keek hem aan, recht in zijn griezelige ogen. 'Nee, dat klopt, dus ga uw gang en bespaar me een speech die me toch niets zegt, omdat ik geen idee heb wat u ermee bedoelt.'

Ze wendde haar blik af om weer omhoog te staren. Ze wilde hem alleen maar onverschilligheid betonen. Ze liet haar geest vrij ronddolen. Dat was niet makkelijk, want hij drukte zich tegen haar aan en stond op het punt zich aan haar te vergrijpen, maar ze deed haar best hem te negeren en aan andere dingen te denken. Ze gunde hem niet het genoegen van een gevecht, dat ze toch zou verliezen. Ze dacht aan het Ja'La-spel, niet omdat ze daar zo graag aan wilde denken, maar omdat het zo vers in haar geheugen zat dat ze het zich nog gedetailleerd kon herinneren.

Plotseling haakte hij zijn armen onder haar knieën en drukte haar benen tegen haar borst. Ze kon bijna geen adem krijgen. Hoewel haar heupen pijn deden nu ze met gespreide benen in die houding lag, probeerde ze niet te gillen en te negeren dat hij haar probeerde te beheersen, te domineren terwijl hij haar nam.

'Als hij dit wist... het zou zijn dood zijn.'

Kahlan richtte haar blik weer op hem. Ze kon amper adem krijgen onder zijn zware gewicht. 'Over wie hebt u het?'

Misschien bedoelde hij haar vader, dacht ze, een vader die ze zich niet kon herinneren. Misschien had ze een vader die bevelhebber in het leger was en wist ze daarom hoe ze met messen moest vechten. Over wie zou hij het anders kunnen hebben?

Ze wilde iets zeggen om hem kleineren, maar bedacht zich en zweeg, alsof het haar onverschillig liet.

Jagangs mond was vlak bij haar oor. Zijn ruwe stoppelbaard schraapte pijnlijk over haar wang en nek. Zijn ademhaling ging snel en onregelmatig. Hij ging helemaal op in de wellust die hij op haar wilde botvieren.

'Als je het wist... je zou het niet overleven.' Hij was duidelijk erg met dat idee ingenomen.

Nog verbaasder dan eerst hield ze haar mond, maar haar ongerustheid over wat hij bedoelde, nam toe.

Ze verwachtte dat hij door zou gaan zijn hitsige verlangen te bevredigen, maar hij wachtte, hield haar benen gespreid en blikte op haar neer. Met de volle lengte van zijn harige lijf drukte hij haar fijn, klaar om elk moment zijn slag te slaan. Zijn gewicht benam haar de adem, maar ze wist dat elke vorm van protest zou stuiten op onverschilligheid voor wat hij haar aandeed.

In zekere zin wilde ze dat hij opschoot en er een eind aan maakte. Het wachten maakte haar horendol. Ze wilde het uitgillen, maar dat stond ze zichzelf niet toe. Met angst en beven bedacht ze hoeveel pijn hij haar zou doen, hoe lang het zou duren – dat dit ongetwijfeld nog vele malen herhaald zou worden, niet alleen vannacht, maar ook in de nachten hierna. Als zijn enorme gewicht haar niet tegen het bed gedrukt had gehouden, zou ze gebeefd hebben bij het afschuwelijke vooruitzicht.

'Nee,' zei hij tegen zichzelf. 'Nee, dit is niet wat ik wil.'

Kahlan was stomverbaasd en geloofde haar eigen oren niet.

Hij liet haar los, zodat ze haar benen op bed kon neerleggen, terwijl hij zich op zijn handen opdrukte. Ze vond het vervelend dat hij tussen haar benen in lag, waardoor ze die niet kon sluiten.

'Nee,' herhaalde hij. 'Niet op deze manier. Je wilt het niet, maar zo afschuwelijk is het nu ook weer niet. Je zult het niet leuk vinden, maar dat is dan ook alles.

Ik wil dat je weet wie je bent, als ik dit doe. Ik wil dat je weet wat ik met je voorheb, als ik dit doe. Ik wil dat je dit meer verafschuwt dat alles wat je in je hele leven hebt verafschuwd. Ik wil degene zijn die dit jullie beiden aandoet. Ik wil de herinnering aan wat dit voor jou betekent in je geest vastzetten, terwijl ik mijn zaad in je plant. Ik wil dat die herinnering je de rest van je leven zal achtervolgen, en hém zal achtervolgen, elke keer als hij naar je kijkt. Ik wil dat hij je erom gaat haten, dat hij je gaat haten om de associatie die je bij hem oproept, dat hij je kind gaat haten, het kind dat ik je zal geven.

Maar daarvoor zul je eerst moeten weten wie je bent. Als ik het nu met je doe, stomp ik je alleen maar af en bederf het effect van de uitzonderlijke smart als je weet wie je bent terwijl het met je gebeurt.'

'Nou, vertel het me dan.' Ze was bijna bereid verkrachting te dulden om erachter te komen wie ze was.

Er gleed een traag, sluw lachje over zijn gezicht. 'Als ik het je vertel, werkt het niet. Woorden zouden hol zijn, betekenisloos, zonder emotie. Je moet het echt weten. Je moet je kunnen herinneren wie je bent. Je moet alles weten om het een echte verkrachting te maken... en ik ben van plan het de ergste verkrachting te maken die je maar kunt meemaken, een verkrachting waaraan je een kind als aandenken overhoudt, een monster.'

Op haar neer kijkend, schudde hij langzaam zijn hoofd, zelfvoldaan over zijn grandioze plan. 'En daarom moet je je volledig bewust zijn van wie je bent en wat dit alles voor je zal betekenen, dat het alles zal aantasten, alles zal bederven, alles voor altijd zal bezoedelen.'

Opeens rolde hij van haar af en lag naast haar. Kahlan haalde diep adem; het klonk als een snik.

Tandenknarsend omvatte hij met zijn grote hand haar rechterborst. 'Denk maar niet dat je de dans ontsprongen bent, liefje. Je kunt nergens heen. Ik zal ervoor zorgen dat het nog veel beroerder voor je wordt dan het vanavond zou zijn geweest.' Grinnikend kneep hij in haar borst. 'En ook erger voor hem.'

Kahlan kon zich niet voorstellen hoe het nog erger kon worden dan het zou zijn geweest. Ze kon alleen bedenken dat in zijn beleving het slachtoffer zelf schuldig was aan haar verkrachting. Dat was hoe hij erover dacht, hoe de Orde erover dacht: dat het de schuld van het slachtoffer was.

Plompverloren schoof hij haar het bed uit. Ze kwam pijnlijk op de grond terecht, maar gelukkig werd haar val gebroken door de redelijk zachte tapijten.

Hij keek op haar neer. 'Vannacht slaap je op de grond, hier naast mijn bed. Later mag je bij mij in bed.' Hij grinnikte. 'Als je geheugen terug is, als het je kapot zal maken. Dan zal ik je geven wat je toekomt, wat ik alleen je kan geven, wat ik alleen kan doen om je leven te verwoesten... en het zijne.'

Kahlan lag op de grond, bang om zich te verroeren, bang dat hij zich misschien zou bedenken. Ze voelde zich enorm opgelucht dat ze deze nacht gespaard bleef.

Hij boog zich naar haar toe over de rand van het bed, terwijl hij haar met zijn verontrustende zwarte ogen aankeek. Toen schoof hij zo onverwacht zijn grote hand tussen haar dijen dat ze het uitschreeuwde.

Grinnikend zei hij: 'En mocht je het idee krijgen om weg te sluipen, of erger nog, me in mijn slaap te doden, zet dat meteen uit je hoofd. Het zal je niet lukken. Het enige wat het je oplevert, is dat ik je naar de tenten stuur, later, als ik je hele leven kapot heb gemaakt. Ik zal ervoor zorgen dat al die mannen je mogen nemen, hier, waar mijn vingers zitten. Begrepen?'

Kahlan knikte. Er gleed een traan over haar wang.

'Als je je vannacht buiten de tapijten waagt die naast mijn bed liggen, zal de kracht van de halsband je tegenhouden. Wil je dat uittesten?'

Bang dat haar stem het zou begeven, schudde ze haar hoofd.

Hij haalde zijn hand weg. 'Goed.'

Ze hoorde dat hij zich omdraaide, met zijn gezicht van haar afgewend. Kahlan bleef roerloos liggen, moeizaam ademend. Ze begreep niet precies wat er vannacht was gebeurd of wat het allemaal te betekenen had. Ze wist alleen dat ze zich nog nooit in haar leven zo eenzaam had gevoeld – tenminste niet in het leven dat ze zich kon herinneren.

Vreemd genoeg had ze bijna liever gehad dat ze door hem was verkracht. Dan had ze nu niet in angst gezeten over wat hij had gezegd en hoefde ze zich niet meer af te vragen wat hij ermee had bedoeld. In het vervolg zou ze elke morgen ontwaken zonder te weten of het de dag was dat ze haar geheugen terugkreeg. En als dat gebeurde, zou het de verkrachting nog erger maken, zou het alles erger maken, veel erger.

Kahlan geloofde hem. Gezien de hartstocht waarmee hij haar had begeerd, en ze wist maar al te goed hoe groot die was geweest, zou hij alleen maar zijn gestopt als alles wat hij zei ook waar was. Ze bedacht dat ze niet meer wilde weten wie ze was. Haar verleden was sinds kort te gevaarlijk geworden. Als ze wist wie ze was, zou dat nog meer ellende geven. Daarom kon ze beter in onwetendheid blijven; dat was wel zo veilig.

Toen ze zijn gelijkmatige ademhaling hoorde en even later zijn lage, ronkende gesnurk, stak ze haar hand uit en trok met bevende vingers haar ondergoed en andere kleren aan.

Hoewel het zomer was, rilde ze van ijzige angst. Ze trok een van de kleden over zich heen en ging naast het bed liggen. Het leek haar onverstandig om uit te testen of hij zijn dreigement zou uitvoeren als ze probeerde te ontsnappen. Er was geen ontsnapping mogelijk. Dit was haar leven.

Nu hoopte ze alleen dat de rest van haar leven verborgen en vergeten zou blijven. Als ze zich ooit zou herinneren wie ze was, zou het oneindig veel akeliger worden. Dat mocht niet gebeuren. Ze zou zich in een donkere sluier van vergetelheid hullen. Vannacht was ze iemand anders geworden, had ze zich losgemaakt van wie ze vroeger was. De vrouw van toen moest voor altijd dood blijven.

Ze vroeg zich af wie de man geweest kon zijn over wie Jagang het had gehad. Ze durfde zich niet voor te stellen wat Jagang hem aan wilde doen, via haar, dat hem kapot zou maken. Die gedachte drukte ze weg. Dat was haar oude ik. Die persoon was voor al-

tijd verdwenen en dat moest zo blijven. Diep wanhopig en eenzaam rolde Kahlan zichzelf op tot een bal en snikte het zachtjes
uit.

48

Als in een waas liep Richard verder; zijn ogen waren gericht op de maanverlichte grond voor hem. In zijn sombere, verwarde geestesgesteldheid zag hij maar één lichtpuntje: Kahlan.

Hij miste haar zo erg. Zo moe was hij van het vechten, van alles wat hij had geprobeerd en was mislukt. Hij hunkerde ernaar haar terug te hebben, zijn leven weer met haar te delen, haar vast te houden... alleen maar vast te houden.

Hij dacht terug aan de tijd, jaren geleden, in het huis van de geesten, toen hij nog niet had geweten dat ze de Biechtmoeder was. Kahlan had zich zo hopeloos eenzaam gevoeld, zo terneergeslagen door de drukkende geheimen die ze moest bewaren, dat ze had gevraagd of hij haar wilde vasthouden, alleen maar vasthouden. Hij herinnerde zich nog haar gekwelde stem, haar pijnlijke behoefte om te worden vastgehouden en getroost. Hij zou er alles voor over hebben als hij dat nu kon doen.

'Stop,' siste een stem hem toe. 'Wacht.'

Richard bleef staan. Het kostte hem moeite interesse op te brengen voor wat er gaande was, al zou dat eigenlijk moeten. Uit de houding van de vrouw kon hij aflezen hoe gespannen ze was. Ze leek op een roofvogel die zijn kop scheef hield en bij de kleinste aanleiding zijn vleugels spreidde.

Hij voelde zich onmachtig om de stroperige lethargie van zich af te schudden, zodat hij niet goed kon nadenken. Haar manier van doen verraadde een ingehouden agressie, maar daaronder bespeurde hij ook iets van angst.

Eindelijk kon hij de interesse opbrengen om te kijken wat ze bedoelde. In het maanlicht zag hij waar Zes naar keek: in de vallei strekte zich een enorm tentenkamp uit. Omdat het midden in de nacht was, was het daar beneden tamelijk rustig, maar ondanks de doffe bedwelming van haar aanwezigheid, voelde Richard zich angstig worden.

Hij zag ook nog iets anders. Voorbij het kampement in de vallei zag hij op het hoogland erachter een kasteel dat hij meende te herkennen.

'Kom mee,' siste Zes, terwijl ze voorbijgleed.

Richard sjokte achter haar aan en zonk opnieuw weg in een onverschillige verdoving, waarin hij alleen aan Kahlan kon denken. Schijnbaar urenlang liepen ze in het holst van de nacht door de landelijke streek. Zes was zo geluidloos als een slang, nu eens wegschietend, dan weer stilstaand, dan weer voortglijdend over kleine paadjes door de dichtbegroeide bossen. Richard vond de geur van balsembomen en sparren vertroostend, terwijl de mossen en varens prettige jeugdherinneringen bij hem opriepen.

Het genoegen waarmee hij het bos had doorkruist, verdween toen ze door straten met kinderhoofdjes liepen, langs gesloten winkels en donkere gebouwen. In de schaduw van de huizen liepen, twee aan twee, met spiesen bewapende mannen. Richard had het gevoel alsof alles in een droom aan zijn geestesoog voorbij trok. Half en half verwachtte hij dat hij alleen maar de bossen weer hoefde op te roepen en dan zou dit alles verdwijnen. Hij riep Kahlan op, maar ze verscheen niet.

Twee mannen in glimmend metalen wapenrusting kwamen uit een zijstraat rennen. Ze lieten zich voor Zes op hun knieën vallen en kusten de zoom van haar zwarte jurk, maar ze minderde nauwelijks vaart bij dit kruiperige vertoon van onderdanigheid. De mannen volgden haar op haar verdere tocht door de straten, als een escorte voor de duisternis die de nachtelijke schaduw achter haar wierp.

Het leek allemaal zo onwezenlijk. Richard wist dat hij zich ertegen moest verzetten, maar het kon hem niet schelen. Het enige wat van belang leek, was dat hij deed wat Zes hem opdroeg. Hij kon er niets aan doen. Hij was in de ban van haar vloeiende gestalte, gefascineerd door haar ogen, behekst door haar stem. Nu hij zijn gave niet had, vulde zij de leegte van zijn ziel. Haar aanwezigheid gaf hem op de een of andere manier een gevoel van vervulling, het idee dat hij een doel had.

De twee wachters die mee waren gelopen, klopten zacht op een ijzeren deur in een grote stenen muur. Boven een groef in de ijzeren deur bleek een kleiner deurtje te zitten, dat naar binnen toe openging. Daardoorheen tuurde een paar ogen, die groter werden zodra ze de bleke schim zagen. Richard hoorde dat er mannen kwamen aangesneld om een zware balk weg te schuiven.

Toen de deur openging, glipte Zes naar binnen, op de voet gevolgd door Richard. Hoewel hij in het maanlicht enorme stenen muren zag verrijzen, schonk hij daar nauwelijks aandacht aan. Hij was vooral gefascineerd door de slangachtige gedaante die hem voorging in de zwoele nacht.

Zodra ze eenmaal door de grote deuren waren, kwamen er mannen aanrennen, die nog meer deuren openden, bevelen schreeuwden en fakkels brachten.

'Hierheen,' riep een man, terwijl hij voorging naar een stenen trappenhuis. Ze daalden een wenteltrap af en gingen met elke kromming en draaiing verder de diepte in. Richard vond dat het leek alsof ze door een groot, stenen beest waren ingeslikt en via zijn slokdarm omlaaggleden. Zolang Zes hem echter op sleeptouw nam, vond hij het prima. Beneden in een bedompte gang brachten de mannen haar naar een schemerige ruimte. Op de glibberige vloer was hooi gestrooid. In de verte hoorde hij water druppelen.

'Hier is het,' zei een van de wachters tegen haar. De roestige zware deur protesteerde kreunend toen de man hem opentrok. Binnen stond een tafeltje met een kaars erop, die hij met zijn fakkel aanstak.

'Dit is je kamer voor vannacht,' zei Zes tegen Richard. 'Het wordt gauw licht en dan kom ik weer terug.'

'Ja, meesteres.'

Ze boog zich naar hem over met een flauwe glimlach op haar bloedeloze gelaat. 'Voor zover ik de koningin ken, zal ze meteen willen beginnen. Ze is nogal ongeduldig, zeg maar impulsief. Ongetwijfeld zal ze de potige kerels met de zwepen meenemen. Ik denk dat je geen vlees meer op je rug hebt voordat de ochtend voorbij is.'

Richard keek haar met grote ogen aan. Het lukte hem niet haar woorden te bevatten. 'Wat bedoelt u, meesteres?'

'De koningin is niet alleen boosaardig, maar ook wraakzuchtig. Je zult het mikpunt van haar venijn worden. Maar wees niet bang. Ik wil dat je blijft leven. Je zult gruwelijke pijnen lijden, maar je blijft leven.'

Met zwierige gratie draaide ze zich om en vloog door de deur naar buiten, als een schaduw die werd opgeslokt door de duisternis. De mannen volgden haar en de deur werd met een klap dichtgesmeten. Richard hoorde dat het slot werd omgedraaid. Voordat hij er erg in had, stond hij plots alleen in een stenen cel, eenzaam, verlaten, vergeten.

In de stilte werd hij langzamerhand door angst bekropen. Waarom wilde de koningin hem pijn doen? Waarvoor moest hij van Zes blijven leven?

Richard knipperde met zijn ogen en merkte dat zijn geest geleidelijk probeerde de situatie te begrijpen. Het leek wel of hij beter kon denken naarmate Zes verder uit de buurt was.

Toen de fakkels weg waren, duurde het even voor zijn ogen aan het kaarslicht waren gewend. Hij keek het stenen vertrek rond. Er stonden alleen een stoel en een tafel. De vloer was van steen. De muren waren van steen. Over het plafond liepen zware balken.

De gedachte trof hem als een vuistslag. Denna! Dit was de kamer waar Denna hem heen had gebracht, de eerste keer dat ze hem gevangen had gezet. Hij herkende de tafel. Hij herinnerde zich dat Denna op diezelfde stoel had gezeten. Hij keek omhoog en daar, op precies dezelfde plaats als hij zich herinnerde, hing de ijzeren pen.

Zijn polsen hadden vastgezeten in ijzeren handboeien. Denna had de ketting die de boeien met elkaar verbond, over die pen geslagen. Terwijl hij zo aan het plafond hing, had Denna hem met haar Agiel gemarteld. Er flitsten gruwelijke beelden door zijn hoofd van de nacht dat Denna zijn wil had gebroken; in elk geval had ze gedacht dat ze toen zijn wil had gebroken. Hij had zijn geest in twee helften verdeeld, maar kon zich nog wel herinneren wat ze die nacht met hem had gedaan.

Hij wist ook nog wat haar tot zo veel geweld had aangezet. Toen hij daar hing, was prinses Violet komen kijken. De prinses had besloten dat ze mee wilde doen aan zijn foltering. Denna had het kleine monster haar Agiel gegeven en laten zien hoe ze hem ermee kon bewerken.

Richard herinnerde zich nog dat Violet had lopen snoeven dat ze Kahlan zou laten verkrachten, martelen en ten slotte doden. Hij had haar zo'n harde schop gegeven dat haar kaak was gebroken en ze haar tong kapot had gebeten. Dat was in deze kamer gebeurd. Met zijn rug tegen de stenen muur geleund liet hij zich zakken en ging zitten om bij te komen. Hij moest goed nadenken, puzzelen, begrijpen wat er gaande was. Hij zat met zijn rug tegen zijn ransel aan. Die trok hij naar zich toe en hij nam hem op schoot.

Plots kreeg hij een inval. Hij keek in zijn ransel, duwde zijn uitrusting van oorlogstovenaar en zijn gouden cape opzij tot hij het boek vond dat Baraccus hem had nagelaten. Hij bladerde door het boek. De bladzijden waren nog steeds leeg. Als hij zijn gave niet was kwijtgeraakt, had hij het boek kunnen lezen. Als hij zou weten hoe hij zijn vermogen kon gebruiken, had hij zichzelf kunnen redden. Was dat maar waar!

Opeens viel hem in dat ze dit boek niet mochten vinden. Zes had de gave, althans een bepaalde vorm van de gave. Dit boek mocht ze niet te zien krijgen. Baraccus had het drieduizend jaar bewaard. Het was alleen voor hem bestemd. Dat vertrouwen mocht hij niet beschamen. Daarom mocht niemand er iets vanaf weten.

Hij stond op en begon door de cel te ijsberen terwijl hij een plaats zocht waar hij het boek kon verstoppen, maar die was er niet. Het was een eenvoudig stenen vertrek zonder gaten, nissen of losse stenen. Er was geen enkel verstopplekje.

Terwijl hij peinzend midden in de ruimte stond, keek hij omhoog en zag de ijzeren pen. Hij liep rond om de balken te bekijken. Een van de balken liep evenwijdig aan de muur en tussen de balk en de muur zat maar weinig ruimte. Deze balk had, net als de meeste plafondbalken, grote scheuren, die erin waren gekomen toen hij was afgezaagd en vervolgens was opgedroogd. Hij kreeg een idee.

Meteen verplaatste hij de stoel daarheen en klom erbovenop. Die was niet hoog genoeg. Hij duwde de stoel opzij en schoof de tafel erheen. Door van de stoel op de tafel te stappen, kon hij uiteindelijk bij de ijzeren pen komen. Hij probeerde de pen heen en weer te bewegen, maar die zat muurvast. Hij had de pen echter nodig om het boek te kunnen verstoppen.

Hij ging aan de pen hangen. Terwijl hij er met zijn volle gewicht aan hing, sprong hij net zo lang op en neer tot er beweging in de pen begon te komen. Snel en met inspanning van al zijn krachten lukte het hem de pen heen en weer te wrikken totdat hij hem eruit kon trekken.

Daarna schoof Richard de tafel opzij naar een donkere hoek van het vertrek en klom erbovenop. Hij bekeek de scheur in de balk en vond een plek waar die omhoog liep, naar de planken zoldering. Hij stak de ijzeren pen in de scheur en duwde hem net zo lang aan tot hij muurvast zat.

Hij pakte zijn ransel en klemde hem tussen de balk en de muur. Toen hij hem zo klein en plat mogelijk had gemaakt, schoof hij hem opzij tot hij door de ijzeren pen op zijn plaats werd gehouden. Hij nam de proef op de som door aan zijn ransel te trekken, maar die zat muurvast. Er was geen beweging meer in te krijgen. Hij sprong naar beneden en zette de tafel en stoel terug op hun plek. Zijn ransel had dezelfde kleur als het verweerde eikenhout van de balk en hing in een donkere hoek. Tenzij iemand er doelbewust naar zocht, zou niemand hem daar opmerken. Een betere verstopplek was er trouwens niet.

Tevreden dat hij het nodige had gedaan om te voorkomen dat het boek en zijn uitrusting als oorlogstovenaar in verkeerde handen zouden vallen, ging hij op de stenen vloer aan de andere kant van het vertrek liggen en probeerde even te slapen.

De gedachte aan wat Zes hem voor de volgende dag had beloofd, hield hem echter uit zijn slaap. Een knagende angst maakte zich van hem meester, waardoor zijn gedachten op hol sloegen. Hij wist dat hij rust nodig had, maar hij het lukte hem niet om kalm te worden.

Het was een opluchting dat Zes even niet in zijn buurt was. Sinds zijn bezoek aan de spichten had hij alle gevoel voor tijd verloren, en toen hij uit het eeuwenoude bos kwam, had Zes hem opgewacht. Als hij bij haar was, kon hij niet denken, kon hij niets doen. Ze nam zijn hele geest in beslag.

Zijn hele geest... Hij herinnerde zich dat hij eerst in deze cel met Denna was geweest. Ze had hem verteld dat hij haar troetel was en dat ze zijn wil zou breken. Toen had hij zich voorgenomen dat ze haar gang mocht gaan, maar dat hij één stukje voor zichzelf zou bewaren, zou wegstoppen en daar niemand zou toelaten, ook zichzelf niet, totdat hij die veilige plaats kon ontsluiten en weer zichzelf kon zijn.

Dat moest hij nu weer doen. Hij mocht Zes niet toestaan zijn hele geest in beslag te nemen, zoals ze had gedaan sinds ze hem gevangen had genomen. Hij kon haar invloed nog steeds voelen, haar wilskracht die aan hem trok, maar nu hij niet in haar onmiddellijke nabijheid was, leek de druk in verhouding zoveel minder, dat hij zich vrij van haar voelde en weer kon nadenken. Tot op zekere hoogte was hij nu in staat te beslissen wat hij wilde en hij wilde vrij zijn van die heks.

In zijn geest creëerde hij een aparte plaats, zoals hij dat lang geleden in hetzelfde vertrek had gedaan. Hij schermde een deel van zichzelf af, een deel van zijn kracht, de kern van zijn wil, op een soortgelijke manier als hij zijn ransel had verstopt in een onopvallend hoekje, waar niemand hem zou kunnen vinden.

Zijn herwonnen vermogen om na te denken en een plan te maken vervulde hem met opluchting. Ook al kon hij de klauwen van die heks nog steeds voelen, toch had ze niet meer zoveel macht over hem als ze dacht. Eindelijk lukte het hem om zich enigszins te ontspannen.

Hij dacht aan Kahlan. De herinnering bracht een trieste glimlach op zijn gezicht. Hij dwong zichzelf om aan hun gelukkige tijden te denken. Hij dacht hoe het was geweest om haar vast te houden, haar te kussen, 's nachts met haar alleen te zijn, terwijl ze hem influisterde hoeveel hij voor haar betekende.

Terwijl hij aan Kahlan dacht, dommelde hij in.

49

Richard schrok wakker toen de deur van het slot werd gedraaid. Het was een wreed ontwaken, want Kahlan had hem in zijn dromen bezocht. Hoewel hij zich niet kon herinneren wat hij precies had gedroomd, wist hij dat het over haar was gegaan. Hij voelde zich vervuld van haar aanwezigheid, alsof hij haar werkelijk had gezien en bij het ontwaken ruw bij haar was weggerukt. Toen hij eenmaal wakker was, vervluchtigde het gevoel van haar nabijheid vrijwel meteen. Het was een bittere teleurstelling dat haar droomverschijning plaats had moeten maken voor de kille en lege realiteit. In zijn dromen was de wereld veel mooier geweest. Ook al kon hij ze zich niet meer herinneren, het waren zoete dromen geweest, als de klanken van verre muziek. Dat vage gevoel was genoeg om te weten dat hij liever in zijn droomwereld was gebleven.

Zodra hij rechtop ging zitten, deden zijn botten pijn van het slapen op de stenen vloer. Hij betwijfelde of hij meer dan een paar uur had geslapen, zo versuft voelde hij zich. Toen de bewakers het vertrek in stroomden, stond hij moeizaam op en probeerde intussen zijn verkrampte spieren te strekken.

Zes kwam als een wervelstorm binnen. Haar huid stak spookachtig af tegen haar weerbarstige zwarte haar en haar fladderende zwarte gewaad. Met haar bleekblauwe ogen keek ze hem strak aan, alsof hij de enige op de hele wereld was. Richard voelde hoe hij onder haar blik werd verpletterd alsof het een rotsblok was. Die blik, haar hele aanwezigheid, beroofde hem van zijn wilskracht.

Hij werd overspoeld door allerlei onbestemde gevoelens. Toen ze naar hem toe liep, deed hij zijn uiterste best zijn hoofd boven het donkere water te houden en geen afstand te doen van zijn wil. Het was alsof hij voor zijn leven vocht in een woeste rivier, terwijl hij door een krachtige stroming de diepte in werd gezogen. 'Kom, we gaan naar de grotten. We hebben niet veel tijd meer.'

In plaats van te vragen wat ze met 'niet veel tijd' bedoelde – hij betwijfelde of hij de kracht had die vraag te stellen – vroeg hij iets anders waarvoor hij wel de kracht kon vinden, iets wat nog steeds in zijn hoofd zat. 'Weet je waar Kahlan is?'

Zes bleef staan, draaide zich half om en keek hem aan. 'Natuurlijk, ze is bij Jagang.'

Jagang! Richard was sprakeloos dat Zes zich niet alleen Kahlan kon herinneren, maar ook nog wist waar ze was. Het leek alsof ze genoot van de pijn die ze hem zo overduidelijk had toegebracht. Zes draaide zich om en liep naar de deur. 'Kom nou maar en schiet op.'

Er was iets aan de hand. Hij wist niet wat het was, maar hij voelde het in de macht die ze op hem uitoefende. Ook al hield ze hem nog onder de betovering van haar verleidelijke invloed, alsof hij was geketend aan een zachte, maar ijzersterke lijn, toch was het anders dan eerst. Hij merkte dat er een verschil was. Haar hele houding straalde verontrusting uit.

Dat kon hem echter weinig schelen, want Jagang had Kahlan in handen. Hij stond er niet eens bij stil hoe Zes kon weten wie Kahlan was. Daarvoor was hij nog te overdonderd door haar woorden: *ze is bij Jagang.*

Als Zes hem niet had meegesleurd, was hij beslist in elkaar gezakt. Een ergere nachtmerrie dan Jagang die Kahlan in handen had, kon hij zich niet voorstellen. In blinde paniek tuimelden zijn gedachten over elkaar heen, terwijl hij achter de heks aan liep door de donkere windingen en draaiingen van de stenen gangen. Hij moest iets doen. Hij moest Kahlan helpen. Blijkbaar bevond Kahlan zich niet alleen in handen van de Zusters van de Duisternis, maar waren ze ook gestuit op hun beider grootste vijand. Behalve zijn bezorgdheid voor Kahlan was Richards overheersende gedachte dat hij wist waar Jagang zich bevond. De keizer trok door D'Hara op naar het Volkspaleis. Kahlan was dus bij hem.

Zo diep was hij in gedachten dat ze buiten stonden voor hij er erg in had. Hij begreep meteen waarom Zes zo opgewonden was. Van alle kanten kwamen soldaten toestromen. Dit waren de manschappen van het kampement dat hij de avond ervoor in de vallei had zien liggen.

Verwensingen mompelend zocht Zes een manier om van het slotplein weg te komen, maar door elke ingang stroomden horden soldaten binnen. Ook de terugweg naar zijn stenen cel in het kasteel was afgesloten door een muur van manschappen die het kasteelplein op marcheerden.

Alle mannen zaten onder het stof. Sommige soldaten droegen harnassen, andere maliënkolders, maar de meeste waren gehuld in een beschermend tenue van donker leer. Met spijkers beslagen leren banden liepen schuin over hun borst. Daaraan hingen leren zakjes met levensmiddelen of gevechtsklare messen in een schede. Aan hun zware leren riemen droegen ze bijlen, knotsen, vlegels en zwaarden. Nog nooit had Richard mannen gezien die er zo dreigend uitzagen. De bewakers, gekleed in maliënhemden met een rood tuniek erover, waren niet zo dom dat ze de vervaarlijk ogende soldaten probeerden tegen te houden, en zeker niet zulke grote aantallen.

Richard wist dat de soldaten die het kasteelterrein op kwamen marcheren, afkomstig moesten zijn van het leger van de Imperiale Orde.

'Zoals afgesproken,' zei een gespierde man, terwijl hij op Zes afstevende, 'hebben we Tamarang veiliggesteld voor de zaak van de Imperiale Orde.'

'Ja, natuurlijk,' zei Zes. 'Maar... we hadden jullie komst niet zo snel verwacht.'

Met zijn hand op het gevest van zijn zwaard liet de man zijn donkere ogen onderzoekend over het terrein gaan. Richard bemerkte zijn eersteklas wapens, zijn kundig vervaardigde wapenrusting en dat hij meteen de leiding nam. Dit moest de commandant van alle soldaten zijn.

'We zijn goed opgeschoten,' zei hij. 'Enkele grotere en kleinere steden op onze weg boden geen tegenstand, dus zijn we er nu al in plaats van na de winter, zoals we hadden verwacht.'

'Wel... dan heet ik u namens de koningin welkom,' zei Zes. 'Ik, nou ja, ik was net van plan haar te zoeken.'

De commandant droeg schouderplaten van voorgevormd leer en een borstplaat van geperst leer, die met allerlei afbeeldingen was versierd. De leren borstplaat had hem blijkbaar goede dienst bewezen. Dat was te zien aan de krassen en sneden van de wapens die erop af waren geketst. Hij droeg een rij ringen in zijn rechteroor en een tatoeage van schubben, die de rechterkant van zijn gezicht bedekte, alsof hij half man, half slang was.

'De Orde vecht voor het heil van de Orde en onze zaak. Tamarang valt nu onder de Imperiale Orde. Mag ik aannemen dat jullie allemaal verheugd zijn bij de Orde te horen?'

Het geluid van laarzen overstemde het gezang waarmee de vogels de zonsopgang begroetten. Van alle kanten dromden de mannen op het slotplein samen en overstroomden het pad voor Richard.

'Ja, natuurlijk,' zei Zes tegen de commandant. Ze leek haar zelfbeheersing herwonnen te hebben. 'De koningin en ik vertrouwen erop dat u zich aan de gemaakte afspraken houdt: dat niemand van de Orde het kasteel zal betreden, dat het kasteel voorbehouden blijft aan Hare Majesteit, haar adviseurs en bedienden.'

De man keek haar even strak aan. 'Dat is me om het even. Het kasteel is voor ons niet interessant.' Hij knipperde met zijn ogen, alsof het hem verbaasde dat hij daar zomaar mee had ingestemd. Toen zette hij een hoge borst op om weer iets van zijn felheid terug te krijgen. 'Maar zoals is afgesproken, is de rest van Tamarang nu een provincie van het rijk van de Imperiale Orde.'

Zes boog instemmend haar hoofd. Haar flauwe glimlach was terug. 'Zoals is afgesproken.'

Hoewel Richard het gesprek wel registreerde, drong de inhoud amper tot hem door. Hij had gebruik gemaakt van haar verflauwde aandacht om uit de greep van Zes te ontsnappen. Nu ze was afgeleid, gebruikte hij dat als een ijzeren staaf, waarmee hij haar onzichtbare klauwen van zich af duwde. Het was hem gelukt haar grip een stukje open te wrikken, zodat zijn geest eruit kon ontsnappen.

Het werd tijd dat hij iets voor zichzelf en Kahlan deed. Ook al was hij zijn gave en het Zwaard van de Waarheid kwijt, hij was niet vergeten wat hij van het hanteren van zijn zwaard had geleerd, en al helemaal niet wat hij van het leven had geleerd. Ook zonder zijn gave herinnerde hij zich de betekenis van symbolen. Hij kende het ritme van de dans met de dood.

Hij wist nog steeds hoe hij één moest zijn met een zwaard. Alleen moest hij nog een zwaard te pakken zien te krijgen.

Terwijl Zes en de officier afspraken tot hoever de mannen het terrein op mochten komen, waar ze zich niet zouden vertonen en welke delen van de stad van hen zouden zijn, keek Richard over zijn schouder. Hij zag de houten gevesten aan de zwaarden van de soldaten en het leren gevest van het zwaard van een onderofficier vlak achter hem, een stukje naar rechts.

Glimlachend keek hij de man aan, terwijl hij een koperen muntje uit zijn zak haalde en het onverschillig over zijn knokkels liet rollen. Alsof hij een kluns was, liet hij het muntje wegglijden en op de grond vallen. Daarna hurkte hij neer om het op te rapen, terwijl hij zich in evenwicht hield door met zijn ene hand op de zandgrond naast het pad te steunen. Met zijn andere hand greep hij het muntje en zorgde dat zijn handpalmen en vingers goed onder het zand zaten. Toen hij het muntje opraapte, nam hij nog een schepje zand mee. De officier achter hem had vooral oog voor zijn meerdere, die met Zes stond te praten. Hij keek vluchtig naar Richard op het moment dat die het muntje schoon veegde en in zijn zak liet glijden, maar Zes bood een veel interessantere aanblik dan zo'n onhandige stumper. Intussen deed Richard of hij tevergeefs zijn handen aan het schoonvegen was, terwijl hij in werkelijkheid zijn handpalmen en vingers goed met zand inwreef. Als hij ging vechten, wilde hij niet dat het leer in zijn handen weggleed. Zonder zich om te draaien, helde hij achterover naar de onderofficier. De man was in de ban van de bekoorlijke gestalte van Zes, die intussen haar web spon en de mannen vertelde wat er moest gebeuren. Vanuit zijn ooghoeken zag Richard het gevest van het zwaard, dat de man op zijn heup droeg. Het was van betere kwaliteit dan de wapens van de meeste andere mannen.

Terwijl Zes en de commandant in gesprek waren, draaide Richard zich een stukje om en deed alsof hij zich uitrekte. In een flits lag zijn hand op het zwaard. Bij de tweede flits had hij de kling losgetrokken.

Nu hij weer een wapen had, werd hij overspoeld door herinneringen aan de houdingen en vaardigheden die hij zich door langdurige oefening had eigengemaakt. Hoewel de lessen gedeeltelijk uit bovennatuurlijke bronnen waren gekomen, was de kennis op zichzelf niet magisch. Die was gebaseerd op de ervaring van talloze Zoekers vóór Richard. Ook al had hij het wapen niet meer, de kennis had hij nog steeds.

In de veronderstelling dat Richard niet goed wijs was, probeerde de officier zijn wapen terug te krijgen. Richard draaide het zwaard rond en doorkliefde hem met een achterwaartse stoot.

Daarop gingen de andere mannen tot actie over. In de koele ochtendlucht werden zwaarden getrokken. Potige kerels trokken enorme sikkelvormige strijdbijlen, knotsen en vlegels uit hun riem.

Opeens voelde Richard zich in zijn element. De mist was uit zijn hoofd verdwenen. Hij had niet verwacht zo snel een beroep te moeten doen op het deel van zijn geest dat hij uit zelfbehoud had afgescheiden, maar het tijdstip was aangebroken dat hij moest handelen. Dit was zijn kans.

Hij wist waar Kahlan was en hij moest naar haar toe. Deze mannen stonden in de weg.

Toen iemand zijn bijl ophief, hakte hij met een zwaai de hele arm eraf. Het gegil en de fontein van bloed deed de mannen eromheen in elkaar krimpen. In een flits haalde Richard uit. Hij doorkliefde een andere man, die net zijn zwaard optilde. De soldaat stierf voordat hij zijn arm in de aanslag had gebracht. Razendsnel ontweek Richard de wapens die naar hem uithaalden.

Ondanks het plotselinge tumult van kletterend metaal en schreeuwende mannen bevond Richard zich in de stille wereld van doelbewuste actie. Hij had de situatie in de hand. Deze mannen dachten wellicht dat ze een heel leger tegen hem konden inzetten, maar in zekere zin was hij in het voordeel. Hij vocht niet tegen een leger, maar tegen individuen. Zij gedroegen zich echter als een amorfe massa, een collectief dat zich gezamenlijk in beweging zette, alsof alle soldaten bij elkaar één grote vechtmachine vormden. Dat was een vergissing, waarvan Richard gebruik maakte door op hen in te hakken. Terwijl ze aarzelden en wachtten tot de ander iets zou doen, afwachtten tot er een opening zou komen, bewoog Richard zich door hun gelederen en stak ze neer. Hij liet ze uithalen en toeslaan, zich tot het uiterste inspannen, terwijl hij zich soepel voortbewoog in het strijdgewoel. Elke stoot van zijn zwaard trof doel. Elke keer dat hij zijn wapen hief, sloeg hij iemand neer. Het leek wel of hij door een dichtbegroeid bos liep en alle takken wegsneed die hem in de weg zaten. Hij gebruikte de vaart van zijn zwaard om kracht te zetten voor de volgende stoot. Hij hield het doorlopend in beweging, in plaats van zijn inspanning en kostbare tijd te gebruiken voor het terugtrekken van zijn zwaard. Als hij de kling liet neerdalen en iemand de keel door sneed, zwaaide hij het wapen in dezelfde beweging achterwaarts om een soldaat neer te steken die op hem af stormde, en zodra hij de kling uit de man trok, draaide hij razendsnel weg, terwijl zwaarden, bijlen en vlegels neerdaalden op de plek waar hij daarnet nog had gestaan. In een soepele dans bewoog hij zich door de grommende, duikende en springende soldaten. Steek en snijd, steek en snijd. Hij liet hun kreten door de ochtendlucht schallen. Anderen zagen tot hun ontzetting dat ze hem niet konden tegenhouden en aarzelden uit angst voor wat hun te wachten stond.

De hele tijd hield Richard zijn doel voor ogen. Hij stevende af op de doorgang in de muur. Terwijl hij aanviel en zich zigzaggend een weg baande tussen de vechtende mannen door, zette hij vastberaden koers naar die opening, die zijn vrijheid was. Hij moest erdoorheen, want dan kon hij naar Kahlan toe.

Onderweg maaide Richard een paar mannen neer, terwijl hij anderen voorbijschoot. Zijn oogmerk was niet dat hij zo veel mogelijk mannen moest doden, maar dat hij zijn doel moest bereiken, de open doorgang.

Hoewel er orders werden geschreeuwd, de soldaten tierden van woede dat ze hem te pakken wilden nemen, mannen het uitgilden van de pijn als ze werden opengesneden en hun ingewanden eruit rolden, of als ze werden neergestoken, was er in Richards geest een rustige vastberadenheid. Vanuit die leegte stak hij toe. Hij koos zijn slachtoffers snel en stak ze even snel neer. Hij verspilde geen moeite met lange uithalen, maar stak zelfverzekerd toe. Als hij tussen de mannen een leider zag staan, wiens bewegingen bedrevener waren en naar wie de anderen zich tijdens de aanval richtten, doorstak hij die sterke man. Koers zettend naar de opening in de muur glipte hij door de gaten in hun verdediging, terwijl hij de hele tijd met zijn zwaard op hen inhakte. Hij gunde zich geen moment rust in deze vastberaden tocht. Hij gaf de vijand geen gelegenheid op adem te komen terwijl hij op hem inhakte. Zonder genade stak hij elke man neer die hij kon raken. Of zijn tegenstander er nu woest of angstig uitzag, Richard stak hem neer. Ze hadden verwacht dat hij wel onder de indruk zou zijn van hun grote aantal, van de strijdkreten waarmee ze op hem afstormden, maar dat was niet zo. Hij stak ze genadeloos neer. Eindelijk kwam hij bij de doorgang, waar hij de twee mannen onthoofdde die rechts en links ervan stonden. Toen er geen soldaten van de Imperiale Orde meer voor de opening stonden, stormde Richard naar buiten.

Daar bleef hij als aan de grond genageld staan. Hij was gestuit op een haag boogschutters, die allen hun bogen hadden gespannen en hun pijlen op hem hielden gericht. Soldaten met handbogen en mannen met kruisbogen stonden in een halve cirkel opgesteld achter de doorgang. Hij was in een fuik gelopen van vlijmscherpe pijlen met ijzeren punten, die allemaal op hem waren gericht. Richard wist dat hij geen enkele kans maakte tegen de honderden pijlen die hem onder schot hielden, vooral niet op zo'n korte afstand.

De commandant verscheen in de muuropening. 'Erg indrukwekkend. Zoiets heb ik nog nooit gezien.' De man klonk werkelijk verbaasd, maar het was afgelopen. Met een diepe zucht gooide Richard zijn zwaard op de grond.

De commandant kwam dichterbij, terwijl hij Richard fronsend van top tot teen bekeek. Achter hem verscheen Zes in de muuropening, een zwart silhouet tegen de opgaande zon.

De commandant sloeg zijn gespierde armen over elkaar. 'Heb je wel eens Ja'La dh Jin gespeeld?'

Een vreemdere vraag kon Richard zich op dat moment nauwelijks voorstellen. Op de achtergrond, aan de andere kant van de tamelijk kleine opening in de muur waar hij doorheen was gekomen, hoorde hij de zwaargewonde mannen schreeuwen, jammeren en om hulp smeken.

Richard deinsde niet terug voor de commandant. 'Ja, ik weet hoe ik het spel des levens moet spelen.'

De man glimlachte omdat Richard bleek te weten wat Ja'La dh Jin in de taal van de keizer betekende. Hij leek zich niet druk te maken om het grote aantal mannen dat Richard had neergestoken en schudde verwonderd zijn hoofd. De doden en gewonden konden Richard ook niets schelen. Ze hadden gekozen mee te doen met het leger van de overwinnaar, te plunderen, te verkrachten en mensen te vermoorden die niets hadden misdaan, mensen wier enige zonde eruit bestond dat ze niet geloofden in de leefwijze van de Orde, mensen die een vrij leven hadden willen leiden.

Zes sloop naar voren tot ze naast de commandant stond. 'Ik heb grote waardering voor uw inspanningen om deze gevaarlijke man aan te houden. Hij is een veroordeelde gevangene en valt onder mijn verantwoordelijkheid. Zijn straf zal door de koningin persoonlijk worden vastgesteld.'

De commandant keek haar vluchtig aan. 'Hij heeft zojuist een heleboel van mijn mannen gedood, dus nu is hij mijn gevangene.'

Zes keek alsof ze vuur ging spuwen. 'Ik kan niet toestaan...'

Er werden honderden pijlen tegelijk op de vrouw gericht. Ze verstarde en zweeg, terwijl ze het risico afwoog. Evenals Richard wist ze dat haar talenten het moesten afleggen tegen zo'n grote formatie mannen met wapens die in een seconde afgevuurd konden worden. Haar leven kon in een oogwenk voorbij zijn.

'Deze man is mijn gevangene,' zei Zes op zachte, maar ferme toon tegen de commandant. 'Ik wilde hem net naar de koningin brengen om...'

'Hij is mijn gevangene. Gaat u toch terug naar uw kasteel. Het terrein is van de Orde en valt niet langer onder de heerschappij van de koningin of van u. Deze man is nu van ons.'

'Maar ik...'

'U mag gaan. Of wilt u soms de overeenkomst verbreken? In dat geval zullen we jullie allemaal afmaken.'

Zes liet haar bleekblauwe ogen over de honderden boogschutters gaan, die hun pijlen op haar gericht hadden. 'Natuurlijk blijft onze overeenkomst van kracht, commandant.' Ze richtte haar doordringende blik op de man. 'Ik heb me eraan gehouden, dus dat verwacht ik ook van u.'

Met een lichte hoofdknik zei hij: 'Prima, maar laat ons nu ons werk doen. Zoals is afgesproken, mogen u en de rest van de hofhouding zich aan uw eigen taken wijden en bent u vrij te gaan en staan waar u wilt. Mijn mannen zullen uzelf, de staf en de bedienden van het kasteel met rust laten.'

Met een laatste, dodelijke blik op Richard draaide Zes zich om en schreed weg. De commandant, zijn manschappen en Richard keken de heks na, terwijl ze door de opening in de muur gleed en het bloederige pad afliep tussen de doden en stervenden door.

Zonder om te kijken stevende ze recht op de ingang van het kasteel af. De mannen weken uiteen om haar door te laten.

De commandant wendde zich weer tot Richard. 'Hoe heet je?'

Richard wist dat hij niet zijn echte naam kon opgeven en zelfs niet de naam waarmee hij was opgegroeid, Richard Cypher. Het risico was te groot dat hij dan zou worden herkend. Zijn hersens werkten op volle toeren om een schuilnaam te verzinnen. Opeens schoot hem de naam te binnen die Zedd graag gebruikte als hij zijn identiteit moest verhullen. 'Ik ben Ruben Rybnik.'

'Wel, Ruben, je mag kiezen. We kunnen je levend villen, op een staak binden, opensnijden en laten toekijken terwijl de gieren je ingewanden uitrukken en erom vechten.'

Richard wist dat hij aan dat lot kon ontsnappen. Hij hoefde alleen maar aan te vallen en de boogschutters zouden hem doden. Toch wilde hij nog niet sterven, want als hij dood was, kon hij Kahlan niet helpen.

'Dat trekt me niet aan. Is er nog een andere keus?'

Over het gelaat van de man gleed een sluwe glimlach, die goed paste bij de getatoeëerde schubben van zijn slangachtige gezichtshelft. 'Die is er inderdaad. Weet je, de eenheden van het leger hebben elk een eigen Ja'La-team. Ons team bestaat uit een mengeling van eigen soldaten en de beste mannen die we onderweg zijn tegengekomen – mannen die door de Schepper met een bijzonder talent zijn begiftigd.

Ik ben erg onder de indruk geraakt van de manier waarop je je door al die mannen heen een weg hebt gezocht naar de muuropening, alsof je recht op een doel afstevende. Je ging maar door en liet jezelf niet tegenhouden, waarmee mijn mannen je ook belaagden… volgens mij ben je een geboren spitsspeler.'

'Gevaarlijke positie, spits.'

De commandant haalde zijn schouders op. 'Daarom heet het ook het spel des levens. We missen een spits, want de onze kwam om bij het laatste spel. Toen hij een hinderlijke tegenstander wilde ontwijken, miste hij een worp. De broc schoot tegen zijn ribben, die zijn longen doorboorden. Het was een smerige, pijnlijke dood.'

'Het lijkt me geen aantrekkelijke baan.'

De ogen van de commandant fonkelden dreigend. 'Misschien wil je liever worden gevild en kijken hoe gieren om je ingewanden vechten.'

'Hoe groot is de kans dat ik in het keizerlijke team mag spelen?'
'Het keizerlijke team?' herhaalde de commandant. Hij keek Richard met grote ogen aan, verrast dat hij zoiets had gevraagd. 'Je bent wel erg ambitieus.' Toen knikte hij. 'Alle officiële Ja'La-teams dromen ervan om tegen het team van de keizer te spelen. Als je laat zien wat je waard bent en ons met je vaardigheden als spits het toernooi laat winnen, bestaat er een kans dat je in het team van de keizer mag spelen. Gesteld dat je het overleeft.'
'Dan wil ik graag meedoen.'
De commandant glimlachte. 'Wil je een held worden? Is dat het? Een Ja'La-speler die wordt bejubeld? Een beroemde speler?'
'Misschien wel.'
De commandant boog zich naar hem toe. 'Volgens mij droom je van de vrouwen die zo'n overwinning je oplevert. De blik in de ogen van mooie dames. De glimlach van aantrekkelijke vrouwen.'
Richard dacht aan Kahlans prachtige groene ogen, aan haar glimlach. 'Ja, zoiets had ik in mijn hoofd.'
'In mijn hoofd!' De man stootte een spottend lachje uit. 'Nou, Ruben, zet het snel weer uit je hoofd. Je bent geen speler die ons team komt versterken. Je bent een gevangene en nog gevaarlijk ook. Voor mensen als jij hebben we speciale voorzieningen. Je wordt in een kooi gestopt en met een wagen vervoerd. Je mag eruit om te spelen of te trainen, maar voor de rest ben je niet meer dan een gekooid dier. Tijdens de training moet je hard je best doen om met de rest van het team te leren samenwerken, om je zwakke en sterke kanten te ontdekken – per slot van rekening ben jij de spits. Maar je bent niet de ster waar alles om draait.'
Richard zag geen alternatief. 'Ik begrijp het.'
De commandant haalde diep adem, terwijl hij zijn duimen achter zijn wapenriem haakte. 'Fijn. Als je goed speelt, bij elke wedstrijd je best doet en we verslaan inderdaad het team van de keizer, mag je kiezen uit een keur van vrouwen die maar al te graag met de spelers naar bed gaan.'
'Met de overwinnaars,' verbeterde Richard hem.
De commandant knikte. 'Met de overwinnaars.' Hij stak zijn vinger op. 'Eén foute stap en je bent er geweest.'
'Akkoord,' zei Richard. 'Hier staat uw nieuwe spits.'
Met opgeheven hand gebaarde de commandant de andere offi-

cieren dat ze dichterbij moesten komen. Ze gingen voor hem in de houding staan.

'Laat de wagen komen, die met de ijzeren kooi, voor onze nieuwe spitsspeler hier. Ik denk dat jullie al weten hoe gevaarlijk hij is. Behandel hem als zodanig. Ik wil dat hij zijn talent benut door onze tegenstanders te verslaan.'

De officier schonk Richard een keurende blik. 'Het zou fijn zijn als we wat vaker zouden winnen.'

De commandant knikte, terwijl hij bevelen begon op te dreunen. 'Zet wachters neer bij het kasteel en bewaak de stad met voldoende aantallen, zodat we geen last kunnen krijgen van de bevolking van Tamarang. Laat daarna alle arbeiders opslagruimtes inrichten voor onze goederenaanvoer, maar zoek eerst een plaats die daarvoor groot genoeg is. Zoek die buiten de stad aan de rivier.

De zomer loopt ten einde. Voordat jullie er erg in hebben, is het al winter. Binnenkort zullen er dikwijls grote bevoorradingskonvooien arriveren. We zullen al onze soldaten in de Nieuwe Wereld moeten voeden om de komende winter door te komen.

De stad Tamarang zal de spullen leveren die de mannen voor de bouw nodig hebben. Het timmerhout moet naar de haven in de rivier vervoerd worden, dus moeten er wegen worden aangelegd naar de bouwplaats en de kazerne voor de mannen die hier uiteindelijk zullen worden gelegerd.'

Een van de officieren knikte. 'De plannen liggen al klaar.'

Richard nam aan dat de Orde de bevolking van de stad Tamarang liet meehelpen bij de bouw van de opslagplaats. Zulke dingen had hij hen eerder zien doen. Het was makkelijker zaken te doen met de steden die zich vrijwillig bij de Orde aansloten, dan alles te vernietigen en daarna weer op te bouwen.

'Ik vertrek meteen met onze eenheid en goederenwagens,' deelde de commandant zijn officieren mee. 'Jagang wil zo veel mogelijk mannen verzamelen voor de aanval op het D'Haraanse Rijk.'

Intussen stond de leider van het D'Haraanse Rijk rustig te luisteren naar hun plannen voor de beslissende aanval op het volk van de Nieuwe Wereld, voor de slachting van hen die in vrijheid geloofden, voor de strijd die hij zelf had verhinderd.

50

R achel werd wakker toen ze Violet door de kamer hoorde drentelen. Door een kleine spleet in haar ijzeren kist kon Rachel het hoge raam aan de andere kant van de kamer zien. Ook al waren de zware koningsblauwe gordijnen gesloten, aan het licht dat erdoorheen kierde kon ze zien dat de dag aanbrak.

Gewoonlijk was koningin Violet niet zo vroeg op.

Rachel spitste haar oren, probeerde te horen wat Violet aan het doen was. Ze hoorde een langgerekte gaap en toen geluiden die erop wezen dat de koningin van de grot zich aan het aankleden was.

Rachel had kramp in haar benen doordat ze de hele nacht in de kist had gezeten. Ze wilde eruit om zich te kunnen uitrekken, maar dat was geen wens die ze hardop durfde uit te spreken. Gelukkig hadden ze haar gisteravond niet de tongklem aangedaan; soms vond Violet dat te veel moeite.

Een plotseling BOEM BOEM BOEM deed Rachel opschrikken en haar hart op hol slaan. Het was Violet, die met de hak van haar schoen boven op de ijzeren kist bonkte.

'Opstaan,' riep Violet. 'Dit is een belangrijke dag. Een boodschapper heeft vannacht een briefje onder de deur geschoven dat Zes een paar uur voor zonsopgang is teruggekomen.'

De koningin ging fluitend verder met aankleden. Dat was op zichzelf vrij ongewoon, omdat ze meestal haar bedienden riep wanneer ze zich wilde omkleden. Nu kleedde ze zichzelf aan en floot er zelfs bij. Rachel had Violet zelden horen fluiten. Het was duidelijk dat ze in een goed humeur was omdat Zes was teruggekomen.

Het werd Rachel angstig te moede wat dat allemaal kon betekenen.

Het beetje licht dat in haar slaapkist scheen, viel weg toen Violets ogen voor de kleine opening in het deurtje verschenen. 'Ze heeft Richard bij zich. De betoveringen die ik heb getekend, hebben allemaal gewerkt. Vandaag zal de ergste dag van zijn leven worden. Daar zorg ik wel voor. Vandaag begint zijn boetedoening voor wat hij me heeft misdaan.'

Violets gezicht verdween. Het fluiten begon opnieuw, terwijl de koningin door de kamer liep en de rest van haar kleren, haar kousen en rijglaarzen aanschoot. Even later liep ze terug naar de kist en boog zich weer voorover. 'En jij mag toekijken als ik hem door de mannen laat geselen.' Ze hield haar hoofd schuin. 'Wat vind je daarvan?'

In het verste hoekje van haar kist slikte Rachel de brok in haar keel weg. 'Dank u wel, koningin Violet.'

Violet lachte hinnikend en ging weer rechtop staan. 'Tegen zonsondergang zal hij geen greintje vlees meer op zijn rug hebben.' Ze liep naar het bureau in de hoek en kwam weer terug. Rachel hoorde de sleutel in het slot draaiden. Met een metalig klikje sprong het slot open en klapte tegen het ijzeren deurtje. Violet tilde het hangslot uit de ring. 'En dat is nog maar het begin van wat ik hem aan zal doen. Ik zal...'

Er werd met kracht op de deur gebonsd. Een gedempte stem eiste dat er werd opengedaan. Het was de stem van Zes.

'Wacht, ik kom,' riep Violet door de kamer.

Rachel schoof dichter naar de opening toe en zag dat Violet het slot snel weer in de ring haakte. Ze was net bezig het dicht te drukken, toen Zes nogmaals op de deur bonsde.

'Goed, goed,' zei Violet. Terwijl ze het slot liet voor wat het was, rende ze naar de andere kant van de kamer. Ze schoof de klink van de grote zware deur, die vrijwel meteen openvloog. Zes kwam donker en dreigend als een onweerswolk de kamer instormen.

'Je hebt hem toch wel? Is hij hier, in de cel die ik je heb aangewezen?' vroeg Violet met een van opwinding trillende stem, terwijl Zes de grote deur dichtdeed. 'Zijn straf kan meteen beginnen. Ik zal de wachters bijeen roepen...'

'Het leger heeft hem meegenomen.'

Rachel schoof dichter naar het ijzeren deurtje en tuurde voorzichtig door de spleet. Zes stond vlak bij de deur. De koningin stond met haar rug naar Rachel toe. Violet droeg een witsatijnen jurk met een donkerblauwe ceintuur en rijglaarzen. Ze keek op naar de indrukwekkende gestalte van de heks. 'Wát zeg je?'

'Vlak voor zonsopgang arriveerden de soldaten van de Imperiale Orde. Terwijl ik hier sta te praten, verspreiden zij zich over de stad en het terrein om het kasteel. Ze zijn met duizenden, tienduizenden, misschien wel honderdduizenden.'

Violet keek verbijsterd en ongelovig, terwijl ze naar woorden zocht. 'Maar dat kán niet. Je hebt me een boodschap gestuurd. Daarin stond dat je hem had vastgezet in dezelfde cel als waar hij me pijn had gedaan, precies zoals ik je had opgedragen.'

'Dat was ook zo, maar "was" is verleden tijd. We zijn vannacht aangekomen en ik heb hem gevangengezet, zoals je verlangde. Toen heb ik je die boodschap gestuurd en een paar voorbereidingen getroffen voor vandaag.

Hij liep met me mee, nog maar kort geleden. Ik wilde hem naar je toe brengen toen we op het bezettingsleger stuitten. Het is een grote voorhoedecolonne van hun strijdkrachten. Ze komen niet moorden en plunderen, maar willen in Tamarang een militaire basis vestigen voor de opslag van voorraden die uit de Oude Wereld worden aangevoerd. Ze stonden gunstig tegenover mijn aanbod om...'

'Hoe zit het met Richard?'

Zes slaakte een diepe zucht. 'Te laat. Ik kon niets meer doen. De soldaten stroomden van alle kanten toe. Onze mannen maakten geen schijn van kans om ze tegen te houden. Wie het probeerde, werd weggevaagd. Het leek me het beste als ik zelf met de mannen van de Orde zou onderhandelen, om de veiligheid van jou en je staf te waarborgen nu het nog kan.

Terwijl ik met de commandant in bespreking was en probeerde gunstige voorwaarden te bedingen in ruil voor de gewenste hulp bij het aanleggen van hun bevoorradingslijnen, had Richard opeens een zwaard.'

Violet plantte haar vuisten op haar heupen. 'Wat bedoel je, dat hij opeens een zwaard had?' Haar woede steeg, evenals haar stem, tot steeds grotere hoogte. 'Je hebt er zelf voor gezorgd dat hij zijn zwaard is kwijtgeraakt.'

'Nee, het was het Zwaard van de Waarheid niet, maar een ander zwaard, een gewoon zwaard. Ik denk dat hij het van een soldaat heeft afgepakt, toen niemand oplette. Ook al was het een gewoon zwaard, hij kon er goed mee overweg. In een mum van tijd brak er een complete oorlog uit. Richard leek wel de dood in eigen gedaante. Hij maakte de soldaten van de Imperiale Orde bij bosjes af. Het was een gekkenhuis. De mannen dachten dat het een veldslag was. Iedereen begon te vechten zonder te weten wie hun tegenstander was. In een oogwenk stond de hele boel op stelten. Zo'n grote chaos kan zelfs ik niet bezweren. Te veel soldaten, te veel geweld. Het zou tijd hebben gekost om de zaak in de hand te krijgen en die tijd was er niet. Richard kon uiteindelijk door de opening in de muur naar buiten...'

'Dus hij ontsnapte. Na al onze inspanningen is hij toch ontsnapt!'

'Nee, want aan de andere kant van de muur werd hij door honderden boogschutters opgewacht. Hij liep in de val en werd gevangengenomen.'

Violet verzuchtte opgelucht: 'Gelukkig, ik dacht even...'

'Nee, niet gelukkig. De commandant wou hem niet vrijlaten. Omdat Richard zo veel van zijn soldaten had gedood, wilde de commandant hem gevangenzetten. Hij zal wel geëxecuteerd worden. Ik betwijfel of hij de volgende dag nog haalt.

Eenmaal in het kasteel heb ik boven uit het raam gekeken en zag dat Richard in een ijzeren kooi op een wagen werd geladen. Ze hebben hem meegenomen met de colonne die naar het noorden trok.'

Violet keek verontwaardigd. 'Dus je liet hem ontsnappen? Je liet hem meenemen door die smerige nietsnutten? Mijn buit?'

In de plotselinge stilte zag Rachel het gezicht van Zes bewolken. Ze had nog nooit meegemaakt dat de heks de koningin zo vuil aankeek en het leek haar verstandiger als Violet wat beter op haar woorden zou letten.

'Er zat niets anders op,' zei Zes met ijzige stembuiging. 'Honderden boogschutters hadden hun pijlen op me gericht. Ik had geen keus. Het is niet zo dat ik Richard zomaar aan ze wilde afgeven. Ik heb een hoop moeite gedaan om hem te pakken te krijgen.'

'Je had ze moeten tegenhouden! Je hebt je vermogens!'

'Niet genoeg om...'

'Achterlijke idioot! Stomme, stomme, waardeloze, onnozele, zwakzinnige sufkop! Ik heb je een belangrijke taak toevertrouwd en je verknalt het! Ik laat je geselen tot je nog net niet je laatste adem uitblaast! Je bent geen haar beter dan mijn andere nutteloze, waardeloze adviseurs! Ik laat je in plaats van Richard geselen om je een lesje te leren!'

Rachel dook ineen bij het galmende geluid van de klap. Violet wankelde en viel op de grond.

'Hoe durf je me te slaan,' riep Violet, terwijl ze naar haar wang greep. 'Daarvoor laat ik je onthoofden. Wachters! Kom gauw!'

Bijna meteen werd er op de dubbele deur geklopt. Zes deed de ene deur open. Twee mannen met spiesen keken neer op de koningin, die op de grond zat, en toen weer op in de bleekblauwe ogen van de vrouw met de deurkruk in haar hand.

'Als jullie het nog eens wagen te kloppen,' siste Zes, 'eet ik jullie lever rauw als ontbijt en spoel hem weg met je eigen bloed.'

De twee mannen werden even bleek als Zes. 'Het spijt me dat we u hebben gestoord, meesteres,' zei de ene man. 'Ja, het spijt me,' zei de andere, terwijl ze met de staart tussen hun benen door de gang wegvluchtten.

Zes greep grauwend van woede Violet bij haar haren en zette haar op haar eigen benen. Daarna ontketende de heks een krachtstroom die Violet dwars door de kamer deed tuimelen, een spoor van bloed op het tapijt achterlatend. 'Ondankbaar kreng. Ik ben het zat. Ik heb je gedrag lang genoeg door de vingers gezien. Vanaf nu hou je je mond dicht, of ik ruk de tong eruit die ik je heb teruggegeven.'

Met haar lange, benige vingers greep ze Violet bij haar haren en trok haar weer overeind, waarna ze de koningin tegen de muur smeet. Rachel zag dat Violets armen slap langs haar lichaam hingen. Ze deed geen poging zichzelf te verdedigen toen Zes haar herhaaldelijk sloeg. Het bloed dat uit Violets neus en mond kwam, spetterde de hele muur onder. Op het lijfje van Violets witsatijnen jurk zat een grote bloedvlek.

Toen de lange heks de koningin losliet, zakte ze als een zielig hoopje in elkaar en begon hulpeloos te huilen.

'Kop dicht!' brulde Zes, die steeds woedender werd. 'Sta op. Sta onmiddellijk op of je blijft voor altijd liggen!'

Moeizaam krabbelde Violet op. Toen ze eindelijk op haar benen stond, keek ze Zes aan met betraande ogen, waarin doodsangst te lezen stond.

Violet hief haar kin op. Ze verzette zich tegen haar angst en besloot in plaats daarvan haar toevlucht te nemen tot verontwaardiging. 'Hoe durf je je koningin zo te behandelen? Ik zal...'

'Koningin?' bitste Zes. 'Je bent nooit meer geweest dan een marionet en zelfs dat ben je niet meer. Je bent niet langer koningin. Je bent per onmiddellijk afgetreden. Ik ben nu de koningin. Geen opgeblazen leeghoofd, die denkt dat ze belangrijk is omdat ze zulke enorme scènes kan trappen, maar een echte koningin. Koningin Zes, een koningin met echte macht. Begrepen?'

Toen Violet van boosheid en verontwaardiging begon te huilen, gaf Zes haar zo'n opdoffer dat haar hoofd opzij klapte en er nog meer bloed op de fijnmazige, kobaltblauwe motieven op de muur spatte. Nu ze opnieuw met de woedende heks werd geconfronteerd, deed Violet niets, zelfs niet om de aanval af te weren.

Met haar vuisten op haar knokige heupen boog Zes zich naar Violet over. 'Ik vroeg of je het begrepen had.'

Violet knikte, dodelijk verschrikt door de dreigende stem van Zes. 'Zeg op!' Zes gaf haar nogmaals een klap. 'Geef je koningin fatsoenlijk antwoord!'

Violet begon steeds luider te snikken, alsof ze daarmee haar troon kon redden.

'Zeg op, of ik laat je levend koken, in stukken hakken en aan de varkens voeren.'

'Ja... koningin Zes.'

'Goed zo,' siste Zes met een boosaardige glimlach. Ze rechtte haar rug. 'Laat me eens kijken, wat heb ik eigenlijk aan je?' Ze sloeg haar ogen naar het plafond en zette een vinger onder haar kin als toonbeeld van koninklijk peinzen. 'Waarom zou ik je eigenlijk laten leven? Ja, ik weet het al – ik benoem je tot mijn hofkunstenaar. Je wordt een nederig lid van mijn gevolg. Als je je taak naar behoren doet, blijf je leven. Als je me ook maar even teleurstelt, word je gekookt en aan de varkens gevoerd. Begrepen?'

Violet knikte onder de boze blik die op haar was gericht. 'Ja, koningin Zes.'

Zes glimlachte uit valse voldoening dat ze Violet zo snel in het gareel had gekregen. Ze greep de voormalige koningin bij de kraag van haar jurk. 'En nu moeten we snel aan de slag. We kunnen de zaak nog steeds redden.'

'Maar hoe dan?' jammerde Violet. 'Zonder Richard...'

'Ik heb hem onschadelijk gemaakt. Ik heb hem zijn gave afgenomen en die is nu van mij. Hij kan er niet meer bij. Ik bepaal als het tijd wordt met hem af te rekenen. Wat de rest betreft, er is nog een andere manier, maar die is helaas lastiger. Ik heb Richard vooral gebruikt omdat het bepaalde zaken minder omslachtig zou maken. Bovendien hield het jou zoet en rustig aan het werk, terwijl ik de touwtjes in handen hield. Die andere manier is veel gecompliceerder, omdat er niet één persoon, zoals Richard, maar meerdere mensen bij betrokken zijn. We moeten dus onmiddellijk aan de slag.'

'Welke andere manier?'

Zes schonk haar een gemaakte glimlach. 'Jij moet nog meer tekeningen voor me maken.' Met haar ene hand opende ze de deur en met haar andere trok ze Violet de gang in. 'Je moet een vrouw voor me tekenen. Een vrouw met een ijzeren halsband om haar nek.'

'Welke vrouw?' vroeg Violet met trillende stem.

Rachel kon ze nog net de gang in zien gaan, terwijl Zes haar hand naar de deurknop uitstak. 'Je kunt je haar niet meer herinneren. Dat maakt het moeilijker, maar ik kan je vertellen hoe je de onderdelen moet tekenen die ik nodig heb. Desondanks zal het moeilijker zijn dan alles wat je hiervoor hebt gedaan. Ik vrees dat ik niet alleen je vaardigheden op de proef ga stellen, maar ook je kracht en uithoudingsvermogen. Als je niet als varkensvoer wilt eindigen, moet je je uiterste best doen. Begrepen?'

'Ja, koningin Zes,' antwoordde Violet met een door tranen verstikte stem.

Toen Zes wegbeende, Violet met zich meesleurend, gooide ze de slaapkamerdeur achter zich dicht.

In de plotselinge stilte hield Rachel haar adem in. Ze vroeg zich af of die twee aan haar zouden denken en zich om zouden draaien. Ze wachtte, maar na een tijdje moest ze haar adem laten ontsnappen. Violet had het slot er weer op gedaan, dus waarschijnlijk zou ze geen enkele gedachte meer aan Rachel wijden. Violet had wel iets anders aan haar hoofd dan zich druk te maken of Rachel naar buiten kon.

Rachel vreesde dat ze in die vervloekte kist moest sterven. Zou iemand haar er ooit uit halen? Zou Zes terugkeren en haar ter dood brengen? Rachel had immers alleen maar ter vermaak van Violet gediend. Zes had geen reden meer om de schone schijn op te houden.

En Zes had nu de leiding.

Rachel kende de meeste mensen die op het kasteel werkten. Ze wist dat niemand zijn mond open durfde te doen als Zes beweerde dat zij de nieuwe koningin was. Iedereen was bang voor Violet geweest, omdat ze mensen had gestraft en ter dood had gebracht, maar iedereen was nog banger voor Zes, omdat zij degene was die Violets grillen uitvoerde. Daarbij kwam dat als Zes iets zei, de mensen niet in staat waren iets anders te doen dan haar te gehoorzamen. Het leek alsof iedereen die haar durfde tegen te spreken, op geheimzinnige wijze van de aardbodem verdween. Rachel bedacht dat de varkens er weldoorvoed uitzagen.

Ze herinnerde zich dat Violet, toen ze door Zes werd geslagen, niet eens had geprobeerd met haar handen de klappen af te weren. Rachel wist dat Zes een heks was. Een heks beheerste de kunst om anderen te laten vergeten hoe ze zich moesten verdedigen. Iedereen gehoorzaamde haar gewoon, al wilden ze het niet. Net als die bewakers. Ze hadden de koningin met een bloedneus op de vloer zien liggen, haar om hulp horen roepen, maar toch hadden ze meteen gedaan wat Zes hun opdroeg en niet naar Violet geluisterd.

51

Rachel zat een poosje in haar ijzeren kist te peinzen, te piekeren en zich af te vragen hoe het met haar zou aflopen.
Opeens schoot haar iets te binnen.
Zacht en behoedzaam, al was er niemand in de kamer en was de
deur dicht, drukte ze zichzelf zo plat mogelijk tegen de sluiting
van haar kist. Ze hield haar ene oog recht voor de spleet. Eerst
inspecteerde ze de kamer, bang dat de heks haar op de een of
andere manier in de gaten hield. De heks bezocht haar soms
's nachts... in haar dromen. Als Zes zich opeens midden in de kamer zou manifesteren, zou Rachel niet eens verbaasd zijn. Onder
de hofhouding deden vele geruchten de ronde over de vreemde
gebeurtenissen die hadden plaatsgevonden sinds de heks op het
kasteel was.
Het vertrek was echter leeg. Er was niemand, geen lange gedaante
in een zwart gewaad. Nu ze zeker wist dat ze alleen was, tuurde
Rachel naar het slot. Ze moest nog een paar keer goed kijken,
omdat ze haar ogen niet kon geloven: het slot hing door de ring,
maar zat niet dicht.
Rachel herinnerde zich dat Violet bezig was geweest het te sluiten toen Zes op de deur had gebonsd. In de haast was het haar
niet gelukt het hangslot dicht te krijgen. Als Rachel het slot uit
de ring kon loswippen, kon ze het deurtje van de kist openen en
kon ze eruit. Zes had Violet naar de grot meegenomen. Violet en
Zes waren verdwenen.
Rachel wurmde haar hand door de opening om het slot te pakken, maar ze kon er niet bij. Ze had een stok nodig, of iets an-

ders om erbij te komen. Ze keek rond in haar slaapkist, maar daar was niets, geen stok die ze kon gebruiken. Buiten de kist waren een heleboel dingen die voor dat doel geschikt waren, maar ook daar kon ze niet bij.

Zolang de beugel van het slot door de ring was gehaakt, kon Rachel het deurtje niet open krijgen. In wezen maakte het geen verschil of de beugel dicht was of niet.

Moedeloos en wanhopig liet ze zich op haar deken vallen. Ze miste Chase. Een tijdje had haar leven een droom geleken. Ze had een gezinsleven gehad, een fantastische vader die over haar waakte en haar een heleboel dingen leerde.

Verveeld trok ze aan het losse eindje van de ruwe draad waarmee haar deken was omgezoomd. Chase zou teleurgesteld zijn als hij zag dat ze het al zo snel opgaf, dat ze bij de pakken neerzat, maar wat kon ze anders doen? Er lag niets in haar kist dat ze kon gebruiken om het slot eraf te halen. Ze had een jurkje aan en laarzen, maar haar laarzen kon ze niet door de spleet krijgen. En verder had ze nog haar slaapdeken. Violet had haar alles afgenomen. Ze had niets.

Ze trok aan de dikke draad, die steeds verder losliet. Rachel keek naar de draad, die ze om haar vinger had gewonden, en ze kreeg opeens een geweldig idee. Ze trok eraan, zodat het stiksel loskwam. Al snel had ze de zoom aan een kant van de deken eruit getrokken en hield ze een lange draad vast. Die sloeg ze dubbel en rolde hem tussen haar handpalm en dijbeen, waardoor hij dikker werd. De streng was lang genoeg om hem een paar keer dubbel te vouwen en daarna weer tot een dik koord te rollen. Ze maakte een lus aan het eind en ging toen voor de opening van de kist zitten.

Voorzichtig gooide ze het dikke koord naar buiten, terwijl ze probeerde de lus vlak boven het slot te krijgen, zodat ze hem om de beugel kon haken en die eraf kon trekken. Dat leek makkelijker dan het was. Het koord was niet zwaar genoeg om er goed mee te kunnen mikken. Rachel probeerde het op allerlei verschillende manieren, maar óf ze haalde het niet, óf als ze wel bij de beugel van het slot kwam, gleed het er langs. De lus wilde gewoon niet aan de beugel van het hangslot blijven haken. Aan de ene kant was het koord te licht om er goed mee te kunnen gooien, aan de andere kant was het te stug om zich rond het slot te winden als het wél op de goede plaats zat.

Niettemin slaagde ze erin om het eind van het koord vlak boven het slot te laten bungelen. Aan het eind maakte het koord echter een bocht in plaats van recht naar beneden te hangen, zodat ze het onder de open beugel van het hangslot zou kunnen schuiven. Ze trok het koord weer naar binnen en bevochtigde het met spuug, waarna ze het opnieuw probeerde. Doordat het natte koord zwaarder was, kon ze beter mikken. Haar hand werd pijnlijk en moe van al dat proberen, want ze moest hem scheef houden om het koord door de opening te gooien. Ze had het gevoel dat ze er al de hele ochtend mee bezig was geweest en elke keer werd het koord weer droog.

Opnieuw trok ze het koord terug en stak het in haar mond; deze keer moest het lukken. Ze ging weer voor de opening zitten en gooide het naar buiten. Al meteen hing het koord op de juiste plaats met de lus precies onder het eind van de beugel. Rachel verstijfde. Zo dicht in de buurt was ze niet eerder gekomen. Als ze haar hand door de spleet stak, was het lastig om door het overblijvende gaatje te kijken, maar toch zag ze dat de lus niet om de beugel zou vallen als ze aan het koord trok.

Nu het koord vochtig was, bleef het kleven aan de lange staaf die de zaak vergrendelde als het hangslot erop zat. Rachel kreeg een idee. Voorzichtig begon ze het koord tussen haar duim en wijsvinger af te rollen. Doordat het koord met het spuug aan het metaal bleef plakken, schoof het langs de staaf tot het bij het eind opeens naar beneden bungelde. Rachel kon haar ogen niet geloven. Het zag ernaar uit dat de lus precies hing waar ze hem moest hebben. Ze durfde zich niet te bewegen, omdat ze bang was dat ze een fout zou maken, dat ze deze kans zou bederven en uit onnadenkendheid een verkeerde beweging zou maken.

Chase had haar altijd op het hart gedrukt om haar hoofd te gebruiken – haar beoordelingsvermogen noemde hij dat – en daarnaar te handelen.

Voor zover ze kon beoordelen, hing de lus op de juiste plaats. Als ze eraan trok en het koord bleef door haar spuug aan de staaf vastzitten, zou de lus zich om het eind van de beugel moeten haken. Haar hart roffelde in haar borst en haar ademhaling ging gejaagd.

Met ingehouden adem begon Rachel voorzichtig aan het koord te trekken. Het platte eind van het metaal maakte contact met de lus. Als ze te hard trok, zou de lus weer wegglijden. Ze stak haar hand nog iets verder omlaag om vanuit een andere hoek te trekken, om te zorgen dat de lus het eind van de beugel zou grijpen en niet zou wegglijden.

De lus rekte uit en gleed vervolgens over het eind van de beugel van het slot. Ze kon het nauwelijks geloven. Voorzichtig maar gestaag trok ze het koord omhoog, waarbij de beugel uit het oog gleed. Toen ze de beugel bijna uit de metalen ring had getrokken, werd hij tegengehouden door een inkeping in de staaf. Ze probeerde iets harder te trekken, maar hij bleef vastzitten en draaide alleen maar, in plaats van omhoog te gaan. Rachel durfde niet al te hard te trekken uit angst dat het koord zou breken.

Ze had de draad verscheidene keren dubbel geslagen, waardoor het koord uit verschillende strengen bestond. Daarom dacht ze dat het behoorlijk sterk zou zijn. De vraag die ze echter niet kon beantwoorden, was hoe sterk het precies was en of het ertegen was bestand als ze nog harder zou trekken. Ze liet het koord iets vieren, waardoor het slot omlaag zakte. Daarna gaf ze er een rukje aan, schoof het snel op en neer en probeerde de metalen staaf door die beweging omhoog te wrikken.

Opeens schoot het slot uit de ring en viel naar beneden. Het bungelde en schommelde heen en weer aan het koord in Rachels hand, die uit de opening stak. Toen ze de deur een zetje gaf, ging hij piepend open. Met de rug van haar handen veegde ze de tranen van opluchting weg. Ze had zichzelf bevrijd. Wat jammer dat Chase niet kon zien hoe knap ze dit had gedaan.

Nu moest ze nog uit het kasteel zien te ontsnappen, voordat Violet of Zes zouden terugkeren. Rachel wist niet of Violet had gemerkt dat ze het slot niet had dichtgedaan. Als ze dat wél wist en het aan Zes vertelde, zouden ze beslist terugkomen.

Rachel liep meteen naar de grote deur, maar toen schoot haar nog iets belangrijks te binnen. Ze draaide zich om en liep haastig naar het bureautje in de hoek. Ze trok het schuine blad in dezelfde stand als Violet altijd deed, wanneer ze noteerde wie er gestraft of ter dood gebracht moesten worden. Rachel legde haar hand op de gouden handgreep van de onderste lade in het midden en schoof de lade eruit. Ze zette hem weg, stak haar hand helemaal in het gat en betastte de achterwand tot haar vingers op een metalen voorwerp stuitten.

Ze trok het voorwerp eruit. Het was de sleutel. Violet had hem nog niet gepakt. Hij lag nog steeds waar ze hem gisteravond had opgeborgen. Opgelucht liet Rachel de sleutel in haar laars glijden, deed de lade dicht en sloot het bovenblad van het bureau. Opeens herinnerde ze zich haar slaapkist. Ze sloot het deurtje en hing het slot weer door het oog. Ze duwde de beugel aan, zodat hij goed in het slot viel. Daarna morrelde ze er nog even aan om zich ervan te vergewissen dat hij echt dicht was – wat Violet was vergeten. Iemand die de kamer in kwam, zou denken dat Rachel nog veilig in haar kist zat. Als ze geluk had, zouden Zes of Violet niet eens in de kist kijken en tegen die tijd was Rachel hem allang gesmeerd.

Ze rende naar de grote dubbele deur, die ze op een kiertje opende om naar buiten te turen. Er was niemand in de gang. Ze glipte de deur uit en deed hem zacht achter zich dicht.

Om zich heen kijkend liep ze naar de trap. Zo zacht mogelijk rende ze naar boven. Op de volgende verdieping liep ze door een gang met houten lambrisering en zonder ramen naar de kamer die altijd op slot zat. De olielampen waren nog aan. Die bleven de hele nacht branden voor het geval de koningin haar juwelenkamer wilde bezoeken. Rachel liep hinkend door de gang, terwijl ze de sleutel alvast uit haar laars probeerde te halen.

Zodra ze met de sleutel in haar hand bij de bewuste deur was gekomen, keek ze over haar schouder de gang in. Net op dat moment kwam er in de verte een man aanlopen. Het was een van de butlers. Rachel kende hem van gezicht, maar wist niet hoe hij heette. 'Juffrouw Rachel,' zei hij fronsend, toen hij voor haar stond. Rachel knikte. 'Ja, wat is er aan de hand?'

'Precies.' Hij keek naar de deur. 'Wat is er aan de hand?'

Chase had haar geleerd de dingen om te keren als ze bepaalde vragen niet wilde beantwoorden. Hij had haar ook geleerd om wantrouwen terug te ketsen, zodat het leek alsof de ander kwade bedoelingen had. Ze hadden er een kampspelletje van gemaakt. Rachel wist dat ze dat nu moest doen, alleen was het deze keer geen spel, maar dodelijke ernst.

Ze trok haar meest verontwaardigde gezicht. Ook dat had ze van Chase geleerd. Hij had gezegd dat ze zich gewoon moet voorstellen dat een jongen haar wilde zoenen. 'Wat denkt u dat er aan de hand is?'

De man trok zijn wenkbrauwen hoog op. 'Ik denk dat u naar de juwelenkamer van de koningin gaat.'

'En wilt u soms de juwelen stelen die ik van de koningin moet ophalen? Ligt u daarom op de loer, om te kijken wie er naar de juwelenkamer van de koningin wordt gestuurd, om die persoon te beroven?'

'Op de loer liggen, beroven – natuurlijk niet, ik wilde alleen weten...'

'U wilt het weten?' Rachel plantte haar handen op haar heupen. 'Wát wilt u weten? Bent ú soms belast met het toezicht op de juwelen? Waarom vraagt u het niet aan koningin Violet, als u het zo graag wilt weten? Ze vindt het vast niet erg dat een butler haar uithoort. Misschien laat ze u alleen maar geselen en wordt u niet onthoofd. Ik ben hier op haar bevel, om iets voor haar te halen. Moet ik er bewakers bij halen om mij en de juwelen die ik voor de koningin meeneem, te beschermen?'

'Bewakers? Natuurlijk niet...'

'Waar bemoeit u zich dan mee?' Ze keek naar links en rechts, maar zag niemand. 'Help!' riep ze, maar niet al te hard. 'Bewakers! Hier is een dief, die de juwelen van de koningin wil stelen!' De man raakte in paniek. Eerst probeerde hij haar te sussen, maar dat gaf hij algauw op en hij stoof ervandoor, zonder nog iets te zeggen of om te kijken. Snel draaide Rachel de deur van het slot, keek of de gang leeg was en glipte toen naar binnen. Ook al dacht ze niet dat iemand haar had gehoord, toch wilde ze er niet langer over doen dan nodig was.

Ze besteedde geen aandacht aan de glanzende wand met houten laatjes. Al die tientallen laatjes lagen vol kettingen, armbanden, broches, diademen en ringen. In plaats daarvan liep ze rechtstreeks naar de decoratieve witmarmeren piëdestal die helemaal apart in de andere hoek van de juwelenkamer stond. Daarop had vroeger koningin Milena's meest geliefde bezit gestaan, het met juwelen bezette kistje dat ze bij elke gelegenheid dweperig had bekeken.

Ervoor in de plaats was een ander kistje gekomen, dat eruitzag alsof het uit de donkerste gedachten van de Wachter was vervaardigd. Het kistje was dermate zwart dat de kamer met kostbare juwelen erg nietig leek in vergelijking met zo'n sinister voorwerp.

Rachel had het altijd vreselijk gevonden als koningin Milena het met juwelen bezette kistje van Orden in haar handen hield. De gedachte dit kistje aan te raken stond haar nog meer tegen. Toch zat er niets anders op.

Ze wist dat ze moest opschieten als ze wilde ontsnappen. Je kon nooit weten of Violet opeens zou bedenken dat ze was vergeten de ijzeren slaapkist in haar kamer af te sluiten. Misschien zou ze het tegen Zes zeggen – of Zes zou haar gedachten lezen. Rachel vermoedde dat Zes dat soort dingen kon. Als Violet en Zes wisten dat Rachel niet in haar slaapkist zat opgesloten, zouden ze terugkomen.

Rachel pakte het zwarte kistje van de witmarmeren piëdestal en stopte het in een leren tas die tegen de muur stond. In diezelfde tas had Samuel het kistje naar Zes gebracht.

Toen Rachel terugliep naar de deur, bleef ze even staan voor de grote spiegel met de houten lijst. Ze verafschuwde haar spiegelbeeld, verafschuwde de manier waarop Violet haar haar had gekortwiekt. Vroeger, toen ze op het kasteel woonde en het speelgenootje van prinses Violet was geweest, had Rachel haar haar niet mogen laten groeien, omdat ze een niemendal was. Zodra Violet haar weer terug had, had ze een schaar gepakt en haar prachtige lange blonde haar afgeknipt. Dit was de eerste keer dat ze het resultaat goed kon zien, althans van dichtbij. Ze veegde de tranen van haar wangen.

Toen Chase haar voor het eerst had meegenomen, had hij gezegd dat Rachel alleen zijn dochter kon zijn als ze haar haar liet groeien. In de afgelopen jaren was haar haar lang en weelderig geworden en dat had haar het gevoel gegeven dat ze ook echt zijn dochter was geworden. Ze was veranderd sinds de vorige keer dat ze in deze kamer had gestaan en tovenaar Giller had geholpen het met juwelen bezette kistje van Orden te stelen. Haar gelaatstrekken waren anders, minder kinderlijk, minder... vertederend. Ze was nu in de slungelige fase, zoals Chase dat had genoemd, maar hij had haar beloofd dat ze later een mooie vrouw zou worden. Die dag leek nog onafzienbaar ver weg. Trouwens, zonder Chase was er niemand die haar zag opgroeien, niemand die het iets kon schelen hoe ze er later uit zou zien.

Chase was dood en haar haar was weer kort. Violet had het niet gewoon geknipt, maar in het wilde weg kleine en grote plukken eruit gesneden, zodat ze op een zwerfhond leek die naast een mest-hoop had gelegen. Rachel zag nog iets anders in de spiegel. Ze zag al een glimp van de vrouw die ze volgens Chase eens zou worden. Wat zou Chase denken als hij haar met deze ragebol kon zien? Rachel zette die gedachten van zich af en slingerde de leren tas, die met een trekkoord sloot, over haar schouder. Ze zette de deur op een kiertje om de gang in te turen, opende hem iets wijder om ook de andere kant uit te kijken. De kust was nog steeds veilig. Haastig liep ze de gang op, sloot de deur en draaide hem op slot. Ze kon zich het gangenstelsel van het kasteel nog even goed her-inneren als de opkrullende mondhoeken van Chase wanneer hij eigenlijk niet wilde lachen. Dat had ze altijd het leukste gevon-den: hem aan het lachen maken terwijl hij probeerde haar be-straffend aan te kijken.

Ze nam de diensttrappen, omdat de bewakers meestal in het of-ficiële gedeelte van het paleis patrouilleerden en ze hen zo kon ontwijken. De bedienden waren onverdroten aan het werk. Nie-mand had gehoord dat er een nieuwe koningin was. Rachel wist niet hoe ze erop zouden reageren. De mensen haatten Violet, maar voor Zes waren ze doodsbang.

Wasvrouwen met grote bundels wasgoed draaiden zich onder het roddelen om en keken Rachel na. Mannen die met levensmidde-len sjouwden, schonken haar geen aandacht. Rachel ontweek hun blikken om te voorkomen dat iemand vragen ging stellen.

Door een deur kwam ze in een gang aan de zijkant van het kas-teel en aan het eind van die gang zat een deur naar buiten. Toen ze de hoek omsloeg, stond ze oog in oog met twee bewakers. Ze droegen een rood tuniek over hun maliënhemd en hadden een spies met glimmende punt in hun hand. Aan hun riem hing een zwaard.

Ze waren duidelijk van plan Rachel niet eerder door te laten voor-dat ze wisten wat ze daar deed en waar ze naar toe ging.

'Zorg dat je wegkomt!' riep Rachel hun toe. 'Schiet op!' Ze draai-de zich om en wees achter zich. 'De soldaten van de Imperiale Orde zijn het kasteel binnengedrongen – die kant uit!'

Een van de mannen greep zijn spies met beide handen vast en leunde er met zijn volle gewicht op. 'We hebben niets van die mannen te vrezen, want ze zijn onze bondgenoten.'

'Ze gaan alle bewakers van de koningin onthoofden! Dat heb ik de commandant zelf horen bevelen! Onthoofd ze allemaal, zei hij! Hoe meer, hoe beter. Alle soldaten trokken hun grote strijdbijl. Er werd hun verteld dat ze de persoonlijke bezittingen van de onthoofde bewakers mochten houden. Schiet op! Ze komen eraan! Ren voor je leven!'

De twee mannen keken haar met open mond aan.

'Daarheen!' schreeuwde Rachel, terwijl ze naar de diensttrap wees. 'Daar zullen ze niet zoeken. Schiet op! Ik waarschuw de anderen wel!'

Met een knikje bedankten de wachters haar, waarna ze koers zetten naar de diensttrap. Toen ze uit het zicht waren verdwenen, liep Rachel snel het kasteel uit. Buiten liep ze over het pad dat de bedienden altijd naar de stad namen als ze inkopen moesten doen voor het kasteel. Overal patrouilleerden potige soldaten, vervaarlijk ogende kerels, maar ze lieten de bedienden met rust. Rachel sloot zich bij enkele timmerlieden aan en liep met ze mee naast het grote wiel van hun handkar, terwijl ze haar gezicht achter een stapel planken verborg.

De soldaten besteedden nauwelijks aandacht aan de bedienden die aan het werk waren. Als ze al keken, letten ze voornamelijk op knappe vrouwen. Rachel liep met gebogen hoofd en ze zag er met haar gekortwiekte haar zo onbeduidend uit dat geen enkele soldaat haar staande hield.

Ook aan de andere kant van de grote stenen slotmuur bleef Rachel met de bedienden meelopen, tot het pad hen langs bosachtig terrein voerde. Ze keek over haar schouder, maar geen van de soldaten keek haar kant uit.

Vliegensvlug glipte Rachel het bos in. Zodra ze omringd was door dikke balsembomen en dennen, zette ze het op een lopen. Ze nam de wildpaden door het struikgewas, volgde elk paadje dat naar het westen of het noorden liep. Onder het rennen had paniek opeens de macht over haar benen overgenomen. Haar enige gedachte was dat ze moest vluchten. Dit was haar laatste kans. Ze moest rennen voor haar leven.

Het zou een ramp zijn als de soldaten van de Imperiale Orde haar hier te pakken kregen. Ze wist niet wat ze precies met haar zouden doen, maar ze had wel een idee. Chase had haar een keer 's nachts bij het kampvuur onderricht gegeven en haar in grote lijnen verteld wat zulke mannen deden.

Hij had haar op het hart gedrukt dat ze zich niet door dat soort mannen moest laten pakken. Mocht ze ooit in handen van zulke mannen vallen, dan moest ze zich met hand en tand verdedigen. Chase had gezegd dat hij haar niet bang wilde maken en het alleen maar voor haar bestwil vertelde, maar toch had ze gehuild. Pas toen hij beschermend zijn grote arm om haar heen had geslagen, had ze zich iets beter gevoeld.

Ze besefte dat ze ongewapend was. Haar messen waren haar allemaal afgenomen. Ze wou dat ze verstandiger was geweest en dat ze voor haar vertrek uit het kasteel Violets kamer had doorzocht of daar nog een van haar messen lag. Ze was zo overhaast vertrokken dat ze er geen moment aan had gedacht. Ze had op z'n minst een mes uit de keuken kunnen pakken toen ze door de dienstvertrekken was gelopen, maar ze was zo trots geweest op het koord en haar ontsnapping dat ze er niet aan had gedacht voor een wapen te zorgen. Als Chase dit wist, zou hij opstaan uit de dood om haar voor haar onnadenkendheid te berispen. Haar gezicht was vuurrood van schaamte.

Toen ze een dikke tak op de grond zag liggen, bleef ze staan. Ze raapte de tak op en testte hoe sterk hij was. Hij leek stevig genoeg. Ze smeet hem tegen een spar en hij klonk niet hol. Eigenlijk was hij iets te zwaar, maar het was tenminste iets.

Ze rende niet meer, maar bleef stevig doorlopen om de afstand tussen haar en het kasteel zo groot mogelijk te maken. Ze wist niet wanneer Zes en Violet haar verdwijning zouden ontdekken. Misschien was Zes wel even goed in spoorzoeken als in een heleboel andere dingen. Rachel vroeg zich af of Zes niet gewoon in een kom water kon kijken en zien waar Rachel was. Die gedachte joeg haar sneller voort.

Vroeg in de middag kwam ze bij een pad dat in noordelijke richting leek te lopen. Ze wist dat Aydindril ergens in het noorden lag. Het lag nog ver weg, dus ze wist niet of ze het zou kunnen vinden, maar iets anders kon ze niet bedenken. Als ze de Burcht kon bereiken, zou Zedd haar wel helpen.

Ze was zo in gedachten verdiept dat ze de man pas zag toen ze bijna tegen hem op botste. Ze keek op en besefte dat het een soldaat van de Imperiale Orde was.

'Wel, wel, wat hebben we daar?'

Toen hij zijn hand naar haar uitstak, zwaaide Rachel uit alle macht met haar stok en raakte zijn knie. Schreeuwend liet de man zich op de grond vallen, terwijl hij scheldend zijn knie omklemde.

Rachel nam een spurt. Ze koos weer de wildpaden, omdat die voor haar makkelijker begaanbaar waren dan voor de potige kerels. Aan de geluiden te horen zat er opeens een tiental mannen achter haar aan, die dwars door het struikgewas stormden. Ze hoorde de man die ze had geraakt, in de verte razen en tieren, terwijl hij zijn maten aanspoorde dat ze haar moesten grijpen.

Toen ze buiten adem en uitgeput bij een open plek aankwam, zag ze dat het tegenoverliggende pad door een aantal mannen werd geblokkeerd. Ze kwamen allemaal tegelijk op haar af.

Rachel dook opzij en zette het weer op een lopen. Het leek of er overal soldaten waren. Ze raakte in paniek en wist niet hoe ze aan hen moest ontkomen. Toen ze een man hoorde neervallen, keek ze niet om, maar bleef doorlopen. Weer hoorde ze een soldaat vallen. Hij slaakte een korte kreet, maar toen werd het stil. Ze vroeg zich af of de soldaten onder het rennen in een gat waren gestapt of hun enkel hadden verstuikt door achter de bosranken te blijven haken.

Weer hoorde ze een man kermen. Deze keer bleef Rachel staan. Terwijl ze zich omkeerde, keek ze snel in de richting van het geluid. Het klonk niet alsof iemand was gevallen of zijn enkel had verstuikt, eerder alsof iemand stervende was. Rachels ogen werden groot als schoteltjes. Ze hoorde een andere man krijsen alsof hij levend werd gevild. Ze vroeg zich af wat dit eigenlijk voor bos was en welke monsters er huishielden.

Daarna draaide ze zich om en rende verder. Als de mannen haar te pakken kregen, waren haar kansen verkeken. Ze wist niet wat er nog meer in het bos gaande was, maar ze moest in de eerste plaats aan de mannen ontkomen, anders zouden ze haar subiet de keel doorsnijden omdat ze hun zoveel last had bezorgd.

Plots stormden er drie mannen uit het struikgewas, brullend van woede. Onwillekeurig slaakte Rachel een kreetje, terwijl ze doodsbang en op volle kracht verder rende. De mannen hadden echter langere benen en begonnen haar in te halen.

Opeens bleef een van hen staan. Rachel keek over haar schouder en zag dat de man zijn rug kromde, alsof hij pijn had. Toen zag ze een dertig centimeter lang stuk staal uit zijn borst steken. De

andere twee draaiden zich om toen de man achter hen zo onverwacht werd aangevallen.

Terwijl de door het zwaard geraakte soldaat in elkaar zeeg, viel
Rachels mond open van verbazing. Achter hem dook de reusachtige gestalte van Chase op. Ze begreep er niets van.

De twee mannen vielen hem aan. Chase verdedigde zich met snelle, krachtige slagen en haalde ze allebei met hetzelfde gemak neer
als iemand die een paar lastige vliegen weg mept. Op hetzelfde
moment kwamen er echter van alle kanten nog meer mannen uit
de bosjes stormen.

Rachel zag dat er alleen al van één kant minstens zes potige soldaten van de Imperiale Orde op de niet minder forse grenswachter
afstormden. Ze rende naar Chase, die tegen alle mannen tegelijk
aan het vechten was. Terwijl hij een man links van hem doodde,
dook er rechts een ander op om hem aan te vallen. Rachel gaf
hem een klap in zijn knieholten. Hij zakte door zijn benen. Chase
haalde uit met zijn zwaard en doorboorde de man, maar moest
toen de aanvallen pareren van nog meer mannen, die allemaal
grommend van inspanning die ene stevige kerel probeerden uit te
schakelen. Ze bromden tussen hun tanden, terwijl ze Chase bij
zijn armen probeerden te pakken, zodat de anderen hem konden
neersteken. Rachel beukte zo hard mogelijk op hen in, maar tevergeefs.

Toen een van de mannen dood op de grond viel, griste Rachel
zijn mes uit de schede aan zijn riem en haalde daarmee uit naar
de benen van een man die Chase in de rug wilde aanvallen. De
man slaakte een kreet en draaide zich om. Chase sloeg hem ogenblikkelijk neer.

Opeens was het rustig, afgezien van hun hijgende ademhaling.
Alle mannen lagen dood op de grond.

Rachel keek Chase met grote ogen aan. Ze kon het niet geloven,
kon haar eigen ogen niet geloven. Ze was bang dat hij een fantoom was, een spook dat in het niets zou oplossen.

Hij keek op haar neer en op zijn gezicht verscheen zijn prachtige glimlach.

'Chase, wat doe jíj hier?'

'Ik kwam kijken of het wel goed met je ging.'

'Goed? Ze hielden me gevangen op het kasteel. Ik dacht dat je
dood was. Ik moest mezelf zien te redden. Waar bleef je toch?'

Hij haalde zijn schouders op. 'Ik zou niet graag afbreuk hebben gedaan aan je geweldige prestatie. Het is toch veel beter dat je het alleen hebt gedaan?'

'Nou ja,' zei ze ontdaan. 'Ik had wel wat hulp kunnen gebruiken.'

'O ja?' Hij leek niet gevoelig voor haar klacht. 'Zo te zien heb je je er aardig doorheen geslagen.'

'Maar je hebt geen idee hoe akelig het was. Ze hebben me weer in die kist opgesloten en een klem op mijn tong gezet, zodat ik niet kon praten.'

Chase keek haar veelbetekenend aan. 'Die tongklem heb je zeker niet meegenomen? Hij zou goed van pas komen.'

Rachel sloeg grinnikend haar armen om zijn middel. Bij hun eerste ontmoeting had ze alleen zijn been kunnen omarmen, want hoger kwam ze toen niet. Ze liet zich koesteren door zijn geruststellende grote hand in haar rug en had het gevoel dat alles weer in orde was.

'Ik dacht dat je dood was.' Ze begon te huilen.

Hij woelde door haar gekortwiekte haar. 'Dat kan ik je toch niet aandoen, kleintje. Ik heb beloofd voor je te zorgen en daar houd ik me aan.'

'Dan moet ik je dochter maar blijven.'

'Dat vind ik ook. Je haar zit trouwens afschuwelijk. Je zult het moeten laten groeien, als je bij me wilt blijven. Als je mijn dochter wilt zijn, mag je het niet meer zo lelijk knippen. Dat heb ik al eerder gezegd.'

Onwillekeurig grinnikte Rachel door haar tranen heen. Chase leefde nog!

52

Nicci schreed door de grote verkoperde deuren, waarop ingewikkelde symbolen waren geëtst, op de voet gevolgd door Cara. Door een tiental boogramen viel de flits van een bliksemschicht naar binnen tussen de hoge mahoniehouten zuilen en verlichtte de onafzienbare rijen boekenplanken, die alle muren in beslag namen. Zedd en Rikka hadden uitsluitend de ergste schade aan de twee verdiepingen hoge ramen kunnen repareren en hoopten dat het voldoende was om de ruimte als insluitingsveld te behouden. Een aantal zware donkergroene fluwelen gordijnen met gouden franje werd nat, doordat de regen bij harde windvlagen naar binnen viel.

Toen Nicci zag wat er in het midden van de ruimte boven de grote tafel zweefde – dezelfde tafel als waarboven ze zelf had gezweefd – hoopte ze dat regenwater het enige was wat er door de ontbrekende raampjes naar binnen zou komen.

Zedd kwam op haar afgestormd. Met een wanhopige blik in zijn ogen greep hij haar bij haar schouders. 'Heb je hem gevonden? Hij leeft toch nog? Is alles goed met hem?'

Nicci haalde diep adem. 'Zedd, ik weet in elk geval dat hij de toestand in de sliph heeft overleefd.'

Dat had de sliph hun ook verteld. Rikka had op wacht gestaan bij de put, toen de sliph onverwacht was verschenen. Haar komst was op zichzelf al verbazingwekkend, maar nog vreemder was dat ze hun vertelde wat er was gebeurd.

Het zilveren wezen was opeens erg bereidwillig geweest om te praten, tot op zekere hoogte tenminste, en hun te vertellen wat er met

Richard was gebeurd. Dat deed de sliph niet omdat ze graag vertelde waar ze met haar passagier naartoe was geweest, maar omdat Richard, haar meester, haar dat op het hart had gedrukt. Van hem had ze moeten doorgeven dat hij ongedeerd was en waar hij naartoe was gegaan. Aan dat verzoek had ze graag willen voldoen. Helaas lag het in de aard van de sliph om discreet te zijn en was het hun niet gelukt om meer informatie uit haar los te krijgen. Zedd had gezegd dat het geen boze opzet van de sliph was; ze kon er ook niets aan doen dat anderen haar zo hadden gemaakt. De sliph bleef gewoon trouw aan haar eigen aard. Ze moesten accepteren dat dit haar manier van informatieoverdracht was en hun best doen zo veel mogelijk van haar te weten te komen.

Zedd had ook ontdekt dat de sliph sporen met zich meedroeg van heksenkracht, die hoogstwaarschijnlijk afkomstig was van Zes. Wat Zes van plan was geweest, wisten ze niet, maar van de sliph hadden ze in elk geval begrepen dat Richard aan haar klauwen was ontsnapt.

'Maar waar is hij? Heeft de sliph je laten zien waar ze hem heeft achtergelaten?'

'Inderdaad.' Nicci keek tersluiks naar de Mord-Sith en legde haar hand op Zedds schouder. 'De sliph heeft ons naar die plaats gebracht en toen heeft ze ons verteld waar hij naartoe wilde: naar het land van de nachtspichten. We moesten nog een heel eind reizen om er te komen.'

Zedd keek stomverbaasd. 'De nachtspichten?'

'Ja, maar daar was Richard niet.'

'In elk geval leeft hij nog. Het klinkt alsof hij daar vrijwillig naartoe is gegaan en niet onder invloed van die heks,' zei Zedd enigszins opgelucht. 'Wat zeiden de nachtspichten? Wat konden zij je vertellen?'

Nicci zuchtte diep. 'Kon je er zelf maar heen reizen, Zedd. Jou hadden ze misschien meer verteld, maar wij mochten niet verder komen dan dat merkwaardige dode bos.'

'Een dood bos? Welk dood bos bedoel je?'

Nicci hief haar handen op. 'Dat weet ik ook niet, Zedd. Ik heb geen verstand van de natuur. Er was een groot eikenbos, maar alle bomen waren dood...'

'Is het eikenbos dood?' Zedd boog zich naar haar toe. 'Meen je dat? Zijn de eiken dood?'

Nicci haalde haar schouders op. 'Dat denk ik. Het waren eiken. Van Richard heb ik geleerd hoe een eik eruitziet, maar alle bomen waren dood.'

Zedd wendde zijn blik af, terwijl hij over zijn wenkbrauw streek. 'Lagen er botten tussen de eiken?'

'Dat klopt.' Cara knikte. 'Tussen de dode bomen lagen overal botten.'

'Verdorie,' mompelde Zedd.

'Wat is er?' vroeg Nicci.

Zedd keek haar weer aan. 'Maar heb je de spichten gesproken?'

Nicci knikte. 'Ja, eentje heette Tam.'

Zedd streek over zijn kin, terwijl hij in gepeins verzonk. 'Tam... die ken ik niet.'

'Er was nog een spicht die Jass heette,' voegde Nicci eraan toe.

Zedds mond vertrok, terwijl hij over die naam nadacht. 'Ik vrees dat ik die ook niet ken.'

'Jass zei dat Richard op zoek was naar een vrouw en dat de spichten haar zouden moeten kennen.'

'Dat zal Kahlan geweest zijn,' zei Zedd met een begrijpend knikje.

'Dat dachten wij ook,' zei Cara.

'Maar waarom zoekt hij haar bij de spichten?' Hoewel hij die vraag eerder aan zichzelf had gesteld dan aan Nicci, gaf ze er toch antwoord op. 'Daarover wou de sliph niets loslaten. Ze vertelde alleen waar ze hem heen had gebracht. Richard is blijkbaar niet duidelijk geweest over wat ze mocht vertellen, dus wilde ze niet meer kwijt dan hij haar expliciet had opgedragen. Zoals je al zei, dat is haar aard.

De spichten wilden ons ook niet vertellen waarom hij bij hen was geweest. Ze zeiden dat het privé was en dat anderen dat niet hoefden te weten. Ze zeiden dat ze het niet aan vreemden mochten vertellen.'

'Niet aan vreemden natuurlijk – maar, maar...' Zijn stem stokte van opwinding. Toen keek Zedd hen allebei weer aan. 'Maar hebben ze jullie dan niets verteld over de reden van Richards komst? Helemaal niets? We moeten toch weten wat hij bij de spichten kwam doen. Onderweg daarheen is er iets gebeurd waardoor hij zijn gave kwijtraakte – misschien had dat met Zes te maken. Dus waarom ging hij naar de spichten? Wat hebben ze hem verteld? Wat is er gebeurd toen hij bij hen was?'

'Het spijt me, Zedd,' zei Nicci. 'We zijn maar weinig te weten gekomen. De sliph heeft ons iets verteld – wat er onderweg met Richard is gebeurd, waar ze hem heen heeft gebracht en dat hij naar de spichten ging – maar óf ze weet verder niets óf de rest wil ze ons niet vertellen. Richard is niet meer naar de sliph teruggegaan, maar dat is logisch, omdat hij niet meer met haar mag reizen. Misschien weet de sliph verder ook niets meer. Waarschijnlijk is Richard te voet verder getrokken. Ik denk dat hij terug naar de Burcht is gegaan. Hij was immers al onderweg hierheen toen er iets mis ging in de sliph. Om de een of andere reden is hij toen naar de spichten gegaan. Misschien omdat het op zijn route lag – hij was daar toch al in de buurt, dus misschien besloot hij even langs te gaan voordat hij bij ons terug kwam. Zoiets simpels zou het kunnen zijn. Wat de spichten betreft, die wilden ons ook niet veel vertellen. Ze hielden ons tegen bij de dode eiken en we mochten niet in het woud met grote, eeuwenoude bomen komen. Maar het goede nieuws is dat we weten dat Richard nog leeft en dat hij naar het land van de spichten is gegaan. Daar gaat het om – Richard leeft. Hem kennende probeert hij zo snel mogelijk aan een paard te komen en kan hij elk moment hier zijn.'

Zedd gaf een kneepje in haar arm. 'Je hebt gelijk.' Nicci vond het een troostend gebaar, bijna alsof Richard zelf in de buurt was. Richard zou op zo'n zorgelijk moment hetzelfde hebben gedaan. Opeens fronste Zedd zijn wenkbrauwen. 'Dus jullie mochten van de spichten niet in het woud met de hoge dennen komen.'

Nicci knikte. 'Inderdaad. Ze hielden ons bij het dode eikenbos tegen en we kregen de andere spichten niet te zien.'

'Op een bepaalde manier is het wel logisch.' Zedd streek met een vinger over zijn slaap, terwijl hij nadacht. 'De spichten zijn teruggetrokken wezentjes en laten zelden iemand tot hun land toe. Ik begrijp alleen niet waarom jullie niet welkom waren, omdat jullie mijn naam hebben genoemd.'

'Ze sterven uit.'

Zedd richtte zijn blik op haar. 'Wat zeg je?'

'Tam vertelde dat de spichten uitsterven en dat hij ons daarom niet wilde toelaten. Hij zei dat het voor de spichten een tijd van grote onrust was, van veel smart en zorg. Ze willen nu geen vreemdelingen in hun midden.'

'Lieve geesten,' fluisterde Zedd. 'Richard had gelijk.'
Nicci kreeg een steek van angst. 'Wat bedoel je daarmee? Waar had Richard gelijk in?'
'De eiken gaan dood. Die beschermen het land van de spichten. De spichten gaan ook dood. Het hoort allemaal bij de cascade van gebeurtenissen. Richard heeft ons al verteld hoe het zit, in deze kamer. Alsof ik nog niet genoeg reden heb om hem te geloven.'
'Nog niet genoeg reden? Wat bedoel je daarmee?'
Hij nam Nicci bij de elleboog en draaide haar zo dat ze de bezweringsvormen kon zien, die boven de tafel zweefden. 'Kijk maar.'
'Zedd,' zei Nicci streng, 'dat is het verificatieweb van ketenvuur – en het lijkt verdacht veel op een inwendig perspectief.'
'Dat is het ook.'
'Ik weet dat het zo is. De vraag is alleen, wat is er aan de hand? Wat wil je daarmee?'
'Ik heb een manier gevonden om een simulatie van een inwendig perspectief in gang te zetten zonder dat ik jou erbij nodig heb. Het is niet helemaal hetzelfde,' zei hij met een wegwuifgebaar, 'maar voor wat ik ermee wil, is het goed genoeg.'
Nicci was verbaasd dat hij zoiets voor elkaar had gekregen. Ze vond het bovendien verontrustend om het ding te zien dat haar bijna het leven had gekost. Maar dat was nog niet het meest verwarrende. 'Waarom zijn er twee?' vroeg ze. 'Er is maar één ketenvuurbetovering. Waarom zijn er dan twee bezweringsvormen?'
Zedd keek haar met een wrang lachje aan. 'Ach, dat is de truc nou juist. Weet je, Richard beweerde dat de akkoorden door de wereld van het leven rondwaarden. Als dat waar is, heeft hun aanwezigheid de wereld van het leven aangetast en de magie besmet. Toch heeft niemand van ons daar bewijzen van gezien. Dat is de paradox van die aantasting: het vernietigt ook iemands vermogen om het op te merken. Ik wilde een methode vinden om te kijken of Richard gelijk had...'
'Natuurlijk heeft Richard Rahl gelijk.'
Zedd haalde een benige schouder op bij haar uitdrukkelijke steunbetuiging. 'Maar ik moest kijken of ik het werkelijk kon bewijzen. Ik snapte niets van al dat symbolengedoe waar Richard het over had. Ik geloof ook in hem, Nicci, maar ik begrijp niet hoe

hij al die betekenissen uit de symbolen kan halen, hoe hij tot zulke conclusies kan komen. Ik heb bewijzen nodig die ik begrijp.'

Met haar armen over elkaar keek Nicci naar de twee gelijke bezweringsvormen. 'Ik weet wel een beetje hoe je je voelt. Ik geloof in hem, en wat hij zegt, klinkt logisch, maar soms kan ik hem ook niet volgen. Dan voel ik me weer een jonge novice, die wordt overhoord over een les waar ze niet bij is geweest. Toen Richard...'

Nicci viel stil en liet haar armen langs haar zij hangen. 'Zedd, die twee bezweringsvormen zijn niet hetzelfde.'

Hij glimlachte sluw. 'Dat weet ik.'

Ze kwam dichter bij de tafel staan, dichter bij de twee vormen, die uit gloeiende lijnen bestonden. Ze bekeek ze nauwkeuriger en wees er één aan. 'Dat is de ketenvuurbetovering. Die herken ik. De andere vorm lijkt erop, maar is niet hetzelfde. Die is het spiegelbeeld van de echte betovering.'

'Ik weet het.' Hij leek behoorlijk trots op zichzelf.

'Dat is onmogelijk.'

'Dat dacht ik ook, maar toen herinnerde ik me *Het boek van inversie en duplex*...'

Verwijtend viel Nicci tegen de oude tovenaar uit. 'Hoe kom je aan dat boek?'

Zedd gebaarde vaag. 'Nou ja, ik heb de hand op een kopie weten te leggen.'

Nicci keek hem wantrouwend aan. 'Je hebt een kopie van dat boek?'

Zedd schraapte zijn keel. 'Het punt is,' zei hij, terwijl hij haar bij haar arm nam en haar aandacht weer op de gloeiende lijnen en het eigenlijke onderwerp richtte, 'ik herinnerde me dat ik het boek jaren geleden heb gelezen en dat het ging over technieken om bezweringsvormen te verdubbelen. Op dat moment zei het me niets. Waarom zou iemand een bezweringsvorm willen verdubbelen? Maar er was nog iets. In het boek stond ook hoe je een verdubbelde bezweringsvorm kunt omkeren. Zoiets vreemds had ik nog nooit gehoord. Destijds heb ik het boek met zijn obscure inhoud weggelegd. Wat was immers het nut ervan? Wie zou zoiets ooit nodig hebben? Niemand, dacht ik.'

Hij stak zijn vinger op. 'Maar toen ik me bezighield met de mogelijkheid dat de akkoorden alles hadden aangetast, en een manier probeerde te bedenken om Richards theorie te bewijzen, schoot me opeens dat boek te binnen en toen begreep ik het. Ik wist waarom iemand de bezweringsvorm zou willen verdubbelen.'

Nicci begreep er juist steeds minder van. 'Goed, ik geef het op. Waarom?'

Zedd gebaarde opgewonden naar de twee bezweringsvormen. 'Dat zal ik je vertellen. Kijk, die ene is de originele vorm; die lijkt in grote lijnen op de vorm waar jij in zat, maar zonder de gecompliceerde, onstabiele elementen.' Met een handgebaar gaf Zedd te kennen dat het een zijdelingse opmerking was. 'Want die hebben we voor ons doel niet nodig. De andere bezweringsvorm is precies hetzelfde, maar een verdubbeling die vervolgens is omgekeerd. Het is een kopie.'

'Dat begrijp ik nog wel,' zei Nicci, 'maar ik zie nog steeds niet wat het doel van zo'n vreemde analyse is.'

Met een veelbetekenende glimlach raakte Zedd haar schouder aan. 'Om de fouten eruit te halen.'

'Fouten? Nee maar...' Nicci's mond viel open toen het plotseling tot haar doordrong. 'Een bezweringsvorm kun je binnenstebuiten keren, maar de fout niet.'

'Dat klopt,' zei Zedd met pretlichtjes in zijn ogen, terwijl hij zijn wijsvinger belerend heen en weer schudde. 'De fout wordt niet omgekeerd. Dat gaat niet. De bezweringsvorm is maar een afspiegeling van de originele vorm, een substituut voor de echte. Daarom kan hij worden gemanipuleerd en omgekeerd. Het is niet de echte bezweringsvorm; een echte bezweringsvorm kun je niet omkeren. Maar fouten zijn niet onderhevig aan de invloed van de magie uit het boek met instructies – alleen de speciale bezwering waarop de magie zich richt. De fout is echt. De fout blijft intact.'

Op een plechtige toon die in overeenstemming was met de dodelijke ernst van het onderwerp, zei Zedd: 'Als de bezweringsvorm wordt geactiveerd, neemt het de fout mee die ermee is verweven. Als je de bezweringsvorm verdubbelt, vertoont ze nog steeds dezelfde fout, maar als je haar omkeert, wordt de fout niet omgekeerd, want die is echt, geen vervanging van iets echts, zoals de bezweringsvormen zijn. Vergeet niet dat die fout je bijna fataal is geworden.'

Nicci keek weg van Zedds doordringende lichtbruine ogen naar de twee gloeiende bezweringsvormen, die elkaars spiegelbeeld waren. Ze begon de vorm te bestuderen, vergeleek elke lijn, elk element met de bezweringsvorm die hetzelfde was, maar dan andersom.

Plots zag ze het. 'Daar.' Fluisterend wees ze het aan. 'Dat stukje is exact gelijk. Het is niet omgekeerd. Het is niet in spiegelbeeld, zoals de rest. Het is in beide vormen hetzelfde, terwijl alle andere dingen zijn omgekeerd.'

'Precies,' zei Zedd triomfantelijk. 'Ziedaar het doel van *Het boek van inversie en duplex*. Het dient om fouten op te sporen die je anders niet kunt zien of ontdekken.'

Verbijsterd keek Nicci de oude man aan, alsof ze hem met andere ogen zag. Ze was op de hoogte van *Het boek van inversie en duplex*, maar zoals iedereen die het had bestudeerd, had ze nooit begrepen waar het voor diende. Hoewel er een uitgebreide discussie over was geweest, had niemand een bevredigende verklaring gevonden voor het nut van het esoterische boek. Het ging lijnrecht in tegen de conventionele kennis over de werking en het doel van de magie. Ten slotte was het afgedaan als een curiositeit van vroeger. Als zodanig werd het boek in het onderricht gepresenteerd, als een rariteit, een overblijfsel uit lang vervlogen tijden, nutteloos, maar vermeldenswaardig, alleen omdat het behouden was gebleven.

Zedd was, net als Richard, zuinig op de kennis die hij had verworven. Die had hij als een grote bibliotheek ergens in zijn hoofd opgeslagen voor het geval ze van pas zou komen. Als hij ergens geen antwoord op kon vinden, zocht hij zijn geheugen af naar vergeten wetenswaardigheden, die hij bewaarde in een inhoudsopgave in een afgelegen hoekje van zijn geest.

Richard deed hetzelfde. Wat hij had geleerd, bleef hem altijd bij. Daardoor was hij in staat dingen op een nieuwe manier te combineren en met verrassende oplossingen te komen, die de oude, gevestigde aanpak vaak op losse schroeven zetten. Veel mensen vonden zijn denkwijze gevaarlijk dicht in de buurt van ketterij komen, vooral als die betrekking had op de magie.

Nicci zag daarentegen de waarde ervan in. Ook in het gewone leven kwamen oplossingen voor problemen tot stand door een soortgelijk proces van logisch, rationeel denken, gebaseerd op wat men al wist. Dat was de essentie van een Zoeker, de grondslag van zijn zoektocht naar de waarheid. Het was een van Richards kernkwaliteiten, die Nicci juist zo fascinerend vond. Hij had nooit een officiële opleiding gehad, maar toch was hij beter dan wie dan ook in staat de ingewikkeldste kwesties intuïtief te begrijpen. Zedd kwam dichterbij staan en trok Nicci mee. 'Kijk eens. Zie je dat? Herken je het?'

'Bedoel je het gedeelte dat niet is omgekeerd?' Nicci schudde haar hoofd. 'Nee, wat is het?'

'Het is de aantasting die de akkoorden hebben achtergelaten. Ik herken het. Het is de spin in het magische web.'

Nicci rechtte haar rug. 'Daarmee is dus bewezen dat Richard gelijk had.'

'De jongen had het bij het goede eind,' gaf Zedd toe. 'Ik begrijp niet hoe hij het heeft gedaan, maar hij had gelijk. Nu ik het op deze manier heb geïsoleerd, herken ik de aantasting van de akkoorden, zoals ik ook een roodbruin roestlaagje zou herkennen. Hij kon het afleiden uit het lijnenspel en hij had gelijk. De bezwering is aangetast; de akkoorden zijn de bron van die aantasting. Dit is het mechanisme waarmee de akkoorden de magie uithollen en vernietigen. Als het de bezwering heeft geïnfecteerd, moet het andere magische zaken eveneens hebben besmet.'

'Komt het daardoor dat de nachtspichten uitsterven?' vroeg Cara.

'Ik ben bang van wel,' antwoordde Zedd. 'De eiken die hun land omringen, zijn van een laagje beschermende magie voorzien. Dat zowel de eiken als de spichten uitsterven, kan geen toeval zijn.'

Nicci liep naar de raampartij en keek naar de onbestemde bliksemflitsen door het rookglas. 'Magische wezens sterven uit, precies wat Richard ons heeft verteld.'

Ze miste hem zo erg dat ze door een golf van verdriet werd overspoeld, alsof de schaduw van de dood haar ziel verduisterde. Ze had het gevoel dat ze zou wegkwijnen en sterven als hij niet snel terug werd gevonden. Ze had het gevoel dat ze het niet zou overleven als ze hem nooit meer zou zien, als ze nooit meer de fonkeling in zijn grijze ogen zou zien.

'Zedd, denk je dat hij het verder ook bij het juiste eind had? Denk je dat er werkelijk draken zijn geweest en dat we allemaal zijn vergeten dat zulke wezens bestonden? Denk je dat Richard gelijk heeft: dat de wereld zoals wij die kennen, uitsterft en bij het rijk der fabelen gaat horen?'

Zedd zuchtte. 'Ik weet het niet, echt niet. Ik zou graag willen dat de jongen zich vergist, maar ik heb allang geleerd geen weddenschappen met Richard af te sluiten.'

Nicci glimlachte heimelijk. Dat had zij ook geleerd.

53

'**N**icci,' zei Zedd aarzelend, terwijl hij vaag gebaarde alsof hij naar woorden zocht, 'jij bent... nou ja, je bent iemand met evenveel waardering, toewijding en trouw voor Richard als ik. In menig opzicht lijk je...' Hij hief zijn handen op en liet ze weer vallen. 'Ik weet het niet.'

'Cara, jij en ik – we houden alle drie van Richard. Wilde je dat soms zeggen, Zedd?'

'Ik denk dat het daar wel zo'n beetje op neerkomt. Ik kan me Kahlan niet herinneren, maar ik stel me zo voor dat ik haar op dezelfde manier heb gezien als jou, iemand die meer is dan alleen zijn vertrouweling in de strijd.'

Zijn woorden troffen haar als een bliksemflits, terwijl ze niet stil durfde te staan bij de emotionele lading ervan. Met de grootste moeite wist ze haar zelfbeheersing te bewaren en verried zich slechts door haar wenkbrauw op te trekken. 'Wat wil je daarmee zeggen?'

'Evenals Cara en Richard ben ik je hogelijk gaan waarderen, al helemaal in vergelijking met hoe ik eerst tegen je aankeek. Zoals ik al zei, ben ik je gaan vertrouwen als mijn eigen schoondochter.'

Zijn blik vermijdend slikte Nicci de brok in haar keel weg. 'Dank je wel, Zedd. Gezien mijn voorgeschiedenis en wat ik eerst van mezelf vond, betekent dat meer voor me dan je beseft. Dat mensen echt en oprecht...'

Ze schraapte haar keel en keek eindelijk naar hem op. Hoewel zijn woorden haar diep hadden geraakt, dacht ze dat hij ze vooral had bedoeld als aanzet tot iets belangrijks. 'Wou je me iets vertellen?'

Hij knikte. 'Ik ben nog meer dingen te weten gekomen, bijzonder verontrustende dingen. Normaal zou ik er niet over praten, maar behalve Richard zijn jullie de enigen die ik vertrouw. Jullie twee zijn veel meer voor me geworden dan gewone vrienden. Ik probeer een manier te vinden om uit te drukken hoezeer...'

Toen zijn woorden wegstierven en hij in de verte staarde, legde Nicci vriendelijk haar hand op zijn schouder. 'We krijgen hem terug, Zedd, dat beloof ik je. Je hebt gelijk dat we hetzelfde voor hem voelen als jij. Richard heeft mijn leven volkomen veranderd. Als je iets te bespreken hebt, zou ik het fijn vinden als je Cara en mij evenveel vertrouwt als Richard. Is dat waar je op doelt? We voelen alle drie hetzelfde voor hem en onze zaak. Ik... nou ja.'

Ze legde haar vingertoppen tegen elkaar. 'Je snapt wel wat ik bedoel.' Bang dat ze te veel had gezegd, voelde Nicci een blos over haar wangen glijden.

'Wat ik bedoel,' zei Zedd ten slotte, 'is dat ik jullie hulp nodig heb. Ik wil dat jullie weten hoeveel jullie voor me betekenen, dat ik dit soort dingen niet lichtvaardig of in een opwelling vertel. Ik heb mijn hele leven dingen geheim gehouden, omdat het moest. Dat is niet makkelijk, maar zo was het nu eenmaal. De situatie is echter veranderd en ik mag bepaalde kennis niet langer voor mezelf houden. Er staat nu veel meer op het spel dan vroeger.'

Nicci knikte en schonk de tovenaar haar onverdeelde aandacht. 'Dat begrijp ik. Ik zal alles doen om je vertrouwen waardig te zijn.'

Zedd drukte zijn lippen op elkaar. '*Het boek van inversie en duplex* was goed verstopt op een plaats waarvan verder niemand weet dat die bestaat. Het lag in de catacomben onder de Burcht.'

Nicci wisselde een blik met Cara. 'Zedd,' vroeg ze, 'bedoel je dat er hieronder botten worden bewaard? En ook boeken?'

Zedd knikte. 'Een heleboel boeken. Daar heb ik *Het boek van inversie en duplex* gevonden.' Hij deed een paar stappen van hen af en keek naar bliksemflitsen achter de ramen die het insluitingsveld begrensden. 'Ik geloof dat niemand ooit heeft geweten dat er hier catacomben zijn. Toen ik jong was, heb ik ze ontdekt. Ik kon zien dat er in een eeuwigheid niemand was geweest, want geen enkele voetafdruk had het stof beroerd dat zich in duizenden jaren had opgehoopt. Mijn voetstappen waren de eerste in al die tijd. Ik begreep meteen hoe belangrijk het was.

Ik was nog jong en vond de ontdekking van die oude catacomben behoorlijk griezelig. Bovendien was ik al gespannen omdat ik een sluiproute naar de Burcht wilde zoeken. Toen ik de catacomben vond, wist ik instinctief dat er een goede reden moest zijn dat ze zo goed verstopt waren. Daarom vertelde ik het aan niemand, hoe graag ik dat soms ook wilde. Ik had het gevoel dat de plaats me had toegelaten op voorwaarde dat ik erover zou zwijgen. Die verantwoordelijkheid nam ik erg serieus, maar bovendien had ik het gevoel dat ik zo'n onontdekte plaats moest beschermen. Daar lagen immers de stoffelijke resten van een heleboel mensen, misschien wel van mijn eigen voorouders. Ik wist dat er altijd mensen waren die zo'n vondst voor hun eigen gewin zouden gebruiken. Zoiets mocht niet gebeuren met deze plaats, die blijkbaar zo waardevol werd geacht door degenen die hem hadden verborgen.

Bovendien voelde ik me schuldig omdat ik de rust van de doden had verstoord voor zoiets onbenulligs als een sluiproute, alleen omdat ik anders straf zou krijgen dat ik zonder toestemming naar buiten was gegaan. Ik was de Burcht uitgeglipt om naar de markt in Aydindril te gaan, waar allerlei interessante spulletjes werden verkocht, een uitstapje dat me boeiender leek dan de droge studie waarop ik me moest concentreren.

Nadat ik de catacomben onder de Burcht door toeval had ontdekt, deed ik in bedekte bewoordingen navraag en ontdekte dat zelfs de oude tovenaars er niets vanaf wisten. Geleidelijk begon ik te beseffen dat niemand het bestaan ervan vermoedde, laat staan dat er geruchten de ronde deden.

In mijn jonge jaren moest ik hard studeren, wat bijna al mijn tijd in beslag nam. Er woonden toen nog veel mensen in de Burcht en ik had veel huiswerk. Al met al heb ik maar weinig tijd beneden kunnen doorbrengen. Ik zag algauw dat er veel boeken stonden die we ook in de Burcht hadden, dus begon ik te denken dat het niet zo'n grote vondst was als ik eerst had gedacht.'

Hij glimlachte afwezig. 'Ik zag mezelf als een grote ontdekkingsreiziger, die een oude schat had gevonden. Deze schat bestond voornamelijk uit botten en boeken. In de Burcht was al een onafzienbare hoeveelheid saaie boeken die ik moest bestuderen, dus dat er beneden nog meer stonden, vond ik lang zo opwindend niet als geconstrueerde, in barnsteen gegoten bezweringen of in edelstenen gezette vervloekingen. Maar die vond ik niet, alleen maar half verteerde botten en oude boeken.

In de catacomben bevond zich een eindeloze reeks kamers vol stoffige oude boeken. Ik heb nooit veel tijd gehad om die kamers te verkennen. Ik weet zelfs bij benadering niet hoeveel boeken daar beneden staan. Ik heb alleen maar een beetje rond kunnen neuzen. Zoals ik al zei, veel boeken had ik al in de Burcht gezien en bij de boeken die ik niet kende, waren er maar een paar die indruk op me maakten, onder andere *Het boek van inversie en duplex*.

Toen ik ouder werd, werd ik verliefd op een fantastische vrouw en we trouwden al snel. Ze schonk me een dochter, mijn oogappel – die later Richards moeder zou worden. Toen ik als jonge tovenaar in de Burcht werkte, kwam ik altijd tijd te kort. Het kwam er niet van om beneden naar de oude botten te kijken.

Vervolgens raakte de wereld in de afschuwelijke oorlog met D'-Hara verwikkeld. Het was een duistere tijd van verbeten gevechten. Ik was Eerste Tovenaar geworden. De strijd was gruwelijk, zoals strijd altijd is. Ik moest mannen de oorlog insturen om te sterven. Ik moest in de ogen van tovenaars kijken, jong en oud, van wie ik wist dat ze niet opgewassen waren tegen hun taak. Ik moest ze op het hart drukken hun best te doen, terwijl ik wist dat ze zouden falen en waarschijnlijk sterven. In mijn hart wist ik dat ik een betere kans van slagen had als ik het zelf zou doen, maar er lag een heleboel werk en er was maar één Eerste Tovenaar.

Er waren momenten dat ik mijn verantwoordelijkheid, kennis en vermogen een beproeving vond. De aanblik van al die onschuldige mensen die op me rekenden omdat ik Eerste Tovenaar was en de wetenschap dat ze zouden sterven als ik zou falen, waren bijna ondraaglijk. Wat dat betreft begrijp ik precies wat Richard doormaakt. Ik heb in zijn schoenen gestaan. Ik heb de last van de wereld op mijn schouders gedragen.'

Met een handgebaar wuifde hij zijn melancholische uitweiding weg. 'Door al die andere verantwoordelijkheden lagen de catacomben er even onbetreden bij als in de voorgaande duizenden jaren. Ik had gewoon geen tijd om te kijken wat zich onder de grond bevond. Na de beperkte zoektocht uit mijn jeugd meende ik dat er niets anders te vinden was dan oude, oninteressante boeken en vergeten botten. Ik had dringender zaken aan mijn hoofd, kwesties van leven en dood.

Wat de catacomben voor mij interessant maakte, was dat ze me een geheime doorgang naar de Burcht boden. Die doorgang bleek van onschatbare waarde toen de Zusters van de Duisternis de Tovenaarsburcht hadden bezet.

Ik was nog jong en het was na de oorlog waarin ik mijn vrouw had verloren, toen de raad en ik grote onenigheid hadden over de kistjes van Orden, en daarna... verkrachtte Darken Rahl mijn dochter. Daarom vertrok ik voorgoed uit het Middenland en nam mijn dochter mee over de grens van Westland. Zij was alles wat ik nog had, de enige om wie ik iets gaf. Ik dacht dat ik de rest van mijn leven in Westland zou slijten.

Daar werd Richard geboren. Ik zag hem opgroeien. Mijn dochter was zo trots op hem. Heimelijk vreesde ik dat hij de gave zou hebben en dat het leger van over de grens hem op zekere dag zou komen halen. En toen brak er plotseling brand uit, waardoor ik mijn dochter en Richard zijn moeder verloor.

Ik zocht troost bij Richard. Ik deed mijn best hem zo goed mogelijk op te voeden en zijn talenten tot ontplooiing te brengen. De tijd met hem was een van de mooiste perioden uit mijn leven. Buiten mijn medeweten om, want ik probeerde de buitenwereld te vergeten, hadden Ann en Nathan, daartoe aangespoord door de profetie, George Cypher geholpen om *Het boek van de getelde schaduwen* uit de Tovenaarsburcht te halen. Het lag opgeslagen in de enclave van de Eerste Tovenaar, waar ik het veilig had weggeborgen.'

'Wacht even.' Nicci onderbrak zijn verhaal. 'Wou je beweren dat *Het boek van de getelde schaduwen*, een van de belangrijkste boeken die er bestaan, zomaar in de Burcht rondslingerde?'

'Nou, het slingerde niet zomaar rond. Zoals ik al zei, stond het in de enclave van de Eerste Tovenaar. Die plaats is nog beter beveiligd dan de rest van de Burcht en je komt er echt niet makkelijk in.'

'Als het zo veilig is,' zei Nicci, 'hoe konden Ann, Nathan en Richard Cypher dan binnenkomen om het boek mee te nemen?'

Zuchtend keek Zedd haar aan vanonder zijn borstelige wenkbrauwen. 'Dat is wat me ook zorgen is gaan baren, dat een uniek exemplaar van zo'n belangrijk boek zo kwetsbaar is.'

'Dat was wat Richard je te vertellen had,' zei Nicci in een flits van inzicht. 'Daarom had hij zo'n haast om terug te keren. Hij zei dat hij je meteen moest spreken. Dus dat was de reden!'

Zedd fronste zijn wenkbrauwen. 'Wat bedoel je?'

Ze kwam dichter bij de tovenaar staan en trok een boekje uit haar zak. 'Dit is het boek dat Darken Rahl heeft gebruikt om de kistjes van Orden in het spel te brengen.'

'Wát?'

'Dit is het boek dat Darken Rahl heeft gebruikt om de kistjes van Orden in het spel te brengen,' zei ze nogmaals tegen de verbaasde tovenaar. 'We hebben het in het Volkspaleis gevonden. Ik heb Richard beloofd dat ik het zou bestuderen om te zien of het werk van Zuster Ulicia ongedaan gemaakt kan worden, of het mogelijk is de kistjes van Orden uit het spel te halen. Ik heb Richard geprobeerd uit te leggen dat de magie zo niet werkt, maar je weet hoe Richard is; hij accepteert niet zomaar dat iets niet kan.'

Zedd keek naar het boek dat Nicci ophield, alsof het een slang was die hem kon bijten. 'Die jongen is een meester in het creëren van problemen.'

'Zedd, het waarschuwt dat er een sleutel nodig is om het boek te gebruiken. Zonder die sleutel zal al het voorafgaande, dus alle eerdere instructies uit het boek, niet alleen mislukken, maar ook fataal aflopen. Er staat dat de sleutel binnen een jaar moet worden gebruikt om te voltooien wat met behulp van dit boek tot stand is gebracht.'

'De sleutel,' fluisterde Zedd, alsof de wereld op het punt stond te vergaan. 'De kistjes moeten binnen een jaar nadat ze in het spel zijn gebracht, worden geopend. *Het boek van de getelde schaduwen* is nodig om de kistjes te openen. Dus dan moet dat boek de sleutel zijn.'

'Dat denk ik ook,' zei Nicci. 'We weten echter uit informatie uit de tijd van de grote oorlog dat de tovenaars vijf kopieën hebben gemaakt van "het boek dat nooit mocht worden vermenigvuldigd".'

'En jij denkt dat "het boek dat nooit mocht worden vermenigvuldigd" *Het boek van de getelde schaduwen* is?'

'Ja, want er is een boek met profetie dat zegt: "Ze zullen trillen van angst om wat ze hebben gedaan en de schaduw van de sleutel tussen de botten gooien.'''

Zedd keek haar aan met een blik of zijn wereld instortte. 'Goede geesten, dat klinkt alsof het uit *Garkels garenspinsels* komt.'

'Dat is ook zo. Het punt is,' ging Nicci verder, 'dat alle kopieën op één na niet deugen. Vijf kopieën – vier daarvan zijn verkeerd en één is de ware kopie.'

Zedd drukte zijn hand tegen zijn voorhoofd. Zijn ademhaling ging sneller dan anders, merkte Nicci op. Het leek alsof hij elk moment flauw kon vallen.

'Zedd, wat is er?'

Zijn hand beefde. 'Je zei toch dat het zo makkelijk was om *Het boek van de getelde schaduwen* te stelen? Die gedachte kwam ook vaak in me op, maar ik stond er niet bewust bij stil. Het was meer zo'n gedachte in mijn achterhoofd, die ik nooit goed tot me door liet dringen.'

'Ja,' zei Nicci, geduldig wachtend tot hij verder ging.

'Toen ik me *Het boek van inversie en duplex* herinnerde, wist ik weer waar ik het als kind had gezien: in de catacomben. Ik moest die bezwering uittesten, dus in de tijd dat jij met Richard naar het Volkspaleis ging, dook ik de catacomben in en zocht *Het boek van inversie en duplex*.'

Nicci wist al wat hij ging zeggen.

'En terwijl ik *Het boek van inversie en duplex* zocht, vond ik een kopie van *Het boek van de getelde schaduwen*.'

'Ze zullen trillen van angst om wat ze hebben gedaan en de schaduw van de sleutel tussen de botten gooien,' citeerde Nicci nogmaals.

Zedd knikte. 'Ik heb mijn hele leven niet geweten dat er een kopie van dat boek bestond. Er was mij verteld dat er geen andere kopieën waren. Er was mij verteld dat er maar één exemplaar bestond. Daaruit kon ik opmaken hoe belangrijk het boek was. Maar als het zo belangrijk was, waarom stond het dan niet op een veiliger plaats? Die vraag had de hele tijd aan me geknaagd. Daarom was ik ook zo boos op de raad dat ze de kistjes van Orden als geschenk of aandenken weggaven. Ik wist hoe gevaarlijk die kistjes waren, maar niemand wilde me geloven. Iedereen dacht dat ik fabeltjes vertelde, bijgelovige onzin. Niemand geloofde dat de kistjes kwaad konden, onder andere omdat het boek nooit was gevonden dat nodig was om de kistjes in het spel te brengen. Zonder dat boek leek het gevaar van de kistjes een fantasieverhaal.' Hij wees naar het boek in Nicci's hand. 'In feite wist niemand zelfs hoe het boek heette. De titel lijkt Hoog-D'Haraans. We hebben iemand nodig om het te vertalen.'

'Ik kan Hoog-D'Haraans lezen,' zei Nicci.

'Natuurlijk,' zei Zedd, alsof niets hem nog kon verbazen. 'Hoe heet het dan?'

'*Het boek des levens.*'

Zedd werd bijna even wit als zijn golvende haar. De schok was blijkbaar te groot. '*Het boek des levens,*' herhaalde hij, terwijl hij vermoeid met zijn hand over zijn gezicht streek. 'Wat een toepasselijke naam,' zei hij. 'De macht van Orden is onttrokken aan het leven zelf. Open het juiste kistje en je krijgt de macht van Orden – de essentie van het leven zelf, macht over alles wat leeft en over de dode materie. Wie dat doet, krijgt ongeëvenaarde macht. Open het verkeerde kistje en de magie eist je op – je bent dood. Open het andere verkeerde kistje en elk levend wezen gaat op in het niets. Dat zou een eind aan al het leven maken.

De magie van Orden is identiek aan de magie van het leven zelf en de dood hoort bij alles wat leeft, dus de magie van Orden is evenzeer met de dood als met het leven verbonden. De sleutel is het middel om erachter te komen welk kistje het juiste is. Degene die ze wil openen, kan het op goed geluk doen, maar het zou dom zijn als hij dat deed en niet eerst de sleutel gebruikte, zodat hij weet welk kistje het juiste is.'

'Net zo dom,' vroeg Nicci, 'als de Zusters van de Duisternis, die het niet echt kan schelen of ze het verkeerde kistje openen?'

Zedd keek haar alleen maar aan.

'Je zei dat je een van de kopieën had gevonden,' merkte Cara ten slotte op, toen Zedd een hele tijd had gezwegen en in diep gepeins was verzonken.

Nicci was blij dat Cara hem aanspoorde, want Zedd leek volledig van zijn stuk gebracht door de gedachte aan de onvoorstelbaar gruwelijke gebeurtenissen die er zouden kunnen plaatsvinden.

'Ik vrees dat dat nog niet eens het ergste is,' zei hij. 'Weet je, Richard heeft *Het boek van de getelde schaduwen* in zijn jeugd uit zijn hoofd geleerd. George Cypher was bang dat het boek in verkeerde handen terecht zou komen, maar hij was verstandig genoeg om de inhoud van het boek niet te vernietigen, dus hij liet het Richard uit zijn hoofd leren. Toen Richard het woord voor woord kende, heeft hij het boek verbrand, samen met George Cypher, de man door wie hij was opgevoed en van wie hij dacht dat het zijn vader was.

Later heeft Darken Rahl Richard gevangengenomen. Hij liet Richard de kistjes openen en de aanwijzingen uit *Het boek van de getelde schaduwen* opzeggen. Hoe het precies is gegaan, ben ik vergeten. Dat zal een uitvloeisel van de ketenvuurbetovering zijn.

In elk geval was ik erbij. Dat herinner ik me nog erg goed, omdat ik om twee redenen ontdaan was. In de eerste plaats door de ontdekking dat het boek uit mijn enclave in de Burcht was gestolen, zodat Richard het uit zijn hoofd had kunnen leren. In de tweede plaats omdat het een magisch boek was. Het feit dat Richard het kon onthouden en oplezen, betekende dat hij begaafd was.

Toen ik in de catacomben de kopie van *Het boek van de getelde schaduwen* vond, was ik erg van streek. Ik las het en wist zeker dat het woord voor woord hetzelfde was als het boek dat Richard uit zijn hoofd had geleerd.'

Nicci hield haar hoofd scheef. 'Was het hetzelfde? Weet je dat zeker?'

'Absoluut,' zei Zedd nadrukkelijk. 'Die twee zijn identiek.'

Nicci begon zich zelf ook steeds beroerder te voelen. 'Dat kan maar twee dingen betekenen. Of het ene was het originele boek en het andere een echte kopie van de sleutel... of het waren allebei verkeerde sleutels, allebei onjuiste kopieën.'

'Nee, ze zijn allebei echt,' zei Zedd met klem. 'Toen Richard het boek oplas, liet hij aan het eind een belangrijk gedeelte weg. Door dat ene fragment weg te laten, heeft hij Darken Rahl verslagen. In wezen veranderde hij het boek in een onjuiste kopie. Met die list kon hij Darken Rahl verslaan. Ik heb Richard vaak verteld dat een list soms de beste vorm van magie is.'

Nicci legde het boek op tafel. 'Daaruit volgt niet automatisch dat het de echte sleutel is en niet de verkeerde. Kijk maar.' Ze sloeg *Het boek des levens* op het schutblad open. Er stond maar één zin, als om te benadrukken hoe belangrijk en essentieel die was. 'Dit is het motto van *Het boek des levens*. Ik heb het al vertaald.

Het is een waarschuwing voor iedereen die aan dit boek begint. Er staat: '"Zij die hier zijn gekomen om te haten, moeten nu vertrekken, want in hun haat verraden ze slechts zichzelf."'

Zedd tuurde door zijn halfdichte oogleden naar de woorden in het Hoog-D'Haraans, die op een verder lege pagina prijkten. 'Dus je bedoelt dat... Darken Rahl, omdat hij uit haat de kistjes van Orden wilde gebruiken, net zo goed door het echte *Boek van de getelde schaduwen* zou zijn vernietigd als door het verkeerde?'

'Dat is de ene mogelijkheid,' zei Nicci.

Zedd schudde zijn hoofd. 'Dat geloof ik niet. Soms werkt magie door zich af te stemmen op het doel. Het Zwaard van de Waarheid werkt op die manier. Mensen die haten, herkennen dat gemene trekje doorgaans niet bij zichzelf. Ze spuien hun haat onder het mom van rechtvaardigheid. Juist daardoor zijn ze zo slecht – en zo gevaarlijk. Ze zijn tot verfoeilijke dingen in staat, terwijl ze zichzelf op de borst kloppen dat ze zo flink zijn.'

'Denk je echt dat het toeval is, een kwestie van geluk, dat die twee boeken ook de enige echte sleutels zijn? En dat ze toevallig allebei in de Burcht lagen? Denk je nu heus dat de tovenaars, die de kopieën hebben gemaakt en ze naar verre, afgelegen plaatsen hebben gestuurd, het ene goede exemplaar vlak bij de enige andere juiste sleutel hebben neergelegd? Wat heeft het dan voor zin gehad om de kopieën te verspreiden?'

Zedd wreef nadenkend met zijn vingertoppen over zijn kin. 'Ik begrijp wat je bedoelt.'

'Met een boek als dit moet er een manier zijn om vast te stellen wat de echte kopie is, om de kopieën op waarde te schatten.'

'Die manier is er ook,' vertelde Zedd haar. 'In het begin van *Het boek van de getelde schaduwen* staat: "Verificatie van de waarheid van de woorden van *Het boek van de getelde schaduwen*, indien uitgesproken door een ander in plaats van gelezen door degene die over de kistjes beschikt, kan alleen worden gegarandeerd door gebruik te maken van een Belijdster..." Een kopie betekent "uitgesproken door een ander", de persoon die de kopie maakt, spreekt de tekst in wezen uit, dus de lezer leest niet werkelijk het origineel. Tenzij het de originele sleutel is en die originele sleutel wordt werkelijk gelezen door degene die de kistjes in het spel heeft gebracht, is dit een waarschuwing dat de echtheid geverifieerd zal moeten worden.'

'Kahlan,' zei Nicci.

De andere twee keken haar aan en aan hun blik te zien, begrepen ze meteen wat ze bedoelde.

'Zedd,' verbrak Nicci eindelijk de stilte. 'Niemand van ons kan zich Kahlan herinneren. Als we haar vinden en we slagen er op de een of andere manier in de ketenvuurbetovering ongedaan te maken... kan ze de herinneringen die ze nu kwijt is, dan weer terugkrijgen?'

Zedds blik dwaalde af naar de gloeiende bezweringsvormen boven de tafel. 'Nee,' antwoordde hij met een zekerheid die Nicci verraste.

'Weet je het zeker?'

'Bijna honderd procent. De betovering vernietigt het geheugen. Ze schakelt het niet tijdelijk uit of legt de werking ervan stil, maar vernietigt het. Ze maakt niet dat iemand dingen vergeet, maar wist het hele geheugen uit. Wie door zo'n afschuwelijke betovering wordt getroffen, is al zijn herinneringen voorgoed kwijt.'

'Maar er moet een manier zijn,' drong Cara aan, 'de een of andere magische truc om haar geest te herstellen.'

'Wat moet er hersteld worden? Herinneringen die we geen van allen meer bezitten? Het leven is opgebouwd uit herinneringen. Magie functioneert op een bepaalde manier, zoals al het bestaande. Magie is niet een soort mysterieus, superintelligent bewustzijn, dat weet wat we willen en iemands geheugen, iemands hele leven, tevoorschijn tovert en teruggeeft, omdát we dat zo graag willen.'

Cara leek niet erg overtuigd. 'Maar kan het niet...'

'Laat ik het zo zeggen: als ik dat boek van de tafel schuif, zal het op de grond vallen. Dat doet de onzichtbare zwaartekracht. De zwaartekracht functioneert op een bepaalde manier. Ik kan niet zomaar met mijn armen zwaaien en de zwaartekracht opdragen een maaltijd te bereiden, omdat ik dat zo graag wil.

Met magie en geheugen gaat het al net zo. De ketenvuurbetovering heeft haar geheugen vernietigd. Dat kan niet meer worden hersteld. Je kunt niet iets teruggeven wat er niet meer is. Dat kan gewoon niet. Wat weg is, is weg.'

Cara streek met haar hand over haar lange blonde vlecht. 'Dat klinkt alsof we ernstig in de problemen zitten.'

'Inderdaad,' zei de tovenaar instemmend.

Nicci wilde zeggen dat vooral Richards hart ernstig gevaar liep, maar durfde dat niet uit te spreken. Terneergeslagen dacht ze aan het leed dat hem nog te wachten stond. Toch voelde ze zich niet geroepen de anderen daarop te wijzen.

'Maar als Richard haar vindt,' vroeg ze zachtjes, 'hoe moet dat dan?'

Met zijn handen op zijn rug keek Zedd haar even aan, waarna hij zijn blik afwendde.

'Er is een andere manier om zeker te weten of het de juiste kopie is,' zei Cara.

Zedd en Nicci keken haar fronsend aan, blij met die afleiding.

'Je moet gewoon de andere kopieën te pakken zien te krijgen en ze met elkaar vergelijken. Het boek dat Richard uit zijn hoofd heeft geleerd, bestaat niet meer, dus als je de andere boeken vindt, kun je ze met elkaar vergelijken. Het afwijkende exemplaar moet de juiste kopie zijn en de andere vier zijn de valse sleutels.'

Zedd trok een wenkbrauw op. 'En als de mensen die het boek hebben vermenigvuldigd, nu eens bang waren dat een slimme Mord-Sith een keer op dat idee zou komen en ze daarom alle kopieën anders hebben gemaakt, zodat ze niet met elkaar vergeleken konden worden?'

Cara's gezicht vertrok. 'O.'

Nicci hief haar handen ten hemel. 'Waar zou hij die andere exemplaren trouwens moeten zoeken? Ik bedoel, die zijn al drieduizend jaar goed verstopt.'

'En dat niet alleen,' zei Zedd, 'maar Nathan heeft ons verteld dat er onder het Paleis van de Profeten ook catacomben zaten, maar dat alles is vernietigd. Dat weet ik, want ik heb de lichtbezwering zelf aangestoken. Er is niets meer van over. Ook als een gedeelte van de catacomben die bezwering had overleefd, is het hele eiland waarop het paleis stond, weggevaagd, dus als er nog ondergrondse ruimtes intact waren, zouden die daarna zijn ondergelopen.

Als daar inderdaad een kopie heeft gestaan, is er al één kopie vernietigd. Is dat de goede of een valse sleutel geweest? En stel dat er in de loop der tijd nog meer kopieën zijn vernield? Het blijft de vraag hoe we kunnen vaststellen of het boek dat Richard uit zijn hoofd kent en de kopie die ik heb gevonden, de twee juiste sleutels zijn.'

Nicci staarde in de verte. 'Het zouden allebei verkeerde kopieën kunnen zijn – het boek dat Richard uit zijn hoofd heeft geleerd en de kopie die jij in de catacomben hebt gevonden.'

Zedd begon heen en weer te benen. 'Ik zou niet weten hoe we daarachter kunnen komen.'

'Er zijn misschien twee manieren,' zei ze. 'Op de eerste manier durf ik geen eed te doen, want ik ben nog maar net begonnen om *Het boek des levens* te vertalen, maar het bevat materiaal dat verwijst naar het gebruik van de sleutel. Er staat dat als de persoon die de kistjes in het spel heeft gebracht, de sleutel niet naar behoren gebruikt, de kistjes zullen worden vernietigd, samen met degene die ze in het spel heeft gebracht.'

'De sleutel niet naar behoren gebruikt...' herhaalde Zedd, verdiept in zijn eigen gedachten.

'Daaruit leid ik af dat als Darken Rahl er niet in was geslaagd de goede sleutel naar behoren te gebruiken, bijvoorbeeld door het laatste fragment weg te laten – zoals het hem door Richard werd voorgedragen – hij niet alleen zelf vernietigd zou worden, maar ook de kistjes van Orden. Zoals we weten, zijn de kistjes van Orden nog intact, dus denk ik dat Richard hem misschien de verkeerde sleutel heeft voorgelezen en dat Darken Rahl gewoon het verkeerde kistje heeft geopend, waardoor hij zelf werd vernietigd. Er staat namelijk niet dat de kistjes vernietigd worden als de verkeerde sleutel wordt gebruikt, omdat op het moment dat dit boekje werd geschreven, er nog geen verkeerde sleutels in omloop waren. Dat probleem bestond toen nog niet.'

Peinzend trok Zedd een rimpel in zijn voorhoofd. 'Weet je dat zeker?'

'Nee,' gaf Nicci toe. 'Het is ingewikkeld en ik ben nog maar net begonnen de tekst te vertalen. Dit deel heb ik eruit gelicht, want het behandelde hoe de sleutel gebruikt moet worden om de vereiste stappen te kunnen zetten. Er staan ook formules in waarmee rekening gehouden moet worden. Dit is nog maar een voorlopige indruk.'

Nicci streek haar haar naar achteren. Ze stond aan de tafel waarop het opengeslagen boek lag, met haar andere hand op haar heup. 'Begrijp je wat ik bedoel?' Ze gebaarde naar het boek. 'Als Richard een fout met de echte sleutel had gemaakt, waardoor Darken Rahl het verkeerde kistje koos, hadden volgens deze aanwijzingen alle kistjes vernietigd moeten zijn, tegelijkertijd met Darken Rahl. Dat ondersteunt mijn argument dat Richard de verkeerde sleutel uit zijn hoofd heeft geleerd.'

'Misschien is dat zo, maar je zei dat je het niet zeker wist.' Zedd, die aan het ijsberen was, masseerde de achterkant van zijn nek. 'Laten we geen overhaaste conclusies trekken.'

Nicci knikte.

'Zei je dat er nog een tweede mogelijkheid was?' vroeg Zedd.

Nicci knikte opnieuw en citeerde de kernprofetie, die Nathan hun had verteld. '"In het jaar van de cicaden, wanneer de voorvechter van opoffering en lijden onder de banier van de mensheid en het Licht eindelijk zijn zwerm splitst, zal dat het teken zijn dat de profetie is ontwaakt en de laatste, beslissende strijd nabij is. Wees gewaarschuwd, want alle ware vorken en hun afleidingen zijn in deze profetische wortel verstrengeld. Slechts één stam vertakt zich vanuit deze gezamenlijke oerbron. Als *fuer grissa ost drauka* in deze eindstrijd niet de leiding heeft, zal de wereld, die reeds aan de rand van de duisternis staat, onder die verschrikkelijke schaduw vallen."'

'Begrijp je het?' vroeg Nicci. 'De "voorvechter van opoffering en lijden onder de banier van de mensheid en het Licht" is Jagang met zijn Imperiale Orde. De daaropvolgende tekst betekent dat als hij eindelijk zijn zwerm splitst, dan "zal dat het teken zijn dat de profetie is ontwaakt en de laatste, beslissende strijd nabij is". Hij heeft zijn leger gesplitst. Met de helft houdt hij de passen bezet, terwijl de andere helft een omtrekkende beweging heeft gemaakt en vanuit het zuiden door D'Hara oprukt. Zoals de profetie zegt: "De laatste, beslissende strijd is nabij."'

Als om haar woorden kracht bij te zetten, flikkerde de bliksem door de ruiten, begeleid door de donder, die de Burcht op zijn grondvesten deed trillen.

Zedd fronste zijn wenkbrauwen. 'Ik begrijp je redenering niet.'

'Waarom hebben Ann en Nathan het boek eigenlijk gestolen om het aan Richard te geven? Omdat ze de profetie verkeerd hadden geïnterpreteerd: ze dachten dat de strijd met Darken Rahl de eindstrijd was. Ze dachten dat Richard *Het boek van de getelde schaduwen* nodig had om het in de eindstrijd tegen Darken Rahl op te nemen. Ze dachten dat ze het enige exemplaar hadden gevonden dat er van dat boek bestond.

Begrijp je? Zo eenvoudig was het niet. Richard is geboren om deze strijd uit te vechten, met Jagang, met wat de Zusters van de Duisternis in gang hebben gezet door de kistjes van Orden in het spel te brengen. Wat er nu gebeurt, is het vervolg van de strijd die met Darken Rahl is begonnen.

Ik denk dat de profetieën erop zinspelen dat Richard de verkeerde sleutel uit zijn hoofd heeft geleerd. "Wees gewaarschuwd, want alle ware vorken en hun afleidingen zijn in deze profetische wortel verstrengeld." Alle ware vorken – ware sleutels misschien? – bevinden zich in de profetische wortel van deze eindstrijd. Er staat dat de andere vorken onjuist zijn. Misschien bevatten de andere vorken de verkeerde sleutels.

Zou je niet kunnen stellen dat de strijd tegen Darken Rahl een valse vork was? Ann en Nathan wisten op dat moment ook niet alles, omdat er zich nog niet genoeg gebeurtenissen hadden voltrokken. Daarom volgden ze die ene vork en bereidden Richard voor op het gevecht met Darken Rahl, niet met Jagang. Maar de profetie zegt: "Als *fuer grissa ost drauka* in deze eindstrijd niet de leiding heeft, zal de wereld, die reeds aan de rand van de duisternis staat, onder die verschrikkelijke schaduw vallen."

Die verschrikkelijke schaduw is de macht van Orden, die door de Zusters van de Duisternis is ontketend. Zij willen al het leven verduisteren. Ann, Nathan en Richard hebben zich op de verkeerde strijd voorbereid. Dit is de strijd die hij moest voeren.'

Zedd beende heen en weer, met diepe denkrimpels in zijn voorhoofd. Ten slotte bleef hij staan en wendde zich tot haar. 'Misschien, Nicci, misschien. Je hebt de profetie veel langer bestudeerd dan ik. Misschien heb je gelijk, maar misschien ook niet. Profetie is, zoals Nathan heeft uitgelegd, geen onderwerp dat je kunt bestuderen op de manier die jij daarnet hebt geschetst. Profetie is een communicatiemiddel tussen profeten. Daaruit volgt dat ze niet bestudeerd, geanalyseerd of begrepen kan worden door mensen zonder de gave voor profetie.

Ann en Nathan zijn misschien te snel en op grond van onvoldoende informatie tot bepaalde gevolgtrekkingen gekomen, maar voor jou is het nog te vroeg om zulke conclusies te trekken.'

Nicci knikte om aan te geven dat ze zich gewonnen gaf. 'Ik hoop dat je gelijk hebt, Zedd, echt waar. Dit is geen discussie waarin ik graag wil winnen. Ik breng het alleen naar voren omdat ik denk dat we stil moeten staan bij de consequenties.'

Hij knikte. 'Maar er is nog iets waar we stil bij moeten staan. Richard moet weinig van profetie hebben. Hij is iemand die in de vrije wil gelooft en de profetie is geneigd hem altijd ergens in te passen. In dit geval was Darken Rahl misschien een valse vork, maar als Darken Rahl had gewonnen, waren er profetische wortels geweest om ook dat weer te verklaren. Voorstanders van profetie zouden die dan hebben aangewezen om te bewijzen dat Darken Rahl de ware wortel was. Dan zouden we ons nu in een van die andere takken bevinden en zou dit een valse vork zijn. Met profetie kun je willekeurig welke overtuiging kracht bij zetten.'

'Ik weet het niet.' Nicci streek met haar vingers door haar haar. 'Misschien heb je wel gelijk.'

Ze was zo moe. Ze had slaap nodig, misschien kon ze dan beter nadenken. Misschien dat ze uit bezorgdheid een verkeerd spoor aan het bewandelen was.

'Op dit moment kunnen we op geen enkele manier vaststellen of de twee exemplaren van *Het boek van de getelde schaduwen*, de kopie die ik heb gevonden en het boek dat Richard uit zijn hoofd kent, de echte of de verkeerde sleutels zijn.'

'Wat doen we dan?' vroeg ze.

Zedd hield op met ijsberen en ging recht voor haar staan. 'We moeten Richard terugvinden. Hij weet hoe we dit dreigende gevaar tegen kunnen houden.'

Nicci glimlachte. Net als Richard was Zedd in staat haar in de meest sombere tijden nog op te beuren.

'Maar ik kan je een ding verzekeren,' zei Zedd. 'Voor die tijd moeten we erachter komen of de sleutel die hij uit zijn hoofd heeft geleerd, echt is of vals.'

Nicci klapte *Het boek des levens* dicht, pakte het op en hield het in de holte van haar arm. 'Ik moet dit hele boek doornemen, van het begin tot het eind. Ik moet uitzoeken of ik kan doen wat Richard me heeft gevraagd: de kistjes uit het spel halen of op een andere manier het gevaar afwenden. Mocht dat me niet lukken, dan moet ik de inhoud toch tot in de finesses kennen, zodat Richard hopelijk iets aan me heeft als hij een oplossing zoekt.'

Zedd keek haar onderzoekend aan. 'Dat is een enorme klus. Er gaat veel tijd in zitten. Het kan maanden duren om zo'n ingewikkeld boek volledig te begrijpen. Ik hoop dat we die tijd ook krijgen, maar ik ben het met je eens. Dan kun je maar beter meteen beginnen.'

Nicci stopte het boek weg in de zak van haar jurk. 'Dat denk ik ook. Misschien heb je hier boeken die ik moet inkijken. Als me iets te binnen schiet of als er naar een bepaald boek wordt verwezen, hoor je dat wel. Voor zover ik nu weet, zijn er een paar technische kwesties waarbij ik wel hulp kan gebruiken. Als ik er niet uit kom, zou ik graag een beroep doen op de hulp van de Eerste Tovenaar.'

Zedd glimlachte. 'Dat spreekt vanzelf.'

Vermanend schudde ze haar vinger heen en weer. 'Maar als je bedenkt hoe we Richard terug kunnen krijgen, moet je me dat onmiddellijk vertellen.'

Met een nog bredere glimlach zei Zedd: 'Afgesproken.'

'En als we Meester Rahl niet kunnen vinden?' vroeg Cara.

De andere twee keken haar woordeloos aan. Onweer rommelde in de verafgelegen vallei. De regen kletterde gestaag tegen de ramen.

'We vinden hem wel,' zei Nicci vol overtuiging. Andere mogelijkheden weigerde ze onder ogen te zien.

'Niets is ooit makkelijk,' mompelde Zedd.

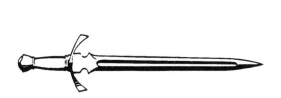

54

Hoe moe ze ook was van de reis, toch was Kahlan diep onder de indruk van het schouwspel in de verte. Achter de donkere massa soldaten van de Imperiale Orde, voorbij de paarsgrijze schaduwen die zich in de uitgestrekte vlakte hadden genesteld, verhief zich een groot plateau, dat baadde in de laatste gouden stralen van de ondergaande zon.

Op dat plateau lag een gebouw, zo groot als een hele stad. De hoge ommuring gloeide in het afnemende avondlicht. Het witte marmer, stucwerk en steen van de gebouwen, die de meest uiteenlopende afmetingen, vormen en hoogten hadden, glansden in het laatste daglicht. De daken beschermden de plaats tegen de komende koude najaarsnachten alsof hij veilig onder een laag rokken schuilde.

Het was alsof ze eindelijk iets goeds, iets prijzenswaardigs, iets moois zag, na eindeloze weken te hebben gereisd met de wrede, dreigende mannen, die onophoudelijk hun boosaardigheid op iemand wilden botvieren.

Kahlan had het gevoel dat het heiligschennis was dat deze mannen zich in de buurt van zo'n mooie plaats bevonden. Ze schaamde zich dat ze zich tussen het barbaarse gespuis bevond, aan de voet van het prachtige kunstwerk dat zich daar zo groots voor hen verhief. Het schouwspel alleen al vervulde haar hart met diepe vreugde. Hoewel ze zich niet kon herinneren dat ze de stad eerder had gezien, had ze het gevoel dat het wel zo was.

Overal om hen heen waren er grauwende mannen, balkende muilezels, snuivende paarden, krakende wagens en gekletter van wapens en pantsers – de geluiden van het beest dat het goede kwam afslachten. De stank ervan leek op een gifwolk en volgde hen overal, alsof omstanders eraan herinnerd moesten worden hoe verderfelijk deze mannen waren, een waarschuwing die niemand nodig had.

Kahlan werd omringd door de speciale wachters, die haar al weken achtereen scherp in het oog hielden. Het waren er drieënveertig. Kahlan had ze geteld, zodat ze hen uit elkaar kon houden. Tijdens de reis had ze zich erop toegelegd hun gezichten en gewoonten te leren kennen. Ze wist welke wachters onhandig waren, welke wachters dom of juist intelligent, wie er goed met de wapens overweg konden. Als een spel waarmee ze de eindeloze reisdagen doorbracht, bestudeerde ze hun sterke en zwakke punten, maakte ze plannen en stelde ze zich voor hoe ze hen stuk voor stuk, tot aan de laatste man, zou doden.

Tot dusver had ze nog geen enkele wachter gedood. Ze had besloten dat het haar kansen op de lange duur ten goede zou komen als ze zich zou schikken in de situatie, als ze gezeglijk en gehoorzaam was. De mannen, die gewaarschuwd waren dat ze van Jagang was, zouden haar met geen vinger aanraken, tenzij ze een uitbraakpoging deed.

Kahlan wilde onopvallend opgaan in de dagelijkse routine, zodat de bewakers haar op den duur als onschuldig, ongevaarlijk of zelfs onderdanig zouden beschouwen en de bewaking als een eentonige verplichting gingen zien. Er hadden zich gelegenheden voorgedaan dat ze een paar mannen had kunnen doden, maar ook al had het makkelijk geleken, toch had ze die kansen voorbij laten gaan. Ze wilde hun liever het gevoel geven dat er niets aan de hand was, dat ze veilig waren en dat het een saaie klus was. Op zekere dag zou hun gebrek aan waakzaamheid haar goed van pas komen, terwijl ze met een nutteloze aanval nu niets kon bereiken. Ze kon toch niet ontsnappen en het enige resultaat zou zijn dat Jagang haar met de halsband – of eigenhandig – pijn zou doen. Hoewel hij dat zonder aanleiding ook wel deed, zag ze het nut er niet van in om hem een goede reden te geven.

De enige die zich niet tot onverschilligheid en onoplettendheid liet verleiden, was Jagang zelf. Hij onderschatte Kahlan en haar wilskracht niet. Het leek of hij het leuk vond om haar strategie te bestuderen, zelfs een zo onopvallende strategie als niets-doen.

Net als Kahlan had hij geduld. Hij was de enige die zijn waakzaamheid geen moment liet verslappen. Kahlan dacht dat hij precies wist waar ze mee bezig was.

Ze negeerde Jagang ook. Zelfs al wist hij waar ze mee bezig was,
zo redeneerde ze, dan kon hij nog niet in de hoogste staat van
alertheid blijven als er telkens niets gebeurde. Wachten op iets
wat niet kwam, was uitputtend, zelfs als je wist dat het een keer
moest gebeuren. Misschien vermoedde hij wel dat ze iets wilde
proberen, maar na haar wekenlange gedweeë volgzaamheid zou
het toch als een verrassing komen. Het was het verrassingsele-
ment, hoe kort het ook duurde, dat haar de beslissende voorsprong kon geven als het moment zich voordeed.

Soms kon ze hem echter niet negeren. Als hij in een slecht humeur was en ze wekte zijn toorn – daarvoor hoefde ze niets te
doen, haar aanwezigheid was al genoeg – sloeg hij haar tot bloedens toe. Tweemaal had een Zuster haar moeten genezen, anders
was ze doodgebloed. Als hij in een van zijn echt gemene buien
was, gebeurden er nog wel ergere dingen dan een gewone afros-
sing. Hij was erg inventief in het verzinnen van manieren hoe hij
vrouwen moest mishandelen. Wanneer hij in een gewelddadige
bui was, was hij er niet op uit haar gewoon pijn te doen, maar
haar te vernederen. Ze had gemerkt dat hij pas stopte als hij haar
op de een of andere manier aan het huilen had gemaakt.

Huilen deed ze alleen als ze er echt niets aan kon doen, als ze de
grens had bereikt van wat ze aan pijn, vernedering en wanhoop
kon verdragen, zodat ze haar tranen niet meer kon inhouden.
Dan genoot Jagang ervan om haar te zien huilen. Ze ging nooit
huilen omdat ze hem zijn zin wilde geven en hem wilde laten ophouden met wat hij deed, maar alleen omdat ze op een punt was
gekomen waarop ze zich niet meer kon beheersen. Daarom genoot hij er zo van.

Andere keren nam hij vrouwen mee naar zijn tent, terwijl Kahlan op het vloerkleed naast zijn bed moest liggen. Dat was haar
vaste slaapplaats, alsof ze een hond was. Meestal nam hij een on-
gelukkige vrouwelijke gevangene mee, die verre van gewillig was.
Het leek of hij de krijgsgevangenen uitzocht die het bangst waren zijn aandacht te trekken, die hij vervolgens een gewelddadig
lesje leerde hoe het voelde om onderworpen aan de keizerlijke
lusten te zijn. Als hij in slaap was gevallen, hield Kahlan de ang-

stige vrouw in haar armen, vertelde haar dat het later beter zou worden en probeerde haar zo goed mogelijk te troosten.

Misschien deed hij zulke dingen om zich te vermaken, maar dat was niet zijn hoofdmotief. Zijn werkelijke doel was dat hij Kahlan er voortdurend aan wilde herinneren wat haar te wachten stond als haar geheugen terugkwam.

Kahlan was vastbesloten om haar geheugen nooit meer terug te laten keren. Als ze het terugkreeg, zou dat haar ondergang zijn. Nu ze op de plek van bestemming waren aangekomen, zou er meer tijd zijn voor de Ja'La-spelen. Kahlan dacht dat er wel toernooien zouden worden georganiseerd. Ze hoopte dat het Jagangs aandacht zou afleiden en hem bezig zou houden. Weliswaar zou ze hem moeten vergezellen, want ze moest altijd bij hem in de buurt blijven, maar dat was altijd nog beter dan alleen met hem zijn.

Toen ze bij de keizerlijke tenten aankwamen, was ze eerst een beetje verbaasd dat het keizerlijke veld en het kamp in het algemeen zo ver van hun doel verwijderd lagen. Ze waren in de buurt. Als ze nog een paar uur hadden doorgereden, waren ze er al geweest.

Kahlan vroeg niet waarom ze zo vroeg waren gestopt, maar daar kwam ze gauw achter toen de officieren voor de avondbespreking arriveerden.

'Ik wil dat alle Zusters vannacht op wacht staan,' deelde Jagang hun mee. 'Op deze korte afstand weten we niet wat voor soort kwade krachten de vijand daarboven op ons laat neerdalen.'

Kahlan zag dat Zuster Ulicia en Zuster Armina, die erbij stonden, opgelucht reageerden op zijn bevel. Het betekende dat ze niet weggestuurd zouden worden om de mannen te vermaken. Tijdens de lange reis, waarin ze bijna elke avond naar de tenten waren gestuurd als straf voor hun overtredingen tegen Jagang, waren ze allebei sterk verouderd.

Hoewel ze er allebei behoorlijk aantrekkelijk uit hadden gezien, waren ze dat nu niet meer. Van hun vroegere schoonheid was niets meer over. Onder hun ogen tekenden zich donkere wallen af en hun blik was leeg en wezenloos. Zuster Armina's hemelsblauwe ogen waren opengesperd, alsof ze voortdurend verbijsterd was over haar lot. Hun gezichten waren doorgroefd, waardoor ze er triest, afgetobd en somber uitzagen. Ze waren altijd vies, hun haar zat voortdurend in de klit en hun kleren waren gescheurd. 's Morgens keerden ze vaak met felgekleurde kneuzingen in de tent terug.

Hoewel Kahlan anderen niet graag zag lijden, kon ze voor deze twee geen medelijden opbrengen. Als de Zusters er niet waren geweest, was ze niet in de klauwen van iemand gevallen die alleen maar het moment afwachtte dat ze haar geheugen terugkreeg, waarna hij ernst kon maken met wat hij haar had toegezegd: haar in alle opzichten ondraaglijke pijn bezorgen. Meer dan eens had Jagang gedreigd dat hij haar zou bezwangeren en een kind schenken, zodra ze haar geheugen terugkreeg – een jongen, beweerde hij altijd. Daaraan voegde hij telkens de onbegrijpelijke boodschap toe dat ze, als ze eenmaal haar geheugen terug had, pas echt zou begrijpen dat ze een monster had gebaard.

Wat Kahlan betreft, had Jagang die twee vrouwen nog lang niet genoeg gestraft. Niet alleen hadden ze haar onnoemelijk veel leed bezorgd, maar uit de fragmenten die ze her en der had opgevangen, had Kahlan hun intriges gereconstrueerd, wat de Zusters van plan waren geweest de hele mensheid aan te doen. Dat was op zichzelf al genoeg reden om hen hardhandig te straffen. Als Kahlan het voor het zeggen had gehad, had ze hen direct ter dood gebracht. Folteren was in haar ogen geen alternatief, omdat ze domweg vond dat die twee het niet verdienden in leven te blijven. Dat recht hadden ze verspeeld door al het kwaad dat ze anderen hadden aangedaan en door hun plannen om iedereen van het leven te beroven. In Kahlans ogen verdienden alle soldaten de dood en hoopte ze dat Jagang door hetzelfde lot werd getroffen.

'In elk geval is hun leger gevlucht,' zei een van de oudere officieren tegen Jagang, terwijl het paard van de keizer werd weggeleid. Een andere man ontfermde zich over Kahlans merrie.

De officier miste de helft van zijn linkeroor. Na de genezing was er nog maar een stompje over. Dat viel nogal op, maar als soldaten er iets van zeiden, kostte hun dat soms hun eigen oor.

'Ze hebben geen verdediging achtergelaten,' zei een andere officier.

'Ik weet zeker dat daarboven begaafden zitten,' zei Jagang, 'maar dat zou voor ons geen beletsel moeten zijn.'

'De verkenners en spionnen rapporteren dat de weg langs de zijkant van het plateau erg smal is – veel te smal voor een massale aanval. Bovendien hebben ze de ophaalbrug omhooggehaald. We zullen over de kloof moeten komen, maar het wordt lastig om materialen naar boven te sjouwen en ons tegelijkertijd te verdedigen.

De grote deur, die toegang geeft tot de inwendige gang naar het kasteel, zit dicht. Er bestaat geen enkele kans dat die deur geramd kan worden, want hij heeft al duizenden jaren elke aanval doorstaan. Onze begaafden hebben trouwens gemeld dat hun krachten in de buurt van het paleis afnemen.'

Jagang glimlachte. 'Ik heb wel een paar ideeën.'

De man met het halve oor boog zijn hoofd. 'Ja, excellentie.'

Terwijl Jagang met zijn officieren aan het praten was, zag Kahlan in de verte een groepje ruiters in allerijl door het kamp stormen. Ze kwamen uit het zuiden. Bij elke controlepost brachten ze hun paarden abrupt tot stilstand, spraken kort met de schildwachten en werden haastig doorgelaten.

Jagang had de ruiters ook opgemerkt. Het gesprek met zijn officieren verstomde en al snel vestigde iedereen zijn aandacht op de ruiters, die de binnenste verdedigingslinie betraden en door stofwolken omhuld afstegen. Bij de laatste ring van staal bleven ze wachten op toestemming om het keizerlijke veld te mogen betreden.

Toen Jagang een teken gaf, werden de mannen naar voren geleid. Ze kwamen haastig aangelopen, hoe moe ze er ook uitzagen. Hun leider was een tanige, oudere man met een harde blik in zijn donkere ogen. Hij salueerde.

'Wel,' vroeg Jagang. 'Wat is er zo dringend?'

'Excellentie, onze steden in de Oude Wereld worden aangevallen.'

'O ja?' Jagang zuchtte ongeduldig. 'Dat zijn de opstandelingen uit Altur'Rang. Is de opstand nou nog niet neergeslagen?'

'Nee, excellentie, het zijn de opstandelingen niet – hoewel die onder aanvoering van iemand die de smid wordt genoemd, ook voor problemen zorgen. Er zijn te veel plaatsen aangevallen om het werk van de opstandelingen te kunnen zijn.'

Jagang keek de man achterdochtig aan. 'Om welke steden gaat het?'

De man trok een rol onder zijn bestofte hemd uit. 'Hier is een voorlopig overzicht.'

'Voorlopig?' Vragend trok Jagang een wenkbrauw op, terwijl hij de perkamentrol uitrolde.

'Ja, excellentie. Volgens onze informatie trekt er een golf van vernielingen door het land.'

Jagang liet zijn ogen over de lange lijst met steden op de rol glijden. Vanuit haar ooghoeken probeerde Kahlan onopvallend naar het rapport te kijken. Ze zag twee kolommen met namen, dus moesten er wel vijfendertig tot veertig steden op de rol staan.

'Wat bedoel je met "door het land trekt"?' snauwde Jagang hem toe. 'Er zit geen enkel patroon in. De steden liggen niet op een rechte lijn of bij elkaar in één bepaalde streek van de Oude Wereld, maar door het hele rijk verspreid.'

De man schraapte zijn keel. 'Ja, excellentie, zo luidt het rapport.'

'Dit moet schromelijk overdreven zijn.' Om zijn punt kracht bij te zetten, tikte Jagang met zijn dikke vinger op het papier. De zilveren ringen die hij aan elke vinger droeg, flitsten in het vervagende licht. 'Neem Taka-Mar bijvoorbeeld. Hoe kan Taka-Mar nou aangevallen zijn? Voor een ongeregeld zootje oproerlingen kan een aanval op zo'n stad nauwelijks succesvol zijn. Er zijn troepen gelegerd en het is een overslagplaats voor goederenwagens. Die stad wordt zwaar verdedigd. Hij staat zelfs onder toezicht van de Broeders van het Genootschap van de Orde, die echt niet zouden toelaten dat een stelletje tuig zijn gang kan gaan in Taka-Mar. Dit moet een erg overtrokken rapportage zijn van een paar angsthazen, die al bang zijn voor hun eigen schaduw.'

De man maakte een verontschuldigende buiging. 'Excellentie, Taka-Mar is een van de steden die ik met eigen ogen heb gezien.'

'Nou,' brulde Jagang. 'Wat heb je gezien? Zeg op!'

'Uit welke richting je ook komt, langs alle wegen naar de stad, overal staan palen met verkoolde doodshoofden,' begon de man.

'Hoeveel doodshoofden?' Jagang maakte een minachtend gebaar. 'Tientallen, honderd misschien?'

'Excellentie, hun aantal was niet te tellen. Na een paar duizend ben ik gestopt, hoewel ik nog niet een fractie van het totaal had gezien. De stad zelf is weggevaagd.'

'Weggevaagd?' Jagang knipperde verbaasd met zijn ogen. 'Hoe bedoel je, weggevaagd? Dat is onmogelijk.'

'Hij is volkomen platgebrand, excellentie. Er is geen gebouw dat nog overeind staat. De brand woedde zo hevig dat er geen splin-

ter timmerhout over is. De boomgaarden op de heuvels in de wijde omtrek zijn allemaal omgehakt. De velden met rijp koren, die
zich kilometers in de omtrek in alle richtingen uitstrekten, zijn allemaal verbrand. De grond is verzilt. Er zal nooit meer iets op
groeien. De eens zo vruchtbare streek zal nooit meer gewas voort-
brengen. Het lijkt of de Wachter zelf de plek heeft vernield.'
'En waar waren de soldaten? Hoe hebben ze zich verweerd?'
'De doodshoofden op de palen waren van de soldaten die daar
in garnizoen lagen. Ik vrees dat geen enkele soldaat het heeft overleefd.'
Jagang keek zijdelings naar Kahlan, alsof zij deze ramp op haar
geweten had. Uit zijn boze blik maakte ze op dat hij de problemen op de een of andere manier aan haar toeschreef. Hij verfrommelde de perkamentrol tot een grote prop, terwijl hij zich weer
tot de boodschapper wendde. 'En de Broeders van de Orde? Wat
zeggen zij ervan? Waarom hebben ze het niet kunnen tegenhouden?'
'Er waren zes broeders aangesteld in Taka-Mar, excellentie. Zij
zijn aan palen gespietst, die midden op de diverse wegen naar de
stad stonden. Ieder van hen was van top tot teen gevild en op
hun hoofd stond hun officiële hoofdtooi, zodat ze voor iedereen
herkenbaar waren.
De mensen die in groten getale de stad zijn ontvlucht, zeggen dat
de aanval 's nachts plaatsvond. Omdat ze doodsbang waren, konden ze ons weinig zinnigs vertellen, behalve dat ze werden aangevallen door soldaten van het D'Haraanse Rijk. Dat wisten ze
in elk geval zeker. Al die mensen zijn dakloos geworden.
De aanvallers lieten de inwoners van de stad ongehinderd vluchten, mits ze geen gewapend verzet boden. Ze maakten het de
vluchtelingen wel duidelijk dat ze van plan waren de Oude Wereld te verwoesten en iedereen te doden die de Imperiale Orde
zou steunen.
De soldaten vertelden dat het de Orde met zijn overtuigingen was,
die alle ellende over hen had gebracht en hun land zou ruïneren.
De soldaten verzekerden dat ze de bewoners van de Oude Wereld tot in hun graf en de duisterste hoeken van de onderwereld
zouden opjagen als ze de leringen van de Orde en de daaruit voortvloeiende oorlogszuchtige leefwijze niet zouden afzweren.'
Kahlan besefte pas dat ze glimlachte toen Jagang zich omdraai-

de en haar zo'n harde vuistslag gaf dat ze neerviel. Ze wist dat hij haar die nacht tot bloedens toe zou slaan.

Dat kon haar niets schelen. Wat ze zojuist had gehoord, was haar wel een aframmeling waard. Ze kon eenvoudigweg niet ophouden met glimlachen.

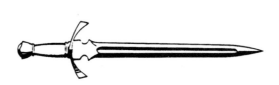

55

Nicci trok haar mantel dichter om zich heen, terwijl ze met haar schouder tegen de grote stenen kanteel leunde. Tussen de tinnen door tuurde ze naar de weg beneden, waarover vier ruiters tegen de berg op naar de Burcht reden. Hoewel ze nog een heel eind weg waren, meende Nicci te weten wie het waren.

Geeuwend keek ze uit over de stad Aydindril en de uitgestrekte bossen in de wijde omtrek. De felle herfstkleuren waren aan het vervagen. Terwijl ze naar de bomen keek die de hellingen van de omringende bergen bedekten, naar de uitbundige manier waarop ze de wisseling van het seizoen aankondigden, moest ze aan Richard denken. Hij hield van bomen en Nicci was er ook van gaan houden, want ze herinnerden haar aan hem.

Er was nog een reden waarom ze met andere ogen naar de bomen keek. Bomen markeerden de overgang naar een andere periode, de wisseling van de seizoenen, de verandering in patronen die nu ook bij haar wereld hoorde, omdat ze verband hielden met de zaken die ze in *Het boek des levens* had bestudeerd. Het was allemaal met elkaar verweven – de werking van de macht van Orden en hoe die macht tot uiting kwam door zijn verbinding met het leven. De wereld, de seizoenen, de sterren en de maanstanden maakten deel uit van het systeem, waren allemaal onderdelen die de macht van Orden vormden en beheersten. Hoe meer ze studeerde en leerde, des te meer werd ze zich bewust van het alom aanwezige ritme van de tijd en het leven.

Ze had ook met onomstotelijke zekerheid begrepen dat Richard de foute sleutel uit zijn hoofd had geleerd, al had ze het nog niet aan Zedd verteld. Op het ogenblik was het niet belangrijk en het was trouwens lastig uit te leggen. Ze had het niet uit de woorden van *Het boek des levens* opgemaakt, maar uit de manier van formuleren. Het boek was in een heel andere taal geschreven, niet alleen omdat het in het Hoog-D'Haraans was gesteld. De echte taal van het boek bestond uit de verbintenis met de kracht die erdoor werd opgeroepen. De formules, bezweringen en procedures waren maar één aspect ervan.

In menig opzicht deed het haar denken aan de keer dat Richard zo overtuigend over de taal van symbolen en emblemen had gesproken. Ze begon te begrijpen wat hij bedoelde, doordat *Het boek des levens* zich voor haar leek te ontvouwen. Ze was de lijnen en hoeken in bepaalde formules als een taal op zichzelf gaan zien. Ze was werkelijk gaan begrijpen wat Richard bedoelde.

Het boek des levens bevatte een boodschap waardoor Nicci anders naar het leven was gaan kijken – op een manier die haar erg aan Richards kijk op de wereld deed denken, vol opwinding, verbazing en liefde voor het leven. In zekere zin had het haar een fundamenteel inzicht gegeven in de aard der dingen en waardering voor hoe zaken werkelijk in elkaar zaten, niet hoe mensen dachten dat ze waren.

Het kwam ook doordat *Het boek des levens* zowel Additieve als Subtractieve Magie bevatte, zoals de dood deel uitmaakt van het levensproces. Het boek omvatte alles. Daarom kon Nicci het niet aan Zedd uitleggen; hij bezat niet het vermogen Subtractieve Magie te gebruiken. Iemand die dat vermogen niet had, miste een belangrijke factor om *Het boek des levens* te begrijpen. Nicci kon de formules uitleggen, de procedures toelichten, hem de bezweringen laten zien, maar hij zou een groot deel daarvan slechts door de filter van zijn beperkte vermogen waarnemen. Hoewel hij het verstandelijk enigszins kon begrijpen, zou hij niet echt kunnen toepassen wat er in het boek stond.

Het leek op iemand die had gehoord over liefde, had begrepen hoe intens dat gevoel was en hoe diep mensen erdoor werden geraakt, maar het nooit zelf had meegemaakt. Zonder die ervaring bleef het steriele, academische kennis.

Je begreep de magie pas als je het voelde.

Op die manier had Nicci ontdekt dat Richard een verkeerde sleutel in zijn hoofd had geprent. Wat ze al eerder had gezegd, was waar: als de persoon die de kistjes in het spel had gebracht, de sleutel niet naar behoren zou gebruiken, werden de kistjes vernietigd, samen met degene die ze in het spel had gebracht. Maar er was meer dan die ene uitspraak. De hele complexiteit van de processen rond het gebruik van de kistjes toonde het eveneens aan, terwijl de woorden daarvan slechts een vereenvoudigde, beknopte neerslag waren.

Door de technieken uit het boek had ze een glimp opgevangen van de werking van de macht. Daardoor had ze begrepen dat, als de magie eenmaal was opgeroepen, het gebruik van de sleutel nodig was om haar te kunnen voltrekken. Nu ze het hele proces begon te doorgronden, wist ze dat de kistjes onherroepelijk zouden zijn vernietigd samen met degene die de fatale fout had gemaakt, als de sleutel niet naar behoren was gebruikt. De magie kon eenvoudigweg niet toestaan dat zo'n vergissing zonder gevolgen bleef.

Dat kwam op hetzelfde neer als wanneer je een steen gooide, die zonder invloed of ingrijpen van buitenaf zomaar in de lucht bleef zweven in plaats van op de grond te vallen. Dat zou nooit gebeuren. Op dezelfde manier had de magie van Orden haar eigen wetmatigheid. Zoals de magie functioneerde, volgens haar eigen wetmatigheid, moesten de kistjes vernietigd worden als de sleutel niet naar behoren was gebruikt. De steen moest wel vallen.

Toen Richard uit zijn geheugen citeerde uit wat hij dacht dat het *Het boek van de getelde schaduwen* was, bracht hij daarin een verandering aan om Darken Rahl tot het openen van het verkeerde kistje te verleiden. Dat kistje was echter alleen het verkeerde geweest in deze nagebootste situatie die uit *Het boek des levens* leek te komen. In feite was dat boek een sluwe misleiding geweest, een verkeerde sleutel. Als het de ware sleutel was geweest, maar die sleutel was zo onjuist toegepast, hadden de kistjes niet meer bestaan.

Een valse sleutel, een handige namaak, was niet zomaar in staat de macht van Orden in werking te zetten om de kistjes te vernietigen, maar als Richard de echte sleutel op die manier had toegepast, zou de hele structuur van de bezwering in elkaar zijn gestort met medeneming van de kistjes.

De kistjes van Orden waren immers alle drie gemaakt als tegenwicht tegen de ketenvuurbetovering. Misbruik van de sleutel betekende dat iemand met de verkeerde bedoelingen en ideeën toegang tot de macht van Orden probeerde te krijgen en in feite afbreuk deed aan het doel waarvoor hij was geschapen. In *Het boek des levens* stond duidelijk dat er in de structuur van de bezweringsvormen een beveiliging was ingebouwd; als alles niet op de juiste manier uitgevoerd zou worden, namelijk op een exact voorgeschreven manier met de sleutel worden afgerond, zouden de formules en bezweringen zichzelf vernietigen – ongeveer zoals Richard het verificatieweb had afgesloten en liet instorten om Nicci te redden. Het stond dus vast dat Richard de valse sleutel uit zijn hoofd had geleerd.

'Wat is er aan de hand?' klonk Zedds stem.

Nicci keek om en zag de oude tovenaar over de grote borstwering marcheren. Ze wist dat ze haar overpeinzingen opzij moest zetten. Als ze Zedd nu over de verkeerde sleutel vertelde, zou hij met haar willen discussiëren, maar zo'n debat had geen zin. Richard was degene die moest weten dat hij de valse sleutel uit zijn hoofd had geleerd.

'Vier ruiters,' zei Nicci.

Zedd bleef bij de balustrade staan, tuurde naar de weg en gaf brommend te kennen dat hij ze had gezien.

'Ik geloof dat het Tom en Friedrich zijn,' zei Cara, 'en dat ze mensen hebben opgepakt die in de buurt rondslopen.'

'Dat denk ik niet,' zei Nicci. 'Ze zien er niet uit alsof ze gevangengenomen zijn. Ik kan het staal zien glimmen. De man is gewapend, maar als Tom hem verdacht zou vinden, had hij hem echt wel zijn wapens afgepakt. De andere ruiter lijkt me trouwens een jong meisje.'

'Rachel?' vroeg Zedd. Fronsend boog hij zich over de rand om de weg beter te kunnen zien tussen de bomen door. Het zou niet lang duren of de bomen lieten hun goudbruine bladeren vallen. 'Denk je echt dat ze het is?'

'Dat geloof ik wel,' antwoordde Nicci.

Hij draaide zich naar haar om en bekeek haar eens goed: 'Je ziet er beroerd uit.'

'Dank je wel,' zei ze. 'Zo'n compliment krijgt een vrouw altijd graag van een man.'

Hij snoof, ongevoelig voor kritiek op zijn slechte manieren. 'Wanneer heb je voor het laatst geslapen?'

Nicci moest weer gapen. 'Ik weet het niet. In de zomer geloof ik, toen ik met dat boek terugkwam van het Volkspaleis.'

Hij keek afkeurend bij haar poging een grapje te maken. Ze wist niet waarom ze het steeds weer bleef proberen. Zedd kon mensen al aan het lachen maken door een beetje voor zich uit te brommen, maar als Nicci iets zei wat ze zelf nogal grappig vond, keek iedereen haar verbijsterd aan, zoals Cara nu.

'Hoe staat het ervoor?' vroeg hij.

Nicci wist wat hij bedoelde. Ze streek een paar lokken naar achteren en hield ze tegen, omdat de wind ze elke keer in haar gezicht blies. 'Ik heb je hulp nodig bij een paar sterrenkaarten en hoekberekeningen. Het zou schelen als ik dat zelf niet hoefde te doen, want dan kan ik me toeleggen op de rest van de vertaling en andere problemen.'

Zedd streek even teder over haar rug als gebaar van genegenheid en troost. 'Op één voorwaarde.'

'En die is?' vroeg ze, opnieuw geeuwend.

'Dat je zorgt dat je genoeg slaap krijgt.'

Nicci glimlachte en knikte. 'Goed, Zedd.' Ze gebaarde met haar kin. 'Maar eerst moeten we beneden maar eens kijken wie onze bezoekers zijn.'

Zedd, Nicci en Cara stapten net door de grote deur aan de zijkant van de Burcht, waar de weide lag, toen de ruiters door de boogvormige poort in de buitenmuur kwamen aanrijden. Het waren Tom en Friedrich en ze brachten Rachel en Chase mee. Rachels lange haar was gekortwiekt en Chase was in verrassend goede conditie voor iemand die nog niet zo lang geleden met het Zwaard van de Waarheid was neergestoken.

'Chase,' brulde Zedd. 'Je leeft nog!'

'Als je dood bent, kun je moeilijk op een paard zitten.'

Toen Cara begon te giechelen, keek Nicci haar zijdelings aan en vroeg zich af waarom ze dit opeens wel grappig vond.

'We kwamen ze op de terugweg tegen,' zei Tom. 'Voor het eerst in maanden dat we buiten mensen zagen.'

'Fijn om Rachel weer te zien,' zei Friedrich. De oudere man keek het meisje grijnzend aan. Het was duidelijk dat hij het echt meende.

Zedd ving Rachel op toen ze zich uit haar zadel liet glijden, terwijl Cara de teugels van het paard overnam.

'Mijn hemel, wat ben je zwaar geworden,' zei Zedd tegen haar.

'Chase heeft me gered,' zei Rachel. 'Hij was zo dapper. Dat hadden jullie moeten zien. Hij heeft in zijn eentje honderd man gedood.'

'Honderd! Nee maar, wat een prestatie.'

'Maar als jij die ene man niet in zijn been had gestoken, waren het er maar negenennegentig geweest,' zei Chase, terwijl hij met een zwaai afsteeg.

Rachel trappelde met haar benen; ze wilde graag worden neergezet. 'Zedd, ik heb iets belangrijks bij me.' Zodra ze op de grond stond, ontgespte ze een leren tas, die achter haar zadel hing. Ze bracht de tas naar de granieten trap, zette hem neer en maakte daarna het trekkoord los.

Zodra ze de leren omslag wegschoof, kwam er een golf van duisternis uit de tas die het heldere najaarslicht vertroebelde. Nicci kreeg het gevoel dat ze in de inktzwarte donkerte van Jagangs ogen keek.

'Rachel!' riep Zedd stomverbaasd uit, 'hoe kom je daaraan?'

'Het was van een man, Samuel, die ook Richards zwaard had. Hij stak Chase neer, ontvoerde me en gaf me aan de heks Zes en Violet, de koningin van Tamarang, hoewel ik denk dat ze geen koningin meer is. Jullie hebben geen idee hoe gemeen Zes is.'

'Ik wel,' zei Zedd. Terwijl hij met moeite haar verhaal volgde, tilde hij de leren omslag op om het voorwerp beter te kunnen bekijken.

Nicci keek met bonzend hart naar het kistje van Orden, dat voor haar op de trap stond. Na wekenlang het boek te hebben bestudeerd dat bij de kistjes hoorde, was het een grote schok er eentje in het echt te zien. Theorie was nog iets heel anders dan het betreffende voorwerp met eigen ogen te zien.

'Ik vond dat ze het niet mochten houden,' zei Rachel tegen Zedd. 'Dus toen ik de kans kreeg te ontsnappen, heb ik het gestolen en meegenomen.'

Zedd woelde door haar korte blonde haar. 'Dat heb je goed gedaan, kleintje. Ik wist wel dat je bijzonder was.'

Rachel vloog de tovenaar om zijn nek. 'Zes liet Violet tekeningen van Richard maken. Het was heel eng wat ze allemaal deden.'

'In een grot?' vroeg Zedd. Toen Rachel knikte, keek hij Nicci aan. 'Dat verklaart een heleboel.'

Nicci kwam bij hen staan. 'Was Richard er ook? Heb je hem gezien?'

Rachel schudde haar hoofd. 'Nee, Zes ging weg en toen ze eindelijk terugkwam, zei ze tegen Violet dat ze hem wel had meegenomen, maar dat de Imperiale Orde hem gevangen had gezet.'

'De Imperiale Orde...' stamelde Zedd.

Nicci probeerde te bedenken wat erger was: dat de heks Richard te pakken had gekregen, of dat de Imperiale Orde hem gevangen had genomen. Erger kon eigenlijk niet: Richard was zijn gave en zijn zwaard kwijt en de Orde had hem te pakken gekregen.

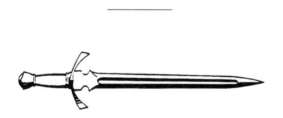

56

Kahlan trok haar mantel dichter om zich heen, terwijl ze naast de keizer liep. Ze was zijn onafscheidelijke, gehoorzame metgezel geworden. Niet uit vrije wil natuurlijk, maar onder de druk van lichamelijk en geestelijk geweld. 's Nachts sliep ze op het vloerkleed naast zijn bed, als constante waarschuwing voor wat haar te wachten stond. Overdag was ze altijd aan zijn zijde, als een hond die aan de lijn liep. Haar lijn was een ijzeren halsband, waarmee hij haar elk moment tot de orde kon roepen.

Ze had geen idee waarom hij zo'n haat tegen haar had opgevat, wat aanleiding had gegeven tot die sterke behoefte haar te straffen voor alle ongerechtigheden van zijn vijanden. Maar wat ze ook had gedaan om zijn haat op te wekken, hij zou het beslist hebben verdiend.

Toen er een bitterkoude rukwind door het kamp woei, hield Kahlan de kraag van haar mantel voor haar gezicht. De soldaten draaiden hun hoofd weg van het gruis dat door de wind werd meegevoerd. De herfst liep ten einde en de winter stond voor de deur. Het komende jaargetijde zou geen pretje zijn, buiten in de open vlakte rond het plateau waarop het Volkspaleis stond, maar nu Jagang zo ver was gevorderd, zou hij het beleg nooit opgeven. Volharding was een van zijn meest uitgesproken eigenschappen. Verborgen in dat plateau moest nog een andere kopie zijn van *Het boek van de getelde schaduwen* en Jagang had er zijn zinnen op gezet.

Daarbuiten op de Azrith Vlakte gingen de bouwactiviteiten gestaag door. Ze waren al de hele herfst aan de gang en Kahlan wist dat ze desnoods de hele winter zouden doorgaan totdat het werk af was, mits de grond niet tot een harde korst bevroor. Kahlan vermoedde dat Jagang ook daarop was voorbereid – waarschijnlijk zou hij vuren laten stoken om te voorkomen dat de aarde bevroor. Zolang het droog bleef en ze nog een schep in de grond konden krijgen, zouden ze zelfs bij vorst doorwerken.

Er was geen manier om de kolossale deur naar het inwendige van het plateau open te breken en het was al snel duidelijk dat de weg die langs de helling omhoogliep, volkomen ongeschikt was voor een aanval met zo'n grote troepenmacht.

Voor dat probleem had Jagang een oplossing gevonden. Hij had het plan opgevat een grote hellingbaan te bouwen, waarover zijn leger tot vlak voor het ommuurde paleis op het plateau kon komen. Tegen de officieren had hij gezegd dat ze boven belegeringsmachines zouden gebruiken om door de muur heen te breken, maar eerst moesten ze bij het paleis zien te komen.

Daarom was het leger bezig een hellingbaan te bouwen tussen het uitgestrekte kampement en het plateau. Het werd een hellingbaan van duizelingwekkende afmetingen. Om twee redenen, die allebei even belangrijk waren, moest hij enorm breed zijn. De hellingbaan moest een massale aanval van het leger kunnen dragen, met een stootkracht die zo groot was dat de verdediging hem niet kon afweren. Bovendien stak het plateau een heel eind boven de Azrith Vlakte uit. Om de hellingbaan zo hoog te kunnen maken, moest hij op een gigantisch voetstuk rusten, anders zou het hele gevaarte instorten. Het kwam erop neer dat ze een kleine berg tegen het plateau moesten bouwen om de top te bereiken. Een klus die inderdaad volharding vereiste.

Het leek onbegonnen werk om de grote afstand tussen het begin en eind van het traject te overbruggen. Vanwege de hoogte moest het een heel lange hellingbaan worden, waarover het leger met al het materieel uiteindelijk tot vlak voor de muren van het Volkspaleis kon optrekken.

Eerst leek het een krankzinnig plan, een onmogelijke opgave, maar het was ronduit verbazingwekkend wat er bereikt kon worden door miljoenen mannen die niets beters te doen hadden, en een fanatieke keizer die zich niet druk maakte over het welzijn van zijn soldaten. De hele dag, en soms ook in het donker bij toortslicht, slingerden zich lange rijen mannen met bakken vol aarde en stenen naar de bouwplaats van de groter wordende hellingbaan of vormden al gravend enorme bergen, waaruit alles werd aangevoerd. Stenen werden gemengd met fijn zand om ze op hun plaats te houden. Andere mannen drukten met verzwaarde stampers de nieuwe aarde aan, nadat die was gestort.

Bijna alle mannen in het kamp waren bij de bouw betrokken. Het was een ontmoedigende taak, maar met zoveel mensen vorderde het werk gestaag. Langzaam maar zeker begon de hellingbaan vorm te krijgen. Hoe hoger hij werd, hoe langzamer het zou gaan, want dan was er ook steeds meer materiaal nodig.

Kahlan vond het echt iets voor deze onbeschaafde mannen dat ze zo'n prachtig marmeren bouwwerk aanvielen met een hoop aarde. Het paste in de filosofie van de Orde om een van de mooiste menselijke creaties neer te halen door in de grond te wroeten.

Ze kon niet schatten hoe lang het zou duren om het project te voltooien, maar Jagang was niet van plan te stoppen voordat hij zijn doel had bereikt. Het eind was in zicht, hielp hij zijn officieren vaak herinneren. Van hen verwachtte hij volledige toewijding en opoffering voor het nobele doel. Niets kon hem afbrengen van zijn voornemen om het laatste bolwerk van vrijheid neer te halen.

Terwijl ze vanaf de rand van het keizerlijke veld de bouw bekeken, zag Kahlan een boodschapper te paard naar hen toe komen. In het zuiden verrees de hoge stofwolk van een naderend goederenkonvooi. Ze had het konvooi al uren gevolgd en steeds dichterbij zien komen. Nu waren de voorste wagens aan hun intocht in het kamp begonnen.

Jagang was opgelucht geweest dat het goederenkonvooi er eindelijk aankwam. Een leger van deze omvang had een voortdurende aanvoer van goederen, en vooral eten, nodig. Op de Azrith Vlakte viel niets te plunderen: nergens waren boerderijen, gewassen of vee. Om het leger te voeden en ervoor te zorgen dat de hellingbaan van de keizer tot aan de hemel zou reiken, was er een constante stroom levensmiddelen nodig.

Nadat de boodschapper was afgestegen, kwam hij dichterbij en bleef geduldig staan wachten. Eindelijk gaf Jagang zijn officieren een teken dat ze samen met de zojuist gearriveerde man naar voren moesten komen.

De boodschapper maakte een buiging. 'Excellentie, ik ben mee-gereisd met de goederen die ons brave volk u heeft toegestuurd. Velen hebben zich opgeofferd om onze dappere soldaten te geven wat nodig is om de vijand te verslaan.'

'We kunnen de voorraden goed gebruiken. De mannen werken allemaal erg hard en ze moeten op krachten blijven.'

'Ons konvooi heeft ook enkele Ja'La dh Jin-teams meegebracht, die graag mee willen doen aan het toernooi. Ze hopen dat ze een keer tegen het vermaarde team van Zijne Excellentie mogen uitkomen.'

'Wat voor teams?' vroeg Jagang afwezig, terwijl hij een vrachtlijst doorlas die de boodschapper hem overhandigde.

'De meeste teams zijn samengesteld uit soldaten van de legereenheden, maar de commandant van ons konvooi heeft behalve zijn eigen soldaten ook mannen uit de Nieuwe Wereld in zijn team gezet. Hij denkt dat zijn team, dat gedeeltelijk bestaat uit mensen van de plaatselijke bevolking, voor een enorm spektakel gaat zorgen, waar Zijne Excellentie met plezier naar zal kijken.'

Jagang knikte, terwijl hij zich verder in de lijst verdiepte. 'Het is goed voor de heidenen als ze kennis kunnen maken met onze leefwijze. Ja'La dh Jin is een uitstekende manier om anderen onze cultuur en gewoonten bij te brengen. Het geeft eenvoudige zielen afleiding van het zinloze leven dat we allemaal moeten leiden.'

De man maakte een buiging. 'Ja, excellentie.'

Eindelijk was de keizer klaar met lezen en hij keek op. 'Ik heb geruchten gehoord over dat team met krijgsgevangenen. Zijn ze echt zo goed als iedereen zegt?'

'Ze schijnen geweldig te zijn, excellentie. Ze hebben teams verslagen die iedereen voor onoverwinnelijk hield. Eerst dacht men dat het puur geluk was, maar nu niet meer. Ze hebben de beste spits die er ooit is geweest.'

Jagang liet een sceptisch gegrom horen. 'Mijn team heeft de beste spits.'

De man boog zich verontschuldigend. 'Ja, excellentie. Natuurlijk, daar hebt u gelijk in.'

'Welk nieuws breng je mee uit ons eigen land?'

De man aarzelde. 'Excellentie, helaas heb ik een verontrustend bericht. Terwijl het volgende konvooi zich in de Oude Wereld opmaakte om na het onze op weg te gaan, werd het overvallen en in de pan gehakt. Alle rekruten die met het konvooi naar het noorden zouden worden gestuurd om ons leger te versterken, zijn... helaas, excellentie, gedood. Hun hoofden staan op palen aan de kant van de weg. De rij palen liep van de ene naar de andere stad en beide steden zijn met de grond gelijk gemaakt. Steden, bossen en akkers staan in brand. Het vuur laait hoog op en als de wind de goede kant op staat, kunnen we de rook zelfs hier in het noorden ruiken. Het is moeilijk te zeggen wat er precies gaande is, maar volgens alle berichten zijn de aanvallen afkomstig van soldaten uit de Nieuwe Wereld.'

Jagang wierp een snelle blik op Kahlan, vermoedelijk om te kijken of ze net als de vorige keer zou lachen. Dat deed ze niet. Ze kon haar gezicht in de plooi houden, terwijl ze zich inwendig verkneukelde. Ze had zin ze uit de verte aan te moedigen, de onbekende mannen die Jagang dwarszaten door alle schade die ze aanrichtten.

Bijna even hinderlijk als de schade, waren de geruchten die als een lopend vuurtje door het kampement gingen. De aanvallen in hun eigen land brachten de soldaten in verwarring, want ze hadden de Oude Wereld als onschendbaar en onoverwinnelijk beschouwd. Naarmate de geruchten toenamen, werden ze ernstiger. Jagang had al een aantal mannen laten executeren voor het verspreiden van het slechte nieuws. Omdat Kahlan nauwelijks contact had met de soldaten – de meeste konden haar niet eens zien – wist ze niet of de geruchten door de executies de kop in waren gedrukt, maar ze dacht van niet. Als de geruchtenstroom deze soldaten al ongerust maakte, moest de Oude Wereld helemaal in de greep van de angst zijn. Het leger kon tenminste nog terugvechten, terwijl de meeste mensen daar weerloos waren.

'Volgens de rapporten, excellentie, vernietigen die woestelingen alles wat op hun pad komt. Ze verbranden het gewas, doden het vee, slopen molens en dammen, beletten de handwerklieden goederen te produceren voor de nobele taak het woord van de Orde te verspreiden.

Maar het hardst worden degenen getroffen die onze mensen onderrichten in de leefwijze van de Orde, die iedereen doordringen van de noodzaak zich op te offeren teneinde de heidenen in het noorden verpletterend te verslaan.'

Hoewel Jagang uiterlijk kalm bleef, wisten Kahlan en de officieren die naar hem keken, dat hij inwendig kookte van woede.

'Wie hebben het op onze leraren en leiders gemunt? Weet je of het een speciale eenheid van de vijand is?'

De man maakte nogmaals een verontschuldigende buiging. 'Excellentie, tot mijn spijt moet ik rapporteren dat alle leraren en de Broeders die werden gedood, terwijl ze onderricht gaven in de gebruiken van de Schepper en de Orde, wel... ze misten allemaal hun rechteroor.'

Jagangs gezicht liep rood aan van woede. Kahlan zag hoe de spieren in zijn kaak en slapen zich spanden, terwijl hij knarsetandde.

'Excellentie, denkt u dat het dezelfde mannen zijn die ons dwarszaten toen we door het Middenland trokken?' vroeg een van de officieren.

'Natuurlijk!' brulde Jagang. 'Ik wil dat er iets tegen wordt gedaan,' beval hij zijn officieren. 'Begrepen?'

'Ja, excellentie,' zeiden ze eenstemmig. Ze bogen hun hoofd en bleven zo staan.

'Ik wil dat er een eind komt aan die plaag. De konvooien moeten ongehinderd door kunnen gaan met de aanvoer. We zijn bijna zover dat we deze oorlog met een klinkende overwinning kunnen afsluiten. Ik zal niet dulden dat onze inspanning voor niets is geweest. Begrepen?'

'Ja, excellentie,' zeiden ze weer in koor en bogen zo mogelijk nog dieper.

'Ingerukt mars – allemaal!'

Terwijl de officieren vertrokken om gehoor te geven aan zijn bevelen, zette Jagang zich in beweging en liep het keizerlijke veld af. Kahlan voelde een pijnscheut van de halsband waarmee hij haar tot spoed maande. Zoals altijd werd hij onmiddellijk omringd door gewapende mannen, die zijn keizerlijke lijfwacht en escorte vormden.

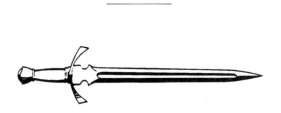

57

Richard keek door de spijlen van het raampje dat in zijn ijzeren kooi zat, terwijl de wagen door het uitgestrekte kamp hobbelde.

'Ruben, moet je dat zien!' Johnrock omklemde de spijlen en hij grijnsde alsof hij op vakantie was.

Richard keek zijn medegevangene vluchtig aan. 'Indrukwekkend,' gaf hij toe.

'Zou hier iemand zijn die ons kan verslaan?'

'Dat merken we gauw genoeg,' zei Richard.

'Laat ik je vertellen, Ruben, dat ik graag een paar schedels van het keizerlijke team zou willen inslaan.' De man wierp Richard een zijdelingse blik toe. 'Denk je dat ze ons naar huis laten gaan als we het team van de keizer verslaan?'

'Meen je dat?'

De man proestte het uit. 'Grapje, Ruben.'

'Maar erg flauw,' zei Richard.

'Vast wel,' verzuchtte Johnrock. 'Maar toch, ze zeggen dat het team van de keizer het sterkste is. Die zweep zou ik niet graag weer willen voelen.'

'Ik ook niet. Eén keer is genoeg.'

De twee mannen hadden de ijzeren kooi gedeeld sinds ze Richard in Tamarang te pakken hadden gekregen. Johnrock zat al langer gevangen dan Richard. Hij was een forse man, een molenaar, afkomstig uit de zuidelijke streken van het Middenland. Een groepje verkenners was voor het konvooi uit zijn dorp binnengevallen en vanwege zijn indrukwekkende postuur was Johnrock eruit gepikt, want hij leek een aanwinst voor het team.

Richard kende hem niet bij zijn echte naam. Hij werd door iedereen Johnrock genoemd, omdat hij zo groot was en zulke gestaalde spieren had door het sjouwen met zakken graan. Omgekeerd kende hij Richard alleen als Ruben Rybnik. Hoewel Johnrock een medegevangene was, leek het Richard niet veilig zijn echte naam prijs te geven.

Johnrock had hem verteld dat hij drie soldaten een gebroken arm had bezorgd, voordat ze hem te pakken hadden gekregen. Richard zei alleen dat hij door boogschutters onder schot was gehouden en het toen maar had opgegeven. Johnrock was lichtelijk teleurgesteld geweest door wat hij voor gebrek aan moed aanzag. Ondanks zijn nogal onnozele, scheve grijns, die hij vaak en onder alle omstandigheden liet zien, had Johnrock een vlugge geest en een analytisch verstand. Hij was erg op Richard gesteld geraakt, omdat Richard de enige was die niet dacht dat hij dom was, de enige ook die hem niet als een domoor behandelde. Johnrock was helemaal niet dom.

Uiteindelijk had hij geconcludeerd dat hij zich had vergist in Richards gebrek aan moed en hem gevraagd of hij rechtsbuiten mocht zijn in het Ja'La-spel. Rechtsbuiten zijn was een ondankbare taak, die hem blootstelde aan vele vijandelijke uitvallen en verwondingen. Johnrock zag echter het nut van die positie in. Het bood hem de kans de hoofden van de soldaten van de Orde aan gruzelementen te slaan en dat vond hij heerlijk. Johnrock was groot, maar ook snel, een combinatie die hem tot een perfecte speler in Richards rechtervleugel maakte. Tijdens het spel bleef hij het liefst bij Richard in de buurt om te zien hoe die de andere teams wist te overrompelen wanneer hij onverwacht zijn woede de vrije teugel liet. Stilzwijgend wisten ze van elkaar dat het spel hun de gelegenheid bood zich enigszins op de soldaten te wreken die hen gevangen hadden genomen.

Het kamp leek zich achter de ijzeren tralies tot in het oneindige uit te strekken. Tot zijn ontsteltenis zag Richard waar ze waren – op de Azrith Vlakte bij het Volkspaleis. Hij wilde niet meer kijken en ging zitten, met zijn rug tegen de andere kant van de kooi en zijn hand op zijn knie, terwijl de schommelende wagen met horten en stoten door de onafzienbare menigte reed.

Hij was opgelucht dat de D'Haraanse troepen waren vertrokken, anders waren ze nu al in de pan gehakt. De soldaten zouden inmiddels wel de Oude Wereld hebben bereikt en daar bezig zijn de hele zaak plat te leggen.

Richard hoopte dat ze zich aan het plan zouden houden: snel en krachtig aanvallen, zich verspreiden om overal in de Oude Wereld toe te slaan en niets te ontzien. Hij wilde dat niemand in de Oude Wereld zich meer veilig zou voelen. De daden die voortvloeiden uit hun overtuigingen, moesten een keer bestraft worden. Alle soldaten keken naar de intocht van de wagens door het kamp. Ze waren er blij mee, waarschijnlijk omdat er voedsel werd aangevoerd. Van Richard mochten ze naar hartenlust eten. Als zijn bevelen werden opgevolgd, zou dit een van de laatste goederentransporten uit de Oude Wereld zijn. Jagangs leger zou het buiten op de Azrith Vlakte nog zwaar te verduren hebben zonder levensmiddelen en met de winter voor de deur.

Bijna alle mannen die ze passeerden, gluurden Richards kooi in en hoopten een glimp van hem op te vangen. Hij had wel verwacht dat het in het kamp zou gonzen van de geruchten over hem en zijn Ja'La-team. Onderweg waren ze bij legerplaatsen gestopt om tegen andere teams te spelen, en daar had hij gemerkt dat hun reputatie hun vooruit was gesneld. Deze mannen waren dol op het spel en keken uit naar de wedstrijden. Hun belangstelling was ongetwijfeld nog groter omdat Richards team aankwam – of Rubens team, zoals het in de wandelgangen heette, hoewel het team in feite van de commandant met het slangengezicht was. Verder bood het kamp nauwelijks vermaak, behalve met de vrouwelijke gevangenen. Daaraan probeerde Richard niet te denken, want het maakte hem alleen maar woedend, terwijl hij er in zijn kooi niets aan kon doen.

Na een bijzonder felle wedstrijd, die ze met gemak hadden gewonnen, had Johnrock openlijk uitgesproken dat hij Richards snelle capitulatie bij zijn gevangenneming niet begreep. Toen had Richard hem eindelijk de ware toedracht verteld. Eerst had Johnrock zijn verhaal niet geloofd, maar Richard had gezegd dat hij het maar eens aan het slangengezicht moest vragen. Dat had Johnrock gedaan, waarna hij ontdekte dat Richard de waarheid had gesproken. Johnrock, die grote waarde aan vrijheid hechtte, vond dat je ervoor moest vechten. Die dag had hij Richard gevraagd of hij zijn rechtsbuiten mocht worden.

Waar Richard vroeger zijn razernij door het Zwaard van de Waarheid had gestuurd, werd die nu door de broc en het Ja'La-spel gekanaliseerd. Zelfs de leden van zijn eigen team, hoe fijn ze het ook vonden dat hij hun aanvoerder was, waren in zekere zin bang voor hem. Johnrock was de enige die niet bang voor hem was. Ze hadden dezelfde manier van spelen – alsof het een gevecht op leven en dood was.

Voor sommigen van hun tegenstanders, die uit het leger van de Imperiale Orde waren gerekruteerd en een hoge dunk van zichzelf hadden, was het hun dood geweest. Het gebeurde regelmatig dat spelers, vooral tegenstanders van Richards team, ernstig gewond raakten of stierven. Iemand van Richards team was tijdens het spel overleden. Toen hij even niet oplette, was de zware broc tegen zijn hoofd geknald. Hij had zijn nek gebroken.

Richard herinnerde zich dat hij eens met Kahlan door Aydindril had gelopen, waar ze kinderen op straat Ja'La hadden zien spelen. Hij had lichtere ballen laten maken en de kinderen hun zware brocs voor die andere, officiële bal laten inruilen, zodat ze zich tijdens het spel niet konden bezeren. Al die kinderen waren nu Aydindril ontvlucht.

'Dit lijkt me een akelige plaats voor ons, Ruben,' zei Johnrock zacht, terwijl hij het kampement door het raampje voorbij zag trekken. Het klonk voor zijn doen ongewoon somber. 'Een erg akelige plaats voor slaven als wij.'

'Als je denkt dat je een slaaf bent, ben je dat ook,' zei Richard.

Johnrock keek Richard een tijdje strak aan. 'Dan ben ik geen slaaf, Ruben.'

Richard knikte. 'Zo mag ik het horen.'

De man keek weer naar het kamp, dat onafgebroken aan zijn ogen voorbijtrok. Zoiets had hij waarschijnlijk nog nooit in zijn leven gezien. Richard herinnerde zich nog zijn eigen verbazing, toen hij voor het eerst de bossen van Hartland had verlaten om iets van de rest van de wereld te zien.

'Kijk daar eens,' zei Johnrock zacht, terwijl hij door de spijlen tuurde.

Richard had geen zin om te kijken. 'Wat is er?'

'Een heleboel mannen, soldaten, maar niet zoals de rest. Deze zien er allemaal hetzelfde uit. Ze hebben betere wapens, zijn beter georganiseerd, groter ook. Ze zien er vervaarlijk uit. Iedereen gaat voor hen opzij.'

Johnrock keek over zijn schouder naar Richard. 'Wedden dat de keizer daar zelf tussen staat? Hij zal de tegenstanders van zijn team willen zien, die op weg zijn naar het toernooi. Uit de beschrijvingen die ik van hem heb gehoord, denk ik dat dat Jagang is, de man die door al die forse lijfwachten in maliënkolders wordt bewaakt.'

Richard liep naar de kleine opening om een kijkje te nemen. Zich aan de tralies vastgrijpend bracht hij zijn gezicht vlak voor het raampje om beter te kunnen zien, terwijl ze de wachters en de man die ze bewaakten, rakelings passeerden.

'Inderdaad, het lijkt keizer Jagang wel,' zei Richard tegen Johnrock.

De keizer keek een andere kant uit, naar een paar Ja'La-teams die waren gevormd uit soldaten van de Imperiale Orde. Die zaten natuurlijk niet opgesloten in een ijzeren kooi op een wagen. Jagang keek toe, terwijl ze trots in gesloten formatie voorbijmarcheerden met de banier van hun team in de hand.

En toen zag hij haar. 'Kahlan!'

Hoewel ze zich naar hem omdraaide, wist ze niet waar zijn stem vandaan was gekomen.

Richard rukte zo hard aan de tralies dat ze bijna verbogen, maar ook al stond ze vlakbij, hij besefte dat ze hem boven het lawaai niet zou kunnen horen. Overal werd er gejuicht voor de optocht van de marcherende teams.

Haar lange haar viel golvend over haar mantel. Richards hart klopte als een bezetene in zijn borst. 'Kahlan!'

Ze draaide zich nog iets meer naar hem toe. Hun ogen vonden elkaar. Hij keek recht in haar groene ogen. Toen ook Jagang zich omkeerde, wendde ze zich ogenblikkelijk af en keek een andere kant op. De keizer en zij draaiden zich samen weer om en toen was ze weg, aan zijn oog onttrokken door de mannen en wagens en paarden en tenten, zich steeds verder van hem verwijderend.

Richard liet zich naar adem snakkend tegen de wand vallen.

Johnrock kwam naast hem zitten. 'Ruben, wat is er? Je ziet eruit alsof je een spook tussen die mannen hebt gezien.'

Richard, die alleen met grote ogen voor zich uit kon staren, bracht hijgend uit: 'Dat was mijn vrouw.'

Johnrock schaterde het uit. 'Aha, je hebt al een vrouw uitgekozen voor als we gaan winnen. De commandant zegt dat we er eentje mogen uitzoeken als we het keizerlijk team verslaan. Heb je je oog al op iemand laten vallen?'

'Het was d'r...'

'Ruben, het lijkt wel of je verliefd bent geworden.'

Richard besefte dat hij grijnsde van oor tot oor. 'Het was d'r. Ze leeft! Johnrock, kon je haar maar zien. Ze leeft en ze is nog niets veranderd. Goede geesten, het was Kahlan. Het was d'r.'

'Volgens mij moet je eerst maar eens rustig ademhalen, Ruben, anders val je nog flauw voordat we er een paar de hersens in hebben geslagen.'

'We gaan tegen het keizerlijke team spelen, Johnrock.'

'Maar eerst moeten we nog een heleboel wedstrijden winnen.'

Richard hoorde amper wat hij zei. Onwillekeurig lachte hij, buiten zichzelf van blijdschap. 'Het was d'r. Ze leeft.' Richard sloeg zijn armen om Johnrock heen en omhelsde hem stevig. 'Ze leeft!'

'Als jij het zegt, Ruben.'

Kahlan hield haar ademhaling in bedwang, terwijl ze haar op hol geslagen hart probeerde te kalmeren. Ze begreep niet waarom ze zo overstuur was. Ze kende de man in de kooi niet. Toen de wagen voorbijreed, had ze even zijn gezicht gezien, maar om de een of andere reden had hij haar tot in het diepst van haar ziel geraakt. Bij de tweede keer dat hij haar naam had geroepen, leek het of Jagang ook iets had gehoord. Kahlan had zich omgedraaid, zodat hij niets door zou hebben. Waarom dat zo ontzettend belangrijk was, wist ze niet.

Nee, dat was niet zo, want dat wist ze wel. De man zat opgesloten in een kooi. Als Jagang erachter kwam dat hij haar kende, zou de keizer hem folteren of zelfs doden. Er was nog een andere reden. Als de man haar kende, vormde hij een schakel met haar verleden, terwijl zij dat verleden juist wilde vergeten.

Maar toen ze in zijn grijze ogen had gekeken, was alles in een oogwenk veranderd. Er was een eind aan haar verdoving gekomen. Ze wilde niet meer dat haar verleden verborgen bleef. Opeens wilde ze juist alles weten. In zijn ogen had ze zo'n kracht gezien, ze waren zo vervuld van iets wezenlijks, dat ze besefte hoe belangrijk haar leven was.

Door de blik in zijn grijze ogen had Kahlan beseft dat ze wilde weten wie ze was, dat ze de waarheid wilde weten, ongeacht de gevolgen, ongeacht de prijs die ze ervoor zou moeten betalen. Ze moest haar leven terug zien te krijgen en dat kon alleen als ze de waarheid wist. De consequentie was misschien dat Jagang zijn bedreigingen zou uitvoeren, maar het werkelijke gevaar, begreep ze opeens, was dat hij haar door intimidatie dwong haar leven op te geven, haar wil, haar bestaan... zich aan zijn macht over te geven. Met zijn dreigementen wat hij met haar zou doen zodra ze wist wie ze was, beheerste hij haar leven en maakte hij haar tot zijn slavin. Als ze zich aan zijn wil onderwierp, dan kwam dat alleen maar doordat ze haar eigen wil had opgegeven.

Zo mocht ze niet meer denken. Daarvoor was haar leven te veel waard. Ze was wel zijn krijgsgevangene, maar niet zijn slavin. Slavernij was een geestestoestand en zij was geen slavin.

Ze zou haar wil niet voor hem opgeven. Ze zou zorgen dat ze haar leven terugkreeg. Haar leven, dat alleen van haar was, zou ze terugkrijgen. Dat kon Jagang, wat hij ook zou doen of waarmee hij haar ook zou bedreigen, niet van haar afnemen. Kahlan voelde een vreugdetraan over haar wang rollen.

De man die ze zich niet eens kon herinneren, had haar zojuist de wil gegeven om haar leven terug te krijgen. Het leek of ze voor het eerst sinds ze haar geheugen kwijt was weer vrij kon ademhalen. Ze wilde alleen dat ze hem had kunnen bedanken.

58

Achter Cara, Nathan en een groep wachters aan marcheerde Nicci door de grote hal van het Volkspaleis. Elke keer dat iemand Nathan met Meester Rahl aansprak, begon ze in stilte te knarsetanden. Ze wist dat het moest, maar in haar hart was Richard de enige echte Meester Rahl.

Ze had er alles voor over om zijn grijze ogen terug te zien. In het paleis kreeg ze het gevoel dat zijn aanwezigheid overal om haar heen hing. Ze nam aan dat het kwam door de betovering die in het paleis hing. Het paleis was geconstrueerd in een op de Meester Rahl afgestemde bezweringsvorm. Richard was Meester Rahl, in elk geval voor haar.

Nicci wist best dat er anderen waren die er ook zo over dachten, Cara bijvoorbeeld. Als ze met Cara alleen was, wat vaak voorkwam, voelden ze elkaar woordeloos aan. Ze waren allebei even ongerust, ze wilden allebei dat Richard terugkwam.

Cara ging vooroplopen en bracht hen door een stelsel van dienstgangen naar een donkere schacht met een ijzeren trap, die omhoogliep. Toen ze de trap hadden beklommen, zwaaide Cara een deur open. Een koud licht kwam hun tegemoet toen ze op het terras kwamen, vanwaar ze over de hele omgeving konden uitkijken. Ze bevonden zich vlak boven de buitenmuur aan de rand van het plateau, wat het gevoel gaf alsof ze op de rand van de wereld stonden.

Ver onder hen, als een zwarte vlek die bijna tot aan de horizon doorliep, krioelden de soldaten van de Imperiale Orde.

'Zie je wat ik bedoel?' Nathan kwam naast haar staan en wees naar het bouwsel in de verte. Eerst kon ze het niet goed zien, maar na een tijdje begon ze te begrijpen wat het moest voorstellen.

'Je hebt gelijk,' zei ze. 'Het ziet eruit als een hellingbaan. Denk je echt dat ze een hellingbaan kunnen bouwen die helemaal tot aan het paleis reikt?'

Nathan tuurde naar de bouwplaats om hem nog eens goed te bekijken. 'Ik weet het niet, maar als Jagang de moeite neemt eraan te beginnen, heeft hij vast goede redenen om aan te nemen dat het gaat lukken.'

'Als ze zo'n brede hellingbaan tot aan hier maken,' zei Cara, 'zitten we in de problemen.'

'Dat overleven we niet,' zei Nathan.

Nicci keek nog eens goed wat de mannen van de Orde aan het doen waren en hoe groot de afstand naar de bouwplaats was. 'Nathan, je bent een Rahl, dus deze plek vergroot je kracht. Je moet toch in staat zijn tovenaarsvuur naar beneden te sturen en dat ding kapot te maken.'

'Dat heb ik ook bedacht,' zei hij. 'Maar ik denk dat de Zusters beneden schilden hebben geplaatst om dat gevaar af te weren. Ik heb hun verdedigingsmiddelen niet uitgetest en nog niets geprobeerd. Daar wil ik mee wachten totdat ze wat langer aan het werk zijn, zodat ze het gevoel krijgen dat ze goed opschieten. Als ze met het bouwwerk zijn gevorderd en dichterbij komen, kan ik met mijn aanval meer schade veroorzaken. Wanneer ik dat ding nu kapot maak, is het verlies nog te overzien. Ik kan beter even wachten tot ze er meer tijd en moeite in hebben gestoken.'

Nicci keek de lange profeet kritisch aan. 'Nathan, wat ben je toch uitgekookt.'

Hij schonk haar de glimlach van een Rahl. 'Geniaal, al zeg ik het zelf.'

Nicci bestudeerde het kamp. Het lag achter de bouwplaats op een afstand die groot genoeg was om hun begaafden in staat te stellen een aanval te pareren. Nicci had zoveel tijd in Jagangs leger doorgebracht dat ze goed op de hoogte was van hoe ze dachten. Ze wist welke verdedigingslinies Jagangs officieren en begaafden om hun leger zouden leggen, en onder die begaafden bevonden zich Zusters van de Duisternis.

'Kijk daar eens!' Ze wees in de richting van het kamp. 'Het lijkt of er zojuist een goederenkonvooi is gearriveerd.'

Nathan knikte. 'Het is bijna winter. Het ziet ernaar uit dat het leger daar blijft, dus ze zullen een heleboel eten nodig hebben om de winter door te komen.'

Nicci overdacht wat er gedaan kon worden en concludeerde dat het vanaf die plaats bitter weinig was. 'Richard heeft het leger naar het zuiden gestuurd, naar de Oude Wereld. De bedoeling is dat het onder andere de goederenkonvooien aanvalt. Laten we hopen dat ze daarin slagen. Als al die mannen van de honger omkomen, lost dit probleem zich vanzelf op. Intussen zal ik me erin verdiepen hoe we hun dood kunnen versnellen.'

Ze wendde zich af van het deprimerende schouwspel van het kamp en de goederenwagens, die de mannen brachten wat nodig was om daar te blijven liggen en het paleis te belegeren.

'Kom,' zei ze tegen Nathan, 'ik moet weer terug. Wil je me, voordat ik wegga, nog even die plek laten zien?'

Nathan leidde hen door het paleis, niet door de brede gangen maar via de sluiproutes van het personeel. Een snelle afdaling door het stenen binnenste van het paleis bracht hen naar de steeds dieper gelegen, donkerder regionen eronder, waar bijna niemand ooit was geweest. Ook in dit zelden bezochte gedeelte waren de gangen eenvoudig, maar nog steeds fraai. Hoewel ze niet rijkelijk waren versierd, bestonden de wanden uit een combinatie van gepolijst steen en mooie houtsoorten. Dit was het privégebied van Meester Rahl en zijn gevolg. Nicci was naar het Volkspaleis gegaan om een bezoek te brengen aan de Tuin des Levens. Daarna had ze gekeken hoe Berdine opschoot met het verzamelen van informatie en hoe het met Nathan ging. Nathan en Berdine hadden haar uitgebreid over hun problemen willen vertellen. Eigenlijk had ze te veel haast gehad, maar toch had ze zichzelf gedwongen rustig te luisteren.

Nadat ze had gezien waar de kistjes van Orden hadden gestaan, had ze moeite gehad haar aandacht bij hun verhaal te houden. Deze keer had ze de verlaten Tuin des Levens met andere ogen gezien, terwijl ze goed tot zich liet doordringen waar Darken Rahl de kistjes had geopend en waar ze hadden gestaan. Ze had de ligging van de ruimte bestudeerd, de hoeveelheid licht, de hoeken waarin hij ten opzichte van verscheidene sterrenkaarten stond, welke baan de zon en maan erboven beschreven en waar de bezweringen waren losgelaten.

Nu ze *Het boek des levens* had vertaald, bekeek ze de Tuin des Levens op een andere manier. Ze zag hem in samenhang met de magie van Orden en de functie die dit vertrek vroeger had gehad. Het had haar waardevolle inzichten gegeven in de plaats waar de kistjes voor het laatst waren gebruikt. Het daadwerkelijk toetsen aan de praktijk had een paar van haar vragen beantwoord en een paar conclusies bevestigd.

Uiteindelijk kwam Nathan bij een dubbele deur met de wachters ervoor. Op een teken van hem openden de mannen de witte deuren. Erachter lag een witte stenen muur, die eruitzag alsof hij gedeeltelijk was gesmolten.

'Ben je hier wel eens geweest?' vroeg ze de profeet.

'Nee,' bekende hij. 'Op mijn leeftijd vermijd ik graftomben zo veel mogelijk.'

Nicci stapte over de lage drempel, terwijl ze met gebogen hoofd door de lage deuropening ging. 'Blijft hier,' zei ze tegen Cara, die haar wilde volgen.

'Weet je dat zeker?'

'Ja, hier komt magie bij kijken.'

Cara trok haar neus op alsof ze zure melk had geroken en bleef samen met de profeet buiten wachten.

Nicci stuurde een vonk van haar Han naar een fakkel naast haar. Na al die tijd ging hij nog steeds aan. Toen zag ze dat het enorme gewelf roze granieten muren had en een witmarmeren vloer. Tientallen gouden vazen stonden in nissen in de muur en boven elke vaas hing een fakkel. Onwillekeurig begon Nicci ze te tellen. Het waren er zevenenvijftig, een getal dat vast iets betekende. Waarschijnlijk kwamen de vazen en fakkels overeen met de leeftijd van de man die in het midden van het gewelf in een kist lag.

Het was een verontrustende plaats, niet alleen omdat het een crypte was. Ze gleed met haar vingers over de symbolen die vlak onder de vazen in de granieten muren waren gekerfd. De inscripties in de hele ruimte en rondom de gouden kist waren gesteld in het Hoog-D'Haraans. Het waren instructies van een vader aan zijn zoon over de gang naar de onderwereld en weer terug. Een wel heel bijzondere nalatenschap.

Dergelijke toverspreuken bevatten Subtractieve Magie, die de oorzaak was dat de muren smolten. Doordat de muren met speciale stenen waren verstevigd, was het proces grotendeels vertraagd, maar niet helemaal tot stilstand gekomen.

'En?' vroeg Nathan, terwijl hij zijn hoofd door een smeltgat stak. 'Heb je al een idee?'

In haar handen wrijvend kwam Nicci naar buiten. 'Ik weet het niet. Ik geloof niet dat er onmiddellijk gevaar dreigt, maar er zijn duistere zaken bij betrokken, dus misschien vergis ik me. Ik stel voor de ruimte achter een drievoudig schild te verbergen.'

Nathan knikte peinzend. 'Wil jij het doen? Het met Subtractieve Magie afsluiten?'

'Dat kun jij beter doen. Jij bent een Rahl, dus dat heeft meer effect. Zelfs al zou ik Subtractieve Magie gebruiken, dan raakt ze vermengd met de magie die hier hangt en door een Rahl in werking is gezet. Een dergelijke kracht kan elke bezwering van mij tenietdoen, doordat ze wordt beperkt door de beschermende toverkracht van het paleis.'

Hij had maar weinig bedenktijd nodig. 'Daar zal ik voor zorgen.'

Nathan wierp nog een blik in de crypte. 'Heb je enig idee waardoor deze bezwering gaten in de muur heeft gebrand?'

'Mijn eerste indruk is dat zij is geactiveerd doordat een van de kistjes van Orden in de Tuin des Levens werd geopend. Vermoedelijk is het een sympathische reactie. Die is niet sterk genoeg om af te leiden wat het doel van dat Subtractieve element was, maar de inscripties op de kist en de muren geven aan dat de samenstelling was bedoeld als hulpmiddel om de macht van Orden te verkrijgen, dus wanneer ze in de buurt van die macht zijn gekomen, vertonen ze een overeenkomstige reactie.'

Nathan knikte peinzend. 'Goed, ik doe een drievoudige bezwering en zal het goed in de gaten houden.'

'Ik moet nu gaan, maar ik kom later terug om te horen of er nieuws over Richard is en hoe het met de belegering van de Orde gaat.'

'Zeg tegen Zedd dat ik hier alles onder controle heb en dat de vijand geen kant op kan.'

Nicci glimlachte. 'Dat zal ik doen.'

Terwijl ze met Cara door de brede gangen van het paleis liep, was Nicci in haar eigen gedachten verdiept. Ze wist niet wat ze hierna moest doen. De problemen kwamen van alle kanten op haar afstormen. De meeste waren vaag en ongrijpbaar. Er was niemand met wie ze alles wat haar bezighield, kon bespreken. Bij sommige dingen kon Zedd haar helpen, terwijl ze met Cara weer andere dingen kon bespreken.

Richard was echter de enige die zou kunnen volgen tot welke inzichten ze over fundamentele kwesties was gekomen. Richard was in feite degene die haar had laten kennismaken met het idee van creatieve magie. Het gesprek daarover kon ze zich nog goed herinneren, op een avond dat ze ergens hun bivak hadden opgeslagen. Het was een van die heuglijke momenten met Richard geweest.

Er waren ook dingen die Richard zou moeten weten. Bepaalde gebeurtenissen met betrekking tot hem en de kistjes van Orden waren verontrustend, en dat was nog zwak uitgedrukt. Het leek erop alsof hij een vuurtje had aangestoken onder bepaalde ingrediënten, die op zichzelf geen kwaad konden, maar nu ze gingen borrelen en koken, louter door hun combinatie een uiterst gevaarlijk goedje vormden, als er niet snel werd ingegrepen.

Er waren profetieën bij betrokken waarvan ze niet zeker was of ze die wel begreep, omdat ze zelf geen profeet was. Er waren andere profetieën die ze maar al te goed begreep en waar serieus rekening mee moest worden gehouden.

De belangrijkste profetie daarvan was: 'In het jaar van de cicaden' – dat was nu – 'wanneer de voorvechter van opoffering en lijden onder de banier van de mensheid en het Licht eindelijk zijn zwerm splitst' – wat Jagang had gedaan – 'zal dat het teken zijn dat de profetie is ontwaakt en de laatste, beslissende strijd nabij is. Wees gewaarschuwd, want alle ware vorken en hun afleidingen zijn in deze profetische wortel verstrengeld. Slechts één stam vertakt zich vanuit deze gezamenlijke oerbron.' Dit was de tijd van erop of eronder, van alles of niets, het kritieke tijdstip dat de toekomst definitief zou bepalen. 'Als *fuer grissa ost drauka* in deze eindstrijd niet de leiding heeft, zal de wereld, die reeds aan de rand van de duisternis staat, onder die verschrikkelijke schaduw vallen.'

Ze begon te begrijpen dat die profetie onlosmakelijk verbonden was met de kistjes van Orden, maar ze wist niet op welke manier. Hoewel ze af en toe meende er een glimp van op te vangen, lukte het haar niet om verder te komen. Ze wist dat de oplossing vlak onder het oppervlak van die profetie lag.

Tegelijkertijd had ze het gevoel dat de gebeurtenissen elkaar in een razend tempo opvolgden en dat ze iets moest doen voordat de zaak uit de hand liep. Met elke dag die voorbijging, werd het aantal keuzemogelijkheden kleiner. Door de kistjes in het spel te brengen hadden de Zusters van de Duisternis het al onmogelijk gemaakt de macht van Orden te gebruiken waarvoor hij was bedoeld: om het in gang gezette ketenvuurverschijnsel tegen te gaan. Doordat het ketenvuur was aangetast door de akkoorden, verloren ze snel hun vermogen om met hun gave de schade te herstellen.

Het was onmogelijk te voorspellen hoe lang ze nog voldoende over hun gave konden beschikken om de komende problemen het hoofd te bieden.

Daar kwam bij dat *Het boek des levens* bijzonder veel voor haar was gaan betekenen. Bovendien had ze een aantal obscure boeken bestudeerd, die Zedd over de Ordenische theorie had gevonden, waardoor haar inzicht was verdiept. Dit alles leek echter weer andere, grotere vragen op te roepen.

Geschrokken bleef Nicci staan en keek rond. 'Wat was dat?'

'De bel voor de devotie,' antwoordde Cara, enigszins verbaasd door Nicci's reactie.

Nicci keek naar de mensen die zich op een naburig plein met een vijver in het midden verzamelden. De vijver lag onder de blote hemel en iets uit het midden stond een donkere steen.

'Misschien moeten we meedoen aan de devotie,' zei Cara. 'Als je iets dwarszit, helpt het soms en ik weet zeker dat je iets dwarszit.'

Nicci keek de Mord-Sith fronsend aan. Ze vroeg zich af hoe Cara dat wist, maar ze nam aan dat het niet moeilijk te raden was. 'Ik heb geen tijd voor de devotie,' zei Nicci. 'Ik moet terug en dit uitzoeken.'

Cara zag er niet uit alsof ze dat een goed idee vond. Ze stak haar hand uit naar het plein. 'Het kan helpen als je aan Meester Rahl denkt.'

'Het doet me geen goed om aan Nathan te denken. Iedereen mag dan wel denken dat hij Meester Rahl is, maar Richard is dé Meester Rahl.'

Cara glimlachte. 'Dat weet ik en dat bedoel ik ook.' Aan haar arm trok ze Nicci mee naar de vijver. 'Kom.'

Terwijl Nicci op sleeptouw werd genomen, keek ze Cara aan en zei: 'Ik neem aan dat het geen kwaad kan in gedachten even bij Richard stil te staan.'

Cara knikte. Ze zag eruit als een wijze vrouw. Eerbiedig weken de mensen voor de Mord-Sith uiteen, terwijl ze naar een plek bij de vijver schreed. Nicci zag dat er vissen door het donkere water gleden. Voordat ze er erg in had, knielde ze naast Cara neer en legde haar voorhoofd op de grond. '*Meester Rahl, leid ons,*' begon de menigte in koor te reciteren. '*Meester Rahl, leer ons. Meester Rahl, bescherm ons. In uw licht gedijen we. In uw genade zijn we beschut. In uw wijsheid zijn we nederig. Wij leven slechts om te dienen. Ons leven behoort u toe.*'

Nicci's stem voegde zich bij de andere stemmen, die opstegen en door de gangen weerklonken. Meester Rahl en Richard waren voor haar onlosmakelijk met elkaar verbonden. Die twee waren hetzelfde. Onwillekeurig kwamen Nicci's roerige gedachten tot rust, terwijl ze de woorden zacht opzei, samen met alle anderen. '*Meester Rahl, leid ons. Meester Rahl, leer ons. Meester Rahl, bescherm ons. In uw licht gedijen we. In uw genade zijn we beschut. In uw wijsheid zijn we nederig. Wij leven slechts om te dienen. Ons leven behoort u toe.*'

Ze ging helemaal op in de woorden. Het zonlicht scheen warm op haar rug. De volgende dag zou het de eerste winterdag zijn, maar de zon die in het paleis van Meester Rahl naar binnen viel, was warm, bijna net zo warm als boven in de Tuin des Levens. Het was moeilijk voor te stellen dat Darken Rahl en zijn vader Panis als de vorige Meesters Rahl deze plaats tot de zetel van het kwaad hadden gemaakt.

Ze besefte dat de plaats niet belangrijk was. Het ging om de man die er woonde. Die bepaalde het verschil. Hij zette de toon en de anderen volgden, in goede of kwade zin. De devotie was in zekere zin de formele uitdrukking van dat idee.

'*Meester Rahl, leid ons. Meester Rahl, leer ons. Meester Rahl, bescherm ons. In uw licht gedijen we. In uw genade zijn we beschut. In uw wijsheid zijn we nederig. Wij leven slechts om te dienen. Ons leven behoort u toe.*'

De woorden weerklonken in Nicci's oren. Ze miste Richard heel erg. Ook al had hij zijn hart aan een ander geschonken, ze hunkerde ernaar hem te zien, zijn glimlach te zien, met hem te praten. Ook als dat alles was wat ze kon verwachten, dan was het nog genoeg om haar staande te houden. Alleen maar zijn vriendschap, het respect dat hij voor haar had en zij voor hem. Het zou al genoeg zijn als Richard gelukkig was, als hij in leven was, als hij... Richard was.

'*Ons leven behoort u toe.*'

Opeens stond Nicci op. Ze had het begrepen.

Verbaasd trok Cara haar wenkbrauwen op, terwijl iedereen om hen heen nog aan het reciteren was. 'Wat is er?'

'*Ons leven behoort u toe.*'

Ze wist wat haar te doen stond. Haastig stond ze op. 'Kom, ik moet terug naar de Burcht.' Terwijl ze door de gangen renden, kon Nicci het gefluister van stemmen horen die opstegen en plechtig door de ruime gangen galmden.

'*Meester Rahl, leid ons. Meester Rahl, leer ons. Meester Rahl, bescherm ons. In uw licht gedijen we. In uw genade zijn we beschut. In uw wijsheid zijn we nederig. Wij leven slechts om te dienen. Ons leven behoort u toe.*'

Nicci dronk de woorden in, die plotseling een volkomen nieuwe betekenis voor haar hadden gekregen. Eindelijk begreep ze hoe het allemaal in elkaar zat en wist ze wat haar te doen stond.

Zedd, die in het kleine kamertje aan zijn bureau zat, stond op uit zijn stoel toen hij Nicci in de deuropening zag staan. Het lamplicht verzachtte zijn vertrouwde gelaatstrekken. 'Nicci, je bent weer terug! Hoe staan de zaken ervoor in het Volkspaleis?'

Nicci hoorde zijn vraag nauwelijks en kon al helemaal niet antwoorden.

Zedd kwam dichterbij met een bezorgde blik in zijn lichtbruine ogen. 'Nicci, wat is er aan de hand? Je ziet eruit als een spook dat door de gangen waart.'

Met moeite dwong ze zichzelf te spreken. 'Vertrouw je Richard?'

Zedd fronste zijn voorhoofd. 'Wat een vreemde vraag.'

'Durf je Richard je leven toe te vertrouwen?'

Zedd gebaarde. 'Natuurlijk, waarom wil je dat weten?'

'Durf je ieders leven aan Richard toe te vertrouwen?'

Zedd pakte haar zacht bij de arm. 'Nicci, ik hou van hem.'

'Toe nou, Zedd, durf je ieders leven aan Richard toe te vertrouwen?'

De bezorgdheid in zijn ogen tekende zich nu ook af in zijn gezicht; de rimpels werden nog dieper. Uiteindelijk knikte hij. 'Natuurlijk, als er iemand is die ik mijn leven, of ieders leven, zou toevertrouwen dan is het Richard wel. Per slot van rekening heb ik hem tot Zoeker benoemd.'

Nicci knikte en draaide zich om. 'Dank je wel, Zedd.'

Hij lichtte zijn gewaad iets op terwijl hij achter haar aan rende. 'Moet ik je ergens mee helpen, Nicci?'

'Nee, dank je. Het lukt wel.'

Zedd knikte en nam maar aan dat het zo was, waarna hij terugkeerde naar het boek dat hij aan het bestuderen was.

Nicci liep blindelings door de gangen van de Burcht. Ze bewoog zich voort alsof ze langs een onzichtbare gloeiende lijn naar haar bestemming liep, zoals Richard had gezegd dat hij de gloeiende lijnen van een bezweringsvorm kon volgen.

'Waar gaan we heen?' vroeg Cara, die achter haar aan rende.

'Vertrouw je Richard? Vertrouw je hem je leven toe?'

'Natuurlijk,' antwoordde Cara zonder een moment van aarzeling.

Nicci knikte en liep door.

Ze liep door gangen, afslagen, kamers en trappenhuizen zonder ook maar iets te zien. In een waas van doelgerichtheid bereikte ze uiteindelijk het verharde gedeelte van de Burcht: de grote kamer, waar het verificatieweb haar bijna het leven had gekost. Als Richard er toen niet was geweest, was ze gestorven. Hij had volgehouden dat ze haar moesten proberen te redden op een moment dat niemand daar nog in geloofde. Ze vertrouwde hem haar leven toe, het leven waarvan ze dankzij Richard zoveel was gaan houden.

Bij de dubbele deur wendde Nicci zich tot Cara. 'Dit moet ik alleen doen.'

'Maar ik...'

'Hier komt magie bij kijken.'

'O,' verzuchtte Cara. 'Goed dan. Ik wacht buiten op de gang voor het geval je iets nodig hebt.'

'Dank je wel, Cara, je bent een fijne vriendin.'

'Ik heb nooit echte vrienden gehad, vrienden die de moeite waard waren, tot ik Meester Rahl ontmoette.'

Nicci glimlachte fijntjes. 'Ik heb het leven nooit de moeite waard gevonden totdat ik Richard leerde kennen.'

Nicci sloot de twee deuren. Achter haar flitste de bliksem door de twee verdiepingen hoge ramen. Nicci wist niet beter of het onweerde als ze in deze ruimte was. Deze keer woedde het onweer over de hele wereld.

De bliksemflits zette het hele vertrek in een fel licht, maar er was één voorwerp dat zelfs door het heldere schijnsel niet werd geraakt. Het wachtte op haar als de dood in eigen gedaante.

Nicci sloeg *Het boek des levens* open. Het boek lag voor het inktzwarte kistje, dat midden op tafel stond. Elke keer als de bliksem het kistje probeerde te verlichten, leek het of het al het licht opslokte. Als je ernaar keek, leek je blik er voor eeuwig in gevangen.

Nicci ontstak de eerste bezwering, waarmee ze de duisternis opriep de strijd aan te gaan met de ongelooflijke zwartheid van het sombere kistje dat voor haar stond. Ze herinnerde zichzelf eraan dat, net als bij het Volkspaleis, de persoon de bepalende factor was. Met een denderende klap werd de ruimte gevuld met magie en de deur versperd. Er kon niemand meer binnenkomen. Het insluitingsveld bij de ramen zonk in het niet bij de veel krachtiger afscherming die ze in werking had gezet. De kamer was stil en aardedonker. Nicci's visioen kwam van de machten die ze had opgeroepen.

Ze sprak de woorden op de volgende bladzijde uit. Daarmee ontstak ze een nieuwe bezwering die de weg vrijmaakte voor de belangrijkste formules. Met behulp van een snippertje Subtractieve Magie sneed ze een miniem stukje vlees uit de top van haar wijsvinger en met het bloed dat eruit druppelde, begon ze op tafel voor het kistje van Orden de vereiste diagrammen te tekenen. Toen er nog meer bloed uit het wondje stroomde, tekende ze een insluitingsveld rond het kistje zelf. Het leek op het veld dat het vertrek beschermde, alleen veel krachtiger. Zonder dat insluitingsveld zou de kracht uit het kistje van Orden, als die werd losgelaten, onbedoeld de sluier verscheuren en Nicci doden.

Bijna zonder het boek in te kijken, dat ze naar haar idee al bijna haar halve leven had bestudeerd, ging ze door met de aanpassing aan het jaargetijde: de eerste winterdag. Toen ze daarmee klaar was, tekende ze met bloed de twee tegenoverliggende symbolen en hun snijpunt van de echte kaarten na.

Zo ging ze een uur lang door met de ene krachtige formule na de andere, waarbij het resultaat van haar berekeningen de magie opwekte die weer nodig was voor de volgende stap. Elke stap in het boek vroeg om de toepassing van het juiste soort kracht. Bij elke passage liet Nicci die zonder voorbehoud los. Dat was de enige manier.

In de loop van de nacht vormde zich een netwerk van lijnen rond het kistje. Sommige lijnen verspreidden een groen licht, ongeveer zoals in het verificatieweb van ketenvuur, terwijl andere zuiver wit waren. Weer andere lijnen bestonden uit subtractieve elementen en waren zwarter dan zwart, zodat ze eerder op uitsparingen leken dan op lijnen, op kieren die een kijkje gaven in de onderwereld. Toen Nicci de laatste bezwering uitsprak, hoorde ze ten slotte het gefluister van Orden zelf als bevestiging dat ze alles naar behoren had gedaan. Eigenlijk was het geen echte stem, eerder een soort energie die een idee in haar hoofd deed ontstaan. *De macht is open*, werd er in het donker gefluisterd met een ijzingwekkende klank.

'Op dit moment, op deze plaats, in deze wereld, roep ik op tot een wisseling in het spel met de kistjes van Orden.'

Noem de speler.

Nicci legde haar handen op het doodse, zwarte kistje voor haar. 'De speler is Richard Rahl,' zei ze. 'Behoed zijn wil. Volg zijn verzoeken op als hij zich waardig betoont, dood hem als dat niet zo is, vernietig ons allen als hij tekortschiet.'

Het zal geschieden. Vanaf nu is de macht van Orden in handen van Richard Rahl.

De profetie had gezegd: 'Als *fuer grissa ost drauka* in deze eindstrijd niet de leiding heeft, zal de wereld, die reeds aan de rand van de duisternis staat, onder die afschuwelijke schaduw vallen.' Nicci had zich gerealiseerd dat Richard alleen kon winnen, als hij degene was die hen in deze eindstrijd leidde. En de enige manier waarop hij de leiding kon nemen, was door zelf de kistjes in het spel te brengen. Op die manier zou hij waarlijk de profetie in vervulling doen gaan: *fuer grissa ost drauka* – de brenger des doods. De profetie had gezegd dat ze Richard moesten volgen, maar de profetie was niet de enige reden. Die drukte slechts formeel uit wat Nicci al wist, namelijk dat Richard de verpersoonlijking was van de belangrijkste levenswaarden. In feite volgden ze niet de profetie, maar volgde de profetie Richard.

Nu kwam het erop aan Richard tot het eind te volgen, hem te volgen in wat hij met de kistjes van Orden deed, wat hij met het leven en de dood deed. Dat zou doorslaggevend aantonen wie hij was, wie hij zou zijn, wie hij zou worden. Richard zelf had hun de voorwaarden verteld, toen hij tot de D'Haraanse troepen had gesproken. Hij had hun verteld hoe de oorlog vanaf dat moment gevoerd moest worden: alles of niets.

Dit was hetzelfde. Het was nu werkelijk alles of niets.

Ulicia en haar Zusters van de Duisternis hadden eveneens de poort naar de macht van Orden geopend. Het was nu een evenwichtige strijd. Als Nicci het wat Richard betreft bij het juiste eind had, en ze wist dat het zo was, waren de twee krachten nu naar behoren in de beslissende strijd verwikkeld.

'*Als* fuer grissa ost drauka *in deze eindstrijd niet de leiding heeft, zal de wereld, die reeds aan de rand van de duisternis staat, onder die afschuwelijke schaduw vallen.*'

Ze moesten Richard vertrouwen in die strijd. Daarom had Nicci de kistjes van Orden in Richards naam in het spel gebracht. De Zusters van de Duisternis waren niet langer de enigen die over de macht van Orden konden beschikken. Nicci had zojuist Richard in het spel gebracht om hem de mogelijkheid te geven deze strijd te winnen. Als ze het niet had gedaan, zou hij niet kunnen winnen, niet eens kunnen overleven.

Nicci leek door een andere wereld te dolen. Toen ze uiteindelijk haar ogen opensloeg, onweerde het niet meer. De eerste zonnestralen vielen door de ramen. Het was de dageraad van de eerste dag van de winter.

Richard had één jaar om het juiste kistje te openen. Ieders leven lag nu in zijn handen.

Nicci vertrouwde hem haar leven toe. Ze had hem zojuist ook ieders leven toevertrouwd.

Als ze Richard niet kon vertrouwen, was het leven niet de moeite waard.

LET OP DE VERSCHIJNING VAN HET VOLGENDE EN LAATSTE DEEL VAN DE WETTEN VAN DE MAGIE